Documents on Japanese Foreign Policy
The Era of Occupation, Volume 1, 2 and 3

CONTENTS

Volume 1

1. Japan's responses to the occupation policies
   (1) The signing of the Instrument of Surrender and the early phase of the Occupation (September–October 1945)
   (2) Democratization and demilitarization (October 1945–May 1946)
   (3) Economic reforms (May 1946–April 1949)
   (4) Relaxation of restrictions (May 1949–April 1952)

Volume 2

2. Suspension of diplomatic functions
3. Establishment of the Constitution of Japan
4. Interim reparations
   (1) Designation of facilities for reparations removal
   (2) Reduction and termination
5. The MacArthur Line and restrictions on fishing operations
6. Developments toward the opening of the International Military Tribunal for the Far East

Chronological List of Documents, Volume 1 and 2

Volume 3

7. Repatriation of overseas Japanese
   (1) General issues
   (2) Areas occupied by the Soviet Union
   (3) China
   (4) Southeast Asia and the Pacific

Chronological List of Documents, Volume 1 to 3

新株予約権ハンドブック

第5版

太田洋・山本憲光・柴田寛子 編集代表

商事法務

第5版はしがき

本書は,『新株予約権ハンドブック』の第5版である。

第5版においては,令和元年会社法改正による役員報酬に関する新たな規律や,買収防衛策を巡る近時の動向をはじめとする,第4版後の法改正および実務の傾向を反映するものとなるよう努めた。また,事例については,個別の論点の理解に役立つ近時の例を選定し,引用文献についても,最新のものに差し替える一方で,現在の実務を理解するうえで引き続き有用と考えられる過去の実例や議論については,所要の修正を加えたうえで,引き続き記載するなど,新旧の議論の参照の便宜となるよう配慮した。

旧版同様共著者が多数にわたるにもかかわらず,スムーズに刊行の日を迎えることができたのは,ひとえに株式会社商事法務の吉野祥子氏のご尽力の賜物であり,この場を借りて,改めて深く謝意を表したい。

本書が,引き続き,新株予約権に関わる多くの方々に利用され,その実務の一助になれば,我々筆者としては望外の歓びである。

2022年2月

編著者を代表して

太　田　　　洋
山　本　憲　光
柴　田　寛　子

第 4 版はしがき

　本書は、『新株予約権ハンドブック』の第 4 版である。

　初版は 2009 年 10 月、第 2 版は 2012 年 6 月、また第 3 版は 2015 年 6 月にそれぞれ上梓され、幸いにしていずれも好評を得ることができた。

　第 4 版についても、第 3 版後の法改正及び実務の傾向を反映するものとなるよう努めた。特に、2017 年度税制改正において、ストック・オプションとしての新株予約権を含む株式報酬に関する損金算入要件等の抜本的な見直しがなされたことから、これに関連する箇所については抜本的な改訂を行った。また、ストック・オプションとしての新株予約権の発行手続に関しては、2007 年における会社法の制定から 10 年を経て、会社法下での実務として一定の傾向が見られる点については、これらに言及するなど、より実務に沿った内容となるよう補充を行った。

　また、全章を通じ、事例については、汎用度が高いと思われるものに加え、個別の論点の理解に役立つ近時の例を選定し、引用文献についても、最新のものに差し替えている。

　旧版同様共著者が多数にわたるにもかかわらず、スムーズに刊行の日を迎えることができたのは、ひとえに株式会社商事法務の岩佐智樹氏と下稲葉かすみ氏のご尽力の賜物であり、この場を借りて、改めて深く謝意を表したい。

　本書が、引き続き、新株予約権に関わる多くの方々に利用され、その実務の一助になれば、我々筆者としては望外の歓びである。

第4版はしがき

2018年1月

　　　　　　　　　　編著者を代表して
　　　　　　　　　　　　　太　田　　　洋
　　　　　　　　　　　　　山　本　憲　光
　　　　　　　　　　　　　柴　田　寛　子

第3版はしがき

　本書は、『新株予約権ハンドブック』の第3版である。

　初版は2009年10月、第2版は2012年6月にそれぞれ上梓されたが、幸いにしていずれも好評を得ることができ、既に書肆における第2版の在庫も僅少となってきたことと、2007年における会社法の制定以来最も大幅な改正となる2014年（平成26年）改正法が成立し、2015年5月1日に施行されたことを機に、第3版を刊行する運びとなった。

　第3版においては、2014年（平成26年）改正法および改正法の政省令に対応した改訂のほか、第2版以降の実務の変化を踏まえた補充を行った。たとえば、ストック・オプションに関連しては、企業のグローバル化に応じて、海外在住の役職員にストック・オプションを付与する事例が増加し、また、企業において報酬体系の見直しが進む中で、ストック・オプションとして付与した発行済み新株予約権の事後的な内容変更を行う事例も散見される。このように、実務において特に関心が高いと思われる近時の事例について紹介するとともに、関連する論点の分析を加えた。

　また、全章を通じ、第2版と同様、事例については、汎用度が高いと思われるものに加え、個別の論点の理解に役立つものを選定し、図表や引用文献については、最新のものに差し替えている。

　旧版同様共著者が多数にわたるにもかかわらず、スムーズに刊行の日を迎えることができたのは、ひとえに株式会社商事法務の岩佐智樹氏と下稲葉かすみ氏のご尽力の賜物であり、この場を借りて深く謝意を表したい。

　本書が、初版および第2版と同様、新株予約権に関わる多くの方々に利用され、その実務の一助になれば、我々筆者としては望外の歓びである。

第3版はしがき

2015年5月

　　　　　　　　　　　　編著者を代表して
　　　　　　　　　　　　　　太　田　　　洋
　　　　　　　　　　　　　　山　本　憲　光
　　　　　　　　　　　　　　柴　田　寛　子

第 2 版はしがき

　本書は,『新株予約権ハンドブック』の第 2 版である。

　初版は,2009 年 10 月に上梓されたが,幸いにして好評を得,書肆の在庫も僅少となってきたのと,既に初版刊行後 2 年半を経ており,ライツ・オファリングの登場などの,この間の新株予約権をめぐる実務の変化や重要裁判例に対応する必要があるため,版を改めることとした。

　第 2 版においても,新株予約権について,主に実務的な観点から,制度を概説するとともに,考え得る論点についてなるべくわかりやすい説明を行う,という初版からの方針に変化はないが,たとえば,ストック・オプションに関しては,初版では会社法施行後まだ間もなかったこともあり,発行形態につき,いわゆる「念のため」有利発行が多かったところ,その後公正発行の形態が実務的に定着してきている傾向に対応し,資金調達手段としての新株予約権に関しては,現在脚光を浴びているライツ・オファリングにつき新たに節を設けて最新の議論の状況を紹介するなど,初版刊行後の実務の変化に網羅的に対応している。新株予約権を用いた買収防衛策に関しても,初版刊行時と比較して新規導入事例は減っているものの,依然として維持,更新している企業が多く,その重要性は変わっていないことにかんがみ,経営陣の支配権維持のために取締役会決議により行われた取得条項付新株予約権の無償割当てにより発行された新株予約権の取得による新株の発行を差し止めた裁判例(ピコイ事件)等に関し,新たに記述を追加した。

　もちろん,全章を通じ,事例や図表を最新のものに差し替えていることはいうまでもない。

　本書が刊行に至ったのは,初版と同様,株式会社商事法務の小野寺英俊氏の御尽力の賜物であり,長引いた改訂作業を辛抱強く見守っていただいた氏に対し,この場を借りて深く謝意を表したい。

第 2 版はしがき

　本書が，初版と同様，新株予約権に関わる多くの方々に利用され，その実務の一助になれば，我々筆者としては望外の喜びである。

2012 年 5 月

　　　　　　　　　　　　　　　　　　　　　編著者を代表して
　　　　　　　　　　　　　　　　　　　　　　　太　田　　　洋
　　　　　　　　　　　　　　　　　　　　　　　山　本　憲　光
　　　　　　　　　　　　　　　　　　　　　　　豊　田　祐　子

はしがき

　新株予約権の制度は，平成13年商法改正によって従来の新株引受権を引き継いで新たに創設された制度であり，会社法の制定によってその内容を更に一新して今日に至っているが，改正を重ねるごとに，かつての新株引受権の時代と比較して格段にその設計の自由度が高まってきた。新株予約権は，その誕生以来，このような設計の自由度の拡大と軌を一にして，ストック・オプションや新株予約権付社債といった新株引受権時代からの用途だけでなく，それ以外にも，各種の買収防衛策や新株予約権付ローン，更にはM&Aの手段など，様々な用途で用いられるようになってきている。

　他方，その利用に当たっては，様々な法解釈上・運用上の論点が存在し，その議論に関する内容の理解に困難を伴うものも少なくない。その理由としては，新株予約権制度が比較的新しい制度であることのほか，従来からの議論が進化し，それに合わせて制度が構築されてきたという経緯もあるものと思われる。特に，会社法施行時には，実務上やや混乱が生じた論点も存在したところである。しかし，現在は，未だ解釈が固まっていない論点も存在するものの，概ね議論や運用の方向性が固まってきたものも多いように思われる。

　本書は，そのような新株予約権について，主に実務的な観点から，制度を概説すると共に，考え得る論点についてなるべくわかりやすい説明を行ったものである。

　第Ⅰ編においては，オプション価値の理論的な解説も含めて一般的に新株予約権について概説し，第Ⅱ編においては，用途別に，ストック・オプション（第1章），新株予約権付社債（第2章），資金調達手段（第3章），買収防衛策（第4章），M&A（第5章），その他（第6章）のそれぞれについて，網羅的に解説している。上記のように，同じ制度であっても様々な用いられ方

はしがき

をするのが新株予約権であり，論点や注意点も異なるため，このような構成がとられている。また，第Ⅱ編のそれぞれの章においては，用例をなるべく多く用いることにより，読者諸兄諸姉にできるだけ分かりやすいハンドブックとなるよう努めている。

　本書は，上記のような新株予約権制度の性質や利用方法の多様性，更には執筆者の熱意により，1000頁に迫る大著となっているが，もとより不足の点や改善すべき点も多々存在するものと思われる。読者の皆様のご意見，ご叱正等を賜れれば幸いである。

　また，本書が刊行に至ったのは，株式会社商事法務の小野寺英俊氏，石川雅規氏の御尽力のお陰である。大量の校正や執筆者の遅筆にも拘らず献身的に作業を行い，忍耐強く見守って下さった両氏に対し，ここに深く感謝申し上げたい。

　本書が，新株予約権に関わる多くの方々に利用され，その実務の一助になれば，我々筆者としては望外の喜びである。

2009年9月

編著者を代表して

太　田　　　洋
山　本　憲　光
豊　田　祐　子

凡　例

1　法令の引用について

同一法令については，中黒でつなぎ，別法令を示すときはカンマでつないでいる。

括弧内略称	本文中略称	正　式　名　称
1　関係法令等		
(1)　法　律		
法	会社法	会社法（平成17年7月26日法律第86号，最終改正令和元年12月11日法律第70号）
整備	整備法	会社法の施行に伴う関係法律の整備等に関する法律（平成17年7月26日法律第87号，最終改正令和元年12月11日法律第71号）
改正前商	改正前商法	整備法第64条の規定による改正前の商法（明治32年3月9日法律第48号）
民	民法	民法（明治29年4月27日法律第89号，最終改正令和3年6月11日法律第61号）
金商	金融商品取引法	金融商品取引法（昭和23年4月13日法律第25号，最終改正令和3年6月16日法律第72号）
証取	証券取引法	証券取引法（昭和23年4月13日法律第25号〔平成18年法律第65号により金融商品取引法となる〕）
信託	信託法	信託法（平成18年12月15日法律第108号，最終改正令和2年5月29日法律第33号）
商登	商業登記法	商業登記法（昭和38年7月9日法律第125号，最終改正令和3年5月19日法律第37号）
社振法	社債，株式等振替法	社債，株式等の振替に関する法律（平成13年6月27日法律第75号，最終改正令和3年5月19日法律第37号）

凡　例

個人情報	個人情報保護法	個人情報の保護に関する法律（平成15年5月30日法律第57号，最終改正令和3年5月19日法律第37号）
担信法	担保付社債信託法	担保付社債信託法（明治38年3月13日法律第52号，最終改正令和3年5月26日法律第46号）
労基	労働基準法	労働基準法（昭和22年4月7日法律第49号，最終改正令和2年3月31日法律第14号）
所法	所得税法	所得税法（昭和40年3月31日法律第33号，最終改正令和3年5月19日法律第37号）
法法	法人税法	法人税法（昭和40年3月31日法律第34号，最終改正令和3年3月31日法律第11号）
措置法	租税特別措置法	租税特別措置法（昭和32年3月31日法律第26号，最終改正令和3年12月24日法律第87号）

(2)　政　　令

経過措置令	経過措置政令	会社法の施行に伴う関係法律の整備等に関する法律の施行に伴う経過措置を定める政令（平成17年12月14日政令第367号，最終改正平成18年4月19日政令第174号）
金商令	金融商品取引法施行令	金融商品取引法施行令（昭和40年9月30日政令第321号，最終改正令和3年11月10日政令第309号）
所令	所得税法施行令	所得税法施行令（昭和40年3月31日政令第96号，最終改正令和3年8月6日政令第229号）
法令	法人税法施行令	法人税法施行令（昭和40年3月31日政令第97号，最終改正令和3年8月6日政令第229号）
措置令	租税特別措置法施行令	租税特別措置法施行令（昭和32年3月31日政令第43号，最終改正令和3年11月10日政令第309号）

(3)　省令・府令・ガイドライン等

施	施行規則	会社法施行規則（平成18年2月7日法務省令第12号，最終改正令和3年12月13日法務省令第45号）

凡　例

計	計算規則	会社計算規則（平成18年2月7日法務省令第13号，最終改正令和3年12月13日法務省令第45号）
電	電子公告規則	電子公告規則（平成18年2月7日法務省令第14号，最終改正令和2年12月21日法務省令第57号）
開令	開示府令	企業内容等の開示に関する内閣府令（昭和48年1月30日大蔵省令第5号，最終改正令和3年11月10日内閣府令第69号）
法規	法人税法施行規則	法人税法施行規則（昭和40年3月31日大蔵省令第12号，最終改正令和3年9月17日財務省令第66号）
措置規	租税特別措置法施行規則	租税特別措置法施行規則（昭和32年3月31日大蔵省令第15号，最終改正令和3年12月27日財務省令第82号）
開令ガ	企業内容等開示ガイドライン	企業内容等の開示に関する留意事項について（平成11年4月1日大蔵省金融企画局，最終改正令和3年10月7日金融庁企画市場局）
所基通	所得税基本通達	所得税基本通達（昭和45年7月1日直審（所）30（例規）（審），最終改正令和3年7月2日）
法基通	法人税基本通達	法人税基本通達（昭和44年5月1日直審（法）25（例規），最終改正令和3年6月25日）

2　会計基準等

(1)　会計基準等

ス基	ストック・オプション会計基準	企業会計基準第8号・ストック・オプション等に関する会計基準（平成17年12月27日企業会計基準委員会，最終改正平成25年9月13日）
金基	金融商品会計基準	企業会計基準第10号・金融商品に関する会計基準（平成11年1月22日企業会計審議会，最終改正令和元年7月4日企業会計基準委員会）
純資産基	純資産会計基準	企業会計基準第5号・貸借対照表の純資産の部の表示に関する会計基準（平成17年12月9日企業会計基準委員会，最終改正令和3年1月28日）

凡　例

(2) 適用指針・実務指針等		
ス適指	ストック・オプション会計適用指針	企業会計基準適用指針第11号・ストック・オプション等に関する会計基準の適用指針（平成17年12月27日企業会計基準委員会，最終改正平成18年5月31日）
金実指	金融商品会計実務指針	会計制度委員会報告第14号・金融商品会計に関する実務指針（平成12年1月31日日本公認会計士協会，最終改正令和元年7月4日）
払込複合適指	払込資本増加複合金融商品会計適用指針	企業会計基準適用指針第17号・払込資本を増加させる可能性のある部分を含む複合金融商品に関する会計処理（平成19年4月25日企業会計基準委員会，最終改正令和元年7月4日）
指針	買収防衛策指針	企業価値・株主共同の利益の確保又は向上のための買収防衛策に関する指針（平成17年5月27日経済産業省・法務省）
上場規程	上場規程	有価証券上場規程（平成19年11月1日東京証券取引所，最終改正令和3年9月13日）
上場施行規則	上場施行規則	有価証券上場規程施行規則（平成19年11月1日東京証券取引所，最終改正令和3年8月30日）

2　判例の引用について

　本文として示す場合は，最高裁平成○年○月○日判決（民集○巻○号○頁）とする。

　注記として示す場合は，最判平成○・○・○民集○巻○号○頁とする。

　判例集略語
　　民集　　　　最高裁判所民事判例集
　　判時　　　　判例時報
　　判タ　　　　判例タイムズ
　　金判　　　　金融・商事判例

3　参考文献について
　　○相澤・論点解説
　　　　相澤哲＝葉玉匡美＝郡谷大輔編著『論点解説 新・会社法』（商事法務，2006）

凡　例

○一問一答令和元年
　　竹林俊憲編著・一問一答令和元年改正会社法（商事法務，2020）
○一問一答平成9年
　　法務省民事局参事官室編・一問一答平成9年改正商法（商事法務研究会，1998）
○江頭・株式会社法
　　江頭憲治郎『株式会社法〔第8版〕』（有斐閣，2021）
○会社法コンメンタール（1）〜（21）・補巻
　　江頭憲治郎＝森本滋編集代表・会社法コンメンタール（1）〜（21）・補巻（商事法務，2008〜2021）
○郡谷・計算詳解
　　郡谷大輔＝和久友子編著・細川充＝石井裕介＝小松岳志＝澁谷亮著『会社法の計算詳解〔第2版〕』（中央経済社，2008）
○新注会（1）〜（15）・補巻〜第4補巻
　　上柳克郎ほか編集代表・新版注釈会社法（1）〜（15）・補巻〜第4補巻（有斐閣，1985〜2000）
○始関・平成14年
　　始関正光編著・Q&A平成14年改正商法（商事法務，2003）
○前田・会社法入門
　　前田庸『会社法入門〔第13版〕』（有斐閣，2018）

目　次

第5版はしがき
第4版はしがき
第3版はしがき
第2版はしがき
はしがき
凡　例

第Ⅰ編
総論＝理論・手続編

第1章　新株予約権の意義　　3

1-1　新株予約権の意義 —— 4
1-2　新株予約権制度の沿革 —— 5
　1　改正前商法におけるオプションの法的位置づけ／5
　2　平成13年11月商法改正による新株予約権制度の導入／6
　3　会社法における新株予約権／9

第2章　新株予約権の公正価格の算定　　11

目　次

2-1 新株予約権の公正価格概念の制度化 —————— *12*

2-2 企業会計基準における株式オプション価格算定モデル
　　　　—————— *14*

2-3 代表的な株式オプション価格算定モデル —————— *16*

　1　二項モデル／*16*

　2　ブラック＝ショールズ式（ブラック＝ショールズ・オプション・プライシング・モデルによるオプション価格算定式）／*18*

　　(1)　ブラック＝ショールズ式の概要・*18*
　　(2)　ブラック＝ショールズ式に関する留意点・*19*
　　　①　アメリカ型コール・オプション　*19*
　　　②　配当の効果を加えた修正　*19*
　　　③　ボラティリティの計測　*20*

　3　オプションの諸要素とオプションの価値との間の相関関係／*20*

　　(1)　現在の株価・行使価格・*20*
　　(2)　ボラティリティ・*21*
　　(3)　行使時期までの期間の長さ・*21*

第3章
新株予約権に関する手続の概要　　*23*

3-1 新株予約権の内容 —————— *24*

　1　概　要／*24*

　2　内容の定め方／*26*

　　(1)　新株予約権の目的である株式の種類・数・*26*
　　　①　数の定め方　*26*
　　　②　算定方式　*27*
　　　③　種類株式発行会社　*30*

目 次

　　(2) 新株予約権の行使に際して出資される財産の価額またはその算定方法・30
　　(3) 金銭以外の財産を新株予約権の行使に際してする出資の目的とするときは，その旨ならびに財産の内容および価額・32
　　(4) 行使期間・33
　　(5) 新株予約権の行使の条件・34
　　(6) 行使により株式を発行する場合における増加する資本金および資本準備金に関する事項・34
　　(7) 新株予約権譲渡に株式会社の承認を要する場合には，その旨・35
　　(8) 取得条項付新株予約権とするときは，その旨および取得対価の内容など・36
　　(9) 組織再編行為時に新株予約権者に他の株式会社の新株予約権を交付することとするときは，その旨およびその条件・37
　　　① 合　　併 38
　　　② 会社分割 38
　　　③ 株式交換 39
　　　④ 株式移転 40
　　(10) 新株予約権の行使時に交付する株式の数に端数が出た場合に切り捨てることとするときは，その旨・41
　　(11) 新株予約権証券を発行するときは，その旨・42
　　(12) 新株予約権証券が発行された場合において，新株予約権が無記名証券・記名証券の変更の請求をすることができないこととするときは，その旨・42

3-2　新株予約権の発行手続 ─────────────── 43

1　新株予約権の発行場面／43
2　募集新株予約権を引き受ける者の募集／44
　(1) 募集事項の決定・45
　　① 募集の概念　45
　　② 募集事項　45
　　③ 募集事項を決定する機関　49
　　④ 有利発行　49
　　⑤ 株主割当ての場合　52

目　次

　　　　　⑥　細目的事項の委任　*54*
　　（2）　適時開示・*55*
　　（3）　金融商品取引法上の開示・*55*
　　　　　①　開示義務　*55*
　　　　　②　有価証券届出書の記載事項など　*58*
　　　　　③　開示の時期　*58*
　　（4）　新株予約権の申込みおよび割当て・*59*
　　　　　①　申込みをしようとする者への通知　*59*
　　　　　②　申込みの方法　*61*
　　　　　③　株主割当ての場合　*61*
　　　　　④　割当てを受ける者などの決定　*62*
　　　　　⑤　総数引受契約　*63*
　　　　　⑥　募集新株予約権の発行　*64*
　　　　　⑦　募集新株予約権に係る払込み　*64*
　　（5）　差止請求・*65*
　3　新株予約権無償割当て／*66*
　　（1）　手　　続・*66*
　　（2）　新株予約権無償割当てに関する論点・*68*
　　　　　①　株主平等原則との関係　*68*
　　　　　②　差止請求の可否　*69*
　4　その他の発行手続（取得の対価，組織再編行為）／*70*
　　（1）　取得の対価・*70*
　　（2）　消滅株式会社などの新株予約権者への交付・*70*
　　　　　①　組織再編行為の対価としての交付（消滅株式会社などの株主・社員への交付）　*70*
　　　　　②　消滅株式会社などの新株予約権者への交付　*70*
　5　登　　記／*71*
　　（1）　登記事項・*71*
　　（2）　添付書類・*72*
　　　　　①　募集新株予約権の発行の場合　*72*
　　　　　②　取得請求権付株式の取得の対価としての発行　*72*
　　　　　③　取得条項付株式の取得の対価としての発行　*73*

　　　　④　取得条項付新株予約権の取得の対価としての発行　73
　　　　⑤　全部取得条項付種類株式の取得の対価としての発行　73

3-3　新株予約権の譲渡・内容の変更　——————　74

　1　新株予約権の譲渡および新株予約権原簿・新株予約権証券／74
　　(1)　新株予約権の譲渡・74
　　　　①　譲渡の方法と効力，対抗要件　74
　　　　②　譲渡制限　76
　　(2)　新株予約権の質入れ・78
　　(3)　新株予約権原簿・78
　　(4)　新株予約権証券・80
　2　新株予約権の内容の変更／81

3-4　新株予約権の取得　——————　83

　1　取得条項付新株予約権の取得／83
　2　新株予約権買取請求・新株予約権売渡請求／85
　3　自己新株予約権の取得／86

3-5　新株予約権の行使・消却・消滅　——————　88

　1　新株予約権の行使／88
　　(1)　新株予約権の行使手続・88
　　(2)　端数の処理・89
　　(3)　現物出資・91
　　(4)　発行可能株式総数との関係・92
　　(5)　新株予約権の行使に係る関係者の責任・93
　　(6)　新株予約権の行使に係る登記手続・94
　2　新株予約権の消却／95
　3　新株予約権の消滅／96
　　(1)　新株予約権を行使することができなくなった場合・96
　　(2)　組織再編行為の場合・97

目　次

3-6　新株予約権に係る訴え ―――――― 98
1　新株予約権発行無効の訴え／98
2　新株予約権発行不存在確認の訴え／99

3-7　新株予約権付社債 ―――――――― 101
1　新株予約権付社債についての会社法の規定／101
2　新株予約権付社債の概念／101
3　新株予約権付社債についての規律／102
　(1)　新株予約権付社債を引き受ける者の募集・102
　(2)　新株予約権付社債の無償割当て・103
　(3)　新株予約権付社債の譲渡および新株予約権付社債券・103
　(4)　新株予約権の買取請求に係る新株予約権付社債の取扱い・104
　(5)　新株予約権付社債を行使した場合に交付すべき株式の数に端数が生ずる場合の取扱い・105
　(6)　新株予約権付社債に係る訴え・105

第Ⅱ編
各論＝実務編

第1章
ストック・オプション　109

1-1　実務で用いられるストック・オプションの諸類型 ―――――― 110
1　ストック・オプションの意義等／110

目　次

　　　(1)　ストック・オプションの意義および性質・110
　　　(2)　一般的なストック・オプションの効用と弊害・111
　　　　①　インセンティブの付与　111
　　　　②　手元資金の不足の補完　114
　　　　③　ダイリューションによる既存株主の損害　115
　2　実務で用いられるストック・オプションの諸類型／116
　　　(1)　はじめに・116
　　　(2)　付与対象者による区分・117
　　　(3)　新株予約権の内容・性質およびその発行方法による区分・122

1-2　スケジュールおよび各手続　——————　127

　1　はじめに／127
　2　監査役設置会社の場合／128
　　　(1)　想定スケジュール表の使い方・128
　　　(2)　スケジュール作成の際の法律上の要請・132
　　　(3)　想定スケジュール表・138
　　　(4)　各手続の内容と留意点・143
　　　　①　検討開始（類型Ⅰ～Ⅳ共通）　143
　　　　②　取締役会決議（株主総会議案の確定，株主総会の招集等）（類型Ⅰ～Ⅲに対応）　147
　　　　③　適時開示（1回目）（類型Ⅰ～Ⅲに対応）　150
　　　　④　株主総会の招集通知（類型Ⅰ～Ⅲに対応）　165
　　　　⑤　株主総会決議（類型Ⅰ～Ⅲに対応）　170
　　　　⑥　取締役会決議（類型Ⅰ～Ⅳ共通）　171
　　　　⑦　金融商品取引法上の開示関係（⑦-1，⑦-2，⑦-3，⑦-4，⑦-5）（類型Ⅰ～Ⅳ共通）　186
　　　　⑧　適時開示（2回目）（類型Ⅰ～Ⅳ共通）　221
　　　　⑨　株主への募集事項の公告（類型Ⅰ・類型Ⅳに対応）　240
　　　　⑩　割当契約書の交付（類型Ⅰ～Ⅳ共通）　247
　　　　⑪　割当契約の締結（類型Ⅰ～Ⅳ共通）　249
　　　　⑫　割当日（類型Ⅰ～Ⅳ共通）　259
　　　　⑬　登記申請（類型Ⅰ～Ⅳ共通）　259

(21)

目　次

　　3　監査等委員会設置会社の場合／259
　　　(1)　報酬等の内容の決定・260
　　　(2)　ストック・オプション目的の新株予約権の募集事項の決定・260
　　　(3)　登記の添付書類・261

　　4　指名委員会等設置会社の場合／261
　　　(1)　報酬等の内容の決定・261
　　　(2)　ストック・オプション目的の新株予約権の募集事項の決定・262
　　　(3)　登記の添付書類・269

1-3　ストック・オプションに関する法的・実務的主要論点
270

　1　ストック・オプションとしての新株予約権に関する改正前商法・会社法の変遷／270
　　　(1)　はじめに・270
　　　(2)　改正前商法下におけるストック・オプション制度の変遷・271
　　　　①　平成9年改正商法におけるストック・オプション制度　271
　　　　②　平成13年11月改正商法におけるストック・オプション制度　272
　　　(3)　会社法におけるストック・オプションの対価性についての考え方・273
　　　　①　ストック・オプションの対価性　273
　　　　②　子会社の取締役・使用人に対する新株予約権の付与　274
　　　　③　会社法におけるストック・オプション目的の新株予約権の有利発行　275
　　　(4)　上場会社の取締役の報酬等としてのストック・オプションの特則・276

　2　ストック・オプション目的の新株予約権の発行実務上の諸問題／278
　　　(1)　相殺構成と無償構成・278
　　　　①　払込金額を公正価値相当額とする場合（相殺構成）　278

　　　　② 払込金額を無償とする場合（無償構成）　*280*
　　(2) 有利発行決議をとる場合の留意点・*280*
　　　　① 新株予約権の募集事項の開示方法　*281*
　　　　② 有利発行の場合の株主総会決議事項　*281*
　　　　③ 有利発行を「必要とする理由」の説明　*281*
　　(3) 発行スケジュール上の諸問題・*283*
　　　　① 会社法における発行手続の流れ　*283*
　　　　② 募集の届出の効力発生との関係　*284*
　　　　③ 訂正届出書と効力発生日　*286*
3　役員に対するストック・オプションの付与
　　―報酬決議および開示／*289*
　　(1) 取締役に対する報酬等・*289*
　　　　① 株主総会決議事項　*290*
　　　　② 「相当とする理由」の説明および株主総会参考書類記載事項　*298*
　　　　③ 株主総会参考書類における「算定の基準」および「変更の理由」の記載　*300*
　　　　④ 取締役の個人別の報酬等の内容についての決定に関する方針　*301*
　　(2) 監査役に対する報酬等・*303*
　　　　① 株主総会決議の趣旨　*303*
　　　　② ストック・オプションの付与に関する報酬決議の考え方　*304*
　　(3) 監査等委員会設置会社・*308*
　　(4) 指名委員会等設置会社・*313*
　　　　① 指名委員会等設置会社における報酬規制の概要　*313*
　　　　② 募集新株予約権の発行手続　*314*
　　(5) 事業報告における報酬開示・*314*
　　　　① 株式会社の会社役員に関する事項　*315*
　　　　② 株式会社の新株予約権に関する事項　*325*
　　(6) 有価証券報告書における報酬開示・*325*
4　従業員に対するストック・オプションの付与
　　―労働基準法24条の問題／*333*

目　次

　　　(1)　ストック・オプションの「賃金」該当性・333
　　　　①　現実的利益　333
　　　　②　権利付与段階の利益　334
　　　(2)　「賃金」の減額・335
　　　(3)　相殺構成と労働基準法24条との関係・336
　　　(4)　就業規則・336
　　5　ストック・オプションの内容の変更／336

1-4　ストック・オプションの会計 ──────── 339

　　1　純資産の部への表示／339
　　2　ストック・オプション会計基準／340
　　　(1)　ストック・オプション会計基準の適用範囲・340
　　　(2)　権利確定日（原則として権利行使期間の開始日の前日）までの会計処理・341
　　　(3)　新株予約権の行使時の会計処理・342
　　　(4)　権利不行使の場合・343
　　　(5)　子会社の従業員等に付与する場合・343

1-5　ストック・オプションの税務 ──────── 344

　　1　概　　要／344
　　2　付与対象者（個人）の税務／344
　　　(1)　概　　要・344
　　　(2)　付与時に課税が生じる場合（譲渡制限等のないストック・オプションである場合）・347
　　　(3)　権利行使時に課税が生じる場合（譲渡制限付ストック・オプションである場合）・347
　　　(4)　株式売却時にのみ課税が生じる場合（税制適格ストック・オプションである場合）・350
　　　　①　新株予約権による経済的利益の非課税　350
　　　　②　金銭の払込み（金銭以外の資産の給付を含む）をさせないで発行された新株予約権　352
　　　　③　取締役等の範囲　353
　　　　④　取締役等からの大口株主等の除外　355

⑤　取締役等の相続人に対する適用　355
　　　⑥　誓約書面等の提出および保存　355
　　　⑦　権利行使により取得した株式を売却した場合　356
　　(5)　経済的利益の所得区分・356
　　　①　発行法人と新株予約権の付与を受けた者との間の雇用契約またはこれに類する関係に基因して付与されたと認められる場合　356
　　　②　付与を受けた者の営む業務に関連してその権利が与えられたと認められる場合（たとえば，仕入先，得意先等の取引先や顧問弁護士等に付与された場合）　357
　　　③　①および②以外の場合（たとえば，付与を受けた取締役等の相続人が権利行使する場合）　357
　　(6)　新株予約権を発行法人に対して譲渡する場合・358
　3　付与をした法人の税務／359
　　(1)　ストック・オプションの付与と損金算入の可否・359
　　　①　従業員等の役務の対価として付与するストック・オプション　359
　　　②　役員の役務の対価として付与するストック・オプション　359
　　(2)　ストック・オプションを対価とする費用の帰属事業年度の特例等・375
　　　①　費用の帰属事業年度の特例　375
　　　②　対象となる新株予約権　376
　　　③　給与等課税事由　377
　　　④　特定新株予約権が消滅した場合　378
　　　⑤　役務提供に係る費用の額　378

第2章　新株予約権付社債　381

2-1　新株予約権付社債の会社法上の位置づけ ─── 382

目　次

2-2 新株予約権付社債の発行手続 ──────── *384*

1　会社法上の発行手続／*384*
  (1)　発行の決定・*384*
    ①　公開会社　*384*
    ②　非公開会社　*388*
    ③　証券作成の要否および証券の形態　*390*
  (2)　新株予約権付社債の申込み，割当て，払込み・*390*
    ①　引受人に対する情報開示　*390*
    ②　新株予約権付社債の申込み・割当て　*392*
    ③　新株予約権付社債の払込み　*392*
  (3)　新株予約権付社債の登記・*393*
    ①　登記事項　*393*
    ②　登記の添付書面　*394*
2　金融商品取引法上の開示手続／*394*
  (1)　有価証券届出書・*394*
  (2)　臨時報告書・*396*
    ①　発行価額または売出価額の総額が1億円以上の新株予約権付社債について，海外で募集（50名未満の者を相手方とする場合は除く）が開始された場合（開令19条2項1号，開令ガ24の5-11・4-5）　*396*
    ②　海外で50名未満の者を相手方とする募集により取得される有価証券で，発行価額の総額が1億円以上であるものの発行につき，取締役会の決議等もしくは株主総会の決議または行政庁の認可があった場合（開令19条2項2号）　*397*
  (3)　MSCBに関する開示・*397*
3　外為法上の報告／*399*

2-3 転換社債型新株予約権付社債の有利発行に関する諸問題 ──────── *400*

1　新株予約権付社債（旧転換社債）の有利発行／*400*
2　平成13年商法改正後会社法導入前の規定および解釈／*401*
  (1)　厳格説・*402*

(2) 緩和説・*403*
　　　(3) 中間説・*405*
　3　会社法施行後の規定および解釈／*406*
　4　新株予約権の公正価値に関する裁判例／*408*
　　　(1) ライブドア対ニッポン放送事件（平成17年(ヨ)第20021号，東京地裁決定）・*408*
　　　(2) TRNコーポレーション事件（平成18年(ヨ)第20001号，東京地裁決定）・*409*
　　　(3) サンテレホン事件（平成18年(ヨ)第20058号，東京地裁決定）・*410*
　　　(4) オープンループ事件（平成18年(ヨ)第286号，札幌地裁決定）・*410*
　　　(5) オートバックスセブン事件（平成19年(ヨ)第20137号，東京地裁決定）・*411*
　　　(6) 丸八証券事件（平成20年(ヨ)第529号，名古屋地裁決定）・*411*

2-4　新株予約権付社債の税務　　*413*

　1　発行法人の税務／*413*
　　　(1) 発行時の処理・*413*
　　　　① 転換社債型の場合　*413*
　　　　② 転換社債型以外の場合　*413*
　　　(2) 新株予約権の権利行使時の処理・*413*
　　　　① 転換社債型の場合　*413*
　　　　② 転換社債型以外の場合　*414*
　2　新株予約権付社債の所有者の税務／*414*
　　　(1) 取得時・*414*
　　　　① 法　人　*414*
　　　　② 個　人　*414*
　　　(2) 転換社債型の新株予約権を行使した場合・*415*
　　　　① 法　人　*415*
　　　　② 個　人　*415*
　　　(3) 転換社債型以外の新株予約権を行使した場合・*416*

目　次

2-5 新株予約権付社債発行と組織再編行為 ────── *417*
 1　組織再編行為時の新株予約権付社債の処理／*417*
  (1)　すかいらーく社債権者集会開催の目的・*419*
  (2)　サミー社債権者集会開催の目的・*419*
 2　新株予約権買取請求／*420*
 3　各組織再編行為における処理／*421*
  (1)　合　　併・*421*
   ①　発行会社が消滅会社となる場合　*421*
   ②　発行会社が存続会社となる場合　*427*
  (2)　株式交換・*428*
   ①　発行会社が完全子会社となる場合　*428*
   ②　発行会社が完全親会社となる場合　*429*
  (3)　株式移転・*429*
  (4)　会社分割・*429*
   ①　会社分割により新株予約権付社債が承継される場合　*429*
   ②　会社分割により新株予約権付社債が承継されない場合　*431*

第3章
資金調達手段としての新株予約権　　*433*

3-1 実務で用いられる資金調達手段としての新株予約権の諸類型 ────── *434*
 1　資金調達手段としての新株予約権の意義／*434*
 2　実務で用いられている手法の諸類型／*436*
 3　資金供与者と資金調達者との間の法律関係の規律／*437*
 4　調達資金の性質──「エクイティ」と「デット」／*439*
 5　今後の発展／*440*

目　次

3-2　エクイティ・コミットメントラインに関する諸問題 ─── 443

1　エクイティ・コミットメントラインとは／443

2　エクイティ・コミットメントラインの具体例とその内容／447

　(1)　設定の目的・447
　(2)　新株予約権の発行要項・450
　　①　新株予約権の目的である株式の種類および数（図表3－5　7項参照）　450
　　②　新株予約権の行使に際して出資される財産の価額（図表3－5　11項参照）　450
　　③　行使価額の修正（図表3－5　12項参照）　451
　　④　新株予約権を行使することができる期間（図表3－5　14項参照）　452
　　⑤　新株予約権の取得事由（図表3－5　16項参照）　452
　　⑥　新株予約権の譲渡制限　452
　　⑦　新株予約権の払込金額およびその行使に際して出資される財産の価額の算定理由（図表3－5　19項参照）　453
　(3)　コミットメント条項（行使指定条項）・458
　　①　総　　論　458
　　②　指定の条件　459
　　③　割当先の裁量による権利行使　459
　　④　取得請求　460
　　⑤　プレス・リリースによる開示　461
　　⑥　コミットメントフィー　462
　　⑦　割当先の意思　463
　　⑧　借株の禁止　463

3　エクイティ・コミットメントラインに関する法的論点／464

　(1)　有利発行該当性・465
　(2)　下方スパイラル・468
　(3)　インサイダー取引規制・469
　(4)　情報開示・469
　(5)　新株予約権の移転・470

目　次

　　　(6)　割当先の信用悪化・473
　　4　エクイティ・コミットメントラインの応用形／474

3-3　MSワラントに関する諸問題 ──────────── 477
　　1　MSワラントとは／477
　　　(1)　はじめに・477
　　　(2)　スキームの概要（図表3 – 10参照）・478
　　　(3)　スキームの特徴・482
　　　(4)　エクイティ・コミットメントラインとの相違点・483
　　2　MSワラントの具体例とその内容／492
　　　(1)　新株予約権の発行要項・492
　　　　①　新株予約権の目的である株式の数またはその数の算定方法（法236条1項1号）　492
　　　　②　新株予約権の行使に際して出資される財産の価額またはその算定方法（法236条1項2号）　494
　　　　③　権利行使価額の修正（法236条1項2号）　494
　　　　④　新株予約権を行使することができる期間（法236条1項4号）　499
　　　　⑤　発行会社による取得条項　506
　　　　⑥　譲渡制限　510
　　　　⑦　新株予約権の商品性等に関する東京証券取引所からの要請・日本証券業協会の規則　510
　　　(2)　新株予約権の割当契約（買取契約）に関する規制・511
　　　(3)　開示規制・515
　　　　①　開示府令　515
　　　　②　金融商品取引所の規則　520
　　　(4)　空売り・市場売却の制限・521
　　3　MSワラントに関する法的論点／522

3-4　ライツ・オファリング ──────────── 524
　　1　ライツ・オファリングとは／524
　　2　ライツ・オファリングと外国証券取引規制／528

(30)

- (1) 総　　論・528
- (2) 考えられる手法とその問題点・529
  - ① 米国証券法の下における Rule 801 に基づく登録免除　529
  - ② 米国証券法4条2項（私募免除規定）に基づく適格機関投資家向け私募による登録免除　530
  - ③ 米国居住株主の権利行使を一律に不可とする方法　532
- 3　ノン・コミットメント型ライツ・オファリング／534
  - (1) スキームの概要・534
  - (2) ローンチ（取締役会決議）時点およびそれ以前に必要な手続・537
    - ① プレヒアリング　537
    - ② 取締役会決議　537
    - ③ 有価証券届出書の提出および適時開示　538
    - ④ 上場申請　538
    - ⑤ 総株主通知の請求　539
  - (3) ローンチ後権利行使期間開始日までに必要な手続・539
    - ① 株主の確定　539
    - ② 有価証券届出書の効力の発生　539
    - ③ 新株予約権の無償割当ての効力発生　540
    - ④ 新株予約権の上場　540
    - ⑤ 目論見書の作成および交付　541
    - ⑥ 割当通知　541
    - ⑦ 新株予約権の登記　542
  - (4) 権利行使期間の開始日以降に必要な手続・542
    - ① 権利行使　542
    - ② 行使状況の開示　543
    - ③ 新株予約権の上場廃止　543
    - ④ 権利行使期間の満了　543
    - ⑤ 新株予約権の行使および消滅の登記　544
  - (5) ノン・コミットメント型ライツ・オファリングの実例（エー・ディー・ワークス）・544
- 4　コミットメント型ライツ・オファリング／548
  - (1) スキームの概要・548

目　次

　　　(2)　引受証券会社によるプレヒアリング・551
　　　(3)　引受証券会社によるコミットメント・552
　　　(4)　未行使新株予約権の発行会社による取得および引受証券会社への譲渡・552
　　　(5)　引受証券会社による新株予約権の行使および取得株式の売却・553
　　　(6)　コミットメント型ライツ・オファリングの実例（アイ・アールジャパン）・554
　　　(7)　平成26年改正会社法施行後のライツオファリングの展開・559

3-5　資金調達手段として用いられる新株予約権の会計処理　561

　1　会計基準／561
　2　発行会社側の会計処理／561
　　　(1)　発行時の会計処理・561
　　　(2)　権利行使時の会計処理・562
　　　　①　新株発行のみを行う場合　562
　　　　②　新株発行と自己株式処分の両方を行う場合　562
　　　　③　自己株式処分のみを行う場合　564
　　　(3)　金銭を対価とする取得条項に基づく取得の会計処理・564
　3　取得者側の会計処理（新株予約権の発行会社以外の者が取得者となる場合）／565
　　　(1)　取得時の会計処理・565
　　　(2)　権利行使時の会計処理・565
　　　(3)　譲渡時の会計処理・566
　4　権利行使価額の修正時の会計処理／566

3-6　資金調達手段として用いられる新株予約権の税務上の取扱い　567

　1　発行法人の税務／567
　　　(1)　発行時の処理・567
　　　(2)　権利行使時の処理・567

2　新株予約権者の税務／568
　　　(1)　新株予約権の取得時・568
　　　　①　法　　　人　568
　　　　②　個　　　人　568
　　　(2)　権利行使時・569
　　　　①　法　　　人　569
　　　　②　個　　　人　569

第4章
買収防衛策と新株予約権　　　571

4-1　実務で用いられる新株予約権を用いた買収防衛策の諸類型　　　572

1　総　　論／572
　(1)　買収防衛策の意義・572
　(2)　買収防衛策において新株予約権が用いられる理由・573
　　①　種類株式を用いた買収防衛策　573
　　②　新株予約権を用いた買収防衛策　574

2　実務で用いられる新株予約権を用いた買収防衛策の諸類型／575
　(1)　総　　論・575
　(2)　発行手続による分類・576
　(3)　新株予約権の行使条件および取得条項の内容による分類・578

3　新株予約権を用いた買収防衛策の適法性／579
　(1)　買収防衛策指針との関係・579
　　①　総　　論　579
　　②　企業価値・株主共同の利益の確保・向上の原則　579
　　③　事前開示・株主意思の原則　581
　　④　必要性・相当性確保の原則　582

目　次

　　　(2)　企業価値研究会報告書との関係・584
　　　　①　総　　論　584
　　　　②　買収防衛策の目的・在り方　584
　　　　③　金員等の交付　585
　　　　④　取締役会と株主総会との関係　586
　　　　⑤　合理的な買収防衛策の「適法性」の検討　586
　4　新株予約権を用いた買収防衛策に関する裁判例／587
　　　(1)　総　　論・587
　　　(2)　ブルドックソース事件最高裁決定・589
　　　　①　総　　論　589
　　　　②　買収防衛策としての差別的取得条項等を内容とする新株予約権無償割当てが株主平等原則違反とならないための一般的要件　591
　　　　③　特定の株主による経営支配権の取得に伴う株主共同の利益の侵害のおそれ（＝対抗措置の必要性）に関する株主（総会）の判断の法的意義　592
　　　　④　上記②および③の基準の本件新株予約権無償割当てへのあてはめ　592
　　　　⑤　買収防衛策としての新株予約権無償割当ての不公正発行該当性（会社法247条2号の「著しく不公正な方法」による新株予約権の発行か否か）　594
　　　　⑥　買収防衛策指針等との関係から見たブルドックソース事件最高裁決定の射程　596
　　　(3)　日邦産業事件・600
　　　　①　事案の概要　600
　　　　②　日邦産業の新防衛策と（異議審決定および）抗告審決定の主要な意義　602
　　　　③　その他の論点と（異議審決定および）抗告審決定　605
　　　　④　残された課題　607
　　　(4)　日本アジアグループ事件・607
　　　　①　事案の概要　607
　　　　②　日本アジアの防衛策の内容　609
　　　　③　原審決定，異議審決定および抗告審決定　613
　　　　④　敵対的公開買付けへの対応と市場買上りへの対応　615
　　　(5)　富士興産事件・619

目　次

　　　① 事案の概要　619
　　　② 富士興産の防衛策の内容　621
　　　③ 原審決定の分析と検討　624
　　　④ 抗告審決定の分析と検討　631
　　（6）主要な裁判例・634
　5　新株予約権を用いた買収防衛策と金融商品取引所における事前相談および適時開示／643
　6　買収防衛策の事業報告，有価証券報告書等および金融商品取引所のコーポレート・ガバナンス報告書における開示／646
　　（1）事業報告における開示・646
　　（2）有価証券報告書等における開示・648
　　（3）金融商品取引所のコーポレート・ガバナンス報告書における開示・649

4-2　買収防衛策で用いられる新株予約権の設計と発行手続
　　　　　　　　　　　　　　　　　　　　　　　　　　　　652

　1　買収防衛策で用いられる新株予約権の特徴／652
　　（1）総　　論・652
　　（2）行使条件（特に差別的行使条件）・653
　　（3）取得条項（特に差別的取得条項）・654
　　　① 趣　　旨　654
　　　② 取得条項の具体的設計　655
　　（4）差別的取得条項等を定めた新株予約権発行の決定機関に関する定款規定・661
　　　① 取締役会決議のみで差別的取得条項等の付された新株予約権の無償割当て等を行いうることを定める定款規定　661
　　　② 取締役会決議のほか株主総会または株主総会の委任を受けた取締役会決議によっても差別的取得条項等の付された新株予約権の無償割当て等を行いうることを定める定款規定　663
　　（5）新株予約権証券の不発行・664
　　（6）新株予約権の譲渡制限・665

(35)

目　次

　　　(7) その他の特徴・665
　　　　① 割当比率　665
　　　　② 目的株式数　665
　　　　③ 権利行使価額　666
　　　　④ 行使期間　666
　　2　買収防衛策において用いられる新株予約権に関するその他の主要な論点／667
　　　(1) 総　　論・667
　　　(2) 内　　容・667
　　　　① 株主平等原則との関係　667
　　　　② 不公正発行該当性　668
　　　　③ 有利発行への該当性の問題　670
　　　(3) 新株予約権無償割当ての手続・673
　　　　① 基準日の設定方法　673
　　　　② 基準日，効力発生日，行使期間の初日の関係　673
　　　　③ 会社法277条による新株予約権無償割当てと金融商品取引法上の「募集」への該当性（開令ガ2-3）　674
　　　　④ 発行登録の利用　675
　　　(4) 行使手続・676
　　　(5) 取得手続・676
　　　　① 電子公告と「公告の日」および公告期間　676
　　　　② 株券電子化に伴う実務上の問題　676
　　　(6) 買収防衛策の導入に際して株主総会決議を取得する場合の選択肢・677
　　　　① 勧告的決議　677
　　　　② 定款変更に基づく買収防衛策承認決議　679
　　　　③ 他の議案の承認を通じて買収防衛策の導入について間接的に株主総会の承認を得る方法　680
　　　(7) 新株予約権無償割当ての効力を争う方法・681
　　　(8) スケジュール設計・682
　　3　新株予約権を用いた買収防衛策に関する税務・会計上の論点／684
　　　(1) 税務上の論点・684

(2) 会計上の論点・686

4-3 新株予約権を用いた事前警告型買収防衛策 ── 689

1 新株予約権を用いた事前警告型買収防衛策の諸類型／689
　　(1) 総　　論・689
　　(2) 株主（総会）判断型・690
　　　① いわゆる野村プラン（公開買付期間延長要請型）　691
　　　② 株主意思確認手続型　694
　　　③ （単純な）株主総会開催型　697
　　　④ 定款授権に基づく株主総会開催型　701
　　　⑤ 特定標的型（乾汽船の買収防衛策）　704
2 事前警告型買収防衛策と特別委員会／708
3 事前警告型買収防衛策の廃止／710
　　(1) 廃止の手続・710
　　(2) 買収防衛策廃止を求める株主提案（臨時株主総会招集請求を含む）の可否・712

4-4 新株予約権を用いた有事導入型買収防衛策の発展 ── 715

1 総　　論／715
2 ブルドックソースにおける買収防衛策／715
3 東芝機械における買収防衛策／721
　　(1) 総　　論・721
　　(2) 事案の概要・722
　　(3) 東芝機械における防衛策の内容・723
　　　① 「有事導入型」　723
　　　② 独立委員会の設置　724
　　　③ 本件対抗措置の発動　724
　　　④ 本件対抗措置の概要　724
　　　⑤ 有効期間　725
　　(4) 論　　点・726
　　　① 「有事導入型」の許容性　726

目　次

　　　　② 株主意思確認総会における対抗措置発動の承認要件　*726*

4-5　その他の新株予約権を用いた買収防衛策 ─── *728*

　1　総　　論／*728*

　2　信託型ライツ・プラン／*729*

　　(1)　総　　論・*729*

　　(2)　信託の方式等・*731*

　　(3)　導入時における有利発行決議・*732*

第 5 章
新株予約権・新株予約権付社債を用いた M&A　*735*

5-1　新株予約権を資金調達手段として用いる M&A ── *736*

　1　具体的な M&A のための資金調達手段として新株予約権を用いた事例／*736*

　2　資金調達および業務提携の手段として新株予約権付社債を用いた事例／*738*

5-2　新株予約権を資金調達以外の手段として用いる M&A ─── *740*

　1　買収時におけるアーンアウト（Earn-out）の手段としての活用／*740*

　2　株対価取引に関するアレンジメント実行のためのツールとしての活用／*742*

5-3　M&A の手段として用いられる新株予約権・新株予約権付社債に関する税務・会計上の問題 ─── *747*

目　次

第6章
その他の目的で用いられる新株予約権　　*749*

6-1　「株主還元策」としての新株予約権無償割当て　── *750*

　　1　総　　論／*750*

　　2　実　　例／*751*

　　3　会社法上の論点／*768*

　　　(1)　希釈化による既存株主の不利益の問題──ニレコ事件との比較・*768*

　　　(2)　新株予約権の割当個数・*771*

　　4　税務・会計上の論点／*772*

　　　(1)　税務上の論点・*772*

　　　(2)　会計上の論点・*776*

6-2　長期保有インセンティブ付与目的の新株予約権　── *777*

　　1　総　　論／*777*

　　2　実　　例／*777*

　　3　会社法上の論点／*786*

　　　(1)　株主平等原則との関係・*786*

　　　　①　株主割当てによる行為と株主平等原則（株主に対する権利付与における株主平等原則）　*786*

　　　　②　新株予約権の無償割当ての場面における新株予約権の内容と株主平等原則　*787*

　　　(2)　希釈化等による既存株主の損害・*791*

　　　(3)　まとめ・*792*

　　4　税務・会計上の論点／*793*

第Ⅰ編

総論＝理論・手続編

第1章

新株予約権の意義

1-1 新株予約権の意義

　新株予約権とは，株式会社に対して行使することにより当該株式会社の株式の交付を受けることができる権利をいう（法2条21号）。より敷衍していえば，権利者（新株予約権者）が，あらかじめ定められた期間（行使期間：法236条1項4号）内に，あらかじめ定められた価額（権利行使価額：同項2号・3号）を株式会社に対し払い込んで権利を行使することにより，会社から一定数の当該会社の株式の交付を受けることができる権利である。

　新株予約権の行使により，新株予約権者は株主となる（法282条）。

　1−2「**新株予約権制度の沿革**」で述べるように，株式のコール・オプションとしての新株予約権制度が導入されたのは平成13年11月商法改正によってであるが，その利用については，同改正前から存在したストック・オプションや資金調達手段としての利用のほか，最近では，買収防衛策やM&Aの手段としてなど，利用の幅が広がっている。本書では，**第Ⅰ編**（総論＝理論・手続編）において，新株予約権の理論や会社法等で必要とされる一般的な手続を述べ，**第Ⅱ編**（各論＝実務編）では，各論として，これらの実務上の利用形態に応じて，サンプル等を交えながら解説を行うこととする。

1-2 新株予約権制度の沿革

■1 改正前商法におけるオプションの法的位置づけ

　新株予約権の経済的実質は，原資産を株式とするコール・オプション（以下，「株式のコール・オプション」という）である。

　改正前商法は，立法当初から長い間，株式会社が，自社の株式のコール・オプションを単独で発行することを認めていなかった。

　平成9年5月の商法改正前まで，商法において株式のコール・オプションに相当するものとして存在していたのは，昭和13年の商法改正において導入された転換社債における社債の株式への転換権と，その後昭和56年の商法改正において導入された新株引受権附社債における新株引受権であった。しかし，これらはいずれも社債に付加された付属物として位置づけられ，有価証券として単独で発行することができるものではなかった。

　改正前商法が株式のコール・オプションに対して長年の間このような態度をとり続けていた大きな理由の1つは，オプションが行使される場合には行使価額が常に株式の時価よりも低いはずであるから，オプションの発行には当然に有利発行類似の問題があるとの発想があったからであると考えられている[1]。そしてその背景には，コール・オプションは，あくまで将来の株価が行使価額を超えた場合にこれを行使してその差額の利益を得る法的地位で

（1）　藤田友敬「オプションの発行と会社法〔上〕」旬刊商事法務1622号19頁（2002）。

あるにすぎず，それ自体として特に経済的価値を有する権利ではないという理解があった。そのため，転換社債にしても，新株引受権附社債にしても，オプション（転換権または新株引受権）とともに発行される社債に対する払込みという形で，発行会社が別に対価を得ているからこそ，将来株価がオプションの行使価額を超えた場合に転換権や新株引受権を行使させて株価より安い価額で新株の取得を認めても，有利発行とはならないと考えられていたのである。

■2 平成13年11月商法改正による新株予約権制度の導入

しかしながらバブル崩壊後の不況の中で，企業活動，ひいては株式市場の活性化の観点から，役員，従業員に対するインセンティブ報酬や，ベンチャー企業における資金調達方法等としてのオプションの利用が注目されてきたことに伴い，オプションの単独発行を可能とすべしとの要望が高まり，平成9年5月の商法改正（法律第56号）において，新株引受権方式のストック・オプションとして，（定款の定めと正当な理由が必要とされるという）限定的な形ではあるが初めて認められ（平成13年11月改正前商法280条ノ19第1項・4項。条文上は，「新株ノ引受権」），さらに平成13年11月の商法改正（法律第128号）における新株予約権制度の導入により，ようやく上記のような制限のない，一般的な株式のコール・オプションの単独発行が認められるに至った。

平成13年11月商法改正の法務省立案担当官は，新株予約権制度を導入することとした理由として，
① 新株予約権を発行するには，必ず社債を発行して債務を負担しなければならないとする理論的な理由はないこと
② 政策的にも，新株予約権は常に社債に付してでなければ発行できないとしなければならない理由はないと考えられること
③ 諸外国では，一定の価額で新株の発行を請求する権利自体を付与する

制度が認められていること
④　旧法上も，新株引受権附社債については，発行後は新株引受権と社債に分離して譲渡することが可能な分離型のものが認められていたため，この制度を利用して，新株引受権を単独で取引することや，ストック・オプションの代替として利用することが行われており，新株予約権の単独発行に対するニーズがあったこと
⑤　新株予約権を単独で発行することを認めれば，これを，ストック・オプションに利用できるし，社債に付して発行することのほか，たとえば，融資を受ける際に貸主に新株予約権を付与することにより融資の条件を有利にする等，資金調達の便宜を図ることができること
⑥　（改正前の）新株引受権は，社債の付属物として扱われ，その独自の価値を法定の決議事項とする規定がなく，適切な開示もされていないが，近年の会計処理に関する理論の進歩等に伴い，新株予約権の公正価値の算出が可能となったため，その発行価額を取締役会における発行決議の決議事項とし，新株予約権の行使価額とともに発行条件をより具体的に明示して発行させることがそのあり方として望ましいと考えられるようになってきたこと

をあげている[2]。

　上記⑥において立案担当官も明確にしているとおり，平成13年11月改正における新株予約権制度の導入は，それ以前の商法の立場と異なり，新株予約権の公正価値，すなわち株式のコール・オプション自体の経済的価値が算出可能であることを前提としている。そのため，株式のコール・オプションを社債等に付属することなく単独で発行しても，会社がその発行の対価として当該コール・オプション自体の経済的価値と等価のものを払込みその他の方法により取得している限り，その後株価が行使価額を超えた場合にオプションを行使することによって株価よりも低い価額で新株の発行をしても，有

---

[2]　江頭憲治郎ほか「座談会　新株予約権・種類株式をめぐる実務対応〔上〕」旬刊商事法務1628号7頁（2002）〔原田晃治発言〕。

利発行にはあたらないと整理されたのである。

なお，法務省民事局参事官室が，平成13年4月18日に，それまでの法制審議会会社法部会における審議を受けて公表した「商法等の一部を改正する法律案要綱中間試案」の第五においては，単独発行が認められる株式のコール・オプションは，「新株引受権」と呼ばれるとともに，「『新株引受権』という名称については，なお検討する（例：「株式取得選択権」）」との注が付されていたが，法制審議会が同年9月5日に決定，公表した「商法等の一部を改正する法律案要綱」においては，結局，「新株予約権」の名称が採用され，これが改正法においても採用されることとなった。

その理由は次のとおりであるとされている。すなわち，平成13年11月改正前商法において，等しく「新株の引受権」または「新株引受権」といわれているもののうち，①「取締役又ハ使用人ニ対スル新株ノ引受権ノ付与」（平成13年11月改正前商法280条ノ19～280条ノ22）[3]および「新株引受権附社債」（同341条ノ8など）という場合のそれと，②①以外の場合（同280条ノ2第1項5号など）のそれとを比較した場合，②の新株引受権は，発行される新株を優先的に引き受ける権利であって，新株発行手続の一環としてなされるものであり，したがってその行使も新株発行と期間的に接近してなされる。これに対して，①の新株引受権は，新株の発行とは別に付与ないし発行され，その付与ないし発行を受けた者がその権利を行使することによって新株が発行されることになるものであって，まさに新株発行契約の予約権としての性質を有するものである。そして，上記要綱および改正法は，①と②とを区別して，①を新株予約権と呼ぶこととし，②については，「新株ノ引受権」または「新株引受権」の用語をそのまま用いている[4]。

これに伴い，従来の新株引受権附社債における新株引受権はまさに改正法における新株予約権にほかならず，また，転換社債についても，その転換権

---

(3) いわゆる新株引受権方式のストック・オプションである。
(4) 前田庸「商法等の一部を改正する法律案要綱の解説〔上〕——株式制度の見直し・会社関係書類の電子化等」旬刊商事法務1606号12頁（2001）。

は新株予約権のうち，その行使の際に，それが付された社債の全額の償還をもって行使価額の払込みに代えるものにほかならないことから，結局，従来の新株引受権付社債（分離型のものを除く[5]）も転換社債も，新株予約権付社債として，統一的な規定のもとに整理されることとなった[6]。

3 会社法における新株予約権

　平成17年6月成立の会社法（法律第86号）においては，改正前商法における新株予約権制度はその本質を変えることなくほぼそのまま引き継がれているが，会社法における，株式会社と有限会社との一体化，株式会社の機関設計の多様化，エクイティの消却制度に関する法律構成の整理等に伴い，いくつか重要な改正が加えられた。

　その主なものをあげると次のとおりである。

① 新株予約権の発行決定機関について，公開会社でない株式会社については，原則として，株主に割当てを受ける権利を与える場合を含めて株主総会の特別決議で決定しなければならず，取締役会設置会社である公開会社については，原則として，有利発行でなければ取締役会決議で発行することができることとされた。

② 発行会社が新株予約権者の同意なく発行済みの新株予約権を再度取得する方法として，改正前商法においては，有償または無償の強制消却の制度があり，有償の場合には金銭を対価としていたが，会社法においては，取得条項付新株予約権として発行し，これを取得することとなる。

③ 株主の意思に関係なく，既存株主に新株予約権を割り当てる制度である，新株予約権無償割当てが設けられた。改正前商法下における，譲渡

---

(5) 新株引受権と社債とを分離して譲渡することができるいわゆる分離型新株引受権附社債は，平成13年11月改正後は，新株予約権と社債とが同時に募集されて同一人に割り当てられたものとして取り扱われ，新株予約権と普通社債の規定が適用され，したがって，特殊の社債の範疇には含まれないこととなった。
(6) 従来の転換社債に相当するものについては，改正後は実務上「転換社債型新株予約権付社債」または単に「転換社債」と呼ばれることが多い。

することができる新株引受権を株主に付与して行う株主割当てによる新株発行は，会社法下ではこの方法によることになる。

④　新株予約権買取請求の制度が設けられた。

⑤　新株予約権付社債については，改正前商法と異なり，社債のみに関する規律以外は社債編の規定は適用されず，新株予約権の章の規定が適用されることになった。記名式の新株予約権付社債券を発行するものや社債券をまったく発行しないものが認められた。転換社債型の新株予約権付社債を前提とした規定は置かれていないが，会社法上も同様の商品を発行することはできる。また，取得条項付新株予約権を利用することにより強制転換型の新株予約権付社債を発行することができるようになった。

第2章

新株予約権の公正価格の算定

2-1 新株予約権の公正価格概念の制度化

　前章において述べたとおり，新株予約権制度の創設は，新株予約権の公正価格，すなわち株式のコール・オプション自体の経済的価値が算出可能であることを前提としており，会社法上も，新株予約権の公正価格の算定を前提とした規定が置かれている。

　すなわち，取締役に対するストック・オプション報酬の付与は，非金銭報酬として，その額（額が確定していない場合は，その具体的な算定方法）およびその具体的内容について株主総会の決議が必要とされている（法361条1項各号）が，この場合における報酬額とは，当該ストック・オプションとして付与される新株予約権の公正価格である。

　また，募集新株予約権を引き受ける者を募集する場合において，金銭の払込みを要しないとすることが当該者に特に有利な条件であるとき（法238条3項1号）または募集新株予約権の払込金額が当該者に特に有利な金額であるとき（同項2号）は，その条件またはその金額で募集をすることを必要とする理由を株主総会で説明しなければならず，その場合の募集事項の決議は特別決議であることを要するとされている（有利発行決議：同項・同条2項・240条1項・309条2項6号）が，ここにいう「特に有利な条件」または「特に有利な金額」であるか否かについても，当該募集新株予約権の公正価格が判断基準となる。

　このような改正前商法，会社法における制度の整備に平仄を合わせ，会計制度の面においても，企業会計基準委員会が平成17年12月27日に公表し

た「ストック・オプション等に関する会計基準」（企業会計基準第8号。以下，本章において「ストック・オプション会計基準」という）により，会社法施行日以降に付与されたストック・オプションについては，その評価額を算定し，費用計上を行うことが必要となった。そのため，同会計基準は，ストック・オプションの評価額，すなわち新株予約権の公正価格の算定方法である株式オプション価格算定モデルを，制度の重要な要素として位置づけている。

第Ⅰ編　第2章　新株予約権の公正価格の算定

2-2 企業会計基準における株式オプション価格算定モデル

　ストック・オプション会計基準6項（「会計基準」「ストック・オプションに関する会計処理」「権利確定日以前の会計処理」）は、「ストック・オプションの公正な評価単価の算定は、次のように行う」とし、同(2)は、「ストック・オプションは、通常、市場価格を観察することができないため、株式オプションの合理的な価額の見積りに広く受け入れられている算定技法を利用することとなる」としている。

　そしてストック・オプション会計基準48項（「結論の背景」「ストック・オプションに関する会計処理」「公正な評価単価」）は、「公正な評価単価とは、一義的には、市場において形成されている取引価格であり（第2項(12)）、本来、ストック・オプションの公正な評価単価の算定についても、市場価格が観察できる限り、これによるべきものと考えられる。しかし、ストック・オプションに関しては、通常、市場価格が観察できないため、株式オプションの合理的な価格算定のために広く受け入れられている、株式オプション価格算定モデル等の算定技法を利用して公正な評価単価を見積ることとした。『株式オプション価格算定モデル』とは、ストック・オプションの市場取引において、一定の能力を有する独立第三者間で自発的に形成されると考えられる合理的な価格を見積もるためのモデルであり、市場関係者の間で広く受け入れられているものをいい、例えば、ブラック・ショールズ式や二項モデル等が考えられる」としている。

　そして、ストック・オプション会計基準の適用指針を定めた「ストック・

2-2 企業会計基準における株式オプション価格算定モデル

オプション等に関する会計基準の適用指針」37項(「結論の背景」「用語の定義」)は,上記株式オプション価格算定モデルについて,「今日,実務で広く利用されている株式オプション価格算定モデル等の算定技法においては,株価が時間とともに確率的にどのように変化していくかを想定し,その株式オプションを保有し続けることにより,保有者が将来得るであろうキャッシュ・フローの期待値の現在価値を求めることにより,株式オプションの価値を算定している。モデルを設計する上で,こうした将来の株価の変動が,離散した一定間隔の時点において生じると仮定するか,常時連続的に生じると仮定するかにより,離散時間型モデルと,連続時間型モデルに大別されるが,現在実務で広く利用されている株式オプション価値の算定技法は,このいずれかのモデルに属していると考えられる」と説明している。

上記離散時間型モデルの代表的なものが二項モデルであり,連続時間型モデルの代表的なものが,ブラック=ショールズ式である。

第I編 第2章 新株予約権の公正価格の算定

2-3 代表的な株式オプション価格算定モデル[7]

■1 二項モデル

　二項モデルとは，価格算定対象オプションの原資産である株式の，評価時点から一定期間（＝離散時間）経過後の株価が，一定の確率で高低いずれか2つの値を取ると仮定したうえで，当該期間経過後に当該オプションと同じペイオフをもたらす，無リスクの借入れと当該株式自体の投資からなるポートフォリオ（複製ポートフォリオ）を求め，当該ポートフォリオの現在価値をもって当該オプションの価格とする株式オプション価格算定モデルである。

　たとえば，現在のA社の株式の株価が120円，1年後の株価が，200円か100円のいずれかの値を取るとした場合，行使価額が120円，行使時期が1年後であるA社の株式のコール・オプションのペイオフは次のようになる。

株　価	100円	200円
コール・オプション	0円	80円

（7）　本項の記述は，藤田友敬「LAw & Economics会社法第10回　株式会社の企業金融(5)」法学教室268号108頁〜119頁（2003）を参考にしている。

次にA社株式を0.8株購入し,同時に76.2円を利率5%で借り入れるとすると,この株式および借入れからなるポートフォリオの1年後のペイオフは次のようになる。

株　　価	100円	200円
株式0.8株の価値	80円	160円
借入れの返済額	−80円	−80円
合　　計	0円	80円

このように,1年後のA社株式の株価が200円または100円のいずれかの値を取るという前提のうえで,行使価額120円,行使時期1年後という内容のA社株式のコール・オプションを購入することと,A社株式0.8株および5%の金利での76.2円の借入れからなるポートフォリオを購入することではまったく同じペイオフをもたらすことから,両者の現在価値は等しいはずである。

そして,このポートフォリオの現在価値は,現在の0.8株の株価120×0.8＝96円から,借入額76.2円を差し引いた19.8円であるから,オプションの価値も19.8円であるということになる。

以上は,1期後に株価が2つの値を取るという仮定のもとでの説明であるが,同様の方法を複期にわたって繰り返していく（n期後には2のn乗通りの株価の変動パターンがあることになる）ことも可能である。

二項モデルは,当初の株式への投資とその後の借入額の調整によって,各時点におけるオプションの価値を複製していくというアイデアであるが,時点区分の数を多くしていくことで,行使時点の株価の取りうる値としてさまざまのものを想定することができ,より精密なオプションの評価が可能となる。そして,時点区分の数を多くしていき,最終的に無限大に細かくした場合（＝連続時間型モデル）には,次に述べるブラック＝ショールズ式による算定結果に一致することが知られている。

2 ブラック=ショールズ式（ブラック=ショールズ・オプション・プライシング・モデルによるオプション価格算定式）

(1) ブラック=ショールズ式の概要

ブラック=ショールズ・オプション・プライシング・モデルは，株価がランダムに推移するという仮定のもとで，株価変動プロセスを定式化し，一定の操作を経て確率微分方程式を導き，それを解いてオプションの理論値を求めるアプローチであり，上記確率微分方程式の解として得られたヨーロッパ型コール・オプション（オプションが設定されている期間の満期においてのみ権利行使が可能となるタイプのコール・オプション）の価値を示す公式が下記の「ブラック=ショールズ式」である。

【ブラック=ショールズ式】

$$c(S,\tau) = SN(d_1) - Ke^{-\gamma\tau}N(d_2)$$

ただし，

$$d_1 = \frac{\log(S/K) + (\gamma + \sigma^2/2)\tau}{\sigma\sqrt{\tau}}$$

$$d_2 = \frac{\log(S/K) - (\gamma - \sigma^2/2)\tau}{\sigma\sqrt{\tau}}$$

各変数の意味

S：原資産（株式）の価格

K：オプションの行使価格

γ：無リスク資産への投資のリターン（リスク・フリーの借入れの金利）

τ：オプションの行使時点までの残存時間

σ：原資産（株式）のボラティリティ（株式の収益率の期間当たりの標準偏差）

(2) ブラック＝ショールズ式に関する留意点

① アメリカ型コール・オプション

ブラック＝ショールズ式は，ヨーロッパ型コール・オプションを前提としているが，配当がないことを仮定する限り，アメリカ型コール・オプション（一定の行使期間中はいつでも行使することができるタイプのコール・オプション）にもそのまま妥当する。アメリカ型コール・オプションは，行使期限前に行使するよりも，行使期限いっぱいまで行使しないで持っている（さもなければ売却する）ことが投資家にとって合理的であり，行使期限前に行使されることを想定する必要がないからである。ただし，配当を考慮した場合には，行使期限前に行使し配当を手にしたほうが有利な状況が想定しうるため，オプションの期限前行使の可能性が出てくるから，この結論は変わりうることとなる。

② 配当の効果を加えた修正

オプションの行使時までになされる配当は，すべてその時点での株主が手にし，オプションのみの所持人はこれに与ることができない。配当を考慮するとオプションの価値は下がる。配当がなされるとすれば，この点を考慮した次のような修正が必要となる。

【配当（D）を加えた修正式】

$$c(S,\tau) = SN(d_1) - Ke^{-\gamma\tau}N(d_2)$$

ただし,

$$d_1 = \frac{\log(S/K) + (\gamma - D + \sigma^2/2)\tau}{\sigma\sqrt{\tau}}$$

$$d_2 = \frac{\log(S/K) - (\gamma - D - \sigma^2/2)\tau}{\sigma\sqrt{\tau}}$$

上記のとおり,元の式の γ を $\gamma - D$ に置き換えた形になっている。ただし,ここでは配当率を一定と仮定している。

③ ボラティリティの計測

ある株式のボラティリティ(株式の収益率の期間当たりの標準偏差)を計測する方法については,一般に2つの方法があると考えられている。1つは,過去の一定期間の当該株式の値動きの大きさから計測する方法であり,これをヒストリカル・ボラティリティと呼ぶ。もう1つの方法は,当該オプションが売買されている場合に,当該オプションの値段と他の観察可能な変数からボラティリティを逆算する方法である。これはインプライド・ボラティリティと呼ばれる。

3 オプションの諸要素とオプションの価値との間の相関関係

現在の株価,行使価格,ボラティリティ,行使時期までの期間の長さといったオプションの諸要素とオプションの価値との間には下記のような関係がある。

(1) 現在の株価・行使価格

コール・オプションの行使による経済的利益は,株価が行使価格をどれだけ超えるかで決まるので,他の条件が同じであれば,現在の株価が高ければ高いほどその価値は大きくなる。

また、他の条件が同じなら、行使価格が高ければ高いほど、コール・オプションの価値は低くなる。

(2) ボラティリティ

他の条件が同じなら、ボラティリティが大きいほど、つまり株式の価格の変動の仕方が大きいほどコール・オプションの価値は大きくなる。なお、これは株式の収益率の高低とは無関係であり、株式の収益率が同じA、B2社があったとしても、A社の株価の変動の仕方がB社のそれよりも大きければ、A社の方がオプションの価値は高いことになる。

(3) 行使時期までの期間の長さ

他の条件が同じであれば、オプションの行使時期までの期間が長ければ長いほどオプションの価値は高くなる。当該時期までの期間を長く取れば取るほど、株価の上下の幅は大きくなりうるからである。

第3章

新株予約権に関する手続の概要

第Ⅰ編　第３章　新株予約権に関する手続の概要

3-1 新株予約権の内容

　本章では，総論として，新株予約権に関する手続の概要を述べる。実務上新株予約権を活用する際に参考となるサンプルや個別の論点の提示は，**第Ⅱ編**（各論＝実務編）において述べることとする。また，税務・会計に関する事項についても，**第Ⅱ編**の該当箇所で述べることとする。

1　概　　要

　新株予約権を発行する際には，どのような新株予約権を発行するのかを株式会社が定めることとなるので，まず，本３－１では新株予約権の内容について述べる。新株予約権の内容として定めるべき事項をあげると，**図表３－１**のとおりである（法236条１項）。新株予約権の内容としては，新株予約権を発行する場合には必ず定めなければならない事項と，一定の内容を定める場合にのみ定めなければならないこととされている事項があり，表中「必須」は前者を，「選択」は後者を表す。

図表３－１　　　　　　　　　　新株予約権の内容

①	新株予約権の目的である株式の数（種類株式発行会社の場合は種類および数）またはその算定方法	必須
②	新株予約権の行使に際して出資される財産の価額またはその算定方法	必須

3-1 新株予約権の内容

③	新株予約権の行使に際して現物出資を行う場合には，その旨ならびに財産の内容および価額	選択
④	新株予約権の行使期間	必須
⑤	新株予約権の行使の条件	選択
⑥	行使により株式を発行する場合における増加する資本金および資本準備金に関する事項	必須
⑦	新株予約権の譲渡に株式会社の承認を要する場合には，その旨	選択
⑧	取得条項付新株予約権とするときは，その旨および取得対価の内容等	選択
⑨	組織再編行為時に新株予約権者に他の株式会社の新株予約権を交付することとするときは，その旨およびその条件	選択
⑩	新株予約権の行使時に交付する株式の数に端数が出た場合に切り捨てることとするときは，その旨	選択
⑪	新株予約権証券を発行することとするときは，その旨	選択
⑫	新株予約権証券を発行することとする場合において，新株予約権者が無記名証券・記名証券の変更の請求をすることができないこととするときは，その旨	選択

　新株予約権の内容は，募集新株予約権を発行する際に募集事項として定めなければならないこととされている（法238条1項1号）他，取得請求権付株式や取得条項付株式，取得条項付新株予約権の対価とする場合や組織再編行為の際に交付する場合などにも定めなければならないこととされている（法107条2項2号ハ・ニ・3号ホ・ヘ・236条1項7号ヘ・トなど）。

　なお，⑤の新株予約権の行使の条件については，一般に権利についてその行使の条件を定めることは可能であるとの理由で，会社法236条1項には列挙されていないが，当然に新株予約権の内容になるものと考えられる。したがって，会社法において新株予約権の内容を定めるべきこととされている場合において，当該新株予約権に行使の条件を付したい場合には，新株予約権の内容として，条件も定めておかなければならない。たとえば，募集新株予約権の募集事項の決定の際には新株予約権の内容を定めるべきこととされて

いるが（法238条1項1号），新株予約権の行使の条件も新株予約権の内容に含まれるので，募集事項の決定の手続に従って決定されなければならないこととなる。

また，上場会社が取締役の報酬等として，または報酬等をもってする払込みと引換えに，新株予約権を付与する場合には，②の新株予約権の行使に際して出資される財産の価額またはその算定方法に代えて，新株予約権行使のための金銭の払込みまたは財産の給付を要しない旨ならびに付与対象者以外の者は新株予約権を行使することができない旨を新株予約権の内容としなければならない（法236条3項1号・2号4項）。

2　内容の定め方

以下では，一般的な新株予約権の内容の定め方について解説するが，ストック・オプションや買収防衛策など，個別の目的に応じた注意点や例については，**第Ⅱ編**の各章において述べられているので，参照されたい。

(1)　新株予約権の目的である株式の種類・数

①　数の定め方

新株予約権は，その行使により一定の数の株式を取得する権利であるから，新株予約権の内容としては，新株予約権を行使した際に交付される株式の数，すなわち新株予約権の目的である株式の数を定めなければならない。ここで新株予約権の目的である株式の数とは，1個の新株予約権を行使した際に交付されるべき株式の数であり，「新株予約権1個の目的である株式の数は，○○株とする。」といった定め方が明確である。

なお，行使期間の初日が到来した新株予約権については，目的である株式の数に新株予約権の数を乗じた数は，発行可能株式総数から発行済株式（自己株式を除く）の数を控除した数を超えてはならないこととされている（法113条4項）。

② 算定方式

(a) 算定方式の例

新株予約権の目的である株式の数は算定方式で定めることもできることとされており，株価の変動・株式併合・株式分割などに伴って新株予約権の目的である株式の数を変動させたい場合には算定方式で定めておくこととなる。

ここで，算定方式とは，一定の数や条件をあてはめることにより，一義的に数が算出されるものをいう。必ずしも「算式」である必要はないが，あてはめるものは一定の客観性をもって定まる数などでなければならない。算定方式としては，具体的には，次のようなものが考えられる。

> 例：当社が株式併合を行う場合，次の算式により目的たる株式の数を調整するものとし，調整の結果生じる1株未満の端数については，これを切り捨てるものとする。
>
> 調整後株式数＝調整前株式数×併合の比率

(b) 端数の扱い

算定方式の一部として，調整の結果生じる1株未満の端数を切り上げるか切り捨てるかを定めることができ，その定め方は，会社の判断によりいずれも会社法上可能である。また，定めず端数のままにしておくことも可能である。

新株予約権の目的である株式の数の算定方式において端数の処理方法を定めると，新株予約権1個ごとに，端数の調整がされることとなる。すなわち，たとえば当初の新株予約権1個の目的である株式の数が3株である場合において，2対1の株式併合を行ったとき，上記(a)の例の算定方式によれば，調整後株式数は，$3 \times 1/2 = 1.5$ の端数を切り捨て，1株ということになる。ここで，仮に当該新株予約権を2個持っている者がいたとしても，調整は新株予約権1個当たりについてなされるため，調整後株式数の合計は $1 \times 2 =$

2株であり，1.5×2＝3株ということにはならない。

これに対し，端数について算定方式の中では定めないことも可能であり，この場合には，各新株予約権者が行使した新株予約権の目的たる株式の数の合計に端数が生じた場合の処理が問題になることとなる。その端数の切捨てを新株予約権の内容として定めることもできるが（法236条1項9号），定めなかった場合には，各新株予約権者が行使した新株予約権の目的たる株式の数の合計数について発生した端数について，一定の金銭を新株予約権者に対して交付することになる（法283条）。

なお，1個の新株予約権について，その目的である株式の数として1未満の数を定めること自体は，直ちに会社法236条1項1号に反するわけではないと考えられるが，新株予約権無償割当てなどの場合には，株式の数に応じて割り当てたといえるかなどの問題が生じる可能性がある（後述3－2■3(2)参照）。

(c) **株式併合・株式無償割当ての場合**

算定方式については，株式併合を行う場合のほか，株式分割の場合も同様に定めることが考えられる。これらを同じ算定方式で両方定めることも可能であり，一般にも行われている。なお，一般によく用いられている併合比率や分割比率という用語は，法律用語ではないので，内容の中で定めることが明確ではあるが，一般には，株式分割や株式併合の後の発行済株式総数を，株式分割・株式併合前の発行済株式総数で除して得た数をいうものと考えられており，その意味では一定の明確性を持つと考えられる。

この点，株式分割と同様の効力を有するものとして株式無償割当てが会社法において導入されたが，これについても同一の算定方式で定めておくことが考えられる。しかし，株式分割や株式併合と異なり，現時点では株式無償割当比率という用語が一般的な意味を有しているものとはいえないので，無償割当比率といった用語を用いる場合には，その用語の説明を加えておくことが明確性の観点から望ましいと考えられる。

3-1 新株予約権の内容

(d) 調整の対象となる新株予約権

上記の例には付していないが，算定方式に，「ただし，かかる調整は，本新株予約権のうち当該時点で権利行使をしていない新株予約権の目的たる株式の数についてのみ行う。」という記載をしている実例が見受けられる。新株予約権の行使により新株予約権は消滅するので，法的には，行使後に行使された新株予約権の目的たる株式の数が問題になることはないと一応は考えられるが，疑義を避けるために入れておくことも合理性があると思われる。

(e) 算定方式以外の調整

上記の例のような算定方式に加えて，新株予約権の目的たる株式の数の調整条項として，次のような条項が定められている場合がある。

「新株予約権発行後に当社が合併または会社分割を行う場合など，上記の目的たる株式数の調整を必要とする場合には，合併または会社分割などの条件を勘案のうえ，合理的な範囲で目的たる株式の数を調整するものとする。」

このような定めは，客観的に株式の数が定まるものとはいえないので「算定方式」とはいえず，当該場合が生じた場合に目的である株式の数が株式会社が調整した数に自動的に変更されることとなるかについては，疑義があるように思われる。通常は，株式が発行された場合についての調整条項があれば，株式会社が合併の存続会社や会社分割の承継会社となり株式が発行される場合には株式の発行にかかる条項で調整が行われることとなろうし，対価として株式以外の物を交付する場合には，通常の財産の取引と同様に考えられる場合（すなわち，特に目的たる株式の数の調整は行われない）が多いものと考えられる。また，合併の消滅会社になる場合や会社分割の分割会社となり当該新株予約権を承継させる場合には，別途会社法上の手続により，新たな新株予約権の交付について定めることができることとされている。一般には，株式会社が目的たる株式の数を変更する場合には，新株予約権者の合意を得て行うべきと思われる。ただし，常にこのような条項による調整が不可能かどうかは必ずしも明らかではなく，また，このような条項を設けることで新株予約権発行の効力自体に影響があるとは考えにくいため，このような

条項を念のため設けておくことは考えられる。

③ 種類株式発行会社

種類株式発行会社にあっては，新株予約権の目的である株式の種類および種類ごとの数（またはその算定方法）を定めることとされている。ここで，種類株式発行会社とは，2以上の種類の株式について定款に定めのある株式会社をいう。実際に2以上の種類の株式を発行していなくても，定款に種類株式についての定めがあるだけで種類株式発行会社となる点に留意する必要がある。

種類株式発行会社でない株式会社においても，「普通株式　○○株」と記載することは，差し支えない。むしろ，新株予約権発行後に種類株式発行会社でない株式会社が種類株式発行会社になったような場合において，疑義をなくすためには，普通株式と書いておくことが明確化に役立つともいえる。

(2) 新株予約権の行使に際して出資される財産の価額またはその算定方法

新株予約権の行使をするにあたっては，あらかじめ定めた一定の額の財産（一般には金銭であるが，金銭に限られない）を出資することが必要であるが，新株予約権の内容として，この財産の価額について定めなければならない。この価額は，新株予約権1個当たりについて定めることとされている。「新株予約権1個の行使に際して出資すべき価額は○○円とする」などと定めることなどが考えられる。

この価額については，算定方式で定めることもできる。算定方式については，(1)で述べたことと同様に考えられる。

一般には，新株予約権の行使により発行される株式1株当たりについて出資をすべき価額を算定方式により定め，新株予約権1個当たりの目的である株式の数を乗ずることにより，新株予約権1個当たりの価額を算定するものとする例も多いようである。株式の時価等により変動させたい場合に便宜であるからであろう。この場合，株式1株当たりについて出資すべき価額を

「行使価額」と呼ぶ例が多いが，会社法に規定のある用語ではないので，明確性の観点からは，定義を設けるなど一定の説明を加えておくことが適切である。

たとえば，次のような算定方式が考えられる。

> 新株予約権1個当たりの行使の際に払い込むべき払込金額は，次により決定される1株当たりの払込金額（以下「行使価額」という。）に新株予約権1個の行使により発行される株式数を乗じた金額とする。行使価額は，割当日の属する月の前月の各日（取引が成立しない日を除く。）における東京証券取引所の当社株式の終値の平均値に1.05を乗じた金額とし，1未満の端数は切り上げる。ただし，当該金額が割当日における東京証券取引所の当社株式の終値（取引が成立しない場合には，それに先立つ直近日の終値）を下回る場合は，割当日の終値（取引が成立しない場合には，それに先立つ直近日の終値）とする。

東京証券取引所におけるある株式の終値は，一定の客観的に定まる数値といえるので，その数値をあてはめることにより一定の数が決まる上記の例は，算定方式として適切なものと考えられる。

算定方式において端数を切り上げるか切り捨てるかについては，目的たる株式の数と同様，会社が自由に定めることができる。また，1株当たりの行使価額の段階で端数処理をするか，新株予約権1個についての出資の価額を算出した段階で端数処理をするかも自由である。

算定方式において端数の処理を定めなった場合においては（算定方式をとらない場合においてあらかじめ端数を定めた場合にも問題となりうる），1株の行使価額に端数がある場合の取扱については，新株予約権者単位で考え，ある新株予約権者が新株予約権の行使の際に払い込むべき金額に端数が出た場合に処理すればよいものと考えられる。この場合，端数処理については明文の規定がないため問題となるが，切り捨てることについては，払込価額に不

足することになるため，それ以外の方法によるべきといえよう。

また，1株当たりの行使価額を基準に1個の新株予約権について出資すべき価額を定めている場合には，株式会社が株式併合，株式分割または株式無償割当てをしたような場合に，1株当たりの行使価額を調整すべきと考えられる場合もある。

たとえば，次のような算定方式が考えられる。

$$\text{調整後行使価額} = \text{調整前行使価額} \times \frac{1}{\text{分割の比率}}$$

(1)①の例と同時に定められる場合には，新株予約権1個当たりの目的たる株式の数の算定方式と連動するような算定方式が定められており，端数処理の方法にもよるが，結局新株予約権の1個当たりの出資すべき金額は株式併合等により変動しないこととなる場合が多いであろう。

なお，会社法上，新株予約権の行使の際には必ず出資をすることが前提とされており，出資の額をゼロとすることはできない。ただし，その例外として，令和元年会社法改正により，上場会社が取締役の報酬等として，または報酬等をもってする払込みと引換えに，新株予約権を付与する場合には，当該新株予約権の行使に際して金銭の払込みまたは現物出資財産の給付を要しないこととされた（法236条3項1号）。この場合には，新株予約権の行使に際して出資される財産の価額またはその算定方法に代えて，新株予約権行使のための金銭の払込みまたは財産の給付を要しない旨ならびに付与対象者以外の者は新株予約権を行使することができない旨を新株予約権の内容としなければならない（同号・2号4項）。

(3) 金銭以外の財産を新株予約権の行使に際してする出資の目的とするときは，その旨ならびに財産の内容および価額

(2)で述べたように，新株予約権の行使に際して出資すべき財産を金銭以外の財産とすること，すなわち現物出資を行うことも可能とされている。この場合には，あらかじめ新株予約権の内容として，出資する財産の内容および

価額を定めておく必要がある。行使に際して出資すべき財産の額のうち，一部を金銭以外の財産，一部を金銭と定めることも可能である。なお，金銭を出資させる場合には，特に金銭である旨を記載する必要はないが，疑義を避けるために金銭である旨を記載してもよい。

新株予約権付社債については，会社法上，新株予約権の出資を社債で行うものと整理されているので，この事項を定めることが必要となる。新株予約権付社債については，後述3－7で述べる。

なお，新株予約権の行使に際して出資すべき財産のほかに，新株予約権の割当てに係る払込みについても金銭以外の財産とすることができる（後述3－2■2(4)⑦参照）。手続上の違いとしては，新株予約権の行使に際して現物出資を認める場合には，あらかじめ新株予約権の内容としてその旨ならびに財産の内容および価額を定める必要があり，また，その出資の際に原則として検査役の調査が必要とされているのに対し，割当てに係る払込みについては，そのような手続は要求されておらず，払込時に株式会社が承諾すればよいこととされている。

(4) **行使期間**

新株予約権を行使することのできる期間を新株予約権の内容としてあらかじめ定めておく必要がある。会社法上，行使期間の長短について限定はない。ただし，新株予約権の行使期間の初日が到来すると，新株予約権の行使により発行する株式の数は，発行可能株式総数から発行済株式総数を控除した数の範囲内でなければならないという規制に服する（法113条4項）。また，新株予約権の行使期間中は，新株予約権の行使により既存の株主の権利が希薄化する可能性があるので，その点も勘案して新株予約権の行使期間を定める必要がある。

ストック・オプションとして新株予約権を発行する場合には，この定め方により，税制上適格と扱われるか否かが変わることについては，**第Ⅱ編第1章1－5**参照。なお，行使期間の開始または終了を一定の事由にかかわら

しめることは，行使期間の定めではなく行使の条件であると思われる。

(5) 新株予約権の行使の条件

新株予約権の行使の条件については，法236条1項各号には掲げられていないが，新株予約権の内容として当然に定められる[1]。

新株予約権の行使の条件については，さまざまなものが考えられ，会社法上特に限定はない。ただし，株式会社の承認がある場合といった条件は，オプション権であるという新株予約権の性質と矛盾するものと考えられる。

(6) 行使により株式を発行する場合における増加する資本金および資本準備金に関する事項

新株予約権の行使の際には，株式会社は，新株予約権の内容に従って株式を新株予約権者に交付する必要があるが，その株式については，行使時の株式会社の選択により，自己株式を交付してもよいし，株式を新たに発行してもよい。

新株予約権の行使により株式を発行する場合には，増加する資本金の額については，株主が払込みまたは給付をした額の2分の1以上の額で株式会社が定めるものとされていることから（法445条1項），新株予約権の内容として定めておくこととしたものである。ここで，資本金および資本準備金の額ではなく資本金および資本準備金に関する事項と定められているのは，発行時点で確定的に額が定められないためである。

新株予約権の行使があった場合の新株予約権者が出資した財産の額については，計算規則17条に従って計算されることとされている。

計算規則17条においては，次のように定められている。

まず，行使時における当該新株予約権の帳簿価額および出資の額を合計した額に株式発行割合（交付する株式のうち，新たに発行する株式の割合をいう）

---

[1] 相澤哲＝豊田祐子「新会社法の解説(6)新株予約権」旬刊商事法務1742号18頁（2005）。

を乗じて得た額から自己株式処分差損を減じて得た額（資本金等増加限度額）の2分の1以上の額で株式会社が定めた額が資本金の額となる。次に、資本金等増加限度額から資本金に計上して得た額を減じて得た額が、資本準備金となる。

なお、計算規則17条1項4号では、新株予約権の帳簿価額と出資の額の合計額から、新株予約権の行使に応じて行う株式の交付に係る費用のうち会社が定めた額を減ずることとされているが、当該費用の控除については、計算規則附則11条2号により、当分の間、行わないこととされている。これは、現在の会計基準上そのような控除を行わないこととされていることにあわせた措置である。

このように、計算規則では、資本金等増加限度額内での資本金と資本準備金との振分けについて、資本金が2分の1以上になるという限度で自由に株式会社が定めることを認めているため、新株予約権の内容として、あらかじめ定めておくこととされたものである。

なお、新株予約権がストック・オプションである場合には、計算規則17条1項1号の帳簿価額については、ストック・オプション会計により、新株予約権の公正価値とすることとされているので留意が必要である。詳細は第Ⅱ編第1章1－4参照。

(7) 新株予約権譲渡に株式会社の承認を要する場合には、その旨

新株予約権については、譲渡制限を設けることが認められており、その場合には、新株予約権の内容としてあらかじめ譲渡制限について定めておくこととされている。その制限の方法としては、会社法では「株式会社の承認を要する」という要件のみが定められているため、それ以外の方法により制限する内容を定めることはできない。したがって、譲渡を一律に禁止する内容を定めることはできず、仮にそのような内容を定めたとしても、それは新株予約権の内容にはならないものと考えられる。ただし、当事者間の別途の契約としてならありえよう。

また，質入れなどの担保権の設定については，新株予約権の内容として何か定められるという規定はなく，当事者間の契約として定めることは別としても，新株予約権の内容としては禁止を定めることはできないものと解される。ただし，質入れについて制限がなくても，新株予約権の譲渡制限がついている場合は，質権の実行により新株予約権を取得する場合に株式会社が承認しなければ，株式会社に対しては，質権の実行による新株予約権者の変動について対抗することができないということになる。

 新株予約権の内容に譲渡制限の定めがある場合の取扱いについては，後述3－3■1(1)②参照。

(8) 取得条項付新株予約権とするときは，その旨および取得対価の内容など

 新株予約権に取得条項を付することにより，一定の事由が生じた場合に新株予約権者の同意なく（強制的に）当該新株予約権を株式会社が取得することができる。このような取得条項を付するためには，新株予約権の内容として，あらかじめ，その旨，取得事由および取得の対価を定めておかなければならない。

 取得条項付新株予約権の取得事由および取得の対価については，取得条項付株式とほぼ同様の規律になっている。取得事由としては，一定の客観的事由のほかに，新株予約権発行後に株式会社が定めた一定の日の到来を取得事由とする旨定めておくこともできる。このような取得事由を定めることにより，株式会社が取得しようと判断するときに新株予約権を取得することができる。

 取得の対価については，新株予約権の内容としてあらかじめ定めておかなければならない。金銭のほか，株式会社の株式や他の新株予約権，社債を交付することもでき，その場合には，別途株式，新株予約権，社債を発行する手続を経なくても，取得条項付新株予約権を取得した際に，これらを発行することができる。その対価の内容は，あらかじめ明らかになるようにしてお

く必要がある。このことから，会社法236条1項7号ニ～チにおいて，対価の内容を定めることとしている。

具体的には下記の事項である。

図表3－2　取得条項付新株予約権の取得対価

	対　　価	定めるべき事項
①	株式	株式の数（種類株式発行会社にあっては，株式の種類および種類ごとの数）
②	社債（新株予約権付社債についてのものを除く）	社債の種類および種類ごとの各社債の金額の合計額またはその算定方法
③	他の新株予約権（新株予約権付社債に付されたものを除く）	他の新株予約権の内容および数またはその算定方法
④	新株予約権付社債	社債についての②に定める事項および新株予約権についての③に定める事項
⑤	①～④以外の財産	財産の内容および数もしくは額またはこれらの算定方法

(9) 組織再編行為時に新株予約権者に他の株式会社の新株予約権を交付することとするときは，その旨およびその条件

組織再編行為に際して，新株予約権者に他の株式会社の新株予約権を交付することとする旨およびその条件について，あらかじめ，新株予約権の内容として定めることができることとされている（法236条1項8号。以下(9)において当該内容を「本号の内容」という）。

会社法においては，組織再編行為にかかる契約または計画に定めることにより，組織再編行為の際に消滅会社などの発行する新株予約権を消滅させ，当該新株予約権の新株予約権者に存続会社などの新株予約権を交付することができることとされている。いわゆる新株予約権の承継である。組織再編行為において新株予約権について本号の内容どおりの扱いがされない場合には，新株予約権買取請求権が発生することとされており，新株予約権者の保

護が図られている。概要は以下のとおりである。

① **合　　併**

　本号の内容として，新株予約権を発行する株式会社が消滅会社となる合併を行う場合について，存続会社または新設会社の新株予約権を交付する旨およびその条件を定めることができる（法236条1項8号イ）。

　新株予約権を発行する株式会社が吸収合併または新設合併における消滅会社となる場合には，当該消滅会社が発行している新株予約権は当然に消滅する（法750条4項・754条4項）。当該新株予約権の新株予約権者に対しては，合併契約の定めにより，対価（存続会社もしくは新設会社の新株予約権または金銭）を交付することとされている（法749条1項4号・753条1項10号）。そして，当該対価が金銭である場合や，対価の新株予約権が本号の内容と合致しない場合，または，消滅会社の発行する新株予約権に本号の内容が定められていない場合には，消滅会社の新株予約権者は，消滅会社に対して，新株予約権買取請求権を行使することができる（法787条1項1号・808条1項1号）。

　本号の内容として，新株予約権を発行する会社が存続会社となる場合について定めることはできない。合併により存続会社の新株予約権は消滅せず，当該新株予約権について買取請求権も発生しない。

② **会社分割**

　本号の内容として，新株予約権を発行する株式会社が分割会社となる吸収分割または新設分割を行う場合について，吸収分割承継会社または新設分割設立会社の新株予約権を交付する旨およびその条件を定めることができる（法236条1項8号ロ・ハ）。

　新株予約権を発行する会社は，吸収分割契約または新設分割計画に定めることにより，当該新株予約権を消滅させ，当該新株予約権の新株予約権者に対して，対価として吸収分割承継会社または新設分割設立会社の新株予約権を交付することができる（法758条5号・759条9項・763条1項10号・764条11項）。対価を金銭と定めることはできない。

3-1 新株予約権の内容

　まず，吸収分割契約または新設分割計画において消滅する旨（および対価たる新株予約権の交付）が定められた分割会社の新株予約権については，吸収分割契約または新設分割計画で対価として定められた新株予約権が本号の内容と合致しない場合，または，消滅する新株予約権に本号の内容が定められていない場合には，消滅する新株予約権の新株予約権者は，分割会社に対して，新株予約権買取請求権を行使することができる（法787条1項2号イ・808条1項2号イ）。

　次に，吸収分割契約または新設分割計画において消滅する旨（および対価たる新株予約権の交付）が定められなかった分割会社の新株予約権については，本号の内容として吸収分割承継会社または新設分割設立会社の新株予約権を交付する旨が定められている場合には，当該新株予約権について本号の内容と異なる扱いを受けることになるので，分割会社に対し，新株予約権買取請求権を行使することができる（法787条1項2号ロ・808条1項2号ロ）。本号の内容が定められていない場合には，新株予約権買取請求権を行使することはできない。

　本号の内容として，新株予約権を発行する会社が吸収分割承継会社となる場合について定めることはできない。吸収分割によって吸収分割承継会社の新株予約権は消滅せず，当該新株予約権について買取請求権も発生しない。

③　株式交換

　本号の内容として，新株予約権を発行する株式会社が株式交換をする場合（株式交換によって完全子会社となる場合）について，完全親会社となる株式会社の新株予約権を交付する旨およびその条件を定めることができる（法236条1項8号ニ）。

　新株予約権を発行する株式会社が株式交換の完全子会社となる場合には，株式交換契約に定めることにより，当該新株予約権を消滅させ，当該新株予約権の新株予約権者に対して，対価として完全親会社の新株予約権を交付することができる（法768条1項4号・769条4項）。対価を金銭と定めることはできない。

まず，株式交換契約において消滅する旨（および対価たる新株予約権の交付）が定められた完全子会社となる株式会社の新株予約権については，株式交換契約で対価として定められた完全親会社の新株予約権が本号の内容と合致しない場合，または，消滅する新株予約権に本号の内容が定められていない場合には，消滅する新株予約権の新株予約権者は，完全子会社となる株式会社に対して，新株予約権買取請求権を行使することができる（法787条1項3号イ）。

次に，株式交換契約において消滅する旨（および新たな新株予約権の交付）が定められなかった完全子会社となる株式会社の新株予約権については，本号の内容として完全親会社の新株予約権を交付する旨が定められている場合には，当該新株予約権について本号の内容と異なる扱いを受けることになるので，完全子会社となる株式会社に対し，新株予約権買取請求権を行使することができる（法787条1項3号ロ）。本号の内容が定められていない場合には，新株予約権買取請求権を行使することはできない。

本号の内容として，新株予約権を発行する株式会社が株式交換により他の株式会社の発行済株式の全部を取得する場合について定めることはできない。この場合，新株予約権は消滅せず，当該新株予約権について買取請求権も発生しない。

④ 株式移転

本号の内容として，新株予約権を発行する株式会社が株式移転をする場合について，株式移転により設立する株式会社の新株予約権を交付する旨およびその条件を定めることができる（法236条1項8号ホ）。

新株予約権を発行する株式会社は，株式移転計画に定めることにより，当該新株予約権を消滅させ，当該新株予約権の新株予約権者に対して，対価として株式移転により設立する株式会社の新株予約権を交付することができる（法773条1項9号・774条4項）。

まず，株式移転計画において消滅する旨（および対価たる新株予約権の交付）が定められた新株予約権については，株式移転計画で対価として定めら

3-1 新株予約権の内容

れた新設会社の新株予約権が本号の内容と合致しない場合，または，消滅する新株予約権に本号の内容が定められていない場合には，消滅する新株予約権の新株予約権者は，株式移転をする株式会社に対して，新株予約権買取請求権を行使することができる（法808条1項3号イ）。

次に，株式移転計画において消滅する旨（および対価たる新株予約権の交付）が定められなかった新株予約権については，本号の内容として新設会社の新株予約権を交付する旨が定められている場合には，当該新株予約権について本号の内容と異なる扱いを受けることになるので，株式移転をする株式会社に対し，新株予約権買取請求権を行使することができる（法808条1項3号ロ）。本号の内容が定められていない場合には，新株予約権買取請求権を行使することはできない。

なお，本号の内容を定めた具体例については，**第Ⅱ編第1章1－2**を，新株予約権付社債の組織再編行為における処理については，**第Ⅱ編第2章2－6**を参照されたい。

⑽ **新株予約権の行使時に交付する株式の数に端数が出た場合に切り捨てることとするときは，その旨**

目的である株式の数の定め方によっては，新株予約権の行使時に，交付する株式の数に端数が生ずる可能性がある（⑴②(b)参照）。行使時にその端数を切り捨てることについて，新株予約権の内容としてあらかじめ定めておくことができる。新株予約権の内容としてこの定めをおくか否かは株式会社が自由に定めうるが，定めをおいた場合には，行使時の株式の端数について現金で償還するものとされている会社法283条が適用されない（法283条柱書ただし書）。

この端数については，新株予約権ごとではなく，行使をした新株予約権者ごとに判断するものと考えられる。条文上は必ずしも明らかではないが，会社法283条柱書には，「当該新株予約権の新株予約権者に交付する株式の数に1株に満たない端数があるときは」と記載されており，新株予約権者を基

準としているものと考えられるため，ある新株予約権者が複数の同内容の新株予約権を同時に行使した場合には，当該複数の新株予約権の目的である株式の数をまとめて計算するとの考え方と整合的であると思われる。

(11) 新株予約権証券を発行するときは，その旨

新株予約権証券を発行するか否かも，株式会社があらかじめ新株予約権の内容として定めることとされている。新株予約権証券を発行する旨を定めた場合には，株式会社は，原則として，新株予約権の発行後遅滞なく新株予約権証券を発行しなければならない。

新株予約権証券の有無は，新株予約権の譲渡方法や譲渡の対抗要件，質入れの方法などに影響を及ぼす。この点については後述3－3■1において述べる。

なお，株券と同様，新株予約権証券についても，発行しないことが原則とされており，発行する場合にのみ，その旨を定めることとされている。

(12) 新株予約権証券が発行された場合において，新株予約権が無記名証券・記名証券の変更の請求をすることができないこととするときは，その旨

新株予約権の内容として新株予約権証券を発行する旨を定めた場合には，原則として，新株予約権者は，無記名証券とするか記名証券とするかを選択でき，また，新株予約権発行後に無記名証券を記名証券に，記名証券を無記名証券に変更することを請求することができる。

しかし，あらかじめ新株予約権の内容として定めることにより，新株予約権者が当該変更の請求をすることができないこととすることができる。

3-2 新株予約権の発行手続

1 新株予約権の発行場面

新株予約権は，募集新株予約権を引き受ける者を募集する場合のみならず，さまざまな場合に発行される。

新株予約権が発行される場合をまとめると，以下のとおりとなる。

① 新株予約権を引き受ける者を募集して新株予約権を発行する場合（会社法第2編第3章第2節）

② 取得請求権付株式の取得対価として交付する場合（法107条2項2号ハ・ニ）

③ 取得条項付株式の取得対価として交付する場合（法107条2項3号ホ・ヘ）

④ 全部取得条項付種類株式の取得対価として交付する場合（法171条1項1号ハ・ニ）

⑤ 取得条項付新株予約権の取得対価として交付する場合（法236条1項7号ヘ・ト）

⑥ 新株予約権の無償割当てをする場合（法277条）

⑦ 持分会社から株式会社への組織変更の際に社員に対して交付する場合（法746条1項7号ロ・ハ）

⑧ 合併，会社分割，株式交換，株式移転または株式交付の際に株主・社員に対して交付する場合（法749条1項2号ハ・ニ・753条1項8号ロ・

ハ・758条4号ハ・ニ・763条1項8号ロ・ハ・768条1項2号ハ・ニ・773条1項7号ロ・ハ・774条の3第1項5号ロ・ハ）
⑨　合併，会社分割，株式交換，株式移転または株式交付の際に新株予約権者に対して交付する場合（法749条1項4号イ・753条1項10号イ・758条5号イ・763条1項10号イ・768条1項4号イ・773条1項9号イ・774条の3第1項8号ハ・ニ）

　以下では，募集新株予約権を引き受ける者の募集による新株予約権の発行の手続（■2），新株予約権無償割当ての手続（■3），それら以外の新株予約権の発行の手続（■4）に分けて発行手続について述べ，さらに，いずれによる発行の際にも必要な登記手続について（■5）述べる。

■2　募集新株予約権を引き受ける者の募集

　以下では，募集新株予約権を引き受ける者の募集の手続について解説するが，その前に，会社法上必要とされる一般的な（株主割当てでなく，総数引受契約によらない場合）募集手続の概要（イメージ）を示すと，次のようになる。ただし，具体的場面により，手続の順番等は異なりうる。

- 募集事項の決定（株主総会または取締役会の決議等）
- 申込みをしようとする者への募集事項等の通知
- 申込み
- 割当てを受ける者の決定・通知
- 払込み（払込みが必要な場合。割当日の後でもよい）
- 割当日の到来＝新株予約権の発行

---

(1) 募集事項の決定

① 募集の概念

　会社法第2編第3章第2節では，募集新株予約権を引き受ける者を募集して募集新株予約権を発行する場合の手続について定めている。「募集」という用語が会社法で新たに用いられることとなったが，これは，会社法第2編第3章第2節の手続による発行を行う場合を指すものであり，広く多数の者に引受けの勧誘を行うことをいうものではない。したがって，引受人が1人であるような場合でも「募集」に該当する。金融商品取引法上の「募集」という概念とは異なる概念である。この概念については，募集株式の発行の場合における「募集」とほぼ同様である。

　この手続で割り当てる新株予約権は，「募集新株予約権」と呼ぶこととされている。

② 募集事項

　募集新株予約権を引き受ける者を募集する場合には，一定の事項の決定を行わなければならないこととされている。この一定の事項を「募集事項」という。

　募集事項として定めるべき事項は，以下のとおりである（法238条1項各号）。

(a) 募集新株予約権の内容および数
(b) 無償で発行するときは，その旨
(c) 有償で発行するときは，払込金額またはその算定方法
(d) 割当日
(e) 払込金額の払込みの期日を定めるときは，その期日
(f) 募集新株予約権が新株予約権付社債に付されたものである場合には，募集社債の募集に際して定めるべき事項
(g) 募集新株予約権が新株予約権付社債に付されたものである場合において，新株予約権買取請求の際に社債部分について請求しなくてもよいも

のとするときは，その定め

以下各項目ごとに述べる。

(a) **募集新株予約権の内容および数**

募集新株予約権の内容としては，3－1で述べた新株予約権の内容を定めることとなる。なお，新株予約権の行使の条件については，会社法236条1項各号には掲げられていないものの，これを定めることができるのは前述のとおりであるが，定める場合には新株予約権の内容となるので，会社法238条1項1号により，募集事項として定めなければならないこととなる。

募集新株予約権の数は，募集事項を決定する当該決議により発行する募集新株予約権の数である。算定方式で定めることができる旨は規定されていないので，確定数について決議しなければならないものと考えられる。もっとも，決議した数未満の新株予約権の引受けしかなかった場合には，引き受けられた分についてしか割り当てられないため，決議した数より発行数のほうが少なくなることはありうる。

なお，新株予約権については，株式についてと同様，1個未満の新株予約権というものは存在しない。計算上，新株予約権の個数に端数が出てくることはあっても，それは最終的には端数処理されるべきものであり，たとえば，ある者が新株予約権0.5個の新株予約権者になることはできない。したがって，募集新株予約権を引き受ける者を募集する場合に，端数の新株予約権を割り当てることはできない。

(b) **無償で発行するときは，その旨**

(b)および(c)は，募集新株予約権1個と引換えに払い込む金額，すなわち新株予約権の払込金額に関する事項である。これが無償である場合には(b)，有償である場合には(c)を定めることとなる。募集株式の募集の際には，募集株式1個と引換えに払い込む金額は無償にすることはできないものと解されるが（法199条1項2号），募集新株予約権については無償であることが明示的に認められている。なお，無償である場合が必ず有利発行とされるわけではないことについては，④において述べる。

(c) **有償で発行するときは，払込金額またはその算定方法**

有償で発行するときは，新株予約権1個当たりの払込金額を定めることとなるが，算定方法を定めることも認められている。算定方法については，3－1■2(1)②で述べたところと同じである。なお，募集株式の募集事項においては，一定の場合には，算定方法以外に「公正な価額による払込みを実現するために適当な払込金額の決定の方法」を定めることが認められている（法201条2項）。これは，ブックビルディング方式を念頭に置いた規定であり，一定の数値をあてはめて一義的に一定の数字が定まる算定方式ではなくても，公正と認められる一定の方法を定めてもよいこととされたものである。しかし，募集新株予約権については，通常は，ブックビルディング方式の前提となる市場価格がなく，そのような方法によることを特に認める意義にも乏しいため，そのような方法は認められていない。

(d) **割当日**

割当日は，募集事項として必ず定めるべきものとされている事項である。会社法においては，有償で発行することとされている場合であっても，払込金額の払込みの有無にかかわらず，割当日に募集新株予約権が発行されることに注意が必要である（法245条1項）。これにより，払込みがされていない新株予約権についても割当日後は事業報告や登記において開示されることになる。なお，有償の新株予約権について払込みをしていない場合には，新株予約権者となっても，新株予約権の行使をすることはできないものとされている（法246条3項）。

(e) **払込金額の払込みの期日を定めるときは，その期日**

払込金額の払込みの期日については，募集事項として定めてもよいが，定めなくてもよい事項である。有償の募集新株予約権について払込みの期日を定めない場合には，新株予約権の行使期間の初日の前日までに払い込めばよい（法246条1項）。

会社法上,「払込みの期日」（法238条1項5号）と「払込期日」（法246条1項）は異なる概念として整理されている。「払込みの期日」とは会社の定

める日であり，「払込期日」とは会社が定めるか否かにかかわらずすべての有償の募集新株予約権について，その日までに払込みをしなければならない日である。有償の募集新株予約権の募集事項として「払込みの期日」を定めた場合には，「払込みの期日」が「払込期日」になるが，定めなかった場合は，「新株予約権の行使期間の初日の前日」が「払込期日」になる。まとめると**図表３－３**のようになる。

なお，払込期日までに払込みがなかった場合の取扱いについては，(4)⑦参照。

図表３－３　「払込みの期日」と「払込期日」

場合		払込期日（払込みをしなければならない期限）
無償		なし
有償	「払込みの期日」を定めた場合	「払込みの期日」として定めた日
	「払込みの期日」を定めなかった場合	新株予約権の行使期間の初日の前日

(f)　**募集新株予約権が新株予約権付社債に付されたものである場合には，募集社債の募集に際して定めるべき事項**

新株予約権付社債については，募集新株予約権の募集の手続において新株予約権付社債の社債部分の募集手続も行うこととされていることから，そのような場合には募集事項として募集社債の募集に際して定めるべき事項（会社法676条各号に掲げる事項）も定めなければならない。

新株予約権付社債については前述３－７および**第Ⅱ編第２章**で述べるが，会社法においては，新株予約権付社債の募集手続については，新株予約権の募集手続と一体化させ，募集社債の発行の際に定めるべき事項も募集新株予約権の募集事項として定めることとされている。

(g) 募集新株予約権が新株予約権付社債に付されたものである場合において，新株予約権買取請求の際に社債部分について請求しなくてもよいものとするときは，その定め

会社法においては，新株予約権について，一定の場合に買取請求をすることができることとされているが，新株予約権付社債については，原則として当該新株予約権付社債についての新株予約権の買取請求をする際には，社債についても新株予約権とともに買取りを請求しなければならないこととされている（法118条2項・777条2項・787条2項・808条2項）。ただし，新株予約権付社債について別段の定めがある場合は，新株予約権についてのみの買取請求をすることができる。その場合には，募集事項として，その旨をあらかじめ定めておかなければならないこととされている。

③ 募集事項を決定する機関

②の募集事項については，株主総会または取締役会，種類株主総会等の機関で決議をしなければならない。図表3－4は，募集新株予約権の募集事項の決定手続についてまとめたものであるが，株主割当か否か，公開会社か否かまたは有利発行か否かによって異なることとなる。なお，公開会社とは，会社法上，定款においてすべての株式について譲渡制限が付されている株式会社（いわゆる全株式譲渡制限会社）以外の株式会社をいう（法2条5号）。したがって，譲渡制限のついた株式についての定款の定めがあったり，実際に発行したりしていても，他に譲渡制限のついていない株式についての定款の定めがあったり，実際に発行していたりすれば，公開会社となる。

④ 有利発行

有利発行とは，無償で発行する場合には無償であることが特に有利な条件である場合，有償で発行するときは払込金額が特に有利な金額である場合をいう（法238条3項。なお，「有利発行」という用語自体には法律に定義があるわけではないが，これらの場合については特別の手続が設けられていることから，有利発行と呼んで区別するのが通常である）。

有利発行か否かは発行時点における当該新株予約権の価値と払込金額との

図表3－4　募集事項の決定手続

1　株主割当て以外の場合

		有利発行以外	有利発行
公開会社以外の会社	原則	・株主総会の特別決議（法238条2項・309条2項6号） ・種類株式発行会社において，新株予約権の目的が譲渡制限株式であるときは，当該種類の株式の株主による種類株主総会の決議（定款の定めで排除可能）（法238条4項）	同左 （ただし，株主総会において有利な条件によることを必要とする理由を説明しなければならない。法238条3項）
公開会社以外の会社	委任	・株主総会の特別決議による委任（法239条1項・309条2項6号） ・種類株式発行会社において，新株予約権の目的が譲渡制限会社であるときは，委任につき当該種類の株式の株主による種類株主総会の決議（定款の定めで排除可能）（法239条4項） ・委任に基づく取締役会の決議（取締役会設置会社）または取締役の決定（取締役会非設置会社）（法239条1項）	同左 （ただし，株主総会において有利な条件によることを必要とする理由を説明しなければならない。法239条2項）
公開会社	原則	・取締役会決議（法240条1項） ・種類株式発行会社において，新株予約権の目的が譲渡制限株式であるときは，当該種類の株式の株主による種類株主総会の決議（定款の定めで排除可能）（法238条4項）	・株主総会の特別決議（有利な条件によることを必要とする理由を説明しなければならない）（法238条2項・3項・309条2項6号） ・種類株式発行会社において，新株予約権の目的が譲渡制限株式であるときは，当該種類の株式の株主による種類株主総会の決議（定款の定めで排

3-2 新株予約権の発行手続

		除可能）（法238条4項）
	委任	・株主総会の特別決議による委任（有利な条件によることを必要とする理由を説明しなければならない）（法239条1項・2項・309条2項6号） ・種類株式発行会社において，新株予約権の目的が譲渡制限会社であるときは，委任につき当該種類の株式の株主による種類株主総会の決議（定款の定めで排除可能）（法239条4項） ・委任に基づく取締役会の決議（法239条1項）

2 株主割当ての場合

公開会社以外の会社	・株主総会の特別決議（定款の定めにより取締役会の決議（取締役会設置会社）または取締役の決定（取締役会非設置会社）とすることが可能）（法241条3項1号・2号・4項・309条2項6号） ・種類株式発行会社において，種類株主に損害を及ぼすおそれがあるときは，当該種類株主による種類株主総会の決議（定款の定めで排除可能）（法322条1項5号・2項）
公開会社	・取締役会決議（法241条3項3号） ・種類株式発行会社において，種類株主に損害を及ぼすおそれがあるときは，当該種類株主による種類株主総会（定款の定めで排除可能）（法322条1項5号・2項）

比較により決まるものであり，新株予約権を行使した結果に左右されるものではない（新株予約権の価値の算定については前述**第2章**参照）。ただし，払込金額を無償として発行する場合でも，そのことのみにより当然に有利発行に該当するものではない（会社法238条3項1号では「金銭の払込みを要しないこととすることが当該者に特に有利な条件であるとき」としており，「金銭の払込み

を要しないこととするとき」とはしていない)。新株予約権発行の具体的状況を勘案してそれが特に有利な条件であると考えられる場合にのみ，有利発行として扱われる。たとえば，ストック・オプションとして新株予約権を発行する場合，無償での発行であっても，付与者のインセンティブ向上などにより会社にもたらされる便益を勘案すると，新株予約権の価値と比較して特に有利な条件であるとはいえない場合があるものと考えられている（詳細については，**第Ⅱ編第1章**参照）。

有利発行に該当する場合には，既存株主の有する株式の経済的価値が希釈化する可能性があることから，**図表3－4**にあるように，募集事項の決定またはその委任は株主に割当てを受ける権利を与える場合以外は株主総会の特別決議で行うこととされているほか，有利な価格，条件によることを必要とする理由を当該株主総会で説明することとされ，株主の保護を図ることとされている。

⑤　株主割当ての場合

株主割当てとは，株主にその有する株式の数に応じて新株予約権の割当てを受ける権利を与える場合をいう。種類株式発行会社にあっては，株式の種類ごとに募集事項などを決定しなければならない（すなわち，ある種類の種類株主に対する株主割当てが1個の募集である）。また，株主割当てにより発行することができる新株予約権は，割り当てられる株主が有する株式と同じ種類の株式をその目的とするものでなければならない（法241条1項1号かっこ書）。ある種類の株主全員に対してその有する株式の数に応じて募集新株予約権を引き受けさせる場合であっても，その新株予約権の目的たる株式の種類が，割り当てられる株主の有する種類株式と異なる場合には，株主割当てではなく，通常の第三者に対する募集と同様の手続を踏まなければならないこととなる。

募集新株予約権の割当てを受ける権利は，その株主の有する株式の数に応じて与えられる（ただし，株式会社は自己に対して新株予約権を発行することはできないので，自己株式については，割当てを受ける権利はない）が，割当てを

受ける募集新株予約権の数に端数が出るときには，これを切り捨てることとされている。この場合は，切り捨てられた端数について金銭処理をする必要はない。

　株主割当てにより新株予約権の募集を行う場合には，募集事項を決定する手続について，それ以外の場合とは異なる特則が設けられている（法241条）。

　まず，決定機関については，**図表3－4の2**のように，それ以外の場合とは異なる規律が設けられている。次に，有利発行規制の適用を受けず，無償や有利な価額など有利な条件で発行する場合であったとしても有利発行以外の場合と決議機関が異なることはなく，総会での説明も不要である。これは，株主の有する株式の数に応じて割り当てるため，有利な条件で発行しても一般的には申込みをした株主間では利益移転が生じないと解されるからである[2]。しかし，種類株式発行会社においては，ある種類の株主にのみ新株予約権を発行することにより，一定の種類の株主に損害を及ぼす可能性がある。したがって，種類株式発行会社において，株主割当てにより募集新株予約権の募集を行うことによりある種類の株主に損害を及ぼすおそれのある場合には，当該種類の株主による種類株主総会の決議がなければ効力が生じないこととしている（法322条1項5号）。

　株主割当てにより募集を行う場合には，募集事項のほか，株主割当てである旨および募集新株予約権の引受けの申込みの期日を定めなければならない。なお，これらを定めるべき機関は，募集事項を定めるべき機関と同じである（法241条3項）。

　そして，募集新株予約権の引受けの申込みの期日の2週間前までに，株式会社は，募集事項，当該株主が割当てを受ける募集新株予約権の内容および数，新株予約権の引受けの申込みの期日を株主に対して通知しなければならない。これは，割当てを受ける権利を与えられた株主にその権利を知らせ，

（2）　ただし，発行する新株予約権の内容によっては，後述する新株予約権無償割当てに関する議論（■3(2)）があてはまる場合もありえよう。

行使する機会を与えるためである。なお，この通知は，実務上は会社法241条1項の通知（申込みをしようとする者への一定事項の通知）と同時に行うこととなろう。また，申込みの期日までに申込みがなかった分については，別途そのための募集事項の決定手続を行わない限り，株主割当て以外の方法により割り当てることはできない。

⑥ 細目的事項の委任

新株予約権の内容は，募集事項として，図表3－4に定める機関において決定しなければならないこととされているが，その際，細目的事項について一定の委任を行うことが可能かどうかが問題となる。たとえば，会社法239条1項についての株主総会決議を行う際，同項1号の「内容」の一部について取締役会に細目の決定を委任することや，会社法238条において定めた内容の細目について割当契約で定めること（割当契約を締結する代表取締役などへの委任）などである。

条文上は，あくまでも「内容」を定めることとされており，細目について他の機関への委任が可能であるとの文言にはなっていない。したがって，条文上は，内容についてはすべて図表3－4に記載された機関で決定しなければならないものと読むのが素直であろう。

ただ，この点，「内容」を定めるという規定の「内容」に，ある程度の幅があるとの見解もありえよう。仮にこの見解によるとしても，「内容の要綱」（法108条3項参照）との文言ではないため，その幅は広くはなく，また，具体的な新株予約権の内容にもよるものと思われる（たとえば行使条件について，買収防衛策目的などの新株予約権では行使条件の一部であっても防衛策の本質といえるので委任は難しいが，ストック・オプションなどの場合であれば，付与対象者が退任後再度就任したときの取扱いのような細目については委任が可能と考えられる場合もあるなど）。

内容のうち細目的事項について下部機関に委任するという方法で発行された新株予約権は実際にも存在し，そのような文言で登記がされている例も散見される。これらについて，法的にどう評価するかは難しい問題である。少

なくとも，上述したように，条文の文言のみからは，このような扱いが可能であるという結論に達することは難しい[3]。他方で，実際に発行された新株予約権は無効判決がない限り有効であるものとされており，細目的事項について委任に基づき下部機関が決定したからといって，常に無効という判断がされるわけでもないものと思われる。

(2) 適時開示

　株式を上場している株式会社における募集新株予約権の発行については，金融商品取引所の定める適時開示が求められる。たとえば，東京証券取引所上場規程402条1号aにおいては，上場会社の業務執行を決定する機関が新株予約権を引き受ける者の募集を決定した際の開示が規定されている。これについては，原則として払込金額と行使価額の合計が1億円未満の場合には軽微基準により開示が不要とされているが，株主割当ての場合，買収防衛策の導入または発動の場合には軽微基準の適用はない（上場施行規則401条1号）。一般には，取締役会において募集事項を決定する場合には取締役会の決議時，株主総会において募集事項を決定する場合にはその総会の議題についての取締役会の決議時に開示することとなり，また，株主総会において一定の事項を定めて募集事項の決定を委任した場合には，当該総会に係る取締役会の決議時のほか，委任に基づき募集事項を決議した場合にも開示が求められることになろう。

(3) 金融商品取引法上の開示

　① 開示義務

　金融商品取引法上，新株予約権証券は「有価証券」とされ，新株予約権証券を発行しない新株予約権も，「有価証券」とみなされており（金商2条1項

---

[3] 登記をなしうるかの文脈で，下位機関に新株予約権の決定を委ねるような内容の新株予約権の効力を否定し，登記申請を却下すべきとの見解も存在する（吉野太人＝産田実代「商業・法人登記実務の諸問題(1)」民事月報64巻8号26頁（2009））。

9号・2項柱書），新株予約権を発行する一定の場合には，金融商品取引法上の開示が必要となる。この開示義務については，新株予約権を発行する株式会社や，取得の勧誘を行う人数等によって異なる規律が設けられている。

まず，新株予約権を発行する株式会社が継続開示義務を負う場合，すなわち開示会社である場合（金商2条3項2号ロ・ハに該当する場合を除く）には，新株予約権の発行は金融商品取引法上の「募集」に該当することとなる（金商2条3項柱書・2号，金商令1条の4第1号イ・2号イ・1条の7第1号）。継続開示義務を負うのは，おおむね，次のいずれかの場合である（金商24条1項，金商令3条の6第1号・2号・3号・4号・6号）。

(a) 金融商品取引所上場有価証券，特定店頭売買有価証券の発行会社
(b) 有価証券届出書の提出を要する募集・売出しの行われた有価証券の発行会社
(c) 株主数1,000人以上の会社

新株予約権の発行が金融商品取引法上の「募集」に該当する場合には，発行価額に応じて，発行価額が1,000万円超1億円未満の場合は有価証券通知書，1億円以上の場合には有価証券届出書の提出が必要とされる（発行価額が1,000万円以下の場合には，開示義務はない。金商4条1項本文・5号，開令2条5項，金商4条6項，開令4条5項）。また，発行価額の総額が1億円以上の場合には，目論見書を作成し，新株予約権を取得させるのと同時にまたはあらかじめ，取得者に交付しなければならないこととされている（金商15条2項本文）。なお，ここで発行価額とは，新株予約権に係る払込金額のことではなく，新株予約権に係る払込金額と当該新株予約権の行使価額を合計した額をいうものとされている（開令2条5項1号）。

次に，新株予約権を発行する株式会社が開示会社でない場合においても，50人以上の者（適格機関投資家が含まれている場合にあっては，当該有価証券を取得した者が当該有価証券を適格機関投資家以外の者に譲渡を行わない旨を定めた譲渡に係る契約を締結することを取得の条件として取得勧誘を行うときは，適格機関投資家を除く。金商令1条の4第1号ハ(2)））に対して新株予約権の取

得の申込みの勧誘を行う場合には，金融商品取引法上の「募集」に該当することになる（金商2条3項1号，金商令1条の5）。ただし，適格機関投資家のみに勧誘する場合については例外が認められている（金商2条3項1号）。

他方，新株予約権を発行する会社が開示会社でない場合において，新株予約権の取得の申込みの勧誘を行う対象が50人未満である場合には，①当該対象がすべて適格機関投資家であって，かつ，上記金融商品取引法施行令1条の4第1号ハ(2)の要件を満たす場合か（金商2条3項2号イ，金商令1条の4第1号イ・ハ(2)），②それ以外の場合には，当該発行の前6カ月以内に，当該発行と合わせて勧誘対象人数が50人以上となる新株予約権の発行（有価証券届出書や発行登録追補書類が提出されているものを除く）が行われていないとき（金商2条3項2号ハ，金商令1条の6・1条の7）は，募集には該当せず，有価証券届出書や有価証券通知書の提出は不要である。株式の発行の場合と異なり，その発行価額が1億円を超えても有価証券届出書の提出は必要とされていない。

なお，発行の場面ではないが，すでに発行された新株予約権を均一の条件で50人以上の者に対して取得の申込みを勧誘する行為は，金融商品取引法上の「売出し」に該当することとなる（金商2条4項1号，金商令1条の8）。売出価額の総額が1億円以上となる場合には有価証券届出書（当該新株予約権についてすでに開示が行われている場合には有価証券通知書）の提出をしなければならないこととされている（金商4条1項本文・5号）。この「売出価額の総額」は，新株予約権の売出価額の総額に行使価額の総額を加えた価額をさす（開令2条5項1号）。

また，発行会社およびその直接完全子会社・完全孫会社（直接完全子会社が他の会社の発行済株式総数を有する場合の当該他の会社）の取締役，執行役，監査役などのみに対して勧誘を行う場合（ストック・オプションの場合が想定されている）には金融商品取引法上の「募集」に該当しても有価証券届出書の提出義務がないこととされているが，この特則については，第Ⅱ編第1章1－2■2(4)⑦において述べる。

② **有価証券届出書の記載事項など**

新株予約権の発行が金融商品取引法上の「募集」に該当する場合であって，発行価額が1億円以上である場合には，①で述べたように，原則として有価証券届出書の提出が必要とされる。この場合において必要とされる開示のうち，証券情報に係る一般的な開示事項は次のとおりである（開令第2号様式等）。

(a) **募集の条件**

発行数，発行価額の総額，発行価格，申込手数料，申込単位，申込期間，申込証拠金，申込取扱場所，割当日，払込期日，払込取扱場所。

(b) **新株予約権の内容など**

新株予約権の目的となる株式の種類，新株予約権の目的となる株式の数，新株予約権の行使時の払込金額，新株予約権の行使により発行する株式の発行価額の総額，新株予約権の行使により発行する株式の発行価格および資本組入額，新株予約権の行使期間，新株予約権の行使請求の受付場所，取次場所，払込取扱場所，新株予約権の行使の条件，自己新株予約権の取得の事由および取得の条件，新株予約権の譲渡に関する事項，代用払込みに関する事項，組織再編行為に伴う新株予約権の交付に関する事項など。

また，有価証券報告書および半期報告書による継続開示および有価証券届出書の企業情報においては，「株式等の状況」として，「新株予約権等の状況」および「ストック・オプション制度の内容」の記載が要求される。ここでは，新株予約権の数や，新株予約権の目的となる株式の種類および数などの情報が開示されることとなる。

③ **開示の時期**

新株予約権の発行につき有価証券届出書の提出が必要とされる場合には，新株予約権の取得についての勧誘行為は，有価証券届出書が公衆縦覧に供されるまでしてはならない（金商4条1項本文）。また，新株予約権の取得は，届出の効力が発生するまで，これをさせてはならないこととされている（金商15条1項）。投資家が十分に考慮する時間を確保するためである。

有価証券届出書は，原則として，内閣総理大臣が有価証券届出書を受理した日から15日を経過した日に効力を生ずる（金商8条1項）。ただし，参照方式により作成できる場合には，おおむね7日の経過で効力が発生するものとされ，また，一定の事項について訂正届出書が提出された場合には当該届出の効力について中1日で効力が生じることとされているなどの例外が認められている（同条3項）。

また，株主割当ての場合は，有価証券届出書の提出は基準日の25日前までにしなければならないこととされている（金商4条4項）。

(4) 新株予約権の申込みおよび割当て

① 申込みをしようとする者への通知

募集新株予約権の募集事項が決定されたら，株式会社は，新株予約権の引受けの申込みをしようとする者に対して，新株予約権の内容などを通知することとされている（法242条1項，施54条）。

通知すべき内容の具体的内容は，次のとおりである。

(a) 株式会社の商号（法242条1項1号）
(b) 募集事項（法242条1項2号・238条1項1号～7号）
- 新株予約権の内容および数
- 募集新株予約権についての払込みを要しない場合にはその旨
- 新株予約権1個と引換えに払い込む金額またはその算定方法
- 割当日
- 払込金額の払込期日を定めるときは，その期日
- 新株予約権付社債に付された新株予約権については，会社法676条各号に掲げる事項（社債の発行の際に定めるべき事項）
- 募集新株予約権が新株予約権付社債に付されたものである場合において，新株予約権買取請求の際に社債部分について請求しなくてもよいものとするときは，その定め

(c) 新株予約権の行使に際して金銭の払込みをすべきときは，払込みの取

扱いの場所（法242条1項3号）
(d) 発行可能株式総数（種類株式発行会社にあっては，各種類の株式の発行可能種類株式総数を含む。施54条1号）
(e) 株式会社（種類株式発行会社を除く）が発行する株式の内容として会社法107条1項各号に掲げる事項を定めているときは，当該株式の内容（施54条2号）
(f) 株式会社（種類株式発行会社に限る）が会社法108条1項各号に掲げる事項につき内容の異なる株式を発行することとしているときは，各種類の株式の内容（施54条3号）
(g) 単元株式数についての定款の定めがあるときは，単元株式数（施54条4号）
(h) 次に掲げる定款の定めがあるときは，その規定（施54条5号イ～ト）
 ・ 譲渡制限株式の譲渡についての承認機関
 ・ 株式会社が譲渡制限株式の譲渡を承認しない場合の指定買取人を指定する機関
 ・ 株式会社が譲渡制限株式の譲渡の承認をしたものとみなされる場合
 ・ 特定の者から自己株式を取得する場合であっても他の株主に売渡請求権がない旨
 ・ 取得請求権付株式の取得の対価が株式である場合に端数につき金銭を交付しない旨
 ・ 取得条項付株式の取得の日を定める機関
 ・ 取得条項付株式の取得する一部の株式を定める機関
 ・ 相続その他の一般承継により譲渡制限株式を取得した者に対して売渡請求ができる旨
 ・ 種類株主総会により選任された取締役・監査役であっても株主総会の決議により任期の変更または解任ができる旨
(i) 株主名簿管理人を置く旨の定款の定めがあるときは，その氏名または名称および住所ならびに営業所（施54条6号）

(j) 定款に定められた事項であって，新株予約権の引受けの申込みをしようとする者が通知することを請求した事項（施54条7号）

これらの通知を行う形式は特に法律上定められておらず，書面によるほか，電磁的方法によることなども可能である。また，改正前商法下のように申込証の用紙に記載する必要もないが，記録を残すという観点などから従来の形式で行うことも，会社法上の通知事項が通知されていれば問題はない。

なお，この通知の規定については，金融商品取引法上の目論見書を交付している場合や，外国の法令に基づき目論見書その他これに相当する書面その他の資料を提出している場合であって，これらの事項を提供しているときには，適用除外とされている（法242条4項，施55条）。目論見書を交付している場合であっても，上記の事項について記載などがされていない場合には，適用除外にあたらないことに注意が必要である。

また，これらの事項に変更があったときは，株式会社は，直ちに，その旨および変更があった事項を申込者に通知しなければならないこととされている。募集事項など一定の機関による決定がされている事項については，その変更を行うためには当該機関による決定がされなければならない。

② 申込みの方法

次に，引受けの申込みをする者は，その氏名または名称および住所，引き受けようとする募集新株予約権の記載された書面を株式会社に交付して，引受けの申込みをしなければならないこととされている。株式会社の承諾がある場合には，この書面に代えて，一定の電磁的方法により申し込むこともできる。申込みについては，①の通知と異なり，書面または電磁的方法という一定の方式が法律上要求されている。

③ 株主割当ての場合

株主割当ての場合であっても，申込みをしようとする者に対する通知（法242条1項）は必要である。ただし，株主割当ての場合には，別途会社法241条4項の通知をしなければならないこととされているため，実務上は，

2つの通知を同時に行い，同一の事項については通知を兼ねることが便宜的であろう。この場合には，両方の通知において通知すべきこととされている事項がすべて通知されていなければならないことに留意する必要がある。

④ 割当てを受ける者などの決定

株式会社は，申込者の中から，募集新株予約権の割当てを受ける者を定め，その者に割り当てる募集新株予約権の数を定めなければならない（法243条）。

この決定は，次の場合には，取締役会設置会社においては取締役会，取締役会を設置していない会社においては株主総会で定めなければならないこととされている。

・ 募集新株予約権の目的である株式の全部または一部が譲渡制限株式である場合
・ 募集新株予約権が譲渡制限新株予約権である場合

ここで，譲渡制限新株予約権とは，譲渡について株式会社の承認を要する旨の定めがあるものをいう。譲渡制限新株予約権とするかどうかは，新株予約権の内容として定めるべき事項とされている。

なお，上記の場合に該当しないときは，割当てについては募集に関する職務を執行すべき者が適宜決定すればよい。

割当ての決定は，申込者の中から行うこととなるが，申込みがされる前に，申込みがされることを条件に割当ての決定を行うことも可能である。したがって，募集事項の決定の際に同時に割当てを受ける者および割り当てる株式の数を定めることができる。

株主割当ての場合には，株主に割当てを受ける権利があることから，申込みをした株主に対して株式会社が割当ての決定を行う必要はない。

株式会社は，割当日の前日までに，申込者に対し，割り当てる募集新株予約権の数を通知しなければならないこととされている。

平成26年会社法改正により，公開会社において募集新株予約権の割当てにより支配株主の異動が生ずる場合の特則が設けられた。すなわち，公開会

社において，引受人に対する募集新株予約権の割当ての結果，当該引受人（その子会社を含む）の引き受けた募集新株予約権に係る交付株式（法244条の2第2項）の株主となった場合に有することとなる最も多い議決権の数が，当該場合における最も多い総株主の議決権の数の2分の1を超えるとき（支配株主の異動を伴うとき）は，会社は，払込期日（払込期間の初日）の2週間前までに，株主に対し，当該引受人（特定引受人）の名称・住所，特定引受人が有することとなる議決権の数その他の法務省令で定める事項を通知または公告しなければならない（法244条の2第1項～3項。なお，割当日の2週間前までに有価証券届出書の提出をしている場合等にはかかる通知・公告は不要である。同条4項）。そして，総株主の議決権の10分の1（定款による引下げは可能）以上の議決権を有する株主が通知・公告の日（通知・公告が不要な場合には法務省令で定める日）から2週間以内に特定引受人による募集新株予約権の引受けに反対する旨を会社に対し通知したときは，会社は，払込期日の前日までに，株主総会の決議によって，特定引受人に対する募集株式の割当てまたは同人との総数引受契約（法244条1項。⑤参照）の承認を受けなければならないこととされた（法244条の2第5項本文）。ただし，当該公開会社の財産の状況が著しく悪化している場合において，当該公開会社の事業の継続のため緊急の必要がある場合には，かかる株主総会決議による承認は不要である（同項ただし書）。

⑤ 総数引受契約

上記①から④までの規律については，募集新株予約権を引き受けようとする者がその総数の引受けを行う契約を株式会社との間に締結する場合には，適用しないこととされている。

これは，契約を締結して総数についての引受けを行う場合には，単なる申込みと割当ての場合とは異なり，契約の交渉の過程において必要な事項の開示を求めることができること，総数の割当てについて合意するため割当てについて申込者に通知をする必要がないことから，一定事項の通知の制度や割当てについての通知の規定を適用除外としているものである。

なお，総数引受契約については，契約の当事者である引受けをしようとする者は1人であることを要しない。複数の者が当事者となっても，それらの者により総数について引受けがされていればよいと考えられ，また，契約自体も1本である必要はなく，契約の総体として，総数が引き受けられていればよい。ただし，当該複数の契約の総体が総数引受契約であることを当事者が知っている必要があるものと考えられることから，個々の契約については，総数についての明示およびそのうちの何個の新株予約権について当該契約者が引き受けることとされているのかの明示は必要であるものと考えられる。

また，会社法244条1項は，総数引受契約を締結した場合には，同法242条および243条の適用がないこととしているため，そのままでは，総数引受契約を締結すれば，募集新株予約権が譲渡制限新株予約権であったり，募集新株予約権の目的たる株式が譲渡制限新株予約権である場合であっても，引受人は募集新株予約権の募集についての業務を執行すべき者が適宜決めればよいということになってしまうが，これは株式や新株予約権の譲渡制限制度の趣旨に沿わないのではないかという問題があった。平成26年会社法改正は，この点について手当てをし，上記のような場合には，定款に別段の定めがない限り，総数引受契約の締結に関し，株主総会（取締役会設置会社にあっては取締役会）の承認を受けなければならないこととした（同条3項）。

⑥ **募集新株予約権の発行**

募集事項の項で述べたように，募集新株予約権は，払込みの有無にかかわらず，割当日として定めた日に発行される。

⑦ **募集新株予約権に係る払込み**

募集新株予約権が有償で発行される場合には，新株予約権の割当てを受けた者は，払込金額の全額を払い込まなければならない。この場合において，払込みをしなければならない期限については，**図表3－3**参照。

この払込みについては，株式会社の承諾があれば，金銭以外の財産を給付することや，株式会社に対する債権をもって相殺することができる。新株予

約権の行使に際しての払込みと異なり，給付される財産などについてあらかじめその内容を定めておくことや，給付される財産についての検査役の調査をすることは必要ない。これは，新株予約権の行使時の給付については出資と考えられるため，現物出資の規律（法284条〜286条）が設けられていることとは異なり，新株予約権に係る払込みは新株予約権者にとって株式会社に対する債務の履行であることから，このような規律とされているものである。なお，代物弁済や相殺による払込みも可能であるが，いずれの場合も株式会社（債権者）の承諾が必要である（民482条，法246条2項）。相殺の場合に株式会社の承諾を要する点は一般の債務と異なっている（民505条1項本文・506条1項前段参照）。

　新株予約権者は，払込期日までに新株予約権に係る全額の払込みをしないときは，当該募集新株予約権を行使することができないこととされている（法246条3項）。「払込みの期日」を定める際，行使期間の初日よりも後に設定することも可能であるが，その場合には，行使期間が到来しても，払込みをしない限り，新株予約権を行使することはできない。

　ただし，払込みをしないまま新株予約権の行使期間を徒過するなどして，結局新株予約権を行使することができなかったとしても，株式会社に対して払込みをする義務には影響を及ぼさないものと考えられる。新株予約権の払込期日までに払込みをしなかったということは，単に一般の債務についての弁済期を徒過したのと同様に考えられるし，払込義務が消滅すると考えると，結局新株予約権者はオプションの対価を支払わずにオプションを取得する（行使したいときだけ支払えばよく，行使しなければ何らの出損も要しない）ことが可能になってしまうからである。

　なお，払込みを仮装した新株予約権者の責任については，後述3－5■1(5)を参照。

(5) 差止請求

　募集新株予約権の募集の方法により新株予約権が発行されようとすると

き、当該発行が法令もしくは定款に違反する場合、または著しく不公正な方法により行われる場合で、株主が不利益を受けるおそれがあるときは、株主は、株式会社に対し、その発行をやめることの請求をすることができる（法247条）。法令違反とは、必要な株主総会の決議を得なかった場合や、必要な通知が行われなかった場合などが考えられる。また、著しく不公正な方法とは、会社支配の帰属に争いがあるときに、合理的な理由なく、あるいは相当性を欠く方法で取締役が議決権の過半数を維持・争奪する手段として新株予約権を発行する[4]などの場合である。

■3 新株予約権無償割当て

(1) 手　続

　新株予約権は、募集新株予約権の募集以外の手続によっても発行することができるが、新株予約権無償割当てはその一場合である。

　新株予約権無償割当てとは、株主に対して、新たに払込みをさせないで、その有する株式の数に応じて新株予約権を割り当てることをいう（法277条）。株主による申込みは不要であり、株式会社の行為によって、自動的に株主は新株予約権者ともなる。

　種類株式発行会社にあっては、新株予約権無償割当ては、ある種類の種類株主に対して新株予約権を割り当てるものと整理されている。すなわち、一の新株予約権無償割当ては、一の種類の株式の株主に対して行うものであり、複数の種類の株式の株主に対して新株予約権無償割当てを行いたい場合には、法的には、同時に複数の新株予約権無償割当ての手続を行うこととなる。なお、新株予約権の目的である株式の種類が当該新株予約権が割り当てられる株主の有する株式の種類と同じである必要はない。

　新株予約権無償割当てをするためには、次の事項を取締役会（取締役会設

（4）　東京高決平成17・3・23判時1899号56頁、江頭・株式会社法840頁注2。

置会社の場合）または株主総会（取締役会非設置会社の場合）で決議することが必要である。ただし，定款の規定により異なる機関（代表取締役など）でこれらの事項を定めることができる（法278条3項）。

① 新株予約権の内容および数またはその算定方法
② 新株予約権が新株予約権付社債に付されたものであるときは，社債の種類および各社債の金額の合計額またはその算定方法
③ 新株予約権無償割当てがその効力を生ずる日
④ 種類株式発行会社であるときは，新株予約権無償割当てを受ける株主の有する株式の種類

この決定で定めた効力発生日が到来すると，割当てを受けた株主は，この決定で定めた内容の新株予約権の新株予約権者となる。それが新株予約権付社債に付されたものであるときは，新株予約権付社債についての社債の社債権者にもなる。

新株予約権無償割当てをした株式会社は，新株予約権無償割当ての効力発生日後遅滞なく，割当てを受けた株主およびその登録質権者に対して，割り当てた新株予約権の内容および数を通知しなければならず（法279条2項），その行使期間の末日が当該通知の日から2週間を経過する日前に到来するときは，行使期間は，通知の日から2週間を経過する日まで延長されたものとみなされる（同条3項）。平成26年会社法改正前は，行使期間の初日の2週間前までの通知が要求されていたが，ライツ・オファリングに要する期間の短縮の目的で改正されたものである（ライツ・オファリングについては，**第Ⅱ編第3章3－5参照**）。

種類株式発行会社にあっては，ある種類の株主のみに新株予約権を割り当てることは，種類株主間の利益の移転を伴うことがあり，種類株主の利益を害することがある。したがって，会社法においては，新株予約権無償割当てを行う場合において，ある種類の種類株主に損害を及ぼすおそれがあるときは，当該種類の株式の種類株主を構成員とする種類株主総会の決議がなければ，当該新株予約権無償割当ての効力が生じないものとしている（法322条

1項6号)。ただし，これについては，定款の定めにより，当該種類株主総会を不要とすることができる(当該種類株式発行後にこの定めを設けるときには，当該種類株主の全員の同意が必要である)。

(2) 新株予約権無償割当てに関する論点

① 株主平等原則との関係

新株予約権無償割当てについては，株式無償割当てと同様，取締役会設置会社においては取締役会の決議のみにより，効力を発生させることができる。これは，新株予約権無償割当ては，株主の有する株式の数の割合に応じて自動的に新株予約権を割り当てるものであるため，株主間の利益移転が基本的にはないと考えられること(ただし，種類株式ごとに新株予約権無償割当てがされることから，種類間においては利益移転が生じうるが，それについては前述のように種類株主総会を要することとして手当てがされている)から，簡易な手続で足りることとしたものである。したがって，一般的には，新株予約権無償割当ての手続に従っている場合には，同一の内容の株式を平等に扱うべきこととした株主平等原則の要請を満たしているものと考えられる。

しかし，新株予約権無償割当ては，株式分割や株式無償割当てと異なり，新株予約権を割り当てられた株主が当該新株予約権を行使することによりはじめて当該新株予約権の目的たる株式の株主となることができるものである。したがって，たとえば，一部の株主のみしか行使することができないような行使条件の付された新株予約権の無償割当ては，実質的には一部の株主にしか新株予約権を割り当てていないのと同様に考えられる場合がありうる。特に，無償割当ての時点ですでに新株予約権を行使することができない一部の株主が特定されているような行使条件が付されている場合には，株主の有する株式の数に応じて新株予約権が割り当てられるという新株予約権の無償割当ての特質を失っているとも考えられる。また，割り当てた新株予約権の目的である株式の数が1に満たない数に定められ，かつ，行使の際に目的である株式の数について端数が切り捨てられるものと定められているよう

な場合（なお，1株に対しては1以上の新株予約権を割り当てなければならないと解されているようである）には，一定の数以上の新株予約権を割り当てられない株主にとっては，実質的に何も割り当てられていないのと同様ということになる。このような場合には，株主の一部にのみ新株予約権を発行したものと同様に考えられ，新株予約権無償割当ての手続で行う場合には株主平等原則違反が問題となりうる可能性があり，本来は募集新株予約権の有利発行手続をとるべきであるとの解釈もありうるところである[5]。これは，買収防衛策として差別的行使条件のついた新株予約権を無償割当てにより発行する場合に特に問題になるものであり，詳細については第Ⅱ編第4章4－2■3(2)①において述べることとする。

② 差止請求の可否

新株予約権無償割当てについては，募集新株予約権の発行の際のような，発行前にその発行をやめることの請求（いわゆる差止請求）ができる旨の規定が設けられていない。これは，簡易な手続により新株予約権無償割当てができるのと同様の理由であり，基本的には株主の利益を害することがないと考えられたためである。

しかし，前述したように，新株予約権無償割当てがされる場合，当該割当てを受けるのと同じ種類株式の株主であっても，その一部の株主が利益を害される可能性がないわけではないと考えられる。このような場合には，募集新株予約権の募集についての差止請求の規定（法247条）を類推適用し，解釈上，差止請求を認める余地もあるものと考えられる[6]ところ，ブルドックソース事件に関する最高裁平成19年8月7日決定（民集61巻5号2215頁）は，新株予約権無償割当てに会社法247条が類推適用される旨の判断を示した（第Ⅱ編第4章4－2■3(7)参照）。

---

(5) 葉玉匡美「TOBと買収防衛策」T&A master 176号40頁（2006）。
(6) 弥永真生「株式の無償割当て・新株予約権の無償割当て・株式分割と差止め」旬刊商事法務1751号4頁（2005）。

第Ⅰ編　第3章　新株予約権に関する手続の概要

■4　その他の発行手続（取得の対価，組織再編行為）

(1)　取得の対価

　新株予約権は，取得請求権付株式，取得条項付株式，全部取得条項付種類株式，取得条項付新株予約権の発行の際にその取得の対価として定めておくことにより，これらの株式・新株予約権の取得の際に，特段の発行手続なしに発行されることとなる。

　これらの場合においては，これらの株式・新株予約権の発行のために定める事項として，対価としての新株予約権の内容および数またはその算定方法が定められることとなる。

(2)　消滅株式会社などの新株予約権者への交付

①　組織再編行為の対価としての交付（消滅株式会社などの株主・社員への交付）

　新株予約権は，合併，会社分割，株式交換，株式移転，株式交付または持分会社から株式会社への組織変更の際に組織再編行為の対価として消滅会社などの株主・社員に交付する方法により，別途発行の手続をとることなく発行することができる。これらの場合には，合併契約，吸収分割契約，新設分割計画，株式交換契約，株式移転計画，組織変更計画において，新株予約権の内容および数またはその算定方法を定めなければならない（法746条7号ロ・ハ・749条1項2号ハ・ニ・753条1項8号ロ・ハ・758条4号ハ・ニ・763条1項8号ロ・ハ・768条1項2号ハ・ニ・773条1項7号ロ・ハ・774条の3第1項5号ロ・ハ）。

②　消滅株式会社などの新株予約権者への交付

　会社法においては，組織再編行為を行う際に，消滅株式会社などの新株予約権者へ，存続株式会社などの新株予約権を交付し，消滅株式会社などの新株予約権を実質的に承継することが認められている。この場合にも，組織再

編行為についての契約または計画の定めによることが必要である（法749条1項4号イ・ロ・5号・753条1項10号イ・ロ・11号・758条5号・6号・763条1項10号・11号・768条1項4号・5号・773条1項9号・10号・774条の3第1項8号ハ・ニ・9号）。

このような新株予約権の実質的承継については，前述3－1■2(9)参照。

■5 登　記

(1) 登記事項

新株予約権を発行した場合には，新株予約権について次に掲げる事項を登記しなければならないこととされている（法911条3項12号）。

① 新株予約権の数

② 新株予約権の目的である株式の数（種類株式発行会社にあっては，株式の種類および種類ごとの数）またはその数の算定方法

③ 新株予約権の行使価額またはその算定方法（④を登記する場合を除く）

④ 上場会社が取締役の報酬等として，または報酬等をもってする払込みと引換えに，新株予約権を付与する場合には，そのために新株予約権行使のための金銭の払込みまたは財産の給付を要しない旨ならびに付与対象者以外の者は新株予約権を行使することができない旨

⑤ 金銭以外の財産を新株予約権の行使に際してする出資の目的とするときは，その旨ならびに当該財産の内容および価額

⑥ 新株予約権の行使期間

⑦ 新株予約権の行使の条件

⑧ 取得条項付新株予約権については，取得事由（株式会社が別に定める日が到来することを取得事由とするときは，その旨），対価の内容および数またはその算定方法

⑨ 新株予約権に係る払込みを要しないこととする場合にはその旨，要する場合には払込金額またはその算定方法

⑩　募集新株予約権と引換えに金銭の払込みを要する場合における払込金額またはその算定方法（登記の時までに当該払込金額が確定していない場合に限る）

なお、②については、登記手続上、各新株予約権についての数ではなく、決議などに基づき発行される新株予約権全体についての数と扱われている。

これらの事項は、新株予約権を発行してから2週間以内に登記をする必要がある（法915条1項）。ただし、取得請求権付株式の対価として新株予約権が交付される場合には、請求権がまとめて行使されない場合の便宜を考えて、毎月末日現在により、当該末日から2週間以内にすればよいこととされている（同条3項2号）。

(2)　添付書類

新株予約権の発行の際の登記申請には、次の添付書類を添付すべきこととされている（商登46条・65条～68条）。

① 　募集新株予約権の発行の場合
　(a)　募集事項に係る決議の議事録または取締役の過半数の一致を証する書面（株主総会の委任に基づいて取締役会が決定したときは、当該株主総会の議事録も添付する）
　(b)　引受けの申込みまたは総数引受契約を証する書面
　(c)　割当日より前の払込みの期日を定めた場合には、払込み（金銭以外の財産の給付または株式会社に対する債権をもってする相殺を含む）があったことを証する書面
　(d)　株主割当ての場合において、失権予告付催告（法241条4項）の期間を短縮するときは、総株主の同意書

② 　取得請求権付株式の取得の対価としての発行
　(a)　取得請求権付株式の取得の請求があったことを証する書面
　(b)　新株予約権の発行が可能な分配可能額が存在することを証する書面
　(c)　当該新株予約権を初めて登記するときは、その内容の記載された定

款（定款に要綱を定め，株主総会または取締役会で具体的内容を定めたときは，当該議事録も添付する）

③ **取得条項付株式の取得の対価としての発行**
  (a) 取得事由の発生を証する書面
  (b) 取得条項付株式の一部を取得したときは，当該一部の決定に係る議事録
  (c) 株券発行会社にあっては，株券提供公告をしたことを証する書面または当該取得条項付株式の全部について株券を発行していないことを証する書面
  (d) 前記②(b)の書面
  (e) 前記②(c)の定款

④ **取得条項付新株予約権の取得の対価としての発行**
  (a) 取得事由の発生を証する書面
  (b) 取得条項付新株予約権の一部を取得したときは，当該一部の決定に係る議事録
  (c) 新株予約権証券の提出に関する公告をしたことを証する書面または新株予約権証券を発行していないことを証する書面
  (d) 当該新株予約権を初めて発行するときは，その内容の決定に係る議事録

⑤ **全部取得条項付種類株式の取得の対価としての発行**
  (a) 株主総会の議事録
  (b) 株券発行会社にあっては，株券提供公告をしたことを証する書面または当該全部取得条項付種類株式の全部について株券を発行していないことを証する書面
  (c) 前記②(b)の書面

3-3 新株予約権の譲渡・内容の変更

■1 新株予約権の譲渡および新株予約権原簿・新株予約権証券

(1) 新株予約権の譲渡

① 譲渡の方法と効力，対抗要件

新株予約権の譲渡の方法，効力および対抗要件は，新株予約権証券が発行されているか否か，また新株予約権証券が記名式か無記名式かにより異なることとされている。

新株予約権に係る新株予約権証券を発行するか否かは，新株予約権の内容とされている（法236条1項10号）。前述のように，株券発行会社であるか否かにかかわらず，新株予約権証券を発行するか否かを自由に定めることができる。そして，新株予約権証券については，記名式と無記名式の両方が認められている（法249条1号・2号参照）。記名式は，新株予約権原簿に新株予約権者の氏名または名称を記載することとされているもの，無記名式は，新株予約権原簿に新株予約権者の氏名または名称を記載しないこととされているものである。

新株予約権証券を発行するものと定めた場合には，新株予約権証券の譲渡は，株券発行会社における株式の譲渡と同様，証券を交付しなければその効力を生じないものとされている（法255条1項本文）。新株予約権証券を発行

しないことと定めた場合には、その譲渡自体は意思表示のみで行われる。

他方、会社および第三者へ対抗できるか否かについては、新株予約権証券を発行しない場合にはいずれも新株予約権原簿の記載が対抗要件となり、新株予約権証券を発行する場合には、記名式においては、新株予約権原簿の記載が株式会社への対抗要件となるが、第三者に対する対抗要件は証券の所持であり、他方無記名式においては、株式会社、第三者いずれに対しても新株予約権証券の所持が対抗要件となる。

新株予約券証券と譲渡についての対抗要件についてまとめると、**図表3－5**のようになる。

図表3－5 新株予約権証券と譲渡についての対抗要件

	譲渡の効力発生	譲渡についての対第三者対抗要件	譲渡についての対会社対抗要件
新株予約権証券を発行しない旨を定めた場合	意思表示	新株予約権原簿	新株予約権原簿
記名新株予約権	新株予約権証券の交付	新株予約権証券	新株予約権原簿
記名新株予約権付社債についての新株予約権	記名新株予約権付社債券の交付	記名新株予約権付社債券	新株予約権原簿
無記名新株予約権	新株予約権証券の交付	新株予約権証券	新株予約権証券
無記名新株予約権付社債についての新株予約権	無記名新株予約権付社債券の交付	無記名新株予約権付社債券	無記名新株予約権付社債券

なお、会社法における新株予約権証券に関連する各用語の定義については、**図表3－6**のようにまとめることができる。

図表3－6　　　　　　新株予約権証券関係の用語との定義

	定　　義	条　文
証券発行新株予約権	新株予約権（新株予約権付社債に付されたものを除く）であって，当該新株予約権に係る新株予約権証券を発行する旨の定めがあるもの	法249条3号ニ
証券発行新株予約権付社債	新株予約権付社債であって，当該新株予約権付社債についての社債につき社債券を発行する旨の定めがあるもの	法249条2号
無記名新株予約権	無記名式の新株予約権証券が発行されている新株予約権	法249条1号
無記名新株予約権付社債	無記名式の新株予約権付社債券が発行されている新株予約権付社債	法249条2号

　記名新株予約権，記名新株予約権付社債という用語は会社法上定義されていないが，本章では，記名式の新株予約権証券が発行されている証券発行新株予約権，記名式の新株予約権付社債券が発行されている新株予約権という意味で使うこととする。

　会社法における新株予約権についての証券および譲渡の規律は，改正前商法において，新株予約権証券を発行した場合には，新株予約権の譲渡につき株式会社の承認を要する場合を除き，新株予約権原簿には新株予約権者の氏名を記載しない（したがって，新株予約権原簿の記載が株式会社に対する対抗要件とはならない）こととされていたのとは異なる規律となっている。

　②　譲渡制限

　新株予約権には，譲渡制限を付することができる。その方法としては，譲渡に株式会社の承認を要することのみが定められており，新株予約権の譲渡を全面的に禁止することを新株予約権の内容とすることはできない。新株予約権の譲渡制限は新株予約権の内容として定めることとされており，この定

3-3 新株予約権の譲渡・内容の変更

めを設けた場合には，新株予約権の譲渡には，原則として，取締役会設置会社においては取締役会の，取締役会非設置会社においては株主総会の承認が必要となる（法265条1項本文）。ただし，定款において異なる機関によって譲渡承認を行う旨を定めることができる（同条ただし書）。

譲渡制限が付された新株予約権を譲り受けた者は，株式会社に当該譲渡の承認をするか否かを決定することを請求できるが，当該請求をするためには，証券発行新株予約権または証券発行新株予約権付社債に付された新株予約権については証券の提示，それ以外の新株予約権については原則として新株予約権者として新株予約権原簿に記載された者と共同して行うことが要求されている。これは，会社法上譲渡承認が新株予約権原簿の記載の変更の承認という形に整理されているため（法261条1号・2号），新株予約権原簿の書換請求のための要件と合わせたものである。

新株予約権の譲渡を株式会社が承認しなかった場合は，譲渡制限株式の場合と異なり，株式会社が新株予約権を買い取ったり指定買取人を指定して買い取らせたりする義務はなく，譲渡が承認されなかった新株予約権については，単に取得者についての新株予約権原簿の記載はされず，株式会社に対して譲渡を対抗することができないということとなるだけである。

なお，会社法においては，改正前商法とは異なり，新株予約権の譲渡に制限のある場合であっても新株予約権原簿に新株予約権者の氏名または名称を必ず記載しなければならないこととする規定は存在しない（改正前商280条ノ31第2項1号参照）。しかし，会社法においては，譲渡制限の付された新株予約権については，その取得者が新株予約権原簿に取得者の氏名または名称を記載することを請求することができないこととされている（法261条本文）ところ，新株予約権の内容として譲渡制限を付するとともに無記名新株予約権を発行した場合には，株式会社の承認なくされた無記名新株予約権の譲渡による取得も株式会社に対して対抗することができることとなり，譲渡制限の定めが無意味となってしまうので注意が必要である。

(2) 新株予約権の質入れ

新株予約権には質権を設定することができる。質権の設定の効力要件，対抗要件は，証券発行新株予約権であるか否かにより異なる規律となっており，まとめると，**図表3－7**のとおりとなる。

図表3－7　　新株予約権証券と質入れの効力等

	質入れの効力発生要件	株式会社・第三者への対抗要件
新株予約権証券なし	意思表示	新株予約権原簿
証券発行新株予約権	新株予約権証券の交付	新株予約権証券の継続占有
証券発行新株予約権付社債に付された新株予約権	新株予約権付社債券の交付	新株予約権付社債券の継続占有

無記名新株予約権および無記名新株予約権付社債に付された新株予約権以外については，新株予約権原簿に記載することにより，登録新株予約権質権者となることができる。

(3) 新株予約権原簿

株式会社は，新株予約権を発行した日以後遅滞なく新株予約権原簿を作成しなければならないこととされている（法249条柱書）。(1)で述べたように，新株予約権証券を発行するか否かにより新株予約権原簿の記載事項が異なることとされており，また，新株予約権付社債については，新株予約権付社債券を発行するか否かによって記載事項が異なる（同条各号）。記載事項をまとめると，次の**図表3－8**のようになる。

証券発行新株予約権および証券発行新株予約権付社債に付された新株予約権以外の新株予約権については，新株予約権原簿に記載された事項を記載した書面（または当該事項を記録した電磁的記録）を提供するよう会社に請求することができる（法250条1項）。この書面または電磁的記録は，新株予約権

3-3 新株予約権の譲渡・内容の変更

図表3－8　　　　　　　　新株予約権原簿記載事項

新株予約権	新株予約権原簿記載事項
新株予約権証券・新株予約権付社債券を発行しない場合	・新株予約権者の氏名または名称および住所 ・新株予約権者の有する新株予約権の内容および数 ・新株予約権者が新株予約権を取得した日
記名新株予約権	・新株予約権者の氏名または名称および住所 ・新株予約権者の有する新株予約権の内容および数 ・新株予約権者が新株予約権を取得した日 ・新株予約権証券の番号
記名新株予約権付社債	・新株予約権者の氏名または名称および住所 ・新株予約権者の有する新株予約権の内容および数 ・新株予約権者が新株予約権を取得した日 ・新株予約権付社債券の番号
無記名新株予約権	・新株予約権証券の番号 ・新株予約権の内容および数
無記名新株予約権付社債	・新株予約権付社債券の番号 ・新株予約権の内容および数

証券ではないものの，新株予約権者がその権利を証明することができるように，株式会社にその提供を請求することができることとされたものである。

株主名簿管理人を設置している株式会社は，新株予約権原簿の管理も株主名簿管理人に委託しなければならないこととされている（法251条）。これは，新株予約権はその行使により株式が発行されるものであるため，その管理を株主名簿の管理と同一人に行わせることが適切であることによるものである。

株式会社は，新株予約権原簿を本店（株主名簿管理人を設置している場合には，その営業所）に備え置き，株主，新株予約権者および債権者に開示することとされている（会社法252条2項の「債権者」には新株予約権者を含むものとして整理されている）。ただし，濫用される可能性があるため，一定の場合には開示を拒むことができることとされている（法252条3項各号）。

新株予約権者に対する通知については，新株予約権原簿に記載された住所にあてて発すればよいこととされている（法253条1項）。したがって，新株予約権原簿に住所が記載されない無記名新株予約権については，通知または催告をすることを要しないものと考えられる。

(4) 新株予約権証券

前述のように，新株予約権について新株予約権証券を発行するか否かは新株予約権の内容として定められることとされているところ，新株予約権証券には記名式と無記名式があり，原則として新株予約権者は記名式から無記名式，無記名式から記名式への転換を請求することができるが，新株予約権の内容として転換を認めないこととすることも可能である。

新株予約権証券には，株式会社の商号および新株予約権の内容および数を記載することとされている。

新株予約権証券は，一般には新株予約権の発行後遅滞なく発行することとされている（法288条1項）が，新株予約権者の請求があるときに限り発行することもできる（同条2項）。

新株予約権証券については，株券と異なり，喪失登録制度はなく，新株予約権証券を喪失した場合には，公示催告手続によって新株予約権証券を無効とした後に，株式会社に再発行を請求しなければならない。

新株予約権証券を発行している場合において，株式会社が合併や組織変更等の一定の行為を行うときは，株式会社に対して一定の新株予約権証券を提出しなければならないこととされており，株式会社は当該行為の効力発生日（特別支配株主による新株予約権売渡請求に際し対象会社が承認〔法179条の3第1項〕をする場合にあっては取得日〔法179条の2第1項2号〕の1カ月前まで）に公告・通知をしなければならないこととされている（法293条1項各号）。この新株予約権証券提供公告は，合併や組織変更などの会社の行為により新株予約権が消滅するような場合において，当該新株予約権にかかる新株予約権証券を流通させておくことは好ましくないという観点から，提供をさせる

こととしたものである。また，新株予約権が無効になる場合において，当該新株予約権を有するものに対して新たな新株予約権などの財産を交付するときは，無記名式の新株予約権証券の新株予約権者については新株予約権原簿にその氏名または名称が記載されていないことから，誰に財産を交付してよいのかを定めるために，新株予約権証券の提出をさせることとしているものである。

この点，公告に応じて無記名式の新株予約権証券の提出がない場合には，株式会社は，誰に財産を交付すればよいか知ることができない。これについて，無記名新株予約権証券の取得と引換えに株式，新株予約権または新株予約権付社債を交付する場合については，会社法上規定が設けられ，株主，新株予約権者または新株予約権付社債権者の氏名または名称および住所を株主名簿，新株予約権原簿または社債原簿に記載することや，当該株主，新株予約権者または新株予約権付社債権者に対して通知または催告をすることを要しないこととされている（法294条）。

■ 2　新株予約権の内容の変更

新株予約権の内容は新株予約権の発行前に定められることとされているが，発行後に新株予約権の内容を変更することは可能であろうか。

会社法においては，新株予約権の内容の変更についての規定は存在しない。一般の契約であれば，当事者の合意によりその内容を変更することは通常可能であるが，新株予約権については，一定の会社法の手続を経て発行されるものであるため，新株予約権者の合意がある場合に会社法上必要な手続はあるか，また，会社法上必要な手続をとった場合新株予約権者の同意が必要か否かが問題となる。この点，会社法上の手続としては，一般的には，当該新株予約権の発行について決議した機関の決定があれば可能と解することができる。また，一方的に会社の機関決定があるだけでは足りず，その内容について新株予約権者の同意が必要と解するのが原則であろう。

なお，権利行使価格の下方修正についての議論で，新株予約権者側にとっ

第Ⅰ編　第3章　新株予約権に関する手続の概要

て何らの不利益要素を伴わない修正であれば，発行会社側としては，権利内容の決定につき権限がある機関の決定により可能との見解がある[7]。この点については，発行時の内容であれば特に有利な条件での発行とはいえなかったが，内容の変更により発行時に定めた発行価額などが特に有利な条件になるものについては，発行時と同様の手続をとっても会社法上必要な手続をとっているとは評価できず，有利発行として株主総会の決議が必要と評価される場合があるものと考えられる。

　また，新株予約権の内容が変更された場合については，変更された内容についての登記が必要になる（法915条1項）。

（7）　江頭・株式会社法820頁～821頁注2。

3-4 新株予約権の取得

■1 取得条項付新株予約権の取得

　新株予約権の内容として取得条項を定めた場合には，取得事由が発生した際に株式会社は新株予約権者との合意なしに当該取得条項付新株予約権を取得する。取得条項付新株予約権の内容として定めるべき事項は，前述3－1■2(8)で述べたとおりである。

　取得事由として，「株式会社が別に定める日の到来」としている場合には，取締役会設置会社においては取締役会，取締役会非設置会社においては株主総会の決議で，取得の日を定めることができる（法273条1項本文）。ただし，取得の決定をする機関を別に新株予約権の内容として定めておくことも可能であり，たとえば代表取締役が決定することとすることもできる（同項ただし書）。なお，この別段の定めは，あくまでも「株式会社の決定」についてどの機関が行うかということについての別段の定めであるから，まったくの第三者が決定するものと定めるようなことはできない。

　この場合の取得の日の定め方については，特に規定はなく，権利行使期間の初日が到来する前であっても，取得の日と定めることは可能である。

　取得の日を定めた場合には，株式会社は，取得条項付新株予約権者およびその登録新株予約権質権者に対して，取得の日の2週間前までに，当該日を通知しなければならない（法273条2項）。この通知は，公告をもって代えることができることとされている（同条3項）。

次に，取得条項付新株予約権の一部を取得できる旨の定めがある場合において，新株予約権の一部を取得しようとするときは，どの一部を取得するかを決定しなければならない。この決定についても，取締役会設置会社においては取締役会，取締役会非設置会社においては株主総会の決議で，取得する新株予約権を定めることができることとされ，また，取得する新株予約権を決定する機関を別に新株予約権の内容として定めておくことも可能とされている（法274条1項・2項）。

この決定についても，新株予約権者，登録新株予約権質権者への通知または公告が必要とされている。ただし，この場合には決定後直ちに通知・公告するものとされている（法274条3項・4項）。

新株予約権の一部を取得するものと定めた場合において，一定の客観的条件を定め，その条件に合致した一部の新株予約権のみを取得するときでも，この一部の決定・通知の手続が必要かが問題となりうる。そのような場合であっても新株予約権の一部の取得であることには変わりなく，文言上は決定・通知が不要だと解するのは困難であるようにも思われる。また，「客観的に明らか」な場合かどうかを区別すること自体が別途問題となることも考えられ，そのような場合に決定・通知なしに取得することは，新株予約権者の予測可能性を害し，その法的地位を不安定にすることからは，決定・通知の手続は，新株予約権の一部を取得する場合には一律に必要とされるとの解釈にも合理性があるように思われる。他方，取得する一部が客観的に明らかになっているといえる場合にまで改めて決議を行う必要はないとの考えもありえよう。なお，この考え方をとる場合であっても，取得の対象となる新株予約権の新株予約権者・質権者への通知・公告は必要であるものと解される。

取得条項付新株予約権を取得した場合には，その対価の定めに従い，株式，社債，他の新株予約権等を交付することとなる。

ここで，取得の対価は，新株予約権の数に応じて定められることとされている（法236条1項7号ニ～チ参照）。しかし，同一の内容の新株予約権であ

っても，たとえばストック・オプションの行使条件で業績などが定められている場合のように，取得時に権利行使可能なものと権利行使不可能なものが存在することがありえ，その場合に取得の対価を異ならせることが合理的と考えられる場合もある（ストック・オプションのうち，すでに行使可能な条件を満たしているものとそうでないものの取得の対価を異ならせる場合など）。取得条項の定め方次第では，異なる客観的事由を複数定めることによってそれぞれの対価を異ならせることができるものと考えられることから，このような場合にも，設計によっては権利行使の可否に応じて異なる対価を定めておくことも可能であると解される。

2 新株予約権買取請求・新株予約権売渡請求

株式買取請求と同様に，一定の場合において，新株予約権者が，自己の有する新株予約権を株式会社が買い取ることを請求することができる権利が認められている。株主の場合と同様に，新株予約権者も，株式会社の行為によりその権利が影響を受ける場合があり，そのような場合には新株予約権者に新株予約権買取請求権の行使を認めることにより，新株予約権者の保護を図りつつ，株式会社の行うことのできる行為の範囲を拡大することとしたものである。これは改正前商法にはなく，会社法において，新たに導入された制度である。

具体的には，①株式会社が新株予約権の目的である株式を譲渡制限株式または全部取得条項付種類株式とする定款変更を行う場合（法118条1項），②株式会社が組織変更をする場合（法777条1項），③株式会社が合併，会社分割，株式交換，株式移転をする場合において一定の要件を満たすとき（法787条1項・808条1項）には，新株予約権者は，自己の有する新株予約権を公正な価格で買い取ることを請求することができるものとされている。

新株予約権の買取りの価格について協議が調わないときは裁判所に価格の決定の申立てをすることができることやその他の新株予約権の買取請求に係る手続は，株式買取請求の場合と同様である。

第Ⅰ編　第3章　新株予約権に関する手続の概要

　平成26年会社法改正により，特別支配株主の株式売渡請求の制度が創設された。これは，ある株式会社（対象会社）の特別支配株主（対象会社の総株主の議決権の10分の9〔これを上回る割合を対象会社の定款で定めた場合にはその割合〕以上を有する株主）は，対象会社の株主の全員に対し，その有する対象会社の株式の全部を自分に売り渡すことを請求することができ，所定の手続を履践することによって，当該特別支配株主は，一定の日に，請求対象となった株式（売渡株式）の全部を強制的に取得することとなるという制度である（法179条1項）。この制度は，企業買収後に残存する少数株主を締め出して（スクィーズ・アウト），完全子会社化を円滑に進めることを目的とするものであるが，株式の売渡請求権行使後も新株予約権が他人の手に残されていると，当該新株予約権の行使後は少数株主が生ずることとなり，かかる目的の達成に支障が生じる。そのため，特別支配株主は，株式売渡請求に併せて，対象会社の新株予約権者の全員に対し，その有する新株予約権の全部を自分に売り渡すことを請求することができることとされた（新株予約権売渡請求。法179条2項・3項）。新株予約権売渡請求の手続は，株式売渡請求の手続と同様である（株式売渡請求と併せて請求する必要があるため，手続も一体となって行われる）。

■3　自己新株予約権の取得

　株式会社は，自己の発行する新株予約権を取得し，自己新株予約権とすることができる。

　自己株式を取得する場合と異なり，新株予約権を取得して自己新株予約権とすることができる場合について，会社法では特に列挙することはしておらず，特別の定めのある場合（取得条項付新株予約権の取得，買取請求の行使による取得など）以外の場合であっても，特に制限なく自己新株予約権を取得することができる。したがって，合意により新株予約権者から取得することもできるし，組織再編行為の対価として自己の新株予約権の交付を受けることにより取得することもできる。

3-4 新株予約権の取得

　自己新株予約権については，株式会社自身が行使することはできないこととされている（法280条6項）。自己に対して株式を発行することができないとされていること（法202条2項本文かっこ書参照）に基づくものである。

　自己新株予約権の処分については，一般的な規定が設けられていない（募集新株予約権は新たに発行する新株予約権を引き受ける者の募集についてのものに限られており，自己新株予約権を引き受ける者の募集は含まれていない）。したがって，株式会社は，特に制限なく自己新株予約権を処分することができる（ただし，重要な財産の処分に該当すれば，取締役会設置会社にあっては，取締役会の決議によらなければならない）。この点，株式の場合には自己株式の処分については募集株式として処分する自己株式が定義されており，新株発行と同様の規律が設けられている（法199条1項柱書参照）のとは異なる。これは，新株予約権自体は株式会社に対して一定の価額を払い込めば株式の交付を受けることができる権利であって，株式会社における社員たる地位の割合的単位としての株式そのものとは異なることから，株式会社が自由に自己新株予約権の取得・処分をすることができるとしても，自己株式の取得・処分と異なり一般株主の権利に大きな影響を与えるものではないという整理がされたからであると理解される。

3-5 新株予約権の行使・消却・消滅

■1 新株予約権の行使

(1) 新株予約権の行使手続

　新株予約権者は，新株予約権の行使期間中に，行使価額の払込みまたは給付を行って新株予約権を行使することができ，行使した新株予約権者は，新株予約権の目的である株式の株主となり，新株予約権は消滅する。新株予約権の行使は，新株予約権者がその行使にかかる新株予約権の内容および数，新株予約権を行使する日を明らかにして行うこととされている（法280条1項）。新株予約権が証券発行新株予約権であるときは，新株予約権証券が発行されていない場合を除き，新株予約権証券を株式会社に提出して行使しなければならない。

　会社の行為によって新株予約権者の有する新株予約権の数に端数が生じることがあるが，端数の株式が存在しないのと同様，端数の新株予約権も存在しないため，新株予約権として存在できるのは整数部分に限られる。端数部分については，端数が生じることとなった会社の行為に応じて，会社法234条1項および6項により，処理される。

　新株予約権の行使により株式会社は新たに株式を発行することも可能であるが，自己株式を交付することでもかまわない。どちらにするかは会社が自由に決めることができ，一般には取締役会の決議なども不要であると考えら

れるので，当該職務を執行する者が適宜定めることとなろう。

　新株予約権の行使に際してする出資の目的が金銭の場合には，株式会社が定めた銀行などの払込みの取扱いの場所で，その全額を払い込まなければならない。また，出資の目的が金銭以外の財産（現物出資財産）の場合には，当該財産を給付しなければならない。現物出資の場合の詳細については，(3)で後述する。この場合，あらかじめ定めておけば，行使価額の一部を現物出資財産，一部を金銭で給付することも可能である（会社法236条1項3号は，同項2号の行使価額の一部を金銭以外の財産とすることも可能とするものであると解される）。

(2) 端数の処理

　新株予約権の行使により当該新株予約権の新株予約権者に交付する株式の数に端数が生じる場合がある。この場合において，新株予約権の内容として当該端数を切り捨てる旨が定められている場合（法236条1項9号）には，当該端数を切り捨てた残りの数の株式が交付されることになる。その旨が定められていない場合には，次のような方法で計算した端数についての金銭を新株予約権を行使した者に交付しなければならないこととされている。

① 新株予約権の目的である株式が市場価格のある株式である場合には，1株の市場価格に端数を乗じて得た額に相当する金銭を交付する。

　ここで，1株の市場価格は，会社法施行規則58条において，次に掲げる額のうち高い額であるものと規定されている。

(i) 行使の日の市場における最終の価額（当該行使日に売買取引がない場合または当該行使日が当該市場の休業日にあたる場合にあっては，その後最初になされた売買取引の成立価格）

(ii) 行使の日において当該株式が公開買付けなどの対象であるときは，当該日における公開買付けなどに係る契約における当該株式の価格

② 新株予約権の目的である株式が市場価格のない株式である場合は1株当たり純資産額に端数を乗じて得た額に相当する金銭を交付する。

ここでいう1株当たり純資産額は,施行規則25条の規定に基づいて計算される。具体的には,次のとおりである。

まず,1株当たり純資産額は,次の式に基づいて計算される。

$$1株当たり純資産額 = \frac{基準純資産額}{基準株式数} \times 当該株式についての株式係数$$

ここで,基準純資産額は,次の(a)から(f)の合計額から(g)に掲げる額を減じて得た額(ゼロ未満である場合には,ゼロ)とされている。

(a) 資本金の額
(b) 資本準備金の額
(c) 利益準備金の額
(d) 会社法446条に規定する剰余金の額
(e) 最終事業年度における評価・換算差額等に係る額
(f) 新株予約権の帳簿価額
(g) 自己株式および自己新株予約権の帳簿価額の合計額

次に,基準株式数とは,次のように定められている。

(i) 種類株式発行会社以外の会社においては,発行済株式総数から自己株式の数を引いた数

(ii) 種類株式発行会社においては会社が発行している自己株式以外の各種類の株式の数に当該種類の株式に係る株式係数をかけたものを合計した数

株式係数は,特に何も定めなければ1であるが,定款で種類ごとに1以外の株式係数を定めることができる。これは,株式の価値は種類ごとに異なる場合があるところ,株式係数を考慮しなければすべて同じ価値として計算されてしまうこととなるため,当該種類の株式の価値と他の種類の株式の価値について異なるものとして計算するために定めるものである。たとえば,A種類株式の価値がB種類株式の価値の2倍であると考えられる場合には,A種類株式の株式係数を2,B種類株式の株式係数を1と定めることにより,

適切な1株当たり純資産額を計算することができる。

　なお，新株予約権者が新株予約権を複数行使した場合には，金銭処理しなければならない端数とは，個々の新株予約権について生じた端数を合計して最終的に出た端数を指すものと考えられる。会社法283条の条文上，新株予約権者を基準としていること，新株予約権の行使において本来は株式が交付されるものであるから，端数で金銭処理をする場合はなるべく少なくするような解釈が妥当であることからである。

　なお，新株予約権の内容として，個々の新株予約権の目的たる株式の数を算式で定める場合に，当該算式において端数の切上げ，切下げなどを定めることは可能であり，このような場合には1個の新株予約権の内容として端数が処理されることになるので，ここでいう金銭処理の問題は生じない。

(3) 現物出資

　前述したように，新株予約権の行使に際してする出資については，金銭以外の財産（現物出資財産）によることも認められているが，その場合には，あらかじめ新株予約権の内容として定めておかなければならない（法236条1項3号）。

　そして，原則として，行使のための当該財産の給付があった後，遅滞なく，現物出資財産について検査役の調査を受けなければならないこととされている（法284条1項）。これは，募集株式の募集による株式の発行などの際と同様の趣旨であり，現物出資財産について定められた価額が不当に高く定められると，既存株主を害することになるからである。なお，新株予約権の割当て時の払込みに検査役の調査が不要である点については，前述3－2■2(4)⑦参照。

　ただし，次のような例外事由が定められている（法284条9項）。

① 行使により交付を受ける株式の総数が発行済株式総数の10分の1を超えない場合

② 当該新株予約権についての現物出資財産について定められた価額の総

額が500万円を超えない場合
③ 市場価格のある有価証券が現物出資財産である場合において，市場価格を超えない額が定められている場合
④ 現物出資財産について定められた価額が相当であることについての弁護士，公認会計士などの証明がある場合
⑤ 現物出資財産が弁済期の到来した金銭債権であって，当該金銭債権に係る負債の帳簿価額を超えない額が行使価額として定められている場合

　これらの要件は，1個の新株予約権ごとに判断されるため，①において1個の新株予約権の行使により発行される株式の総数が発行済株式総数の10分の1を超える場合はそれほど多くないものと考えられ，通常はむしろ検査役の調査が不要な場合が多いといえよう。

(4) 発行可能株式総数との関係

　すでに述べたように，新株予約権の目的である株式の数の総数は，当該新株予約権の行使期間の初日が到来した後は，発行可能株式総数から発行済株式（自己株式を除く）の数を控除した額を超えてはならないこととされている（法113条4項。改正前商法と異なり留保すべき株式の数は自己株式の数を考慮して計算することとされている）。これは，行使期間の初日が到来した場合には，新株予約権の行使がされる可能性があり，その分の枠を確保しておかなければならないものと考えられたためである。ただし，当該規定違反となった場合に，直ちに新株予約権の発行自体が無効となるものではないと解される（行使期間の初日の到来までは有効に発行されていた新株予約権が，当該日の到来により急にその発行が無効になることは考えにくい）。実際に新株予約権が行使された場合に，当該新株予約権の目的たる株式を発行すると発行可能株式総数を超えてしまうような場合には，当該株式を発行することがそもそもできないことになると解すべきであろう。仮に発行されてしまったような場合には，無効事由があるものとして，新株発行の無効の訴えにより無効とされることになろう。

(5) 新株予約権の行使に係る関係者の責任

新株予約権の行使により株式が交付されることから，取締役などの関係者について一定の責任規定が設けられている。

まず，募集新株予約権について，払込みを要しないものとすることが著しく不公正な条件であるか，新株予約権に係る払込金額が著しく不公正な金額であり，かつ，取締役（委員会設置会社にあっては，取締役または執行役）と通じてそのような引受けを行った場合には，新株予約権を行使した新株予約権者は，株式会社に対し，不公正な価額（無償を含む）と公正な価額との差額を支払う義務を負う（法285条1項1号・2号）。ここで，新株予約権の公正な価額とは，募集新株予約権についての募集事項の決定時における公正な価額であると解される。

次に，現物出資財産の価額があらかじめ定められた価額に著しく不足する場合は，新株予約権を行使した新株予約権者は当該不足額について，株式会社に支払うものとされている（法285条1項3号）。これは，新株予約権の行使価額に見合った価値の財産が給付されないことにより，既存株主から新株予約権者への価値の移転が生ずることから，これを防ぐためである。ただし，新株予約権者が，当該現物出資財産の価額が定められた価額に著しく不足することについて善意無重過失である場合には，新株予約権の行使にかかる意思表示を取り消すことができるものとされている（同条2項）。これは，現物出資財産を出資の目的とする時点ではその価額が必ずしも明らかではないことや，取締役などと通謀しているわけではない場合において常に新株予約権の行使を有効として新株予約権者にてん補責任を負わせるのは酷な場合がありうることから，行使を取り消して，てん補責任を負わなくても済むようにすることが認められているものである。

新株予約権を行使した新株予約権者が，たとえば見せ金等の手段によって払込みを仮装した者である場合には，当該仮装をした新株予約権者または仮装について悪意もしくは重過失で新株予約権を譲り受けた新株予約権者は仮

装した払込金額等の全額(全部)の支払(現物出資財産の給付)の義務を負う(法286条の2第1項)。この義務は,総株主の同意がなければ免除できない(同条2項)。かかる支払義務を負う新株予約権者は,その義務を履行した後でなければ,仮装払込みが行われた新株予約権の目的である株式について株主としての権利を行使することができない(仮装払込みについて悪意または重過失で当該株式を譲り受けた者も同様。法282条2項・3項)。また,かかる仮装払込みに係る新株予約権者が上記の義務を負う場合には,当該仮装払込みに関与した取締役は,職務を行うについて注意を怠らなかったことを証明しない限り,上記新株予約権者と連帯して上記の義務を負う(法286条の3第1項・2項)。

(6) 新株予約権の行使に係る登記手続

　新株予約権を行使した場合には,当該行使した新株予約権は消滅し,自己株式を交付した場合以外は新たに株式が発行され,資本金も増加するので,これらについて変更の登記が必要となる。そして,新株予約権の行使は個々の新株予約権者によってされるため,そのつど登記をしなければならないこととなると株式会社にとって煩雑であることから,新株予約権の行使による変更の登記は,毎月末日現在により,当該末日から2週間以内にすれば足りることとされている(法915条1項・3項1号)。

　新株予約権の行使に係る登記の申請書に添付すべき書面は,次のように定められている(商登57条)。

① 新株予約権の行使があったことを証する書面
② 金銭を新株予約権の行使に際してする出資の目的とするときは,払込みがあったことを証する書面
③ 金銭以外の財産を新株予約権の行使に際してする出資の目的とするときは,次に掲げる書面
　(i) 検査役が選任されたときは,検査役の調査報告を記載した書面およびその附属書類

(ii) 会社法284条9項3号に掲げる場合には，有価証券の市場価格を証する書面
　(iii) 会社法284条9項4号に掲げる場合には，同号に規定する証明を記載した書面およびその附属書類
　(iv) 会社法284条9項5号に掲げる場合には，同号の金銭債権について記載された会計帳簿（当該金銭債権に係る負債の帳簿価額を確認することができるもの）
　(v) 会社法281条2項後段に規定する場合には，同項後段に規定する差額に相当する金銭の払込みがあったことを証する書面
④　検査役の報告に関する裁判があったときは，その謄本
⑤　募集事項などの決定に際し資本金として計上しない額を定めた場合には，その決定機関に応じ，株主総会，種類株主総会，もしくは取締役会の議事録，取締役の過半数の一致があったことを証する書面
⑥　資本金の額が会社法および会社計算規則の規定に従って計上されたことを証する書面

2　新株予約権の消却

　株式会社は，自己新株予約権を消却することができる（法276条）。取締役会設置会社においては取締役会の決議，取締役会を設置していない会社において業務執行者（代表取締役など）の決定により，消却する自己新株予約権の内容および数を定めることとされている（同条）。消却するものと定められた新株予約権は消滅する。この場合に自己新株予約権の帳簿価格とそれに対応する新株予約権の帳簿価額に差があるときは，当期の損益として計上することとされている。

3　新株予約権の消滅

(1)　新株予約権を行使することができなくなった場合

　新株予約権は，新株予約権者がその有する新株予約権を行使することができなくなった時は，消滅する（法287条）。
　これは，行使できなくなった新株予約権を存続させておく必要に乏しく，また，取得や消却の手続をとらなければ消滅しないこととすると，取得や消却の手続のためにコストがかかったり，取得や消却の手続をとらずに放置された場合の権利関係が不明確であるため，行使することができなくなった新株予約権は消滅するものとしたものである。
　したがって，一時的に行使できないこととなっているような新株予約権を消滅させることはこの趣旨に反するので，爾後一切行使することができなくなった場合にこの規定が適用されるものと解するべきである。たとえば，行使期間が経過してしまった場合である。
　ストック・オプションなどで，新株予約権者が会社から退職した場合には行使できないと定めている場合などは，一般的には退職をしたらその後は一切行使できなくなるものと解されようが，再度同じ会社に就職した場合には再び行使することができるとされているような場合や，退職していない者に譲渡した場合には行使することができるとされているような場合には，その後新株予約権が行使できなくなったものとはいえないので，新株予約権は消滅しないものと解すべきであろう。
　この点，新株予約権の行使の条件の定め方によっては，今後一切行使することができないのかそうではないのかが明らかでない場合もありえると思われる。しかし，消滅するかしないかが明らかでないと権利関係が混乱するので，新株予約権の内容を定める場合には，この点に留意し，一定の場合において当該新株予約権がその後一切行使できないこととなるのか否かが明らかになるような内容を定めるべきであるといえる。

(2) 組織再編行為の場合

　組織再編行為における一定の場合にも，新株予約権は消滅する。たとえば，合併の消滅会社が発行する新株予約権は，合併の効力発生日に消滅することとされている（法750条4項・754条4項）。組織再編時の新株予約権については，前述3－1■2(9)参照。

第Ⅰ編　第3章　新株予約権に関する手続の概要

3-6　新株予約権に係る訴え

■1　新株予約権発行無効の訴え

　新株予約権の発行については，会社法上無効の訴えの制度が設けられている（法828条1項4号）。これにより，新株予約権の無効を主張できる者や主張することのできる期間が一定の範囲に限定されている。改正前商法下には新株予約権の無効の訴えの規定は設けられておらず，一般原則によれば無効を主張できる者や主張できる期間には制限がなかったが，新株予約権が行使されて株式が発行されれば議決権等に影響が生ずることを考慮し，このような定めが設けられたものである。

　新株予約権の発行無効の訴えの提訴期間は，公開会社にあっては新株予約権の発行の効力が生じた日から6カ月以内，公開会社以外の会社にあっては1年以内とされている。公開会社以外のいわゆる株式譲渡制限会社においては，株主総会が開催されずに新株予約権が発行された場合には，次の定時総会の開催までは株主がその事実を知る機会がほとんどなく，事実を知らないまま6カ月の期間を徒過してしまう可能性があるため，株主総会を年に1回は開催しなければならないものとされていることを踏まえ，提訴期間を1年以内としているものである。これは，新株発行無効の訴えおよび自己株式処分無効の訴えについての提訴期間の規律と同様になっている。

　新株予約権の無効の訴えの提訴権者は，新株予約権の発行が株主のみならず他の新株予約権者にも影響を与えうることにかんがみ，株主，取締役，監

査役，執行役または清算人のほか，新株予約権者も含まれている（法828条2項4号）。

新株予約権発行の無効判決の効力については，会社法842条に規定が設けられており，新株予約権発行が無効とされた場合においては株式会社が，判決の確定時における新株予約権者に対し，払込みを受けた金額または給付を受けた財産の給付の時における価額に相当する金銭を支払わなければならないものとされている。そして，新株発行の無効の場合と同様，当該金銭の金額が著しく不相当である場合の裁判所への申立てなどを定めている。

新株予約権発行の無効事由としては，譲渡制限株式を目的とする新株予約権が株主総会の決議なしに発行される場合や，新株予約権の差止めの仮処分に違反する発行が行われる場合などが考えられる。

2　新株予約権発行不存在確認の訴え

新株予約権の発行手続に瑕疵がある場合には，一般には新株予約権の発行無効の訴えによりその効力を争うこととなるが，手続の瑕疵の程度が著しく，新株予約権の発行そのものが存在しないと評価されるような場合もありうる。

会社法上新株予約権発行不存在の訴えが規定されており，この訴えには提訴期間の限定がなく，提訴権者を限定する規定も置かれていない。

このような新株予約権発行の不存在確認の訴えは，会社法制定前には新株発行において判例上認められていたものであるが，会社法においては新株発行および自己株式の処分について明文で規定を設けるとともに，新株予約権の発行についても同様の規定を置くこととしたものである。

新株予約権発行不存在確認の訴えは，新株予約権発行無効の訴えと異なり，提訴期間に限定がなく，また提訴権者についても限定する規定がないので，確認の利益を有する者が，株式会社を被告として訴えることができる。また，会社の組織に関する訴えとして，担保提供命令，弁論の必要的併合，判決の対世効，原告敗訴の場合の損害賠償責任などについて新株予約権発行

無効の訴えと同様の規律が定められているが，形成訴訟ではないことから，将来効の規定は適用されないこととされている。

3-7 新株予約権付社債

新株予約権付社債については、主に**第Ⅱ編第2章**において述べることとし、ここでは新株予約権付社債独自の規定を中心に概説する。

1 新株予約権付社債についての会社法の規定

会社法においては、新株予約権付社債については、新株予約権の規定および社債の規定がそれぞれ適用され、さらに新株予約権付社債独自の規定が適用されることとされている。

2 新株予約権付社債の概念

新株予約権付社債とは、新株予約権を付した社債をいう（法2条22号）。原則として新株予約権と社債とを別々に譲渡することはできないこととされている（法254条2項・3項）。

新株予約権付社債に付された新株予約権の数は、新株予約権付社債の金額ごとに、均等に定めなければならないこととされている（法236条2項）。

会社法では、いわゆる転換社債型新株予約権付社債は、新株予約権付社債に係る社債を新株予約権の行使に際してする出資の目的（法236条1項3号）とするものと構成されるため、新株予約権の内容として、新株予約権の行使の際の出資の目的を社債と定めておく必要がある（同号）。この場合、新株予約権の行使の際に原則として現物出資規制に服するが、社債が金銭債権であることから、通常は、検査役の調査が必要な場合の例外事由（法284条9

項5号）に該当するものと考えられる。金銭債権に弁済期が到来していなくても，期限の利益を放棄することにより弁済期を到来させることが可能であるからである。

■3　新株予約権付社債についての規律

(1)　新株予約権付社債を引き受ける者の募集

　新株予約権付社債を引き受ける者を募集して新株予約権付社債を発行する場合については，社債を引き受ける者の募集の手続に関する規定が適用除外とされており（法248条），会社法第2編第3章第2節の募集新株予約権の発行の規定によることとされている。したがって，新株予約権付社債についての社債の募集事項の決定は，募集新株予約権の募集事項として，社債の募集の際に定めるべきものとされている事項（法676条）を同時に定めることにより，行われる（法238条1項6号）。

　新株予約権付社債を引き受ける者の募集について募集新株予約権の募集の手続により行うものとされることに伴い，いくつかの規定が設けられている。

　まず，募集新株予約権が新株予約権付社債に付されたものである場合には，募集新株予約権の申込みをした者は，当該新株予約権を付した新株予約権付社債の申込みをしたものとみなすこととされ（法242条6項），新株予約権付社債の新株予約権部分についてのみの申込みや割当ては行われないこととされている。

　申込者に対する通知においては，新株予約権付社債についての社債の種類および各社債の金額の合計額をも通知しなければならないこととされている（法243条3項）。

　また，新株予約権付社債の申込みをした者は，当該新株予約権付社債に係る新株予約権の割当日に，当該新株予約権の新株予約権者と当該新株予約権付社債についての社債の社債権者となるものとされている（法245条2項）。

(2) 新株予約権付社債の無償割当て

　新株予約権の無償割当ての制度は，新株予約権付社債についても適用される。この場合には，新株予約権付社債についての社債の種類および各社債の金額の合計額またはその算定方法をも定めなければならない（法278条1項2号）。

　株主（種類株式発行会社にあっては，ある種類の株式の株主）は，新株予約権の無償割当てが効力を生ずる日として株式会社が定めた日に，新株予約権の新株予約権者および当該新株予約権が付された社債の社債権者となる（法279条1項）。この場合，新株予約権についてと同様，社債部分についても無償で割り当てられる。

　なお，無償で割り当てられる新株予約権が1種類に限られることから，これが付される社債も1種類に限られるものとされている（会社法278条1項2号においては「社債の種類および各社債の金額の合計額またはその算定方法」とされており，「社債の種類および種類ごとの各社債の金額の合計額またはその算定方法」とはされていない）。

(3) 新株予約権付社債の譲渡および新株予約権付社債券

　新株予約権付社債についての譲渡の効力発生，譲渡についての対抗要件については，新株予約権と同様，証券発行の有無や記名・無記名によって異なる。まとめると，**図表3－9**のようになる。

　新株予約権付社債についての社債に係る社債券（新株予約権付社債券）を発行する場合には，新株予約権付社債券には，社債について記載しなければならない事項のほか，新株予約権の内容および数を記載しなければならないこととされている（法292条1項）。

　新株予約権付社債に係る社債の償還をする場合において，当該新株予約権付社債に付された新株予約権が消滅していないときは，新株予約権付社債券を株式会社に提出してしまうと新株予約権を表章する証券が新株予約権者の

第Ⅰ編 第3章 新株予約権に関する手続の概要

図表3－9　　新株予約権付社債の譲渡の対抗要件など

		譲渡の効力発生（自己新株予約権の処分を除く）	譲渡についての対第三者対抗要件	譲渡についての対会社対抗要件
証券のない新株予約権付社債	新株予約権部分	意思表示	新株予約権原簿	新株予約権原簿
	社債部分	意思表示	社債原簿	社債原簿
記名新株予約権付社債	新株予約権部分	記名新株予約権付社債券の交付	記名新株予約権付社債券	新株予約権原簿
	社債部分	記名新株予約権付社債券の交付	記名新株予約権付社債券	社債原簿
無記名新株予約権付社債	新株予約権部分	無記名新株予約権付社債券の交付	無記名新株予約権付社債券	無記名新株予約権付社債券
	社債部分	無記名新株予約権付社債券の交付	無記名新株予約権付社債券	無記名新株予約権付社債券

　手元に残らなくなってしまうことから，株式会社は新株予約権付社債券と引換えに償還することを請求できないが，新株予約権付社債券の提示を求めたうえで，当該新株予約権付社債券に社債の償還をした旨を記載することができることとされている（法292条2項）。

(4) 新株予約権の買取請求に係る新株予約権付社債の取扱い

　新株予約権付社債に付された新株予約権の新株予約権者が株式会社に対して当該新株予約権の買取りを請求する際には，原則として，当該新株予約権付社債に係る社債についても併せて買い取ることを請求しなければならないこととされている（法118条2項・777条2項・787条2項・808条2項）。

　当該新株予約権付社債の買取りの価格について協議が調わない場合には，裁判所に対して，新株予約権部分のみならず，社債も含めて価格の決定の申立てをすることができる。

ただし，当該買取請求の方法につき別段の定めをすることができることとされ，その定めは，募集新株予約権の募集の際に定めなければならないこととされている（法238条1項7号）。この別段の定めがされた場合には，新株予約権付社債の新株予約権部分のみについて買取請求をすることができることとなる。

(5) 新株予約権付社債を行使した場合に交付すべき株式の数に端数が生ずる場合の取扱い

会社法においては，新株予約権付社債に係る新株予約権を行使した場合に交付すべき株式の数に端数が生ずる場合には，社債の償還金の一部により新株予約権の行使価額の払込みがされたものとし，当該償還金の残部を金銭で交付するという取扱いも可能となっている。

なお，会社法においては，行使価額の一部のみを社債により給付することも可能である。この場合には，新株予約権の行使価額と出資した社債の価額との差額に相当する金銭を払い込まなければならないものとされている（法281条2項後段）。

(6) 新株予約権付社債に係る訴え

会社法においては新株予約権の発行について無効の訴えおよび不存在確認の訴えが設けられていることはすでに述べたが，新株予約権が新株予約権付社債に付されたものである場合には，当該新株予約権付社債についての社債も同様に扱うべきものとされている（法828条1項4号・829条3号）。したがって，社債部分も含めて，無効の訴えおよび不存在確認の訴えの対象になることとなる。

第Ⅱ編

各論＝実務編

# 第1章

ストック・オプション

第Ⅱ編 第1章 ストック・オプション

I-1 実務で用いられるストック・オプションの諸類型

■1　ストック・オプションの意義等

(1)　ストック・オプションの意義および性質

　ストック・オプションとは，会社の役員・従業員等が一定の権利行使期間内にあらかじめ定められた権利行使価格で所定の数の株式を会社から取得することのできる権利をいい，会社法のもとでは，新株予約権の形態で付与されるのが一般的である（本書においては，会社の役員・従業員等に付与される非金銭報酬の一類型である新株予約権のことを，ストック・オプション目的の新株予約権という）。その性質は，非金銭報酬（ただし後述のとおり，相殺構成で付与される場合には，法律構成としては金銭債務の代物弁済として交付される）であって，将来被付与者に実現する利益の額が株価等に連動していることにより，被付与者に対し，その労務提供等による将来の株価向上等への動機付け（インセンティブ）を行うもの，すなわちインセンティブ報酬の一類型であると一般に解されている。ただし，必ずしもかかるインセンティブ報酬に限定されるものではなく，過去の職務執行に関する非金銭報酬としても，あるいは両者の混合としても付与されうるものであり[1]，役員退職慰労金の代替として付与する例も多数存在する。

(2) 一般的なストック・オプションの効用と弊害

① インセンティブの付与

ストック・オプションは，一般的には，株価向上へのインセンティブを被付与者にもたらすものといえる。一般的内容のストック・オプションの場合，権利行使時の株価が高ければ高いほど，権利行使価格と株価との差額が大きくなり，これが被付与者の利益となるからである。

ただし，実際に発行されているストック・オプションが有するインセンティブ付与の態様（動機づけの仕組み）は，一様のものではない。たとえば，通常型ストック・オプションと株式報酬型ストック・オプション（通常型ストック・オプションおよび株式報酬型ストック・オプションについては，後述1－2■2(4)①(b)(ⅰ)参照）を比較すると，（同じ価値のストック・オプションを付与することを前提とすると）一般論としては，付与時以降の株価向上への直接的なインセンティブという意味では，通常型ストック・オプションのほうが優れていると思われる。株式報酬型ストック・オプションの場合には，権利行使価格は1円等の低廉な額とされるのが通常であるため，ストック・オプション1個当たりの公正価値は通常型ストック・オプションと比較して高くなるのが通常である。その結果，同じ価値のストック・オプション報酬を付与することを前提に比較をすれば，通常型ストック・オプションの方が付与される個数が多くなるため，株価の変動が被付与者の得られる利益の額に与える影響度は，通常型ストック・オプションの方が大きいと考えられるためである。他方で，株式報酬型ストック・オプションは，（前述のとおり，その効果は通常型ストック・オプションより相対的に低いと思われるものの）株価向

---

(1) 会社法361条との関係では，同条1項柱書の「職務執行の対価」は，「職務執行の期間と経済的利益との関係が明確なものに限らず，インセンティブや福利厚生目的で付与される利益等，およそ取締役としての地位に着目して付与される利益をも広く含むものである。」とされている（相澤・論点解説312頁～313頁）から，ストック・オプションは，インセンティブ報酬として付与されるか，過去の職務執行に対する非金銭報酬として付与されるか，あるいは両者の混合として付与されるかを問わず，同項の「職務執行の対価として株式会社から受ける財産上の利益」すなわち「報酬等」に該当する。

上への直接的なインセンティブ付与という側面を有することに加え，定年による退職等を行使条件にすることにより，長期継続的な労務提供へのインセンティブと位置づけ，退職慰労金の代替として活用されることも多い。また，株価の下落局面においても株価向上へのインセンティブを与え続けることができるという面では株式報酬型ストック・オプションの方が優れている。

ところで，ストック・オプションの内容や付与数量，付与対象者の性質などによっては，ストック・オプション付与によるインセンティブが，必ずしも十分に機能するわけではない。たとえば株式相場全体が上昇局面にある場合には，企業努力とはあまり関係なく株価が上昇することもある一方，経済環境や相場の低迷によっては，付与時の想定ほど権利行使が進まない場合もあり，そのような局面ではストック・オプションが（株価向上に対する）インセンティブとして機能しない可能性も十分に考えられる。また，わが国では，近時は取締役の報酬体系の一部として業績連動報酬の導入が進むなど，既存の報酬体系そのものを見直す動きも広がっているものの，ストック・オプションは既存の報酬体系への少量の上乗せとして付与するにとどめるという発想も根強い。さらに，付与対象者が，自社の株価にほとんど影響力がないと思われる層の従業員である場合には，株価上昇のインセンティブとしては機能しがたいであろう。

したがって，ストック・オプションをインセンティブ・プランとして十分に機能させるためには，わが国におけるストック・オプションに関する従来の慣習に捉われることなく，(i)ストック・オプションの諸条件の設計や，(ii)全報酬に占めるストック・オプションの割合，(iii)付与対象者の選別などを，各社の状況に応じて工夫することが必要であろう。(i)に関しては，たとえば，発行会社の株価成長率が市場の代表的な指標（日経平均やTOPIXなど）の成長率を上回ることを行使条件としたり，行使価額をそういった指標に連動させたり（いわゆるインデックス連動型ストック・オプション[2]），あるいは，自社の一定の指標（たとえば，ROEなど）が業界平均や自社で定めた目

標値を上回ることを行使条件とする（いわゆるパフォーマンス条件付ストック・オプション）こと等により，株式相場全体や当該業種全体の上昇局面などにおいても（特段の努力をすることなく巨額の報酬を手にできることがないようにすることで），ストック・オプションをインセンティブとして有効に機能させようとする工夫などが考えられる。このようないわゆる業績連動型のストック・オプションの実例として，以下の**図表1－1**を参照されたい。もっとも，平成29年度税制改正により，このような業績連動型のストック・オプションについて法人税法上の損金算入が認められるためには，一定の要件を満たすことが必要となった点に留意が必要である（詳細は後述1－5■3(1)②(b)参照）。また，(ⅱ)に関しては，たとえば，取締役の長期性の報酬である退職慰労金を廃止して，その代替として相当量の価値のストック・オプションを付与する（いわゆる退職慰労金代替型のストック・オプション）等，既存報酬の一部の代替として相当量の価値のストック・オプションを付与することなどが考えられよう。なお，平成29年度税制改正により，退職給与として付与するストック・オプションについても，法人税法上の損金算入が認められるための要件の見直しがなされている（詳細は後述1－5■3(1)②(c)参照）。さらに，(ⅲ)に関しては，少なくともインセンティブ報酬として付与する限りは，付与対象者を，株価に実質的な影響を及ぼしうると通常考えられるレベルの者に限定する方針を基本とするべきであろう。

---

(2) インデックス連動型とは，抽象的にいえば，株式相場全体が上昇局面にある場合には，それに対応して行使価額を上昇させることで株式相場全体の上昇率以上に当該発行会社の株価が上昇しなければ利益を出すことができないような仕組みとするものである。なお，一般論で言えば，ストック・オプションを，期待どおりのインセンティブ効果が適切に発揮されるように設計するためには，行使条件に用いる「指標」が，(a)付与対象者のコントロール外の事由によって影響される度合いが低いものであり，(b)発行会社またはその株主の利益を適切に，漏れなく反映したものであり，(c)発行会社またはその株主にとって客観的に観察および検証可能であり，付与対象者による恣意的な操作の余地が小さいものである方が望ましい（松尾拓也「業績連動型報酬を設計する際に何に気を付けるべきか〜米国における近時の動向を踏まえて〜」〔朝日新聞社Website「法と経済のジャーナル」Asahi Judiciary（2012）掲載〕参照）。

第Ⅱ編　第1章　ストック・オプション

図表1－1　「株式会社荏原製作所のストック・オプション（同社取締役及び執行役員に対する中長期インセンティブとしてのもの）の行使条件」（荏原製作所「新株予約権（株式報酬型ストックオプション）の発行に関するお知らせ」（平成26年9月9日付け）2頁）

> 8.　本新株予約権の行使の条件
> 　　　　　　　　　　（中略）
> (2)　割当日後3年以内に終了する事業年度のうち最終のもの（以下，「最終年度」という。）に係る当社の連結投下資本利益率（ROIC）（以下，「達成業績」という。）が目標である7.0％（以下，「目標業績」という。）に達した場合には割当てを受けた新株予約権の全部を行使しうるものとするが，目標業績に達しない場合には，新株予約権者は，割当てを受けた本新株予約権の数に権利確定割合（達成業績を目標業績で除して得た数とし，0.5を下限とする。）を乗じて得た数（以下，「業績調整後行使上限」という。）を超えて，本新株予約権を行使することができない。
> 　ただし，新株予約権者が平成26年10月1日から最終年度の末日までに本新株予約権以外の新株予約権（本新株予約権と同種の株式報酬型ストックオプションに限る。以下，「同種新株予約権」という。）の割当てを受けた場合であって，本新株予約権の前に割当てられた同種新株予約権の業績調整後行使上限に1個未満の端数があるときは，当該端数は，本新株予約権にかかる業績調整後行使上限に繰越すものとする。なお，本新株予約権の行使単位は1個であり，端数の行使は認めない。

②　手元資金の不足の補完

　いわゆるベンチャー企業等，手元資金が不足し現金流出を避けたい会社においては，現金での報酬・賃金の支払いの代わりにストック・オプションを付与することで，現金流出を抑えつつ人材を確保するという効果を得ることができる場合もあろう。

　ただし，ストック・オプションは，それを行使して取得した株式を売却することにより最終的な利益を得る形態の報酬であるため，当該発行会社が株式を公開しているか，近いうちに公開する可能性がなければ，（事実上，ストック・オプションの行使により取得した株式の売却の機会が見込まれず）ストック・オプションが現金での報酬・賃金の支払いの代替物として機能することは困難であると考えられる。したがって，ストック・オプションは，事実

上，上場会社か，数年のうちに上場することを目指しているような会社においてのみ有効に機能するものと考えられる。

なお，法人税法上の損金算入の可否との観点からは，平成29年度税制改正により，ストック・オプションの損金算入のための要件の見直しがなされ，退職給与として付与するストック・オプション以外については，その行使により市場価格のある株式が交付される新株予約権であること（適格新株予約権。詳細は後述1-5■3(1)(2)(a)(ii)および(b)(iii)参照）が損金算入の要件の1つとなったため，発行会社が上場会社ではないストック・オプションについては，損金算入が認められない点に留意されたい。

③ ダイリューションによる既存株主の損害

ストック・オプションは，実際に行使される局面のみを捉えれば，（一般的にはその時点の株価より低い権利行使価額で株式を交付することになるため）既存株主にダイリューション（希薄化）による損害を生じさせることになる。その意味では，ストック・オプションの付与によって付与対象者が得る利得は，既存株主の犠牲によってもたらされているともいえるのであり，そのようなデメリットを上回るだけのメリット（インセンティブの付与の結果としての株価向上など）が到底見込まれない場合には，当該発行を決議した取締役が責任を問われる結果ともなりかねない。したがって，発行会社の取締役としては，発行決議に先立って付与予定のストック・オプションの公正価値を算定し，それに見合うだけの効果が得られる合理的な見込みがあるか否かを十分に検討しておく必要があろう。また，議決権行使助言機関等の中には，希薄化率が一定水準以上となるストック・オプションの付与に係る議案に対しては反対を推奨する旨の立場をとるものも存在するため[3]，ストック・オプションの付与数を検討する際には，希薄化率がこれらの水準に至っていないかを考慮すべき場合もあると考えられる。

なお，近時では，インセンティブ付与とのストック・オプションの本質にかんがみ，ストック・オプションの付与対象者が発行会社の事前の許可なく競合他社に転籍したことを，新株予約権の無償取得および消却条件として定

第Ⅱ編　第1章　ストック・オプション

める事例も存する（実例として，**図表1－2**参照）。

図表1－2　「イオン株式会社のストック・オプションの消滅・無償取得等」（イオン「第16回新株予約権（2017年度株式報酬型ストックオプション）の発行について」（平成29年5月24日付け）2頁）

(10)　新株予約権の消滅，無償取得等
　①新株予約権者が，新株予約権を行使しないまま，権利行使期間が経過した場合，または権利行使期間内であっても執行役等の退任日から5年が経過した場合，新株予約権は消滅する。
　②新株予約権者が，次のいずれかに該当したとして(15)に定める新株予約権発行の決定機関が新株予約権の取得を決定した場合，当社は当該新株予約権者の新株予約権を無償で取得することができる。
　　(ｱ)　法令または当社の内部規律に対する重大な違反行為があった場合
　　(ｲ)　禁固以上の刑に処せられた場合
　　(ｳ)　当社の事前の許可なく，競業会社の役員，使用人に就任しまたは就任することを承諾した場合
　　(ｴ)　(12)に定める権利承継者が死亡した場合
　　(ｵ)　新株予約権者が新株予約権の全部を放棄する旨を申し出たとき
　③当社取締役会において新株予約権の全部または一部を取得する旨の決議をした場合，当社は取締役会決議により取得することを定めた新株予約権を無償で取得する。

■2　実務で用いられるストック・オプションの諸類型

(1)　はじめに

　実務上用いられているストック・オプションの類型は，その目的に応じて

---

(3)　ISSの「2018年版 日本向け議決権行使助言基準」では，当該株主総会において提案されているストック・オプションと発行済みのストック・オプションの残数を合算した希薄化率（取締役会決議のみで毎年継続的にストック・オプションを発行できるように，役員報酬枠としての承認を求める議案の場合には，今後10年間にわたり毎年付与可能最大数が付与されると仮定して計算する）が，成熟企業の場合には5％，成長企業の場合には10％を超える場合に，反対を推奨するものとされている。また，グラス・ルイスの「2018年版 議決権行使助言方針」においても，株式の希薄化等を総合的に検討して賛否の助言を判断するものとされており，とりわけ交付可能株式総数の開示がない場合には，反対を推奨するものとされている。

さまざまであり、それぞれの内容に応じて、留意すべき点・検討すべき点も異なる。そこで、まず本■2において、実務上用いられるさまざまな内容のストック・オプションを、①誰に（付与対象者）、②どのような新株予約権を（新株予約権の内容・性質）、どのような方法（発行方法）で発行するか、という観点から類型化して示すこととする。

また、本章では、1－2においてストック・オプションの付与に関するスケジュールおよび各手続について、1－3においてストック・オプションに関する法的・実務的主要論点について、1－4においてストック・オプションの会計について、1－5においてストック・オプションの税務について解説しているが、それらには論点・留意点が多数掲載されており、若干複雑であるため、本■2では、ストック・オプションの類型ごとに参照すべき1－2以下の関連箇所を示す道標をあわせて記載する。

(2) 付与対象者による区分

ストック・オプションを付与することを検討する場合、その初期段階では、誰にストック・オプションを付与するのが企業価値・株主利益の最大化につながるのかを各社の実態に応じて検討し、付与対象者の範囲を決定することになる。

なお、（単に現金流出を抑える目的で、従来の現金での報酬・賃金の支払いに代替するものとしてストック・オプションを付与するような場合を除き）一般論としては、その貢献が株価向上に一定の影響を有することについて合理的な説明が不可能な職位の者に、株価連動型の報酬であるストック・オプションを付与することは不合理であり、避けるべきであろう[4]。

ストック・オプションの付与対象者として実務上考えられる者を大きく分類すると、以下のとおりである。付与対象者が誰であるかにより、会社法上の報酬決議のとり方や労働基準法との関係で生じる論点・留意点が異なりう

---

(4) 内藤良祐＝藤原祥二編著『全訂版 ストック・オプションの実務』267頁～268頁（商事法務、2004）参照。

る。**図表1-3**は，以下の付与対象者別の主要な論点・留意点と本書における解説箇所を整理したものである。

① 監査等委員会設置会社または指名委員会等設置会社ではない会社（以下本1-1において「監査役設置会社」という）の場合
  (a) 発行会社の取締役
  (b) 発行会社の監査役（および会計参与）
  (c) 発行会社の従業員
  (d) 発行会社の子会社・関係会社の取締役・監査役（および会計参与）
  (e) 発行会社の子会社・関係会社の従業員
  (f) 上記(a)～(e)のいずれにも該当しない者

② 監査等委員会設置会社の場合[5]
  (a) 発行会社の取締役
  (b) 発行会社の従業員
  (c) 上記(a)～(b)のいずれにも該当しない者

③ 指名委員会等設置会社の場合[6]
  (a) 発行会社の執行役，取締役
  (b) 発行会社の従業員
  (c) 上記(a)～(b)のいずれにも該当しない者

---

(5) 監査等委員会設置会社における会計参与の報酬決議等に関する規制については，監査役設置会社の監査役におけるものと基本的に同じであるため，上記①監査役設置会社の場合の(b)を参照されたい。また，発行会社（本②において監査等委員会設置会社）の子会社・関係会社は，実務上，監査役設置会社であることが多いと考えられるため，本②においては記載を省略する。発行会社の子会社・関係会社については，上記①監査役設置会社の場合の(d)および(e)を参照されたい。

(6) 指名委員会等設置会社における会計参与の報酬等については，その額が確定しているものに限られている旨の明文の規定があるが（法409条3項ただし書），監査等委員会設置会社または指名委員会等設置会社ではない会社における会計参与の報酬等についても同様に解されている（相澤・論点解説382頁）。そのため，上記①監査等委員会設置会社または指名委員会等設置会社ではない会社の場合の(b)を参照されたい。また，発行会社（本③において指名委員会等設置会社）の子会社・関係会社は，実務上，監査等委員会設置会社または指名委員会等設置会社ではない会社であることが多いと思われるため，本③においては記載を省略する。発行会社の子会社・関係会社については，上記①監査等委員会設置会社または指名委員会等設置会社ではない会社の場合の(d)および(e)を参照されたい。

1-1 実務で用いられるストック・オプションの諸類型

図表1－3　付与対象者別の主要な論点・留意点の整理

※印が主要な論点・留意点を表している

【監査役設置会社の場合】

番号	付与対象者	報酬決議(注1)	その他
1	発行会社の取締役	※上場会社の取締役について，新株予約権の行使に際して払込みを要しないストック・オプションを付与するか【1－3■1(4)参照】	―
2	発行会社の監査役（および会計参与）	※監査役に非金銭報酬または業績連動型報酬を付与することが認められるか【1－3■3(2)①参照】	―
3	発行会社の従業員	不要	※労働基準法24条との関係【1－3■4参照】
4	子会社・関係会社の取締役・監査役（および会計参与）	不要(注2)	※完全子会社以外の子会社の役職員に対する付与を無償で行う場合に有利発行決議が必要か【1－3■1(3)②参照】 ※発行会社，直接完全子会社および直接・間接完全孫会社以外の会社の役職員に付与する場合には，有価証券届出書の提出が必要【1－2■2(4)⑦(b)(ii)参照】 ※有価証券届出書を提出する場合の訂正届出書の要否とスケジュール上の留意点【1－3■2(3)③参照】 ※発行会社および発行会社が直接または間接に50％超の株式を保有する会社の役

第Ⅱ編　第1章　ストック・オプション

			職員以外の者に付与されるストック・オプションは税制適格(注3)に該当しない【1－5■2(4)③参照】※税制非適格ストック・オプションの付与につき，法人税法上の損金算入が認められる子会社役員の範囲【1－5■3(1)②(a)(ii)・(b)(i)参照】
5	子会社・関係会社の従業員	不要	※労働基準法24条との関係【1－3■4参照】※上記4と同じ
6	上記のいずれにも該当しない者	不要	※上記5と同じ

(注1)　取締役または監査役に対してストック・オプションを付与する場合には，株主総会普通決議（報酬決議）が必要である（取締役について法361条1項4号または5号ロ，監査役について法387条）。ただし，すでに確保されている報酬枠の範囲内での付与にとどまる場合には，新たに報酬決議を得る必要はない。

(注2)　発行会社の取締役・監査役（および会計参与）ではないため，発行会社において，報酬決議としての株主総会決議は不要である。また，子会社・関係会社の取締役・監査役（および会計参与）に対して，発行会社がストック・オプションを無償で付与する場合には，子会社・関係会社自身がストック・オプションを報酬として支払っているわけではないので，子会社・関係会社自身においてもストック・オプションを報酬として付与する旨の報酬決議は不要であるが，子会社・関係会社がこれらの者に対して金銭報酬債権を付与した上で，当該金銭報酬債権について発行会社が債務引受けを行い，当該金銭報酬債権とストック・オプションに係る払込債務とを相殺する方法による場合には（後述1－3■2(1)①(c)参照），子会社・関係会社において当該金銭報酬債権の付与に関する報酬決議を経ることが必要となる。

(注3)　本書においては，租税特別措置法29条の2による新株予約権の経済的利益の非課税（権利行使により取得した株式の売却時点までの課税繰延べ）の取扱いを受ける新株予約権を，税制適格ストック・オプションと呼ぶ。

1-1 実務で用いられるストック・オプションの諸類型

【監査等委員会設置会社の場合】

番号	付与対象者	報酬決議(注)	その他
1	発行会社の取締役	※監査役設置会社の場合と同じ	―
2	発行会社の従業員	不要	※労働基準法24条との関係【1－3■4参照】
3	上記のいずれにも該当しない者	不要	※監査役設置会社の場合と同じ

（注） 報酬決議の際は，監査等委員である取締役とそれ以外の取締役とを区別して定めることを要する（法361条2項）。

【指名委員会等設置会社の場合】

番号	付与対象者	報酬決議(注)	その他
1	発行会社の執行役，取締役	※報酬委員会において執行役および取締役の個人別報酬を決定する【1－3■3(4)参照】	
2	発行会社の従業員	不要	※労働基準法24条との関係【1－3■4参照】
3	上記のいずれにも該当しない者	不要	※監査役設置会社の場合と同じ

（注） 株主総会ではなく報酬委員会の決議による（法409条3項）。

(3) 新株予約権の内容・性質およびその発行方法による区分

発行会社は，誰にストック・オプションを付与するかを決めるとともに，その者に対しどのような内容・性質のストック・オプションを付与するかを決める必要がある。ストック・オプションとして付与する新株予約権の内容・性質をどのようなものとして設計すべきかは，ストック・オプションを付与する目的・狙いによる。どのような目的・狙いをもって付与するかという観点から主として検討すべきものとしては，①株式報酬型ストック・オプション（退職慰労金代替型，賞与代替型などがありうる）[7]とするか，通常型ストック・オプションとするか（株式報酬型ストック・オプションと通常型ストック・オプションの解説は後述1－2■2(4)①(b)(i)参照），②税制適格ストック・オプションとするか，税制非適格ストック・オプションとするか（税制適格ストック・オプションの解説は後述1－5■2(4)参照），③会社側における（税務上の）損金算入が可能なものにするか否か（損金算入の可否に関する解説は後述1－5■3参照），といった点があげられる。これらの観点を，既存の従業員賃金体系や役員報酬の体系（退職慰労金の存否や固定給・賞与のバランス等を含む），既存のインセンティブ制度（たとえば，従業員持株会や役員持株会）等との兼ね合い，付与対象者の属性，会社に対する財務的なインパクト等を踏まえて検討のうえ，ストック・オプション目的の新株予約権の内容・性質を決定していくこととなろう。

以下の**図表1－4**は，新株予約権の発行方法とその内容・性質の関係についての主要な論点・留意点と本書における解説箇所を整理したものである。

---

(7) 株式報酬型ストック・オプションは，権利行使の期間その他の条件を調整することにより，賞与，退職慰労金等として利用できる内容に設定をすることができる。たとえば，(i)権利確定日において一定の業績が達成されていることを行使条件とすれば，業績と株価の両方に連動する賞与として設計することができ，(ii)権利行使のタイミングを退職後一定期間に限定することとすれば，株価に連動する退職慰労金として設計することができる。

1-1 実務で用いられるストック・オプションの諸類型

図表1－4　新株予約権の発行方法と新株予約権の内容・性質の関係

※印が主要な論点・留意点を表している

発行方法 内容・性質	相殺構成	無償構成
払込み	発行会社に対する債権で相殺 ※子会社・関連会社の役職員等への付与においても相殺構成は可能【1－3■2(1)①(c)参照】	なし
有利発行(注) /公正発行	公正発行【1－3■2(1)①(b)参照】	原則として公正発行 ※完全子会社以外の子会社の役職員に対する付与でも公正発行となりうるか【1－3■1(3)②参照】
税制適格 /非適格	※（株式報酬型を除き）税制適格の対象となり得る【1－5■2(4)②参照】	※同左
損金算入の可否	※発行会社役員に付与するストック・オプションについては，法人税法34条に定める各要件を満たす場合に，損金参入が可能【1－5■3(1)②参照】	同左
労基法との関係	※労働基準法24条との関係【1－3■4(3)参照】	※ストック・オプション付与に伴う賃金減額をしない限り，問題が生じる可能性は少ない【1－3■4(2)参照】

（注）　有利発行に該当する場合には，株主総会特別決議が必要（法309条2項6号・240条1項・238条2項）。

なお、新株予約権を使って役職員等にインセンティブを付与する仕組みは、以上で紹介したような一般的なストック・オプションの他にも存在する。たとえば、「有償ストック・オプション」や「信託型ストック・オプション」と呼ばれる仕組みの普及が進んできている。

有償ストック・オプションとは、発行する新株予約権の理論価値をオプション評価モデルにより算出し、これを新株予約権の時価として払込金額（発行価格）を設定し有償で発行する新株予約権であり[8]、行使条件として一定の業績達成条件が付されているものが多い。有償ストック・オプションは、その導入以降[9]、①たとえ発行会社の役員・従業員に割り当てられる場合でも、発行会社にとっては現金を対価として有価証券を発行する取引であるから、企業会計基準8号「ストック・オプション等に関する会計基準」の適用は受けず、企業会計基準適用指針17号「払込資本を増加させる可能性のある部分を含む複合金融商品に関する会計処理」の適用を受けるものとして、会計上、費用計上を行う必要がないものと整理され、②税務上も、付与対象者側において、付与時に課税が生じず、また「役務の提供その他の行為による対価」として付与されるものではないから権利行使時にも課税がなされず、新株予約権の行使により取得した株式を譲渡したときに譲渡所得として課税されるものと整理され、③有償ストック・オプションの付与に際しては、新株予約権の公正価値の払込みを受けるものであり、任意の投資制度であるから、たとえ発行会社の役員に割り当てられたとしても、時価で新株を発行して役員に割り当てる場合と同様、会社法の報酬規制を受けないと整理されてきた。また、信託型ストック・オプションとは、払込資金を保有する受託者に対して、発行会社が有償ストック・オプションを発行し、受託者はこれを引き受け、保管し、一定の条件を満たしたときに発行会社の従業員に

---

[8] 松田良成＝山田昌史「新株予約権と信託を組み合わせた新たなインセンティブ・プラン〔上〕」旬刊商事法務2042号60頁（2014）参照。
[9] 平成18年から導入事例が登場しはじめ、平成22年にソフトバンクグループ株式会社が導入して以降、導入件数が加速度的に増加したといわれる（松田＝山田・前掲（8）60頁参照）。

交付する信託スキームである[10]。信託型ストック・オプションを活用すれば，上記の有償ストック・オプションのメリットに加え，新株予約権を一括で信託しておくことにより，受益者確定手続の定めによっては，他の役員・従業員よりも後に入社した者も制度の対象とすることができ，また，企業への貢献度に応じた新株予約権の付与が可能となると考えられている[11]。有償ストック・オプションは，平成22年1月から平成28年8月までに，上場会社289社で導入事例があったとされ[12]，信託型ストック・オプションは，平成31年2月末までに，非上場会社で約104件，上場会社で約18件の導入事例があったとされる[13]。

　もっとも，企業会計基準委員会が平成30年1月12日に公表した実務対応報告36号「従業員等に対して権利確定条件付き有償新株予約権を付与する取引に関する取扱い」（以下，「実務対応報告36号」という）では，権利確定条件付き有償新株予約権[14]は，(当該権利確定条件付き有償新株予約権が従業員等[15]から受けた労務や業務執行等のサービスの対価として用いられていないことを立証できない限り，)企業会計基準8号「ストック・オプション等に関する会計基準」第2項(2)に定めるストック・オプションに該当するものとされた。したがって，実務対応報告36号の適用がある平成30年4月1日以降においては，従業員等に対して権利確定条件付き有償新株予約権を付与する場合，企業会計基準適用指針17号「払込資本を増加させる可能性のある部分を含む複合金融商品に関する会計処理」に基づいて処理する従来の実務上の

---

(10) 松田＝山田・前掲注（8）62頁，山田昌史「制度の変遷で理解する株式報酬諸制度のメリット・デメリット」企業会計68巻647頁（2016）参照。
(11) 松田＝山田・前掲注（8）62頁参照。
(12) 第344回企業会計基準委員会審議事項(6)-1（平成28年9月9日）参照。
(13) 松田良成＝落合広樹＝脇嘉幸「将来の貢献度に応じて公平な配分が可能『時価発行新株予約権信託』の概要と導入・開示の最新動向」ビジネス法務2019年6月号143頁参照。
(14) 概ね，権利確定条件として，勤務条件および業績条件が付されているか，または勤務条件は付されていないが業績条件は付されている有償新株予約権を意味する（実務対応報告36号2項(2)）。以下同じ。
(15) 「従業員等」とは，企業と雇用関係にある使用人のほか，企業の取締役，会計参与，監査役および執行役ならびにこれに準ずる者をいう（ス基2項(5)）。以下同じ。

取扱いは否定され，費用計上を要することとなったため，上記①との関係では留意が必要である。また，実務対応報告36号では有償ストック・オプションが「報酬としての性格を併せ持つと考えられる」とされ，学説上も，有償ストック・オプションが会社法361条1項の「報酬等」の2つの要素である「職務執行の対価」および「財産上の利益」に該当する余地が否定できないとし，少なくとも立法論として，会社法の報酬規制に服させるべきではないかとの見解[16]も示されており，上記②および③との関係でも，実務の動向含め，今後注視が必要である。

---

[16] 弥永真生「いわゆる有償ストック・オプションと『報酬等』規制」旬刊商事法務2158号4頁（2018）参照。

1-2 スケジュールおよび各手続

■1 はじめに

　以下では，ストック・オプション目的の新株予約権の発行に関して法律面から必要となる手続を中心にまとめた想定スケジュール表を掲載し，その概要を説明する。ただし，監査等委員会設置会社または指名委員会等設置会社ではない会社（以下，本1－2において「監査役設置会社」という）と，監査等委員会設置会社と，指名委員会等設置会社とでは，手続が異なる部分がある。そこで，まず，■2で監査役設置会社の場合の想定スケジュールを解説し，■3においては，監査等委員会設置会社の場合の想定スケジュールのうち，監査役設置会社のそれと異なる部分を中心に解説する。さらに，■4においては，指名委員会等設置会社の場合の想定スケジュールのうち，監査役設置会社のそれと異なる部分を中心に解説する。

　なお，ストック・オプション制度の導入のための段取りは，個々の会社の事情によって当然異なりうる。したがって，本1－2における各想定スケジュール表およびその概要の説明はあくまでも典型的な事例を想定した参考情報として掲載するものである。

第Ⅱ編　第1章　ストック・オプション

■2　監査役設置会社の場合

(1)　想定スケジュール表の使い方

　監査役設置会社におけるストック・オプション目的の新株予約権の発行スケジュールは，主として，①株主総会決議が必要か否か，必要である場合にはどのような決議が必要か，②(ⅰ)有価証券届出書の提出が必要か，(ⅱ)臨時報告書の提出が必要か，あるいは(ⅲ)そのいずれの提出も不要か，によって異なる。また，③法人税法上の損金算入を可能としたい場合には，かかる観点からのスケジュール上の留意点について配慮することも必要となる。そこで，後述(3)において，①②③の点を踏まえたストック・オプション目的の新株予約権発行のための想定スケジュール表を掲載する。

　後述(3)の想定スケジュール表は，ストック・オプション目的の新株予約権を発行するための募集事項の決議等を行う取締役会決議およびその適時開示までの想定スケジュール表（以下，「前半想定スケジュール表」という。**図表1－6**）と，それ以降登記申請までの想定スケジュール表（以下，「後半想定スケジュール表」という。**図表1－7**）の2つに大別される。前半想定スケジュール表（スケジュールA/スケジュールB）は，上記①の点によって，後半想定スケジュール表（スケジュール1～スケジュール6）は，上記②の点によってその内容が異なる。したがって，まずは，**図表1－5**のチャートによって，参照すべき想定スケジュール表（前半および後半）の組み合わせを特定されたい。

　図表1－5の判定チャートに従って，適切なスケジュール表を，前半についてはスケジュールAおよびスケジュールBから，後半についてスケジュール1からスケジュール6の中から選択いただきたい。そして，選択した前半想定スケジュール表と後半想定スケジュール表を組み合わせたものが，全体を通じた想定スケジュール表となる。たとえば，役員報酬決議必要・有利発行決議不要型（類型Ⅰ）で有価証券届出書提出義務がある場合は，後述

1-2 スケジュールおよび各手続

図表1-5　参照すべき想定スケジュール表の判定チャート

```
        付 与 対 象 者 が 発 行 会 社 の 役 員 か
              ↓ (Yes)                                    │
    ┌─────────────────────────────┐                     │
    │ 既存の報酬枠の範囲内での付与か │  (No)              │
    └─────────────────────────────┘                     │
       ↓ (No)              ↓ (Yes)                      │
  有利発行決議をとるか(※1)     有利発行決議をとるか(※1)
   ↓ (No)   ↓ (Yes)        ↓ (No)    ↓ (Yes)
```

役員報酬決議必要・有利発行決議不要型（類型Ⅰ）	役員報酬決議必要・有利発行決議必要型（類型Ⅲ）	株主総会決議不要型（類型Ⅳ）	役員報酬決議不要・有利発行決議必要型（類型Ⅱ）
スケジュールA（株主総会必要型）	スケジュールA（株主総会必要型）	スケジュールB（株主総会不要型）	スケジュールA（株主総会必要型）

	有利発行決議不要型（類型Ⅰ，類型Ⅳ）	有利発行決議必要型（類型Ⅱ，類型Ⅲ）
有価証券届出書提出義務がある場合(※2)	スケジュール1	スケジュール2
臨時報告書提出義務がある場合(※2)	スケジュール3	スケジュール4
いずれも提出義務がない場合(※2)	スケジュール5(※3)	スケジュール6

※1　有利発行決議についての考え方は，後述1-3■1(3)，■2(1)①(b)および②(b)を参照いただきたい。

※2　(i)有価証券届出書の提出義務があるか，(ii)臨時報告書の提出義務があるか，あるいは(iii)そのいずれの提出義務もないかという点については，後述(4)⑦の説明を参照しつつ判断いただきたいが，要約すると，上場会社の場合，(a)発行会社，直接完全子会社および直接・間接完全孫会社の取締役，執行役，監査役，会計参与および使用人以外の者（たとえば，直接完全子会社以外の子会社の役職員等）に対して新たにストック・オプションを発行するか否か，(b)新株予約権の払込金額の総額に当該新株予約権の行使価額の合計額を合算した金額が1億円以上であるか否か（ただし，厳密には，開示府令2条5項2号以下に定められている通算規定等を踏まえての判断となる）で判断できる。すなわち，(a)(b)とも○の場合は(i)，(a)が×で(b)が○の場合は(ii)，(b)が×の場合は（(a)が○か

×かにかかわらず）(iii)となる。なお，(iii)の場合でも，(a)が○，(b)が×で，かつ，新株予約権の発行価額（払込金額）の総額が，1,000万円から当該新株予約権の行使価額の合計額を控除した金額超となる場合には，当該募集が開始される日の前日までに，有価証券通知書の提出が必要となる点に留意いただきたい。

　また，上記スケジュール案においては，当該新株予約権の発行に関する募集事項に相当する事項を内容とする発行登録書および発行登録追補書類，有価証券報告書，四半期報告書または半期報告書の届出または提出はなされていないことを前提としている。

(3)の想定スケジュール表中のスケジュールAとスケジュール1を組み合わせることで想定スケジュールを確認することができる。

　また，**図表1－5**の判定チャートにおいて，Yes/Noの判断が付与対象者の類型によって分かれる場合（たとえば，発行会社の役員とそれ以外の者の両方にストック・オプション目的の新株予約権を付与する場合や，取締役に対する付与は既存の報酬枠の範囲内であるが監査役に対する付与は既存の報酬枠の範囲外である場合，発行会社の従業員に付与するものは有利発行決議をとらないが発行会社の子会社の従業員に付与するものは有利発行決議をとる場合等）には，**図表1－5**の判定チャートに従って，該当する想定スケジュール表を付与対象者の類型ごとに特定し，それらを統合したスケジュールを作成することになる。

　ところで，後述(3)の想定スケジュール表では，便宜のため日程を仮置きしているが，実際に作成した具体的なスケジュールが法律上の要請を満たしているかを検討するためには，そもそも各法律上の要請がどのようなものかを知る必要がある。そのため，まず，後述(2)においてはスケジュール作成の前提となる法律上の要請について概説している。そして，後述(4)においては，各社における具体的なスケジュールの作成や実際の手続の遂行の際の理解の助けとなるよう，後述(3)の想定スケジュール表中の各手続について詳細に解説し，また，実例等を示している。

　なお，**本■2**では，特に断らない限り，公開会社・取締役会設置会社・

監査役会設置会社で，上場会社・6月総会会社を想定し，株主総会決議が必要な場合には当該決議は定時株主総会において得られること，当該株主総会において有利発行決議をする場合には募集事項の決定を取締役会に委任すること，総数引受契約によらないこと，付与対象者と割当契約を締結することを前提に記載している。念のため付記すると，「公開会社」とは，会社法上，定款においてすべての株式について譲渡制限が付されている株式会社（全株式譲渡制限会社）以外の株式会社をいう（法2条5号）。したがって，譲渡制限の付いた株式についての定款の定めがあっても，他に譲渡制限の付いていない株式についての定款の定めが1つでもあれば，会社法上は，「公開会社」となる。

> **Column**　平成26年改正会社法以降の総数引受契約
>
> 　平成26年改正会社法施行前の会社法（以下，本コラムにおいて「旧会社法」という）においては，ストック・オプションの付与に際して，総数引受契約を活用することにより，割当対象者と割当個数の決定を，取締役会ではなく，代表取締役に一任することが許されていた。より正確には，取締役会設置会社においては，募集新株予約権が譲渡制限新株予約権（新株予約権の対象となる株式の全部または一部に譲渡制限が付されている場合および新株予約権自体に譲渡制限が付されている場合の2つの場合を含む。以下，本コラムにおいて同じ）である場合，募集新株予約権の割当対象者および割当個数の決定は，取締役会決議によることが原則であるが（法243条1項・2項），引受人が，発行会社との間で，募集新株予約権の総数を引き受けることを約する契約を締結している場合には，当該原則の例外として，代表取締役への一任が認められていた[注1]（旧会社法244条1項）。ストック・オプションとして発行される新株予約権には，通常，譲渡制限が付されており，また，複数の引受人との間で個別に締結する引受契約であっても総数引受契約と認められ得ることから，ストック・オプションの付与に際して，総数引受契約を活用することにより，上記の例外に依拠することで，取締役会の場で，各割当対象者に対する割当個数を明らかにしたくないとの実務上の配慮に応えることが可能となっていた。
>
> 　しかし，平成26年改正会社法の施行日以降に募集事項の決定がなされる譲渡制限新株予約権について，総数引受契約を締結する場合には，定款に別段の定めがある場合を除き，取締役会設置会社においては取締役会の決議にて，「契約

の承認」を受けなければならないとの新ルールの適用を受けることとなった（法244条3項，同附則13条1項）。

「契約の承認」に，「割当対象者」および「割当個数」が含まれるかは，条文上は必ずしも明らかではない。しかし，新ルールの趣旨は，譲渡制限の付された株式および新株予約権の「譲渡」に際しては，譲渡制限の趣旨である閉鎖性を維持するとの観点から，譲渡の相手方およびその個数について，取締役会の承認が要求されているのに対し（法139条1項・265条1項），譲渡制限の付された株式および新株予約権の「募集（発行）」の場面においては，総数引受契約を締結することで，当該規律の適用を，いわば免れることができる状態となっているとの不均衡を是正するとの点にある。このような平成26年改正の趣旨に鑑みると，「契約の承認」には，割当対象者および割当個数が含まれると解することが整合的であり，この場合には，総数引受契約の締結による割当対象者および割当個数の決定の代表取締役等への一任は認められないことになる。平成26年改正会社法施行後も，旧会社法下と同様の総数引受契約の活用を望む場合には，定款において別段の定め（譲渡制限新株予約権の契約の承認については代表取締役に一任する旨の規定等）を設けることを検討する必要があるだろう。

(注1) 相澤・論点解説196頁・208頁参照。

(2) スケジュール作成の際の法律上の要請

後述(3)の各想定スケジュール表に記載の日付は，（以下の法律上の要請を遵守できる範囲で）仮置きしたものにすぎない。したがって，各社で具体的なスケジュールを作成される際には，以下の法律上の要請を遵守できる範囲で，各社の実情に応じて，適切なスケジュールを作成されたい。なお，以下に列挙している手続は，すべてのケースで実施が必要となるものばかりではない。したがって，まずは後述(3)で参照すべき想定スケジュール表を特定し，それによって自社において必要となる手続を確認した後に，必要に応じて，本(2)の記載のうち，当該想定スケジュール表に記載の各参照番号に対応する番号の部分を確認するという手順で利用されたい。

① 検討開始

特になし（②の取締役会の準備が間に合うように進めればよい）。

② 取締役会決議（株主総会議案の確定，株主総会の招集等）

株主総会招集通知の発送前に取締役会決議が必要である（法298条1項・4項）。

③ 適時開示（1回目）

②の取締役会決議後直ちに行うことが必要である（上場規程402条1号a等[17]）。

④ 株主総会招集通知発送

株主総会の日の2週間前[18]までに，招集通知を発送する必要がある（法299条）。

⑤ 定時株主総会決議

通常の定款の規定に従い，毎事業年度の終了後3カ月以内に（すなわち，3月決算会社においては6月末までに）定時株主総会を開催する必要がある。

⑥ 取締役会決議

⑤の定時株主総会で有利発行決議をとる場合には，当該有利発行決議は，新株予約権の割当日が当該決議の日から1年以内の日である募集についてのみその効力を有する（法239条3項）ため，割当日を定時株主総会の日から1年以内の日にする必要があり，したがって⑥の取締役会（新株予約権の募集事項を決議する取締役会）は少なくとも当該日以前に行うことが必要である。

---

[17] 東京証券取引所以外の金融商品取引所に上場している会社についても，同様に各金融商品取引所における規則に従った開示が必要になるが，本書では上場規程に基づく開示を代表例として記載する。

[18] ただし，①上場会社は，招集通知，株主総会参考書類，計算書類・連結計算書類および事業報告等を，株主総会の日の3週間前の日よりも早期に，電磁的方法により投資者に提供する努力義務を負う（上場施行規則437条3号）。また，②株主総会資料の電子提供措置に係る規定（法325条の2以下）の施行日（公布日である2019年12月11日から3年6月を超えない範囲内において政令で定める日）以降，上場会社など，振替株式を発行する会社は，当該措置の利用を義務づけられ（社振法159条の2第1項，整備法10条2項），株主総会の日の3週間前の日または株主総会の招集の通知を発した日のいずれか早い日から株主総会参考書類等を電磁的方法により提供しなければならない（法325条の3第1項）。

また、ストック・オプションの付与につき、法人税法上の損金算入が認められる事前確定届出給与（一定の期間の役務提供の対価として、確定した数の新株予約権を付与する場合には、これに該当することが多い。要件については後述1－5■3(1)②(a)参照）として付与する場合であって、かつ、法人税法上の損金算入の要件の1つである給与の届出を不要としたい場合には、⑤の定時株主総会の日から1カ月以内に、⑥の取締役会決議を行い、加えて、当該決議において定める割当日は、当該決議の日から1カ月以内の日とする必要がある点に留意が必要である（詳細は後述1－5■3(1)②(a)(iv)参照）。

⑦-1 有価証券届出書の提出

有価証券届出書の提出義務を負う事案の場合には、届出書の提出前に、発行予定のストック・オプション目的の新株予約権の「募集」（取得の申込みの勧誘）を行ってはならず、かつ、届出の効力発生前に当該新株予約権を取得させてはならない（これは、届出の効力が生じない限り、投資者（付与対象者）が新株予約権を取得することを契約によって拘束されないということを意味していると解されている）。詳細は後述1－3■2(3)②参照。

なお、どのような行為がここでいう「募集」に該当するかは必ずしも明確ではないが、実務上は、後記⑧の適時開示の前に（かつ同日に）有価証券届出書の提出をするのが一般的であると思われる。これは、上記⑥の取締役会における発行決議をもって募集事項の内容が確定していることから、当該取締役会決議後に行われる適時開示（⑧の適時開示）は「募集」行為に該当すると解されるおそれがある点を考慮し、当該適時開示の前に有価証券届出書を提出しておくべきとの発想に基づくものと推測される。

また、有価証券届出書は、原則として、有価証券届出書が受理された日から15日を経過した日に効力を生ずる（金商8条1項）が、組込方式または参照方式により作成できる場合には、おおむね7日の経過で効力

が発生するものとされている（同条3項，開令ガ8－2）。これを踏まえ，割当契約を締結する前(19)（割当契約を締結しない場合には申込みに応じた割当通知をする前）に届出の効力が発生するようなタイミングで，有価証券届出書を提出することが必要となるものと解される。詳細は後述(4)⑦(a)(i)および1－3■2(3)②参照。

　また，有利発行決議不要型の場合で，有価証券届出書に対株主公告の代替としての機能を求める場合には，割当日の2週間前までには有価証券届出書を提出しておく必要がある。詳細は後述(4)⑦(a)(i)参照。

⑦－2　訂正届出書の提出

　後述(4)⑦(a)(i)のとおり，有価証券届出書において，新株予約権の行使価額や払込金額につき具体的金額を記載することができない場合等には，当該金額が確定した段階で，有価証券届出書の訂正届出書を提出することが必要となるものと解される。なお，実務上，このような訂正届出書の提出は，割当日よりも前に行う必要はないと解されている。詳細は後述(4)⑦(a)(i)および1－3■2(3)③参照。

⑦－3　臨時報告書の提出

　臨時報告書の提出義務を負う事案の場合には，⑥の取締役会決議後遅滞なく提出することが必要（金商24条の5第4項）である。

　また，有利発行決議不要型の場合で，臨時報告書に対株主公告の代替としての機能を求める場合には，割当日の2週間前までには臨時報告書を提出しておく必要がある。詳細は後述(4)⑦(a)(ii)参照。

⑦－4　訂正臨時報告書の提出

　後述(4)⑦(a)(ii)のとおり，臨時報告書において，新株予約権の行使価額や払込金額につき具体的金額を記載することができない場合等には，当

---

(19)　なお，「有価証券の発行者，売出人，引受人または金融商品取引業者，登録金融機関，金融商品仲介業者は，届出の効力発生前の勧誘において，投資者との契約で，届出が効力を発生すれば，投資者が有価証券を取得しまたは買い付けることになることを約定できる。」との見解がある（神崎克郎ほか『金融商品取引法』326頁〔青林書院，2012〕参照）。

該金額が確定した段階で，臨時報告書の訂正報告書を提出することが必要となると解される。

⑦-5　有価証券通知書の提出

「募集」の相手方が有価証券届出書の記載事項に関する情報をすでに取得し，または容易に取得することができる場合として政令に定める場合（金商4条1項1号，金商令2条の12第2号，開令2条2項・3項）に該当しないが，新株予約権の発行価額（払込金額）の総額が，1,000万円から当該新株予約権の行使価額の合計額を控除した金額超となる場合には，当該募集が開始される日の前日までに，有価証券通知書の提出が必要となる（金商4条6項，開令4条5項。後述(4)⑦(b)(iii)参照）。

上記⑥の取締役会における発行決議をもって募集事項の内容が確定していることから，当該取締役会決議後に行われる適時開示（⑧の適時開示）は「募集」行為に該当すると解されるおそれがある点を考慮すると，当該適時開示の日の前日までに有価証券通知書を提出する必要があるように読めそうであるが，その時点では募集事項も固まっておらず有価証券通知書の記載事項を満たすことはできないと思われる。また，有価証券通知書には，上記⑥の取締役会の議事録を添付することが必要となる（開令4条2項1号ロ）ところ，当該取締役会開催前には当該議事録は準備できない。そのため，⑧の適時開示の日の前日までに有価証券通知書を提出することは事実上不可能であると思われる。この点，実務的には，⑥の取締役会決議後遅滞なく提出することで許容される運用がなされているようであるが，具体的な運用については，その都度，各社の管轄財務局に問い合わせて確認することが慎重であろう。

⑧　適時開示（2回目）

⑥の取締役会決議後直ちに行うことが必要である（上場規程402条1号a等）。

⑨　株主に対する募集事項の公告

⑫の割当日の2週間前までに公告を行うことが必要である（法240条

2 項・3 項）。

⑩ 割当契約書の交付

割当契約書の記載内容を確定する必要があるため，少なくとも募集事項の決定後に交付することになろう。また，前述⑦－1のとおり，有価証券届出書の提出前には，「募集」(取得の申込みの勧誘) を行ってはならないため，有価証券届出書の提出が必要となる事案においては，有価証券届出書の提出後に交付すべきであろう。

⑪ 割当契約の締結

割当契約の交付および締結をもって，会社法242条1項の募集事項の通知，割当てを受けようとする者による書面による申込み（法242条2項）および発行会社による割当通知（法243条3項）を兼ねる場合には，割当契約の締結は，有価証券届出書の効力発生後，割当日の前日までに行う必要があるものと解される（同項参照）。詳細は 1 － 3 ■ 2 (3)①②参照。

⑫ 割当日

有利発行決議不要型の場合には，割当日は，株主に対する募集事項の公告（または有価証券届出書もしくは臨時報告書等の提出）から2週間後以降であることが必要である（法240条）。

また，有利発行決議の要否にかかわらず，有価証券届出書の提出が必要な場合は，割当日は，当該届出の効力発生日の翌日以降にする必要がある（詳細は後述 1 － 3 ■ 2 (3)②参照）。

また，（総数引受契約を利用しない限り）割当日は，割当通知の日（割当契約の締結によってこれを兼ねる場合には当該締結の日）の翌日以降であることが必要である。

なお，法人税法上の損金算入の観点からは，⑥の取締役会決議において記載のとおり，事前確定届出給与として付与するストック・オプションについて，給与の届出を不要としたい場合には，割当日は，⑥の取締役会決議決議の日から1カ月以内の日とする必要がある（詳細は後述 1

－5■3⑴②(a)(ⅳ)参照）。また，一定の業績連動給与として法人税法上の損金算入が認められる類型である，特定新株予約権による給与で，無償で取得され，または消滅する新株予約権の数が，役務提供期間以外の事由により変動するストック・オプション（詳細は後述1－5■3⑴②(b)参照）については，無償取得または消滅することとなる新株予約権の数の算定方法の決定日の翌日から1カ月以内の日を割当日とする必要がある（詳細は後述1－5■3⑴②(b)(ⅶ)参照）。加えて，一定期間の業績目標の達成後に，その達成度に応じて算出される個数の新株予約権を付与する等，業績を示す指標を基礎に付与される数が算定されるストック・オプションについては，当該算定の基礎とした業績連動指標の数値が確定した日の翌日から，原則として2カ月以内の日を割当日とする必要がある（詳細は後述1－5■3⑴②(b)(ⅶ)参照）。

⑬ 登記申請

　割当日から2週間以内に行う必要がある（法915条1項・911条3項12号）。

(3) 想定スケジュール表

　以下では，前半についてスケジュールA・スケジュールBを，後半についてスケジュール1からスケジュール6の想定スケジュール表を示す。各手続の実施のタイミングに関する法律上の要請の概要は前述(2)で，各手続の詳細については後述(4)で解説しており，また，以下の各表における「参照番号」欄は前述(2)および後述(4)における解説箇所を示している。したがって，必要に応じ，「参照番号」欄を利用して，前述(2)および後述(4)の解説をあわせて確認されたい。

　なお，前述(2)⑦－1に記載のとおり，⑧の適時開示は⑦－1の有価証券届出書の提出後に行うのが実務上一般的であると思われるが，ここでは整理の便宜上，⑧の適時開示については，一律，前半想定スケジュールに含めて記載している。

1-2 スケジュールおよび各手続

図表1－6　　　　　　　　　前半想定スケジュール表

スケジュールA（株主総会必要型）（類型Ⅰ～Ⅲに対応）
（類型Ⅰ）役員報酬決議必要・有利発行決議不要型
（類型Ⅱ）役員報酬決議不要・有利発行決議必要型
（類型Ⅲ）役員報酬決議必要・有利発行決議必要型

参照番号			想定スケジュール（仮置き）	行　為
類型Ⅰ	類型Ⅱ	類型Ⅲ		
①			数カ月前～	検討開始
②－Ⅰ	②－Ⅱ	②－Ⅲ	5月15日	取締役会決議（株主総会議案の確定，株主総会の招集等）
③－Ⅰ	③－Ⅱ	③－Ⅲ	5月15日	適時開示
④－Ⅰ	④－Ⅱ	④－Ⅲ	6月5日頃	株主総会招集通知発送
⑤－Ⅰ	⑤－Ⅱ	⑤－Ⅲ	6月25日	定時株主総会決議
⑥－Ⅰ	⑥－Ⅱ	⑥－Ⅲ	6月25日	取締役会決議
⑧－Ⅰ	⑧－Ⅱ	⑧－Ⅲ	6月25日	適時開示

スケジュールB（株主総会不要型）（類型Ⅳに対応）
（類型Ⅳ）株主総会決議不要型

参照番号	想定スケジュール（仮置き）	行　為
類型Ⅳ		
①	数カ月前～	検討開始
⑥－Ⅳ	6月25日	取締役会決議
⑧－Ⅳ	6月25日	適時開示

第Ⅱ編 第1章 ストック・オプション

図表1－7　　　　　　　　　　後半想定スケジュール表

スケジュール1（有利発行決議不要型・有価証券届出書必要型）（類型Ⅰ・Ⅳに対応）
　（類型Ⅰ）役員報酬決議必要・有利発行決議不要型
　（類型Ⅳ）株主総会決議不要型

参照番号	想定スケジュール （仮置き）	行　為
⑦－1	6月25日	有価証券届出書の提出(注)
⑩	6月26日	割当契約書の交付
⑪	7月3日以降7月9日までに	割当契約の締結
⑫	7月10日	割当日
⑦－2	7月10日	（訂正届出書の提出）
⑬	割当日から2週間以内に	登記申請

（注）有価証券届出書は，原則として，有価証券届出書が受理された日から15日を経過した日に効力を生ずる（金商8条1項）が，組込方式または参照方式により作成できる場合には，おおむね7日の経過で効力が発生するものとされている（同条3項，開令ガ8－2）。ここでは，組込方式または参照方式により作成することを前提にしている。

スケジュール2（有利発行決議必要型・有価証券届出書必要型）
（類型Ⅱ・Ⅲに対応）
　（類型Ⅱ）役員報酬決議不要・有利発行決議必要型
　（類型Ⅲ）役員報酬決議必要・有利発行決議必要型

参照番号	想定スケジュール （仮置き）	行　為
⑦－1	6月25日	有価証券届出書の提出(注)
⑩	6月26日	割当契約書の交付
⑪	7月3日	割当契約の締結
⑫	7月4日	割当日
⑦－2	7月4日	（訂正届出書の提出）
⑬	割当日から2週間以内に	登記申請

（注）有価証券届出書は，原則として，有価証券届出書が受理された日から15日を経過し

1-2 スケジュールおよび各手続

た日に効力を生ずる（金商8条1項）が，組込方式または参照方式により作成できる場合には，おおむね7日の経過で効力が発生するものとされている（同条3項，開令ガ8－2）。ここでは，組込方式または参照方式により作成することを前提にしている。

スケジュール3（有利発行決議不要型・臨時報告書必要型）（類型Ⅰ・Ⅳに対応）
（類型Ⅰ）役員報酬決議必要・有利発行決議不要型
（類型Ⅳ）株主総会決議不要型

参照番号	想定スケジュール（仮置き）	行　為
⑦-3	6月25日	臨時報告書の提出
⑩	6月26日	割当契約書の交付
⑪	7月9日までに	割当契約の締結
⑫	7月10日	割当日
⑦-4	7月10日	（訂正臨時報告書の提出）
⑬	割当日から2週間以内に	登記申請

スケジュール4（有利発行決議必要型・臨時報告書必要型）（類型Ⅱ・Ⅲに対応）
（類型Ⅱ）役員報酬決議不要・有利発行決議必要型
（類型Ⅲ）役員報酬決議必要・有利発行決議必要型

参照番号	想定スケジュール（仮置き）	行　為
⑦-3	6月25日	臨時報告書の提出
⑩	6月26日	割当契約書の交付
⑪	6月30日までに	割当契約の締結
⑫	7月1日	割当日
⑦-4	7月1日	（訂正臨時報告書の提出）
⑬	割当日から2週間以内に	登記申請

スケジュール5（有利発行決議不要型・有価証券届出書／臨時報告書不要型）
（類型Ⅰ・Ⅳに対応）
（類型Ⅰ）役員報酬決議必要・有利発行決議不要型
（類型Ⅳ）株主総会決議不要型

参照番号	想定スケジュール（仮置き）	行　為
⑦-5	6月25日	（有価証券通知書の提出）
⑨	7月1日	株主に対する募集事項の公告
⑩	7月1日	割当契約書の交付
⑪	7月15日までに	割当契約の締結
⑫	7月16日	割当日
⑬	割当日から2週間以内に	登記申請

スケジュール6（有利発行決議必要型・有価証券届出書／臨時報告書不要型）
（類型Ⅱ・Ⅲに対応）
（類型Ⅱ）役員報酬決議不要・有利発行決議必要型
（類型Ⅲ）役員報酬決議必要・有利発行決議必要型

参照番号	想定スケジュール（仮置き）	行　為
⑦-5	6月25日	（有価証券通知書の提出）
⑩	6月26日	割当契約書の交付
⑪	6月30日までに	割当契約の締結
⑫	7月1日	割当日
⑬	割当日から2週間以内に	登記申請

　なお，行使期間が到来している新株予約権の新株予約権者が当該予約権の行使により取得することとなる株式数は，発行可能株式総数から発行済株式（自己株式を除く）の総数を控除した数を超えてはならない（法113条4項）ため，新株予約権を新たに発行することにより，発行可能株式総数の枠が（近いうちに）不足する可能性があると考えられる場合には，あらかじめ株主

総会において発行可能株式総数の増加のための定款変更決議を得ておくことも考えられる。

このようなケースは必ずしも典型的とはいえないため，上記の想定スケジュールでは考慮していないが，このようなケースでは類型Ⅳ（株主総会決議不要型）であっても株主総会の開催が必要となり，結果的に，前半スケジュールはスケジュールAと類似のものとなる。

また，ここでは発行会社が公開会社であることを前提にしているため，別途の類型として説明はしないが，非公開会社においては，新株予約権の発行決議は常に株主総会の特別決議（法238条2項・240条・309条2項6号）が必要であるため，前半スケジュールはスケジュールAに近いスケジュールとなり，後半スケジュールはスケジュール2・4・6のいずれかと同様となる。

(4) 各手続の内容と留意点

ここでは，上記(3)の各想定スケジュール表に記載の手続について，参照番号に従って説明する（なお，ここでは，ストック・オプション目的の新株予約権を発行する場合の実務的なスケジュールおよび留意点を説明することを目的としており，募集による新株予約権の発行手続の一般的な解説は，**第Ⅰ編第3章3－2の記載**を参照されたい）。

なお，たとえば1つの手続であっても，**図表1－5**のチャートにおける類型Ⅰ～Ⅳ（すなわち，(a)株主総会決議が必要か否か，(b)必要である場合，どのような決議が必要かという観点からの4類型）によってその内容および留意点は異なりうるため，そのような場合には，類型Ⅰ～Ⅳに応じて手続の内容および解説を記載している（そのため，参照番号の中には①～⑬の番号のみならず，①－Ⅰといった表記もあり，この場合ローマ数字が上記の類型〔類型Ⅰ～Ⅳ〕を表している）。

① 検討開始（類型Ⅰ～Ⅳ共通）

　　　　（類型Ⅰ）役員報酬決議必要・有利発行決議不要型
　　　　（類型Ⅱ）役員報酬決議不要・有利発行決議必要型

（類型Ⅲ）役員報酬決議必要・有利発行決議必要型
（類型Ⅳ）株主総会決議不要型

　ストック・オプション制度の導入を検討するにあたっては，まず，(i)どのような目的で導入するのかを十分に踏まえたうえで，当該目的を効率的に達成するためには，(ii)誰に，(iii)どのような内容の新株予約権をどの程度のボリュームで交付すべきかを検討することになろう。そのうえで，(iv)そのようなストック・オプション制度の導入にあたって必要となる手続（株主総会決議が必要か，有価証券届出書の提出が必要か，就業規則の変更が必要か等）やコストを検討し，実行可能な方針を策定していくことになろう。これらの点の具体的な検討は，基本的には，後記②の取締役会決議までに完了しておくことが必要となる。

　(a) 誰　　に

　まず，ストック・オプションの付与対象者としては，実務上は，社外取締役を除く取締役に対して付与されることが多い。議決権行使助言機関等の中には，社外取締役等に対する付与を否定的に捉えるものもあることから[20]，付与対象者の決定にあたっては留意が必要である。発行会社の取締役，監査役または会計参与にストック・オプションを付与する場合には，発行決議のほか，報酬等の付与として，株主総会普通決議が必要である（法361条・379条・387条）。

　ストック・オプションを発行会社の従業員の一部に付与することも多い。この場合には，労働基準法24条との関係に留意が必要である（詳細は後述1－3■4参照）。

　ストック・オプションを子会社・関係会社の役員に対して付与する場合も

---

[20] グラス・ルイスの「2021年版 議決権行使助言方針」では，業績連動型の株式報酬制度において割当対象者に社外取締役，監査等委員である取締役または社内外監査役が含まれる場合には，基本的に反対を推奨するものとされている（ただし，株式報酬制度が業績連動型でない場合には（1円ストック・オプションを含む），割当対象者に社外取締役，監査等委員である取締役または社内外監査役が含まれていても，自動的に反対推奨とはせず，コスト，株式の希薄化や発行規模等を考慮し，賛否の助言を判断するものとされている）。

ある。この場合には，当該付与対象者と発行会社との間には何らの契約関係も存在しないことも十分あり，その場合には，そのままの状態では払込金額と相殺すべき債権を評価可能な財産として認識することができないため，相殺構成をとるには債権債務関係の創出のための手当が必要となる場合が多いであろう（後述1－3■2(1)①(c)参照）。また，発行会社，直接完全子会社および直接・間接完全孫会社以外の会社の役職員にストック・オプションを付与する場合には，有価証券届出書の提出が必要となる場合があるので留意が必要である（詳細は後述⑦(b)参照）。なお，子会社（完全子会社以外の会社を含む）・関連会社の役員に対するストック・オプションの付与を無償構成で行う場合に，有利発行決議を要するかは論点となる（詳細は後述1－3■1(3)②参照）。

　また，ストック・オプションを子会社・関係会社の従業員に付与する場合には，上記で発行会社の従業員について述べたところと，子会社・関連会社の役員について述べたところの双方が基本的にあてはまる。

　なお，税務上の観点からは，付与を受けたストック・オプションが税制適格ストック・オプションとなりうる付与対象者の範囲や（詳細は後述1－5■2(4)③参照），税制非適格ストック・オプションについて損金算入が認められる役員の範囲（詳細は後述1－5■3(1)②(a)(ii)および(b)(i)参照）についても留意が必要である。

(b) どのような内容の新株予約権を

(i) 株式報酬型ストック・オプションと通常型ストック・オプション

株式報酬型ストック・オプションとは，限りなく0円に近い行使価額（実務上は通常，1株当たり1円）を設定することで，常に権利行使時の株価相当の価値が付与対象者に認識されるストック・オプションである。これに対し，通常型ストック・オプションは，典型的には，1株当たりの行使価額を，付与時の1株当たりの株価に相当する金額以上の金額として設計される。

第Ⅱ編　第1章　ストック・オプション

(ⅱ)　税制上の取扱い

　税制適格ストック・オプションとするか否か，税務上の損金算入をできるものとするか否かについても検討する必要がある。

　この点，まず，税制適格ストック・オプションの要件は後述1－5■2(4)のとおりであり，税制適格ストック・オプション用の割当契約のサンプルは，**図表1－27**のとおりである。ストック・オプションの付与を受ける側にとっては，税制適格であることは一般的にはメリットであるので，そのようなメリットを付与対象者に与えるかどうかを検討することになる。ただし，税制適格要件を満たすために，ある程度，新株予約権の内容の設計の自由度が制限されてしまう。さらに，税制適格ストック・オプションについては，発行会社側では，ストック・オプションの公正価値を，税務上，損金算入することができない。一方，税制適格ストック・オプションではない場合（税制非適格ストック・オプションの場合）には，新株予約権の内容の設計の自由度が高まるが，当該ストック・オプションの公正価値を，税務上，損金算入することを望む場合には，新株予約権の内容および発行手続が，損金算入の要件を満たすかについて検討する必要がある（詳細は後述1－5■3参照）。

(c)　どのような付与手続をとるか

　誰に，どのようなストック・オプションを付与するかのほかに，どのような付与手続をとるか（相殺構成とするか無償構成とするかや，どのような手続が必要となるか等）も検討が必要である。

　付与手続に関するスケジュールについては，前述のとおり，(A)株主総会決議が必要か否か，必要である場合にはどのような決議が必要か，(B)(ⅰ)有価証券届出書の提出が必要か，(ⅱ)臨時報告書の提出が必要か，あるいは(ⅲ)そのいずれの提出も不要かによって異なるため，まずはこれらの点を確認しておくことが重要である。

　特に，株主総会決議が必要となるか否かは，（とりわけ上場会社にとっては）スケジュールを検討するうえで最も重要なポイントの1つであるため，早期に要否を確認しておく必要がある。株主総会決議の要否は，基本的には，付

与しようとするストック・オプションが，過去に行った株主総会決議の範囲内の内容といえるかによる（後述1－3■3(1)①参照）。

また，上記(B)の点については，後述⑦を参照されたい。その他，発行スケジュール上の留意点については，後述1－3■2(3)を参照されたい。

なお，就業規則や労働協約の変更等の手続を要する場合には，労働組合との事前協議等が必要となる場合も考えられるため，そのような手続の要否についても早めに確認しておくべきであろう。

② **取締役会決議（株主総会議案の確定，株主総会の招集等）（類型Ⅰ～Ⅲに対応）**

（類型Ⅰ）役員報酬決議必要・有利発行決議不要型
（類型Ⅱ）役員報酬決議不要・有利発行決議必要型
（類型Ⅲ）役員報酬決議必要・有利発行決議必要型

②－Ⅰ **取締役会決議（類型Ⅰ〔役員報酬決議必要・有利発行決議不要型〕の場合）**

(a) 役員報酬に関する株主総会決議が必要であるため，当該役員報酬決議を取得する株主総会の開催に向けて，取締役会において，当該株主総会招集のための決議（法298条1項・4項）を得ることが必要となる。当該決議では，株主総会参考書類に記載すべき事項を定める必要がある（法298条1項5号，施63条3号イ）[21]。具体的には，取締役に対する報酬議案については，議案の内容（後述1－3■3(1)①参照），会社法361条1項各号に掲げる事項の算定の基準（および変更の理由。社外役員に関するものは社外役員以外の取締役と区別して記載），当該議案に係る取締役の員数（社外役員に関するものは社外役員以外の取締役と区別して記載），当該報酬が退職慰労金に関するものであるときは退職取締役の略歴および退

---

[21] 書面による議決権行使または電磁的方法による議決権行使を認める会社であることを前提としている。

職慰労金の額の決定の基準等を本取締役会において定める必要があり（施73条1項・2項・82条），監査役に対する報酬議案については，議案の内容，会社法387条に規定する事項の算定の基準（および変更の理由），当該議案に係る監査役の員数，当該報酬が退職慰労金に関するものであるときは退職監査役の略歴および退職慰労金の額の決定の基準等を本取締役会において定める必要がある（施73条1項・2項・84条）。したがって，本取締役会の開催までに，上記の各内容を社内的に固めておく必要がある。

(b) なお，取締役会の開催に先だって，取締役会の招集手続が必要になるため，社内ルールとして，取締役会用の資料を取締役会の招集通知に添付することとしている会社においては，取締役会で決議すべき議案の内容やそれに関する資料を取締役会の数日前まで[22]には固める必要があろう。

(c) また，行使期間が到来している新株予約権の新株予約権者が，当該予約権の行使により取得することとなる株式数は，発行可能株式総数から発行済株式（自己株式を除く）の総数を控除した数を超えてはならない（法113条4項）ため，発行可能株式総数の枠が不足する可能性があると考えられる場合には，役員報酬決議をする株主総会で，あわせて発行可能株式総数の増加のための定款変更決議を得ておくことも考えられる。したがって，発行可能株式総数の枠に不足が生じるおそれがないかについても，②の取締役会開催に先立って，あらかじめ確認し，必要に応じて②の取締役会において，定款変更議案を株主総会に付議すべく決議をしておくことも考えられる。特に，会社の報酬体系として，継続的に新株予約権を付与することを検討している場合には，来期以降に付与することが想定される分も含めて，早めに発行可能株式総数の枠を設けてお

---

[22] 会社法上は，取締役会の日の1週間前までに招集通知を発するのが原則とされている（法368条1項）が，定款でその期間を短縮することもできる（同項）。実際には，定款に当該期間短縮の規定を置いている会社は非常に多いため，取締役会の招集通知発送のタイミングは，各社における定款規定を確認する必要がある。

(d) さらに、役員・従業員等に対する給与体系・報酬体系の大幅な変更を検討している場合等には、株主総会の招集の決議に加え、役員・従業員等に対する報酬体系の変更に関する決議やそれに伴う就業規則・労働協約の変更に関する決議を、本取締役会において得ておくべき場合もあろう（法362条4項参照）。

②－Ⅱ 取締役会決議（類型Ⅱ〔役員報酬決議不要・有利発行決議必要型〕の場合）

(a) 後述1－3■1(3)のとおり、会社法下においては、ストック・オプションの付与に際しては有利発行決議は不要と解されており、例外的に有利発行決議が必要となるのは、子会社の役職員に対して無償でストック・オプションを付与する場合となると考えられる。取締役会における株主総会招集のための決議（法298条1項・4項）では、株主総会参考書類に記載すべき事項を定める必要があるため（法298条1項5号、施63条3号イ）[23]、有利発行決議を求める場合には、新株予約権の有利発行議案の内容（すなわち、募集新株予約権の内容および数の上限ならびに払込金額の下限または金銭の払込みを要しないこととする場合にはその旨。後述1－3■2(2)②参照）を本取締役会において定めておく必要がある（施73条1項）。

(b) また、上記②－Ⅰの(b)〜(d)は、**類型Ⅱ**にも同様にあてはまるので参照されたい。

②－Ⅲ 取締役会決議（類型Ⅲ〔役員報酬決議必要・有利発行決議必要型〕の場合）

上記②－Ⅰおよび②－Ⅱの記載がすべてあてはまるため、上記②－Ⅰおよ

---

[23] 書面による議決権行使または電磁的方法による議決権行使を認める会社であることを前提としている。

び②－Ⅱを参照されたい。

③　適時開示（1回目）（類型Ⅰ～Ⅲに対応）
　　　（類型Ⅰ）役員報酬決議必要・有利発行決議不要型
　　　（類型Ⅱ）役員報酬決議不要・有利発行決議必要型
　　　（類型Ⅲ）役員報酬決議必要・有利発行決議必要型

③－Ⅰ　適時開示（1回目）（類型Ⅰ〔役員報酬決議必要・有利発行決議不要型〕の場合）

　上場会社の業務執行を決定する機関が，ストック・オプションの発行を決定した場合，「発行する新株予約権，処分する自己新株予約権を引き受ける者の募集」（上場規程402条1号a）の決定との適時開示事由に該当する。

　従来，ストック・オプション目的の新株予約権の付与については，前述の上場規程402条1号aとは別個の適時開示事由とされていた。しかし，令和3年上場規程改正において，令和元年会社法改正による取締役の報酬等に関する規律の見直しや近年の株式報酬制度の浸透および多様化を踏まえ，ストック・オプション目的の新株予約権の付与についても，株式報酬と同様に，発行する株式または新株予約権の募集等の一類型として適時開示事由が整理された[24]。また，当該上場規程改正により，募集新株予約権の払込金額および行使価額[25]の総額が1億円未満と見込まれる場合には，軽微基準に該当し，適時開示の必要はないこととなった（上場規程402条1項a，上場施行規則401条1項1号本文）[26]。

　②の取締役会においては，役員報酬議案を株主総会へ付議するために，役

---

[24]　白水克典＝芳川雄磨「令和元年会社法改正に伴う有価証券上場規程等の一部改正について」経理情報1608号25頁（2021）参照。
[25]　令和元年改正会社法により，上場会社の取締役および執行役に対して，ストック・オプションとしての募集新株予約権を発行するに際しては，行使価額を無償とすることが可能となった（法236条3項1号。後述 1-3 ■1(4)参照）。このようなストック・オプションを発行する場合には，行使価額はゼロとして計算される（白水＝芳川・前掲注（24）25頁）。

員報酬議案の内容を具体的に決議することになる。当該付議議案の取締役会決議は，厳密には，ストック・オプション目的の新株予約権の募集事項の決定に係るものではなく，取締役に対する報酬に関する決定であることから，その時点で適時開示事由に該当するものではないが，当該議案の内容が，事実上，ストック・オプションとしての新株予約権の募集事項の内容を相当程度有している場合には，その内容を開示することが望ましい[27]。実務的にも，当該取締役会決議後直ちに適時開示を行う例が多い。

なお，「事実上，ストック・オプションとしての新株予約権の募集事項の内容を相当程度有しているもの」であるか否かの判断基準は必ずしも明確ではないが，ストック・オプション目的の新株予約権を付与する役員報酬議案を株主総会へ付議するための取締役会決議を行った場合には，実務的には，ストック・オプションとしての新株予約権発行に係る募集の決定との適時開示事由（上場規程402条1号a）に該当するとして開示を行うことが望ましいと考えられる。

また，ストック・オプションとしての新株予約権発行に係る募集の決定についての適時開示（上場規程402条1号a）においては，最低限，**図表1－8**の事項を記載することが必要である[28]。

②の取締役会決議後直ちに適時開示を行う場合には，これらのうち，いまだ決定していない部分も存在するのが通常である。その場合，②の取締役会決議直後に行う適時開示では，その時点で決定している範囲での開示を行い，その後，株主総会後の取締役会（⑥の取締役会）で具体的な発行決議を

---

[26] もっとも，実務においては，ストック・オプションとして発行される募集新株予約権の払込金額および行使価額の総額が1億円未満と見込まれる場合であっても，令和3年上場規程改正前同様，株主および投資家に対して株式報酬についての情報提供を行うため，任意に適時開示を行う例が多いと考えられる。

[27] 塚崎由寛「ストック・オプションの付与に係る適時開示実務上の取扱い」旬刊商事法務1785号35頁（2006）参照。

[28] 2021年2月12日付け東京証券取引所「令和元年会社法改正及び有価証券上場規程等の一部改正に伴う『会社情報適時開示ガイドブック』の改訂等について」別紙2「『会社情報適時開示ガイドブック』（改訂箇所抜粋・履歴付き）」2頁～3頁参照。

行った時点以降，順次確定された事項を開示し，最終的には**図表1－8**記載のすべての事項が開示されることが必要となる[29]。

図表1－8	「ストック・オプションとしての新株予約権発行に係る募集の場合」に関する適時開示事項

① ストック・オプションとして新株予約権を発行する理由
② 新株予約権の発行要領
　(i) 新株予約権の割当ての対象者およびその人数ならびに割り当てる新株予約権の数
　(ii) 新株予約権の目的である株式の種類および数
　(iii) 新株予約権の総数
　(iv) 新株予約権の払込金額またはその算定方法
　(v) 新株予約権の行使に際して出資される財産の価額およびその1株あたりの金額（行使価額）
　(vi) 新株予約権の権利行使期間
　(vii) 新株予約権の行使の条件
　(viii) 新株予約権の行使により株式を発行する場合に増加する資本金および資本準備金の額
　(ix) 新株予約権の取得に関する事項
　(x) 新株予約権の譲渡制限
　(xi) 組織再編行為時における新株予約権の取扱い
　(xii) 新株予約権の割当日
　(xiii) 新株予約権証券を発行する場合の取扱い

図表1－9は当該適時開示の実例であるので，参照されたい。

図表1－9	類型Ⅰ（役員報酬決議必要・有利発行決議不要型）における株主総会前の適時開示の実例

　　　　　　　　　　　　　　　　　　　　　　　　　2021年4月13日
各　位

---

[29] 情報の発生時点では，事実の全容が確定していない場合においては，その時点で確定しているものと未確定であるものを区別して適時に開示し，その後，未確定部分が確定した段階で，順次開示していくことも必要となるとされている（東京証券取引所上場部編『会社情報適時開示ガイドブック〔2020年11月版〕』53頁〔東京証券取引所，2020〕参照）。

会社名　　株式会社ピックルスコーポレーション
代表者名　代表取締役社長　　○
　　　　　（コード番号 2925　東証第一部）
問合せ先　○

ストックオプション（新株予約権）に関するお知らせ

当社は，2021 年 4 月 13 日開催の取締役会において，取締役に対するストックオプションとしての新株予約権に関する報酬等の額及び具体的な内容改定に関する議案を，2021 年 5 月 28 日開催予定の当社第 45 回定時株主総会に付議することを決議いたしましたので，下記のとおりお知らせいたします。

記

1. 議案提案の理由
　当社の取締役（社外取締役を除く）の報酬に占めるストックオプションの割合を増加させることで，株価変動のメリットとリスクを株主の皆様とより一層共有し，株価上昇及び企業価値向上への貢献意欲を従来以上に高めるため，ストックオプションとしての新株予約権を報酬として割り当てることについてご承認をお願いするものであります。

2. ストックオプションとしての新株予約権の具体的な内容
　(1) 新株予約権の目的である株式の種類及び数
　新株予約権の目的である株式の種類は当社普通株式とし，各新株予約権の目的である株式の数（以下「付与株式数」という）は 100 株とする。ただし，本議案の決議の日（以下「決議日」という）以降，当社が，当社普通株式の株式分割（当社普通株式の株式無償割当てを含む。以下，株式分割の記載につき同じ）又は株式併合を行う場合には，次の算式により付与株式数の調整を行い，調整の結果生じる 1 株未満の端数は，これを切り捨てる。

　　　調整後付与株式数＝調整前付与株式数×株式分割又は株式併合の比率

　また，上記のほか，決議日以降，当社が合併又は会社分割を行う場合その他これらの場合に準じて付与株式数の調整を必要とする場合には，当社は，合理的な範囲で付与株式数を適切に調整することができる。なお，決議日以降，当社が，当社普通株式の単元株式数変更（株式分割又は株式併合を伴う場合を除く。以下，単元株式数変更の記載につき同じ）を行う場合には，当社は，当該単元株式数変更の効力発生日以降にその発行のための取締役会の決議が行われ

る新株予約権について，当該単元株式数変更の比率に応じて付与株式数を合理的に調整することができる。

(2) 新株予約権の総数
　取締役（社外取締役を除く）に対して割り当てる新株予約権の総数600個を，各事業年度において割り当てる新株予約権の数の上限とする。ただし，当社普通株式の単元株式数変更に伴い付与株式数が調整された場合には，当社は，当該調整の比率に応じて新株予約権の総数を合理的に調整することができる。

(3) 新株予約権の払込金額
　新株予約権1個当たりの払込金額は，新株予約権の割当てに際してブラック・ショールズ・モデル等の公正な算定方式により算定された新株予約権の公正価額を基準として取締役会において定める額とする。

(4) 新株予約権の行使に際して出資される財産の価額
　各新株予約権の行使に際して出資される財産の価額は，当該各新株予約権を行使することにより交付を受けることができる株式1株当たりの払込金額を1円とし，これに付与株式数を乗じた金額とする。

(5) 新株予約権を行使することができる期間
　新株予約権を割り当てる日の翌日から30年以内の範囲で，取締役会において定める。

(6) 譲渡による新株予約権の取得の制限
　譲渡による新株予約権の取得については，取締役会の決議による承認を要する。

(7) 新株予約権の行使の条件
　新株予約権の割当てを受けた者は，当社の取締役の地位を喪失した日の翌日以降，新株予約権を行使できるものとする。その他の新株予約権の行使の条件については，取締役会において定める。

(8) 新株予約権の取得条項
　以下の①，②，③，④又は⑤の議案につき当社株主総会で承認された場合（株主総会決議が不要の場合は，当社の取締役会決議がなされた場合）は，当社取締役会が別途定める日に，当社は無償で新株予約権を取得することができる。
　① 当社が消滅会社となる合併契約承認の議案

> ② 当社が分割会社となる分割契約若しくは分割計画承認の議案
> ③ 当社が完全子会社となる株式交換契約若しくは株式移転計画承認の議案
> ④ 当社の発行する全部の株式の内容として譲渡による当該株式の取得について当社の承認を要することについての定めを設ける定款の変更承認の議案
> ⑤ 新株予約権の目的である種類の株式の内容として譲渡による当該種類の株式の取得について当社の承認を要すること若しくは当該種類の株式について当社が株主総会の決議によってその全部を取得することについての定めを設ける定款の変更承認の議案
>
> 以上

③-Ⅱ 適時開示（1回目）（類型Ⅱ〔役員報酬決議不要・有利発行決議必要型〕の場合）

前述のとおり，上場会社の業務執行を決定する機関が，ストック・オプションの発行を決定した場合，「発行する新株予約権，処分する自己新株予約権を引き受ける者の募集」（上場規程402条1号 a）の決定との適時開示事由に該当する。

②の取締役会においては，新株予約権の有利発行議案を株主総会へ付議するために，有利発行議案の内容（すなわち，募集新株予約権の内容および数の上限ならびに払込金額の下限または金銭の払込みを要しないこととする場合にはその旨）を具体的に決議することになる。この場合には，当該付議議案の取締役会決議をした時点（上場会社の業務執行を決定する機関が株主総会への付議内容を決定した時点）で，当該付議内容の開示が必要となる。また，当該開示にあたっては，「有利発行に該当する旨」および「その条件での発行を必要とする理由」ならびに「募集事項の決定を取締役会に委任する場合にはその旨」を含めて開示することとされている[30]。

前述のとおり，ストック・オプションとしての新株予約権発行に係る募集の決定についての適時開示（上場規程402条1号 a）においては，最低限，図

---

[30] 東京証券取引所・前掲注（28）2頁，塚崎・前掲注（27）35頁参照。

表 1 − 8 の事項を記載することが要求されている（そして，前述のとおり，有利発行の場合には，「有利発行に該当する旨」および「その条件での発行を必要とする理由」ならびに「募集事項の決定を取締役会に委任する場合にはその旨」もあわせて開示することが要求されている）。

また，②の取締役会決議後直ちに適時開示を行う場合には，これらのうち，いまだ決定していない部分も存在するのが通常である。その場合，②の取締役会決議直後に行う適時開示では，その時点で決定している範囲での開示を行い，その後，株主総会後の取締役会（⑥の取締役会）で具体的な発行決議を行った時点以降，順次確定された事項を開示し，最終的には**図表 1 − 8** 記載のすべての事項（および「有利発行に該当する旨」および「その条件での発行を必要とする理由」ならびに「募集事項の決定を取締役会に委任する場合にはその旨」）が開示されることが必要となる[31]。

図表 1 − 10 は，当該適時開示の具体例であるので参照されたい。

図表 1 − 10 類型Ⅱ（役員報酬決議不要・有利発行決議必要型）における株主総会前の適時開示の実例

```
                                        2021 年 4 月 30 日
各 位
                          会 社 名　株式会社商船三井
                          代表者名　代表取締役社長執行役員
                                                    ○
                          コード番号　9104
                          東証 1 部
                          問合せ先　○

        当社従業員（上級管理職）及び当社子会社社長等に
    対するストックオプション（新株予約権）の発行に関するお知らせ

　当社は，2021 年 6 月 22 日開催予定の定時株主総会（以下「本総会」という）に，題記に関する議案を提出することを決定しましたので，下記のとおりお知
```

---

(31) 東京証券取引所上場部編・前掲注（29）に同じ。

らせいたします。

記

2021年度において，当社従業員（上級管理職）及び当社子会社社長等に対し，会社法第236条，第238条及び第239条の規定に基づき，以下の要領により，ストックオプションとして新株予約権を発行すること，及び募集事項の決定を当社取締役会に委任する。

1. 特に有利な条件による新株予約権の発行を必要とする理由
    当社の連結業績と株主利益向上に対する意欲や士気の高揚を目的とし，当社従業員（上級管理職）及び当社子会社社長等に対し，金銭の払込みを要することなく新株予約権を割り当てるものであります。

2. 新株予約権の要項及び数の上限
   (1) 新株予約権の数の上限
       下述(3)に定める内容の新株予約権1,200個を上限とする。
       なお，新株予約権を行使することにより交付を受けることができる株式の総数は，当社普通株式120,000株を上限とし，下述(3)②により当該新株予約権に係る付与株式数が調整された場合は，当該新株予約権に係る調整後付与株式数に上記新株予約権の上限数を乗じた数とする。
   (2) 新株予約権につき，金銭の払込みを要しないこととする。
   (3) 新株予約権の要項
       ① 新株予約権の割当を受ける者
          当社従業員（上級管理職）及び当社子会社社長等のうち，当社取締役会で承認された者とする。
       ② 新株予約権の目的である株式の種類及び数
          新株予約権の目的である株式の種類は普通株式とし，各新株予約権の目的である株式の数（以下「付与株式数」という）は100株とする。
          但し，本総会における決議の日（以下「決議日」という）後，当社が当社普通株式の株式分割（株式無償割当てを含む）または株式併合を行う場合には，当該新株予約権に係る付与株式数は株式分割または株式併合の比率に応じ比例的に調整する。
          また，決議日後，当社が他社と合併，会社分割若しくは株式交換を行う場合，又は，資本の減少を行う場合等，当該新株予約権に係る付与株式数の調整を必要とするやむを得ない事由が生じたときは，資本の減少等の条件等を勘案の上，合理的な範囲で当該新株予約権に係る付

与株式数を調整する。
なお、上記の調整の結果生じる1株に満たない端数はこれを切り捨てるものとする。
③ 新株予約権の行使に際して出資される財産の価額
各新株予約権の行使に際して出資される財産の価額は、新株予約権の行使により交付を受けることができる株式1株当たりの払込金額(以下「行使価額」という)に当該新株予約権に係る付与株式数を乗じた金額とする。
行使価額は、新株予約権を割り当てる日(以下「割当日」という)の属する月の前月の各日(取引が成立しない日を除く)の東京証券取引所における当社普通株式の普通取引の終値(以下「終値」という)の平均値に1.10を乗じた金額とし、1円未満の端数は切り上げる。
但し、その金額が割当日の終値(当日に終値がない場合は、それに先立つ直近日の終値)を下回る場合は、割当日の終値とする。
なお、割当日後、当社が当社普通株式につき株式分割(株式無償割当てを含む)または株式併合を行う場合には、次の算式により行使価額を調整し、調整により生ずる1円未満の端数は切り上げる。

$$調整後行使価額 = 調整前行使価額 \times \frac{1}{分割・併合の比率}$$

また、割当日後、当社が時価を下回る価額で当社普通株式につき、新株式の発行または自己株式の処分を行う場合〔会社法第194条の規定(単元未満株主による単元未満株式売渡請求)に基づく自己株式の売渡し、当社普通株式に転換される証券もしくは転換できる証券または当社普通株式の交付を請求できる新株予約権(新株予約権付社債に付されたものを含む)の転換または行使の場合を除く〕は、次の算式により行使価額を調整し、調整により生ずる1円未満の端数は切り上げる。

$$調整後行使価額 = 調整前行使価額 \times \frac{既発行株式数 + \frac{新規発行株式数 \times 1株当たり払込金額}{時価}}{既発行株式数 + 新規発行株式数}$$

上記算式において、「既発行株式数」とは当社の発行済普通株式総数から当社が保有する普通株式に係る自己株式数を控除した数とし、また、自己株式の処分を行う場合には、「新規発行株式数」を「処分する自己株式数」に読み替える。上記のほか、割当日後に、当社が他社と合併、会社分割若しくは株式交換を行う場合、又は、資本減少を行う場合、

その他これらの場合に準じ，行使価額の調整を必要とする場合には，当社は取締役会の決議により合理的な範囲で行使価額を調整することができるものとする。

④ 新株予約権を行使することができる期間
2023年6月23日から2031年6月20日までの期間内で，取締役会において決定する。

⑤ 新株予約権の行使により株式を発行する場合における増加する資本金及び資本準備金に関する事項
 (ｱ) 新株予約権の行使により株式を発行する場合において増加する資本金の額は，会社計算規則第17条第1項に従い算出される資本金等増加限度額の2分の1の金額とし，計算の結果1円未満の端数が生じたときは，その端数を切り上げるものとする。
 (ｲ) 本新株予約権の行使により株式を発行する場合において増加する資本準備金の額は，上記(ｱ)記載の資本金等増加限度額から上記(ｱ)に定める増加する資本金の額を減じた額とする。

⑥ 譲渡による新株予約権の取得の制限
譲渡による新株予約権の取得については，取締役会の承認を要するものとする。

⑦ 新株予約権の取得条項
新株予約権の取得条項は定めない。

⑧ 当社が，合併（当社が合併により消滅する場合に限る），吸収分割，新設分割，株式交換または株式移転（以上を総称して以下「組織再編行為」という）をする場合において，組織再編行為の効力発生の時点において残存する新株予約権（以下「残存新株予約権」という）の新株予約権者に対し，それぞれの場合につき，会社法第236条第1項第8号のイからホまでに掲げる株式会社（以下「再編対象会社」という）の新株予約権を以下の条件に基づきそれぞれ交付することとする。この場合においては，残存新株予約権は消滅し，再編対象会社は新株予約権を新たに発行するものとする。但し，以下の条件に沿って再編対象会社の新株予約権を交付する旨を，吸収合併契約，新設合併契約，吸収分割契約，新設分割計画，株式交換契約または株式移転計画において定めた場合に限るものとする。
 (ｱ) 交付する再編対象会社の新株予約権の数

　　　　残存新株予約権の新株予約権者が保有する新株予約権の数と同一の数をそれぞれ交付するものとする。
　(イ) 新株予約権の目的である再編対象会社の株式の種類再編対象会社の普通株式とする。
　(ウ) 新株予約権の目的である再編対象会社の株式の数
　　　組織再編行為の条件等を勘案の上，上記②に準じて決定する。
　(エ) 新株予約権の行使に際して出資される財産の価額
　　　交付される各新株予約権の行使に際して出資される財産の価額は，組織再編行為の条件等を勘案の上調整した再編後行使価額に(ウ)に従って決定される当該新株予約権の目的である株式の数を乗じて得られる金額とする。
　(オ) 新株予約権を行使することができる期間
　　　上記④に定める新株予約権を行使することができる期間の開始日と組織再編行為の効力発生日のうちいずれか遅い日から，上記④に定める新株予約権を行使することができる期間の満了日までとする。
　(カ) 新株予約権の行使により株式を発行する場合における増加する資本金及び資本準備金に関する事項
　　　上記⑤に準じて決定する。
　(キ) 譲渡による新株予約権の取得の制限
　　　譲渡による新株予約権の取得については，再編対象会社の承認を要するものとする。
　(ク) 新株予約権の取得条項
　　　上記⑦に準じて決定する。
⑨　新株予約権を行使した新株予約権者に交付する株式の数に1株に満たない端数がある場合には，これを切り捨てるものとする。
⑩　新株予約権の行使条件
　(ア) 各新株予約権は，1個を分割して行使できないものとする。
　(イ) 割当を受ける者は，権利行使時において，当社従業員（上級管理職）及び当社子会社社長等の地位を喪失している場合においても本権利を行使することができる。
　　　(注) 禁錮刑以上の刑に処せられた場合，解任または免職された場合，及び死亡した場合は付与された新株予約権は直ちに失効する。
　(ウ) その他の権利行使の条件については，取締役会において決定する。
　　　　　　　　　　　　　　　　　　　　　　　　　　　　　　以上

(参考)

当社従業員（上級管理職）及び当社子会社社長等に対するストックオプションの付与については，当社取締役会にて募集事項が決議され次第，開示致します。

完

③－Ⅲ　適時開示（1回目）（類型Ⅲ〔役員報酬決議必要・有利発行決議必要型〕の場合）

上記③－Ⅰおよび③－Ⅱの組み合わせであるため，上記③－Ⅰおよび③－Ⅱを参照されたい。

なお，図表1－11は，当該適時開示の実例であるので参照されたい。

図表1－11　類型Ⅲ（役員報酬決議必要・有利発行決議必要型）における株主総会前の適時開示の実例

2021年5月18日

各　位

会　社　名　ゼビオホールディングス株式会社
代表者名　　代表取締役社長　○
　　　　　　（コード番号8281 東証第一部）
問合せ先　　○

ストックオプション（新株予約権）に関するお知らせ

当社は，2021年5月18日開催の取締役会において，会社法第236条，第238条及び第239条の規定に基づき，次の要領により，当社及び連結子会社の取締役，執行役員及び従業員に対し，特に有利な条件を持って新株予約権を発行すること，及び募集事項の決定を当社取締役会に委任することを決定いたしました。なお，当社取締役に対する本新株予約権の発行は，取締役に対する金銭ではない報酬に該当し，またその額も確定していないため，報酬として割当てる新株予約権の算定方法も合わせて承認を求める議案を2021年6月29日開催予定の当社第49回定時株主総会に付議することを決議いたしましたので，下記のとおり知らせいたします。

なお，同定時株主総会で第1号議案「取締役6名選任の件」をご承認いただくことにより，割当を受ける当社取締役は2名（社外取締役4名は除く）となります。

第Ⅱ編　第1章　ストック・オプション

記

1. 特に有利な条件で新株予約権を発行することを必要とする理由
　　当社グループの業績向上や企業価値の増大，株主重視の経営意識を高めるためのインセンティブを与えることを目的として新株予約権を発行するものです。

2. 新株予約権発行の要領
　(1) 新株予約権の割当を受ける者
　　　当社及び連結子会社の取締役，執行役員，従業員
　(2) 新株予約権の目的となる株式の種類及び数
　　　新株予約権の目的である株式の種類は当社普通株式とする。
　　　なお，新株予約権1個当たりの目的となる株式数（以下「付与株式数」という。）は100株とする。
　　　ただし，新株予約権を割り当てる日（以下，「割当日」という。）以降，当社が当社普通株式につき，株式分割（当社普通株式の株式無償割当てを含む。以下，株式分割の記載につき同じ。）又は株式併合を行う場合，次の算式により付与株式数を調整するものとする。ただし，かかる調整は，新株予約権のうち，当該時点で権利行使されていない新株予約権の目的である株式の数について行われ，調整の結果生じる1株未満の端数については，これを切り捨てるものとする。

　　　　　　調整後付与株式数＝調整前付与株式数×株式分割・株式併合の比率
　　　調整後付与株式数は，株式分割の場合は，当該株式分割の基準日の翌日（基準日を定めないときは，その効力発生日）以降，株式併合の場合は，その効力発生日以降，これを適用する。ただし，剰余金の額を減少して資本金又は準備金を増加する議案が当社株主総会において承認されることを条件として株式分割が行われる場合で，当該株主総会の終結の日以前の日を株式分割のための基準日とする場合は，調整後付与株式数は，当該株主総会の終結の日の翌日以降これを適用する。
　　　また，上記のほか，割当日後に，当社が合併，会社分割または株式交換を行う場合及びその他これらの場合に準じて付与株式数の調整を必要とする場合，当社は，当社取締役会において必要と認める付与株式数の調整を行うことができる。
　　　新株予約権を行使することにより交付を受けることができる株式の総数は，普通株式300,000株を上限とする。ただし，付与株式数が調整される場合には，調整後付与株式数に発行する新株予約権の総数を乗じた数に乗じ

た調整されるものとする。
(3) 新株予約権の数
　　3,000個を発行する新株予約権の上限とする。なお，従来のストックオプションとしての新株予約権の付与の状況，その他の諸般の事情を考慮して，当社取締役への新株予約権の割当の数は，300個を上限とする。
(4) 新株予約権と引換えに払込む金額
　　新株予約権と引換えに金銭の払込みを要しないものとする。
(5) 各新株予約権の行使に際して出資される財産の価額
　　新株予約権の行使に際して出資される財産の価額は，新株予約権の行使により交付を受けることができる株式1株当たりの払込金額（以下「行使価額」という。）に当該新株予約権に係る付与株式数を乗じた金額とする。
　　行使価額は，割当日の属する月の前月の各日（取引が成立しない日を除く。）の東京証券取引所における当社普通株式の普通取引の終値（以下「終値」という。）の平均値に1.03を乗じた金額とし，1円未満の端数は切り上げる。ただし，その金額が割当日の終値（当日に終値がない場合は，それに先立つ直近日の終値。）を下回る場合は，割当日の終値とする。
　　なお，割当日後，当社が当社普通株式につき株式分割又は株式併合を行う場合には，次の算式により行使価額を調整し，調整により生ずる1円未満の端数は切り上げる。

$$調整後行使価額 = 調整前行使価額 \times \frac{1}{分割・併合の比率}$$

　　また，割当日後，当社が当社普通株式につき，時価を下回る価額で新株を発行又は自己株式の処分を行う場合（新株予約権の行使により新株式を発行する場合を除く。）は，次の算式により行使価額を調整し，調整により生ずる1円未満の端数は切り上げる。

$$調整後行使価額 = 調整前行使価額 \times \frac{既発行株式数 + \dfrac{新規発行株式数 \times 1株あたり払込金額}{時価}}{既発行株式数 + 新規発行株式数}$$

　　なお，上記の算式において，「既発行株式数」とは，当社普通株式にかかる発行済株式の総数から当社普通株式にかかる自己株式数を控除して得た数とし，当社普通株式にかかる自己株式の処分を行う場合には，「新規発行株式数」を「処分する自己株式数」に読み替えるものとする。
　　上記のほか，割当日後に，当社が他社と合併する場合，会社分割を行う

場合，資本金の額の減少を行う場合，その他これらの場合に準じ，行使価額の調整を必要とする事由が生じた場合には，取締役会の決議により合理的な範囲で行使価額を調整するものとする。
(6) 新株予約権を行使することができる期間
新株予約権の割当日から2年経過した日の翌日から5年以内
(7) 新株予約権の行使の条件及び制限
①新株予約権者は，権利行使時において当社の取締役，執行役員，従業員若しくは連結子会社の取締役，執行役員若しくは従業員の地位にあることを要する。
②新株予約権の相続はこれを認めない。
③その他の行使の条件は，取締役会決議に基づき，当社と新株予約権者の間で締結する「新株予約権割当契約書」に定めるところによる。
(8) 新株予約権の取得条項
①新株予約権者が上記(7)による新株予約権の行使の条件を満たさなくなった場合，その他理由のいかんを問わず権利を行使することができなくなった場合，当社は新株予約権を無償で取得することができる。
②当社が消滅会社となる合併契約の議案，当社が完全子会社となる株式交換契約もしくは株式移転の議案，または当社が分割会社となる分割契約もしくは分割計画承認の議案が株主総会で承認された場合は，取締役会が別途定める日に，当社は新株予約権を無償で取得することができる。
(9) 譲渡による新株予約権の取得の制限
譲渡による新株予約権の取得については，取締役会の承認を要するものとする。
(10) 新株予約権の行使により株式を発行する場合における増加する資本金及び資本準備金に関する事項
①新株予約権の行使により株式を発行する場合において増加する資本金の額は，会社計算規則第17条第1項に従い算出される資本金等増加限度額の2分の1の金額とし，計算の結果1円未満の端数が生じたときは，その端数を切り上げる。
②新株予約権の行使により株式を発行する場合において増加する資本準備金の額は，前記の資本金等増加限度額から前記に定める増加する資本金の額を減じた額とする。
(11) 端数の取扱い
新株予約権を行使した新株予約権者に交付する株式の数に1株に満たない端数がある場合には，これを切り捨てるものとする。
(12) 取締役に対する報酬等の具体的な算定方法及び新株予約権の公正価額の算定基準取締役に対する報酬等の具体的な算定方法は，新株予約権1個

> 当たりの公正価額に，新株予約権の割当日に存在する当社取締役（社外取締役を除く。）に割り当てる新株予約権の総数を乗じて得られる価額とする。
> 新株予約権1個当たりの公正価額は，割当日における当社株価及び行使価額等の諸条件をもとに，ブラック・ショールズ・モデルを用いて算定した公正な評価に基づくものとする。
> ⒀ その他の内容
> 新株予約権の発行に関するその他の内容については，別途開催される取締役会の決議において定める。
>
> 以上

④ 株主総会の招集通知（類型Ⅰ～Ⅲに対応）

　　　（類型Ⅰ）役員報酬決議必要・有利発行決議不要型
　　　（類型Ⅱ）役員報酬決議不要・有利発行決議必要型
　　　（類型Ⅲ）役員報酬決議必要・有利発行決議必要型

④－Ⅰ　株主総会の招集通知（類型Ⅰ〔役員報酬決議必要・有利発行決議不要型〕の場合）

　株主総会における役員報酬議案の決議に向けて，株主総会の招集通知またはその株主総会参考書類に，当該議案の内容と株主総会参考書類記載事項（施73条1項・2項・82条・84条）を記載する必要がある。これらの記載事項および実例は，後述1－3■3を参照されたい。

④－Ⅱ　株主総会の招集通知（類型〔役員報酬決議不要・有利発行決議必要型〕の場合）

　株主総会の招集通知には，有利発行議案の内容（すなわち，募集新株予約権の内容および数の上限ならびに払込金額の下限または金銭の払込みを要しないこととする場合にはその旨）を記載する必要がある（議案の内容について，後述1－3■2(2)②参照）。また，株主総会参考書類においては，有利発行を「必要とする理由」を記載しなければならない（法199条3項，施73条1項2号）。

第Ⅱ編 第1章 ストック・オプション

図表1－12は，有利発行議案の株主総会招集通知およびその株主総会参考書類の実例である。

> 図表1－12　類型Ⅱ（役員報酬決議不要・有利発行決議必要型）の場合の株主総会議案についての株主総会参考書類の実例（商船三井「2020年度定時株主総会招集ご通知」（2021年5月31日付け）27頁

第6号議案　当社従業員（上級管理職）及び当社子会社社長等に対しストックオプションとして新株予約権を発行する件

　2021年度において，当社従業員（上級管理職）及び当社子会社社長等に対し，会社法第236条，第238条及び第239条の規定に基づき，以下の要領により，ストックオプションとして新株予約権を発行すること，及び募集事項の決定を当社取締役会に委任するものです。

1．特に有利な条件による新株予約権の発行を必要とする理由
　当社の連結業績と株主利益向上に対する意欲や士気の高揚を目的とし，当社従業員（上級管理職）及び当社子会社社長等に対し，金銭の払込みを要することなく新株予約権を割り当てるものです。

2．新株予約権の要項及び数の上限
　(1)　新株予約権の数の上限
　　　下述(3)に定める内容の新株予約権1,200個を上限とする。
　　　なお，新株予約権を行使することにより交付を受けることができる株式の総数は，当社普通株式120,000株を上限とし，下述(3)②により当該新株予約権に係る付与株式数が調整された場合は，当該新株予約権に係る調整後付与株式数に上記新株予約権の上限数を乗じた数とする。
　(2)　新株予約権につき，金銭の払込みを要しないこととする。
　(3)　新株予約権の要項
　　①　新株予約権の割当を受ける者
　　　　当社従業員（上級管理職）及び当社子会社社長等のうち，当社取締役会で承認された者とする。
　　②　新株予約権の目的である株式の種類及び数
　　　　新株予約権の目的である株式の種類は普通株式とし，各新株予約権の目的である株式の数（以下「付与株式数」という）は100株とする。
　　　　但し，本総会における決議の日（以下「決議日」という）後，当社が

当社普通株式の株式分割（株式無償割当てを含む）または株式併合を行う場合には，当該新株予約権に係る付与株式数は株式分割または株式併合の比率に応じ比例的に調整する。

　また，決議日後，当社が他社と合併，会社分割もしくは株式交換を行う場合，または，資本の減少を行う場合等，当該新株予約権に係る付与株式数の調整を必要とするやむを得ない事由が生じたときは，資本の減少等の条件等を勘案の上，合理的な範囲で当該新株予約権に係る付与株式数を調整する。

　なお，上記の調整の結果生じる1株に満たない端数はこれを切り捨てるものとする。

③　新株予約権の行使に際して出資される財産の価額

　各新株予約権の行使に際して出資される財産の価額は，新株予約権の行使により交付を受けることができる株式1株当たりの払込金額（以下「行使価額」という）に当該新株予約権に係る付与株式数を乗じた金額とする。

　行使価額は，新株予約権を割り当てる日（以下「割当日」という）の属する月の前月の各日（取引が成立しない日を除く）の東京証券取引所における当社普通株式の普通取引の終値（以下「終値」という）の平均値に1.10を乗じた金額とし，1円未満の端数は切り上げる。

　但し，その金額が割当日の終値（当日に終値がない場合は，それに先立つ直近日の終値）を下回る場合は，割当日の終値とする。

　なお，割当日後，当社が当社普通株式につき株式分割（株式無償割当てを含む）または株式併合を行う場合には，次の算式により行使価額を調整し，調整により生ずる1円未満の端数は切り上げる。

$$調整後行使価額 = 調整前行使価額 \times \frac{1}{分割・併合の比率}$$

　また，割当日後，当社が時価を下回る価額で当社普通株式につき，新株式の発行または自己株式の処分を行う場合〔会社法第194条の規定（単元未満株主による単元未満株式売渡請求）に基づく自己株式の売渡し，当社普通株式に転換される証券もしくは転換できる証券または当社普通株式の交付を請求できる新株予約権（新株予約権付社債に付されたものを含む）の転換または行使の場合を除く〕は，次の算式により行使価額を調整し，調整により生ずる1円未満の端数は切り上げる。

$$\text{調整後行使価額} = \text{調整前行使価額} \times \frac{\text{既発行株式数} + \dfrac{\text{新規発行株式数} \times 1\text{株当たり払込金額}}{\text{時価}}}{\text{既発行株式数} + \text{新規発行株式数}}$$

上記算式において,「既発行株式数」とは当社の発行済普通株式総数から当社が保有する普通株式に係る自己株式数を控除した数とし,また,自己株式の処分を行う場合には,「新規発行株式数」を「処分する自己株式数」に読み替える。上記のほか,割当日後に,当社が他社と合併,会社分割もしくは株式交換を行う場合,または,資本減少を行う場合,その他これらの場合に準じ,行使価額の調整を必要とする場合には,当社は取締役会の決議により合理的な範囲で行使価額を調整することができるのもとする。

④ 新株予約権を行使することができる期間

2023年6月23日から2031年6月20日までの期間内で,取締役会において決定する。

⑤ 新株予約権の行使により株式を発行する場合における増加する資本金及び資本準備金に関する事項

(ア) 新株予約権の行使により株式を発行する場合において増加する資本金の額は,会社計算規則第17条第1項に従い算出される資本金等増加限度額の2分の1の金額とし,計算の結果1円未満の端数が生じたときは,その端数を切り上げるものとする。

(イ) 本新株予約権の行使により株式を発行する場合において増加する資本準備金の額は,上記(ア)記載の資本金等増加限度額から上記(ア)に定める増加する資本金の額を減じた額とする。

⑥ 譲渡による新株予約権の取得の制限

譲渡による新株予約権の取得については,取締役会の承認を要するものとする。

⑦ 新株予約権の取得条項

新株予約権の取得条項は定めない。

⑧ 当社が,合併(当社が合併により消滅する場合に限る),吸収分割,新設分割,株式交換または株式移転(以上を総称して以下「組織再編行為」という)をする場合において,組織再編行為の効力発生の時点において残存する新株予約権(以下「残存新株予約権」という)の新株予約権者に対し,それぞれの場合につき,会社法第236条第1項第8号のイからホまでに掲げる株式会社(以下「再編対象会社」という)の新株予約権を以下の条件に基づきそれぞれ交付することとする。この場合においては,残存新株予約権は消滅し,再編対象会社は新株予約権を新たに発行

するものとする。但し，以下の条件に沿って再編対象会社の新株予約権を交付する旨を，吸収合併契約，新設合併契約，吸収分割契約，新設分割計画，株式交換契約または株式移転計画において定めた場合に限るものとする。

(ア) 交付する再編対象会社の新株予約権の数
　残存新株予約権の新株予約権者が保有する新株予約権の数と同一の数をそれぞれ交付するものとする。

(イ) 新株予約権の目的である再編対象会社の株式の種類
　再編対象会社の普通株式とする。

(ウ) 新株予約権の目的である再編対象会社の株式の数
　組織再編行為の条件等を勘案の上，上記②に準じて決定する。

(エ) 新株予約権の行使に際して出資される財産の価額
　交付される各新株予約権の行使に際して出資される財産の価額は，組織再編行為の条件等を勘案の上調整した再編後行使価額に(ウ)に従って決定される当該新株予約権の目的である株式の数を乗じて得られる金額とする。

(オ) 新株予約権を行使することができる期間
　上記④に定める新株予約権を行使することができる期間の開始日と組織再編行為の効力発生日のうちいずれか遅い日から，上記④に定める新株予約権を行使することができる期間の満了日までとする。

(カ) 新株予約権の行使により株式を発行する場合における増加する資本金及び資本準備金に関する事項
　上記⑤に準じて決定する。

(キ) 譲渡による新株予約権の取得の制限
　譲渡による新株予約権の取得については，再編対象会社の承認を要するものとする。

(ク) 新株予約権の取得条項
　上記⑦に準じて決定する。

⑨ 新株予約権を行使した新株予約権者に交付する株式の数に1株に満たない端数がある場合には，これを切り捨てるものとする。

⑩ 新株予約権の行使条件

(ア) 各新株予約権は，1個を分割して行使できないものとする。

(イ) 割当を受ける者は，権利行使時において，当社従業員（上級管理職）及び当社子会社社長等の地位を喪失している場合においても本権利を行使することができる。

　（注）禁錮刑以上の刑に処せられた場合，解任または免職された場合，及び死亡した場合は付与された新株予約権は直ちに失効する。

> (ウ) その他の権利行使の条件については，取締役会において決定する。
>
> 以上

④-Ⅲ　株主総会の招集通知（類型Ⅲ〔役員報酬決議必要・有利発行決議必要型〕の場合）

　基本的には，上記④-Ⅰおよび④-Ⅱに説明した点を参照のうえ，役員報酬議案と有利発行議案についての記載事項を満たす株主総会招集通知および株主総会参考書類を作成することとなる。もっとも，後述1-3■1(3)のとおり，会社法下においては，ストック・オプションの付与に際しては有利発行決議は不要と解されていることから，株主総会において，役員報酬等としてのストック・オプションの承認を求めつつ，有利発行の承認も求めるとの対応は，会社法下においては理論的には不要となるが，実務においては，例えば監査役へのストック・オプション付与に際して，インセンティブ報酬としてのストック・オプションがその職務の性質になじむのかとの観点等から，念のため有利発行決議を取得するという例も少数だが散見される。

⑤　株主総会決議（類型Ⅰ～Ⅲに対応）

　　　（類型Ⅰ）役員報酬決議必要・有利発行決議不要型
　　　（類型Ⅱ）役員報酬決議不要・有利発行決議必要型
　　　（類型Ⅲ）役員報酬決議必要・有利発行決議必要型

⑤-Ⅰ　株主総会（類型Ⅰ〔(役員報酬決議必要・有利発行決議不要〕の場合）

　役員報酬に関する議案は，株主総会普通決議で承認可決される（法309条1項・2項）。なお，取締役に対する報酬等の株主総会決議は，当該決議に基づき許容された範囲内で報酬等が付与される限り，毎年株主総会決議を求める必要はない。株主総会決議による承認を得た報酬等の内容に変更を要する報酬等の設計変更を行う場合に，新たに株主総会決議を求めることとなる。

⑤-Ⅱ　株主総会（類型Ⅱ〔役員報酬決議不要・有利発行決議必要型〕の場合）

新株予約権の有利発行に関する議案は，株主総会特別決議で承認可決される（法238条2項・240条1項・238条3項・309条2項6号）。また，有利発行決議は，新株予約権の割当日が当該決議の日から1年以内の日である募集についてのみその効力を有する（法239条3項）。

⑤-Ⅲ　株主総会（類型Ⅲ〔役員報酬決議必要・有利発行決議必要型〕の場合）

前述⑤-Ⅰおよび⑤-Ⅱの組み合わせであるため，前述⑤-Ⅰおよび⑤-Ⅱを参照されたい。

⑥　取締役会決議（類型Ⅰ～Ⅳ共通）
　　　　（類型Ⅰ）役員報酬決議必要・有利発行決議不要型
　　　　（類型Ⅱ）役員報酬決議不要・有利発行決議必要型
　　　　（類型Ⅲ）役員報酬決議必要・有利発行決議必要型
　　　　（類型Ⅳ）株主総会決議不要型

⑥-Ⅰ　取締役会決議（類型Ⅰ〔役員報酬決議必要・有利発行決議不要型〕の場合）

株主総会決議の範囲内にて，各取締役に割り当てるストック・オプションの配分を決議する（以下，「取締役報酬決定決議」という）。ストック・オプション目的の新株予約権を発行するための募集事項の決議（以下，「募集決議」という）も必要となる（法240条1項参照）。また，割当契約の締結を予定している場合には，（それが重要な業務執行に該当するとして）この時点で，条件つきで割当契約の締結承認についての決議（以下，「割当契約締結承認決議」という）を得ておくことも考えられる。

さらに，発行会社は，法236条1項6号の譲渡制限が付された新株予約権

については，新株予約権の引受けの申込者の中から，当該新株予約権の割当てを受ける者を定め，かつ，その者に割り当てる新株予約権の数を取締役会において決議しなければならない（法243条1項・2項2号。以下，この決議を，「割当決議」という）。条文の文言上は，この割当決議は，新株予約権の引受けの申込みを受けた後に行うべき手続であるかのように見えるが，当該決議は，募集決議と同じ取締役会において行う（さらには同一議案として決議する）ことも可能であると考えられる[32]。仮に，これらを同一の取締役会において決議しない場合，募集決議から割当日までの間にもう1度取締役会を開催しなければならず，（割当日が募集決議の日から数週間以内に設定されるのが一般的であることに鑑みると）発行会社においては負担となると思われる。そのため，実務的には，同一の取締役会で決議することが多いであろう。なお，割当契約締結承認決議を行う場合には，（決議の取り方によっては）当該決議の中に，割当決議も包摂されていると解することも可能であろう。

さらに，ストック・オプションに関する社内規程，インサイダー取引に関する内規，就業規則や給与規程等の制定・改訂も，必要に応じてあわせて決議（以下，「社内規程関連決議」という）することも考えられよう。

なお，取締役報酬決定決議については，（株主総会において取締役の報酬としての上限額および具体的内容が承認されていることから）対象となる取締役を（会社法上，議決に加わることが禁じられる）特別利害関係取締役（法369条2項）と扱う必要はないとの見解が有力である[33]。もっとも，実務においては，対象となる取締役を特別利害関係取締役（同条1項2号）として，議決に加わることができないものとする例も相当数見られる。また，取締役と発行会社との間での割当契約の締結は，会社法356条1項2号の自己取引に該当するとの見解もあり[34]，実務においても，割当契約の締結を自己取引として取り扱う例が散見される。もっとも，ストック・オプションを報酬と位置

---

[32] 澤口実＝石井裕介「ストック・オプションとしての新株予約権の発行に係る問題点」旬刊商事法務1777号40頁（2006）参照。
[33] 会社法コンメンタール(8)296頁〔森本滋〕参照。
[34] 澤口実『平成13年改正商法Q&A新株予約権の実務』116頁（商事法務研究会，2002）参照。

づける以上，会社法356条1項2号との関係においても，ほかの形態の報酬と同様に解すれば足り，あえてこれを自己取引として取り扱う必要はないとの見解が有力と思われる。なお，取締役報酬決定決議，割当契約締結承認決議および割当決議の対象となる取締役を特別利害関係取締役として扱い，かつ，割当契約の締結を自己取引として取り扱う実例として，**図表1－13**を参照されたい。以上の点を踏まえた取締役会議事録の記載のサンプルとしては，**図表1－14**を参照されたい。

図表1－13 特別利害関係取締役および自己取引として取り扱う実例
（東京センチュリー株式会社取締役会議事録〔2021年8月6日付け〕）

第6号議案　ストック・オプションの割当ての件
　第6号議案の内，取締役○に対する報酬等の支給に関する決議及び「2. 新株予約権を引き受ける者の募集及び割当ての件」における，(ウ)の決議については，取締役○が，特別の利害関係を有するため，当社取締役会規則第6条により取締役○が本取締役会の議長を務めた。

1. 当社取締役の報酬等の額の決定の件
　議長は，2012年6月21日開催の第43回定時株主総会の第5号議案の決議及び2016年6月24日開催の第47回定時株主総会の第5号議案の決議，2021年6月28日開催の第52回定時株主総会決議事項第4号議案の決議において，当社取締役に対する株式報酬型ストック・オプションとしての報酬額を設定することが承認されたことに基づき，各取締役に対し，当該各取締役が「新株予約権発行要項」記載の新株予約権の払込金額に係る当該各取締役の支払債務と相殺することを条件として，(a)当該新株予約権の払込金額に(b)当該各取締役に割り当てる新株予約権の数を乗じた額の金銭報酬を与える旨を提案し，本議案を諮ったところ出席取締役全員異議なくこれを承認可決した。
　なお，各対象取締役に対する報酬等の額に関する個別の審議については，当該報酬等の額の対象となる各対象取締役はそれぞれ特別利害関係人に該当するため，審議及び決議に参加しなかった。

2. 新株予約権を引き受ける者の募集及び割当ての件
　議長は，当社取締役（社外取締役及び非常勤取締役を除く），当社執行役員及び当社の理事の資格にある一部の従業員並びに当社子会社の一部の取締役及

執行役員に対して新株予約権を引き受ける者の募集をし,「新株予約権発行要項」記載の内容で当社第10回新株予約権(以下「本新株予約権」という。)の募集事項を定めたき旨を提案し,本議案を諮ったところ,出席取締役全員異議なく承認可決した。

次いで,議長は,審議及び議決の順序については,特別の利害関係を有する取締役が存することから,まず執行役員及び理事並びに当社子会社の取締役及び執行役員への本新株予約権の割当の審議及び議決を行い,次いで特別の利害関係を有する取締役への本新株予約権の割当の審議及び議決を各別に行う必要がある旨を説明した。

(中略)

(イ) 次いで,議長は,本新株予約権の発行に関し,取締役○に対し,取締役○が募集新株予約権の引受けの申し込みを行い,かつ当社との間で「新株予約権割当契約書」を締結することを条件に,募集新株予約権を割り当てることとしたき旨,及び取締役○に対する割当(「新株予約権割当契約書」の締結を含む。)は自己取引となるため,当該取引について承認いただきたい旨を提案し,本議案を諮ったところ,特別利害関係人たる○氏を除く出席取締役全員異議なくこれを承認可決した。

(中略)

次いで,議長は,上記(ア)乃至(ク)の割当て決議にかかわらず,各割当対象者に割り当てる募集新株予約権の数は,①割当対象者による募集新株予約権の引受けの申込みの数が当該割当対象者の新株予約権の数に満たない場合には,当該申込みの数とし,②(a)募集新株予約権の払込金額の予想値(割当日において別途算出される公正価値の予想値)に各割当対象者の新株予約権の数を乗じた額が,報酬額の上限を超える場合には,報酬額の上限の範囲内において最大となるように,当該新株予約権の数を減少させるものとし,その詳細は取締役社長に一任したき旨を提案し,本議案を諮ったところ,出席取締役全員異議なくこれを承認可決した。

(後略)

1-2 スケジュールおよび各手続

図表 1 − 14 類型Ⅰ（役員報酬決議必要・有利発行決議不要型）における発行決議時の取締役会議事録の記載例

(無償構成の場合)
第○号議案　ストック・オプションの割当て等について
　議長は，取締役に対して発行する，ストック・オプションの割当てに関する具体的な内容等は次のとおりとしたい旨提案し，諮ったところ，全員異議なく承認可決した。

1. **取締役の報酬等の具体的内容の決定について**
　当社は，○年○月○日開催の株主総会にて決議された取締役に対するストック・オプション報酬額および内容決定の件に基づき，別紙○「新株予約権割当対象者一覧表」に記載の当社の各取締役に対し，ストック・オプション報酬として，「第○回新株予約権発行要項」（別紙○）に記載の内容の新株予約権を別紙○記載の個数（ただし，○○に基づき，当該取締役に割り当てる新株予約権の数が調整された場合には，調整後の新株予約権の数とする。）ずつ，各取締役に与えるものとする。

2. **新株予約権を引き受ける者の募集および割当てについて**
　(1)　当社は，会社法第238条第1項および第2項ならびに第240条第1項の規定に従い，「第○回新株予約権発行要項」（別紙○）（**注1**）のとおり，新株予約権を引き受ける者の募集をすることとする（当該募集に応じて当該新株予約権の引受けの申込みをした者に対して割り当てる新株予約権を以下，「募集新株予約権」という。）。
　(2)　会社法第243条第1項および第2項の規定に従い，別紙○「新株予約権割当対象者一覧表」記載の取締役（以下，総称して「割当対象者」という。）に対して，別紙○記載の数の募集新株予約権を割り当てることとする。ただし，割当対象者が募集新株予約権の引受けの申込みを行い，かつ当社との間で別紙○の様式の新株予約権割当契約を締結することを条件とする。
　(3)　上記(2)にかかわらず，各割当対象者に割り当てる募集新株予約権の数は，①割当対象者による募集新株予約権の引受けの申込みの数が，別紙○記載の当該各割当対象者の新株予約権の数に満たない場合には，当該申込みの数とし，かつ，②募集新株予約権を別紙○記載の数（ただし，○○により調整された場合には調整後の数）ずつ割り当てると，そのストック・オプション報酬の総額が，○年○月○日開催の株主総会にて決議された取締役の確定報酬額の上限を

175

超える場合には，当該各割当対象者の役位ごとに決められたストック・オプションの付与基礎額を募集新株予約権の公正価値の予想値（割当日における公正価値の予想値）で除した個数（1個未満の端数は切り捨て）とし，かかる調整後の数の通知を行う。

(4) 割当対象者との間で別紙○の「新株予約権割当契約書」にて割当契約を締結する。

(5) その他募集新株予約権の募集および割当てならびに募集新株予約権に関連する諸手続の詳細等に関し必要な事項の決定を当社代表取締役に一任する。

(相殺構成の場合)
第○号議案　ストック・オプションの割当て等について
　議長は，取締役に対して発行する，ストック・オプションの割当てに関する具体的な内容等は次のとおりとしたい旨提案し，諮ったところ，全員異議なく承認可決した。

1. 取締役の報酬等の額および具体的内容の決定について

(1) ○年○月○日開催の株主総会にて決議された取締役に対するストック・オプション報酬額および内容決定の件に基づき，「第○回新株予約権発行要項」（別紙○）**(注2)** に記載の新株予約権の払込金額に，当社各取締役に割り当てる別紙○記載の新株予約権の数（ただし，○○に基づき，当該取締役に割り当てる新株予約権の数が調整された場合には，調整後の新株予約権の数とする。）を乗じた金額の金銭報酬を当該各取締役に対して与える。

(2) 上記(1)の金銭報酬は，別紙○「新株予約権割当対象一覧表」記載の取締役が別紙○記載の新株予約権の払込金額の払込債務と相殺することを条件として付与する。

2. 新株予約権を引き受ける者の募集および割当てについて

(1) 会社法第238条第1項および第2項ならびに第240条第1項の規定に従い，「第○回新株予約権発行要項」（別紙○）のとおり，新株予約権を引き受ける者の募集をすることとする（当該募集に応じて当該新株予約権の引受けの申込みをした者に対して割り当てる新株予約権を以下，「募集新株予約権」という。）。

(2) 会社法第243条第1項および第2項の規定に従い，別紙○「新株予約権割当対象一覧表」記載の取締役（以下，総称して「割当対象者」という。）に対して，別紙○記載の数の募集新株予約権を割り当てることとする。ただし，割

当対象者が募集新株予約権の引受けの申込みを行い、かつ当社との間で別紙○の様式の新株予約権割当契約を締結することを条件とする。

(3) 上記(2)にかかわらず、各割当対象者に割り当てる募集新株予約権の数は、①割当対象者による募集新株予約権の引受けの申込みの数が、別紙○記載の当該各割当対象者の新株予約権の数に満たない場合には、当該申込みの数とし、かつ、②募集新株予約権の払込金額の予想値（割当日における公正価値の予想値）に別紙○記載の各割当対象者の新株予約権の数（ただし、○○により調整された場合には調整後の数）を乗じた金額が、上記1.で算出される報酬等の額を超える場合には、当該各割当対象者の役位ごとに決められたストック・オプションの付与基礎額を新株予約権の払込金額の予想値で除した個数（1個未満の端数は切り捨て）とし、かかる調整後の数の通知を行う。

(4) 割当対象者との間で別紙○の「新株予約権割当契約書」にて割当契約を締結する。

(5) その他募集新株予約権の募集および割当てならびに募集新株予約権に関連する諸手続の詳細等に関し必要な事項の決定を当社代表取締役に一任する。

また、**図表1－14**において**注1**および**注2**として記載した新株予約権の発行要項（募集事項）としては、**図表1－15**の各事項を定めることが一般的である[35]。

図表1－15 新株予約権の発行要項（募集事項）の主要項目

発行要項の主要項目	留意点および考えられる主な記載事項等
新株予約権の内容	
新株予約権の目的である株式の数（種類株式発行会社にあっては、株式の種類および種類ごとの数）またはその数の算定方法（法238条1項1号・236条1項1号）	新株予約権1個当たりの目的となる株式数（種類株式発行会社にあっては、株式の種類および種類ごとの数）またはその数の算定方法を記載する[36]。 また、株式分割、株式無償割当て、株式併合等を行う場合についての調整規定を設けることが一般的である。

---

(35) 役員に付与するストック・オプションについて、法人税法上の損金算入が認められるための要件を充足するとの観点からの各項目の留意点については、後述1－5■3(1)②を参照されたい。

第Ⅱ編　第1章　ストック・オプション

| 新株予約権の行使に際して出資される財産の価額またはその算定方法等（法238条1項1号・236条1項2号・3号）(37) | (通常型ストック・オプションの場合)
税制適格ストック・オプションとするためには，発行当初の権利行使価額（権利行使の際に，権利行使により交付を受ける株式1株当たりに出資させる額）を，新株予約権の割当契約締結時における1株当たりの価額に相当する金額以上とする必要がある（措置法29条の2第1項3号）。ただし，「契約締結日の終値」または「契約締結日の前日の終値」を権利行使価格とするのであれば，この要件は満たすと解されている。また，「権利付与（締結）日の属する月の前月の各日における市場取引の終値の平均値」といった定め方でも，市場価格との格差を設けることによる経済的利益が権利付与時（付与契約締結日）に供与されるものでないと認められるときは，この要件を満たすものと取り扱って差し支えないと解されている(38)。
また，将来，株式分割，株式無償割当て，株式併合または時価を下回る価額での新株発行もしくは自己株式処分を行う場合等の権利行使価額の調整規定を設けることが一般的である。 |

(36) 旧商法下では，1つの決議に基づき発行される新株予約権全体について，目的とする株式の種類および数を記載することとされていた。もっとも，会社法の下でも，登記実務上は，当該決議に基づき現実に発行した新株予約権の目的である株式の総数またはその算定方法を登記するものとして取り扱われている（松井信憲『商業登記ハンドブック〔第4版〕』319頁～320頁〔商事法務，2021〕）。

(37) 上場会社における取締役の報酬等として付与する新株予約権または取締役の報酬等と引換えに発行する新株予約権について，当該新株予約権の行使時の払込み等を不要とする場合（法236条3項）は不要。ただし，以下の事項を新株予約権の内容として定める必要がある（施98条の3第1号・98条の4第2項1号，法236条3項各号）（後述 1－3■1(4)参照）。
　（ⅰ）取締役の報酬等としてまたは取締役の報酬等と引換えに新株予約権を発行するものであり，当該新株予約権の行使時の払込み等を不要とする旨
　（ⅱ）当該新株予約権としての報酬等についての株主総会決議に係る取締役（取締役であった者を含む）以外は当該新株予約権を行使することができない旨

(38) 島村昌征「ストック・オプション制度に係る非課税措置の概要と実務上の取扱い」旬刊商事法務1504号16頁（1998）参照。税制適格ストック・オプションとすることを考える場合には，たとえば，「1株当たり払込金額は，本新株予約権割当日の属する月の前月の各日（取引が成立しない日を除く）における東京証券取引所における当社普通株式の普通取引の終値の平均値に1.05を乗じた金額とし，1円未満の端数は切り上げる。ただし，かかる金額が本新株予約権割当日の終値を下回る場合には，当該終値とする。」といった規定とするのが一般的である。

1-2 スケジュールおよび各手続

	(株式報酬型ストック・オプションの場合) 新株予約権を行使することにより交付を受けることができる株式1株当たりの払込金額を1円とし，これに新株予約権1個当たりの目的となる株式数を乗じた金額とすることが一般的である。
行使期間（法238条1項1号・236条1項4号）	**(通常型ストック・オプションの場合)** 税制適格ストック・オプションとするためには，権利行使期間を，その付与決議の日後2年を経過した日からその付与決議の日後10年を経過する日までの間とする必要がある（措置法29条の2第1項1号）。 **(株式報酬型ストック・オプションの場合)** 退職慰労金型ストック・オプションとして設計する場合には，付与対象者が退職した後の一定期間に限りその行使を認めることにする必要がある。その場合には，たとえば，(i)行使期間を「2014年7月1日から2034年6月30日」といった形で長期間を定めつつ，(ii)行使条件として，「(a)当社，当社子会社および当社関連会社のいずれの取締役の地位をも喪失した場合にはそれ以降○日間に限り権利行使できるものとする。(b)ただし，2033年6月30日に至るまでに上記(a)の行使条件を満たさない場合には，その翌日から権利行使できるものとする。」といった形で規定する例が多い。
行使条件	法236条1項各号に明示的には列挙されてはいないが，「新株予約権の内容」として定めることは可能である[39]。 **(通常型ストック・オプションの場合)** 実務では，たとえば以下のような行使条件が見受けられる。 ① 行使時点における在籍要件 　適正なインセンティブ付与の観点から，行使時点の在籍を条件とする例が多い。これにより，少なくとも行使時まで在籍することのインセンティブを付与するとともに，辞任したにもかかわらず他人の働

---

[39] 相澤・論点解説226頁参照。

きによる株価上昇により利益を得ることがないようにすることができる。ただし，たとえば定年退職の場合等には，在籍要件を満たしていなくても（一定期間）行使可能とする選択肢もある。

なお，在籍要件を定める場合には，(i)グループ会社間での在籍についてどのように考えるかを明確にしておく必要があろう（たとえば，発行会社の役員は退任しても，子会社の役員の地位を有していれば在籍要件を満たすこととするか否か）。(ii)また，行使時において在籍していればよいのか，付与時から行使時まで継続して在籍していることが必要なのかについても，明確に規定しておくことが望ましい。

② 権利者死亡の場合の相続性

ストック・オプションは財産権であり，原則論としては（特に規定しない限り）相続性があると考えられるが，ストック・オプション付与の目的によっては，相続性を認めない設計とすることが可能である。相続を認めない場合には，権利者死亡の際に発行会社が新株予約権を取得するとの取得条項を設けておくことで，権利者死亡時の権利処理が明確となる。

③ インセンティブとしての機能を失わせないための工夫

株式相場全体が上昇局面にある場合には，企業努力とはあまり関係なく株価が上昇する場合もあり，そのような局面ではストック・オプションが（株価向上に対する）インセンティブとして想定どおり機能しない可能性も十分に考えられる。

そのような事態をできる限り排除するための工夫としては，(i)発行会社の株価成長率が市場の代表的な指標（日経平均やTOPIX等）の成長率を上回る場合にのみ行使可能となるとの行使条件を課すこと，(ii)行使価額を日経平均や同業他社の株価・指標に連動させること（いわゆるインデックス連動型ストック・オプション），(iii)自社の一定の指標（たとえば，ROE等）が業界平均や自社で定めた目標値を上回ることを行使条件とすること（いわゆるパフォーマン

ス条件付ストック・オプション）等が考えられる（前述1−1■1(2)①参照）。

④　1年間の行使限度株数

インセンティブ機能を長期間維持するため，年間に行使しうる数量を制限し，長期間にわたってストック・オプションを保持させようとする事例も存在する。

なお，税制適格ストック・オプションとしたい場合には，権利行使価額（ここでは発行時の払込金額と権利行使価格の合計額を指す）の年間の合計額が，1,200万円を超えないことを割当契約で規定しておく必要がある（措置法29条の2第1項2号）。この点は，割当契約において規定され，発行要項では特に言及されないことが一般的であろう。

⑤　分割行使・一部行使の禁止

1個の新株予約権の分割行使は要項に定めるか否かにかかわらず会社法上認められていないが，実務上，1個の新株予約権の分割行使ができないことを明確にしておくためにその旨を発行要項に記載することも考えられる。なお，事務処理の便宜から，ある新株予約権者の有する複数の新株予約権の全部を一度に行使させたい場合には，保有する複数の新株予約権のうちの一部行使を禁止する旨を定めることも考えられる。

⑥　細目的な行使条件の割当契約への委任

細目的な行使条件につき，発行会社と付与対象者との間で締結する割当契約に定めるところによると規定する実例も多く，このような規定に基づき定められた行使条件は，発行会社と付与対象者との間の債権的合意事項となると解される[40]。

(株式報酬型ストック・オプションの場合)

(通常型ストック・オプションの場合) の欄に記載の項目と同様の項目について，退職型・賞与型等の株式報酬型ストック・オプションの目的に応じた行使条件を検討することになる。

---

(40)　相澤・論点解説227頁参照。

新株予約権の行使により株式を発行する場合における増加する資本金および資本準備金に関する事項（法238条1項1号・236条1項5号）	新株予約権の行使の際に発行会社はその選択により新株を発行することも自己株式を交付することもできる。新株予約権の行使に対して新株を発行した場合には資本金が増加するが、その場合における資本金の増加に関しては、新株予約権の内容の一部としてあらかじめ定めておく必要がある。この場合には、会社法445条1項2項、会社計算規則17条に従う必要がある（すなわち、同条の規定に従い算出される資本金等増加限度額の2分の1以上の額を資本金として計上しなければならない）。なお、ストック・オプションの会計処理については後述1－4参照。
新株予約権の譲渡制限の有無（法238条1項1号・236条1項6号）	ストック・オプションによるインセンティブ付与の効果を確保することを目的として、いつでも第三者に譲渡して現金化することを防止するために当該新株予約権に譲渡禁止または譲渡制限を付すのが通常である。なお、税制適格ストック・オプションとするためには、割当契約においてストック・オプションに譲渡禁止の定めを設ける必要がある（措置法29条の2第1項4号）。ただし、会社法上は、取締役会の譲渡承認を要する旨の譲渡制限の定めを置くことが認められているのみであるので、会社法上の「新株予約権の内容」としては「譲渡制限」を定め[41]、「譲渡禁止」である旨は個々の付与対象者との間で締結する割当契約において定め、当事者間の債権的合意事項とすることになろう（**図表1－27参照**）。
取得条項および取得の対価（法238条1項1号・236条1項7号）	発行会社が合併、会社分割、株式交換、株式移転といった組織再編行為や、全部取得条項付種類株式を用いた資本再構成を行う場合等の一定の場合には会社が別に定める日の到来をもって新株予約権を無償で取得することができる旨（会社法236条1項7号ロの定め）を定めておく事例も多い。

---

(41) 株式の場合とは異なり、新株予約権には、取締役会が譲渡を承認しない場合の会社または指定買取人による買取りの制度がないため、新株予約権に譲渡制限の定めを設けておけば、取締役会が常に譲渡承認をしないことにより、実質的には譲渡禁止と同様の効果を期待しうる。なお、相続等の一般承継によるストック・オプションの承継は、譲渡制限が付されている場合であっても、特段会社による譲渡承認は必要ないものと解される。

	また、たとえば、行使条件として付与時から行使時まで継続して発行会社等に在籍していることを規定する場合（行使条件の欄の①参照）には、在籍要件が満たされなくなることによる新株予約権の消滅（法287条）に係る変更登記の義務が個々に発生することになる（法915条1項・911条3項12号イ・ロ）。かかる登記事務上の負担を軽減するため、上記のような在籍要件が満たされなくなったという事由を取得事由（法236条1項7号）として規定し、一定時期ごとに、当該期間中に取得した新株予約権を（発行会社の判断によって）消却することも考えられる。
将来の組織再編行為の際の新株予約権の取扱い（法238条1項1号・236条1項8号）	発行会社が将来合併、会社分割、株式交換、株式移転等の組織再編行為を行う場合に、ストック・オプションを吸収合併存続株式会社または新設合併設立株式会社、吸収分割承継株式会社または新設分割設立株式会社、株式交換完全親株式会社、株式移転設立完全親株式会社に引き継ぐ（厳密には、消滅会社等の新株予約権を消滅させ、新たに存続会社等または設立会社の新株予約権を交付するとの取扱いを確保するため[42]）、将来の組織再編に際するストック・オプションの取扱いをあらかじめ定めることができる。ストック・オプションの引継ぎに際しては、(i)新株予約権買取請求（法787条1項・808条1項）に係る権利を取得する新株予約権者の範囲、(ii)新株予約権買取請求に際しての「公正な価格」（法787条1項柱書・808条1項柱書）の算定方法、(iii)「商法等の一部を改正する法律」（平成13年法律第128号）の施行前の商法280条ノ19の規定に基づく新株引受権の引継ぎの手法、および(iv)引継ぎ後のストック・オプションを税制適格ストック・オプションとするための手法等が問題となる[43]。

---

[42] 相澤哲＝豊田祐子「新会社法の解説(6)新株予約権」旬刊商事法務1742号25頁（2005）参照。
[43] 株式移転完全子会社の発行するストック・オプションを株式移転設立完全親会社に引き継いだ実例として、株式会社伊勢丹と株式会社三越との間の共同株式移転（「トピックス1　伊勢丹既発行ストック・オプションを株式移転による完全親会社に実質的に承継させるための新株予約権発行議案付議事例」資料版/商事法務288号6頁以下〔2008〕）参照。

第Ⅱ編　第1章　ストック・オプション

新株予約権の行使によって交付される株式の数の端数の切捨ての有無（法238条1項1号・236条1項9号）	新株予約権の行使により生じた端数につき、1株当たりの価額を前提とした端数に相当する金銭を交付することが原則だが（法283条本文）、端数を切り捨て、当該金銭を交付しないとの取扱いを新株予約権の内容として定めることもできる（同条ただし書、236条1項9号）(44)。
新株予約権証券の発行の有無（法238条1項1号・236条1項10号）	ストック・オプションには譲渡制限が付され、譲渡が予定されていないことが通常であるから、ストック・オプション目的で発行する新株予約権につき、新株予約権証券は発行されないことが通例である。
記名式新株予約権証券と無記名式新株予約権証券との転換の請求の可否（法238条1項1号・236条1項11号）	ストック・オプション目的で発行する新株予約権については、新株予約権証券は発行されないのが通例であるため、その場合には、左記の記載は不要である。
新株予約権の内容以外の発行要項（募集事項）の主要項目	
新株予約権の数（法238条1項1号）	ストック・オプションの場合には、ストック・オプション報酬額を、ストック・オプションの公正価値で除して得られる数の範囲内で付与することとなる。
新株予約権の払込金額またはその算定方法等（法238条1項2号・3号）	無償構成の場合は払込金額は0円となり、相殺構成の場合は払込金額はストック・オプションの公正価値相当額となる。詳細は後述1-3■2(1)参照。
新株予約権の割当日（法238条1項4号）	割当日において付与対象者は新株予約権者となる（法245条1項1号）。
新株予約権の払込みの期日（法238条1項5号）	定めないことも可能であり、その場合には、ストック・オプションの保有者は、行使期間の初日の前日までに払込金額の払込みを行えば足りる（法246条1項）。
新株予約権付社債の場合は、社債の募集事項および新株予約権買取請求の	ストック・オプション目的で発行する新株予約権には、社債は付されていないのが通常であるため、その場合には、記載は不要である。

---

(44) 相澤・論点解説256頁参照。

| 方法に関する定め（法238条1項6号・7号） | |

⑥−Ⅱ　取締役会（類型Ⅱ〔役員報酬決議不要・有利発行決議必要型〕の場合）

株主総会では，ストック・オプションとして付与する新株予約権に関する会社法239条1項各号の事項（(ⅰ)新株予約権の内容および数の上限，(ⅱ)金銭の払込みを要しないこととする場合にはその旨，(ⅲ)(ⅱ)以外の場合には当該新株予約権の払込金額の下限）を決定して，その他の募集事項の決定を取締役会に委任することが想定されている[45]ので，当該株主総会決議を受けて開催される取締役会では，株主総会で決定した事項以外の募集事項についての募集決議をすることが必要となる（法239条1項参照）。また，割当契約締結承認決議，割当決議および社内規程関連決議については，前述⑥−Ⅰと同様である。

また，取締役会議事録に添付することになる新株予約権の発行要項（募集事項）の主要な項目は，前述⑥−Ⅰと同様である。

⑥−Ⅲ　取締役会（類型Ⅲ〔役員報酬決議必要・有利発行決議必要型〕の場合）

前述⑥−Ⅰおよび⑥−Ⅱの組み合わせであるため，前述⑥−Ⅰおよび⑥−Ⅱを参照されたい。

⑥−Ⅳ　取締役会（類型Ⅳ〔株主総会決議不要型〕の場合）

株主総会決議が不要な場合であるため，⑥の取締役会では，募集新株予約権についての発行要項（募集事項）のすべての決定を行う（法238条1項・2項・240条1項）。その主要な項目は，前述⑥−Ⅰと同様である。

---

[45] 株主総会において募集事項のすべてを決議してしまうことも理論的には可能である（法239条参照）。

第Ⅱ編　第１章　ストック・オプション

⑦　金融商品取引法上の開示関係（⑦-1，⑦-2，⑦-3，⑦-4，⑦-5）
（類型Ⅰ～Ⅳ共通）

　　　　（類型Ⅰ）役員報酬決議必要・有利発行決議不要型
　　　　（類型Ⅱ）役員報酬決議不要・有利発行決議必要型
　　　　（類型Ⅲ）役員報酬決議必要・有利発行決議必要型
　　　　（類型Ⅳ）株主総会決議不要型

(a)　総　　論
　(i)　有価証券届出書

　ストック・オプション目的での新株予約権の発行が，(A)新株予約権の「募集」に該当する場合で（金商２条３項），(B)(a)「募集」の相手方が有価証券届出書の記載事項に関する情報をすでに取得し，または容易に取得することができる場合として政令で定める場合（すなわち，発行会社，直接完全子会社および直接・間接完全孫会社の取締役，会計参与，監査役，執行役または使用人のみに対して新株予約権の取得勧誘または売付け勧誘等を行う場合。金商４条１項１号，金商令２条の12第２号，開令２条２項・３項）に該当せず，かつ(b)当該新株予約権の発行価額（払込金額）の総額に当該新株予約権の行使に際して払い込むべき金額（以下，「行使価額」という）の合計額を合算した金額が１億円以上となる場合[46][47]（金商４条１項５号，開令２条５項）には，当該新株予約権の内容に関し，有価証券届出書の提出が必要となる。なお，上記(A)および(B)(a)を満たすが，(b)新株予約権の発行価額（払込金額）の総額に当該新株予約権の行使価額の合計額を合算した金額が１億円未満となるために有価証券届出書の提出義務は負わない場合でも，有価証券通知書の提出が必要とな

---

[46]　ただし，厳密には，開示府令２条５項２号以下に定められている通算規定等を踏まえての判断となる。
[47]　取締役の報酬等として新株予約権を無償発行する場合で，かつ，新株予約権の行使時に金銭の払込みを要しないこととする場合（法236条３項）の当該新株予約権の発行価額（払込金額）については，その公正な評価額が発行価額となる（令和３年２月３日付け金融庁「コメントの概要及びコメントに対する金融庁の考え方」２頁３番，神保勇一郎ほか「会社法改正に伴う金融商品取引法施行令，企業内容等の開示に関する内閣府令等の改正の概要」旬刊商事法務2259号11頁～12頁〔2021〕参照）。

る場合がある（金商4条6項，開令4条5項）。詳細は後述(b)(iii)参照。

　なお，当該新株予約権の内容の一部たる行使価額の定めが，割当日の金融商品取引所における株価の終値に基づく場合，たとえば，税制適格ストック・オプションについては，「新株予約権割当日の属する月の前月の各日（取引が成立しない日を除く）における東京証券取引所における当社普通株式の普通取引の終値の平均値に1.05を乗じた金額とし，1円未満の端数は切り上げる。ただし，かかる金額が新株予約権割当日の終値を下回る場合には，当該終値とする。」との規定とすることが多く，この場合，行使価額の具体的金額は当該新株予約権の割当日の午後3時以降にならないと確定しない。そのため，有価証券届出書の「新株予約権の行使時の払込金額」の欄には，その旨を記載して提出をし，その後，当該具体的金額が確定した段階で，有価証券届出書の訂正届出書を提出することが必要となる。また，相殺構成をとる場合においても，その払込金額（発行価額）は通常，ブラック＝ショールズ式や二項モデル等の算定方法によって割当日の金融商品取引所における株価の終値を用いて算出する旨を決議することが多く，その場合も，有価証券届出書提出時点では当該払込金額を具体的金額では記載できないため，割当日の午後3時以降に当該具体的金額が確定した段階で，有価証券届出書の訂正届出書を提出することが必要となる（このような訂正届出書と届出の効力発生との関係については後述1－3■2(3)③参照）。

　また，有価証券届出書の提出義務がある場合（スケジュール1およびスケジュール2の場合）には，有価証券届出書の提出前において，ストック・オプション目的の新株予約権の「募集」（取得の申込みの勧誘）をすることはできない（金商4条1項）。さらに，当該届出書の提出後は，（その効力発生前でも）勧誘をすることができるが，当該届出の効力が生じるまでは，ストック・オプション目的の新株予約権を「取得」させることはできない（金商15条1項）。これは，届出書の提出からその効力発生までの期間を，投資家側が提供されている情報をもとに当該有価証券を取得するか否かを判断する熟慮期間として確保する趣旨で設けられている制度であり，投資家側が法的に拘束

される契約を締結する行為は、ここでいう「取得」に該当すると解されることによる[48]。したがって、当該届出書の効力発生日までは、ストック・オプション付与に関して被付与者を法的に拘束する契約を締結することは許されないと解される（なお、後述1－3■2(3)②参照）。

なお、どのような行為がここでいう「募集」に該当するかは必ずしも明確ではないが、実務上は、後述⑧の適時開示の前に（かつ同日に）有価証券届出書の提出をすることが一般的であると思われる。これは、前述⑥の取締役会における発行決議をもって募集事項の内容が確定していることから、当該取締役会決議後に行われる適時開示（後述⑧の適時開示）は「募集」行為に該当すると解されるおそれがある点を考慮したものである。

また、有価証券届出書は、原則として、有価証券届出書が受理された日から15日を経過した日に効力を生ずる（金商8条1項）が、組込方式または参照方式により作成できる場合には、おおむね7日の経過で効力が発生するとされている（金商8条3項、開令ガ8－2）。これを踏まえ、割当契約を締結する前（割当契約を締結しない場合には申込みに応じた割当通知をする前）に届出の効力が発生するようなタイミングで、有価証券届出書を提出する必要があると解される（詳細は後述1－3■2(3)②参照）。

なお、スケジュール1の場合のように、有価証券届出書に、対株主公告（後述⑨の説明参照）の代替としての機能を求める場合には、割当日の2週間前までに有価証券届出書を提出する必要がある（法240条4項、施53条）。他方、スケジュール2のように、有利発行決議をとっているため会社法240条2項・3項の適用をもともと受けない場合には、有価証券届出書に対株主公告の代替としての機能を求めないので、割当日の2週間前までの有価証券届出書の提出は必要的ではない。

(ii) **臨時報告書**

「募集」（金商2条3項等）に該当しない場合や「募集」の相手方が有価証

---

(48) 神崎ほか・前掲注（19）326頁参照。なお、前掲注（19）に記載した点も参照されたい。

1-2 スケジュールおよび各手続

券届出書の記載事項に関する情報をすでに取得し，または容易に取得することができる場合として政令で定める場合（金商4条1項1号，金商令2条の12第2号，開令2条2項・3項）に該当する場合，有価証券届出書および有価証券通知書の提出義務はないが，当該新株予約権の発行価額（払込金額）の総額に行使価額の合計額を合算した金額が1億円以上となる場合[49]には，臨時報告書の提出を要する（金商24条の5第4項，開令19条2項2号の2）。

臨時報告書の提出で足りる場合（スケジュール3およびスケジュール4の場合）には，前述のような待機期間はない。ただし，スケジュール3の場合のように，臨時報告書に，対株主公告（後述⑨の説明参照）の代替としての機能を求める場合には，割当日の2週間前までに臨時報告書を提出しておく必要がある（法240条4項，施53条）。他方，スケジュール4のように，有利発行決議をとっているため会社法240条2項・3項の適用をもともと受けない場合には，臨時報告書に対株主公告の代替としての機能を求めないので，前述のような制限もない。

なお，新株予約権の内容の一部たる行使価額の定め方や相殺構成をとる場合の払込金額（発行価額）の定め方等によっては臨時報告書の訂正報告書の提出が必要となることは前述(i)と同様である。

　(iii) 対株主公告が必要となる場合

また，後述⑨に記載のとおり，有価証券届出書の届出や臨時報告書の提出を要しない場合には，（適切なタイミングで，募集事項に相当する事項をその内容とする発行登録書および発行登録追補書類，有価証券報告書，四半期報告書，半期報告書の届出または提出がなされることは通常は考えにくいため）対株主公告が必要となることが通常である。

　(iv) 小　　括

以上のとおり，ストック・オプション付与に関する手続やスケジュールは有価証券届出書や臨時報告書の提出義務の有無による影響を受けるため，ス

---

(49) 発行価額の総額の算出方法について，前掲注（46）および前掲注（47）に同じ。

第Ⅱ編　第1章　ストック・オプション

ケジュール作成上，有価証券届出書や臨時報告書の提出義務の有無は早めに確認しておくことが肝要である。

図表1－16および**図表1－17**は，当該有価証券届出書および当該有価証券届出書の訂正届出書ならびに臨時報告書および臨時報告書の訂正報告書の実例であるので参照されたい。

図表1－16	有価証券届出書の実例

（有価証券届出書）

【表紙】	
【提出書類】	有価証券届出書
【提出先】	関東財務局長
【提出日】	2021年3月25日
【会社名】	クックパッド株式会社
【英訳名】	Cookpad Inc.
【代表者の役職氏名】	代表執行役　　○
【本店の所在の場所】	東京都渋谷区恵比寿四丁目20番3号
【電話番号】	○
【事務連絡者氏名】	執行役　　○
【最寄りの連絡場所】	東京都渋谷区恵比寿四丁目20番3号
【電話番号】	○
【事務連絡者氏名】	執行役　　○
【届出の対象とした募集有価証券の種類】	新株予約権証券
【届出の対象とした募集金額】	その他の者に対する割当 （発行価額の総額）　　　　　　　　　　0円 （新株予約権の払込金額の総額に新株予約権の行使に際して出資される財産の価額の合計額を合算した金額）　　　　　　　　148,068,000円 （注）1．本募集は2021年3月23日開催の当社定時株主総会の決議，2021年3月23日開催の当社報酬委員会の決議及び2021年3月25日付の当社取締役会の決議に基づき，ストックオプション付与を目的として，新株予約権を発行するものであります。

	2．募集金額はストックオプション付与を目的として発行することから無償で発行するものといたします。また，新株予約権の払込金額の総額に新株予約権の行使に際して出資される財産の価額の合計額を合算した金額は，本有価証券届出書提出時の見込額であります。
	3．新株予約権の権利行使期間内に行使が行われない場合，新株予約権者がその権利を喪失した場合及び当社が取得した新株予約権を消却した場合には，新株予約権の払込金額の総額に新株予約権の行使に際して出資される財産の価額の合計額を合算した金額は減少いたします。
【安定操作に関する事項】	該当事項はありません。
【縦覧に供する場所】	株式会社東京証券取引所 （東京都中央区日本橋兜町2番1号）

第一部 【証券情報】

第1 【募集要項】

1 【新規発行新株予約権証券】
(1) 【募集の条件】

発行数	4,570個 （注） 上記発行数は上限の発行数を示したものであり，申込数等により割り当てる新株予約権の数が減少することがあります。
発行価額の総額	0円
発行価格	0円
申込手数料	該当事項はありません。
申込単位	1個
申込期間	2021年4月12日から2021年5月6日

第Ⅱ編　第1章　ストック・オプション

申込証拠金	該当事項はありません。
申込取扱場所	クックパッド株式会社　法務・コーポレート戦略部
払込期日	該当事項はありません。
割当日	2021年5月7日
払込取扱場所	該当事項はありません。

(注) 1．本新株予約権証券（以下「本新株予約権」といいます。）については，2021年3月23日開催の当社定時株主総会の決議，2021年3月23日開催の当社報酬委員会の決議及び2021年3月25日付の当社取締役会の決議においてその発行の決議をしております。
　　 2．申込みの方法
　　　　申込方法は，申込期間内に申込取扱場所に申込書を提出することといたします。
　　 3．本新株予約権の募集はストックオプション付与を目的として行うものであり，当社の執行役及び従業員並びに当社子会社の取締役及び従業員に対して行うものであります。
　　 4．本新株予約権の割当ての対象となる人数及び内訳は，以下のとおりであります。

割当対象者	人数	割当新株予約権数
当社の執行役	8名	1,550個
当社の従業員	38名	1,500個
当社子会社の取締役	10名	520個
当社子会社の従業員	11名	1,000個
合計	67名	4,570個

　　　　(注)　今回の募集は，当社の執行役及び従業員並びに当社子会社の取締役及び従業員の業績向上に対する意欲や士気を高めるとともに，優秀な人材の確保をすることを目的とするものであります。
　　 5．当社子会社には，当社完全子会社又は当社完全孫会社ではないものが含まれます。

(2)【新株予約権の内容等】

新株予約権の目	当社普通株式

的となる株式の種類	完全議決権株式であり、権利内容に何ら制限のない当社における標準となる株式であります。 なお、単元株式数は100株であります。
新株予約権の目的となる株式の数	457,000株 (本新株予約権1個につき目的となる株式の数(以下「付与株式数」といいます。)は100株とします。ただし、下記(注)1.①の定めにより付与株式数の調整を受けることがあります。)
新株予約権の行使時の払込金額	本新株予約権1個の行使に際して出資される財産の価額は、本新株予約権の行使により交付を受けることができる株式1株あたり払込金額(以下「行使価額」といいます。)に付与株式数を乗じた金額とします。 行使価額は、本新株予約権の割当日の属する月の前月の各日(取引が成立しない日を除きます。)の東京証券取引所における当社普通株式の普通取引の終値(気配表示を含みます。)の平均値に1.05を乗じた金額(1円未満の端数は切り上げます。)又は割当日の終値(取引が成立しない場合はそれに先立つ直近日の終値)のいずれか高い金額とします。 なお、下記(注)1.②の定めにより行使価額の調整を受けることがあります。
新株予約権の行使により株式を発行する場合の株式の発行価額の総額	金148,068,000円 本新株予約権の行使により株式を発行する場合の株式の発行価額の総額は、本有価証券届出書提出時の見込額であります。
新株予約権の行使により株式を発行する場合の株式の発行価格及び資本組入額	1．新株予約権の行使により株式を発行する場合の株式の発行価格 　本新株予約権の行使により発行する当社普通株式1株の発行価格は行使価額と同額とします。 2．新株予約権の行使により株式を発行する場合の資本組入額 　① 本新株予約権の行使により株式を発行する場合において増加する資本金の額は、会社計算規則第17条第1項に従い計算される資本金等増加限度額の2分の1に相当する額とします。ただし、1円未満の端数が生じる場合、その端数を切り上げるものとし、本新

	株予約権の行使に応じて行う株式の交付にかかる費用の額として資本金等増加限度額から減ずるべき額は,0円とします。 ② 本新株予約権の行使により株式を発行する場合における増加する資本準備金の額は,資本金等増加限度額から上記①に定める増加する資本金の額を控除した額とします。
新株予約権の行使期間	2026年3月26日から2031年3月25日までの期間とします。
新株予約権の行使請求の受付場所,取次場所及び払込取扱場所	1.行使請求受付場所 　クックパッド株式会社　法務・コーポレート戦略部 2.取次場所 　該当事項はありません。 3.払込取扱場所 　株式会社三菱UFJ銀行　青山通支店 　東京都港区南青山一丁目1番1号
新株予約権の行使の条件	① 本新株予約権を保有する新株予約権者(以下「本新株予約権者」といいます。)は,権利行使時においても,当社又は当社子会社の取締役,執行役,監査役又は従業員の地位にあることを要するものとします。ただし,任期満了による退任,定年退職,死亡,転籍その他当社取締役会が正当な理由があると認めた場合にはこの限りではありません。 ② 本新株予約権者が行使期間前から休職しておらず,且つ本新株予約権者が行使期間中に死亡した場合は,死亡後1年内に限り,その相続人又は法定代理者が当社所定の手続に従い,当該本新株予約権者が付与された権利の範囲内で本新株予約権を行使できるものとします。 ③ 本新株予約権者は,本新株予約権を,別途当社と本新株予約権者が締結する割当契約に定める条件を達成した場合に限り,当該契約に定める期間の限度において行使することができるものとします。この場合において,かかる割合(注)に基づき算出される行使可能な本新株予約権の個数につき1個未満の端数が生ずる場合には,かかる端数を切り捨てた個数の本新株予約権

		についてのみ行使することができるものとします。 （注）当社と新株予約権者との間で締結する割当契約に定める割合を指しています。
	④	本新株予約権の行使によって、当社の発行済株式総数が当該時点における発行可能株式総数を超過することとなるときは、当該本新株予約権の行使を行うことはできないものとします。
	⑤	各本新株予約権1個未満の行使を行うことはできないものとします。
自己新株予約権の取得の事由及び取得の条件	①	本新株予約権の割当日から行使期間の開始日の前日までの間に、東京証券取引所における当社普通株式の普通取引の当日を含む直近の21取引日の終値（気配表示を含みます。）の平均値（終値のない日数を除きます。ただし、当該期間中に株式の分割、株式無償割当て、株式の併合又はこれに類する事由があった場合には、適切に調整されるものとします。）が一度でもその時点の行使価額の65％を下回った場合において、当社取締役会が取得する日を定めたときは、当該日が到来することをもって、当社は本新株予約権の全部を無償で取得することができるものとします。
	②	当社が吸収合併消滅会社若しくは新設合併消滅会社となる吸収合併契約若しくは新設合併契約、当社が株式交換完全子会社となる株式交換契約若しくは当社が株式移転完全子会社となる株式移転計画、又は当社が吸収分割会社となる吸収分割契約若しくは新設分割会社となる新設分割計画について株主総会の承認（株主総会の承認を要しない場合は取締役会の承認）がなされ、且つ当社が取締役会決議により本新株予約権の取得を必要と認めて一定の日を定め、当該日が到来したときは、当該日に当社は本新株予約権の全部を無償にて取得することができるものとします。
	③	当社の発行する全部の株式の内容として譲渡による当該株式の取得について当社の承認を要することについての定めを設ける定款の変更承認の議案が可決された場合には、当社取締役会が別途定める日に、当社は本新株予約権の全部を無償にて取得することができるものとします。

		④ 本新株予約権の目的である株式の内容として譲渡による当該株式の取得について当社の承認を要すること又は当該種類の株式について当社が株主総会の決議によってその全部を取得することについての定めを設ける定款の変更承認の議案が可決された場合には，当社取締役会が別途定める日に，当社は本新株予約権の全部を無償にて取得することができるものとします。
新株予約権の譲渡に関する事項	本新株予約権の譲渡による取得については，当社取締役会の承認を要するものとします。	
代用払込みに関する事項	該当事項はありません。	
組織再編成行為に伴う新株予約権の交付に関する事項	当社が，合併（当社が消滅会社となる合併に限ります。），株式交換又は株式移転（以上を総称して「組織再編行為」といいます。）をする場合であって，且つ当該組織再編行為にかかる契約又は計画において，会社法第236条第1項第8号のイ・ニ・ホに掲げる株式会社（以下「再編対象会社」といいます。）の新株予約権を以下の条件に基づきそれぞれに交付する旨を定めた場合に限り，組織再編行為の効力発生日（新設型再編においては設立登記申請日。以下同じ。）の直前において残存する新株予約権者に対し，当該新株予約権の消滅と引き換えに，再編対象会社の新株予約権を以下の条件に基づきそれぞれ交付するものとします。 ① 交付する再編対象会社の新株予約権の数 　残存する本新株予約権の本新株予約権者が保有する本新株予約権の数と同一の数をそれぞれ交付するものとします。 ② 新株予約権の目的である株式の種類及び数又は算定方法 　再編対象会社の新株予約権の目的である株式の種類は，再編対象会社の普通株式とします。再編対象会社の新株予約権の目的である株式の数は，組織再編行為の効力発生日の前日における本新株予約権の目的である株式の数に合併比率又は株式交換若しくは株式移転比率を乗じた数に必要な調整を行った数とし，組織再編の効力発生日後は下記（注）1.①に準じて調整します。 ③ 新株予約権の行使に際して出資される金額又は算定方	

法
組織再編行為の効力発生日の前日における本新株予約権の行使価額に，必要な調整を行った額とし，組織再編の効力発生日後は下記（注）1.②に準じて調整します。

④ 新株予約権を行使することができる期間
本新株予約権を行使することができる期間の初日と組織再編行為の効力発生日のうちいずれか遅い日から，本新株予約権を行使することができる期間の満了日までとします。

⑤ 新株予約権の行使の条件
上記「新株予約権の行使の条件」に準じて決定するものとします。

⑥ 新株予約権の行使により株式を発行する場合における増加する資本金及び資本準備金に関する事項
上記「新株予約権の行使により株式を発行する場合の株式の発行価格及び資本組入額」に準じて決定するものとします。

⑦ 新株予約権の譲渡による取得の制限
再編対象会社の新株予約権の譲渡による取得については，再編対象会社の承認を要するものとします。

⑧ 再編対象会社による新株予約権の取得事由
上記「自己新株予約権の取得の事由及び取得の条件」に準じて決定します。

（注）1．新株予約権の目的となる株式の数及び行使価額の調整
　① 付与株式数の調整
　　　当社が株式分割又は株式併合を行う場合，次の算式により目的となる株式の数を調整するものとします。ただし，かかる調整は，本新株予約権のうち，当該時点で権利行使されていない本新株予約権の目的となる株式の数について行われ，調整の結果1株未満の端数が生じた場合は，これを切り捨てるものとします。
　　調整後株式数＝調整前株式数×分割・併合の比率
　　　また，上記のほか，本新株予約権の割当日後，株式数の調整を必要とするやむを得ない事由が生じたときは，合理的な範囲で必要と認められる株式数の調整を行うものとします。
　② 行使価額の調整

第Ⅱ編 第1章 ストック・オプション

本新株予約権の割当日の後,当社が当社普通株式につき,株式分割又は株式併合を行う場合,行使価額を次に定める算式により調整し,調整の結果生じる1円未満の端数は,これを切り上げるものとします。

$$調整後行使価額 = 調整前行使価額 \times \frac{1}{分割・併合の比率}$$

本新株予約権の目的となる株式の時価総額及び行使価額の総額は,当該調整の前後において実質的に同一となるものとします。
　上記のほか,割当日後,行使価額の調整を必要とするやむを得ない事由が生じたときは,合理的な範囲で必要と認められる行使価額の調整を行うものとします。
2．新株予約権行使の効力の発生
　本新株予約権行使の効力は,当社所定の様式による新株予約権行使請求書が行使請求の受付場所に到着し,かつ払込金が指定口座に入金されたときに生じるものとします。

(3)【新株予約権証券の引受け】
　該当事項はありません。

2【新規発行による手取金の使途】
(1)【新規発行による手取金の額】

払込金額の総額（円）	発行諸費用の概算額（円）	差引手取概算額（円）
148,068,000（注）1．	910,000（注）2．	147,158,000

(注) 1．払込金額の総額は,本新株予約権の払込金額の総額に本新株予約権の行使に際して出資される財産の価額の合計額を合算した金額であり,本有価証券届出書提出時の見込額を記載しております。
　　 2．発行諸費用の概算額は,有価証券届出書作成費用,外部弁護士費用及び変更登記費用等の合計額であり,消費税等は含まれておりません。
　　 3．本新株予約権の権利行使期間内に行使が行われない場合,本新株予約権者がその権利を喪失した場合及び当社が取得した本新株予約権を消却した場合には,払込金額の総額並びに差引手取概算額は減少いたします。

(2)【手取金の使途】
　当社の執行役及び従業員並びに当社子会社の取締役及び従業員の業績向

上に対する意欲や士気を高めるとともに、優秀な人材の確保をすることを目的とするものであり、資金調達を目的としておりません。したがって、本新株予約権は無償で発行するものであり、新規発行による手取金は発生いたしません。

　また、本新株予約権の行使による資金の払込みは、本新株予約権の割当てを受けた者の判断によるため、現時点でその金額及び時期を資金計画に織り込むことは困難であります。

　したがって、手取金は、運転資金等に充当する予定ではありますが、具体的な使途については、本新株予約権の行使による払込みのなされた時点の状況に応じて決定いたします。

＜後略＞

（有価証券届出書の訂正届出書）

【表紙】	
【提出書類】	有価証券届出書の訂正届出書
【提出先】	関東財務局長
【提出日】	2021年5月7日
【会社名】	クックパッド株式会社
【英訳名】	Cookpad Inc.
【代表者の役職氏名】	代表執行役　　○
【本店の所在の場所】	神奈川県横浜市西区みなとみらい三丁目7番1号 WeWork オーシャンゲートみなとみらい (2021年5月1日付けで本店所在地　東京都渋谷区恵比寿四丁目20番3号が上記のように移転しております。)
【電話番号】	○ (2021年5月1日付けで本店移転に伴い電話番号を変更しております。)
【事務連絡者氏名】	執行役　　○
【最寄りの連絡場所】	神奈川県横浜市西区みなとみらい三丁目7番1号 WeWork オーシャンゲートみなとみらい
【電話番号】	○
【事務連絡者氏名】	執行役　　○
【届出の対象とした募集有価証券の種類】	新株予約権証券
【届出の対象とした募集金額】	その他の者に対する割当

第Ⅱ編　第1章　ストック・オプション

	（発行価額の総額）	0円
	（新株予約権の払込金額の総額に新株予約権の行使に際して出資される財産の価額の合計額を合算した金額）	144,976,000円
	（注）1．本募集は2021年3月23日開催の当社定時株主総会の決議，2021年3月23日開催の当社報酬委員会の決議及び2021年3月25日付の当社取締役会の決議に基づき，ストックオプション付与を目的として，新株予約権を発行するものであります。	
	2．募集金額はストックオプション付与を目的として発行することから無償で発行するものといたします。	
	3．新株予約権の権利行使期間内に行使が行われない場合，新株予約権者がその権利を喪失した場合及び当社が取得した新株予約権を消却した場合には，新株予約権の払込金額の総額に新株予約権の行使に際して出資される財産の価額の合計額を合算した金額は減少いたします。	
【安定操作に関する事項】	該当事項はありません。	
【縦覧に供する場所】	株式会社東京証券取引所	
	（東京都中央区日本橋兜町2番1号）	

1　【有価証券届出書の訂正届出書の提出理由】
　2021年3月25日付で提出した有価証券届出書の記載事項のうち，同年5月7日に「発行数」，「新株予約権の目的となる株式の数」，「新株予約権の行使時の払込金額」，「新株予約権の行使により株式を発行する場合の株式の発行価額の総額」，「新株予約権の行使により株式を発行する場合の株式の発行価格及び資本組入額」及び「新規発行による手取金の額」が確定しましたので，これらに関連する事項を訂正するため，有価証券届出書の訂正届出書を提出するものであります。

2　【訂正事項】
　　第1　募集要項

1 新規発行新株予約権証券
 (1) 募集の条件
    発行数の欄
    欄外注記
 (2) 新株予約権の内容等
    新株予約権の目的となる株式の数の欄
    新株予約権の行使時の払込金額の欄
    新株予約権の行使により株式を発行する場合の株式の発行価額の総額の欄
    新株予約権の行使により株式を発行する場合の株式の発行価格及び資本組入額の欄
2 新規発行による手取金の使途
 (1) 新規発行による手取金の額

3 【訂正箇所】
   訂正箇所は＿＿を付して表示しております。

第一部 【証券情報】

第1 【募集要項】

1 【新規発行新株予約権証券】
 (1) 【募集の条件】
   新株予約権の発行数の欄
   (訂正前)

発行数	4,570 個
	(注) 上記発行数は上限の発行数を示したものであり，申込数等により割り当てる新株予約権の数が減少することがあります。

   (訂正後)

発行数	4,420 個

   欄外注記
   (訂正前)

第Ⅱ編 第1章 ストック・オプション

(注) 1. 本新株予約権証券(以下「本新株予約権」といいます。)については，2021年3月23日開催の当社定時株主総会の決議，2021年3月23日開催の当社報酬委員会の決議及び2021年3月25日付の当社取締役会の決議においてその発行の決議をしております。
2. 申込みの方法
申込方法は，申込期間内に申込取扱場所に申込書を提出することといたします。
3. 本新株予約権の募集はストックオプション付与を目的として行うものであり，当社の執行役及び従業員並びに当社子会社の取締役及び従業員に対して行うものであります。
4. 本新株予約権の割当ての対象となる人数及び内訳は，以下のとおりであります。

割当対象者	人数	割当新株予約権数
当社の執行役	8名	1,550個
当社の従業員	38名	1,500個
当社子会社の取締役	10名	520個
当社子会社の従業員	11名	1,000個
合計	67名	4,570個

(注) 今回の募集は，当社の執行役及び従業員並びに当社子会社の取締役及び従業員の業績向上に対する意欲や士気を高めるとともに，優秀な人材の確保をすることを目的とするものであります。
5. 当社子会社には，当社完全子会社又は当社完全孫会社ではないものが含まれます。

(訂正後)
(注) 1. 本新株予約権証券(以下「本新株予約権」といいます。)については，2021年3月23日開催の当社定時株主総会の決議，2021年3月23日開催の当社報酬委員会の決議及び2021年3月25日付の当社取締役会の決議においてその発行の決議をしております。
2. 申込みの方法
申込方法は，申込期間内に申込取扱場所に申込書を提出することといたします。
3. 本新株予約権の募集はストックオプション付与を目的として行うものであり，当社の執行役及び従業員並びに当社子会社の取締役及び従業

員に対して行うものであります。
4．本新株予約権の割当ての対象となる人数及び内訳は，以下のとおりであります。

割当対象者	人数	割当新株予約権数
当社の執行役	8名	1,550個
当社の従業員	35名	1,350個
当社子会社の取締役	10名	520個
当社子会社の従業員	11名	1,000個
合計	64名	4,420個

（注）今回の募集は，当社の執行役及び従業員並びに当社子会社の取締役及び従業員の業績向上に対する意欲や士気を高めるとともに，優秀な人材の確保をすることを目的とするものであります。

5．当社子会社には，当社完全子会社又は当社完全孫会社ではないものが含まれます。

(2)【新株予約権の内容等】
新株予約権の目的となる株式の数の欄
（訂正前）

新株予約権の目的となる株式の数	457,000株 （本新株予約権1個につき目的となる株式の数（以下「付与株式数」といいます。）は100株とします。ただし，下記（注）1．①の定めにより付与株式数の調整を受けることがあります。）

（訂正後）

新株予約権の目的となる株式の数	442,000株 （本新株予約権1個につき目的となる株式の数（以下「付与株式数」といいます。）は100株とします。ただし，下記（注）1．①の定めにより付与株式数の調整を受けることがあります。）

新株予約権の行使時の払込金額の欄
（訂正前）

第Ⅱ編　第1章　ストック・オプション

新株予約権の行使時の払込金額	本新株予約権1個の行使に際して出資される財産の価額は，本新株予約権の行使により交付を受けることができる株式1株あたり払込金額（以下「行使価額」といいます。）に付与株式数を乗じた金額とします。 行使価額は，本新株予約権の割当日の属する月の前月の各日（取引が成立しない日を除きます。）の東京証券取引所における当社普通株式の普通取引の終値（気配表示を含みます。）の平均値に1.05を乗じた金額（1円未満の端数は切り上げます。）又は割当日の終値（取引が成立しない場合はそれに先立つ直近日の終値）のいずれか高い金額とします。なお，下記（注）1.②の定めにより行使価額の調整を受けることがあります。

（訂正後）

新株予約権の行使時の払込金額	本新株予約権1個の行使に際して出資される財産の価額は，本新株予約権の行使により交付を受けることができる株式1株あたり払込金額（以下「行使価額」といいます。）に付与株式数を乗じた金額とします。 行使価額は，328円とします。なお，下記（注）1.②の定めにより行使価額の調整を受けることがあります。

　新株予約権の行使により株式を発行する場合の株式の発行価額の総額の欄
（訂正前）

新株予約権の行使により株式を発行する場合の株式の発行価額の総額	金148,068,000円 本新株予約権の行使により株式を発行する場合の株式の発行価額の総額は，本有価証券届出書提出時の見込額であります。

（訂正後）

新株予約権の行使により株式を発行する場合の株式の発行価額の総額	金144,976,000円

新株予約権の行使により株式を発行する場合の株式の発行価格及び資本組入額の欄
(訂正前)

新株予約権の行使により株式を発行する場合の株式の発行価格及び資本組入額	1. 新株予約権の行使により株式を発行する場合の株式の発行価格 　本新株予約権の行使により発行する当社普通株式1株の発行価格は<u>行使価額と同額</u>とします。 2. 新株予約権の行使により株式を発行する場合の資本組入額 　① 本新株予約権の行使により株式を発行する場合において増加する資本金の額は，会社計算規則第17条第1項に従い計算される資本金等増加限度額の2分の1に相当する額とします。ただし，1円未満の端数が生じる場合，その端数を切り上げるものとし，本新株予約権の行使に応じて行う株式の交付にかかる費用の額として資本金等増加限度額から減ずるべき額は，0円とします。 　② 本新株予約権の行使により株式を発行する場合における増加する資本準備金の額は，資本金等増加限度額から上記①に定める増加する資本金の額を控除した額とします。

(訂正後)

新株予約権の行使により株式を発行する場合の株式の発行価格及び資本組入額	1. 新株予約権の行使により株式を発行する場合の株式の発行価格 　本新株予約権の行使により発行する当社普通株式1株の発行価格は<u>328円</u>とします。 2. 新株予約権の行使により株式を発行する場合の資本組入額 　① 本新株予約権の行使により株式を発行する場合において増加する資本金の額は，会社計算規則第17条第1項に従い計算される資本金等増加限度額の2分の1に相当する額とします。ただし，1円未満の端数が生じる場合，その端数を切り上げるものとし，本新株予約権の行使に応じて行う株式の交付にかかる費用の額として資本金等増加限度額から減ずるべき額は，0円とします。

第Ⅱ編　第1章　ストック・オプション

| | ② 本新株予約権の行使により株式を発行する場合における増加する資本準備金の額は，資本金等増加限度額から上記①に定める増加する資本金の額を控除した額とします。 |

2 【新規発行による手取金の使途】
　(1) 【新規発行による手取金の額】

（訂正前）

払込金額の総額（円）	発行諸費用の概算額（円）	差引手取概算額（円）
<u>148,068,000</u>（注）1.	910,000（注）2.	<u>147,158,000</u>

（注）1. 払込金額の総額は，本新株予約権の払込金額の総額に本新株予約権の行使に際して出資される財産の価額の合計額を合算した金額であり，<u>本有価証券届出書提出時の見込額を記載しております。</u>

＜後略＞

（訂正後）

払込金額の総額（円）	発行諸費用の概算額（円）	差引手取概算額（円）
<u>144,976,000</u>（注）1.	910,000（注）2.	<u>144,066,000</u>

（注）1. 払込金額の総額は，本新株予約権の払込金額の総額に本新株予約権の行使に際して出資される財産の価額の合計額を合算した金額であります。

＜後略＞

図表1－17　　　　　　　　　臨時報告書の実例

（臨時報告書）

【表紙】	
【提出書類】	臨時報告書
【提出先】	関東財務局長
【提出日】	2021年7月8日
【会社名】	久光製薬株式会社

【英訳名】	HISAMITSU PHARMACEUTICAL CO., INC.
【代表者の役職氏名】	代表取締役社長　○
【本店の所在の場所】	佐賀県鳥栖市田代大官町408番地
【電話番号】	○
【事務連絡者氏名】	財務部長　○
【最寄りの連絡場所】	東京都千代田区丸の内二丁目4番1号
【電話番号】	○
【事務連絡者氏名】	常務取締役執行役員広報・IR担当　○
【縦覧に供する場所】	久光製薬株式会社東京本社
	（東京都千代田区丸の内二丁目4番1号）
	久光製薬株式会社大阪支店
	（大阪市中央区南船場一丁目11番12号）
	久光製薬株式会社名古屋支店
	（名古屋市千種区仲田二丁目7番11号）
	久光製薬株式会社福岡支店
	（福岡市博多区東那珂二丁目2番10号）
	株式会社東京証券取引所
	（東京都中央区日本橋兜町2番1号）
	株式会社名古屋証券取引所
	（名古屋市中区栄三丁目8番20号）
	証券会員制法人福岡証券取引所
	（福岡市中央区天神二丁目14番2号）

1　【提出理由】
　当社は，会社法第236条，第238条及び第240条の規定に基づき，2021年7月8日開催の当社取締役会において，2021年7月26日に新株予約権の割当てを行うことを決議いたしましたので，金融商品取引法第24条の5第4項並びに企業内容等の開示に関する内閣府令第19条第1項及び第2項第2号の2の規定に基づき提出するものです。

2　【報告内容】
　1．銘柄
　　久光製薬株式会社第7回新株予約権
　2．発行数
　　88個
　3．発行価格
　　　各新株予約権の払込金額は，次式のブラック・ショールズ・モデルにより以下の(2)から(7)の基礎数値に基づき算定した1株当たりのオプショ

第Ⅱ編　第1章　ストック・オプション

ン価格（1円未満の端数は四捨五入）に付与株式数を乗じた金額とする。
$$C = Se^{-qT}N(d) - Xe^{-rT}N(d-\sigma\sqrt{T})$$
ここで，
$$d = \frac{\ln\left(\frac{S}{X}\right) + \left(r - q + \frac{\sigma^2}{2}\right)T}{\sigma\sqrt{T}}$$

(1) 1株当たりのオプション価格（C）
(2) 株価（S）：令和3年7月26日の東京証券取引所における当社普通株式の普通取引の終値（終値がない場合は，翌取引日の基準値段）
(3) 行使価格（X）：1円
(4) 予想残存期間（T）：10年
(5) 株価変動性（σ）：10年間（平成23年7月26日から令和3年7月26日まで）の各取引日における当社普通株式の普通取引の終値に基づき算出した株価変動率
(6) 無リスクの利子率（r）：残存年数が予想残存期間に対応する国債の利子率
(7) 配当利回り（q）：1株当たりの配当金（令和3年2月期の実績配当金）÷上記(2)に定める株価
(8) 標準正規分布の累積分布関数（N（・））

4．発行価額の総額
　　未定

5．新株予約権の目的となる株式の種類，内容及び数
　　当社普通株式 8,800株
　　当社普通株式は，完全議決権株式であり，権利内容に何ら限定のない当社における標準となる株式です。なお，単元株式数は100株です。
　　新株予約権の目的である株式の種類は当社普通株式とし，各新株予約権の目的である株式の数（以下，「付与株式数」という）は100株とする。
　　ただし，下記14.に定める新株予約権を割り当てる日（以下，「割当日」という）以降，当社が当社普通株式の株式分割（当社普通株式の株式無償割当てを含む。以下，株式分割の記載につき同じ）又は株式併合を行う場合には，次の算式により付与株式数の調整を行い，調整の結果生じる1株未満の端数は，これを切り捨てる。

　　　　調整後付与株式数＝調整前付与株式数×株式分割又は株式併合の比率

　　調整後付与株式数は，株式分割の場合は，当該株式分割の基準日の翌日（基準日を定めないときはその効力発生日）以降，株式併合の場合は，その効力発生日以降，これを適用する。ただし，剰余金の額を減少して資本金又は準備金を増加する議案が当社株主総会において承認されることを条件

として株式分割が行われる場合で，当該株主総会の終結の日以前の日を株式分割のための基準日とする場合は，調整後付与株式数は，当該株主総会の終結の日の翌日以降，当該基準日の翌日に遡及してこれを適用する。

　また，割当日以降，当社が合併又は会社分割を行う場合その他これらの場合に準じて付与株式数の調整を必要とする場合には，当社は，合理的な範囲で付与株式数を適切に調整することができる。

　付与株式数の調整を行うときは，当社は調整後付与株式数を適用する日の前日までに，必要な事項を新株予約権原簿に記載された各新株予約権を保有する者（以下，「新株予約権者」という）に通知又は公告する。ただし，当該適用の日の前日までに通知又は公告を行うことができない場合には，以後速やかに通知又は公告する

6．新株予約権の行使に際して払い込むべき金額

　各新株予約権の行使に際して出資される財産の価額は，当該各新株予約権を行使することにより交付を受けることができる株式1株当たりの払込金額（以下，「行使価額」という）を1円とし，これに付与株式数を乗じた金額とする。

7．新株予約権の行使期間

　令和3年7月27日から令和53年7月26日まで

8．新株予約権の行使の条件

(1) 新株予約権者は，当社の取締役の地位を喪失した日の翌日以降，当該喪失した地位に基づき割当てを受けた新株予約権を行使することができる。

(2) 新株予約権者が死亡した場合には，当該新株予約権者の保有する新株予約権全部が，相続人のうち，配偶者，子，父母又は兄弟姉妹のうちの1人に相続される場合に限り（以下，当該相続人を「承継者」という），承継者は新株予約権を行使することができる。

(3) 新株予約権者が新株予約権を放棄した場合，当該新株予約権を行使することができない。

(4) 新株予約権者は，割当てを受けた新株予約権（その一部を放棄した場合には放棄後に残存する新株予約権）のすべてを一括して行使しなければならない。

9．新株予約権の行使により株券を発行する場合の当該株券の発行価格のうちの資本組入額

(1) 新株予約権の行使により株式を発行する場合における増加する資本金の額は，会社計算規則第17条第1項に従い算出される資本金等増加限度額の2分の1の金額とし，計算の結果生じる1円未満の端数は，これを切り上げる。

(2) 新株予約権の行使により株式を発行する場合における増加する資本準備金の額は，上記(1)記載の資本金等増加限度額から上記(1)に定める増加する資本金の額を減じた額とする。
10. 新株予約権の譲渡に関する事項
譲渡による新株予約権の取得については，当社取締役会の決議による承認を要する。
11. 当該取得の申込みの勧誘の相手方の人数及びその内訳
当社の取締役6名に割り当てる。
12. 勧誘の相手方が提出会社に関係する会社として企業内容等の開示に関する内閣府令第2条第2項に規定する会社の取締役，会計参与，執行役，監査役又は使用人である場合には，当該会社と提出会社との間の関係
該当なし。
13. 勧誘の相手方と提出会社との間の取決めの内容
新株予約権者は，新株予約権の全部又は一部について第三者に対して譲渡，質権の設定，譲渡担保権の設定，生前贈与，遺贈その他一切の処分行為をすることができない。
14. 新株予約権を割り当てる日
令和3年7月26日
15. 新株予約権と引換えにする金銭の払込みの期日
令和3年7月26日
16. 新株予約権の取得条項
新株予約権の取得条項は定めない。
17. 組織再編における再編対象会社の新株予約権の交付の内容に関する決定方針
当社が，合併（当社が合併により消滅する場合に限る），吸収分割若しくは新設分割（それぞれ当社が分割会社となる場合に限る）又は株式交換若しくは株式移転（それぞれ当社が完全子会社となる場合に限る）（以上を総称して以下，「組織再編行為」という）をする場合には，組織再編行為の効力発生日（吸収合併につき吸収合併がその効力を生ずる日，新設合併につき新設合併設立株式会社の成立の日，吸収分割につき吸収分割がその効力を生ずる日，新設分割につき新設分割設立株式会社の成立の日，株式交換につき株式交換がその効力を生ずる日及び株式移転につき株式移転設立完全親会社の成立の日をいう。以下同じ）の直前において残存する新株予約権（以下，「残存新株予約権」という）を保有する新株予約権者に対し，それぞれの場合につき，会社法第236条第1項第8号イからホまでに掲げる株式会社（以下，「再編対象会社」という）の新株予約権をそれぞれ交付することとする。ただし，以下の各号に沿って再編対象会社の新株予約権を

交付する旨を，吸収合併契約，新設合併契約，吸収分割契約，新設分割計画，株式交換契約又は株式移転計画において定めることを条件とする。
　(1)　交付する再編対象会社の新株予約権の数
　　　新株予約権者が保有する残存新株予約権の数と同一の数をそれぞれ交付する。
　(2)　新株予約権の目的である再編対象会社の株式の種類
　　　再編対象会社の普通株式とする。
　(3)　新株予約権の目的である再編対象会社の株式の数
　　　組織再編行為の条件等を勘案の上，上記5.に準じて決定する。
　(4)　新株予約権の行使に際して出資される財産の価額
　　　交付される各新株予約権の行使に際して出資される財産の価額は，以下に定められる再編後行使価額に上記(3)に従って決定される当該新株予約権の目的である再編対象会社の株式の数を乗じて得られる金額とする。再編後行使価額は，交付される各新株予約権を行使することにより交付を受けることができる再編対象会社の株式1株当たり1円とする。
　(5)　新株予約権を行使することができる期間
　　　上記7.に定める新株予約権の行使期間の開始日と組織再編行為の効力発生日のうちいずれか遅い日から，上記7.に定める新株予約権の行使期間の満了日までとする。
　(6)　新株予約権の行使により株式を発行する場合における増加する資本金及び資本準備金に関する事項上記9.に準じて決定する。
　(7)　譲渡による新株予約権の取得の制限
　　　譲渡による新株予約権の取得については，再編対象会社の取締役会（再編対象会社が取締役会設置会社でない場合には，「株主総会」とする）の決議による承認を要する。
　(8)　新株予約権の取得条項
　　　上記16.に準じて決定する。
　(9)　その他の新株予約権の行使の条件
　　　上記8.に準じて決定する。
18.　新株予約権を行使した際に生じる1株に満たない端数の取決め
　　新株予約権を行使した新株予約権者に交付する株式の数に1株に満たない端数がある場合には，これを切り捨てる。

（臨時報告書の訂正報告書）

【表紙】

第Ⅱ編　第１章　ストック・オプション

【提出書類】	臨時報告書の訂正報告書
【提出先】	関東財務局長
【提出日】	2021年7月27日
【会社名】	久光製薬株式会社
【英訳名】	HISAMITSU PHARMACEUTICAL CO., INC.
【代表者の役職氏名】	代表取締役社長　○
【本店の所在の場所】	佐賀県鳥栖市田代大官町408番地
【電話番号】	○
【事務連絡者氏名】	財務部長　○
【最寄りの連絡場所】	東京都千代田区丸の内二丁目4番1号
【電話番号】	○
【事務連絡者氏名】	常務取締役執行役員広報・IR担当　○
【縦覧に供する場所】	久光製薬株式会社東京本社
	（東京都千代田区丸の内二丁目4番1号）
	久光製薬株式会社大阪支店
	（大阪市中央区南船場一丁目11番12号）
	久光製薬株式会社名古屋支店
	（名古屋市千種区仲田二丁目7番11号）
	久光製薬株式会社福岡支店
	（福岡市博多区東那珂二丁目2番10号）
	株式会社東京証券取引所
	（東京都中央区日本橋兜町2番1号）
	株式会社名古屋証券取引所
	（名古屋市中区栄三丁目8番20号）
	証券会員制法人福岡証券取引所
	（福岡市中央区天神二丁目14番2号）

1　【臨時報告書の訂正報告書の提出理由】
　2021年7月8日付で金融商品取引法第24条の5第4項並びに企業内容等の開示に関する内閣府令第19条第1項及び第2項第2号の2の規定に基づき提出した新株予約権の発行に関する臨時報告書の記載事項のうち,「発行価格」,「発行価額の総額」が2021年7月26日に確定しましたので,金融商品取引法第24条の5第5項の規定に基づき,臨時報告書の訂正報告書を提出します。
2　【訂正事項】
　　2　報告内容
　　　3．発行価格
　　　4．発行価額の総額

3 【訂正箇所】
　訂正箇所は＿＿を付して表示しております。

３．発行価格
（訂正前）
　各新株予約権の払込金額は，次式のブラック・ショールズ・モデルにより以下の(2)から(7)の基礎数値に基づき算定した１株当たりのオプション価格（１円未満の端数は四捨五入）に付与株式数を乗じた金額とする。
$$C = Se^{-qT}N(d) - Xe^{-rT}N(d - \sigma\sqrt{T})$$
ここで，
$$d = \frac{\ln\left(\frac{S}{X}\right) + \left(r - q + \frac{\sigma^2}{2}\right)T}{\sigma\sqrt{T}}$$

(1) １株当たりのオプション価格（C）
(2) 株価（S）：令和３年７月26日の東京証券取引所における当社普通株式の普通取引の終値（終値がない場合は，翌取引日の基準値段）
(3) 行使価格（X）：１円
(4) 予想残存期間（T）：10年
(5) 株価変動性（σ）：10年間（平成23年７月26日から令和３年７月26日まで）の各取引日における当社普通株式の普通取引の終値に基づき算出した株価変動率
(6) 無リスクの利子率（r）：残存年数が予想残存期間に対応する国債の利子率
(7) 配当利回り（q）：１株当たりの配当金（令和３年２月期の実績配当金）÷上記(2)に定める株価
(8) 標準正規分布の累積分布関数（N（・））

（訂正後）
　新株予約権１個当たり436,800円（１株当たり4,368円）

4．発行価額の総額
（訂正前）
　未定

（訂正後）
　38,447,200円

(b) 有価証券届出書および臨時報告書の提出義務の判定等

前述のとおり，有価証券届出書の提出義務を負うのは，(A)新株予約権の「募集」に該当する場合で，(B)(a)「募集」の相手方が有価証券届出書の記載事項に関する情報をすでに取得し，または容易に取得することができる場合として政令で定める場合に該当せず，かつ(b)当該新株予約権の発行価額（払込金額）の総額に当該新株予約権の行使価額の合計額を合算した金額が１億円以上[50]となる場合である。以下では，これらの要件を順に整理する。

なお，有価証券届出書，臨時報告書および有価証券通知書の提出の要否を先にまとめると，以下の**図表１−18**のとおりである。

図表１−18　有価証券届出書，臨時報告書および有価証券通知書の提出の要否一覧

(A)「募集」に該当するか	(B)(a)「募集」の相手方が有価証券届出書の記載事項に関する情報をすでに取得し，または容易に取得することができる場合として政令で定める場合に該当するか	(B)(b)新株予約権の払込金額の総額に当該新株予約権の行使価額の合計額を合算した金額が１億円以上となるか[51]	有価証券届出書，臨時報告書，有価証券通知書の提出の要否
○	×	○	有価証券届出書の提出が必要
○	×	×	新株予約権の発行価額（払込金額）の総額が，1,000万円から当該新株予約権の行使価額の

---

[50] ただし，厳密には，開示府令２条５項２号以下に定められている通算規定等を踏まえての判断となることは前掲注（46）のとおりである。

[51] 前掲注（46）に同じ。また，臨時報告書について，取締役の報酬等として新株予約権を無償発行する場合で，かつ，新株予約権の行使時に金銭の払込みを要しないこととする場合の当該新株予約権の発行価額（払込金額）が，当該新株予約権の公正な評価額と解されることは前掲注（47）のとおりである。

			合計額を控除した金額超となる場合には,有価証券通知書の提出が必要
○	○	○	臨時報告書の提出が必要
○	○	×	不要
×	− (そもそも募集に該当しない)	○	臨時報告書の提出が必要
×	− (そもそも募集に該当しない)	×	不要

(i) 新株予約権の「募集」に該当するか否かの判定

　ストック・オプション目的で新株予約権を発行する場合,(いわゆるプロ私募(金商2条3項2号イ)や特定投資家向けの私募(同号ロ)に該当するとは考えられないため)いわゆる少人数私募(金商2条3項1号・2号ハ)に該当しない限り,新株予約権の「募集」に該当することになる。そして,少人数私募に該当するためには,ストック・オプション目的の新株予約権の発行会社が金融商品取引法24条1項各号(有価証券報告書提出義務の発生事由)のいずれかに該当する株式等(当該新株予約権の目的となる種類の株式に限る)を発行したことがなく,かつ,勧誘対象者の人数が50名以下でなければならない(金商2条3項1号・2号ハ,金商令1条の5・1条の7第1号・2号ロ)。したがって新株予約権の目的となる種類の株式について有価証券報告書提出義務の発生事由のいずれかに該当したことがある場合(上場会社の普通株式は通常これに該当する)については,当該種類の株式を目的とするストック・オプション目的の新株予約権の発行は常に金融商品取引法上の「募集」に該当することになる。

第Ⅱ編　第1章　ストック・オプション

(ii) 「募集」の相手方が有価証券届出書の記載事項に関する情報をすでに取得し，または容易に取得することができる場合として政令で定める場合に該当するか否かの判定

上記(i)の判定により，「募集」に該当するとしても，「募集」の相手方が有価証券届出書の記載事項に関する情報をすでに取得し，または容易に取得することができる場合として政令で定める場合に該当する場合には，有価証券届出書の提出義務は負わないこととなる。具体的には，新株予約権（会社法236条1項6号の譲渡制限が付されているものに限る）を発行するに際し，当該発行会社，直接完全子会社および直接・間接完全孫会社[52]の取締役，会計参与，監査役，執行役または使用人[53]の・み・を相手方として勧誘を行う場合は，有価証券届出書の提出義務は負わないこととなる（金商4条1項1号，金商令2条の12第2号，開令2条2項・3項）。他方，発行会社が発行会社，直接完全子会社および直接・間接完全孫会社の取締役，会計参与，監査役，執行役および使用人以外の者を含めた者を対象として新株予約権を発行する場合には，上記の例外に該当せず，有価証券届出書の提出義務は免除されない（開令ガ4－2）。

---

[52] いわゆるひ孫会社はこれに含まれないと解される（金融商品取引法制に関する政令案・内閣府令案等に対するパブリック・コメントの結果に係る平成23年4月6日付け金融庁「コメントの概要及びコメントに対する金融庁の考え方」7頁18番～23番参照）。

[53] なお，ここでいう「使用人」（金商令2条の12第2号・1号）については，金融商品取引法施行令に定義が存在しないため，その範囲は必ずしも明確ではない。実務上は，顧問・相談役等への付与，出向受入れ従業員への付与，パート・アルバイト等への付与等が「使用人」に対する付与といえるかが問題になることもあるが，最終的には，実態に照らした個別判断とならざるをえないであろう。なお，角田禮次郎ほか共編『法令用語辞典〔第10次改訂版〕』419頁（学陽書房，2016）では，「使用人」は，「雇用関係において労務に服する者をいう。」とされている。また，別の法令における議論ではあるが，平成13年商法改正前のストック・オプションを規定した旧商法210条ノ2および280条ノ19における「使用人」という文言については，平成9年商法改正時におけるストック・オプション導入時の議論として，①相談役・顧問等については通常，雇用契約がないといった理由で否定する見解が有力かと思われるが，「使用人」に含まれると解する余地もないわけではない，②出向中従業員は「使用人」に含まれ，出向受入れ従業員も「使用人」に含まれるとの解釈を肯定する余地がないわけではない旨の見解が示されているので，1つの参考となろう（味村治監修『一問一答ストック・オプションの実務―付・利益消却特例法―』別冊商事法務204号63頁～65頁〔1998〕等参照）。

(iii) 新株予約権の発行価額（払込金額）の総額に当該新株予約権の行使価額の合計額を合算した金額が1億円未満となるか否かの判定

上記(i)および(ii)の判定により，「募集」に該当し，「募集」の相手方が有価証券届出書の記載事項に関する情報をすでに取得し，または容易に取得することができる場合として政令で定める場合に該当せず，かつ，新株予約権の発行価額（払込金額）の総額に当該新株予約権の行使価額の合計額を合算した金額が1億円以上[54]である場合には，有価証券届出書の提出義務を負うこととなる（金商4条1項5号等）。

ここでは，新株予約権の発行価額（払込金額）の総額のみではなく，行使価額の合計額も合算して1億円以上となるか否かが判定される。したがって，新株予約権を無償構成で発行する場合であっても，当該新株予約権の行使価額が1億円以上となり，有価証券届出書の提出が必要となることは十分にありうる。

また，上記(i)〜(iii)の判定により有価証券届出書の提出義務を負う場合には，当該新株予約権を取得させるに際し，（発行会社，直接完全子会社および直接・間接完全孫会社の取締役，会計参与，監査役および執行役も含めた）勧誘対象者全員に，目論見書をあらかじめまたは同時に交付する必要がある（金商15条2項）。目論見書の記載事項は，**図表1－19**を参照されたい。

図表1－19　目論見書の記載事項

	記載事項 （有価証券届出書共通部分）	記載事項 （有価証券届出書非共通部分）
完全記載方式の場合	有価証券届出書に記載すべき①「証券情報」，②「企業情報」，③「提出会社の保証会	①有価証券の募集・売出しに関し届出の効力が生じている旨，②有価証券が外国通貨又

---

[54] 前掲注（46）に同じ。なお，金商令2条の12第2号に定める新株予約権に係る募集は，いわゆる通算規定（開令2条5項2号以下）における通算対象とならないものと解される（平成19年10月2日付け金融庁「証券取引法等の一部を改正する法律の施行等に伴う関係ガイドライン（案）に対するパブリックコメントの概要及びそれに対する金融庁の考え方」3頁11番参照）。

	社等の情報」（金商13条2項1号イ(1)，開令12条1号イ）	は暗号資産をもって表示されるものである場合には，外国為替相場又は暗号資産の価値の変動により影響を受けることがある旨（金商13条2項1号イ(2)，開令13条1項1号イ・ロ）
組込方式の場合	有価証券届出書に記載すべき①「証券情報」，②「公開買付け又は株式交付に関する情報」，③「追完情報」，④「組込情報」，⑤「提出会社の保証会社等の情報」，⑥「特別情報」（金商13条2項1号イ(1)，開令12条1号ロ）	完全記載方式の場合と同じ
参照方式の場合	有価証券届出書に記載すべき①「証券情報」，②「公開買付け又は株式交付に関する情報」，③「参照情報」，④「提出会社の保証会社等の情報」，⑤「特別情報」（金商13条2項1号イ(1)，開令12条1号ハ）	完全記載方式の場合に加え，③参照方式の利用適格要件を満たしていることを示す書面，④（一定の重要な事実が生じた場合において）当該重要な事実の内容を記載した書面，⑤事業内容の概要および主要な経営指標等の推移を的確かつ簡明に記載した書面（金商13条2項1号イ(2)，開令13条1項1号ハ）

　なお，上記(i)および(ii)の判定により「募集」に該当し，かつ，「募集」の相手方が有価証券届出書の記載事項に関する情報をすでに取得し，または容易に取得することができる場合として政令で定める場合には該当しないが，上記(iii)の判定により新株予約権の発行価額（払込金額）の総額に当該新株予約権の行使価額の合計額を合算した金額が1億円未満[55]となるために有価

---

(55) 前掲注（46）に同じ。

証券届出書の提出義務は負わない場合であっても，新株予約権の発行価額（払込金額）の総額が，1,000万円から当該新株予約権の行使価額の合計額を控除した金額を超える場合には，当該募集が開始される日の前日までに，有価証券通知書の提出が必要となる（金商4条6項，開令4条5項）。なお，前述⑥の取締役会における発行決議をもって募集事項の内容が確定していることから，当該取締役会決議後に行われる適時開示（後述⑧の適時開示）は「募集」行為に該当すると解されるおそれがある点を考慮すると，当該適時開示の日の前日までに有価証券通知書を提出する必要があるように読めそうであるが，その時点では募集事項も固まっておらず有価証券通知書の記載事項を満たすことはできないと思われる。また，有価証券通知書には，上記⑥の取締役会の議事録を添付することが必要だが（開令4条2項1号ロ），当該取締役会開催前には当該議事録は準備できない。そのため，後述⑧の適時開示の日の前日までに有価証券通知書を提出することは事実上不可能であると思われる。この点，実務的には，前述⑥の取締役会決議後遅滞なく提出することで許容される運用がなされている。

> **Column** 海外子会社の役員・従業員へのストック・オプション付与に際しての金融商品取引法上の開示規制

近時においては，海外子会社の役員および従業員に対しても，本社への帰属意識の強化やインセンティブ向上を目的として，ストック・オプションを付与する例も増えている。かかる付与に際しては，付与対象者の居住または所在する国または地域における証券法規制，税制，労働法制等の観点からの検討が必要であるが，そもそも，発行会社である日本企業が，金融商品取引法に基づくいかなる開示義務の規制に服するかの検討も必須である。

この点，海外に居住または所在する付与対象者（以下，「海外付与対象者」という）に対する，「募集」が存在しないといえる場合には，有価証券届出書の提出義務は生じない（有価証券届出書の提出義務については，上述⑦(a)(i)参照）。そのため，「募集」の具体的意味の検討が必要となる。なお，実務的には，海外子会社が，発行会社の直接・間接完全子会社であれば，（理論的には当該例外規

定の適用の前提として確認が必要となる「募集」の有無を検討することなく，いわば便宜的に）有価証券届出書の提出義務の例外規定（金商４条１項１号，金商令２条の12第２号，開令２条２項・３項）に依拠するとの対応もあり得る（当該例外規定については上述⑦(b)(ii)参照）。したがって，海外付与対象者に対する「募集」の有無が問題となるのは，実務上は，海外子会社が直接・間接の完全子会社には該当しない場合が多いであろう。

　金融商品取引法上の「募集」，つまり（有価証券の）「取得の申込みの勧誘」の具体的意味については，同法は，「勧誘」の定義規定を置いていないため，もっぱら解釈に委ねられている。学説上は，一般に，「勧誘」とは「特定の有価証券についての投資家の関心を高め，その取得・買付けを促進することとなる行為」[56]をいい，幅のある概念として理解されている。また，具体的にどのような行為が，投資家の関心を高め，その取得または買付けを促進することとなる行為に該当するかについては，企業内容等開示ガイドライン４−１において，①有価証券の募集または売出しに関する文書（新株割当通知書および株式申込証を含む）を頒布すること，②株主等に対する増資説明会において口頭による説明をすること，③新聞，雑誌，立看板，テレビ，ラジオ，インターネット等により有価証券の募集または売出しに係る広告をすることが例示されているが，これらの例示も，依然として幅広い行為を対象とし得るものとなっている。

　一方，金融商品取引法は，原則として，日本の居住者である投資家を保護するものであることを踏まえれば，国外において非居住者のみを相手方として（有価証券の）取得の勧誘が行われる場合には，当該勧誘については，金融商品取引法の適用はないと考えるべきであろう[57]。このように，勧誘に該当する行為のすべてが，海外でのみ行われている場合には，かかる行為が，金融商品取引法上の「募集」としての規制に服することは原則的にはないと考えるべきである。

　もっとも，このように考える場合でも，たとえば，海外付与対象者に対し，新株予約権の引受けに必要な各種文書（たとえば割当契約書）を，日本国内から発信した場合等において，勧誘の一部が日本国内で行われているとして，依然として金融商品取引法上の「募集」に関する規制に服することとなるかは，前述の現時点での勧誘の幅広い解釈のもとでは，明確には解決できない難しい問題である。しかしながら，そもそも金融商品取引法の規制の趣旨が，前述のとおり，日本の居住者である投資家の保護にあることに鑑みれば，たとえば，新株予約権に譲渡制限が付されており（ストック・オプションとして発行され

---

(56)　神崎ほか・前掲注（19）317頁参照。
(57)　平成19年７月31日付け金融庁「コメントの概要及びコメントに対する金融庁の考え方」63頁132番，64頁133番参照。

る新株予約権には，その譲渡等に発行会社の承諾が必要との譲渡制限が付されることが通例である），日本国内の金融商品取引所等で流通する可能性が実質的にないといえる場合には，たとえ，その取得の勧誘に該当する行為の一部のみが日本で行われていたとしても，金融商品取引法の規制を及ぼす必要はないと解することが合理的であると考えられる。

なお，海外付与対象者へのストック・オプションの割当てが「募集」に該当しない場合でも，有価証券報告書の提出義務を負う発行会社においては，当該割当てに係る新株予約権の払込価額および行使価額の総額が1億円以上となる発行決議を行った場合には，臨時報告書の提出が必要となることには留意が必要である（上述⑦(a)(ii)参照）。

⑧ 適時開示（2回目）（類型Ⅰ～Ⅳ共通）

（類型Ⅰ）役員報酬決議必要・有利発行決議不要型

（類型Ⅱ）役員報酬決議不要・有利発行決議必要型

（類型Ⅲ）役員報酬決議必要・有利発行決議必要型

（類型Ⅳ）株主総会決議不要型

⑧－Ⅰ 適時開示（2回目）（類型Ⅰ〔役員報酬決議必要・有利発行決議不要型〕の場合）

前述のとおり，報酬議案を株主総会へ付議するために②の取締役会で決議した内容は，厳密には，新株予約権の募集事項の決定に係るものではなく，その時点で上場規程402条1号aに定める発行する新株予約権にも関するものとして適時開示を行うことは必要的ではないが，実務的には，当該取締役会決議の時点で，その内容を開示しておくことが望ましいと考えられる。

その場合は，当該時点で決定している範囲での開示とならざるをえないため，具体的な発行決議を行った段階で，あらためて，未決定であった開示項目を含んだ適時開示を行うことが必要になる。

図表1－20は，当該発行決議時点の適時開示の実例である。なお，同事例における株主総会前の適時開示（1回目）の実例は**図表1－9**のとおりである。

なお、新株予約権の内容の一部たる行使価額の定めが、割当日の金融商品取引所における株価の終値に基づく場合、たとえば、「新株予約権割当日の属する月の前月の各日（取引が成立しない日を除く）における東京証券取引所における当社普通株式の普通取引の終値の平均値に1.05を乗じた金額とし、1円未満の端数は切り上げる。ただし、かかる金額が新株予約権割当日の終値を下回る場合には、当該終値とする。」というような規定となっている場合には、その具体的金額は当該新株予約権の割当日当日の午後3時以降にならないと確定しないため、⑧の適時開示の時点では行使価額を開示することはできず、行使価額が具体的に確定し次第、追って開示することになる。当該適時開示の実例（ただし、株主総会決議不要型のもの）は**図表1−21**である。なお、同事例における発行決議時点の適時開示（2回目）の実例は、**図表1−24**のとおりである。

また、新株予約権の払込金額が、割当日の金融商品取引所における株価の終値を用いたブラック＝ショールズ式や二項モデル等の算定方法をもって規定されている場合（いわゆる相殺構成の場合は通常これに該当する）についても、その具体的金額は当該新株予約権の割当日以降にならないと確定しないため、⑧の適時開示時点では具体的な払込金額を開示することはできず、払込金額が具体的に確定し次第、追って開示することになる。当該適時開示の実例は**図表1−22**である。なお、同事例における株主総会前の適時開示（1回目）の実例は**図表1−9**、発行決議時点の適時開示（2回目）の実例は**図表1−20**のとおりである。

図表1−20 類型Ⅰ（役員報酬決議必要・有利発行決議不要型）の発行決議時の適時開示の実例

各　位	2021年6月29日 会　社　名　株式会社ピックルスコーポレーション 代表者名　代表取締役社長　　　　○ 　　　　　（コード番号2925　東証第一部）

問合せ先　○

株式報酬型ストックオプション（新株予約権）の発行に関するお知らせ

当社は，本日開催の取締役会において，当社の取締役（社外取締役を除く）に対してストックオプションとして発行する新株予約権の募集事項を決定し，当該新株予約権を引き受ける者の募集をすること等につき決議いたしましたので，下記のとおりお知らせいたします。

記

第1　ストックオプションとして新株予約権を発行する理由
　株価変動のメリットとリスクを株主の皆様と共有し，株価上昇及び企業価値向上への貢献意欲を従来以上に高めるため，当社の取締役（社外取締役を除く）に対し，ストックオプションとしての新株予約権を割り当てることといたします。

第2　新株予約権の発行要領
1．新株予約権の名称　　株式会社ピックルスコーポレーション2021年第7回新株予約権

2．新株予約権の総数　　321個
　上記総数は，割当予定数であり，引受けの申込みがなされなかった場合など割り当てる新株予約権の総数が減少したときは，割り当てる新株予約権の総数をもって発行する新株予約権の総数とする。

3．新株予約権の目的である株式の種類及び数
　新株予約権の目的である株式の種類は当社普通株式とし，各新株予約権の目的である株式の数（以下，「付与株式数」という）は100株とする。ただし，新株予約権を割り当てる日（以下，「割当日」という）以降，当社が当社普通株式の株式分割（当社普通株式の株式無償割当てを含む。以下，株式分割の記載につき同じ）又は株式併合を行う場合には，次の算式により付与株式数の調整を行い，調整の結果生じる1株未満の端数は，これを切り捨てる。

　　　調整後付与株式数＝調整前付与株式数×株式分割又は株式併合の比率
　調整後付与株式数は，株式分割の場合は，当該株式分割の基準日の翌日（基準日を定めないときはその効力発生日）以降，株式併合の場合は，その効力発生日以降，これを適用する。ただし，剰余金の額を減少して資本金

又は準備金を増加する議案が株主総会において承認されることを条件として株式分割が行われる場合で，当該株主総会の終結の日以前の日を株式分割のための基準日とする場合は，調整後付与株式数は，当該株主総会の終結の日の翌日以降，当該基準日の翌日に遡及してこれを適用する。

また，割当日以降，当社が合併又は会社分割を行う場合その他これらの場合に準じて付与株式数の調整を必要とする場合には，当社は，合理的な範囲で付与株式数を適切に調整することができる。

付与株式数の調整を行うときは，当社は調整後付与株式数を適用する日の前日までに，必要な事項を新株予約権原簿に記載された各新株予約権を保有する者（以下，「新株予約権者」という）に通知又は公告する。ただし，当該適用の日の前日までに通知又は公告を行うことができない場合には，以後速やかに通知又は公告する。

4．新株予約権の行使に際して出資される財産の価額
各新株予約権の行使に際して出資される財産の価額は，当該各新株予約権を行使することにより交付を受けることができる株式1株当たりの払込金額（以下，「行使価額」という）を1円とし，これに付与株式数を乗じた金額とする。

5．新株予約権を行使することができる期間
2021年7月22日から2051年7月21日まで

6．新株予約権の行使により株式を発行する場合における増加する資本金及び資本準備金に関する事項
  (1) 新株予約権の行使により株式を発行する場合における増加する資本金の額は，会社計算規則第17条第1項に従い算出される資本金等増加限度額の2分の1の金額とし，計算の結果生じる1円未満の端数は，これを切り上げる。
  (2) 新株予約権の行使により株式を発行する場合における増加する資本準備金の額は，上記(1)記載の資本金等増加限度額から上記(1)に定める増加する資本金の額を減じた額とする。

7．譲渡による新株予約権の取得の制限
譲渡による新株予約権の取得については，当社取締役会の決議による承認を要する。

8．新株予約権の取得条項

以下の(1),(2),(3),(4)又は(5)の議案につき当社株主総会で承認された場合（株主総会決議が不要の場合は，当社の取締役会決議がなされた場合）は，当社取締役会が別途定める日に，当社は無償で新株予約権を取得することができる。
- (1) 当社が消滅会社となる合併契約承認の議案
- (2) 当社が分割会社となる分割契約若しくは分割計画承認の議案
- (3) 当社が完全子会社となる株式交換契約若しくは株式移転計画承認の議案
- (4) 当社の発行する全部の株式の内容として譲渡による当該株式の取得について当社の承認を要することについての定めを設ける定款の変更承認の議案
- (5) 新株予約権の目的である種類の株式の内容として譲渡による当該種類の株式の取得について当社の承認を要すること若しくは当該種類の株式について当社が株主総会の決議によってその全部を取得することについての定めを設ける定款の変更承認の議案

9. 組織再編における再編対象会社の新株予約権の交付の内容に関する決定方針

当社が，合併（当社が合併により消滅する場合に限る），吸収分割若しくは新設分割（それぞれ当社が分割会社となる場合に限る）又は株式交換若しくは株式移転（それぞれ当社が完全子会社となる場合に限る）（以上を総称して以下，「組織再編行為」という）をする場合には，組織再編行為の効力発生日（吸収合併につき吸収合併がその効力を生じる日，新設合併につき新設合併設立株式会社の成立の日，吸収分割につき吸収分割がその効力を生じる日，新設分割につき新設分割設立株式会社の成立の日，株式交換につき株式交換がその効力を生じる日及び株式移転につき株式移転設立完全親会社の成立の日をいう。以下同じ）の直前において残存する新株予約権（以下，「残存新株予約権」という）を保有する新株予約権者に対し，それぞれの場合につき，会社法第236条第1項第8号イからホまでに掲げる株式会社（以下，「再編対象会社」という）の新株予約権をそれぞれ交付することとする。ただし，以下の各号に沿って再編対象会社の新株予約権を交付する旨を，吸収合併契約，新設合併契約，吸収分割契約，新設分割計画，株式交換契約又は株式移転計画において定めることを条件とする。
- (1) 交付する再編対象会社の新株予約権の数
新株予約権者が保有する残存新株予約権の数と同一の数をそれぞれ交付する。
- (2) 新株予約権の目的である再編対象会社の株式の種類

第Ⅱ編　第1章　ストック・オプション

　　　　再編対象会社の普通株式とする。
　　(3)　新株予約権の目的である再編対象会社の株式の数
　　　　組織再編行為の条件等を勘案の上，上記3.に準じて決定する。
　　(4)　新株予約権の行使に際して出資される財産の価額
　　　　交付される各新株予約権の行使に際して出資される財産の価額は，以下に定められる再編後行使価額に上記(3)に従って決定される当該新株予約権の目的である再編対象会社の株式の数を乗じて得られる金額とする。再編後行使価額は，交付される各新株予約権を行使することにより交付を受けることができる再編対象会社の株式1株当たり1円とする。
　　(5)　新株予約権を行使することができる期間
　　　　上記5.に定める新株予約権を行使することができる期間の開始日と組織再編行為の効力発生日のうちいずれか遅い日から，上記5.に定める新株予約権を行使することができる期間の満了日までとする。
　　(6)　新株予約権の行使により株式を発行する場合における増加する資本金及び資本準備金に関する事項
　　　　上記6.に準じて決定する。
　　(7)　譲渡による新株予約権の取得の制限
　　　　譲渡による新株予約権の取得については，再編対象会社の取締役会の決議による承認を要する。
　　(8)　新株予約権の取得条項
　　　　上記8.に準じて決定する。
　　(9)　その他の新株予約権の行使の条件
　　　　下記11.に準じて決定する。

10. 新株予約権を行使した際に生じる1株に満たない端数の取決め
　　新株予約権を行使した新株予約権者に交付する株式の数に1株に満たない端数がある場合には，これを切り捨てる。

11. その他の新株予約権の行使の条件
　　(1)　新株予約権者は，当社の取締役の地位を喪失した日の翌日以降，当該喪失した地位に基づき割当てを受けた新株予約権を行使することができる。
　　(2)　上記(1)は，新株予約権を相続により承継した者については適用しない。
　　(3)　新株予約権者が新株予約権を放棄した場合，当該新株予約権を行使することができない。

12. 新株予約権の払込金額の算定方法

　各新株予約権の払込金額は，次式のブラック・ショールズ・モデルにより以下の(2)から(7)の基礎数値に基づき算定した1株当たりのオプション価格（1円未満の端数は四捨五入）に付与株式数を乗じた金額とする。

$$C = Se^{-qT}N(d) - Xe^{-rT}N(d - \sigma\sqrt{T})$$

ここで，

$$d = \frac{\ln\left(\frac{S}{X}\right) + \left(r - q + \frac{\sigma^2}{2}\right)T}{\sigma\sqrt{T}}$$

(1) 1株当たりのオプション価格（C）

(2) 株価（S）：2021年7月21日の東京証券取引所における当社普通株式の普通取引の終値（終値がない場合は，翌取引日の基準値段）

(3) 行使価格（X）：1円

(4) 予想残存期間（T）：15年

(5) 株価変動性（σ）：2006年7月21日から2021年7月21日までの各取引日における当社普通株式の普通取引の終値に基づき算出した株価変動率

(6) 無リスクの利子率（r）：残存年数が予想残存期間に対応する国債の利子率

(7) 配当利回り（q）：1株当たりの配当金（2021年2月期の実績配当金）÷上記(2)に定める株価

(8) 標準正規分布の累積分布関数（$N(\cdot)$）

※上記により算出される金額は新株予約権の公正価額であり，有利発行には該当しない。割当てを受ける者が当社に対して有する新株予約権の払込金額の総額に相当する金額の報酬債権と新株予約権の払込金額の払込債務とが相殺される。

13. 新株予約権を割り当てる日　　2021年7月21日

14. 新株予約権と引換えにする金銭の払込みの期日　　2021年7月21日

15. 新株予約権の割当ての対象者及びその人数並びに割り当てる新株予約権の数

割当ての対象者	人数	割り当てる新株予約権の数
当社取締役（社外取締役を除く）	5名	321個

第Ⅱ編 第1章 ストック・オプション

以上

図表1－21　行使価額確定の適時開示の実例

2021年6月7日

各　位

　　　　　会　社　名　　株式会社ディー・エヌ・エー
　　　　　代表者名　　代表取締役社長兼　CEO　○
　　　　　　　　　　　（コード番号：2432 東証第一部）
　　　　　問合せ先　　○

ストックオプション（新株予約権）の発行内容の確定に関するお知らせ

　2021年5月21日開催の取締役会において決議しました当社執行役員に対して発行する新株予約権に関し，未定となっておりました項目が確定しましたので，下記の通りお知らせいたします。

記

1．新株予約権の総数　727個

2．新株予約権の行使に際して出資される財産の価額
　　新株予約権1個当たり　222,400円（1株当たり2,224円）

3．新株予約権の割当ての対象者及びその人数並びに割り当てる新株予約権の数

対象者	人数	新株予約権個数
当社執行役員	15名	727個

4．新株予約権の目的となる株式の種類及び数
　　当社普通株式　72,700株

以上

1-2 スケジュールおよび各手続

図表1－22　払込金額確定の適時開示の実例

2021年7月21日

各　位

　　　　　　　　　会　社　名　株式会社ピックルスコーポレーション
　　　　　　　　　代表者名　　代表取締役社長　　○
　　　　　　　　　　　　　　（コード番号2925 東証第一部）
　　　　　　　　　問合せ先　○

株式報酬型ストックオプション（新株予約権）の
発行内容確定に関するお知らせ

　当社は，2021年6月29日開催の当社取締役会において決議いたしましたストックオプション（新株予約権）に関し，未定となっていた事項につき，本日，下記のとおり確定いたしましたので，お知らせいたします。

記

1．新株予約権の総数
　　321個

2．新株予約権の払込金額
　　新株予約権1個あたり　317,000円（1株あたり3,170円）

3．新株予約権の割当の対象者及びその人数並びに割り当てる新株予約権の数
　　当社取締役（社外取締役を除く）　5名　321個

以　上

⑧－Ⅱ　適時開示（2回目）（類型Ⅱ〔役員報酬決議不要・有利発行決議必要型〕の場合）

　前述のとおり，有利発行議案を株主総会へ付議するために②の取締役会で決議した内容については，すでに適時開示を行っているが，あくまで当該時点で決定している範囲での開示しか行っていないため，具体的な発行決議を行った段階で，あらためて，未決定であった開示項目の適時開示を行うことが必要になる。ただし，前述のとおり，行使価額または払込金額が⑧の適時

開示の時点で確定しない場合は，行使価額または払込金額が具体的に確定し次第，追って開示することになる。

図表 1 − 23 は，当該発行決議時点の適時開示の実例である。なお，同事例における株主総会前の適時開示（1回目）の実例は，**図表 1 − 10** のとおりである。

図表 1 − 23　類型Ⅱ（役員報酬決議不要・有利発行決議必要型）の発行決議時の適時開示の実例

2021 年 7 月 30 日

各 位

会 社 名　株式会社　商船三井
代表者名　代表取締役　社長執行役員
　　　　　　　　　　　　　　　○
コード番号　9104
東証 1 部
問合せ先　○

当社従業員（上級管理職）及び当社子会社社長等に対する
ストックオプション（新株予約権）の割当に関するお知らせ

　当社は，2021 年 6 月 22 日開催の定時株主総会において承認されました「当社従業員（上級管理職）及び当社子会社社長等に対しストックオプションとして新株予約権を発行する件」につき，本日開催の取締役会において下記の通り具体的な条件を決定いたしましたので，お知らせいたします。

記

1．ストックオプションとして新株予約権を発行する理由
　　当社の連結業績と株主利益向上に対する意欲や士気の高揚を目的とする。

2．新株予約権の名称
　　株式会社商船三井（以下「当社」という）第 20 回新株予約権

3．新株予約権の目的である株式の種類及び数

新株予約権の目的である株式の種類は普通株式とし，各新株予約権の目的である株式の数（以下「付与株式数」という）は100株とする。
下記7.の割当日（以下「割当日」という）後，当社が株式分割（株式無償割当を含む）又は株式併合を行う場合は，当該株式分割又は株式併合の時点で未行使の新株予約権について，次の算式により当該新株予約権に係る付与株式数は株式分割又は株式併合の比率に応じ比例的に調整する。

　　　　調整後株式数＝調整前株式数×分割（又は併合）の比率

また，当社が他社と合併，会社分割若しくは株式交換を行う場合，又は，資本の減少を行う場合等，当該新株予約権に係る付与株式数の調整を必要とするやむを得ない事由が生じた場合には，資本の減少等の条件等を勘案の上，取締役会の決議により合理的な範囲内で株式数を調整する。
なお，上記の調整の結果生じる1株に満たない端数はこれを切り捨てるものとする。

4．新株予約権の総数
　960個

5．新株予約権の割当予定者
　①当社従業員（上級管理職）70名
　②当社子会社社長等　　26名　　　合計96名

6．新株予約権と引き換えに払込む金銭
　新株予約権と引き換えに金銭の払込は要しないものとする。

7．新株予約権の割当日
　2021年8月16日

8．新株予約権の行使に際して出資される財産の価額
　各新株予約権の行使に際してする出資の目的は金銭とし，新株予約権の行使により発行又は移転する株式1株当たりの払込金額（以下「行使価額」という）は，割当日の属する月の前月の各日（取引が成立しない日を除く）の東京証券取引所における当社普通株式の普通取引の終値（以下「終値」という）の平均値に1.10を乗じた価額とし，1円未満の端数は切上げる。ただし，その金額が割当日の終値（当日に終値がない場合は，それに先立つ直近日の終値）を下回る場合は，割当日の終値とする。
　なお，割当日後，当社が当社普通株式につき株式分割（株式無償割当を含む）又は株式併合を行う場合は，当該株式分割又は株式併合の時点で未行

使の新株予約権について，次の算式により行使価額を調整し，調整により生ずる1円未満の端数は切上げるものとする。

$$調整後行使価額 = 調整前行使価額 \times \frac{1}{分割・併合の比率}$$

また，割当日後，当社が時価を下回る価額で当社普通株式につき，新株式の発行又は自己株式の処分を行う場合〔会社法第194条の規定（単元未満株主による単元未満株式売渡請求）に基づく自己株式の売渡し，当社普通株式に転換される証券若しくは転換できる証券又は当社普通株式の交付を請求できる新株予約権（新株予約権付社債に付されたものを含む）の転換又は行使の場合を除く〕は，次の算式により行使価額を調整し，調整により生じる1円未満の端数は切り上げる。

$$調整後行使価額 = 調整前行使価額 \times \frac{既発行株式数 + \dfrac{新規発行株式数 \times 1株当たり払込金額}{時価}}{既発行株式数 + 新規発行株式数}$$

上記算式において，「既発行株式数」とは当社の発行済普通株式総数から当社が保有する普通株式に係る自己株式数を控除した数とし，また，自己株式の処分を行う場合には「新規発行株式数」を「処分する自己株式数」に読み替える。

上記のほか，割当日後に，当社が他社と合併，会社分割若しくは株式交換を行う場合，又は，資本の減少を行う場合，その他これらの場合に準じ，行使価額の調整を必要とする場合には，当社は取締役会の決議により合理的な範囲で行使価額を調整することができるものとする。

9．新株予約権を行使することができる期間
2023年8月1日から2031年6月20日まで

10．新株予約権の行使の条件
① 各新株予約権は，1個を分割して行使できないものとする。
② 割当を受ける者は，権利行使時において，当社従業員（上級管理職）及び当社子会社社長等の地位を喪失している場合においても本権利を行使することができる。
③ 下記14.に定める組織再編を行う場合は，同項の定めに従い，効力発生日において，残存新株予約権は消滅するものとする。
④ 上記9.に規定する権利行使期間内であるか否かに拘わらず，割当を受

ける者が次の各号の一に該当した場合には，付与された新株予約権は直ちに失効する。
    (1) 禁錮以上の刑に処せられた場合
    (2) 解任又は免職された場合
    (3) 死亡した場合
    (4) 新株予約権の全部又は一部を放棄する旨を書面で当社に申し出た場合
    (5) 当社取締役会の承認なく新株予約権の譲渡・質入・担保設定その他の処分を行った場合
  ⑤ その他の権利行使の条件は，当社と新株予約権の割当を受ける者との間で締結する「新株予約権割当契約書」に定めるところによる。

11. 譲渡による新株予約権の取得の制限
    譲渡による新株予約権の取得については，当社の取締役会の承認を要するものとする。

12. 新株予約権の行使により株式を発行する場合における増加する資本金及び資本準備金に関する事項
    ① 新株予約権の行使により株式を発行する場合において増加する資本金の額は，会社計算規則第17条第1項に従い算出される資本金等増加限度額の2分の1の金額とし，計算の結果1円未満の端数が生じたときは，その端数を切り上げるものとする。
    ② 新株予約権の行使により株式を発行する場合において増加する資本準備金の額は，上記①記載の資本金等増加限度額から上記①に定める増加する資本金の額を減じた金額とする。

13. 新株予約権の取得条項
    新株予約権の取得条項は定めない。

14. 当社が組織再編を実施する際の新株予約権の取扱い
    当社が，合併（当社が合併により消滅する場合に限る），吸収分割，新設分割，株式交換又は株式移転（以上を総称して「組織再編行為」という）をする場合において，組織再編行為の効力発生の時点において残存する新株予約権（以下「残存新株予約権」という）の新株予約権者に対し，それぞれの場合につき，会社法第236条第1項第8号のイからホまでに掲げる株式会社（以下「再編対象会社」という）の新株予約権を以下の条件に基づきそれぞれ交付するものとする。この場合においては，残存新株予約権は

第Ⅱ編　第1章　ストック・オプション

消滅し，再編対象会社は新株予約権を新たに発行するものとする。ただし，以下の条件に沿って再編対象会社の新株予約権を交付する旨を，吸収合併契約，新設合併契約，吸収分割契約，新設分割計画，株式交換契約又は株式移転計画において定めた場合に限るものとする。

- (ア) 交付する再編対象会社の新株予約権の数
  残存新株予約権の新株予約権者が保有する新株予約権の数と同一の数をそれぞれ交付するものとする。
- (イ) 新株予約権の目的である再編対象会社の株式の種類
  再編対象会社の普通株式とする。
- (ウ) 新株予約権の目的である再編対象会社の株式の数
  組織再編行為の条件等を勘案の上，上記3.に準じて決定する。
- (エ) 新株予約権の行使に際して出資される財産の価額
  交付される各新株予約権の行使に際して出資される財産の価額は，組織再編行為の条件等を勘案の上調整した新株予約権の行使により発行又は移転する株式1株当たりの払込金額に上記(ウ)に従って決定される当該新株予約権の目的である株式の数を乗じて得られる金額とする。
- (オ) 新株予約権を行使することができる期間
  上記9.に定める新株予約権を行使することができる期間の開始日と組織再編行為の効力発生日のうちいずれか遅い日から，上記9.に定める新株予約権を行使することができる期間の満了日までとする。
- (カ) 新株予約権の行使により株式を発行する場合における増加する資本金及び資本準備金に関する事項
  上記12.に準じて決定する。
- (キ) 譲渡による新株予約権の取得の制限
  譲渡による新株予約権の取得については，再編対象会社の承認を要するものとする。
- (ク) 新株予約権の取得条項
  上記13.に準じて決定する。
- (ケ) その他の新株予約権の行使の条件
  上記10.に準じて決定する。

15. 新株予約権の行使により発生する端数の切捨て
    新株予約権者に交付する株式の数に1株に満たない端数がある場合には，これを切り捨てるものとする。

16. 行使請求受付場所

株式会社商船三井
東京都港区虎ノ門二丁目1番1号

17. 新株予約権の行使の際の払込取扱場所
株式会社三井住友銀行本店営業部
東京都千代田区丸の内一丁目1番2号

18. その他
① 新株予約権の目的である株式については,「社債,株式等の振替に関する法律」(2001年6月27日法律第75号)の規定が適用される。
② 新株予約権の割当及び行使に関し,必要な細目にわたる事項の決定は,代表取締役社長執行役員に一任する。

(ご参考)
(1) 定時株主総会付議のための取締役会決議日　2021年4月30日
(2) 定時株主総会の決議日　　　　　　　　　　2021年6月22日

以上

⑧-Ⅲ　適時開示(2回目)(類型Ⅲ〔役員報酬決議必要・有利発行決議必要型〕の場合)

前述⑧-Ⅱと同様であるため,前述⑧-Ⅱを参照されたい。

⑧-Ⅳ　適時開示(2回目)(類型Ⅳ〔株主総会決議不要型〕の場合)

前述のとおり,上場会社の業務執行を決定する機関が,「発行する株式,処分する自己株式,発行する新株予約権,処分する自己新株予約権を引き受ける者の募集又は株式,新株予約権の売出し」を行うことを決定した場合,上場規程402条1号aに基づく適時開示が必要となる。

類型Ⅳの場合,ストック・オプション目的の新株予約権の募集事項は⑥の取締役会で初めて決定されるのが通常である。したがって,⑥の取締役会決議において募集事項のすべてが決定されるため,この時点で,前述の**図表1－8**記載の事項をすべて含んだ適時開示を行うことになる。**図表1－24**は,当該適時開示の実例である。

第Ⅱ編 第1章 ストック・オプション

なお，前述のとおり，行使価額または払込金額が⑧の適時開示の時点で確定しない場合は，行使価額または払込金額が具体的に確定し次第，追って開示することになる（前述⑧－Ⅰ図表1－21参照）。

図表1－24　類型Ⅳ（株主総会決議不要型）の適時開示の実例

2021年5月21日

各位

会　社　名　　株式会社ディー・エヌ・エー
代表者名　　代表取締役社長兼　CEO　○
　　　　　　（コード番号：2432 東証第一部）
問合せ先　　○

ストックオプション（新株予約権）の発行に関するお知らせ

当社は，2021年5月21日開催の取締役会において，会社法第236条，第238条及び第240条の規定に基づき，当社の執行役員に対し，ストックオプションとして下記のとおり新株予約権を発行することを決議いたしましたので，お知らせいたします。

記

Ⅰ．ストックオプションとして新株予約権を発行する理由
　　中長期的な当社の企業価値向上に対する意欲及び士気を高めるため，当社グループの事業運営の中核を担う当社執行役員に対し新株予約権を発行します。

Ⅱ．新株予約権の募集事項
1．新株予約権の数
　　727個
　　なお，本新株予約権を行使することにより交付を受けることができる株式の総数は，当社普通株式72,700株とし，下記3．(1)により本新株予約権にかかる付与株式数が調整された場合は，調整後付与株式数に本新株予約権の数を乗じた数とする。

2. 新株予約権と引換えに払い込む金銭
　本新株予約権と引換えに金銭を払い込むことを要しない。
　なお，この新株予約権は，労働の対価として付与されるものであり，金銭の払込みを要しないことは有利発行には該当しない。

3. 新株予約権の内容
(1) 新株予約権の目的である株式の種類及び数
　本新株予約権1個当たりの目的である株式の数（以下，「付与株式数」という。）は，当社普通株式100株とする。
　なお，付与株式数は，本新株予約権の割当日後，当社が株式分割（当社普通株式の無償割当てを含む。以下同じ。）または株式併合を行う場合，次の算式により調整されるものとする。ただし，かかる調整は，本新株予約権のうち，当該時点で行使されていない新株予約権の目的である株式の数についてのみ行われ，調整の結果生じる1株未満の端数については，これを切り捨てるものとする。

　　　調整後付与株式数＝調整前付与株式数×分割（または併合）の比率

　また，本新株予約権の割当日後，当社が合併，会社分割または資本金の額の減少を行う場合その他これらの場合に準じ付与株式数の調整を必要とする場合には，合理的な範囲で，付与株式数は適切に調整されるものとする。

(2) 新株予約権の行使に際して出資される財産の価額または算定方法
　本新株予約権の行使に際して出資される財産の価額は，次により決定される1株あたりの払込金額（以下，「行使価額」という。）に，付与株式数を乗じた金額とする。
　行使価額は，本新株予約権を割り当てる日の属する月の前月の各日（取引が成立していない日を除く。）における株式会社東京証券取引所東証1部における当社普通株式の終値の平均値に1.05を乗じた金額（1円未満の端数は切り上げ）とする。ただし，その価額が本新株予約権の割当日の終値（取引が成立していない場合はそれに先立つ直近取引日の終値）を下回る場合は，当該終値を行使価額とする。
　なお，本新株予約権の割当日後，当社が株式分割または株式併合を行う場合，次の算式により行使価額を調整し，調整による1円未満の端数は切り上げる。

$$調整後行使価額 = 調整前行使価額 \times \frac{1}{分割（または併合）の比率}$$

　また，本新株予約権の割当日後，当社が当社普通株式につき時価を下回

る価額で新株の発行または自己株式の処分を行う場合（新株予約権の行使に基づく新株の発行及び自己株式の処分並びに株式交換による自己株式の移転の場合を除く。），次の算式により行使価額を調整し，調整による1円未満の端数は切り上げる。

$$調整後行使価額 = 調整前行使価額 \times \frac{既発行株式数 + \frac{新規発行株式数 \times 1株当たり払込金額}{時価}}{既発行株式数 + 新規発行株式数}$$

なお，上記算式において「既発行株式数」とは，当社普通株式にかかる発行済株式総数から当社普通株式にかかる自己株式数を控除した数とし，また，当社普通株式にかかる自己株式の処分を行う場合には，「新規発行株式数」を「処分する自己株式数」に，「新規発行前の1株あたりの時価」を「自己株式の処分前の1株あたりの時価」に，「1株あたり払込金額」を「1株あたり処分金額」にそれぞれ読み替えるものとする。

さらに，上記のほか，本新株予約権の割当日後，当社が他社と合併する場合，会社分割を行う場合，その他これらの場合に準じて行使価額の調整を必要とする場合には，当社は，合理的な範囲で適切に行使価額の調整を行うことができるものとする。

(3) 新株予約権を行使することができる期間

本新株予約権を行使することができる期間（以下，「行使期間」という。）は，2023年6月7日から2028年6月6日とする。

(4) 増加する資本金及び資本準備金に関する事項

① 本新株予約権の行使により株式を発行する場合における増加する資本金の額は，会社計算規則第17条第1項に従い算出される資本金等増加限度額の2分の1の金額とする。計算の結果1円未満の端数が生じたときは，その端数を切り上げるものとする。

② 本新株予約権の行使により株式を発行する場合における増加する資本準備金の額は，上記①記載の資本金等増加限度額から，上記①に定める増加する資本金の額を減じた額とする。

(5) 譲渡による新株予約権の取得の制限

譲渡による本新株予約権の取得については，当社取締役会の決議による承認を要するものとする。

(6) 新株予約権の行使の条件

① 新株予約権者は，2022年3月31日時点においても，当社または当社関係会社の取締役，監査役または従業員であることを要する。ただし，定年退職，その他正当な理由があると取締役会が認めた場合は，この

② 新株予約権者の相続人による本新株予約権の行使は認めない。
　　③ 本新株予約権の行使によって，当社の発行済株式総数が当該時点における発行可能株式総数を超過することとなるときは，当該本新株予約権の行使を行うことはできない。
　　④ 各本新株予約権1個未満の行使を行うことはできない。

4．新株予約権の割当日
　　2021年6月7日

5．新株予約権の取得に関する事項
 (1) 当社が消滅会社となる合併契約，当社が分割会社となる会社分割についての分割契約もしくは分割計画，または当社が完全子会社となる株式交換契約もしくは株式移転計画について株主総会の承認（株主総会の承認を要しない場合には取締役会決議）がなされた場合は，当社は，当社取締役会が別途定める日の到来をもって，本新株予約権の全部を無償で取得することができる。
 (2) 新株予約権者が権利行使をする前に，上記3.(6)に定める規定により本新株予約権の行使ができなくなった場合は，当社は，当社取締役会が別途定める日の到来をもって，新株予約権を無償で取得することができる。

6．組織再編行為の際の新株予約権の取扱い
　　当社が，合併（当社が合併により消滅する場合に限る。），吸収分割，新設分割，株式交換または株式移転（以上を総称して以下，「組織再編行為」という。）を行う場合において，組織再編行為の効力発生日に新株予約権者に対し，それぞれの場合につき，会社法第236条第1項第8号イからホまでに掲げる株式会社（以下，「再編対象会社」という。）の新株予約権を以下の条件に基づきそれぞれ交付することとする。ただし，以下の条件に沿って再編対象会社の新株予約権を交付する旨を，吸収合併契約，新設合併契約，吸収分割契約，新設分割計画，株式交換契約または株式移転計画において定めた場合に限るものとする。
 (1) 交付する再編対象会社の新株予約権の数
　　　新株予約権者が保有する新株予約権の数と同一の数をそれぞれ交付する。
 (2) 新株予約権の目的である再編対象会社の株式の種類
　　　再編対象会社の普通株式とする。
 (3) 新株予約権の目的である再編対象会社の株式の数

第Ⅱ編　第1章　ストック・オプション

　　　　組織再編行為の条件を勘案のうえ，上記3.(1)に準じて決定する。
　(4)　新株予約権の行使に際して出資される財産の価額
　　　　交付される各新株予約権の行使に際して出資される財産の価額は，組織再編行為の条件等を勘案のうえ，上記3.(2)で定められる行使価額を調整して得られる再編後行使価額に，上記6.(3)に従って決定される当該新株予約権の目的である再編対象会社の株式の数を乗じた額とする。
　(5)　新株予約権を行使することができる期間
　　　　上記3.(3)に定める行使期間の初日と組織再編行為の効力発生日のうち，いずれか遅い日から上記3.(3)に定める行使期間の末日までとする。
　(6)　新株予約権の行使により株式を発行する場合における増加する資本金及び資本準備金に関する事項
　　　　上記3.(4)に準じて決定する。
　(7)　譲渡による新株予約権の取得の制限
　　　　譲渡による取得の制限については，再編対象会社による承認を要するものとする。
　(8)　その他新株予約権の行使の条件
　　　　上記3.(6)に準じて決定する。
　(9)　新株予約権の取得事由及び条件上記5に準じて決定する。
　(10)　その他の条件については，再編対象会社の条件に準じて決定する。

7．新株予約権にかかる新株予約権証券に関する事項
　　当社は，本新株予約権にかかる新株予約権証券を発行しないものとする。

8．申込期日
　　2021年6月3日

9．新株予約権の割当てを受ける者及び数
　　当社従業員　　15名　　　727個
　なお，上記割当新株予約権数は上限の発行数を示したものであり，申込等により減少することがある。

　　　　　　　　　　　　　　　　　　　　　　　　　　　　　　　　　以上

⑨　株主への募集事項の公告（類型Ⅰ・類型Ⅳに対応）

　　　　（類型Ⅰ）役員報酬決議必要・有利発行決議不要型

　　　　（類型Ⅳ）株主総会決議不要型

　会社法240条1項の規定に従って取締役会において募集事項を決議する場

合（すなわち，公開会社において有利発行決議をとらずに募集新株予約権の発行を決議する場合）には，割当日の2週間前までに，株主に対し，募集事項の通知または公告（以下，「対株主公告」という）を行う必要がある（法240条2項・3項）。ただし，割当日の2週間前までに金融商品取引法の規定に基づき，募集事項に相当する事項をその内容とする有価証券届出書，発行登録書および発行登録追補書類，有価証券報告書，四半期報告書，半期報告書または臨時報告書の届出または提出をしている場合には，対株主公告を省略できる（法240条4項，施53条）。したがって，前述⑦で説明した有価証券届出書の届出や臨時報告書の提出を要する場合には，そのタイミング次第では，対株主公告は不要となる。他方，有価証券届出書の届出や臨時報告書の提出をしない場合には，（適切なタイミングで，募集事項に相当する事項をその内容とする発行登録書および発行登録追補書類，有価証券報告書，四半期報告書，半期報告書の届出または提出がなされることは通常は考えにくいため）対株主公告が必要となることが通常である。

　対株主公告が必要な場合，割当日の2週間前までに通知または公告を行うことができるよう，あらかじめ通知または公告の準備をしておくことが必要である。なお，上場会社の場合，その発行する株式は振替株式であるので（上場規程205条11号等），通知ではなく，公告を行うこととなる（社振法161条2項）。

　公告は発行会社の定款において定められている公告方法に従って行うことになるが，公告方法が官報や日刊紙とされている場合には，公告掲載日の相当程度前には公告の申込み（いわゆる枠取り）を済ませておく必要があり，他方，公告方法が電子公告の場合には，電子公告調査機関への調査依頼等の準備を進めておく必要がある。

　なお，**図表1－25**は，当該公告の実例である。

第Ⅱ編 第1章 ストック・オプション

|図表 1 － 25| 株主に対する募集事項の公告の実例

2021年8月6日

株主各位

東京都港区東新橋一丁目5番2号
ソースネクスト株式会社
代表取締役社長 ○

新株予約権発行に関する取締役会決議公告

　当社は，2021年7月30日開催の当社取締役会において，当社の従業員に対し，下記の内容の第16回税制適格型新株予約権を発行することを決議しましたので，会社法第240条第2項及び同条第3項の規定に基づき，公告いたします。

記

第16回新株予約権発行要項

1．新株予約権の数
　152個
　なお，本新株予約権を行使することにより交付を受けることができる株式の総数は，当社普通株式15,200株とし，下記3．(1)により本新株予約権にかかる付与株式数が調整された場合は，調整後付与株式数に本新株予約権の数を乗じた数とする。

2．新株予約権と引換えに払い込む金銭
　本新株予約権と引換えに金銭を払い込むことを要しない。なお，インセンティブ報酬として付与される新株予約権であり，金銭の払込を要しないことは有利発行には該当しない。

3．新株予約権の内容
(1) 新株予約権の目的である株式の種類及び数
　本新株予約権1個当たりの目的である株式の数（以下，「付与株式数」という。）は，当社普通株式100株とする。
　なお，付与株式数は，本新株予約権の割当日後，当社が株式分割（当社普通株式の無償割当てを含む。以下同じ。）または株式併合を行う場合，次の算式により調整されるものとする。ただし，かかる調整は，本新株予約権のうち，当該時点で行使されていない新株予約権の目的である株式の数

についてのみ行われ，調整の結果生じる1株未満の端数については，これを切り捨てるものとする。

調整後付与株式数＝調整前付与株式数×分割（または併合）の比率

また，本新株予約権の割当日後，当社が合併，会社分割または資本金の額の減少を行う場合その他これらの場合に準じ付与株式数の調整を必要とする場合には，合理的な範囲で，付与株式数は適切に調整されるものとする。

(2) 新株予約権の行使に際して出資される財産の価額または算定方法

本新株予約権の行使に際して出資される財産の価額は，次により決定される1株あたりの払込金額（以下，「行使価額」という。）に，付与株式数を乗じた金額とする。

行使価額は，本新株予約権を割り当てる日の属する月の前月の各日（取引が成立していない日を除く。）における東京証券取引所における当社普通株式の終値の平均値に1.05を乗じた金額（1円未満の端数は切り上げ）とする。ただし，その価額が本新株予約権の割当日の終値（取引が成立していない場合はそれに先立つ直近取引日の終値）を下回る場合は，当該終値を行使価額とする。

なお，本新株予約権の割当日後，当社が株式分割または株式併合を行う場合，次の算式により行使価額を調整し，調整による1円未満の端数は切り上げる。

$$調整後行使価額 = 調整前行使価額 \times \frac{1}{分割（または併合）の比率}$$

また，本新株予約権の割当日後，当社が当社普通株式につき時価を下回る価額で新株の発行または自己株式の処分を行う場合（新株予約権の行使に基づく新株の発行及び自己株式の処分並びに株式交換による自己株式の移転の場合を除く。），次の算式により行使価額を調整し，調幣による1円未満の端数は切り上げる。

$$調整後行使価額 = 調整前行使価額 \times \frac{既発行株式数 + \frac{新規発行株式数 \times 1株あたり払込金額}{新規発行前の1株あたりの時価}}{既発行株式数 + 新規発行株式数}$$

なお，上記算式において「既発行株式数」とは，当社普通株式にかかる発行済株式総数から当社普通株式にかかる自己株式数を控除した数とし，また，当社普通株式にかかる自己株式の処分を行う場合には，「新規発行株式数」を「処分する自己株式数」に読み替えるものとする。また，上記算

式における「時価」とは，適用日（当該発行または処分の払込期日（払込期間が設けられたときは，当該払込期間の最終日））の翌日以降（基準日がある場合は当該基準日の翌日以降）に先立つ45取引日目に始まる30取引日における東京証券取引所における当社普通株式の普通取引の終値（気配表示を含む。以下同じ。）の平均値（終値のない日を除く。）とする。なお，「平均値」は，円位未満小数第2位まで算出し，小数第2位を四捨五入する。

さらに，上記のほか，本新株予約権の割当日後，当社が他社と合併する場合，会社分割を行う場合，その他これらの場合に準じて行使価額の調整を必要とする場合には，当社は，合理的な範囲で適切に行使価額の調整を行うことができるものとする。

(3) 新株予約権を行使することができる期間

本新株予約権を行使することができる期間（以下，「行使期間」という）は，2023年7月31日から2031年7月30日とする。

(4) 増加する資本金及び資本準備金に関する事項

① 本新株予約権の行使により株式を発行する場合における増加する資本金の額は，会社計算規則第17条第1項に従い算出される資本金等増加限度額の2分の1の金額とする。計算の結果1円未満の端数が生じたときは，その端数を切り上げるものとする。

② 本新株予約権の行使により株式を発行する場合における増加する資本準備金の額は，上記①記載の資本金等増加限度額から，上記①に定める増加する資本金の額を減じた額とする。

(5) 譲渡による新株予約権の取得の制限

譲渡による本新株予約権の取得については，当社取締役会の決議による承認を要するものとする。

(6) 新株予約権の行使の条件

① 新株予約権者は，新株予約権の権利行使時においても，当社または当社関係会社の取締役，監査役または従業員であることを要する。ただし，任期満了による退任その他の正当な理由があると取締役会が認めた場合は，この限りではない。

② 新株予約権者は，以下のア乃至キに掲げる各号の一に該当した場合には，未行使の新株予約権を行使できなくなるものとする。

　ア　禁錮以上の刑に処せられた場合

　イ　新株予約権者が当社または当社関係会社の取締役，監査役または従業員である場合において，当社の就業規則その他の社内諸規則等に違反し，または，社会や当社に対する背信行為があった場合において，これにより懲戒解雇または辞職・辞任した場合

　ウ　新株予約権者が当社または当社関係会社の取締役，監査役または従

業員である場合において、当社の業務命令による場合または当社の書面による承諾を事前に得ず、当社及び当社の関連会社以外の会社その他の団体の役員、執行役、顧問、従業員等になった場合
- エ 当社または当社の関連会社に対して損害またはそのおそれをもたらした場合
- オ 死亡した場合
- カ 当社所定の書面により新株予約権の全部または一部を放棄する旨を申し出た場合
- キ 新株予約権者の不正行為または職務上の義務違反もしくは懈怠があった場合

③ 新株予約権者の相続人による本新株予約権の行使は認めない。
④ 本新株予約権の行使によって、当社の発行済株式総数が当該時点における授権株式数を超過することとなるときは、当該本新株予約権の行使を行うことはできない。
⑤ 各本新株予約権1個未満の行使を行うことはできない。

4．新株予約権の割当日
2021年8月27日

5．新株予約権の取得に関する事項
(1) 当社が消滅会社となる合併契約、当社が分割会社となる会社分割についての分割契約もしくは分割計画、または当社が完全子会社となる株式交換契約もしくは株式移転計画について株主総会の承認（株主総会の承認を要しない場合には取締役会決議）がなされた場合は、当社は、当社取締役会が別途定める日の到来をもって、本新株予約権の全部を無償で取得することができる。
(2) 新株予約権者が権利行使をする前に、上記3.(6)に定める規定により本新株予約権の行使ができなくなった場合は、当社は新株予約権を無償で取得することができる。

6．組織再編行為の際の新株予約権の取扱い
　当社が、合併（当社が合併により消滅する場合に限る。）、吸収分割、新設分割、株式交換または株式移転（以上を総称して以下、「組織再編行為」という。）を行う場合において、組織再編行為の効力発生日に新株予約権者に対し、それぞれの場合につき、会社法第236条第1項第8号イからホまでに掲げる株式会社（以下、「再編対象会社」という。）の新株予約権を以下の条件に基づきそれぞれ交付することとする。ただし、以下の条件に沿って再編対

第Ⅱ編　第1章　ストック・オプション

象会社の新株予約権を交付する旨を，吸収合併契約，新設合併契約，吸収分割契約，新設分割計画，株式交換契約または株式移転計画において定めた場合に限るものとする。

(1) 交付する再編対象会社の新株予約権の数
新株予約権者が保有する新株予約権の数と同一の数をそれぞれ交付する。
(2) 新株予約権の目的である再編対象会社の株式の種類
再編対象会社の普通株式とする。
(3) 新株予約権の目的である再編対象会社の株式の数
組織再編行為の条件を勘案のうえ，上記3.(1)に準じて決定する。
(4) 新株予約権の行使に際して出資される財産の価額
交付される各新株予約権の行使に際して出資される財産の価額は，組織再編行為の条件等を勘案のうえ，上記3.(2)で定められる行使価額を調整して得られる再編後行使価額に，上記6.(3)に従って決定される当該新株予約権の目的である再編対象会社の株式の数を乗じた額とする。
(5) 新株予約権を行使することができる期間
上記3.(3)に定める行使期間の初日と組織再編行為の効力発生日のうち，いずれか遅い日から上記3.(3)に定める行使期間の末日までとする。
(6) 新株予約権の行使により株式を発行する場合における増加する資本金及び資本準備金に関する事項
上記3.(4)に準じて決定する。
(7) 譲渡による新株予約権の取得の制限
譲渡による取得については，再編対象会社の取締役会の決議による承認を要するものとする。
(8) その他新株予約権の行使の条件
上記3.(6)に準じて決定する。
(9) 新株予約権の取得事由及び条件
上記5に準じて決定する。
(10) その他の条件については，再編対象会社の条件に準じて決定する。

7．新株予約権にかかる新株予約権証券に関する事項
当社は，本新株予約権にかかる新株予約権証券を発行しないものとする。

8．申込期日
2021年8月10日

9．新株予約権の割当てを受ける者及び数
当社従業員　　　　　　　　　　　　　　　3名　152個

| 以上 |

⑩ **割当契約書の交付（類型Ⅰ～Ⅳ共通）**
（類型Ⅰ）役員報酬決議必要・有利発行決議不要型
（類型Ⅱ）役員報酬決議不要・有利発行決議必要型
（類型Ⅲ）役員報酬決議必要・有利発行決議必要型
（類型Ⅳ）株主総会決議不要型

　後述のとおり，実務上，ストック・オプション目的の新株予約権の付与に際しては，発行会社と付与対象者との間で割当契約を締結することが多い。割当契約書は，発行会社側で準備し，付与対象者に交付することが一般的である。

　なお，付与対象者への割当契約書の交付をもって，会社法242条1項の通知（以下，「募集事項通知」という）とすることも可能である。募集事項通知は，書面その他の特定の方法によって行うことが要求されていないため，会社法上は，口頭での通知でも足りるが，実務的には，募集事項通知を適法に行った証拠を残すという観点から書面で行いたいとの要請もあるところ，割当契約書を交付することによって，この要請を満たすことができる。もちろん，その場合には，割当契約書に，会社法242条1項各号の事項をすべて含めることが必要となる。この点，新株予約権の目的である株式について社債，株式等振替法の適用がある場合には，募集事項通知の際に，新株予約権の目的である株式について社債，株式等振替法の適用がある旨を通知しなければならない（社振法150条5項）。割当契約書を付与対象者へ交付することをもって募集事項通知とする場合は，割当契約書の中に，新株予約権の目的である株式について社債，株式等振替法の適用がある旨を示すことが考えられよう[58]。

　割当契約書を作成しない場合（あるいは作成しても，募集事項通知を兼ねる

---

(58) 郡谷大輔＝豊田祐子「ストック・オプションについての株券電子化対応」旬刊商事法務1845号80頁（2008）参照。

第Ⅱ編　第1章　ストック・オプション

ものと位置づけない場合）には，募集事項通知を適法に行った証拠を残すという観点から，別途，募集事項通知を書面で作成することも考えられる。募集事項通知に記載すべき事項の一覧は，**図表1－26**を参照されたい。

なお，募集事項通知の規定については，金融商品取引法上の目論見書を交付している場合や，外国の法令に基づき目論見書その他これに相当する書面その他の資料を提出している場合であって，会社法242条1項で通知すべき事項を提供しているときには適用除外とされている（法242条4項，施55条）。

図表1－26　　募集事項通知の記載事項一覧

1．株式会社の商号

2．募集事項(注)

3．新株予約権の行使に際して金銭の払込みをすべきときは，払込みの取扱いの場所

4．発行可能株式総数（種類株式発行会社にあっては，各種類の株式の発行可能種類株式総数を含む）

5．株式会社（種類株式発行会社を除く）が発行する株式の内容として法107条1項各号に掲げる事項を定めているときは，当該株式の内容

6．株式会社（種類株式発行会社に限る）が法108条1項各号に掲げる事項につき内容の異なる株式を発行することとしているときは，各種類の株式の内容（ある種類の株式につき同条3項の定款の定めがある場合において，当該定款の定めにより株式会社が当該種類の株式の内容を定めていないときは，当該種類の株式の内容の要綱）

7．単元株式数についての定款の定めがあるときは，その単元株式数（種類株式発行会社にあっては，各種類の株式の単元株式数）

8．次に掲げる定款の定めがあるときは，その規定

イ 法139条1項（譲渡承認の決定機関），140条5項（指定買取人の指定権限）または145条1号もしくは2号（みなし譲渡承認の効力が生じる時期）に規定する定款の定め

ロ 法164条1項（特定の株主からの自己株取得の際の売主参加請求権の排除）に規定する定款の定め

ハ 法167条3項（取得請求権行使の際に端数が生じた場合の金銭処理手続の例外）に規定する定款の定め

ニ 法168条1項（取得条項付株式の取得日の決定機関）または169条2項（取得条項付株式の一部取得の際の取得株式の決定機関）に規定する定款の定め

ホ 法174条（相続人等に対する売渡請求）に規定する定款の定め

ヘ 法347条（種類株主総会における取締役または監査役の選任等）に規定する定款の定め

ト 施行規則26条1号（譲渡不承認の際に株式会社が買取りを行う際の供託証書の交付時期）または2号（譲渡不承認の際に指定買取人が買取りを行う際の供託証書の交付時期）に規定する定款の定め

9．株主名簿管理人を置く旨の定款の定めがあるときは，その氏名または名称および住所ならびに営業所

10．定款に定められた事項（上に掲げる事項を除く）であって，当該株式会社に対して募集新株予約権の引受けの申込みをしようとする者が当該者に対して通知することを請求した事項

（注）募集事項に含まれる事項の概要は，前述⑥－Ⅰ図表1－15等参照。

⑪ **割当契約の締結（類型Ⅰ～Ⅳ共通）**

　　　　（類型Ⅰ）役員報酬決議必要・有利発行決議不要型
　　　　（類型Ⅱ）役員報酬決議不要・有利発行決議必要型
　　　　（類型Ⅲ）役員報酬決議必要・有利発行決議必要型
　　　　（類型Ⅳ）株主総会決議不要型

発行会社および付与対象者間で割当契約を締結すること自体は会社法上要求されているわけではないが，実務上は締結されることが一般的であり，また，割当契約の締結をもって，割当てを受けようとする者による書面または

電磁的方法による申込み（法242条2項・3項[59]）および発行会社による割当通知（割当日の前日までに，申込者に対して行う必要がある割り当てる募集新株予約権の数の通知。法243条3項）を兼ねることも可能と考えられる[60]。

また，割当契約の内容をどのようなものとするかは発行会社および付与対象者間で自由に決められるが，税制適格ストック・オプションとする場合には，税制適格の要件を満たすために割当契約に規定しておかなければならない事項が存在するため，留意が必要である（詳細は後述1－5■2(4)①参照）。

図表1－27は，付与するストック・オプションを税制適格ストック・オプションとする場合の割当契約のサンプル，図表1－28は，付与するストック・オプションを税制非適格ストック・オプションとする場合の割当契約のサンプルである。

なお，割当契約を締結しない場合（あるいは締結しても，割当てを受けようとする者による書面による申込みおよび発行会社による割当通知をかねない場合）には，書面または電磁的方法により提供する申込証の作成が必要となる。また，割当通知については，会社法上は書面その他の特定の方法によることが義務づけられていないため，口頭での通知も可能であるが，割当通知を適法に行った証拠を残すという観点から，書面で行われることも多いであろう。申込証のサンプルは，図表1－29，割当通知のサンプルは，図表1－30である。

図表1－27　税制適格ストック・オプション用割当契約の記載例

新株予約権割当契約書

○株式会社（以下「当社」という）と（氏名）○（以下「本新株予約権者」

---

[59] 電磁的方法（ファイルを出力することで書面を作成することができる形式での電子メールでの送付等）による場合には，発行会社の承諾を得て行う必要がある（法242条3項・2条34号，施222条）。
[60] 内藤＝藤原・前掲注（4）352頁参照。

という）は，下記のとおり新株予約権割当契約（以下「本契約」という）を締結する。

（目的）
第1条 本契約は，当社および当社子会社の取締役および使用人の業績向上に対する意欲や士気を一層高めることを目的に，○年○月○日開催の当社第○回定時株主総会決議および同日開催の当社取締役会決議に基づき，いわゆる通常型ストックオプションの目的で当社および当社子会社の取締役および使用人に対して発行される新株予約権（以下「本新株予約権」という）の割当てその他の事項を定めることを目的とする。

（本新株予約権の内容）
第2条 本新株予約権の内容は，本契約において別に定める場合を除き，本契約書別紙「○株式会社第○回新株予約権の要項」[注1]（以下「本要項」という）に記載のとおりとする。

（本新株予約権の数）
第3条 本新株予約権者に割り当てられる本新株予約権の数は，○個とする。

（本新株予約権の譲渡または処分の禁止）
第4条 本要項第○項の規定にかかわらず，本新株予約権者は，本新株予約権の譲渡ができないものとする[注2]。また，質入れ，担保権の設定その他の一切の処分もできないものとする。

（権利行使の制限）
第5条 本新株予約権者が複数の本新株予約権の割当てを受けた場合，本新株予約権者は，行使手続において本新株予約権の全部の行使または一部の行使をすることができるものとする。
 2. 前項の規定にかかわらず，本新株予約権者は，権利行使期間内のいずれの年（暦年）においても，本新株予約権の行使に係る権利行使価額の合計額が，年間1,200万円を超えないように，本新株予約権を行使しなければならないものとする[注3]。

（行使手続）
第6条 本新株予約権者は，本新株予約権の行使により取得する当社株式につき，当社と当社が別途指定する金融商品取引業者または金融機関（租税特別措置法施行令第19条の3第6項で定めるものに限る）との間であらかじめ締結される新株予約権の行使により交付される当社の株式の振替口座簿（社債，株式等の振替に関する法律に規定する振替口座簿をいう。以下同じ）への記載もしくは記録，保管の委託または管理および処分に係る信託（以下「管理等信託」という）に関する取決め（租税特別措置法施行令第19条の3第7項で定める要件を満たすものに限る）に従い，

租税特別措置法施行令第19条の3第8項で定めるところにより，当該取得後直ちに，当社を通じて，当該金融商品取引業者等の振替口座簿に記載もしくは記録を受け，または当該金融商品取引業者等の営業所もしくは事務所に保管の委託もしくは管理等信託がされることを了承する(注4)。
　2．本新株予約権の行使手続等に関する細目事項については，租税特別措置法第29条の2，関係政省令，通達等に規定されるところを踏まえて，別途当社が定めるものとする。

（当社の免責）
第7条　当社は，本新株予約権の権利行使手続の完了後，当社または口座管理機関等の株式の振替に関与する他の関係者の過失により株式の振替口座簿への記載または記録が遅延し，その結果，本新株予約権者が損害または損失を被った場合であっても，それによる責任を負わないものとする。

（関連法令の遵守）
第8条　本新株予約権の権利行使に係る株式の交付（新株の発行または株式の移転もしくは譲渡を含む。以下同じ）は，その交付のために付与決議がされた会社法第238条第1項に定める事項に反しないで行われるものとする(注5)。また，本新株予約権者は，本新株予約権の行使および行使により取得した株式の売却に関して，会社法，金融商品取引法その他一切の関連法令および当社の一切の内部規程を遵守しなければならないものとする。

（租税および費用）
第9条　本新株予約権者は，本新株予約権の行使および行使により取得した株式の売却その他の処分に関して課される公租公課その他一切の費用を負担する。
　2．法令，通達またはその解釈等の変更により，本契約が租税特別措置法第29条の2の適用を受けるための要件を満たさなくなった場合に，当社が，同条の適用を受けるための必要な変更を行う契約を本新株予約権者との間で締結したことまたはしなかったこと（必要な変更を行う契約の締結が法令上許容される範囲を逸脱していた場合も含む）により，本新株予約権者が同条の適用を受けることができなかったことまたは適用を受ける範囲について制限を受けたことについて，当社は本新株予約権者に対し責任を負わないものとする。

（本契約の変更）
第10条　当社は，法令および当社の内部規程で必要とされる手続に従い，法令上許容される範囲を逸脱しない限りにおいて，本契約を変更できるものとする。
　2．会社法，金融商品取引法，税法その他の関係法令の改正または解釈の

変更等が行われた場合において，当社が本契約を変更することが合理的に必要と認める場合には，当社は，本新株予約権者の同意なく当該変更を行うことができるものとする。なお，この場合，当社は，当該変更の内容を遅滞なく本新株予約権者に通知するものとする。
3．前2項の変更内容を明確にするため，本新株予約権者は当社の求めに応じ前2項の変更内容が記載された変更契約書に署名押印するものとする。
4．前3項の規定にかかわらず，当社は，随時，本新株予約権の行使に関する細目事項を変更できるものとする。

以上を証するため，本契約書2通を作成し，各当事者各1通を保有する[注6]。

当社は，下記の貴殿による本新株予約権の引受けの申込みを受け，本契約第3条に記載の数の本新株予約権を貴殿に割り当てることを通知する[注7]とともに，ここに本契約を締結いたします。

〇年〇月〇日

　　　　　　　　　　　　　　当　　　社：〇
　　　　　　　　　　　　　　　　　　　　株式会社〇
　　　　　　　　　　　　　　代表取締役社長　〇　　　　　　（印）

私は，別途貴社より受領した〇年〇月〇日付けの「新株予約権についての募集通知」[注8]の記載内容を承認のうえ，本契約第3条に記載の数の本新株予約権の引受けを申し込み[注9]，ここに本契約を締結いたします。

〇年〇月〇日

　　　　　本新株予約権者：（住所）
　　　　　　　　　　　　（氏名）　　　　　　　　　　　　（印）

【解　説】

(注1) 税制適格ストック・オプションとするために契約書において定めておかなければならない要件のうち，①権利行使は，付与決議の日後2年を経過した日から当該付与決議の日後10年を経過する日までの間に行わなければならないこと（措置法29条の2第1項1号，および②当該新株予約権の行使に係る1株当たりの権利行使

第Ⅱ編　第1章　ストック・オプション

　　　価額は，当該新株予約権に係る契約を締結した株式会社の株式の当該契約の締結の時における1株当たりの価額に相当する金額以上であること（同項3号）については，本契約別紙の「株式会社○第○回新株予約権の要項」における行使期間および行使価額の規定によって満たされていることを想定している。
（注2）税制適格ストック・オプションとするために契約書において定めておかなければならない要件のうち，「当該新株予約権については，譲渡をしてはならないこととされていること」（措置法29条の2第1項4号）を定めたものである。なお，「本要項第○項の規定」は，本要項において会社法上の譲渡制限の定め（法236条1項6号）を置いた規定を想定している。
（注3）税制適格ストック・オプションとするために契約書において定めておかなければならない要件のうち，本新株予約権の「行使に係る権利行使価額の年間の合計額が1,200万円を超えないこと」（措置法29条の2第1項2号）を定めたものである。なお，同項ただし書では，ある1種類の税制適格ストック・オプションのみならず，その他の種類の税制適格ストック・オプションの権利行使価額をも合算し，権利行使価額が1,200万円を超えることとなった場合には，その超える部分については非課税とはならないと規定している。詳細は後述1-5■2(4)①参照。
（注4）税制適格ストック・オプションとするために契約書において定めておかなければならない要件のうち，租税特別措置法29条の2第1項6号に関する事項を定めたものである。
（注5）税制適格ストック・オプションとするために契約書において定めておかなければならない要件のうち，「当該新株予約権の権利の行使に係る株式の交付が当該交付のために付与決議がされた会社法第238条第1項に定める事項に反しないで行われるものであること」（措置法29条の2第1項5号）を定めたものである。
（注6）会社側が準備した本割当契約書面を事前に本新株予約権者に交付し，当該書面に本新株予約権者が署名または記名・押印をしたものを会社に提出させ，それを受けて会社側で署名または記名・押印をすることで本契約を締結することを想定している。
（注7）割当日の前日までに，本割当契約を締結して本新株予約権者に1通交付することで，会社法243条3項の割当通知を兼ねる趣旨で記載している。
（注8）会社が本新株予約権者に対し，会社法242条1項の通知事項を記載した書面を事前に交付することを想定している。本割当契約書に同条の通知事項をすべて記載することによって，本割当契約書面の交付をもって，同条の通知に替えることも考えられる。
（注9）本新株予約権者に，本書面に署名または記名・押印をしたものを会社に提出させることで，会社法242条2項の書面による引受けの申込みを兼ねる趣旨で記載している。

図表1－28　税制非適格ストック・オプション用割当契約の記載例

新株予約権割当契約書

　株式会社○（以下「当社」という）と（氏名）○（以下「本新株予約権者」という）は，下記のとおり新株予約権割当契約（以下「本契約」という）を締結する。

（目的）
第1条　本契約は，当社取締役の，適正な会社経営を通じた株価上昇への意欲や士気を一層高めることを目的として，○年○月○日開催の当社第○回定時株主総会決議および同日開催の当社取締役会決議に基づき，いわゆる株式報酬型ストックオプションの目的で当社取締役に対しその他の事項を定めることを目的とする。

（本新株予約権の内容）
第2条　本新株予約権の内容は，本契約において別に定める場合を除き，本契約書別紙「株式会社○第○回新株予約権の要項」（以下「本要項」という）記載のとおりとする。

（本新株予約権の数）
第3条　本新株予約権者に割り当てられる本新株予約権の数は，○個とする。

（本新株予約権の譲渡等の禁止）
第4条　本要項第○項の規定[注1]にかかわらず，本新株予約権者は，本新株予約権の譲渡，質入れその他の一切の処分ができないものとする。

（行使手続）
第5条　本新株予約権の行使手続等に関する細目事項については，別途当社が指定するものとする。

（当社の免責）
第6条　当社は，本新株予約権の権利行使手続の完了後，当社または口座管理機関等の株式の振替に関与する他の関係者の過失により株式の振替口座簿への記載または記録が遅延し，その結果，本新株予約権者が損害または損失を被った場合であっても，それによる責任を負わないものとする。

（関連法令の遵守）
第7条　本新株予約権者は，本新株予約権の行使および行使により取得した株式の売却に関して，会社法，金融商品取引法その他一切の関連法令および当社の一切の内部規程を遵守しなければならないものとする。

（租税および費用）

第8条　本新株予約権者は，本新株予約権の行使および行使により取得した株式の売却その他の処分に関して課される公租公課その他一切の費用を負担する。

(本契約の変更)
第9条　当社は，法令および当社の内部規程で必要とされる手続に従い，法令上許容される範囲を逸脱しない限りにおいて，本契約を変更できるものとする。
　　2．会社法，金融商品取引法，税法その他の関係法令の改正または解釈の変更等が行われた場合において，当社が本契約を変更することが合理的に必要と認める場合には，当社は，本新株予約権者の同意なく当該変更を行うことができるものとする。なお，この場合，当社は，当該変更の内容を遅滞なく本新株予約権者に通知するものとする。
　　3．前2項の変更内容を明確にするため，本新株予約権者は当社の求めに応じ前2項の変更内容が記載された変更契約書に署名押印するものとする。
　　4．前3項の規定にかかわらず，当社は，随時，本新株予約権の行使に関する細目事項を変更できるものとする。

以上を証するため，本契約書2通を作成し，各当事者各1通を保有する[注2]。

　当社は，下記の貴殿による本新株予約権の引受けの申込みを受け，本契約第3条に記載の数の本新株予約権を貴殿に割り当てることを通知する[注3]とともに，ここに本契約を締結いたします。

〇年〇月〇日

　　　　　　　　　　　　　　当　　　社：　〇
　　　　　　　　　　　　　　　　　　　　　株式会社〇
　　　　　　　　　　　　　　代表取締役社長　〇　　　　（印）

　私は，別途貴社より受領した〇年〇月〇日付けの「新株予約権についての募集通知」[注4]の記載内容を承認のうえ，本契約第3条に記載の数の本新株予約権の引受けを申し込み[注5]，ここに本契約を締結いたします。

〇年〇月〇日

　　　　　　　　　本新株予約権者：（住所）

(氏名)　　　　　　　　　　　　(印)

【解　説】

(注1)「本要項第○項の規定」は，本要項において会社法上の譲渡制限の定め（法236条1項6号）を置いた規定を想定している。
(注2) 会社側が準備した本割当契約書面を事前に本新株予約権者に交付し，当該書面に本新株予約権者が署名または記名・押印をしたものを会社に提出させ，それを受けて会社側で署名または記名・押印をすることで本契約を締結することを想定している。
(注3) 割当日の前日までに，本割当契約を締結して本新株予約権者に1通交付することで，会社法243条3項の割当通知を兼ねる趣旨で記載している。
(注4) 会社が本新株予約権者に対し，会社法242条1項の通知事項を記載した書面を事前に交付することを想定している。本割当契約書に同条の通知事項をすべて記載することによって，本割当契約書面の交付をもって，同条の通知に替えることも考えられる。
(注5) 本新株予約権者に，本書面に署名または記名・押印をしたものを会社に提出させることで，会社法242条2項の書面による引受けの申込みを兼ねる趣旨で記載している。

図表1－29　　　　　　　　　　申込証の記載例

○年○月○日

新株予約権申込証

株式会社○　御中

　私は，別途貴社より受領した○年○月○日付けの「新株予約権についての通知」の記載内容を承認のうえ，○年○月○日の貴社取締役会決議に基づき発行される新株予約権について，下記のように引受けの申込みをいたします。

申込新株予約権個数	個

新株予約権申込者

会社名^(注1)	
所　属^(注2)	
氏　名　　　　　　　　　　　　（捺印）	
現住所	

【解　説】
　注1および注2は，必要的記載事項ではない。

図表1-30　　　　　割当通知の記載例

　　　　　　　　　　　　　　　　　　　　　　　　〇年〇月〇日

通　知　書

　　　　　　　　殿

　　　　　　　　　　　　　　　　　株式会社〇
　　　　　　　　　　　　　　　　　代表取締役社長　　〇

　〇年〇月〇日の当社取締役会決議に基づき当社が発行する新株予約権（以下，「本新株予約権」という）について，貴殿からの本新株予約権の引受けの申込みに対して，以下のとおり貴殿に割り当てることとしましたので，通知いたします。
記
1．貴殿に割り当てられる本新株予約権の数　　　　　　　　　個

|　　　　　　　　　　　　　　　　　　　　　　　　　　以　　上　|

⑫　**割当日**（類型Ⅰ～Ⅳ共通）

　　　（類型Ⅰ）役員報酬決議必要・有利発行決議不要型
　　　（類型Ⅱ）役員報酬決議不要・有利発行決議必要型
　　　（類型Ⅲ）役員報酬決議必要・有利発行決議必要型
　　　（類型Ⅳ）株主総会決議不要型

　新株予約権の引受人は，募集事項として定められた割当日に，新株予約権者になることとされている（法245条1項）ので，当該日にストック・オプションが付与されることとなる。割当てにより，会計上の処理等が必要になる点については，後述1－4参照。また，新株予約権の割当てと税務との関係については，後述1－5参照。

⑬　**登記申請**（類型Ⅰ～Ⅳ共通）

　　　（類型Ⅰ）役員報酬決議必要・有利発行決議不要型
　　　（類型Ⅱ）役員報酬決議不要・有利発行決議必要型
　　　（類型Ⅲ）役員報酬決議必要・有利発行決議必要型
　　　（類型Ⅳ）株主総会決議不要型

　新株予約権を発行した場合には，当該発行から2週間以内に（法915条1項），新株予約権について一定の事項を登記しなければならない（法911条3項12号）。登記事項および登記申請の際の添付書類等の詳細については，前述第Ⅰ編第3章3－2■5を参照されたい。

■3　監査等委員会設置会社の場合

　監査等委員会設置会の場合も，監査役設置会社の場合とおおむね同様のスケジュールとなるが，主たる相違点は，以下(1)～(3)に記載のとおりである。

(1) 報酬等の内容の決定

取締役および会計参与の報酬等は、定款に定めがなければ、株主総会の決議によって決定される（法361条1項・379条1項）。そのため、監査等委員会設置会社における報酬等の内容の決定に関しては、前述■2記載の各想定スケジュール表および後述1－3■3(1)①を参照されたい。

ただし、監査等委員会設置会社の場合、取締役の報酬等の決議の際は、監査等委員である取締役とそれ以外の取締役とを区別して定めることが必要になる（法361条2項）[61]。なお、後述1－3■3(3)の図表1－38は、監査等委員会設置会社における、監査等委員である取締役とそれ以外の取締役に対する報酬等としての新株予約権（ストック・オプション）付与の株主総会議案の株主総会参考書類における実例である。

(2) ストック・オプション目的の新株予約権の募集事項の決定

監査等委員会設置会社においては、①取締役の過半数が社外取締役である場合[62]、または②定款の定めがある場合には、募集事項の内容の決定権限を、取締役会から取締役に委任することができる（法399条の13第5項・6項）。かかる権限を取締役に委任した場合、スケジュールAおよびスケジュールBの参照番号⑥は「取締役会決議および取締役決定」となり、前述■2(4)⑥における各解説もそれに伴い読み替えることになる。

---

[61] 監査等委員である取締役の報酬等に係る議案とそれ以外の取締役の報酬等に係る議案を別議案としてそれぞれ決議する方法のほか、監査等委員である取締役の報酬等とそれ以外の取締役の報酬等を区別して定めている限り、これらを同一議案において決議する方法も、会社法上は問題ないと考えられる（弥永真生ほか監修・西村あさひ法律事務所編『会社法実務相談』33頁～34頁〔髙木弘明〕〔商事法務、2016〕参照）。

[62] 事後的に社外取締役過半数の要件が欠けた場合には、募集事項の内容の決定に関する取締役への委任は、将来に向かって効力を失うと解されている（江頭・株式会社法612頁注2）。したがって、補欠の社外取締役の選任等、欠員を生じない措置を講じておくことが慎重な対応といえる。

(3) 登記の添付書類

監査等委員会設置会社においては，商業登記法46条4項により，取締役会で定めるべき事項の決定について取締役に委任した場合（法399条の13第5項・6項）には，登記の添付書類として，取締役の決定があったことを証する書面を添付しなければならない。

■4　指名委員会等設置会社の場合

指名委員会等設置会社の場合も，監査役設置会社の場合とおおむね同様のスケジュールとなるが，主たる相違点は，以下(1)～(3)に記載のとおりである。

(1) 報酬等の内容の決定

指名委員会等設置会社の場合，株主総会ではなく，報酬委員会が，執行役，取締役および会計参与の受ける個人別の報酬等の内容を決定しなければならない（法404条3項・409条）。したがって，前述■2(1)記載の**図表1－5**の判定チャートにおいて，類型Ⅰ（役員報酬決議必要・有利発行決議不要型）に該当する場合の前半想定スケジュールが，（スケジュールAではなく）スケジュールBと同様になる。よって，類型Ⅰ（役員報酬決議必要・有利発行決議不要型）に該当する場合の前半スケジュールについては，参照番号①，⑥－Ⅳおよび⑧－Ⅳに対応する解説箇所を参照されたい。

また，前述■2(1)記載の**図表1－5**の判定チャートにおいて，**類型Ⅲ**（役員報酬決議必要・有利発行決議必要型）に該当する場合の前半想定スケジュールは，（監査役設置会社と同様）スケジュールAであるが，手続の内容としては，スケジュールAの中の**類型Ⅱ**（役員報酬決議不要・有利発行決議必要型）と合致することになるので，**類型Ⅱ**の欄に記載の参照番号に対応する解説箇所を参照されたい。

なお，指名委員会等設置会社においては，報酬委員会が，執行役および取締役の個人別の報酬等の内容に係る決定に関する方針を決定しなければなら

ない（法409条1項）。指名委員会等設置会社においては，取締役の任期が1年以内であることから（法332条6項），定時株主総会における取締役の選任後，速やかに，報酬等の内容の決定方針を定めることとなる[63]。

一方，報酬委員会による執行役および取締役の個人別の報酬等の決定については，その時期は特に定められていない。報酬委員会におけるストック・オプションの付与の決定が，募集事項の決定より前にされた場合，報酬委員会決定は厳密には，ストック・オプション目的の新株予約権の募集事項の決定に係るものではなく，執行役等に対する報酬に関する議案に係る決定であることから，その時点で「ストック・オプションの付与」として開示することは必要ではないが，当該議案の内容が，事実上，ストック・オプション目的の新株予約権の募集事項の内容を相当程度有しているものであれば，報酬委員会による決定の時点で開示を行うとの対応も考えられる。

(2) ストック・オプション目的の新株予約権の募集事項の決定

指名委員会等設置会社においては，募集事項の内容の決定権限を，取締役会から執行役に委任することができる（法416条4項）。したがって，かかる権限を執行役に委任した場合，スケジュールAおよびスケジュールBの参照番号⑥は「取締役会決議および執行役決定」となり，前述■2(4)⑥における各解説もそれに伴い読み替えることになる。このように権限を執行役に委任した場合における，執行役決定後の適時開示の実例が**図表1－31**である。

なお，報酬委員会による決定が募集事項の決定以前に行われ，その際に適時開示を行っていた場合でも，取締役会または執行役による具体的な募集事項の内容の決定を行った段階で，あらためて未決定であった開示項目を含んだ適時開示を行うことが必要になる。

---

[63] なお，当該決定方針や各取締役および各執行役の報酬内容が，結果的に，前年度と同一のものになる場合でも，定時株主総会後に組織された新たな報酬委員会によって決定をし直さなければならない（始関・平成14年97頁）。

1-2 スケジュールおよび各手続

図表1－31 **指名委員会等設置会社における執行役決定後の適時開示の実例**

2021年3月26日
証券コード　6817　東証第一部

各　位

会　社　名　スミダコーポレーション株式会社
代表者名　代表執行役CEO　○
問合せ先　広報・IRチーム

業績達成条件付新株予約権
（ストックオプション）の発行に関するお知らせ

　代表執行役CEO○は，2021年3月25日，スミダコーポレーション株式会社（以下，「当社」とします）取締役会規則第9条第2項（執行役への権限委譲）に基づき，以下の通り，【1】2021年度当社子会社の取締役および従業員に対する業績達成条件付新株予約権（株式報酬型ストックオプション）の発行，【2】2021年度当社執行役に対する業績達成条件付新株予約権（株式報酬型ストックオプション）の発行を決定しましたので，お知らせ致します。

　なお，【1】2021年度当社子会社の取締役および従業員に対する業績達成条件付新株予約権の発行は，2021年3月25日の当社株主総会による委任決議に基づいて決定するものであり，また，【2】2021年度当社執行役に対する業績達成条件付新株予約権の発行は，当社報酬委員会の決議に従って決定しております。

記

Ⅰ．ストックオプションとして新株予約権を発行する理由
　　当社グループが2021年12月期から2023年12月期までの3ヵ年期間における目標の達成，持続的な成長および中長期的な企業価値の向上を目指すにあたり，中期インセンティブプランとして，当社子会社の取締役および従業員に対し，新株予約権の行使に際して出資される財産の価額を1株当たり1円とする新株予約権を無償で発行するものです。

Ⅱ．決定内容
　【1】2021年度当社子会社の取締役および従業員に対する業績達成条件付新株予約権

第Ⅱ編　第1章　ストック・オプション

<中略>

【2】2021年度当社執行役に対する業績達成条件付新株予約権
(1) 新株予約権の目的である株式の種類および数
　　当社普通株式11万1,700株を上限とする。
　　新株予約権1個当たりの目的である株式の数（以下，「付与株式数」という。）は100株とする。
　　なお，当社が当社普通株式の株式分割（株式無償割当てを含む。以下同じ。）または株式併合を行う場合は，新株予約権のうち，当該株式分割，または株式併合の時点で行使されていない新株予約権について，次の算式により付与株式数の調整を行い，調整の結果生じる1株未満の端数は，これを切り捨てるものとする。

　　　　調整後付与株式数＝調整前付与株式数×分割・併合の比率

　　また，当社が合併，会社分割，株式交換もしくは株式移転を行う場合等付与株式数の調整を必要とする場合には，当社は，合併比率等の条件等を勘案のうえ，合理的な範囲で付与株式数の適切な調整を行うことができるものとする。

(2) 新株予約権の総数
　　新株予約権の総数は，1,117個とする。
　　上記総数は割当予定数であり，引受けの申込みがなされなかった場合等，割り当てる新株予約権の総数が減少したときは，割り当てる新株予約権の総数をもって発行する新株予約権の総数とする。

(3) 新株予約権の払込金額
　　2021年4月23日における東京証券取引所の当社普通株式の普通取引の終値等に基づきブラック・ショールズ・モデルにより新株予約権の公正価額として算定する1株当たりのオプション価格（1円未満の端数は四捨五入）に付与株式数を乗じた金額とする。なお，新株予約権の割当てを受けた者は，新株予約権の払込金額総額の払込みに代えて，当社に対する報酬債権と相殺するものとする。

(4) 新株予約権の行使に際して出資される財産の価額
　　新株予約権1個当たりの行使に際して出資される財産の価額は，新株予約権を行使することにより交付を受けることができる株式1株当

たりの払込金額（以下，「行使価額」という。）である1円に付与株式数を乗じた金額とする。なお，当社が当社普通株式の株式分割または株式併合を行う場合は，新株予約権のうち，当該株式分割または株式併合の時点で行使されていない新株予約権について，次の算式により行使価額の調整を行い，調整の結果生じる1円未満の端数は，これを切り上げることとする。

$$\text{調整後行使価額} = \text{調整前行使価額} \times \frac{1}{\text{分割・併合の比率}}$$

また，当社が合併，会社分割，株式交換もしくは株式移転を行う場合等行使価額の調整を必要とする場合には，当社は，合併比率等の条件等を勘案のうえ，合理的な範囲で行使価額の適切な調整を行うことができるものとする。

(5) 新株予約権を行使することができる期間
2024年4月1日から2033年3月31日まで

(6) 新株予約権の行使により株式を発行する場合における増加する資本金および資本準備金に関する事項
(ア) 新株予約権の行使により株式を発行する場合において増加する資本金の額は，会社計算規則第17条第1項の規定に従い算出される資本金等増加限度額の2分の1の金額とし，計算の結果1円未満の端数が生じたときは，その端数を切り上げるものとする。
(イ) 新株予約権の行使により株式を発行する場合において増加する資本準備金の額は，上記(ア)記載の資本金等増加限度額から上記(ア)に定める増加する資本金の額を減じた額とする。

(7) 新株予約権の割当日
2021年4月23日

(8) 新株予約権の行使請求受付場所
当社ストックオプション事務局

(9) 新株予約権の行使に際する払込取扱場所
三菱UFJ信託銀行株式会社

(10) 新株予約権の譲渡制限
　　　譲渡による新株予約権の取得については，当社取締役会の承認を要するものとする。

(11) 新株予約権の取得事由
　(ｱ)　当社は，当社が消滅会社となる合併契約承認の議案，当社が分割会社となる吸収分割契約もしくは新設分割計画承認の議案，当社が完全子会社となる株式交換契約もしくは株式移転計画承認の議案，当社の発行する全部の株式の内容として譲渡による当該株式の取得について当社の承認を要する旨の定めを設ける定款変更承認の議案または新株予約権の目的である種類の株式の内容として譲渡による当該種類の株式の取得について当社の承認を要する旨もしくは当該種類の株式について当社が株主総会の決議によってその全部を取得する旨の定めを設ける定款変更承認の議案につき当社株主総会で承認された場合（株主総会決議が不要の場合は，当社取締役会の決議または取締役会決議により委任を受けた当社執行役の決定がなされた場合）は，当社取締役会または取締役会の決議により委任を受けた当社執行役が別途定める日に，無償で新株予約権を取得することができるものとする。
　(ｲ)　新株予約権の割当てを受けた者（以下，「新株予約権者」という。）が権利行使をする前に，下記(13)に定める規定その他の事由により新株予約権の行使ができなくなった場合，当社は，新株予約権を無償で取得することができるものとする。

(12) 組織再編行為の際の新株予約権の取扱い
　　　当社が，合併（当社が合併により消滅する場合に限る。），吸収分割もしくは新設分割（それぞれ当社が分割会社となる場合に限る。）または株式交換もしくは株式移転（それぞれ当社が完全子会社となる場合に限る。）（以上を総称して以下，「組織再編行為」という。）をする場合において，組織再編行為の効力発生日において残存する新株予約権（以下，「残存新株予約権」という。）の新株予約権者に対し，それぞれの場合につき，会社法第236条第1項第8号イからホまでに掲げる株式会社（以下，「再編対象会社」という。）の新株予約権を以下の条件に基づきそれぞれ交付することとする。この場合においては，残存新株予約権は消滅し，再編対象会社は新株予約権を新たに発行するものとする。ただし，合併契約，吸収分割契約，新設分割計画，株式交換契約または株式移転計画において以下の条件に沿って再編対象会社の

新株予約権を交付する旨が定められた場合に限る。
  (ｱ) 交付する再編対象会社の新株予約権の数
　　 残存新株予約権の新株予約権者が保有する新株予約権の数と同一の数をそれぞれ交付するものとする。
  (ｲ) 新株予約権の目的となる再編対象会社の株式の種類
　　 再編対象会社の普通株式とする。
  (ｳ) 新株予約権の目的となる再編対象会社の株式の数
　　 組織再編行為の条件等を勘案の上，上記(1)に準じて決定する。
  (ｴ) 新株予約権の行使に際して出資される財産の価額
　　 交付される各新株予約権の行使に際して出資される財産の価額は，組織再編行為の条件等を勘案の上，上記(4)で定められる行使価額を調整して得られる再編後払込金額に上記（ｳ）に従って決定される当該新株予約権の目的となる再編対象会社の株式の数を乗じて得られる額とする。
  (ｵ) 新株予約権の権利行使期間
　　 上記(5)に定める新株予約権を行使することができる期間（以下，「権利行使期間」という。）の開始日と組織再編行為の効力発生日のうちいずれか遅い日から権利行使期間の満了日までとする。
  (ｶ) 新株予約権の行使の条件
　　 下記(13)に準じて決定する。
  (ｷ) 新株予約権の行使により株式を発行する場合における増加する資本金および資本準備金に関する事項
　　 上記(6)に準じて決定する。
  (ｸ) 新株予約権の取得に関する事項
　　 上記(11)に準じて決定する。
  (ｹ) 譲渡による新株予約権の取得の制限
　　 譲渡による新株予約権の取得については，再編対象会社の取締役会の決議（再編対象会社が取締役会設置会社でない場合には，「取締役」とする。）による承認を要するものとする。

(13) 新株予約権の行使の条件
  (ｱ) 新株予約権者は，(i)当社の2021年12月期から2023年12月期までの各事業年度（以下，「対象事業年度」という。）のうちいずれかの事業年度において，有価証券報告書における連結損益計算書に記載された営業利益の金額（以下，「業績判定水準」という。）が64億円以上となり，かつ，(ii)対象事業年度の平均投下資本利益率が4.9パーセント以上となったときに限り，自己が保有する新株予約権の個数

第Ⅱ編　第1章　ストック・オプション

　　　　に行使可能割合（対象事業年度の各業績判定水準のうち最も大きい金額《100億円を超える場合は100億円とする。》の100億円に対する割合をいう。）を乗じて得た個数（1個未満の端数が生ずる場合には，当該端数を切り捨てる。）を限度として新株予約権を行使することができる。なお，参照すべき指標の概念に重要な変更があった場合には，別途参照すべき指標を取締役会にて定めるものとする。
　(イ)　新株予約権者は，新株予約権の行使時まで継続して，当社の執行役若しくは取締役または当社子会社の取締役若しくは従業員の地位（以下，総称して「要件地位」という。）にあることを要する。
　(ウ)　新株予約権者に法令または当社社内規定に違反する行為があった場合（対象者が有罪判決を受けた場合，会社法第423条第1項の規定により当社に対して損害賠償義務を負う場合および解任または懲戒解雇された場合を含むがこれに限らない。）は，その後新株予約権を行使することができないものとする。
　(エ)　新株予約権者が要件地位を喪失した場合でも，要件地位喪失の理由が，任期満了による退任，社命による退任，業務上の傷病による廃疾を主たる理由とする退任，やむを得ない事業上の都合による退任，またはこれらに準ずる理由による退任・退職であるときは，上記(イ)にかかわらず，要件地位喪失日または権利行使期間の開始日のいずれか遅い日から2年が経過する日（ただし，権利行使期間の満了日までとする。）までに限り，新株予約権を行使することができる。ただし，要件地位喪失日が権利行使期間の開始日より前である場合，行使することができる新株予約権の個数は，以下の算式に基づき計算される（1個未満の端数が生ずる場合には，当該端数を切り捨てる。）。

$$\text{行使することができる新株予約権の個数} = \text{上記(ア)の限度個数} \times \frac{\text{割当日から要件地位喪失日までの日数}}{\text{割当日から権利行使期間の開始日の前日までの日数}}$$

　(オ)　新株予約権者の相続人による新株予約権の行使は認めない。
　(カ)　新株予約権1個を分割して行使することはできない。

(14)　新株予約権を行使した際に生ずる1株に満たない端数の取決め
　　　新株予約権を行使した新株予約権者に交付する株式の数に1株に満たない端数がある場合には，これを切り捨てるものとする。

(15) 新株予約権の割当の対象者およびその人数
　　　　当社執行役　2名
　　　上記人数は予定（上限）であり，引受けの申込みがなされなかった場合等，減少する可能性がある。

以　上

(3) 登記の添付書類

　指名委員会等設置会社においては，商業登記法46条5項により，取締役会で定めるべき事項の決定について執行役に委任した場合（法416条4項）には，登記の添付書類として，執行役の決定があったことを証する書面を添付しなければならない。

第Ⅱ編 第1章 ストック・オプション

1-3 ストック・オプションに関する法的・実務的主要論点

■1 ストック・オプションとしての新株予約権に関する改正前商法・会社法の変遷

⑴ はじめに

　会社法のもとでは，ストック・オプション目的で交付する新株予約権，つまり会社の取締役・従業員等への職務執行の対価として付与される新株予約権については，その新株予約権と引換えに金銭の払込みを要しない場合でも，原則として，有利発行にあたらないとされている[64]。また，令和元年会社法改正により，上場会社の取締役に対しては，新株予約権の行使に際して払込みを要しないストック・オプションを付与することも可能となった（後述⑷参照）。

　もっとも，かかる整理に至るまでには，旧商法下におけるストック・オプション制度やそれに対する理解の変遷があった。以下においてはこれらの変遷を概観し，そのうえで，会社法下での考え方を概説することとする。

---

(64) 相澤・論点解説444頁。

(2) 改正前商法下におけるストック・オプション制度の変遷

① 平成9年改正商法におけるストック・オプション制度

　平成13年11月の商法改正における新株予約権制度の創設以降は、株式のコール・オプションはそれ自体固有の財産的価値（公正価値）を有するものであるという理解が基礎とされており、この点は会社法においても同様である。

　これに対し、ストック・オプション制度がはじめて整備された平成9年当時は、経済学等の分野ではともかく、商法の解釈論上は、株式のコール・オプションに固有の財産的価値を見いだすものではなかった。

　ところで、平成9年改正商法におけるストック・オプション制度に対する株主総会の関与のあり方は、(a)自己株式方式については、処分する予定の自己株式の取得につき定時株主総会の普通決議（平成13年6月改正前商210条ノ2第2項3号）を、(b)新株引受権方式については、付与する新株引受権（条文上は「新株ノ引受権」。平成13年6月改正前商法280条ノ19第1項参照。以下本①において同じ）の付与につき株主総会の特別決議（平成13年11月改正前商280条ノ19第2項）を、それぞれ要求するというものであった。

　まず、(a)について要求される株主総会決議は、条文上は、自己株式を一定の価格で譲り受ける権利を与えることを明らかにしたうえで、当時は禁止されていた自己株式の取得を当該目的のものについて許容するための決議という位置づけのものであった。

　次に、(b)について要求される株主総会決議は、（その後のストック・オプション制度の原型となるものであるが）付与された権利者が権利行使をする時点で株価が値上がりしており、その際に利益を得られるとすれば、特定の者に時価よりも低い対価で株式を与えることになるとの考え方から要求されていたものであるといえる。

　上記の平成9年改正は議員立法であったが、当時の法務省の解説では、特定の者に時価よりも低い対価で株式を与えることになるという点で共通して

いる(a)・(b)の方式について，前者は普通決議，後者は特別決議と決議要件が区別されている理由として，自己株式方式の場合には発行済株式総数が増加しないのに対し，新株引受権方式の場合には発行済株式総数が増加することがあげられている[65]。また，新株の有利発行について特別決議が要求されていることとの平仄も同様に理由に掲げられている[66]。

ストック・オプション目的の新株引受権（ひいては新株予約権）の付与が有利発行に該当するという考え方は，平成9年のストック・オプション制度導入時に基礎づけられたということができよう。

② **平成13年11月改正商法におけるストック・オプション制度**

平成13年11月改正においては，同年6月改正において行われた自己株式の取得の解禁も踏まえつつ，株式のオプション制度について大々的な見直しが行われた。

具体的には，従来，新株引受権附社債の新株引受権，「新株ノ引受権」，転換社債の転換権と各種の制度に分かれていた株式のコール・オプションについて，新株予約権という制度に一本化を図り，かつ，新株予約権に固有の価値を見いだすとともに，新株予約権の有利発行概念についても，新株予約権の公正価値に満たない払込金額によって当該新株予約権を取得させる行為と位置づけることになった。

これにより，新株予約権については，（将来において）特定の者に時価よりも低い対価で株式を与えることになることをもって有利発行に該当するという考え方ではなく，新株予約権という権利を公正価値よりも低い対価で取得させることが有利発行であるという考え方がとられることとなった[67]。

---

[65] 一問一答平成9年313頁。

[66] 一問一答平成9年313頁。当時の新株引受権附社債や転換社債については，特段の事情がない限り，発行時の権利行使価額が発行時の株価を下回らない限り有利発行には該当しないと解釈されていた（新注会(11)42頁〔鴻常夫〕参照）こともあわせて考えると，ストック・オプション目的の新株引受権の有利発行該当性については，当時の考え方としては，かなり厳格な解釈が採用されたといえよう。

[67] 江頭憲治郎「平成13年通常国会・臨時国会による商法改正について」旬刊商事法務1617号79頁（2002）参照。

ただし，ストック・オプション目的の新株予約権については，（払込金額ゼロでの発行であることを前提とすると）その対価は主として役職員による労務の提供であると考えられるところ，株式会社においては労務出資が認められないこと等を根拠に，改正前商法上，役員や従業員の労務提供は，新株予約権の交付の対価としては「無償」（財産的価値を有さないもの）と評価され，ストック・オプション目的の新株予約権の発行については常に有利発行に該当するという考え方がとられていた[68]。

(3) 会社法におけるストック・オプションの対価性についての考え方

① ストック・オプションの対価性

新株予約権自体に財産的価値（当該新株予約権が有する公正価値）を見い出す一方で，ストック・オプション目的で交付する新株予約権の対価たる役職員による労務提供等については，改正前商法上あるいは会社法上，常に「無償」（財産的価値を有さないもの）と評価することについては，このような考え方が合理的かという疑問が生ずる。

会計基準においては，労務提供とストック・オプションとしての新株予約権の付与とを対価関係にあるものとして処理する国際的な会計基準の動向を受け，2005年に「企業会計基準第8号・ストック・オプション等に関する会計基準」が制定され，会社の取締役・従業員等への職務執行の対価として新株予約権を付与する場合，会社は当該新株予約権の付与日現在における公正な評価額を，対象勤務期間の費用として計上することとされた（ス基4ないし6）。かかる会計処理は，取締役・従業員等に対し上記評価額と同額の現金報酬をいったん支払い，その現金を払い込ませて当該新株予約権の割当を行うに等しい。このような会計処理と平仄を合わせ，会社法制定時に，従来の考え方が変更され，ストック・オプションとしての新株予約権の付与は，

---

[68] 江頭・株式会社法476頁注12参照。

第Ⅱ編　第1章　ストック・オプション

会社が，新株予約権の公正な評価額と同等の価値を有する労務提供を受けることと引換えに，新株予約権を発行するものと整理され，その結果，金銭の払込みを要しないで発行したとしても，原則として「特に有利な条件」（法238条3項1号）や「特に有利な金額」（同項2号），つまり有利発行にはあたらないとされた[69]。

② 子会社の取締役・使用人に対する新株予約権の付与

ストック・オプションの対価性に関する理解のあり方として，たとえば，「子会社の取締役・使用人が新株予約権を付与される場合……には，会社への労務提供はないので，『特に有利な条件』による付与としての規制……を受ける」とするもの[70]もある。この見解が，新株予約権の交付の対価としては，自社に対する労務提供という，直接的かつ具体的なサービスの提供しか認めないとするものであるならば，疑問の余地がある。

まず，ストック・オプションをインセンティブ報酬として位置づけ，その実態に即して，会社が提供を受けることを期待している便益をストック・オプション目的で交付する新株予約権の対価として正当に評価すべきであるという考え方にたつ以上は，当該便益としては，具体的な労務の提供以外のものも含めて評価することも許されるべきであろう。加えて，便益の提供形態として，子会社や関係会社への提供を通してストック・オプションの発行会社に対して間接的に提供されるものを一律に否定しなければならない理由はないと思われる。実際に，子会社や関係会社の役職員に対してストック・オプションを付与している例は少なくないが，そのようなストック・オプションを付与する会社は，付与対象者から（抽象的かつ間接的な形態であっても）一定の便益の提供を受けることを期待しているはずであろう（そうでなければストック・オプションは付与対象者に対する単なる寄付ということになってしまい，およそ会社の行動の経済合理性からは逸脱してしまう）。そうであるとす

---

[69]　江頭・株式会社法476頁注12，相澤・論点解説313頁〜315頁。
[70]　江頭・株式会社法475頁，江頭憲治郎「子会社の役員等へのストック・オプションの付与」旬刊商事法務1863号4頁以下（2009）。

1-3 ストック・オプションに関する法的・実務的主要論点

ると，会社が提供を受けることを期待している便益を対価として正当に評価すべきであるという考え方をとる限り，その評価対象とする便益の範囲から，子会社や関係会社への提供を通して間接的に提供されるものを一律に排除する理由は特にないであろう。

③ 会社法におけるストック・オプション目的の新株予約権の有利発行

以上のとおり，会社法におけるストック・オプションとしての新株予約権の付与は，会社が，新株予約権の公正な評価額と同等の価値を有する労務提供を受けることと引換えに，新株予約権を発行するものと整理されることから，会社法下においても，ストック・オプションとしての新株予約権の付与において有利発行決議が必要と考えられるのは，ストック・オプション目的の新株予約権の公正価値が，その付与の対価として会社が受領することを期待できる便益との見合いにおいて会社が本来負担すべき費用額を超えている（厳密には，付与対象者に「特に」有利といえるほどに大きく超えている）という例外的な場合ということになろう。

また，ストック・オプション目的の新株予約権を，子会社や関係会社の役職員等，会社と直接の契約関係がない者に交付する場合には有利発行であるという考え方（前述②参照）もある。かかる考え方は，ストック・オプション目的の新株予約権の交付により受領することを期待できる便益として評価できるものの範囲を限定的に捉えるものであるといえる。しかし，会社が提供を受けることを期待している便益を対価として正当に評価すべきであるという上記で示した考え方からすれば，その評価対象とする便益の範囲から，子会社や関係会社への提供を通して間接的に提供されるものを一律に排除する理由は特にないであろう。

そして，ストック・オプションを付与する場合，付与対象者から会社に対してストック・オプションの価値に見合う便益がもたらされると会社が判断して付与しているのが通常であるとすれば，理論的には，ストック・オプションの付与手続については有利発行決議を経ない手続が通常ということになると考えられる。

第Ⅱ編　第1章　ストック・オプション

なお，新株予約権の有利発行手続の要否との論点とは別に，取締役の善管注意義務として，ストック・オプションとして発行する新株予約権の公正価値が，当該ストック・オプションの付与により会社にもたらされると考えられる便益との見合いで会社が本来負担すべき費用を大きく超えていないかどうかの判断が理論的には求められる点には留意が必要である[71]。

(4) 上場会社の取締役の報酬等としてのストック・オプションの特則

後述■2(1)②のとおり，新株予約権の発行に際しては，金銭の払込みを不要とすることができる（法238条1項2号）。これに加えて，当該新株予約権の行使による株式の発行においても，金銭の払込み等を不要とする場合，無償での株式発行を認めることになる。無償での株式発行は，債権者や既存株主を害するおそれがあるため，令和元年会社法改正前は，一律に不可とされていた。そのため，実務においては，ストック・オプションとしての新株予約権の発行において，取締役や従業員への報酬として（実質的に金銭の払込み等を求めずに）株式を付与する手法として，新株予約権の行使価額（法236条1項2号）を1円とする手法（株式報酬型ストック・オプション）が用いられている。

しかし，ストック・オプションについては，前述(3)のとおり，付与対象者から，ストック・オプションの価値に見合う便益・役務提供がなされていると見られるべきものであり，新株予約権の行使価額を無償としても，無償による株式発行により債権者や既存株主を害するとの趣旨は必ずしも妥当しない。そこで，令和元年会社法改正により，金融商品取引所（金商2条16項参照）に上場されている株式を発行している株式会社（法236条3項柱書前段）

---

[71]　なお，相当でない取締役の報酬が決定された場合，取締役会構成員は任務懈怠責任（法423条1項）を負うと考えられるものの，経営者の報酬の決定に関する取締役会の裁量を不当に制約しないように，かかる責任の有無に関する裁判所の審査基準は緩やかなものとならざるをえないものと考えられる（伊藤靖史「取締役報酬に関する規律の現状と課題」ジュリスト1495号36頁〔2016〕）。

においては，取締役（指名委員会等設置会社の場合には執行役を含む〔同条4項〕。以下本(4)において同じ）に対する報酬等として付与する新株予約権[72]の行使に際して金銭の払込み等を要しないことが認められた（同条3項1号）。

なお，当該取扱いが認められる株式会社が，上記の意味の上場会社に限定されているのは，その株式に市場株価が存在し，その公正な価値を算定することが容易であり，取締役の報酬等として付与すべき新株予約権の数の決定等が恣意的になされる事態を合理的に防止できると考えられたことによる[73]。また，付与対象者が取締役に限定されているのは，取締役の報酬等として付与すべき新株予約権の数の上限等は，定款または株主総会の決議によって定めることとされ（法361条1項4号・5号ロ。指名委員会等設置会社においては，報酬委員会にて，個人別の新株予約権の数等を定める〔法409条3項4号・5号ロ〕），既存株主の保護等が図られていることに鑑みたものである[74]。そのため，株主に対しては，取締役への報酬等として，新株予約権の行使に際して金銭の払込み等を不要とするストック・オプションを発行するに際して，（定款に定めのある場合を除き）取締役等への報酬等を承認する株主総会において，①取締役の報酬等としてまたは取締役の報酬等と引換えに新株予約権を発行するものであり，当該新株予約権の行使時の払込み等を要しない旨，および②当該新株予約権としての報酬等についての株主総会決議に係る取締役（取締役であった者を含む）以外は当該新株予約権を行使することができない旨を決議事項に含めたうえで，承認を求めることになる（施98条の3第1号・98条の4第2項1号，法361条1項4号・5号ロ・236条3項各号。指名委員会等設置会社においては，報酬委員会にてこれらの事項を定める（施111条の2第1号・111条の3第2項1号，法409条3項4号・5号ロ・236条3項各号・4項））。加えて，当該ストック・オプションの発行時においても，

---

(72) 取締役の報酬等として付与される金銭をもって新株予約権と引換えにする金銭の払込みに充てることにより発行される新株予約権を含み，いわゆる相殺構成（後述■2(1)①）による場合も含まれる（一問一答令和元年90頁）。
(73) 一問一答令和元年92頁参照。
(74) 一問一答令和元年91頁参照。

上記の各事項は新株予約権の内容として定める必要があり（法236条3項・4項），その内容は登記されることとなる（法911条3項12号ハ）。

■2 ストック・オプション目的の新株予約権の発行実務上の諸問題

(1) 相殺構成と無償構成

前述のとおり，会社法下において，ストック・オプション目的の新株予約権を発行しようとする場合，その法律構成としては，相殺構成と無償構成の2つが考えられる[75]。そこで，以下では，相殺構成と無償構成の概要とメリット・デメリット等を整理する。なお，新株予約権の発行方法と新株予約権の内容・属性の関係についての主要な論点・留意点の整理は，**図表1－4**を参照されたい。

① **払込金額を公正価値相当額とする場合（相殺構成）**

(a) **相殺構成の概要**

ストック・オプション目的の新株予約権を発行する場合において，その公正価値を算定したうえで公正価値相当額を払込金額とし，当該払込金額の払込義務と付与対象者の有する発行会社に対する債権（たとえば報酬債権）とを相殺する（法246条2項）こととする法律構成を，相殺構成という。

(b) **有利発行手続の要否**

相殺構成の場合，付与対象者は新株予約権の公正価値相当の払込金額を（その有する報酬債権等との相殺の形で）払い込んでいるので，有利発行手続は不要と解される。

なお，会計基準上は，新株予約権の公正価値は，新株予約権の付与日を基準として算定することとされている（ス基6(1)）ため，会計基準上の公正価

---

[75] なお，理論的には，新株予約権の公正価値の一部を金銭または相殺により払い込ませ，一部を無償とするといったパターンもありうるが，ここでは典型的なケースとして，新株予約権の公正価値の全額を相殺により払い込む場合と，新株予約権の公正価値の全額の払込みを要しない場合の2つのケースを想定する。

値は，払込金額の決定をする取締役会決議時（会社法238条の募集事項を決定する取締役会決議時）において見込まれる公正価値を上回っている可能性もある[76]。しかし，有利発行手続を要するか否かは，取締役会決議時点において見込まれる公正価値を基準に判断すれば足りると解される[77]ため，当該決議時点で合理的に公正価値を算定し，それを払込金額としたのであれば，仮に，その後到来する新株予約権の割当日（付与日）を基準として計算される会計基準上の公正価値がこれを上回ることとなったとしても，有利発行規制違反の問題は生じないと考えられる。

(c) **相殺に用いる債権**

相殺に用いる債権はどのようなものでもよく，付与対象者がもともと保有している既存の債権を利用してもよいし，当該相殺に用いるために，付与対象者に新たに新株予約権の公正価値（払込金額）と同額の金銭債権を付与する等してそれを相殺に利用させることとしてもよい。実務においては，後者の場合が通例であり，また，当該債権の付与に際しては，「当該報酬は，募集新株予約権の払込金額の払込債務と相殺することを条件として付与する」旨の条件を付すとの対応が考えられる。

なお，発行会社の子会社の役員または従業員にストック・オプション目的の新株予約権を相殺構成により付与する場合であって，当該付与対象者と発行会社との間には何らの契約関係も存在しない場合には，そのままの状態では払込金額の払込債務と相殺すべき債権を評価可能な財産として認識することができない。もっとも，たとえば，①子会社がその役職員に対して負担している報酬支払債務を親会社が（当該子会社から一定の対価の支払を受けて）引き受けて，子会社の役職員がその報酬債権を当該新株予約権の払込金額の払込債務と相殺する，または，②親会社が子会社の役職員と直接契約を締結

---

(76) 郡谷大輔ほか「ストック・オプション議案等において会社法が求めるもの」T&A master161号7頁（2006）参照。
(77) 改正前商法下の新株発行に関する解説であるが，「発行価額が有利かどうかは取締役会において発行価額を決定するときに明らかな事情を基礎として判断せざるをえない」（新注会(7)67頁〔森本滋〕）とされている。

する等して，子会社の役職員による（子会社を通じての）役務の提供を受けることに関する（評価可能な財産としての）債権を創出し，それを当該新株予約権の払込金額の払込債務と相殺すること等を検討することは可能であろう[78]。

なお，後述 4(3)のとおり，発行会社その他の会社の従業員の賃金債権を，ストック・オプション目的の新株予約権の払込金額との相殺に用いる場合には，労働基準法24条との関係に注意が必要である。

② 払込金額を無償とする場合（無償構成）

(a) 無償構成の概要

ストック・オプション目的の新株予約権の払込金額をゼロをとして（すなわち，募集新株予約権と引換えに金銭の払込みを要しないこととして）新株予約権を付与する方式を，無償構成という。

(b) 有利発行手続の要否

会社法におけるストック・オプションの発行手続においては，発行決議時点で，発行会社において十分な分析・検討を行ったうえで合理的な判断をしているという前提にたつ限り，その払込金額が有償であるか無償であるかを問わず，有利発行手続を要しないと解される（詳細については前述 1(3)を参照）。なお，以上の点は，付与するストック・オプションが，株式報酬型であるか通常型であるかにかかわらずあてはまる。

(2) 有利発行決議をとる場合の留意点

実務では，新株予約権の付与対象者に発行会社の監査役・従業員や子会社・関連会社の役員・従業員を含む場合には，有利発行として特別決議をとる場合もあるようである[79]。有利発行決議をとった事例の中には，いわば，「念のため」有利発行決議をとっておくという判断を下した事例も含まれているであろう。有利発行決議をとる場合には，有利発行決議をとらない場合

---

[78] 郡谷ほか・前掲注（76）8頁参照。

と比較して、発行実務上以下のような差異が生じるので留意が必要である。

① 新株予約権の募集事項の開示方法

公正発行の場合には、新株予約権の具体的な募集事項は株主に対して通知または公告（法240条2項・3項。ただし有価証券届出書、臨時報告書等の中で割当日の2週間以上前までに開示する場合は不要。同条4項）をする必要があるのに対し、有利発行の場合には、そのような手続は必要なく、株主総会で、①募集新株予約権の内容および数の上限、ならびに②払込金額の下限（金銭の払込みを要しないこととする場合にはその旨）の決議を行えば足りることになる[80]。これにより、スケジュールに一定の影響が生じることについては、前述1－2■2(3)の想定スケジュール表を参照されたい。

② 有利発行の場合の株主総会決議事項

有利発行に該当する場合には、公開会社においても、募集事項の決定機関自体が株主総会とされ（法240条1項・238条2項・239条1項）、取締役会は株主総会の委任を受けた場合にのみ募集事項について決定することができる（同項）。もっとも、①募集新株予約権の内容および数の上限、ならびに②募集新株予約権の払込金額の下限（金銭の払込みを要しないこととする場合にはその旨）については、株主総会の特別決議が必要とされている（法239条1項1号～3号・309条2項6号）。

また、ここでいう募集新株予約権の「内容」には、会社法236条1項各号に規定されるすべての事由に加え、新株予約権の行使条件も含まれると解されている[81]。

③ 有利発行を「必要とする理由」の説明

公正発行の場合とは異なり、新株予約権の有利発行決議を取得する際に

---

(79) 監査役については、そもそもインセンティブ報酬としてのストック・オプションがその職務の性質になじむのかとの観点、従業員については後述■4の労働基準法の問題、子会社・関連会社の役員・従業員については後述(3)の間接性の観点から、提供される役務とストック・オプションの価値との対価関係が一義的に明確とはいえないことに配慮して、有利発行手続をとっているのではないかと考えられる。

(80) 郡谷・計算詳解268頁参照。

(81) 相澤哲ほか「新会社法の解説(6)新株予約権」旬刊商事法務1742号18頁（2005）参照。

は，有利発行を「必要とする理由」を説明しなければならない（法238条3項・239条2項）。しかし，有利発行を「必要とする理由」として，どの程度の説明を行えばよいのかは必ずしも明確ではない。

この点，会社法の立案担当官は，「特に有利な条件であるが，それでもあえて付与するということに関する理由を明らかにしなければならず，単に『無償』であるという理由だけでは足りない。したがって，ストック・オプションを付与される者から株式会社が受ける便益の価値が，付与する新株予約権の価値よりも下回り，または下回るおそれがあることを前提にしたうえで，なぜ，そのような新株予約権を付与する必要があるのかという理由を明らかにしなければならない。」との見解を示している[82]。もっとも，実務においては，ストック・オプションを付与される者から会社が受ける便益の価値が，付与する新株予約権の価値を下回り，または下回るおそれがあることを正面から述べる例は少ないものと思われる（通例的な記載例として，**図表1－32**参照）。

図表1－32 会社法下における有利発行を「必要とする理由」の記載例
（コムシスホールディングス「第18回定時株主総会招集ご通知」〔2021年6月7日付け〕18頁）

第4号議案　ストックオプションとして新株予約権を発行する件

　会社法第236条，第238条及び第239条の規定に基づき，下記のとおり，当社の取締役（監査等委員である取締役及び社外取締役を除く。）並びに当社子会社の取締役及び執行役員に対し，ストックオプションとして新株予約権を無償で発行すること及び募集事項の決定を当社取締役会に委任することにつき，ご承認をお願いするものであります。
　また，当社取締役（監査等委員である取締役及び社外取締役を除く。）に割り当てる新株予約権については，会社法第361条第1項の取締役に対する報酬等に該当するため，同条第1項第2号に規定される報酬等の額の具体的な算定方法及び同条第1項第4号に規定される新株予約権の数の上限等についても，あわせてご承認をお願いするものであります。

---

[82] 郡谷・計算詳解269頁。

1-3 ストック・オプションに関する法的・実務的主要論点

> 記
> 1. 特に有利な条件をもって新株予約権を発行する理由
>   当社の連結業績向上に対する貢献意欲や士気を一層高めるとともに、株式価値の向上を目指した経営を一層推進することを目的とし、当社の取締役（監査等委員である取締役及び社外取締役を除く。）並びに当社子会社の取締役及び執行役員に対して新株予約権を次の要領により発行するものであります。
>   （後略）

(3) 発行スケジュール上の諸問題

① 会社法における発行手続の流れ

会社法では、公開会社における新株予約権の公正発行（株主割当てでない場合）の手続は、(a)取締役会における募集事項の決定（法238条）→(b)割当日の2週間以上前における株主に対する通知または公告（法240条2項・3項。ただし有価証券届出書または臨時報告書等の中で募集事項を割当日の2週間以上前までに開示する場合は不要。同条4項）→(c)発行会社による募集事項の通知（法242条1項。ただし通知事項が記載された目論見書等を交付している場合は不要。同条4項）→(d)引受けの申込み（法242条2項・3項）→(e)取締役会における割当決議（法243条1項・2項）→(f)（割当日の前日までに）発行会社が申込者に対して割り当てる募集新株予約権の数を通知（割当通知、法243条3項）→(g)割当日の到来と同時に割当ての効力が発生（法245条）、という流れが想定されている（総数引受契約（法244条）を利用する場合は異なる）。なお、有利発行手続による場合には、上記(a)(b)が、(a)'株主総会における募集事項の決定の委任（法239条）→(b)'取締役会における募集事項の決定（法238条）となり、(c)以降は同じである。

このうち、(e)の割当決議（法243条1項・2項）については、「申込者の中から募集新株予約権の割当てを受ける者を定め、かつ、その者に割り当てる募集新株予約権の数を定めなければならない。」と規定されており(d)の引受けの申込みが行われた後になされることを想定した条文となっているように見受けられるが、(e)の割当決議を、申込者からの申込みがあることを条件と

する条件付決議という形で，(a)（有利発行の場合には(b)'）の発行決議と同時に行うことは許容されると考えられる[83]。これは，従来から，条件付決議が認められると解されていたこと[84]からも妥当な解釈であろう。

他方，(f)の割当通知については，((e)の割当決議同様，(d)の引受けの申込みがない段階で条件つきで通知しておくことも可能であるとの考え方もありうるが）条文の文言を忠実に解し，実際に申込みがあった者に対して，（当該申込みを受けた後に）通知をする必要がある（すなわち，上記(f)の割当通知は，上記(d)の引受けの申込みの前に行うことができない）との解釈が現時点では有力であるようである。

この見解に従い，かつ，割当日の「前日」までに(f)の割当通知を完了させるためには，(d)の引受けの申込みを，遅くとも割当日の前日までに行わせることが必要となる。従来は，引受けの申込期間の満了日を割当日と定めることもあったが，この場合，引受けの申込みが当該期間満了日に行われた場合には，当該申込みを踏まえた割当通知は，早くても割当日と同日にしか行うことができず，会社法が割当日の前日に割当通知を行うことを要求している点を満たせなくなってしまう。したがって，会社法下では，引受けの申込期間の満了日は，割当日の前日以前に設定しておくべきであろう。

なお，割当契約の締結をもって会社法上の引受けの申込み((d))および割当通知((f))とする取扱いをする場合（前述1－2■2(4)⑪参照）においても同様と考えられ，その場合には，割当契約の締結を割当日の前日までに行う必要がある。

② 募集の届出の効力発生との関係

新株予約権の発行につき有価証券届出書の提出が必要とされる場合（有価証券届出書の提出の要否等については前述1－2■2(4)⑦参照）には，新株予約権の募集は，当該募集に関する届出後に行うべきこととなり（金商4条1項），

---

[83] 澤口実＝石井裕介「ストック・オプションとしての新株予約権の発行に係る問題点」旬刊商事法務1777号40頁（2006）参照。
[84] 最判昭和37・3・8民集16巻3号473頁，昭和34・8・29民事甲第1923号民事局長電報回答，「質疑応答」登記研究234号71頁（1966）等参照。

また，当該届出の効力が発生するまでは新株予約権を募集により取得させてはならないこととなる（金商15条1項）。

当該届出は，原則として，有価証券届出書が受理された日から15日を経過した日に効力を生ずる（金商8条1項）。ただし，組込方式（金商5条3項）または参照方式（同条4項）により作成できる場合には，おおむね7日の経過で効力が発生するものとされ，また，一定の事項について訂正届出書が提出された場合には当該届出の効力について中1日で効力が生じることとされている等の例外が認められている（金商8条3項，開令ガ8－1・8－2・8－4）。

なお，届出の効力が発生するまでは新株予約権の募集による取得をさせてはならないというのは，届出の効力が生じない限り，投資者（付与対象者）が新株予約権を取得することを契約によって拘束されないということを意味していると考えられる[85]。この点，上記(f)の割当通知は，実際に申込みがあった者に対して（当該申込みを受けた後に）行う必要がある（すなわち，上記(f)の割当通知は上記(d)の引受けの申込みの前には行えない）との解釈が現時点では有力であるようである。そのため，上記(e)の割当決議が上記(a)の段階で条件つきで決議されていることを前提としても，上記(f)の割当通知を行うことができるのは，上記(d)の引受けの申込みを完了した時点ではなく，（上記(d)の引受けの申込みがあった日以降で，かつ）届出効力発生日以降と考えられる。そして，上記(f)の割当通知が割当日の「前日」までに行われる必要があることを踏まえると，割当日は，届出効力発生日（かつ上記(f)の割当通知があった日）の翌日以降に設定すべきこととなる。もっとも，このようなスケジュール上の留意点は，本②で述べた届出の効力発生前の契約締結（または上記(f)の割当通知）の可否の議論や，上記①で述べた上記(d)の引受けの申込みと上記(f)の割当通知との先後関係についての議論をどのように考えるかにより結論が異なりうるところである。しかし，以上の考え方と矛盾しない会社法下

---

(85) 神崎ほか・前掲注（19）326頁参照。なお，前掲注（19）に記載した点も参照されたい。

での有価証券届出書の実例は数多く存在する（なお，図表1－16もこの考え方と矛盾していない）。

③ 訂正届出書と効力発生日

上記②の議論を踏まえ，割当契約の締結は，届出効力発生日以降でなければ行えないと考えておくのが慎重であろう。

ところで，付与する新株予約権を税制適格ストック・オプション（後述1－5■2(1)・(4)参照）とする場合，当該新株予約権の行使に係る1株当たりの権利行使価格は，当該新株予約権に係る契約を締結した時の（当該新株予約権の目的となる株式の）1株当たりの価額に相当する金額[86]以上である必要がある（措置法29条の2第1項第3号）。そのため，付与する新株予約権を税制適格ストック・オプションとしたい場合，その権利行使価格は割当日または割当契約締結日の終値以上の価格になるように設定する例が多い。その場合，その権利行使価格は，割当日または割当契約締結日の金融商品取引所の取引が終了した後にならないと具体的な金額としては確定できない。また，上述のとおり割当契約の締結および割当ては届出効力発生日より前には行えないことをふまえると，権利行使価格は届出効力発生日当日の金融商品

---

[86] なお，「契約締結日の終値」または「契約締結日の前日の終値」を権利行使価格とするのであれば，この要件は満たすと解されている。また，「権利付与（締結）日の属する月の前月の各日における市場取引の終値の平均値」といった定め方でも，市場価格との格差を設けることによる経済的利益が権利付与時（付与契約締結日）に供与されるものでないと認められるときは，この要件を満たすものと取り扱って差し支えないと解されている（島村昌征「ストック・オプション制度に係る非課税措置の概要と実務上の取扱い」旬刊商事法務1504号16頁（1998））。なお，国税庁のホームページにおける質疑応答事例の中の「権利行使価額を『新株予約権発行の取締役会決議日の前日の終値』とした場合の税制適格の判定」と題する照会事例（https://www.nta.go.jp/law/shitsugi/shotoku/02/30.htm）においても，「ここにいう付与契約の締結の時における1株当たりの価額（時価）は，付与契約締結日における価額のみをいうのではなく，市場価額との格差を設け，その取締役等に対して経済的利益を供与するためにその決定方法を採用したものでないと認められるときは，契約締結日前一定期間の平均株価等，権利行使価額を決定するための基礎として相当と認められる価額が含まれるものと取り扱って差し支えないと考えられます。」と述べられており，また，権利行使価額を「新株予約権発行の取締役会決議日の前日の終値」とした場合でも，「取締役会決議日以後速やかに付与契約が締結される場合には，税制適格ストックオプションとして取り扱って差し支えありません。」と回答されている。

1-3 ストック・オプションに関する法的・実務的主要論点

取引所の取引終了よりも後にならないと確定できないこととなる。したがって，このような場合，権利行使価格は有価証券届出書提出日現在では把握できない事項であると考えられる。そのため，有価証券届出書の提出時点においては権利行使価格の正確な金額は記載できず，実務的には，その見込額を記載したり，権利行使価格は「未定」等と記載しておいたうえで，具体的金額が確定した時点で速やかに訂正届出書を提出することが一般的である。

このように，付与する新株予約権を税制適格ストック・オプションとしたい場合には，訂正届出書の提出は避けられないことが通常であると考えられるが，その場合，当該訂正届出書の提出が当該募集の届出の効力発生のタイミングにどのように影響するかが問題となる。

この点，有価証券届出書提出日以後において，訂正届出書の提出があった場合には，原則として，届出効力発生日は当該訂正届出書を受理した日から15日を経過した日となる（金商8条1項・2項）が，訂正事項の内容により，訂正届出書に係る届出の効力発生期間を短縮することが可能とされている（同条3項）。具体的な短縮措置については，企業内容等開示ガイドライン8－4を参照されたいが，基本的には中1日で効力が生じることとされている。このように訂正届出書の提出が届出の効力発生時期に影響を与えることを前提とすると，税制適格ストック・オプションを企図して権利行使価格が割当日または割当契約締結日の終値以上の価格になるように設定する場合においては，権利行使価格についての訂正届出書の提出日（すなわち，最速でも割当日または割当契約締結日）から中1日経過した日に届出効力発生日が到来することとなる。そして，金融商品取引法上の募集の届出の効力発生との関係において，割当契約の締結および割当ては届出効力発生日より前には行えないとの見解をとるとすると，論理的に，割当契約の締結および割当てが可能となる時期が存在しないこととなってしまう[87]。

しかし，実務上は，この場合の訂正届出書は，届出の効力発生時期には影響を与えず，当初の有価証券届出書に関する待機期間が経過すれば，新株予約権の「取得」をさせることができるという取扱いがなされている（すなわ

第Ⅱ編　第1章　ストック・オプション

ち，金融商品取引法8条の適用を受けない訂正届出書であると整理されているようである）。この取扱いの根拠は明確ではないが，有価証券届出書において，新株予約権の権利行使価額を算式表示で記載すれば，当該届出は訂正届出書の提出を待たずに効力が発生する[88]ものと解し，訂正届出書は，あくまで新株予約権の確定した権利行使価額を参考情報として開示するために事実上提出が求められているものにすぎないという整理がなされているのではないかと思われる。もっとも，算式表示とは，「有価証券の発行価格又は売出価格を，一の金融商品市場の一の日における最終価格等に一定率を乗ずる方式を用いて表示すること」と定義されており（開令1条30号），定義上は発行価格または売出価格にのみ認められるようにも読めるため，新株予約権の権利行使価額（新株予約権の発行価格とは異なる）を算式で表示することが，金融商品取引法でいうところの算式表示に該当するといえるかについて疑義がないわけではない[89]。

---

[87]　権利行使価格を割当日または契約締結日の終値以上の価格になるように設定する例を想定した場合の結論である。権利行使価格を「契約締結日の前日の終値」以上の価格となるように設定した場合も同様の結論となろう。もっとも，前掲注（86）に記載のとおり，権利行使価格を上記以外の方法で定めても，付与する新株予約権を税制適格ストック・オプションとする余地はあるため，付与する新株予約権を税制適格ストック・オプションとしたい場合に必ず本文記載の問題が生じるというわけではないことに留意されたい。ただ，実務的には，税制適格ストック・オプションについての上記要件の充足が明確になるよう，権利行使価格を割当日または契約締結日の終値以上の価格になるように設定する例が多いため，本文記載の問題は頻繁に生じうる。

[88]　総合ディスクロージャー研究所監修・小谷融編著『金融商品取引法におけるディスクロージャー制度〔二訂版〕』233頁（税務研究会出版局，2010）参照。

[89]　なお，新株予約権の内容の一部たる払込金額（発行価格）を，割当日の金融商品取引所における株価の終値を用いたブラック＝ショールズ式や二項モデル等の算定方法をもって規定する場合（いわゆる相殺構成の場合は通常これに該当する）においても，その具体的金額は当該新株予約権の割当日以降にならないと確定しないため，払込金額（発行価格）が具体的に確定し次第，訂正届出書の提出が必要となる。しかし，この場合は，本文記載のとおり，算式表示に該当するため，訂正届出書の提出は，当該募集の届出の効力発生時期に影響しない。

■3 役員に対するストック・オプションの付与
——報酬決議および開示

　発行会社が，自身の取締役・監査役等の役員に対してストック・オプション目的の新株予約権を発行する場合には，役員に対する報酬規制との関係が問題となる。

　ここでは，まず，(1)および(2)において監査等委員会設置会社または指名委員会等設置会社ではない会社（以下本1－3において「監査役設置会社」という）について述べ，(3)および(4)において監査等委員会設置会社および指名委員会等設置会社それぞれの場合に固有の論点について解説する。

　また，(5)および(6)においては，事業報告および有価証券報告書それぞれにおける役員報酬等の開示におけるストックオプションの開示における留意点について述べる。

(1) 取締役に対する報酬等

　会社法361条1項は，「報酬，賞与その他の職務執行の対価として株式会社から受ける財産上の利益」を「報酬等」として定義し，取締役に関する「報酬等」について一定の事項を株主総会で決議することを要求している。そして，会社法においては，「職務執行の対価」（法361条1項柱書）とは，「職務執行の期間と経済的利益との関係が明確なものに限らず，インセンティブや福利厚生目的で付与される利益等，およそ取締役としての地位に着目して付与される利益をも広く含むものである。」と解されている[90]ことから，ストック・オプションは，インセンティブ報酬として付与されるか，過去の職務執行に関する非金銭報酬として付与されるか，あるいは両者の混合として付与されるかを問わず，「職務執行の対価として株式会社から受ける財産上の利益」すなわち「報酬等」に該当する。したがって，ストック・オ

---

(90) 相澤・論点解説312頁～313頁。

プションを発行会社の取締役に付与する場合には，当該付与は，定款に根拠規定のある場合を除き，会社法361条に従い，株主総会決議（報酬決議）に基づいて行う必要がある。

① **株主総会決議事項**

取締役の報酬等の額等を定款または株主総会決議により定めることを求める会社法361条1項の趣旨は，いわゆるお手盛り防止にあり，それゆえ，これらの事項の定款または株主総会決議による決定は，必ずしも個々の取締役ごとにする必要はなく，取締役全員に支給する総額等を定め，配分等は取締役会に委任することができると解されている[91]。なお，従前より，株主総会参考書類においては，取締役の報酬等に関する議案が2名以上の取締役についてのものである場合には，対象となる取締役の員数（施82条1項3号）を記載することは求められていた。

もっとも，令和元年会社法改正により，取締役の報酬等の決定手続の透明性向上のため，上場会社等の取締役会は，取締役の個人別の報酬等の内容が定款または株主総会決議により具体的に定められていない場合には，その内容についての決定に関する方針を定め（法361条7項），当該方針の内容の概要を含む取締役の報酬等に関する事項を事業報告において開示することとされた（施98条の5・121条6号～6号の3）（後述④および⑸参照）。

取締役の報酬等の額等として（定款に規定がない限り）株主総会決議により定めることが求められる事項は，報酬等の類型によって異なる。まず，(i)額が確定しているもの（確定額報酬）については，その確定額である（法361条1項1号）。もっとも，実務においては，確定額としてはその総額の最高限度額について株主総会決議を得て，その範囲内で，実際の支給額を取締役会決議等により定めるとする方法が多い。次に，(ii)額が確定していないもの（不確定額報酬），たとえば，業績連動型報酬のように，将来生じる事実関係に対応して金額が確定するものについては，その具体的な算定方法である

---

[91] 一問一答令和元年73頁。

1-3 ストック・オプションに関する法的・実務的主要論点

（同項2号）。また，(iii)報酬等が当該会社の募集株式（法199条1項）である場合には，当該募集株式の数の上限その他法務省令で定める事項である（法361条1項3号，施98条の2）。そして，(iv)報酬等が当該会社の募集新株予約権（法238条1項），つまりストック・オプションの場合には，当該募集新株予約権の数の上限その他法務省令で定める事項である（法361条1項4号，施98条の3）。ストック・オプションについての「当該募集新株予約権の数の上限その他法務省令で定める事項」，つまり株主総会決議事項については**図表1－33**を参照されたい。さらに，(v)報酬等が，上記(iii)または(iv)と引換えに行う払込みに充てるための金銭（金銭債権を含む）である場合には，上記(iii)または(iv)と同様の事項についての決議が求められる（法361条1項5号，施98条の4）。最後に，(vi)金銭以外の報酬等（上記(iii)および(iv)を除く）（非金銭報酬）である場合には，その「具体的な内容」である（法361条1項6号）。

令和元年会社法改正前は，ストック・オプションは，非金銭報酬ではあるが，相殺構成により付与する場合には，付与対象者に直接に付与しているのは（新株予約権と引換えに行う払込みの義務との相殺に用いる）金銭債権であり，非金銭報酬としてのストック・オプションの「具体的な内容」（令和元年会社法改正前の法361条1項3号）について株主総会決議を求める必要はないとの見解もあった。また，非金銭報酬として「具体的な内容」についての株主総会決議を求めるとしても，「具体的な内容」としてどこまでの特定が必要かが明確ではないことも指摘されていた[92]。

令和元年会社法改正においては，相殺構成によりストック・オプションとしての新株予約権を付与する場合でも，募集新株予約権を取締役の報酬等とする場合と同じ事項を（定款または）株主総会決議事項とすることが相当との考えに基づき，相殺構成を含む上記(v)は，上記(iv)と同じ規律に服することとした[93]。

---

(92) 法制審議会会社法制（企業統治等関係）部会第3回会議（2017年6月21日開催）部会資料4「役員に適切なインセンティブを付与するための規律の整備に関する論点の検討」第1の2(1)補足説明1(2)および2(1)参照。
(93) 一問一答令和元年84頁～86頁。

また，非金銭報酬としてのストック・オプションの「具体的な内容」については，令和元年会社法改正により，株式または新株予約権を取締役の報酬等とする場合には，既存の株主に持分比率の低下や希釈化による経済的損失が生ずる可能性があることから，株主がその希釈化等の影響やそれらを報酬等として付与する必要性等を判断することができるものとするとの観点から，新株予約権の数の上限に加え，**図表1－33**に記載した法務省令で定める事項（法361条1項4号・施98条の3，法361条1項5号ロ・施98条の4第2項）が，株主総会決議事項として求められることが明確化された。なお，法務省令で定める事項には，新株予約権の内容（法236条1項）に含まれる事項（施98条の3第1号・98条の4第2項1号の定める法236条1項1号～4号に掲げる事項）も存するが，新株予約権を実際に発行する際に定めるべき募集新株予約権の内容（法238条1項1号・236条1項）と同程度に具体的な内容を定めることが求められるものではなく，これらの事項が株主総会決議事項とされた趣旨が，株主が上記の判断を行うために必要な事項を提供するとの点にあることに照らし，株主の判断のために必要な事項が記載されている限り，ある程度抽象的な内容とすることも許される[94]。

なお，ストック・オプションによる報酬等について，上限額を設ける場合には，上記(iii)または(iv)の事項に加え，令和元年会社法改正前と同様に，確定額報酬（上限額が一定の金額である場合）または不確定額報酬（上限額を一定の算式により算出する場合）として，上記(i)または(ii)の事項についての株主総会決議を求めるべきこととなる[95]。

---

[94] 渡辺諭ほか「会社法施行規則等の一部を改正する省令の解説〔Ⅱ〕——令和2年法務省令第52号」旬刊商事法務2251号120頁～121頁（2021）。

[95] 令和元年会社法改正における立案担当者の発言として，新設された法361条1項3号～5号は，同改正前の同項3号の内容の一部を具体化したものであり，同改正前の同項各号の関係についての解釈を変更することは必ずしも意図していないとし，金銭報酬債権の現物出資による株式報酬の付与を例として，上限額が定められた確定額報酬としての性質があるのであれば，（同号3号に基づく株主総会決議に加え）同項1号に基づく確定額報酬としての株主総会決議も必要となると考えられる旨述べられている（神田秀樹ほか「＜座談会＞令和元年改正会社法の考え方」旬刊商事法務2230号21頁（2020）〔竹林俊憲発言〕参照）。

また,取締役に対する報酬等の株主総会決議は,当該決議に基づき許容された範囲内で報酬等が付与される限り,毎年株主総会決議を求める必要はない。株主総会決議による承認を得た報酬等の内容に変更を要する報酬等の設計変更を行う場合に,新たに株主総会決議を求めることとなる[96]。

図表1−33 取締役に対する報酬等としての新株予約権に関する株主総会決議事項

① 募集新株予約権の数の上限(法361条1項4号・5号ロ)
② 当該新株予約権の目的である株式の数またはその数の算定方法(施98条の3第1号・98条の4第2項1号,法236条1項1号)
③ 当該新株予約権の行使価額またはその算定方法(施98条の3第1号・98条の4第2項1号,法236条1項2号)[注1]
④ 金銭以外の財産を当該新株予約権の行使に際してする出資の目的とするときは,その旨ならびに当該財産の内容および価額(施98条の3第1号・98条の4第2項1号,法236条1項3号)
⑤ 当該新株予約権の行使期間(施98条の3第1号・98条の4第2項1号,法236条1項4号)
⑥ 一定の資格を有する者が当該新株予約権を行使することができることとする場合はその旨およびその資格の内容の概要(施98条の3第2号・98条の4第2項2号)[注2]
⑦ 上記各号以外に当該新株予約権の行使の条件を定める場合はその条件の概要(施98条の3第3号・98条の4第2項3号)[注3]
⑧ 当該新株予約権の取得について発行会社の承認を要する場合にはその旨(施98条の3第4号・98条の4第2項4号,法236条1項6号)
⑨ 当該新株予約権に取得条項を定める場合にはその内容の概要(施98条の3第5号・98条の4第2項5号,法236条1項7号)
⑩ 新株予約権を報酬等とする場合:当該新株予約権を割り当てる条件の概要(施98条の3第6号)
　新株予約権と引換えにする払込みに充てるための金銭を報酬等とする場合:当該新株予約権を割り当てる条件または当該新株予約権と引換えにす

---

[96] 報酬等の株主総会決議事項に関する令和元年会社法改正の施行日(2021年3月30日)前に行われた報酬等の株主総会決議についても,令和元年会社法改正により求められることなった事項がすべて含まれている場合には,当該決議に基づき,新たに株主総会決議を求めることなく,施行日以降に付与することとなる報酬の付与を行うことができると解されている(神田ほか・前掲・注(95)22頁〜23頁〔神田秀樹発言〕参照)。

る払込みに充てるための金銭を交付する条件の概要（施98条の4第2項6号）

(注1) 上場会社における取締役の報酬等として付与する新株予約権または取締役の報酬等と引換えに発行する新株予約権について，当該新株予約権の行使時の払込み等を不要とする場合（法236条3項）は不要。ただし，以下の事項が株主総会決議事項となる（施98条の3第1号・98条の4第2項1号，法236条3項各号）。
　(ⅰ) 取締役の報酬等としてまたは取締役の報酬等と引換えに新株予約権を発行するものであり，当該新株予約権の行使時の払込み等を不要とする旨
　(ⅱ) 当該新株予約権としての報酬等についての株主総会決議に係る取締役（取締役であった者を含む）以外は当該新株予約権を行使することができない旨
(注2) 当該新株予約権の行使時に，発行会社またはその子会社の役職員として在任していること等を定めた場合には，その対象となる役職の概要を記載することとなる[97]。
(注3) 発行会社の業績が一定の水準を超えた場合に限り当該新株予約権を行使することができる旨を定める場合等がこれに該当する[98]。

　令和元年会社法改正により明確にされた取締役に対する報酬等としての新株予約権（ストック・オプション）についての株主総会決議事項を含む株主総会参考書類の実例（相殺構成によりストック・オプションを付与し〔法361条1項5号ロ〕，かつ，ストック・オプションとしての報酬等に確定額〔上限額〕〔同項1号〕を設定する実例）として，**図表1－34**を参照されたい。

図表1－34　取締役に対する報酬等としての新株予約権（ストック・オプション）付与のための株主総会議案の株主総会参考書類の実例（グリー「第17回定時株主総会招集ご通知」〔2021年9月3日付け〕22頁）

第2号議案　取締役（上級執行役員を兼務する者に限る）に対する時価総額条件付ストック・オプションとしての新株予約権の内容決定の件

Ⅰ　提案の理由及び当該報酬を相当とする理由
当社は，中長期的な業績拡大及び企業価値の向上を目指すにあたり，当社の取締役が株価上昇によるメリットのみならず，株価下落によるリスクまでも株主様と共有することで，意欲及び士気をより一層向上させ，当社の結束力をさらに高めるため株式報酬型ストック・オプションを導入しております。これに加

---

(97)　渡辺ほか・前掲・注（94）120頁。
(98)　渡辺ほか・前掲・注（94）120頁。

え，将来的な時価総額向上へのインセンティブをより高めることを目的として，当社取締役（監査等委員である取締役及び社外取締役を除く上級執行役員。以下，本議案において「対象取締役」という）に対するストック・オプションとしての新株予約権に関する報酬等の額及び新株予約権の具体的な内容のご承認をお願いするものであります。

なお，監査等委員会は，社外取締役2名，社外取締役である監査等委員1名，取締役2名及び代表取締役会長兼社長1名の取締役6名から構成される報酬検討会議が審議した本議案について，その決定方針・考え方及び審議プロセスを確認しました。その結果，取締役の報酬制度や報酬水準につき相当であると判断しております。

また，当社における取締役（監査等委員である取締役を除く）の個人別の報酬等の内容に係る決定方針の内容の概要は事業報告36頁に記載のとおりであり，本議案をご承認いただくことを条件に，その内容を後記24頁記載のとおり変更いたします。本議案は，当該方針に照らして必要かつ合理的な内容となっており，相当であると判断しております。

Ⅱ 議案の内容（本制度における報酬等の額及び内容）

1. ストック・オプションとしての新株予約権に関する報酬等の額

当社は，2020年9月29日開催の第16回定時株主総会において，取締役（監査等委員である取締役を除く）に対する金銭報酬として，年額500百万円以内（うち社外取締役に対しては40百万円以内）とすること，また，かかる金銭報酬の額とは別枠にて，当社の取締役（監査等委員である取締役を除く）に対し年額300百万円以内の範囲内でストック・オプションとしての新株予約権を発行するための報酬等につき，ご承認を頂いておりました。

この度，今年度における新たな役員報酬制度として，対象取締役に対し，上記の報酬枠とは別枠で，総額1,000百万円以内の範囲内でストック・オプションとして発行するための報酬等につき，ご承認をお願いするものであります。

また，当該ストック・オプションの導入においては，取締役の報酬の決定手続きの透明化，並びに会社業績，個人業績及び世間水準等から見た妥当性を確保するため，報酬検討会議での諮問結果を踏まえ，本議案を付議しております。

新株予約権の付与に際しては，新株予約権の割当日において新株予約権の公正価額の算定のために一般的に利用されている算定方法により算定される公正価額を基準として当社取締役会で定める額を当該新株予約権の発行価額（払込金額）とし，払込金額に相当する報酬債権を対象取締役に支給することとしたうえで，当社の対象取締役が新株予約権の払込金額の払込みに代えて，当該報酬債権と相殺する方法によって，対象取締役に新株予約権を取得させることを予定しております。なお，現在の取締役は12名（うち社外取締役は5名）であり，

第Ⅱ編　第1章　ストック・オプション

第1号議案が原案通り承認可決されますと，対象取締役は5名となります。

2. 時価総額条件付ストック・オプションとして発行する新株予約権の具体的な内容
(1)新株予約権の総数
本定時株主総会開催日から1年以内に発行する新株予約権の総数は，2万個を限度とする。
(2)新株予約権の目的である株式の種類及び数
新株予約権の目的である株式の種類は普通株式とし，新株予約権1個当たりの目的である株式の数は100株とする。また，当社が当社普通株式につき株式分割又は株式併合等を行うことにより，株式数の変更をすることが適切な場合は，当社は必要と認める調整を行うものとする。
(3)新株予約権と引換えに払い込む金額
新株予約権の払込金額は，新株予約権の割当日において新株予約権の公正価額の算定のために一般的に利用されている算定方法により算定される公正価額を基準として当社取締役会で定める額とする。ただし，当社は新株予約権の割当てを受ける取締役に対し，新株予約権の払込金額の総額に相当する金銭報酬を支給することとし，当該取締役は，この報酬請求権と新株予約権の払込金額の払込債務を相殺するものとする。
(4)新株予約権の行使に際して出資される財産の価額
新株予約権1個当たりの行使に際して出資される財産の価額は，新株予約権を行使することにより交付を受けることができる株式1株当たり1円とし，これに付与株式数を乗じた金額とする。
(5)新株予約権を行使することができる期間
本新株予約権を行使することができる期間（以下「行使期間」という。）は，2021年10月14日から2031年10月13日までとする。但し，行使期間の最終日が会社の休業日にあたる場合には，その前営業日を最終日とする。
(6)譲渡による新株予約権の取得の制限
譲渡による新株予約権の取得については，取締役会の承認を要する。
(7)新株予約権の行使の条件
①新株予約権者は，新株予約権の割当日から7年以内の特定の連続する5営業日（当社の普通株式の普通取引が成立しない日を除く。）において，当該連続する5営業日の各日の当社の時価総額（次式によって算出するものとする。）がいずれも5千億円を超過することを条件として，当該条件を満たした日の翌日以降に限り，新株予約権を行使することができる。

　　時価総額＝(当社の発行済普通株式総数(※)－当社が保有する普通株式に係る
　　　　　　自己株式数(※))×東京証券取引所における当社の普通株式の普通

1-3 ストック・オプションに関する法的・実務的主要論点

取引の終値（※）
　（※）いずれも，当該連続する5営業日の各日における数値とする。
②新株予約権者は，次の各号に掲げる期間において，既に行使した本新株予約権を含めて当該各号に掲げる割合を限度として行使することができる。この場合において，かかる割合に基づき算出される行使可能な本新株予約権の個数につき1個未満の端数が生じる場合には，小数点第1位以下を切り捨てた個数の本新株予約権についてのみ行使することができるものとする。
(a)上記①の時価総額条件を達成した日から1年間
新株予約権者が割当てを受けた本新株予約権の総数の50％
(b)上記(a)の期間の終了後から行使期間の満了ま日で
新株予約権者が割当てを受けた本新株予約権の総数の100％
③新株予約権者は，新株予約権の権利行使時においても，上級執行役員もしくはこれに準じる職位ないしはそれ以上にあることを条件とする。ただし，正当な理由があると取締役会が認めた場合は，この限りではない。
④その他の新株予約権の行使の条件は，取締役会決議により決定する。
(8)新株予約権の取得に関する事項
①当社が消滅会社となる合併契約，当社が分割会社となる会社分割についての分割契約もしくは分割計画，又は当社が完全子会社となる株式交換契約もしくは株式移転計画について株主総会の承認
（株主総会の承認を要しない場合には取締役会決議）がなされた場合は，当社は，当社取締役会が別途定める日の到来をもって，新株予約権の全部を無償で取得することができる。
②新株予約権者が権利行使をする前に，上記(7)に定める規定により本新株予約権の行使ができなくなった場合は，当社は，当社取締役会が別途定める日の到来をもって，新株予約権を無償で取得することができる。
(9)その他の新株予約権の募集事項
その他の新株予約権の内容等については，新株予約権の募集事項を決定する取締役会において定める。

（ご参考）
役員報酬等の内容の決定に関する方針等につきましては，本株主総会において第2号議案が承認可決されることを条件に，以下のとおり変更いたします。

役員報酬等の内容の決定に関する方針等
(1)個人別の報酬等の内容及び額等の決定に関する方針
取締役（監査等委員である取締役を除く）の報酬額については，優秀な人材を確保し続けるために競争力のある報酬体系となるよう，業績，当該取締役

の役割責任の大きさ，従業員給与との均衡等を考慮し，国内外の同業種又は同規模の他企業と比較の上で決定する。

社内取締役の報酬は，固定報酬としての基本報酬及び株式報酬としての株式報酬型ストック・オプション，権利行使の条件に定めのある株式報酬型ストック・オプションにより構成し，社外取締役の報酬は，独立性の観点から業績に左右されない固定報酬としての基本報酬のみで構成する。

固定報酬としての基本報酬は月例，株式報酬としての株式報酬型ストック・オプションは取締役在任中に適時支給し，その行使期間は割当日から10年（役職員等の地位を喪失した場合には原則行使不可）とする。他方，権利行使の条件に定めのある株式報酬型ストック・オプションは導入時に一括して支給を行うものとする。

(2)金銭報酬の額，非金銭報酬等の額の取締役の個人別の報酬等の額に対する割合の決定に関する方針

社内取締役の報酬については，上記方針を基とし，全社業績への責任及び役割に応じて固定報酬と株式報酬の比率を設定する。

(3)取締役の個人別の報酬等の内容についての決定の方法に関する事項

基本報酬については，取締役会決議に基づき代表取締役会長がその具体的内容について委任を受けるものとし，諮問機関である報酬検討会議における審議を通じた提言を参考に，個人別の額を決定する。

株式報酬型ストック・オプションについては，取締役会で個人別の割当個数を決定する。

権利行使の条件に定めのある株式報酬型ストック・オプションについては，諮問機関である報酬検討会議における審議を通じた提言を参考に，取締役会決議により募集事項を決定したうえで，取締役会決議に基づき委任を受けた代表取締役会長が個人別の割当個数を決定する。

以上

② 「相当とする理由」の説明および株主総会参考書類記載事項

取締役の報酬等に関する議案（上記(a)(i)～(vi)の各事項。これらの変更についての議案を含む）を株主総会に提出した取締役は，当該事項を「相当とする理由」を説明しなければならない（法361条4項）。また，当該理由は，株主総会参考書類に記載すべきこととなる（施73条1項2号）。令和元年会社法改正前は，当該理由の説明は，不確定額報酬および非金銭報酬についてのみ

1-3 ストック・オプションに関する法的・実務的主要論点

求められていたが（令和元年会社法改正前の法361条4項），当該理由の説明を求める趣旨は，議案の記載のみからは，株主にとって報酬等の必要性や合理性の判断が困難であるとの点にあり，かかる趣旨は，確定報酬についても当てはまること等から，令和元年会社法改正により，報酬等の類型を問わず，当該理由の説明が求められることとなった[99]。「相当とする理由」としては，取締役会において定める取締役の個人別の報酬等の内容に係る決定方針（当該議案可決後に取締役会において決定することを想定している内容を含む）は，株主が報酬等の議案についての賛否を決定するうえで重要な情報であり，議案の内容の合理性や相当性を基礎づけるものであるとの指摘[100]をふまえ，方針の内容の説明とともにその方針に沿ったものである旨の説明を行うとの対応が考えられる（実例として**図表1－35**参照）。

図表1－35 取締役に対する報酬等を「相当とする理由」の記載実例
（大分銀行「第215期定時株主総会招集ご通知」〔2021年6月2日付け〕28頁）

第7号議案　取締役（監査等委員である取締役，社外取締役を除く）に対するストックオプション報酬額および内容決定，新株予約権付与の件

(中略)

(2) 新株予約権の付与を相当とする理由
　当行の「取締役の個人別の報酬等の内容に関する決定方針」に基づき，中長期的な業績向上および企業価値向上に向けた動機付けをより高めると共に，株主との利益意識の共有や株主重視の経営意識を高めることを目的として，取締役に対するストックオプションを付与するものであります。
　また，本新株予約権の行使により発行される株式の発行済株式総数に占める割合は0.2%（10年間に亘り，上限に相当する数の本新株予約権を付与し，全ての新株予約権が行使された場合の発行済株式総数に占める割合は2.2%）と，その希薄化率は軽微であることから，本新株予約権の付与は相当なもの

---

[99]　一問一答令和元年87頁。
[100]　神田秀樹「『会社法制（企業統治等関係）の見直しに関する要綱案』の解説〔Ⅲ〕」旬刊商事法務2193号（2019）6頁。

であると判断しております。

　さらに，本議案をご承認いただいた場合，ご承認いただいた内容とも整合するよう，本総会終結後の取締役会において，事業報告43頁に記載の取締役の報酬等の内容に係る決定方針につき，第5号議案「取締役（監査等委員である取締役を除く）の報酬額設定の件」に記載のとおり変更することを予定しております。本議案は，当該変更後の方針に沿って取締役の個人別の報酬等の内容を定めるためにも，必要かつ相当な内容であると判断しております。

以上

③　株主総会参考書類における「算定の基準」および「変更の理由」の記載

　取締役の報酬等に関する議案を提出する場合においては，株主総会参考書類に「法361条1項各号に掲げる事項の算定の基準」を記載する必要があり（施82条1項1号），さらに，議案が，すでに定められている会社法361条1項各号に掲げる事項を変更するものであるときは，「変更の理由」も記載しなければならない（施82条1項2号）。なお，ここでいう「算定の基準」とは，当該報酬等の議案を決定するうえで用いた基準のことをいい，報酬等の算定が適正かどうかを判断するのに必要な情報として記載されるべきものである。その基準は，基本となる額，役職，勤続年数等を要素として数式化した基準でも，数式化されない主観的な基準でもよいが，どのような判断過程をたどって議案に記載された報酬等が算定されたかを理解することができるものでなければならないと解されている[101]。

　また，公開会社においては，対象となる取締役に社外取締役が含まれる場合には，上記の「法361条1項各号に掲げる事項の算定の基準」（施82条1項1号）および「変更の理由」（同項2号）は，株主総会参考書類において，社外取締役と社外取締役以外の取締役とを区別して記載する必要がある（施82条3項）。

---

[101]　相澤・論点解説310頁参照。なお，この点につき，澤口＝石井・前掲注（83）38頁は，「たとえば，『当社の株価と役職員の受ける利益とを連動させることにより，当社の業績向上に対する意欲や志気を一層高めるため』といった記載で足りるのではなかろうか。」と述べている。

④ 取締役の個人別の報酬等の内容についての決定に関する方針

　令和元年会社法改正により，取締役の報酬等の決定手続の透明性向上のため，(i)有価証券報告書提出義務を負う公開会社でかつ大会社である監査役会設置会社（法361条7項1号）または(ii)監査等委員会設置会社（同項2号）の取締役会は，取締役（監査等委員会設置会社においては，監査委員である取締役を除く。以下本④において同じ）の個人別の報酬等の内容が定款または株主総会決議により具体的に定められていない場合には，その内容についての決定に関する方針を定め（同項），当該方針を含む取締役の報酬等に関する事項を事業報告において開示することとされた（施98条の5・121条6号～6号の3）。なお，取締役会は，当該方針の決定を取締役に委任することはできない[102]。当該方針の内容として決定すべき事項（法361条7号，施98条の5）は，**図表1－36**のとおりである。

　当該方針を定めず，または当該方針に反する内容で，取締役への報酬等の内容を決定した場合には，その決定は違法であり，無効と解される。一方，取締役への報酬等を変更する場合において，その変更後の内容が，引き続き（変更前の）当該方針が妥当するものとなっている場合には，当該方針の変更は求められない[103]。

　また，実務においては，株主総会において取締役の報酬等の議案が可決された後に，可決された内容に対応した，取締役の個人別の報酬等の内容についての決定に関する方針を決定すること，または可決された内容に対応して既存の方針を変更することもありうる。この場合，決定または変更前の当該方針は事業報告には記載されていないこととなるため，当該事業報告が提出された定時株主総会において，取締役は，（事業報告の内容として）当該方針の内容の報告や必要な説明を行う義務は負わない（法438条3項・314条本文参照）。しかし，取締役の報酬等についての議案を提出した取締役には，報酬等の類型を問わず，その内容を相当とする理由を説明する義務を負う（法

---

[102]　一問一答令和元年82頁。
[103]　一問一答令和元年77頁～78頁・80頁。

361条4項)。取締役の報酬等についての議案が可決された後に，これに対応した取締役の個人別の報酬等の内容についての決定に関する方針の決定または変更を想定している場合には，決定または変更後の当該方針の内容は，株主が取締役の報酬等の合理性や相当性を判断するに際して重要な情報であることから，取締役の報酬等の議案を相当とする理由の一環として，決定または変更後の当該方針の内容についても説明が求められると解される[104]。

図表1－36　取締役の個人別の報酬等の内容についての決定に関する方針として決定すべき事項

① 取締役の個人別の報酬等（業績連動報酬等および非金銭報酬等を除く）の額またはその算定方法の決定に関する方針[注1]
② 取締役の個人別の報酬等のうち，業績連動報酬等がある場合には，当該業績連動報酬等に係る業績指標の内容および当該業績連動報酬等の額または数の算定方法の決定に関する方針[注2]
③ 取締役の個人別の報酬等のうち，非金銭報酬等がある場合には，当該非金銭報酬等の内容および当該非金銭報酬等の額もしくは数またはその算定方法の決定に関する方針
④ 金銭報酬等の額，業績連動報酬等の額または非金銭報酬等の額の取締役の個人別の報酬等の額に対する割合の決定に関する方針
⑤ 取締役に対し報酬等を与える時期または条件の決定に関する方針
⑥ 取締役の個人別の報酬等の内容についての決定の全部または一部を取締役その他の第三者に委任することとするときは，次に掲げる事項
　(i)当該委任を受ける者の氏名または当該株式会社における地位および担当・委任する権限の内容
　(ii)委任する権限が適切に行使されるようにするための措置を講ずることとするときは，その内容
⑦ 取締役の個人別の報酬等の内容についての決定の方法（上記各事項を除く）
⑧ 上記各事項のほか，取締役の個人別の報酬等の内容についての決定に関する重要な事項

(注1) 業績連動報酬等とは，利益の状況を示す指標（当期純利益，EBITDA等），株式の市場価格の状況を示す指標（自社株式の株価，TOPIXとの比較等）その他の当該株式会社またはその関係会社（計2条3項25号に規定する関係会社をいう）の業績を示す指標[105]を基礎としてその額または数が算定される報酬等と定義される（施98条の5第2号）。

---

[104]　一問一答令和元年79頁～80頁。

また，非金銭報酬等とは，取締役の報酬等のうち，金銭でないものをいい，募集新株予約権と引換えにする払込みに充てるための金銭を取締役の報酬等とする場合における当該募集新株予約権を含む（施98条の5第3号）ことから，ストック・オプションは，無償構成・相殺構成のいずれでも，当該方針との関係においても非金銭報酬等に該当する。さらに，業績連動報酬等は金銭によるものに限らなれないため，たとえば，ストック・オプションであって，行使可能となるストック・オプションの数が，上記いずれかの指標に基づき算出される旨の条件が付されたものは，当該方針との関係において業績連動報酬等と非金銭報酬等の両方の規律の適用を受ける[106]。

(注2) 当該方針においては，業績指標の内容や詳細ではなく，「業績指標の内容の決定に関する方針」を決定することが求められている[107]。

(2) 監査役に対する報酬等

① 株主総会決議の趣旨

会社法が，監査役の報酬等の決議を株主総会に委ねたのは（法387条1項），監査役の報酬等が取締役会あるいは業務執行取締役の意思によって左右されることを阻止し，監査役の地位の独立性を確保するためとされる[108]。

監査役の報酬等については，取締役の報酬等とは異なり，額が確定していないもの（不確定額報酬）や，金銭以外のもの（非金銭報酬）に関する規定が設けられていない。これは，監査役の場合には，その職業柄，たとえば，業績連動型の報酬を受けるということは適当ではないためとする見解も存在する[109]。この点，立案担当者は，不確定額報酬については，「会社の業績に応じて報酬の上限額が変動する報酬については，取締役の場合と異なり，監査役については認められない。業績に連動して報酬の上限額が増加するという仕組みは，経営の意思決定に参画しない監査役としての職務に必ずしも適合しないため，387条は，取締役の報酬に関する361条とは異なり，『額』を定めるべきこと（少なくとも上限額を定めること）を要求しているからであ

---

[105] 自己資本利益率（ROE）など，計算書類等に現れる諸数値を組み合わせて導かれる指標や，配当性向等のほか，数値化が困難な，いわゆる非財務指標も含まれる（渡辺ほか・前掲・注(94)124頁）。
[106] 渡辺ほか・前掲・注(94)124頁。
[107] 渡辺ほか・前掲・注(94)123頁。
[108] 前田・会社法入門541頁，会社法コンメンタール(8)427頁〔田中亘〕。
[109] 前田・会社法入門542頁，会社法コンメンタール(8)433頁〔田中亘〕。

第Ⅱ編　第1章　ストック・オプション

る。」とするが，非金銭報酬については，「額が確定している現物であれば，取締役の場合と同様，監査役の報酬等として決議することができる。『報酬等』の定義の中には財産上の利益がすべて含まれ，金銭に限定されておらず，また，現物であっても額が確定している場合はありうるから，その限りにおいて，監査役の現物報酬は，会社法の規定に反するものではない。なお，監査役については，361条1項3号に該当する規定が置かれていないが，これは，監査役の現物報酬を禁止する趣旨ではなく，監査役の報酬については，同条2項の取締役の現物報酬等を相当とする理由の説明義務が生じないことを表しているにすぎない。」「ストック・オプションを与えることができないという趣旨ではない。」等と解説し，監査役に対する業績連動報酬に該当しない非金銭報酬の付与については否定していない[110]。

　なお，監査役が数人いる場合であって，株主総会の決議でその総額のみが定められ，各監査役の報酬額について定められないときは，その額はその総額の範囲内で監査役の協議で定めることとなる（法387条2項）。

　②　ストック・オプションの付与に関する報酬決議の考え方

　前述のとおり，監査役に対するストック・オプションの付与が認められるとしても，当該ストック・オプションの付与のためには，どのような株主総会決議が必要であろうか。ストック・オプションの付与は，監査役に対する「報酬等」の付与に該当するため会社法387条の承認の対象となることは明らかである[111]が，会社法387条は，非金銭報酬について，会社法361条1項3号のように，「具体的な内容」を決議することを直接的には規定していない。したがって，ストック・オプションの公正価値を含む形で報酬等の金額的上限のみを定めれば足り，非金銭報酬としての具体的な内容（たとえば，その付与方法や新株予約権の内容の要綱等）を決議する必要はないと解される[112]。また，監査役に対する報酬等の金額的上限を定めている場合であ

---

(110) 相澤・論点解説406頁～408頁，郡谷・計算詳解265頁。
(111) 相澤・論点解説408頁。
(112) 郡谷・計算詳解265頁，相澤・論点解説408頁。

って，ストック・オプション以外の報酬等とストック・オプション報酬の公正価値の合計額が当該金額的上限の範囲内である場合には，新たに同条の決議を行う必要はないと解される[113]。ただし，当該合計額を決議した株主総会の際に，ストック・オプション報酬が含まれる可能性がまったく想定されていないような場合には，株主に対する情報提供を適切に行うとの観点からは，監査役の報酬等にストック・オプションを加えること，また，ストック・オプションとして付与する新株予約権の概要を示して改めて株主総会決議を求めることが望ましいと考えられる。

なお，実務上は，監査役の報酬等についても，取締役の報酬等と同じく，会社法361条1項3号の「具体的な内容」に相当する事項を株主総会の決議内容に含めている事例もある（図表1－37参照。ただし，令和元年改正法改正施行前の実例である）。

図表1－37 監査役に対する報酬等としての新株予約権（ストック・オプション）付与のための株主総会議案の株主総会参考書類の実例（バリューデザイン「第12回定時株主総会招集ご通知」〔2018年9月28日〕38頁）

第2号議案　取締役及び監査役に対するストックオプションとしての新株予約権に関する報酬等の額及び具体的な内容決定の件

　現在の取締役の報酬等の額は，平成18年10月2日開催の当社臨時株主総会において，年額100百万円以内として，また現在の監査役の報酬等の額は，平成28年9月30日開催の当社第10回定時株主総会において，年額30百万円以内として，ご決議をいただいたものでありますが，今般，当社は，取締役（社外取締役を除く）及び監査役（社外監査役を除く）に当社の企業価値の持続的な向上を図るインセンティブを与えるとともに，当社の取締役（社外取締役を除く）及び監査役（社外監査役を除く）と株主の皆様との価値共有を進めることを目的として，取締役（社外取締役を除く）及び監査役（社外監査役を除く）に対し，ストックオプションとしての新株予約権を，下記のとおり割り当てることといたしたいと存じます。

　つきましては，当社における取締役及び監査役の貢献度等諸般の事項を総合

---

(113) 相澤・論点解説408頁。

的に勘案いたしまして，従来の取締役及び監査役の報酬等の額とは別枠として，ストックオプションとしての新株予約権に関する報酬等の額を，取締役（社外取締役を除く）については年額100百万円以内として，監査役（社外監査役を除く）については年額20百万円以内として設定いたしたいと存じます。

本件ストックオプションは，新株予約権を行使することにより交付を受けることができる株式1株当たりの払込金額を1円とする「株式報酬型ストックオプション」であり，当社における取締役及び監査役の貢献度等諸般の事項を総合的に勘案して決定しており，その内容は相当なものであると考えております。

また，本件ストックオプションとしての新株予約権については，その割当てに際して公正価額を基準として定める払込金額の払込みに代えて，本議案によるストックオプションとしての新株予約権に関する報酬等に基づく取締役（社外取締役を除く）及び監査役（社外監査役を除く）の報酬債権をもって相殺する方法により払込みがなされることを予定しております。

なお，現在の取締役は3名，監査役は3名（うち社外監査役2名）であり，第1号議案のご承認が得られますと，取締役は5名，監査役は3名（うち社外監査役は2名）となります。

記

当社の取締役（社外取締役を除く）及び監査役（社外監査役を除く）に対するストックオプションとしての新株予約権の具体的な内容及び数の上限

①新株予約権の目的である株式の種類及び数
新株予約権の目的である株式の種類は当社普通株式とし，各新株予約権の目的である株式の数（以下「付与株式数」という）は100株とする。ただし，本議案の決議の日（以下「決議日」という）以降，当社が，当社普通株式の株式分割（当社普通株式の株式無償割当てを含む。以下株式分割の記載につき同じ）又は株式併合を行う場合には，次の算式により付与株式数の調整を行い，調整の結果生じる1株未満の端数は，これを切り捨てる。

調整後付与株式数＝調整前付与株式数×株式分割又は株式併合の比率

また，上記のほか，決議日以降，当社が合併又は会社分割を行う場合その他これらの場合に準じて付与株式数の調整を必要とする場合には，当社は，合理的な範囲で付与株式数を適切に調整することができる。なお，決議日以降，当社が，当社普通株式の単元株式数変更（株式分割又は株式併合を伴う場合を除く。以下単元株式数変更の記載につき同じ）を行う場合には，当社は，当該単元株

式数変更の効力発生日以降にその発行のための当社取締役会の決議が行われる新株予約権について，当該単元株式数変更の比率に応じて付与株式数を合理的に調整することができる。

②新株予約権の総数
取締役（社外取締役を除く）に対して割り当てる新株予約権の総数450個及び監査役（社外監査役を除く）に対して割り当てる新株予約権の総数50個を，各事業年度において割り当てる新株予約権の数の上限とする。ただし，当社普通株式の単元株式数変更に伴い付与株式数が調整された場合には，当社は，当該調整の比率に応じて新株予約権の総数を合理的に調整することができる。

③新株予約権の払込金額
新株予約権1個当たりの払込金額は，新株予約権の割当てに際してブラック・ショールズ・モデル等の公正な算定方式により算定された新株予約権の公正価額を基準として当社取締役会において定める額とする。

④新株予約権の行使に際して出資される財産の価額
各新株予約権の行使に際して出資される財産の価額は，当該各新株予約権を行使することにより交付を受けることができる株式1株当たりの払込金額を1円とし，これに付与株式数を乗じた金額とする。

⑤新株予約権を行使することができる期間
新株予約権を割り当てる日の翌日から30年以内の範囲で，当社取締役会において定める。

⑥譲渡による新株予約権の取得の制限
譲渡による新株予約権の取得については，当社取締役会の決議による承認を要する。

⑦新株予約権の行使の条件
新株予約権の割当てを受けた者は，当社の取締役，監査役及び執行役員のいずれの地位をも喪失した日の翌日以降，新株予約権を行使することができる。その他の新株予約権の行使の条件については，当社取締役会において定める。

以上

(3) 監査等委員会設置会社

　監査等委員会設置会社における監査等委員でない取締役に対するストック・オプションの付与と報酬規制との関係に関する議論の本質は，前述(2)の監査等委員会設置会社または指名委員会等設置会社ではない会社における取締役に対する報酬等の議論と同じである。

　監査等委員会設置会社における監査等委員である取締役については，その報酬等の付与のための株主総会決議事項は，前述(2)①と同じであるが，監査等委員である取締役とそれ以外の取締役とを区別して定めたうえで株主総会決議を得ることが必要となる（法361条2項）。

　また，監査等委員会設置会社においては，有価証券報告書の提出会社であるか否かにかかわらず，監査等委員でない取締役への報酬等に関し，（定款または株主総会において取締役の個人別報酬が定められている場合を除き）取締役の個人別の報酬等の内容についての決定に関する方針の決定が求められる（法361条7項2号）。

　図表1－38は，監査等委員会設置会社における，監査等委員である取締役とそれ以外の取締役に対するストックオプション付与のための株主総会議案の実例である。

図表1－38　監査等委員会設置会社における監査等委員である取締役とそれ以外の取締役に対する報酬等としての新株予約権（ストック・オプション）付与のための株主総会議案の株主総会参考書類の実例（ベルテクスコーポレーション「第3回定時株主総会招集ご通知」〔2021年6月11日〕37頁）

第3号議案　取締役（監査等委員である取締役を除く）の報酬額設定の件

　当社は，2020年6月26日開催の第2回定時株主総会で監査等委員会設置会社への移行に伴い，取締役（監査等委員である取締役を除く）の金銭報酬の額について年額200百万円以内，株式報酬型ストックオプション報酬額（社外取締役を除く）について年額80百万円以内でご承認いただき今日に至っております。

1-3 ストック・オプションに関する法的・実務的主要論点

　本年3月1日施行の「会社法の一部を改正する法律（令和元年法律第70号）」の施行に伴い，株式報酬型ストックオプションの内容に関する決議事項が明確化されたことを踏まえ，改めて既に決議済みの取締役（監査等委員である取締役を除く）について年額200百万円以内，株式報酬型ストックオプション報酬額（社外取締役を除く）について年額80百万円以内とすること及び同株式報酬型ストックオプションとしての新株予約権の具体的な内容について，ご承認いただきたく存じます。なお，第2号議案が原案どおり承認可決されますと取締役（監査等委員である取締役を除く）の員数は4名となります。

　本議案におけるストックオプションの具体的な内容は，2020年6月26日開催の株主総会において決議された内容について，「会社法の一部を改正する法律」（令和元年法律第70号）で明確化された要件にしたがい補充するものであり，実質的な内容を変更するものではございません。また，事業報告15頁に記載の取締役の個人別の報酬等の内容に係る決定方針に沿ったものであり，相当であると判断しております。

1. 報酬として新株予約権を割り当てる理由
　　当社の取締役（社外取締役を除く）が，中長期的な視点で株価変動によるメリット及びリスクを株主の皆様と共有することで，当社グループの業績向上並びに株式価値向上への意欲や士気を高めるためであります。

2. 新株予約権の内容
　(1)新株予約権の目的となる株式の種類及び数
　　　新株予約権の目的となる株式の種類は当社普通株式とし，新株予約権の目的となる株式の数（以下「付与株式数」といいます。）は，1個当たり1株といたします。
　　　なお，当社が普通株式につき，株式分割（当社普通株式の無償割当てを含みます。以下，株式分割の記載につき同様とします。）または株式併合を行う場合には，付与株式数を次の計算により調整するものといたします。

　　　　調整後付与株式数＝調整前付与株式数×分割または併合の比率
　　　また，上記のほか，付与株式数の調整を必要とするやむを得ない事由が生じたときは，当社は，当社の取締役会において合理的な範囲内で必要と認められる付与株式数の調整を行うことといたします。
　　　なお，上記の調整の結果生じる1株未満の端数は，これを切り捨てます。
　(2)新株予約権の総数
　　　各事業年度に係る定時株主総会の日から1年以内に取締役（社外取締役及び監査等委員である取締役を除く）に対し割り当てる新株予約権の数は

100,000個を上限といたします。
(3)新株予約権の払込金額（発行価額）
　　新株予約権1個当たりの払込金額は，新株予約権の割当てに際してブラック・ショールズ・モデルの公正な算定方式により算出された新株予約権の公正価値を基準として当社の取締役会において定める額といたします。
　　なお，新株予約権の割当てを受けた者（以下「新株予約権者」といいます。）は，当該払込金額の払込みに代えて当社に対する報酬債権をもって相殺するものとし，金銭の払込みを要しないものといたします。
(4)新株予約権の行使に際して出資される財産の価額
　　新株予約権の行使に際して出資される財産の価額は，新株予約権の行使により交付される株式1株当たりの金額を1円とし，これに付与株式数を乗じた金額といたします。
(5)新株予約権を行使することができる期間
　　新株予約権を割り当てる日の翌日から30年以内で当社の取締役会が定める期間といたします。
(6)新株予約権の行使の主な条件
　　新株予約権者は，上記(5)の期間内において，当社の取締役の地位を喪失した（日再任の予定がない場合に限ります。）の翌日から10日（10日目が休日に当たる場合には翌営業日）を経過する日までの間に限り，新株予約権を一括してのみ行使することができるものといたします。その他の新株予約権の行使条件については，新株予約権の募集事項を決定する当社の取締役会において定めるものといたします。
(7)譲渡による新株予約権の取得の制限
　　譲渡による新株予約権の取得については，当社の取締役会の承認を要するものといたします。
(8)新株予約権の取得に関する事項
　①新株予約権者が権利行使をする前に，上記(6)の定めまたは新株予約権割当契約の定めにより新株予約権を行使できなくなった場合，当社は当社の取締役会が別途定める日をもって当該新株予約権を無償で取得することができるものといたします。
　②当社が消滅会社となる合併契約，当社が分割会社となる吸収分割契約もしくは新設分割計画または当社が完全子会社となる株式交換契約もしくは株式移転計画の承認の議案が当社株主総会（株主総会が不要な場合は当社の取締役会）において承認された場合は，当社は当社の取締役会が別途定める日をもって，同日時点で権利行使されていない新株予約権を無償で取得することができるものといたします。
(9)その他の新株予約権の内容

新株予約権に関する上記の詳細及びその他の内容については，新株予約権の募集事項を決定する当社の取締役会において定めるものといたします。

第4号議案　監査等委員である取締役の報酬額設定の件

　当社は，2020年6月26日開催の第2回定時株主総会で監査等委員会設置会社への移行に伴い，監査等委員である取締役の金銭報酬の額について年額60百万円以内，株式報酬型ストックオプション報酬額（社外取締役を除く）について年額20百万円以内でご承認いただき今日に至っております。
　本年3月1日施行の「会社法の一部を改正する法律（令和元年法律第70号）」の施行に伴い，株式報酬型ストックオプションの内容に関する決議事項が明確化されたことを踏まえ，改めて既に決議済みの監査等委員である取締役について年額60百万円以内，株式報酬型ストックオプション報酬額（社外取締役を除く）について年額20百万円以内とすること及び同株式報酬型ストックオプションとしての新株予約権の具体的な内容について，ご承認いただきたく存じます。
　本議案におけるストックオプションの具体的な内容は，2020年6月26日開催の株主総会において決議された内容について，「会社法の一部を改正する法律」（令和元年法律第70号）で明確化された要件にしたがい補充するものであり，実質的な内容を変更するものではございません。また，事業報告15頁に記載の取締役の個人別の報酬等の内容に係る決定方針に沿ったものであり，相当であると判断しております。

1. 報酬として新株予約権を割り当てる理由
　　当社の取締役（社外取締役を除く）が，中長期的な視点で株価変動によるメリット及びリスクを株主の皆様と共有することで，当社グループの業績向上並びに株式価値向上への意欲や士気を高めるためであります。

2. 新株予約権の内容
　(1) 新株予約権の目的となる株式の種類及び数
　　新株予約権の目的となる株式の種類は当社普通株式とし，新株予約権の目的となる株式の数（以下「付与株式数」といいます。）は，1個当たり1株といたします。
　　なお，当社が普通株式につき，株式分割（当社普通株式の無償割当てを含みます。以下，株式分割の記載につき同様とします。）または株式併合を行う場合には，付与株式数を次の計算により調整するものといたします。

　　　調整後付与株式数＝調整前付与株式数×分割または併合の比率

また，上記のほか，付与株式数の調整を必要とするやむを得ない事由が生じたときは，当社は当社の取締役会において合理的な範囲内で必要と認められる付与株式数の調整を行うこととといたします。
　なお，上記の調整の結果生じる1株未満の端数は，これを切り捨てます。
(2) 新株予約権の総数
　各事業年度に係る定時株主総会の日から1年以内に監査等委員である取締役（社外取締役を除く）に対し割り当てる新株予約権の数は25,000個を上限といたします。
(3) 新株予約権の払込金額（発行価額）
　新株予約権1個当たりの払込金額は，新株予約権の割当てに際してブラック・ショールズ・モデルの公正な算定方式により算出された新株予約権の公正価値を基準として当社の取締役会において定める額といたします。
　なお，新株予約権の割当てを受けた者（以下「新株予約権者」といいます。）は，当該払込金額の払込みに代えて当社に対する報酬債権をもって相殺するものとし，金銭の払込みを要しないものといたします。
(4) 新株予約権の行使に際して出資される財産の価額
　新株予約権の行使に際して出資される財産の価額は，新株予約権の行使により交付される株式1株当たりの金額を1円とし，これに付与株式数を乗じた金額といたします。
(5) 新株予約権を行使することができる期間
　新株予約権を割り当てる日の翌日から30年以内で当社の取締役会が定める期間といたします。
(6) 新株予約権の行使の主な条件
　新株予約権者は，上記(5)の期間内において，当社の取締役の地位を喪失した日（再任の予定がない場合に限ります。）の翌日から10日（10日目が休日に当たる場合には翌営業日）を経過する日までの間に限り，新株予約権を一括してのみ行使することができるものといたします。その他の新株予約権の行使条件については，新株予約権の募集事項を決定する当社の取締役会において定めるものといたします。
(7) 譲渡による新株予約権の取得の制限
　譲渡による新株予約権の取得については，当社の取締役会の承認を要するものといたします。
(8) 新株予約権の取得に関する事項
　①新株予約権者が権利行使をする前に，上記(6)の定めまたは新株予約権割当契約の定めにより新株予約権を行使できなくなった場合，当社は当社の取締役会が別途定める日をもって当該新株予約権を無償で取得することができるものといたします。

②当社が消滅会社となる合併契約，当社が分割会社となる吸収分割契約もしくは新設分割計画または当社が完全子会社となる株式交換契約もしくは株式移転計画の承認の議案が当社株主総会（株主総会が不要な場合は当社の取締役会）において承認された場合は，当社は当社の取締役会が別途定める日をもって，同日時点で権利行使されていない新株予約権を無償で取得することができるものといたします。
(9)　その他の新株予約権の内容
　　新株予約権に関する上記の詳細及びその他の内容については，新株予約権の募集事項を決定する当社の取締役会において定めるものといたします。

(4)　指名委員会等設置会社

①　指名委員会等設置会社における報酬規制の概要

　指名委員会等設置会社においては，社外取締役をその過半数とする報酬委員会にて，取締役および執行役の個人別の報酬等の内容に係る決定に関する方針を定め（法409条1項），事業報告に記載することを要する（法435条2項，施121条6号の2）[114]。

　また，報酬委員会は，取締役および執行役の個人別の報酬等の内容を定めなければならない。個人別の報酬等の内容として定めるべき事項は，前述(1)①および図表1－33「取締役に対する報酬等としての新株予約権に関する株主総会決議事項」の監査役設置会社における取締役に対する報酬等についての株主総会決議事項と同等であるが，募集株式もしくは募集新株予約権を報酬等として付与する場合またはこれらの引換えにする払込みに充てるための金銭を報酬等として付与する場合について，監査役設置会社における取締役に対する報酬等に関しては「概要」で足りるとされている事項（たとえば，一定の資格を有する者が当該新株予約権を行使することができることとする場合はその旨およびその資格の内容の概要〔施98条の3第2号・98条の4第2項2号〕）であっても，指名委員会等設置会社における執行役または取締役の報

---

(114)　なお，改選前後で取締役および執行役の変更がなく，従前の「報酬等の内容に係る決定に関する方針」にそのまま従うとしても，定時株主総会後に組織された新たな報酬委員会によって決定をし直さなければならない（始関・平成14年97頁参照）。

酬等とする場合には，報酬委員会において，「概要」ではなくその内容を定めなければならない[115]。

② 募集新株予約権の発行手続

指名委員会等設置会社においても，新株予約権の募集事項の決定権限は，報酬委員会ではなく，株主総会，取締役会または取締役会から委任を受けた執行役にあり（法238条〜240条・416条4項），また，（会社法236条1項6号の譲渡制限が付された新株予約権については）新株予約権の割当ての決定権限は，取締役会または取締役会から委任を受けた執行役がこれを有する（法243条2項）。

したがって，会社法上は，取締役または執行役へのストック・オプションの付与は，報酬に関する報酬委員会の決定に加え，新株予約権の募集事項に関する株主総会，取締役会の決議または取締役会から委任を受けた執行役の決定および割当てに関する取締役会の決議または取締役会から委任を受けた執行役の決定との各手続を経る必要がある。

(5) 事業報告における報酬開示

事業年度の末日において公開会社[116]である会社は，事業報告において，ストック・オプションに関する事項を，「株式会社の会社役員に関する事項」（施119条2号・121条。社外役員について施124条）および「株式会社の新株予約権に関する事項」（施119条4号・123条）として開示する必要がある。各項目ごとのストック・オプションに関する主な記載事項および留意点は以下のとおりである。

---

(115) 渡辺ほか・前掲・注(94) 124頁〜125頁。
(116) その発行する全部または一部の株式の内容として譲渡による当該株式の取得について株式会社の承認を要する旨の定款の定めを設けていない株式会社をいう（施2条1項，法2条5号）。

1-3 ストック・オプションに関する法的・実務的主要論点

① **株式会社の会社役員に関する事項**

(a) **当該事業年度に係る会社役員ごと[117]の報酬等の総額，員数および報酬等の区別**

当該事業年度に係る会社役員ごとの報酬等の総額および員数に加え，当該事業年度に係る報酬等が，業績連動報酬等または非金銭報酬等（施98条の5第2号に規定する業績連動報酬等または同条3号に規定する非金銭報酬等をいう。以下後述(6)において同じ）を含む場合には，業績連動報酬等，非金銭報酬等およびそれ以外の報酬等を区別して，会社役員ごとに，その総額を記載しなければならない（施121条4号）。このような区別は，令和元年会社法改正において，会社役員の報酬等に占める固定報酬の割合が多い場合には，会社の業績に拘わらず一定の報酬等を受領できるため，報酬等が適切なインセンティブとして機能しないおそれがあること等に鑑み，報酬等が会社役員に対し職務を執行するインセンティブを付与するための手段として適切に機能しているかを株主が判断できるようにすることを目的として導入された[118]。

なお，会社役員のうち，社外役員（施2条3項5号）が存する場合であって，これらに対する当該事業年度に係る報酬等に業績連動報酬等または非金銭報酬等を含む場合には，当該事業年度に係る社外取締役への報酬等の総額および員数に加え，業績連動報酬等，非金銭報酬等およびそれ以外の報酬等を区別して，その総額を記載することとなる（施124条5号・121条4号イ・ロ・ハ）[119]。

---

[117] 取締役，会計参与，監査役または執行役（施2条3項4号）との役位ごとに記載する。また，監査等委員会設置会社においては，監査等委員である取締役と監査等委員でない取締役を区別して記載する。以下後述(6)において同じ。

[118] 野澤大和「令和元年改正会社法と株主総会参考書類及び事業報告のガバナンスに関する新たな記載事項」ディスクロージャー＆IR15号88頁（2020）参照。

[119] 社外役員が，当該会社の親会社等（施2条1項，法2条4号・同条4号の2，施3条の2第2項）もしくは当該親会社等の他の子会社等（施2条1項，法2条3号の2，施3条の2第1項）または子会社（施2条1項，法2条3号，施3条1項）から役員として受けている報酬等がある場合には，各報酬等の総額を事業報告に記載する必要があるが（施124条7号），これらについては，業績連動報酬等，非金銭報酬等およびそれ以外の報酬等を区別して記載することは求められていない。

(b) 当該事業年度において受け，または受ける見込みの額が明らかとなった会社役員ごとの報酬等の総額，員数および報酬等の区別

本(b)についても，前述(a)同様，報酬等に業績連動報酬等または非金銭報酬等を含む場合には，業績連動報酬等，非金銭報酬等およびそれ以外の報酬等を区別して，会社役員ごとに記載する必要がある（施121条5号・121条4号イ・ロ・ハ）。会社役員に社外役員が存する場合についても前述(a)と同様に，業績連動報酬等，非金銭報酬等およびそれ以外の報酬等を区別して本(b)の項目を記載することとなる（施124条6号・5号・121条4号イ・ロ・ハ）。

(c) 業績連動報酬等に関する事項

当該事業年度に係る会社役員の報酬等および当該事業年度において受けまたは受ける見込みの額が明らかとなった会社役員の報酬等の全部または一部が，業績連動報酬等である場合には，(i)当該業績連動報酬等の額または数の算定の基礎として選定した業績指標の内容および当該業績指標を選定した理由（施121条5号の2イ），(ii)当該業績連動報酬等の額または数の算定方法（同号ロ），および(iii)当該業績連動報酬等の額または数の算定に用いた(i)の業績指標に関する実績（同号ハ）を記載する必要がある[120]。

これらの記載の程度としては，当該記載に基づき，株主が業績連動報酬等の具体的な額または数を導き出すことができるような記載や計算式自体が求められるものではないが，当該記載が求められる趣旨が，株主が業績連動報酬等と業績指標との関連性など業績連動報酬等の算定に関する考え方を理解し，業績連動報酬等が会社役員に適切なインセンティブを付与するものであるかを判断するために必要な情報の開示を図るとの点にあることに鑑み，株主にとって業績連動報酬等の算定に関する考え方が理解できる程度の記載が求められる[121]。

---

[120] 業績連動報酬等は金銭によるものに限られないため，例えば，ストック・オプションであって，行使可能となるストック・オプションの数が，上記いずれかの指標に基づき算出される旨の条件が付されたものは，業績連動報酬等と非金銭報酬等の両方に該当することとなる（渡辺ほか・前掲注（94）124頁参照）。

(d) 非金銭報酬等の内容

当該事業年度に係る会社役員の報酬等および当該事業年度において受けまたは受ける見込みの額が明らかとなった会社役員の報酬等の全部または一部が，非金銭報酬等である場合には，当該非金銭報酬等の内容を記載しなければならない（施121条5号の3）。かかる記載は，令和元年会社法改正において，株主が非金銭報酬等によって会社役員に対して適切なインセンティブが付与されているかを判断するために必要な情報を開示する目的で導入されたものである。かかる目的に鑑みると，ストックオプションとして割り当てられた新株予約権の内容自体の記載が求められるものではないが，例えば，新株予約権の内容の概要やストック・オプションの数や割り当て際に付された条件等の概要を記載することが考えられる[122]。

(e) 報酬等についての株主総会決議等に関する事項

実務上，株主総会の決議によって定められた取締役の報酬等の総額の最高限度が，取締役の員数が減少したなどの事情があっても長期間にわたり変更されないことは多い。しかし，取締役への適切なインセンティブ付与との観点からは，会社役員の報酬等の内容に関して現在有効な定款の定めまたは株主総会の決議による定めに関する情報を提供し，当該定めによって取締役会へ決定が委任されている事項の範囲が適切であるかどうかについて株主が判断することができるようにすることが適切と考えられる[123]。かかる観点から，(i)会社役員の報酬等についての定款の定めを設けた日または株主総会の決議の日（施121条5号の4イ），(ii)当該定めの内容の概要（同号ロ），および(iii)当該定めが設けられた時点において，それらの対象とされていた会社役員の員数（同号ハ）を記載することが求められる。

なお，一定の期間を対象として会社役員の報酬等についての枠組みを設ける内容の定款または株主総会の決議による定めについては，当該枠組みによ

---

(121) 渡辺諭ほか「会社法施行規則等の一部を改正する省令の解説〔Ⅲ〕——令和2年法務省令第52号」旬刊商事法務2252号17頁（2021）参照。
(122) 渡辺ほか・前掲注（121）17頁参照。
(123) 渡辺ほか・前掲注（121）17頁～18頁参照。

る報酬等が付与されている期間中，事業報告に記載することが必要となるが，当該期間が経過し，当該定款または株主総会の決議による定めに基づいて会社役員に報酬等を付与することが見込まれないものについては記載を要しない[124]。

(f) **報酬等の決定方針に関する事項**

会社役員に付与された報酬等の内容が報酬等の決定方針に照らして会社役員に対し適切なインセンティブを付与するものとなっているかを株主が判断できるようにするため[125]，事業年度の末日において有価証券報告書提出会社である監査役会設置会社（公開会社であり，かつ，大会社であるものに限る），監査等委員会設置会社または指名委員会等設置会社である株式会社であって，取締役（ただし，監査等委員会設置会社においては監査等委員である取締役を除き，指名委員会等設置会社においては執行役を含む。以下，本(f)において同じ）の個人別の報酬等の内容についての決定に関する方針（法361条7項・409条1項）を定めている株式会社においては[126]，当該報酬等の決定方針に関する事項として，(i)当該報酬等の決定方針の決定の方法（施121条6号イ），(ii)当該報酬等の決定方針の内容の概要（同号ロ），および(iii)当該事業年度に係る取締役の個人別の報酬等の内容が当該報酬等の決定方針に沿うものであると取締役会（指名委員会等設置会社にあっては，報酬委員会）が判断した理由（同号ハ）を記載する必要がある。

また，報酬等の決定方針以外に各会社役員の報酬等の額またはその算定方法に係る決定に関する方針を定めているときは，当該方針の決定の方法およびその方針の内容の概要を記載しなければならない（施121条6号の2）[127]。

---

[124] 渡辺ほか・前掲注（121）17頁・19頁参照。
[125] 野澤・前掲注（118）89頁。
[126] 令和元年会社法改正により，取締役の報酬等の内容に係る決定手続等に関する透明性を向上させる観点から，有価証券報告書提出会社である監査役会設置会社（公開会社かつ大会社に限る）と監査等委員会設置会社では，定款または株主総会の決議により取締役（監査等委員である取締役を除く）の個人別の報酬等の内容が具体的に定められていない場合には，その内容についての決定に関する方針を取締役会で決定しなければならないこととされた（竹林俊憲ほか「令和元年改正会社法の解説〔III〕」商事法務2224号5頁〔2020〕参照）。

(g) 取締役会による取締役の個人別の報酬等の内容に係る決定の委任に関する事項

実務上，取締役の個人別の報酬等の内容の決定を代表取締役等に委任すること（いわゆる再一任）がされることは多い。かかる再一任の事実についての情報開示を義務づけることで，取締役の報酬等の内容の決定手続に関する透明性を向上させるとの観点から(128)，事業年度の末日において取締役会設置会社（指名委員会等設置会社を除く）である株式会社は，(i)取締役会から委任を受けた取締役その他の第三者が当該事業年度に係る取締役（監査等委員会設置会社においては監査等委員である取締役を除く）の個人別の報酬等の内容の全部または一部を決定したときは，その旨（施121条6号の3柱書），(ii)当該委任を受けた者の氏名ならびに当該内容を決定した日における当該株式会社における地位および担当（同号イ），(iii)(ii)の者に委任された権限の内容（同号ロ），(iv)(ii)の者に(iii)の権限を委任した理由（同号ハ），および(v)(ii)の者により(iii)の権限が適切に行使されるようにするための措置を講じた場合にあっては，その内容（同号ニ）を記載しなければならない。

図表1－39は，事業報告における，ストック・オプションに関する事項を含む「株式会社の会社役員に関する事項」の記載例である。

---

(127) ただし，指名委員会等設置会社，事業年度の末日において有価証券報告書提出会社である監査役会設置会社（公開会社であり，かつ，大会社であるものに限る），監査等委員会設置会社以外の会社は，当該記載を省略することができる（施121条ただし書参照）。

(128) 一問一答令和元年100頁参照。もっとも，ストック・オプションとして付与される新株予約権には譲渡制限が付されることが通例であり（法236条1項6号），この場合，割当先となる各取締役に割り当てるべき新株予約権の個数は，取締役会決議において定めることが必要となるため（法243条2項2号），ストック・オプションの付与に関して再一任がされる場合とは，理論的には，ストック・オプションの付与に際して，新株予約権と引換えにする払込みに充てるための金銭を付与する場合において，各取締役に付与する金銭の額の決定のみを再一任する場合が該当すると考えられる。

319

第Ⅱ編　第1章　ストック・オプション

図表1－39　事業報告（株式会社の会社役員に関する事項）の記載例
（2021年5月25日付け_DeNA事業報告51頁）

(4)　取締役及び監査役の報酬等
①取締役及び監査役の個人別の報酬等の内容に係る決定方針に関する事項
　（一）取締役及び監査役の個人別の報酬等の内容に係る決定方針の決定の方法
　　代表取締役は，取締役の報酬制度，インセンティブプラン（取締役の個人別の報酬等の内容に係る決定方針を含む）の設計を行い，当社が任意で設置する取締役会の諮問機関である報酬委員会に提出します。報酬委員会においては，当該提出内容について審議し，取締役会に答申を行い，取締役会は，その答申内容を踏まえ，取締役の報酬制度，インセンティブプラン（取締役の個人別の報酬等の内容に係る決定方針を含む）を決定いたします。
　　また，監査役の報酬の内容に係る決定方針は，監査役の協議により決定しております。

　（二）取締役及び監査役の個人別の報酬等の内容に係る決定方針の内容の概要
　　取締役の報酬等は現金報酬及び株式報酬型ストックオプション，監査役の報酬は現金報酬のみとなっております。

　ア　現金報酬について
　　社外取締役以外の取締役の現金報酬は，固定部分と前事業年度の業績に対する変動部分で構成されております。
　　社外取締役及び監査役の現金報酬は，固定部分のみであります。
　　現金報酬の上限額は，取締役については，2013年6月22日開催の第15回定時株主総会決議及び2017年6月24日開催の第19回定時株主総会決議により，固定部分が年額320百万円（うち社外取締役分は年額60百万円）以内，業績連動部分が前事業年度の連結損益計算書における親会社の所有者に帰属する当期利益の1.0%以内（年額）となっております。ただし，業績連動部分については，株式報酬型ストックオプション報酬額（年額）と合算して当該利益の額の1.0%を超えないものとしております。
　　また，社外取締役については，その職務の性質に鑑み，業績連動部分の支給対象外としております。
　　監査役の現金報酬については，2004年9月28日開催の臨時株主総会決議により年額60百万円以内となっております。

　イ　株式報酬型ストックオプションについて
　　株式報酬型ストックオプションは，取締役が株価上昇によるメリットのみ

1-3 ストック・オプションに関する法的・実務的主要論点

ならず株価下落のリスクまでも株主の皆様と共有することで，業績向上と企業価値向上への貢献意欲や，株主重視の経営意識を高めるため，インセンティブとして付与いたします。

取締役に対する株式報酬型ストックオプション報酬額は，2013年6月22日開催の第15回定時株主総会決議により，現金報酬とは別枠で，社外取締役以外の取締役については，前事業年度の連結損益計算書における親会社の所有者に帰属する当期利益の1.0%以内（年額）となっております。ただし，現金報酬（年額）の業績連動部分と合算して当該利益の額の1.0%を超えないものとし，発行する新株予約権の上限を年間160,000個としております。社外取締役については，その職務の性質に鑑み，ストックオプション報酬額は，年額20百万円以内の固定額とし，かつ発行する新株予約権の上限を年間15,000個としております。

ウ　報酬の個別配分額の決定手続について

代表取締役は，上記の上限の範囲内において，取締役の報酬の個別配分案を作成し，当社が任意で設置する取締役会の諮問機関である報酬委員会にこれを提出します。取締役会は，その答申内容を踏まえ，取締役の報酬の個別配分額を決定いたします。

また，監査役の報酬の個別配分額は，監査役の協議により決定しております。

エ　取締役の個人別報酬の決定方針

現時点での取締役の個人別報酬の決定方針は，以下の通りです。

1．基本方針（報酬の構成）
・取締役の報酬等は，固定部分と前事業年度の業績に対する変動部分（業績連動報酬）で構成し，それぞれ現金または株式報酬型ストックオプションの付与により支給する。
・取締役の報酬等のうち，固定部分は現金報酬のみとする。
・社外取締役の報酬等は，その職務の性質に鑑み，固定部分のみとする。

2．固定報酬の個人別の報酬等の額の決定に関する方針（報酬等を与える時期または条件の決定に関する方針を含む。）
・現金報酬のうち固定部分については，月例の固定報酬とし，職責及び職務の性質に鑑み，他社水準も考慮しながら，代表取締役，その他の業務執行取締役及び社外取締役に区分し，それぞれの報酬額を決定する。ただし，その職責及び職務の実態に鑑み，上記区分に基づかずに報酬を支払うことがある。
・支給日は，役員報酬等に関する規程に定めるところに従う。

3. 業績連動報酬等ならびに非金銭報酬等の内容及び額または数の算定方法の決定に関する方針（報酬等を与える時期または条件の決定に関する方針を含む。）
    - 社外取締役以外の取締役が対象となる現金報酬及び株式報酬型ストックオプションの業績連動部分に係る指標は，各取締役の職務上の役割及び成果を多面的に評価するため，重点指標・重点取組事項等について，事業計画等に基づいて設定した指標・定量基準及び定性項目の評価に基づき事業年度ごとに設定する。
    - 現金報酬の業績連動部分は，その指標・定量基準及び定性項目の評価に基づき算出された額を賞与として毎年，一定の時期に支給する。
    - 業績連動部分の株式報酬型ストックオプションは，その指標・定量基準及び定性項目の評価に基づき算出された基準額を踏まえ，これに相当する個数の新株予約権を，毎年，一定の時期に付与する。

4. 固定報酬の額，業績連動報酬等の額または非金銭報酬等の額の取締役の個人別の報酬等の額に対する割合の決定に関する方針
    - 社外取締役以外の取締役の報酬等の種類ごとの比率は，業績連動の基準額（業績連動報酬に係る成果が標準的な評価だった場合の業績連動報酬の額）が期待報酬総額（業績連動報酬に係る成果が標準的な評価だった場合の報酬等の総額）の1/2を超えない範囲で，代表取締役の方が他の取締役よりも業績連動の割合が高くなるように設定する。尚，業績連動報酬に係る成果の達成度によっては，業績連動報酬の金額が固定報酬の金額を上回ることがある。
    - 社外取締役以外の取締役が対象となる業績連動報酬における現金報酬：株式報酬型ストックオプション＝１：１を目安とする。
    - 社外取締役の報酬等の種類は，現金による固定報酬のみとする。

5. 取締役の個人別の報酬等の内容についての決定の方法
    - 代表取締役は，取締役の報酬の個別配分の方針案（事業年度ごとに設定されるべき業績連動部分に係る指標・定量基準及び定性項目案を含む）及び取締役の報酬の個別配分案を作成し，取締役会の諮問機関である報酬委員会にこれを提出する。報酬委員会は，当該方針案及び個別配分案について審議し，取締役会に答申を行い，取締役会は，その答申内容を踏まえ，当該事業年度の取締役の報酬の個別配分の方針及び取締役の報酬の個別配分を決定する。尚，決定した取締役の報酬の個別配分の方針及び取締役の報酬の個別配分を変更する場合も同様とする。

・役員報酬の内容は，役員報酬等に関する規程に従い，期首から3ヶ月を経過する日までに決定する。

(三) 取締役の報酬等の内容が取締役の個人別の報酬等の内容に係る決定方針に沿うものであると取締役会が判断した理由
　前述のとおり，取締役の個人別の報酬等の内容の決定にあたっては，当社が任意で設置する取締役会の諮問機関である報酬委員会が個別配分案について，決定方針との整合性を含めた多角的な審議をし，取締役会に答申を行い，取締役会では，その答申を踏まえて，取締役の個人別の報酬等の内容の決定を行っております。このことから，取締役会は，取締役の個人別の報酬等の内容は決定方針に沿うものであると判断しております。

②取締役及び監査役の報酬等についての株主総会の決議に関する事項
　取締役及び監査役の報酬の額は，上記①アイ記載の通り，2013年6月22日開催の第15回定時株主総会，2017年6月24日開催の第19回定時株主総会，2004年9月28日開催の臨時株主総会において決議しております。2013年6月22日開催の第15回定時株主総会終結時点の取締役の員数は6名（うち社外取締役1名），2017年6月24日開催の第19回定時株主総会終結時点の取締役の員数は5名（うち社外取締役2名），2004年9月28日開催の臨時株主総会終結時点の監査役の員数は3名です。

③取締役の個人別の報酬等の内容の決定にかかる委任に関する事項
　前述のとおり，取締役の個人別の報酬等の内容は，報酬委員会の答申を受けて取締役会が自ら決定しており，該当事項はございません。

④取締役及び監査役の報酬等の総額等

区　分	報酬等の総額	報酬等の種類別の総額			支給人員
		固定部分（現金報酬）	業績連動部分		
			現金報酬	ストックオプション	
取締役（うち社外監査役）	343百万円（31百万円）	226百万円（31百万円）	59百万円（－）	59百万円（－）	6名（3名）
監査役（うち社外監査役）	33百万円（27百万円）	33百万円（27百万円）	－	－	4名（3名）
合　計	376百万円	259百万円	59百万円	59百万円	10名

第Ⅱ編　第1章　ストック・オプション

（注）1．上記の取締役の支給人員には，2020年6月20日開催の第22回定時株主総会の終結の時をもって退任した取締役1名を含んでおります。
　　　2．当事業年度の業績連動報酬に係る指標については，当社グループの企業価値を継続的に高め，事業状況及び組織状況等を多角的に評価する観点から，事業年度における所定の経営指標を用い，連結売上収益，連結営業利益や重点取組事項に関する定性評価を総合的に勘案して定めた営業指標の達成率を指標の目標といたしました。当事業年度における各種経営指標の実績値は「1．企業集団の現況に関する事項(1)事業の経過及びその成果　連結業績概要」に記載のとおりです。なお，2020年3月期の業績連動報酬も同様の指標を用いており，その結果2020年3月期における業績連動部分にかかる支給額は0円となりました。
　　　3．業績連動部分のストックオプションについては，ストックオプションとして付与する予定の新株予約権に係る当事業年度中の費用計上額を記載しております。当事業年度に係る非金銭報酬としてのストックオプションは，2021年5月21日開催の取締役会において，2021年6月19日の定時株主総会において第4号議案「取締役に対するストップオプションとしての新株予約権の内容改定に関する件」が承認可決されることを条件に，以下の内容の新株予約権を取締役（社外取締役を除く）に付与することを決議しております。
　　　　①名称　第21回新株予約権
　　　　②発行決議日　2021年5月21日
　　　　③対象者数　当社取締役（社外取締役を除く）3名
　　　　④新株予約権の数　36,207個を上限とする
　　　　⑤新株予約権の目的である株式の種類　普通株式
　　　　⑥新株予約権の目的である株式の数　36,207株を上限とする
　　　　⑦新株予約権の発行価格
　　　　　新株予約権の割当日である2021年6月21日における東京証券取引所における当社株式の普通取引の終値をもとにブラック・ショールズ・モデルに基づいて算出される新株予約権1個当たりの公正価額
　　　　⑧新株予約権の行使に際して出資される財産の価格　1株あたり1円
　　　　⑨新株予約権の行使期間　2021年6月22日から2051年6月21日まで
　　　　⑩新株予約権の主な行使条件
　　　　　・新株予約権者は，取締役を退任した日の翌日から10日を経過する日までの間に限り，新株予約権を行使することができるものとする。

1-3 ストック・オプションに関する法的・実務的主要論点

> ・新株予約権者が死亡した場合，新株予約権に係る権利を承継した相続人が新株予約権を行使できるものとする。

② 株式会社の新株予約権に関する事項

ストック・オプションとして付与した新株予約権については，事業報告において以下の記載も求められる。

(a) 当該事業年度の末日において在任している会社役員ごとに，当該事業年度の末日に有する新株予約権等の内容の概要および新株予約権等を有する者の人数（施123条1号）

(b) 使用人，子会社の役員および使用人ごとに，当該事業年度中に交付した新株予約権等の内容の概要および交付した者の人数（同条2号）

(c) 新株予約権等に関する重要な事項（同条3号）

なお，取締役の報酬等として募集新株予約権を付与する場合と募集新株予約権と引換えにする払込みに充てるための金銭を付与する場合が区別され，それらについて同様の規律が設けられたことから（法361条1項4号・5号ロ）[129]，上記の開示の対象には，職務執行の対価として付与された金銭の払込みと引換えに交付された新株予約権も含まれる（施123条1号柱書）。

(6) 有価証券報告書における報酬開示

取締役，監査役および執行役に対するストック・オプションは，会社法上，「職務執行の対価として株式会社から受ける財産上の利益」すなわち「報酬等」（法361条1項柱書・387条・404条・409条）に該当することから，付与の方式および報酬決議の取得の方式にかかわらず，上場会社等においては，有価証券報告書における開示が必要となる「役員の報酬等」にも該当する（開令第3号様式記載上の注意（38）・開令第2号様式記載上の注意（57））。有価証券報告書における「役員の報酬等」の開示の一例については，**図表1**

---

[129] 渡辺ほか・前掲注（121）21頁参照。

第Ⅱ編　第1章　ストック・オプション

―40を参照されたい。

　有価証券報告書における「役員の報酬等」の記載について、フォーマットの指定はないが、上記記載上の注意において、会社法上の分類に従い、ストック・オプションが「非金銭報酬等」に該当することが明らかにされ（施98条の5第3号、開令第2号様式記載上の注意（57）b）、取締役（監査等委員および社外取締役を除く）、監査等委員（社外取締役を除く）、監査役（社外監査役を除く）、執行役および社外役員の区分ごとに、金銭報酬等と区別して、非金銭報酬等の総額および支給対象となる役員の員数の記載が求められている。また、非金銭報酬等については、その「内容」の記載も求められる（開令第2号様式記載上の注意（57）b）。

　また、上記の総額の算出の対象となるのは、各役員（最近事業年度の末日までに退任した者を含む）についての、最近事業年度に係る報酬等の額、および最近事業年度において受け、または受ける見込みの額が明らかとなった報酬等の額（最近事業年度前のいずれかの事業年度に係る有価証券報告書に記載したものを除く）の合計額となる。この際、ストック・オプションの金額の算定方法については、当事業年度におけるストック・オプションの費用計上額が、「最近事業年度に係る報酬等の額」に該当するとされている[130]。

　なお、事業報告においても、会社役員（取締役、会計参与、監査役および執行役をいう。施2条3項4号）ごとの報酬等の総額および員数、報酬等の決定方針の記載等が義務づけられ（施121条4号～6号の3）、令和元年改正法施行に伴う事業報告における記載事項の拡充により（詳細は前述1-3■3(5)参照）、多少の差異は存するが、有価証券報告書の記載事項と実質的に同等のものとなっている[131]。

---

[130]　2010年3月31日付け金融庁「コメントの概要及びコメントに対する金融庁の考え方」30頁89番および90番参照。
[131]　中村慎二「2021年3月期有価証券報告書（非財務情報）作成上の留意点」旬刊商事法務2260号8頁～9頁（2021）参照。

1-3 ストック・オプションに関する法的・実務的主要論点

図表1－40　有価証券報告書における報酬開示の実例（DeNA 有価証券報告書〔2021年6月22日提出〕62頁）

(4)【役員の報酬等】
①役員の個人別の報酬等の内容に係る決定方針に関する事項
　(一) 役員の個人別の報酬等の内容に係る決定方針の決定の方法
　　代表取締役は，取締役の報酬制度，インセンティブプラン（取締役の個人別の報酬等の内容に係る決定方針を含む）の設計を行い，当社が任意で設置する取締役会の諮問機関である報酬委員会に提出します。報酬委員会においては，当該提出内容について審議し，取締役会に答申を行い，取締役会は，その答申内容を踏まえ，取締役の報酬制度，インセンティブプラン（取締役の個人別の報酬等の内容に係る決定方針を含む）を決定いたします。
　　また，監査役の報酬の内容に係る決定方針は，監査役の協議により決定しております。

　(二) 役員の報酬等の額またはその算定方法の決定に関する方針の内容及び決定方法
　　取締役の報酬等は現金報酬及び株式報酬型ストックオプション，監査役の報酬は現金報酬のみとなっております。

a　現金報酬について
　　社外取締役以外の取締役の現金報酬は，固定部分と前事業年度の業績に対する変動部分で構成されております。
　　社外取締役及び監査役の現金報酬は，固定部分のみであります。
　　現金報酬の上限額は，取締役については，2013年6月22日開催の第15回定時株主総会決議及び2017年6月24日開催の第19回定時株主総会決議により，固定部分が年額320百万円（うち社外取締役分は年額60百万円）以内，業績連動部分が前事業年度の連結損益計算書における親会社の所有者に帰属する当期利益の1.0％以内（年額）となっております。ただし，業績連動部分については，株式報酬型ストックオプション報酬額（年額）と合算して当該利益の額の1.0％を超えないものとしております。
　　また，社外取締役については，その職務の性質に鑑み，業績連動部分の支給対象外としております。
　　監査役の現金報酬については，2004年9月28日開催の臨時株主総会決議により年額60百万円以内となっております。

b　株式報酬型ストックオプションについて

327

株式報酬型ストックオプションは，取締役が株価上昇によるメリットのみならず株価下落のリスクまでも株主の皆様と共有することで，業績向上と企業価値向上への貢献意欲や，株主重視の経営意識を高めるため，インセンティブとして付与いたします。

取締役に対する株式報酬型ストックオプション報酬額は，2013年6月22日開催の第15回定時株主総会決議により，現金報酬とは別枠で，社外取締役以外の取締役については，前事業年度の連結損益計算書における親会社の所有者に帰属する当期利益の1.0%以内（年額）となっております。ただし，現金報酬（年額）の業績連動部分と合算して当該利益の額の1.0%を超えないものとし，発行する新株予約権の上限を年間160,000個としております。社外取締役については，その職務の性質に鑑み，ストックオプション報酬額は，年額20百万円以内の固定額とし，かつ発行する新株予約権の上限を年間15,000個としております。

c 報酬の個別配分額の決定手続について

代表取締役は，上記の上限の範囲内において，取締役の報酬の個別配分案を作成し，当社が任意で設置する取締役会の諮問機関である報酬委員会にこれを提出します。取締役会は，その答申内容を踏まえ，取締役の報酬の個別配分額を決定いたします。

また，監査役の報酬の個別配分額は，監査役の協議により決定しております。

d 取締役の個人別報酬の決定方針

現時点での取締役の個人別報酬の決定方針は，以下の通りです。

1．基本方針（報酬の構成）
・取締役の報酬等は，固定部分と前事業年度の業績に対する変動部分（業績連動報酬）で構成し，それぞれ現金または株式報酬型ストックオプションの付与により支給する。
・取締役の報酬等のうち，固定部分は現金報酬のみとする。
・社外取締役の報酬等は，その職務の性質に鑑み，固定部分のみとする。

2．固定報酬の個人別の報酬等の額の決定に関する方針（報酬等を与える時期または条件の決定に関する方針を含む。）
・現金報酬のうち固定部分については，月例の固定報酬とし，職責及び職務の性質に鑑み，他社水準も考慮しながら，代表取締役，その他の業務執行取締役及び社外取締役に区分し，それぞれの報酬額を決定する。ただし，その職責及び職務の実態に鑑み，上記区分に基づかずに報酬を支

払うことがある。
・支給日は，役員報酬等に関する規程に定めるところに従う。

3．業績連動報酬等ならびに非金銭報酬等の内容および額または数の算定方法の決定に関する方針（報酬等を与える時期または条件の決定に関する方針を含む。）
・社外取締役以外の取締役が対象となる現金報酬及び株式報酬型ストックオプションの業績連動部分に係る指標は，各取締役の職務上の役割及び成果を多面的に評価するため，重点指標・重点取組事項等について，事業計画等に基づいて設定した指標・定量基準及び定性項目の評価に基づき事業年度ごとに設定する。
・現金報酬の業績連動部分は，その指標・定量基準及び定性項目の評価に基づき算出された額を賞与として毎年，一定の時期に支給する。
・業績連動部分の株式報酬型ストックオプションは，その指標・定量基準及び定性項目の評価に基づき算出された基準額を踏まえ，これに相当する個数の新株予約権を，毎年，一定の時期に付与する。

4．固定報酬の額，業績連動報酬等の額または非金銭報酬等の額の取締役の個人別の報酬等の額に対する割合の決定に関する方針
・社外取締役以外の取締役の報酬等の種類ごとの比率は，業績連動の基準額（業績連動報酬に係る成果が標準的な評価だった場合の業績連動報酬の額）が期待報酬総額（業績連動報酬に係る成果が標準的な評価だった場合の報酬等の総額）の1/2を超えない範囲で，代表取締役の方が他の取締役よりも業績連動の割合が高くなるように設定する。尚，業績連動報酬に係る成果の達成度によっては，業績連動報酬の金額が固定報酬の金額を上回ることがある。
・社外取締役以外の取締役が対象となる業績連動報酬における現金報酬：株式報酬型ストックオプション＝1：1を目安とする。
・社外取締役の報酬等の種類は，現金による固定報酬のみとする。

5．取締役の個人別の報酬等の内容についての決定の方法
・代表取締役は，取締役の報酬の個別配分の方針案（事業年度ごとに設定されるべき業績連動部分に係る指標・定量基準及び定性項目案を含む）及び取締役の報酬の個別配分案を作成し，取締役会の諮問機関である報酬委員会にこれを提出する。報酬委員会は，当該方針案及び個別配分案について審議し，取締役会に答申を行い，取締役会は，その答申内容を踏まえ，当該事業年度の取締役の報酬の個別配分の方針及び取締役の報

酬の個別配分を決定する。尚，決定した取締役の報酬の個別配分の方針及び取締役の報酬の個別配分を変更する場合も同様とする。
・役員報酬の内容は，役員報酬等に関する規程に従い，期首から3ヶ月を経過する日までに決定する。

(三) 取締役の報酬等の内容が取締役の個人別の報酬等の内容に係る決定方針に沿うものであると取締役会が判断した理由
　　前述のとおり，取締役の個人別の報酬等の内容の決定にあたっては，当社が任意で設懺する取締役会の諮問機関である報酬委員会が個別配分案について，決定方針との整合性を含めた多角的な審議をし，取締役会に答申を行い，取締役会では，その答申を踏まえて，取締役の個人別の報酬等の内容の決定を行っております。このことから，取締役会は，取締役の個人別の報酬等の内容は決定方針に沿うものであると判断しております。

②取締役及び監査役の報酬等についての株主総会の決議に関する事項
　取締役及び監査役の報酬の額は，上記①（二）ab記載の通り，2013年6月22日開催の第15回定時株主総会，2017年6月24日開催の第19回定時株主総会，2004年9月28日開催の臨時株主総会において決議しております。2013年6月22日開催の第15回定時株主総会終結時点の取締役の員数は6名（うち社外取締役1名），2017年6月24日開催の第19回定時株主総会終結時点の取締役の員数は5名（うち社外取締役2名），2004年9月28日開催の臨時株主総会終結時点の監査役の員数は3名です。

③取締役の個人別の報酬等の内容の決定にかかる委任に関する事項
　前述のとおり，取締役の個人別の報酬等の内容は，報酬委員会の答申を受けて取締役会が自ら決定しており，該当事項はございません。

④役員区分ごと及び役員ごとの役員の報酬額並びに業績連動報酬に係る指標の目標及び実績
　a　役員区分ごとの報酬等の総額，報酬等の種類別の総額及び対象となる役員の員数

役員区分	報酬等の総額（百万円）	報酬等の種類別の総額（百万円）			対象となる役員の員数（人）
		固定部分（現金報酬）	業績連動部分		
			現金報酬	ストックオプション	

1-3 ストック・オプションに関する法的・実務的主要論点

取締役 (社外取締役を除く)	312	195	59	59	3
監査役 (社外監査役を除く)	6	6	−	−	1
社外役員	58	58	−	−	6

(注) 上記の社外役員の員数には，2020年6月20日開催の第22回定時株主総会終結の時をもって退任した社外役員1名を含んでおります。上記のストックオプションの内容は，「第4　提出会社の状況1　株式等の状況(2)新株予約権等の状況①ストックオプション制度の内容」の第21回新株予約権をご参照ください。

b　役員ごとの連結報酬等の総額等

氏名	連結報酬等の総額（百万円）	役員区分	会社区分	連結報酬等の種類別の総額（百万円）		
				固定部分（現金報酬）	業績連動部分	
					現金報酬	ストックオプション
○	115	取締役	提出会社	70	23	23
○	115	取締役	提出会社	70	23	23

c　業績連動報酬に係る指標の目標及び実績

　　当事業年度の業績連動報酬に係る指標については，当社グループの企業価値を継続的に高め，事業状況及び組織状況等を多角的に評価する観点から，事業年度における所定の経常指標を用い，連結売上収益，連結営業利益や重点取組事項に関する定性評価を総合的に勘案して定めた営業指標の達成率を指標の目標といたしました。当事業年度における各種経営指標の実績値は「第1　企業の概況　1　主要な経営指標等の推移(1)連結経営指標等」に記載のとおりです。なお，2020年3月期の業績連動報酬も同様の指標を用いており，その結果2020年3月期における業績連動部分にかかる支給額は0円となりました。

⑤役員の報酬等の額又はその算定方法の決定に関する方針の決定権限
　　代表取締役は，取締役の報酬制度，インセンティブプラン（取締役の個人別の報酬等の内容に係る決定方針を含む）の設計を行い，当社が任意で設置する取締役会の諮問機関である報酬委員会に提出します。報酬委員会においては，

第Ⅱ編　第1章　ストック・オプション

当該提出内容について審議し，取締役会に答申を行い，取締役会は，その答申内容を踏まえ，取締役の報酬制度，インセンティブプラン（取締役の個人別の報酬等の内容に係る決定方針を含む）を決定いたします。

　また，監査役の報酬の内容に係る決定方針は，監査役の協議により決定しております。

　なお，当事業年度の取締役の報酬等の決定過程における提出会社の取締役会及び報酬委員会の活動内容は以下のとおりです。

活動日	名　　称	活動内容
2020年3月26日	報酬委員会	取締役の報酬体系に関する審鏃
2020年5月21日	報酬委員会	取締役の業績連動報酬に係る指標の目標及び個別報酬の配分についての審議
2020年6月20日	取締役会	取締役の報酬体系・個別報酬の配分についての決議
2021年3月31日	報酬委員会	取締役の業績連動報酬に係る支給手続きの審議
2021年4月21日	報酬委員会	取締役の業績連動報酬に係る評価に関する審議
2021年5月21日	報酬委員会	取締役の業績連動報酬に係る評価及び支給額に関する審議
	取締役会	取締役の業績連動報酬に係る評価及び支給額に関する決議

■4 従業員に対するストック・オプションの付与
　——労働基準法24条の問題

(1) ストック・オプションの「賃金」該当性

　従業員に対してストック・オプションを付与する場合，従業員に付与されるストック・オプションが，労働基準法における「賃金」に該当するのかが問題となる。

　労働基準法24条1項は，「賃金は，通貨で，直接労働者に，その全額を支払わなければならない。」と規定し，同法11条は，「賃金とは，賃金，給料，手当，賞与その他名称の如何を問わず，労働の対償(132)として使用者が労働者に支払う全てのものをいう。」と規定する。仮に従業員に付与されるストック・オプションが「労働の対償として使用者が労働者に支払う」もの，すなわち「賃金」に該当すると解される場合，賃金支払の諸原則（労基24条）への抵触が問題となりうる。

　ストック・オプションの付与によって当該従業員が得る利益は，当該付与を受けることによる利益（以下，「権利付与段階の利益」という）と，その後従業員がこれを行使し，さらに株式を売却することにより得る現実的な利益（以下，「現実的利益」という）に分けられる。「賃金」該当性を検討するにあたっても，この権利付与段階の利益と現実的利益を分けて検討する必要があると考えられる。

① 現実的利益

　現実的利益の部分に関しては，平成9年商法改正下でのストック・オプションに関して，「改正商法によるストック・オプション制度では，権利付与

---

(132)　「労働の対償」という表現は抽象的であるため，当該給付が賃金であるか否かについては，個々の給付の実体，就業規則等労働契約の内容，事業場における慣行等を勘案し，個々具体的に判断していくこととなる（吉田研一「ストック・オプションと労働基準法の賃金」旬刊商事法務1480号19頁〔1998〕参照）。なお，賃金該当性の判断基準として，労働省通達昭22・9・13発基17号がある。

を受けた労働者が権利行使を行うか否か，また，権利行使するとした場合において，その時期や株式売却時期をいつにするかを労働者が決定するものとしていることから，この制度から得られる利益は，それが発生する時期および額ともに労働者の判断に委ねられているため，労働の対償ではなく，労働基準法第11条の賃金には当たらないものである。したがって，改正商法によるストック・オプションの付与，行使等にあたり，それを就業規則等にあらかじめ定められた賃金の一部として取り扱うことは，労働基準法第24条に違反するものである。」とする通達が存在する（労働省通達平9・6・1基発第412号）。

　上記通達にあるとおり，労働法的観点からは，現実的利益は，従業員が自らの判断で新株予約権を行使するかどうか，さらに株式を売却するかどうかを決定した結果得られた利益であって，「労働の対償」としての利益ではなく，取引行為の結果と考えられ，「賃金」には該当しないと考えられる。

　② 権利付与段階の利益

　新株予約権自体に財貨としての経済的価値があること，権利付与段階の利益は現実的利益のように従業員が自らの判断で決定した結果得られるものではないことから，権利付与段階の利益については，前述①記載の通達の見解はそのままでは妥当しないように思われる。したがって，厳密には，使用者が付与する新株予約権が，「労働の対償として使用者が労働者に支払う」もの，すなわち「賃金」に該当するか否かを前述①とは別途検討する必要があるであろう。

　しかし，「労働の対償」の該当性は，賃金支払の諸原則（労基24条）等の労働法上の賃金保護規定の適用を受けるべきか否かで判断されるべきものであり，支給するか否か，いかなる基準で支給するか等がもっぱら使用者の裁量に委ねられており，労働協約，就業規則または労働契約等において支給の確約および支給基準の規定がないようなストック・オプションの付与の場合（つまり，任意的恩恵的給付に該当するものと評価できる場合）には，賃金支払の諸原則（同条）等の労働法上の賃金保護規定の適用を認める必要性に乏し

く,「労働の対償」に該当しないと考えるべきであろう[133]。

このような観点から,一般には,労働協約,就業規則または労働契約等において支給の確約および支給基準の規定がなされ,賃金の一部としてストック・オプションが給与体系に組み込まれている場合等を除き,ストック・オプションの権利付与段階の利益は「賃金」に該当しないと考えられる場合が多いであろう[134]。

なお,「労働の対償」かどうかは,個々の給付の実体,就業規則等労働契約の内容,事業場における慣行等を勘案し,客観的な事情によって決定されるものであり,会社が任意にその該当性を決定するものではないから,会社が有利発行決議をとるか否かは「労働の対償」該当性に直接は関係がない。

(2) 「賃金」の減額

使用者が,ストック・オプションの付与にあたって,賃金の減額を検討することはありうるが,付与されるストック・オプションが労働基準法における「賃金」に該当しない場合において,使用者が(「賃金」ではない)ストック・オプションの付与を理由として「賃金」を一方的に減額することは,労働基準法24条に違反する[135]。これは前述(1)①記載の通達においても明らかにされている。したがって,使用者が従業員に対して(「賃金」に該当しない)ストック・オプションを付与する場合には,ストック・オプションの公正価値分を「賃金」から控除する取扱いをしてはならないと考えられる。

---

[133] 菅野和夫『労働法〔第12版〕』421頁以下(弘文堂,2019)参照。
[134] 後述のとおり,使用者がストック・オプションの付与を理由として賃金を一方的に減額することは,労働基準法24条に違反することは,前述(1)①記載の通達においても明らかにされている。
[135] 賃金の全額払の原則に抵触することになる(労基24条1項)。

(3) 相殺構成と労働基準法24条との関係

相殺構成，すなわち，新株予約権の払込金額の払込義務と付与対象者たる従業員の有する発行会社に対する債権とを相殺する（法246条2項）方式において，使用者側から（一方的に）当該払込義務と付与対象者が発行会社に対して有する賃金債権とを相殺をすることは，賃金の全額払の原則との関係から，労働基準法24条に違反すると解される[136]。

したがって，相殺構成をとる場合には，少なくとも，①従業員側から相殺の意思表示をするか，②従業員と使用者との間で相殺契約を締結する必要があると考えられる[137]。

(4) 就業規則

ストック・オプションが「賃金」に該当しない場合であっても，従業員に対するストック・オプションは，労働関係の中で付与される権利である以上，労働条件の1つである。

したがって，労働者に対してストック・オプションを付与する制度を創設した場合，就業規則にこれを記載し労働基準監督署に届け出なければならない場合もある[138]。なお，その場合，当該労働者の代表等の意見を聴取しなければならない（労基90条1項）。

5 ストック・オプションの内容の変更

ストック・オプションの付与後，その内容，特に行使期間や行使条件について変更したいとのニーズが生じることは珍しくない。

もっとも，会社法は，新株予約権の発行後に，その内容を変更するための手続を規定していない。しかし，新株予約権は，①株主総会または取締役会

---

(136) 最大判昭和36・5・31民集15巻5号1482頁。
(137) 最判平成2・11・26民集44巻8号1085頁。ただし，従業員側からの相殺の意思表示または相殺契約が従業員の自由な意思に基づいているかどうかのチェックは厳密に行う必要がある。
(138) 吉田・前掲注（132）23頁参照。

における新株予約権の募集事項の決定（法238条1項・2項・239条1項・240条1項），および，②付与対象者の引受けの申込み（法242条2項）に基づく割当て（合意）との過程を経て発行されるものであることに鑑みれば，①新株予約権の募集事項を決定した機関（株主総会または取締役会）による変更の承認，および，②変更対象となる新株予約権の新株予約権者の合意により変更可能と解することができる[139]。

なお，上記①については，公開会社においては，有利発行に該当しない限り，取締役会決議により募集事項が決定されることとなるため（法240条1項），変更についても原則として取締役会決議があれば足りるが，(i)変更後の新株予約権の内容が，取締役の報酬等としてのストック・オプションの付与に際し株主総会決議により，定めた内容（法361条1項4号・5号ロ，施98条の3・98条の4第2項）に内包されているとはいえない場合には，当該変更について株主総会決議を経ることが必要と考えられる[140]。また，(ii)変更の結果，株主以外の者に対し特に有利な条件（有利発行）に該当することとなる場合には，株主総会の特別決議を経る必要があると解される[141]。

---

[139] 松井信憲『商業登記ハンドブック〔第4版〕』358頁（商事法務，2021）参照。

[140] 非公開会社，かつ，旧商法（平成17年法律第87号による改正前の商法をいう。以下，本脚注において同じ）に基づき発行された新株予約権に関する事案であるが，取締役3名に対するストック・オプションについて，旧商法280条の21第1項に基づく株主総会からの委任を受けて，取締役会が，その行使条件として，株式上場後6カ月が経過した後に行使可能とする旨の条件（以下，本脚注において「上場条件」という）を定めていたところ，上場が困難になったため，上場条件を廃止するとの変更を承認した取締役会決議の有効性が争点となった裁判例において，旧商法280条の21第1項は，株主以外の者に対する新株予約権の有利発行に際し，株主総会の特別決議により，その行使条件を取締役会に委任することを許容してはいるが，新株予約権の発行後に当該行使条件を変更することができる旨の明示の委任までされていない場合には，株主総会決議による委任に基づき定められた新株予約権の行使条件の細目的な変更にとどまる場合を除き，当該新株予約権の発行後に当該行使条件を変更する取締役会決議は無効であるとの判断が示されている（最判平成24・4・24民集66巻6号2908頁）。本裁判例は，ストック・オプションに関する報酬等としての株主総会決議がある場合について何ら言及するものではないが，取締役会決議により決定しうる新株予約権の募集事項が，株主総会決議に基づく報酬等の具体的な内容（新株予約権の概要）により画されている場合において，その発行後に，取締役会決議限りで行うことができる新株予約権の内容変更の範囲について考えるに際して参照に値すると考えられる。

[141] 松井・前掲注（139）358頁参照。

第Ⅱ編　第1章　ストック・オプション

　また，上記②については，同一の発行決議に基づく新株予約権の募集事項は均等であることを前提として（法238条5項），新株予約権の引受けの申込みの意思表示が行われたことを考慮すれば（法242条2項），原則として，同一の発行決議に基づく新株予約権（たとえば第1回新株予約権等）について，その新株予約権者全員の合意が必要と考えられる[142]。もっとも，変更の内容が，新株予約権者にとって不利益ではない場合には，変更について各新株予約権者から黙示の合意があると合理的に解釈し，明示の合意取得は不要と解すべきであろう[143]。

---

[142]　本書においては，同一の発行決議に基づく新株予約権の全部についての変更について論じたが，更に進んで，同一の発行決議に基づく新株予約権の一部のみの変更は可能だろうか。この点，同一種類の「株式」の一部の内容変更についても可能と考えられていることからすれば（具体的には，①新たな種類株式の定めを設ける必要があれば当該定めの設定に係る定款変更（法108条2項），かつ②(i)株式の内容の変更に応ずる個々の株主の合意，(ii)株式の内容の変更に応ずる株主と同一種類に属する他の株主全員の同意，(iii)その他種類株式（損害を受けるおそれのあるもの）の種類株主総会の特別決議（法322条1項1号）があれば可能と考えられる。稲葉威雄ほか編『実務相談株式会社法1』881頁（商事法務，1992），松井・前掲注（139）251～252頁参照），（いわば債権的権利である）新株予約権の一部の内容変更について変更が許されないと解する合理的理由はないように思われる。また，同一の発行決議に基づく新株予約権の募集事項の均等の要請（法238条5項）については，同一発行決議に基づく新株予約権の新株予約権者全員（変更の対象となる者および対象とならない者を合わせた全員）から，変更について合意が得られるのであれば，当該要請を理由に一部変更が許されないと解する理由もないと考えられる。

[143]　松井・前掲注（139）359頁参照。

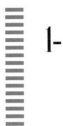

1-4 ストック・オプションの会計

1 純資産の部への表示

　平成17年12月に公表された純資産会計基準において，新株予約権は，純資産の部に新株予約権として区分し記載することとされた（純資産基7項，計76条1項1号ハ）。これは，ストック・オプションに限らず新株予約権一般について適用されるものである。純資産会計基準の制定以前は，新株予約権は負債の部に計上することとされていたが，新株予約権の発行により払い込まれた金銭について株式会社に返済義務はなく，負債とは異なる性格を有するとの意見を受けて，純資産の部に記載することとなったものである。

　なお，自己新株予約権については，新株予約権からの直接の控除が原則であるが，別に自己新株予約権にかかる項目を控除項目として区分することもできる（計76条8項・86条）。

　純資産会計基準は新株予約権の純資産の部への表示を定めているが，それ以外の事項，たとえば額の算定については，他の会計基準によることとなる。ストック・オプションについては，次に述べるストック・オプション会計基準およびストック・オプション会計適用指針等によることとなる。

第Ⅱ編　第1章　ストック・オプション

◼ 2　ストック・オプション会計基準[144]

(1)　ストック・オプション会計基準の適用範囲

　平成17年12月に，ストック・オプション会計基準およびストック・オプション会計適用指針が企業会計基準委員会から公表された。これらは，会社法の施行日である2006年5月1日以後に付与されるストック・オプションから適用されている。

　ここで，「ストック・オプション」とは，自社株式オプション（新株予約権はこれに該当する）のうち，特に株式会社がその従業員等から受けた労働や業務執行等のサービスの対価として，従業員等に給付されるものとされている。そして，「従業員等」とは，株式会社と雇用関係にある使用人のほか，取締役，会計参与，監査役および執行役ならびにこれに準ずる者とされている（ス基2項(1)～(4)）[145]。

　また，子会社の役員・従業員に親会社がその新株予約権を付与する場合については，親会社自身の子会社に対する投資の価値を結果的に高めるようなサービス提供を期待しているものと考えられるため，このような取引にもストック・オプション会計基準が適用されるものとしている（ス基24項）。

---

[144]　条件変更の場合等の会計処理の詳細や結論の背景等については，ストック・オプション会計基準およびストック・オプション会計適用指針を参照されたい。

[145]　なお，従業員等に対して，その公正価値等と同額の金銭を払い込ませたうえで付与する，いわゆる有償ストック・オプションについては，企業会計基準委員会が2018年1月12日に公表した実務対応報告36号「従業員等に対して権利確定条件付き有償新株予約権を付与する取引に関する取扱い」により，権利確定条件付き有償新株予約権（概要，権利確定条件として，勤務条件および業績条件が付されているか，または勤務条件は付されていないが業績条件は付されている有償新株予約権を意味する（実務対応報告36号「従業員等に対して権利確定条件付き有償新株予約権を付与する取引に関する取扱い」2項(2)）に該当する場合，「当該権利確定条件付き有償新株予約権が従業員等から受けた労務や業務執行等のサービスの対価として用いられていないことを立証できない限り」，会計上は，ストック・オプション会計基準に定めるストック・オプションとして取り扱われることとなった。したがって，実務対応報告36号の適用日である2018年4月1日以降に付与する権利確定条件付き有償新株予約権については，上述の例外に該当しない限り，実務対応報告36号およびストック・オプション会計基準に従い，費用計上を行うべきこととなる。

(2) 権利確定日（原則として権利行使期間の開始日の前日）までの会計処理

ストック・オプション会計基準2項(7)においては，「権利確定日」とは権利の確定した日と定義されており，「権利確定日」が明らかでない場合には，原則として，権利行使期間の開始日の前日とすることとされている。また，ストック・オプションと報酬関係にあるサービスの提供期間（具体的には付与日から権利確定日までの期間）が「対象勤務期間」と定義されている（ス基2項(9)）。

ストック・オプションの付与により株式会社が従業員等から取得するサービスについては，その取得に応じて毎期費用として計上するが，当該費用計上額は，次のように算出される（ス基5項）。

> 費用計上額＝公正な評価単価×ストック・オプション数

ここでいう「公正な評価単価」は，付与日現在で算定し，条件変更の場合を除き，その後は見直さないものとされている。通常は，ストック・オプションの公正な評価額は，株式オプションの合理的な価格算定のために広く受け入れられている株式オプション価値算定モデル（たとえば，ブラック＝ショールズ・モデルや二項モデルなど）等の算定技法を使って算出される（ただし，未公開企業については，付与日現在の本源的価値の見積りに基づいて会計処理を行うことができることとされている。ス基6項・13項等）。

また，「ストック・オプション数」については，失効の見積数を控除し，見積数に重要な変動が生じた場合には見直すこととされている（ス基7項）。

ストック・オプション費用の相手勘定は，新株予約権の行使まで（または失効が確定するまで）の間，貸借対照表の純資産の部に新株予約権として計上する。したがって，毎期，ストック・オプションに係る費用の相手勘定として純資産の部に新株予約権が計上される（ス基4項）。

(3) 新株予約権の行使時の会計処理

ストック・オプションが権利行使され，これに対して新株を発行した場合には，新株予約権として計上した額のうち，当該権利行使に対応する部分を払込資本に振り替える（ス基8項）。

ここで，払込資本の内訳は資本金および資本準備金となるが，払込資本として振り替えるべき額（計算規則17条1項の資本金等増加限度額）のうち2分の1以上は，資本金として計上しなければならない（法445条2項・3項）。株式会社は，この範囲内において，資本金と資本準備金の振り分けについて，新株予約権の内容として新株予約権の発行決議時に定めておくこととなる（法236条1項5号）。

なお，資本金等増加限度額については，計算規則17条1項に詳細が定められている。同項1号の「行使時における新株予約権の帳簿価格」は，ストック・オプションの場合には，ストック・オプション会計基準により，付与日現在の公正な評価額を基礎にして定められる。

新株予約権の行使に伴い，株式会社が自己株式を処分した場合には，自己株式の帳簿価格と，新株予約権の帳簿価額および権利行使に伴う払込金額の合計額との差額は，自己株式処分差額であり，企業会計基準第1号「自己株式及び準備金の額の減少等に関する会計基準」9項，10項および12項（以下に引用する）により会計処理を行う（ス基8項）。

> 9項　自己株式処分差益は，その他資本剰余金に計上する。
> 10項　自己株式処分差損は，その他資本剰余金から減額する。
> 12項　第10項及び第11項の会計処理の結果，その他資本剰余金の残高が負の値となった場合には，会計期間末において，その他資本剰余金を零とし，当該負の値をその他利益剰余金（繰越利益剰余金）から減額する。

これによれば，自己株式の処分により自己株式処分差益が生じた場合に

は，その他資本剰余金に計上することとなる。また，自己株式の処分により自己株式処分差損が生じた場合には，その他資本剰余金から減額し，減額しきれない場合には，会計期間末においてその額をその他利益剰余金から減額することとなる。

(4) 権利不行使の場合

権利不行使により新株予約権が失効した場合には，新株予約権として計上した額のうち，失効に対応する部分を利益として計上する（ス基9項）。

(5) 子会社の従業員等に付与する場合

親会社が自社株式オプションを子会社の従業員等に付与する場合には，親会社の個別財務諸表上，親会社が子会社において享受したサービスの消費を，費用として計上することとされている。

また，子会社においても，当該新株予約権の交付が従業員等に対する報酬として位置づけられている場合には，当該新株予約権にかかる費用を計上するとともに，報酬の負担を免れたことによる利益を特別利益として計上することとされている（ス適指22項参照）。

第Ⅱ編　第1章　ストック・オプション

1-5 ストック・オプションの税務

■1　概　要

　法人がその役員，従業員その他の関係者等にストック・オプション目的の新株予約権を付与した場合には，その付与対象者とその付与をした法人（発行法人）のそれぞれについて課税関係が生じる。その詳細については次項以降に譲るが，付与対象者（個人）においては，付与時，権利行使時，株式売却時のいずれの時において課税が生じるのかが問題となる。一方，発行法人においては，ストック・オプション目的の新株予約権を対価とする人的役務の提供に係る費用の損金算入の可否およびその期間帰属等が問題となる。

■2　付与対象者（個人）の税務

(1)　概　要

　新株予約権は，所得税法上有価証券として位置づけられている（所法2条1項17号，金商2条1項9号，所令4条1号）。個人の所得計算においては，金銭以外の物または権利その他経済的な利益をもって収入する場合には，その金銭以外の物または権利その他経済的な利益の価額をもって収入金額とされ，その価額は，その物もしくは権利を取得し，またはその利益を享受する時の価額とされている（所法36条1項・2項）。

　そして，新株予約権の付与を受けた個人の当該新株予約権に係る経済的利

益の課税関係は、その付与される新株予約権の内容に応じて、
　① 新株予約権の付与時に経済的利益の課税が生じる場合
　② 新株予約権の権利行使時に経済的利益の課税が生じる場合
　③ 付与時、権利行使時のいずれにおいても経済的利益の課税が生じず、権利行使により取得した株式の売却時の譲渡損益としてのみ課税が生じる場合（ストック・オプション税制の適用を受ける場合。本書では、そのような新株予約権を「税制適格ストック・オプション」という）

の3つの場合に分かれることとなる。以下これらの場合の課税関係について述べていくこととする（あわせて下記【設例－2】を参照のこと）。

また、平成26年度税制改正において、個人が付与を受けたストック・オプション目的の新株予約権を発行法人に譲渡した場合に、その譲渡対価の額を事業所得に係る収入金額、給与等の収入金額、退職手当等の収入金額、一時所得に係る収入金額または雑所得に係る収入金額とみなして課税する制度（所法41条の2、所令88条の2）が導入されており、この制度の内容についても述べていくこととする。

【設例－2】

> ＜前提＞
> ストック・オプションの付与時の時価　50万円
> ストック・オプションの発行時の払込金額　0円
> ストック・オプションの権利行使の際に払い込むべき金額　200万円
> ストック・オプションの権利行使時の取得した株式の時価　500万円
> 売却時の株式の時価　600万円
> 付与を受ける者は、発行会社の従業員とする
>
> (1) 譲渡制限その他特別の制限がないストック・オプション
> 　① 付与時

経済的利益を享受したものとして課税される…50万円（原則，給与所得）

ストック・オプションの取得価額…50万円（付与時の時価）

② 権利行使時

課税関係は生じない

株式の取得価額…50万円＋200万円＝250万円（ストック・オプションの取得価額＋権利行使時の払込金額）

③ 株式売却時

株式等の譲渡所得等として申告分離課税

…600万円－250万円＝350万円（株式等の譲渡所得等）

(2) **譲渡制限付ストック・オプション**

① 付与時

課税関係は生じない

② 権利行使時

株式の取得に係る経済的利益として課税される

…500万円－200万円＝300万円（原則，給与所得）

株式の取得価額

…500万円（権利行使時の時価）

③ 株式売却時

株式等の譲渡所得等として申告分離課税

…600万円－500万円＝100万円（株式等の譲渡所得等）

(3) **税制適格ストック・オプション**

① 付与時

課税関係は生じない

② 権利行使時

株式の取得に係る経済的利益は非課税とされる

　　　　株式の取得価額
　　　　　…200万円（権利行使時の払込金額）
　　③　株式売却時
　　　　株式等の譲渡所得等として申告分離課税
　　　　　…600万円 − 200万円 = 400万円（株式等の譲渡所得等）

(2) 付与時に課税が生じる場合（譲渡制限等のないストック・オプションである場合）

　新株予約権の内容に譲渡制限等がなく付与時以降いつでも当該新株予約権を売却できるような場合には，当該新株予約権の経済的な利益はすでに顕在化しているため，当該新株予約権の付与時の時価（公正価値）と当該新株予約権の発行時の払込金額との差額が，その付与を受けた年の収入金額に算入される（所法36条2項，所基通36 − 36）。

　新株予約権につき権利行使をして株式を取得した場合のその株式の取得価額は，その権利行使の際に払い込んだ金銭の額と，当該新株予約権の取得価額（ストック・オプション付与時の時価）との合計額となる（所令109条1項1号）。そして，その株式を売却した場合には，その売却価額と株式の取得価額の差額につき株式等に係る譲渡所得等として申告分離課税がなされ，給与所得，事業所得その他の総合課税の所得とは区別して課税される（措置法37条の10・37条の11）。

(3) 権利行使時に課税が生じる場合（譲渡制限付ストック・オプションである場合）

　会社法238条2項の決議（会社法239条1項の決議による委任に基づく場合，240条1項の規定による場合を含む）に基づく新株予約権でその内容として譲渡制限その他特別の条件が付されているものの付与を受けた場合には，（付与時における課税はなく）次の算式により計算された金額を経済的な利益の

額として権利行使した年の収入金額に算入することとなっている（所令84条3項2号）。ただし，次の(4)に該当する新株予約権（税制適格ストック・オプション）は除かれる。

$$\begin{pmatrix} 権利行使により取得した株式の \\ その権利行使の日における価額 \end{pmatrix} - \begin{pmatrix} 新株予約権 \\ の取得価額 \end{pmatrix} + \begin{pmatrix} 権利行使の際に \\ 払い込むべき金額 \end{pmatrix}$$

その譲渡が禁止されていること等により付与時に課税されない新株予約権については，その取得価額はないこととなるとされている[146]ため，上記の算式における「新株予約権の取得価額」はゼロであると考えられる。

なお，相殺構成をとる場合に，当該相殺に用いるために付与対象者に新たにストック・オプションの公正価値（払込金額）と同額の金銭債権を付与する場合における，当該金銭債権の付与についての課税関係は，法令・通達等においては必ずしも明確になっていないと思われる[147]。

しかし，当該金銭債権については，いかなる事情があろうとも現実に金銭が支払われることはなく，本件新株予約権の払込金額との相殺に供する目的においてのみ生ずるものとされるものであり，また，権利行使がされるまでは新株予約権に係る経済的利益は実現しないことから，所得税法36条の適用上，付与時および相殺時における収入すべき金額はないこととなり，付与対象者（個人）においては，権利行使時まで課税関係は生じないとされている[148]。なお，これに応じ，発行法人においても，同金銭報酬は，同金銭報酬の付与時点においては損金算入されないと解することになろう（法法54条の2参照）。

実態に変わりがないにもかかわらず，ストック・オプション付与に際して

---

(146) 国税庁のホームページにおける質疑応答事例の中の「金銭の払込みに代えて報酬債権をもって相殺するストックオプションの課税関係」と題する照会事例参照（https://www.nta.go.jp/law/shitsugi/shotoku/02/33.htm）。
(147) 三上二郎＝坂本英之「新会社法下における企業組織と租税法(2)役員報酬，ストック・オプション」旬刊商事法務1776号35頁（2006）参照。
(148) 前掲注(146)参照。

相殺構成を採用するか無償構成を採用するかで，税務上の取扱いに差異が生じる結果となるのは妥当ではなく，税制適格ストック・オプション，税制非適格ストック・オプションのいずれの場合であっても，無償構成をとった場合と相殺構成をとった場合の税務上の取扱いが，付与対象者および発行法人のいずれにおいても同様になるように解されるべきであろう。したがって，相殺用の金銭報酬についての課税関係も，上記のように解されるべきと思われるが，この点は，法令・通達等においては必ずしも明確になっていないように見受けられる点は上記のとおりである。

　権利行使により取得した株式の取得価額は，その権利行使の日における価額となる（所令109条1項3号）。また，その株式を売却した場合の課税関係は，前述(2)の場合と同様である。すなわち，その株式を売却した場合には，その売却価額と株式の取得価額の差額につき株式等に係る譲渡所得等として申告分離課税がなされ，給与所得，事業所得その他の総合課税の所得とは区別して課税される（措置法37条の10・37条の11）。

　なお，新株予約権につき権利行使をしなかったこと等により失権した場合には，その新株予約権に係る経済的利益については課税されない（所基通23〜35共－6の2）。

　また，新株予約権の内容に譲渡制限が付されている場合であっても，（企業買収に伴う新株予約権の整理等の目的で，）新株予約権の権利行使前に，当該新株予約権の譲渡制限が解除された場合には，任意に第三者へ譲渡可能となった以上，権利行使時ではなく譲渡制限解除時（たとえば取締役会の譲渡承認日）において，それまで未実現と捉えられていた経済的利益が顕在化しているとして，譲渡制限解除時における当該新株予約権の時価（公正価値）と発行時の払込金額の差額を，譲渡制限解除時の属する年の収入金額に算入すべきとされる（所法36条）[149]。

---

[149] 国税庁のホームページにおける質疑応答事例の中の「被買収会社の従業員に付与されたストックオプションを買収会社が買い取る場合の課税関係」と題する照会事例参照（https://www.nta.go.jp/law/shitsugi/shotoku/02/49.htm）。

第Ⅱ編　第1章　ストック・オプション

(4) 株式売却時にのみ課税が生じる場合（税制適格ストック・オプションである場合）

①　新株予約権による経済的利益の非課税

　会社法238条2項の決議（会社法239条1項の決議による委任に基づく場合，240条1項の規定による場合を含む）に基づく新株予約権（金銭の払込み〔金銭以外の資産の給付を含む〕をさせないで発行されたものに限る〔詳細は後述②に記載のとおり〕）の付与決議のあった株式会社等の取締役，執行役または使用人である個人（詳細は後述③および④に記載のとおり。以下，まとめて「取締役等」という）または当該取締役等の一定の相続人（詳細は後述⑤記載のとおり）が(150)，その付与決議に基づき株式会社との契約により与えられた新株予約権をその契約に従い権利行使して株式を取得した場合には，その株式の取得等に係る経済的利益（前述(3)の算式，すなわち，権利行使により取得した株式のその権利行使の日における価額－（新株予約権の取得価額＋権利行使の際に払い込むべき金額）によって計算される経済的利益をいう）については非課税とされる。ただし，当該新株予約権に係る契約において，次の(i)から(vi)の要件が定められているものに限られる（措置法29条の2第1項，措置令19条の3。以下，本(4)においてこのような租税特別措置法29条の2第1項に定める新株予約権を「特定新株予約権」という）。なお，当該権利者が，当該ストック・オプションの行使をすることにより，その年における当該行使に係る権利行使価額（権利行使の際に払い込むべき額をいう）と，当該権利者がその年において既にした当該ストック・オプションおよびその他の特定新株予約権の行使に係る権利行使価額との合計額が，1,200万円を超えることとなる場合には，

---

(150)　なお，令和元年度税制改正により，一定の社外協力者（中小企業等経営強化法2条8項に規定する社外高度人材で，租税特別措置法29条の2第1項に定義される「特定従事者」に該当する者）を対象に加える特例が新設されたが，上場会社は当該特例を利用できない（中小企業等経営強化法13条，社外高度人材活用新事業分野開拓に関する命令5条2号）。本1－5においては，発行会社が上場会社である場合を主に念頭に置いているため，当該特例についての説明は割愛する。

1-5 ストック・オプションの税務

当該1,200万円を超えることとなる特定新株予約権の権利行使による株式の取得に係る経済的利益については，非課税とはならない（措置法29条の2第1項ただし書）。つまり，年間1,200万円の権利行使価額の合計額の算出においては，ある1種類の特定新株予約権のみならず，その他の種類の特定新株予約権の権利行使価額をも合算されることになる。

なお，税制適格ストック・オプションとなるためには，契約において下記(ii)の定めがある（すなわち，ある1種類の特定新株予約権の権利行使価額の年間の合計額が，1,200万円を超えないことが契約上定められている）ことが必要であり，そのような契約上の定めがない場合には，たとえ実際には年間の権利行使価額が1,200万円以下であったとしても，当該新株予約権は，およそ税制適格ストック・オプションとはなりえない（非課税とはなりえない）。

(i) 当該新株予約権の権利行使は，その付与決議の日後2年を経過した日からその付与決議の日後10年を経過する日までの間に行わなければならないこと。

(ii) 当該新株予約権の権利行使価額の年間の合計額が，1,200万円を超えないこと。

(iii) 当該新株予約権の権利行使に係る1株当たりの権利行使価額は，その新株予約権に係る契約を締結した株式会社の株式のその契約締結時における1株当たりの価額に相当する金額以上であること[151]。

(iv) 当該新株予約権については，譲渡をしてはならないこととされていること。

(v) 当該新株予約権の権利行使に係る株式の交付がその交付のために付与決議がされた会社法238条1項に定める事項に反しないで行われるものであること。

(vi) 当該新株予約権の権利行使により取得をする株式につき，その行使に係る株式会社と金融商品取引業者等との間であらかじめ締結されるその

---

(151) なお，「契約締結時における1株当たりの価額」の解釈については，前掲注(86)参照。

株式の振替口座簿への記載もしくは記録,保管の委託または管理等信託に関する取決めに従い,一定の方法によりその取得後直ちにその株式会社を通じて,その金融商品取引業者等の振替口座簿に記載もしくは記録を受け,またはその金融商品取引業者等の営業所等に保管の委託または管理等信託がされること。

② 金銭の払込み（金銭以外の資産の給付を含む）をさせないで発行された新株予約権

前述1－3■2(1)②の無償構成で発行された新株予約権は,税制適格ストック・オプションとなるための要件の1つである「金銭の払込み（金銭以外の資産の給付を含む）をさせないで発行された新株予約権」に該当すると解される。それでは,前述1－3■2(1)①の相殺構成で発行された新株予約権の場合はどうであろうか。

この点,新株予約権の発行形態には,無償発行（金銭の払込みを要しないもの）と有償発行があり,有償発行は,①金銭の払込みが行われるもの,②金銭の払込みに代えて金銭以外の資産を給付するものまたは③会社に対する債権をもって相殺するものに区分される（法238条・246条）[152]ことを踏まえれば,金銭の払込みに代えて会社に対する報酬債権等をもって相殺することになる相殺構成の場合には,（③会社に対する債権をもって相殺するものに該当し）②金銭の払込みに代えて金銭以外の資産の給付をするものには該当しないと捉えて,「金銭の払込み（金銭以外の資産の給付を含む）をさせないで発行された新株予約権」に該当すると考えるべきである。国税庁のホームページにおける質疑応答事例の中の「金銭の払込みに代えて報酬債権をもって相殺するストックオプションの税制適格の要否」と題する照会事例[153]においても,同様の回答がなされている[154]。

---

(152) なお,たとえば,法人税法54条の2第5項も,「金銭の払込みに代えて給付される金銭以外の資産の価額及び相殺される債権の額」という表現を用いており,「金銭以外の資産の給付」と債権をもってする相殺とを別概念として整理しているように見える。

(153) https://www.nta.go.jp/law/shitsugi/gensen/03/39.htm参照。

③ 取締役等の範囲

このストック・オプション税制の適用を受ける取締役等には、付与決議のあった株式会社の取締役、執行役または使用人である個人以外に、付与決議のあった株式会社が他の法人の発行済株式等（議決権のあるものに限る）の50％超の株式（議決権のあるものに限る）を直接または間接に保有する関係がある場合の当該他の法人の取締役、執行役または使用人である個人が含まれる（措置法29条の2第1項、措置令19条の3第2項）。

この場合において、その株式会社が当該他の法人の発行済株式等の50％超の株式を直接または間接に保有するかどうかの判定は、その株式会社の当該他の法人の株式の直接の保有割合とその株式会社の当該他の法人の株式の間接の保有割合とを合計した割合により行うものとされる。なお、間接の保有割合の算定方法は、租税特別措置法施行令19条の3第2項を参照されたいが、これを簡潔にまとめると**図表1－41**[155]のとおりである。

---

(154) ただし、本文記載の考え方には反論の余地もありうる。たとえば、上記③の会社に対する債権をもって相殺するものには、無償構成と実態として同様である「ストック・オプション目的の新株予約権を付与するために新たに付与された（当該相殺に用いるための）報酬債権によって相殺をする場合」のみならず、無償構成とは実態が異なる「通常の金銭による払込みが予定されていたストック・オプション目的ではない新株予約権について、（会社の承諾を得て）もともと会社に対して有していた債権をもって払込みに代えて相殺したような場合」等も文言上は含まれうる。しかし、後者のような無償構成とは実態が異なる場合も含めて、一律に、「金銭の払込み（金銭以外の資産の給付を含む。）をさせないで発行された新株予約権」に該当すると解することは、税制適格ストック・オプションについて当該要件が設けられた趣旨にそぐわないとも思われる。そもそも、上記②の金銭以外の資産の給付をさせる場合と、上記③の金銭そのものの払込みはさせないが、会社に対して有する債権をもって相殺をさせる場合とを、その実態の如何にかかわらず、税制適格ストック・オプションに該当するか否かの判断において常に別途に取り扱うことに合理性は見出しがたいとも思われる。もっとも、国税庁のホームページにおいて明確に結論が示されている以上、実務においては、本文記載の考え方に依拠することになろう。

(155) 武田昌輔編著『DHCコンメンタール法人税法』（第一法規、加除式）4047の4－4047の16頁参照。

第Ⅱ編 第1章 ストック・オプション

図表1－41　　　　　直接または間接の保有割合の判定例

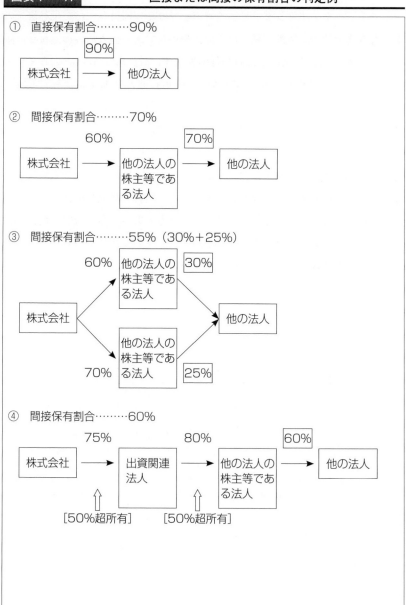

⑤　間接保有割合………75%（40%＋35%）

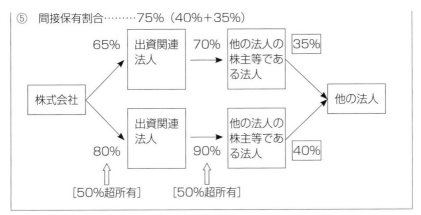

④　**取締役等からの大口株主等の除外**

　このストック・オプション税制の適用を受ける取締役等からは，その付与決議のあった株式会社が上場会社であれば発行済株式の10%超，非上場会社であれば発行済株式の3分の1超の株式を，その付与決議のあった日において保有する大口株主およびその親族や内縁関係にある者その他一定の特別関係者は除外される（措置法29条の2第1項，措置令19条の3第3項・4項）。

⑤　**取締役等の相続人に対する適用**

　このストック・オプション税制の適用を受ける個人には，取締役等がストック・オプションを行使できる期間内に死亡した場合において，そのストック・オプションに係る付与決議に基づきストック・オプションの行使を認められた当該取締役等の相続人も含まれる（措置法29条の2第1項，措置令19条の3第5項）。

⑥　**誓約書面等の提出および保存**

　このストック・オプション税制の適用は，その権利行使をする者が，その権利行使の際，(i)に掲げる事項を誓約し，かつ，(ii)に掲げる事項その他一定の事項を記載した書面を，その行使に係る株式会社に提出した場合に限り適用される（措置法29条の2第2項，措置規11条の3第2項）。

（i）　その権利行使をする者（その者が前述⑤の相続人である場合には，その者の被相続人である取締役等）が，その付与決議の日においてその株式会

社の大口株主および大口株主の特別関係者に該当しないこと。
(ⅱ) 権利行使の日の属する年における，当該権利者の他の特定新株予約権の権利行使の有無（当該他の特定新株予約権の権利行使があった場合には，その行使に係る権利行使価額およびその行使年月日）。

なお，その書面の提出を受けた株式会社は，一定の方法によりその書面を保存しなければならない（措置法29条の2第3項，措置規11条の3第3項）。

⑦ **権利行使により取得した株式を売却した場合**

税制適格ストック・オプションを行使して取得した株式の取得価額は，その取得に際して払込みをした金銭の額に，当該新株予約権の取得価額（前述のとおり，ゼロと解される）および取得のために要した費用を加えた額となる（所令109条1項1号，措置令19条の3第21項）。また，その株式を売却した場合の課税関係は，前述(2)の場合と同様である。

(5) 経済的利益の所得区分

前述(2)の新株予約権の付与を受けたことによる経済的利益または前述(3)の権利行使による株式の取得に係る経済的利益の所得区分は，次に掲げる場合に応じ，それぞれ次のようになる（所基通23～35共－6）。

① **発行法人と新株予約権の付与を受けた者との間の雇用契約またはこれに類する関係に基因して付与されたと認められる場合**

原則として給与所得に該当するが，退職した場合に限り権利行使を認めることとしている等，退職に基因して権利行使が可能となっていると認められる場合には，退職所得に該当する[156]。ただし，退職後に権利行使が行われ

---

[156] たとえば，国税庁のホームページにおける文書回答事例の中の「権利行使期間が退職から10日間に限定されている新株予約権の権利行使益に係る所得区分について」と題する東京国税局審理課長の文書回答事例（2004年11月2日付回答。https://www.nta.go.jp/about/organization/tokyo/bunshokaito/shotoku/07/01.htm）によれば，新株予約権が「役員退職慰労金制度廃止に伴う役員退職慰労金の過去積立未精算分に相当するもの」であり，当該新株予約権の付与対象者は「付与時に就任している役員」であり，かつ，その権利行使期間が「役員を退任した日の翌日から10日間に限定」されている場合には，権利行使時の課税関係を退職所得扱いとして差し支えないと回答されている。

た場合において，たとえば，権利付与後短期間のうちに退職を予定している者に付与され，かつ，退職後長期間にわたって生じた株式の値上り益に相当するものが主として供与されているなど，主として職務の遂行に関連を有しない利益が供与されていると認められるときは，雑所得に該当する。

なお，この「雇用契約又はこれに類する関係」には，親会社（外国の親会社を含む）と子会社等の取締役等との関係も該当する[157]とされており，所得税基本通達23～35共－6(1)イの（注）でも，前述(4)③で述べた「取締役等」の関係については，「雇用契約又はこれに類する関係」に該当する旨が示されている。

② **付与を受けた者の営む業務に関連してその権利が与えられたと認められる場合（たとえば，仕入先，得意先等の取引先や顧問弁護士等に付与された場合）**

事業所得または雑所得に該当する。

③ **①および②以外の場合（たとえば，付与を受けた取締役等の相続人が権利行使する場合）**

原則として雑所得に該当する（一時的，偶発的なものとは認められないため一時所得には該当しないものとされている）。もっとも，国税庁のホームページにおける質疑応答事例[158]においては，新株予約権の行使条件として，取締役等の地位を喪失した日の翌日から10日間以内に当該新株予約権の全部を一括して権利行使するものとされ，また，被付与者が死亡した場合には，相続人の1人が当該新株予約権の全部を承継することとされ，承継した者は当該新株予約権の承継について発行会社が認めた日から6カ月間に限り一括して権利行使することができることとされている場合において，相続人が当該新株予約権を行使した場合の権利行使益に係る所得は，（被付与者の権利が相続により相続人に承継されるものであり，相続人は，発行会社が承継を認めた日

---

(157) 最判平成17年1月25日判タ1174号147頁参照。
(158) 「役員に付与されたストックオプションを相続人が権利行使した場合の所得区分（6カ月以内に一括して行使することが条件とされている場合）」と題する照会事例。（https://www.nta.go.jp/law/shitsugi/shotoku/02/32.htm）

から6カ月以内に権利の全部を一括して権利行使することとされているため)「一時所得に該当」すると回答されている。

(6) 新株予約権を発行法人に対して譲渡する場合

個人が新株予約権を譲渡した場合には，株式の売却と同様に株式等に係る譲渡所得等として申告分離課税が行われる（措置法37条の10）。ただし，前述(3)の新株予約権の付与を受けた場合において，その付与を受けた者または贈与，相続，遺贈または譲渡によりその新株予約権を取得した者でその新株予約権を行使できることとなるものがその新株予約権をその発行法人に譲渡したときは，その譲渡の対価の額からその新株予約権の取得価額を控除した金額を，その発行法人が支払をする事業所得に係る収入金額，給与等の収入金額，退職手当等の収入金額，一時所得に係る収入金額または雑所得に係る収入金額とみなすこととされている（所法41条の2，所令88条の2）。なお，その新株予約権をその発行法人に譲渡した場合のその譲渡に係る所得区分は，前述(5)の取扱いに準ずることとされている（所基通41の2-1）。

この規定は，前述(3)の新株予約権については，その権利行使時にその権利行使益について給与所得その他の所得として課税が行われるところ，その新株予約権を権利行使せずに発行法人に譲渡した場合には，新株予約権の権利行使時の権利行使益課税が行われないまま，株式等に係る譲渡所得等の申告分離課税が行われるという問題が生じていたため，平成26年度税制改正により設けられたものである[159]。

---

[159] 平成26年度税制改正前における課税関係については，国税庁のホームページにおける文書回答事例の中の「従業員等に付与していたストックオプション（取得条項付新株予約権）を有償取得する場合の課税関係について」と題する東京国税局審理課長の文書回答事例（2013年2月22日付回答）に示されていた。

■3　付与をした法人の税務

(1) ストック・オプションの付与と損金算入の可否

① 従業員等の役務の対価として付与するストック・オプション

　ある事業年度の販売費，一般管理費その他の費用（償却費以外の費用で当該事業年度終了の日までに債務の確定していないものを除く）は，「別段の定め」がある場合を除き，当該事業年度の損金の額に算入される（法法22条3項2号）。また，その額は，「別段の定め」がある場合を除き，一般に公正妥当と認められる会計処理の基準に従って計算される（同条4項）。

　この点，従業員等から役務の提供を受けているのであれば，それに対し法人は何らかの対価を支払うべき債務を負うはずであるから，対価として相当なものである限り，その対価が自己の新株予約権である場合にも，基本的には，それを「費用」に該当すると捉えることができ，損金性が認められると考えられる[160]。

　なお，当該費用の帰属事業年度については，後述(2)を参照されたい。

② 役員の役務の対価として付与するストック・オプション

　役員給与に関しては，法人税法22条3項にいう「別段の定め」として，損金不算入の規定（法法34条）が存在する。したがって，役員から役務の提供を受けてその対価として付与する新株予約権であるストック・オプションについては，対価として相当なものである限り，基本的には，費用に該当すると考えられるが，損金算入については，法人税法34条に定める要件を満たす場合に限り，損金算入が認められることとなる。具体的には，平成29年度税制改正により，役員給与としてのストック・オプションについては，(a)事前確定届出給与（法法34条1項2号），(b)業績連動給与（同条5項）のうち一定の要件をみたすもの（同条1項3号）または(c)退職給与で業績連動給

---

[160]　財務省大臣官房文書課編『平成18年度税制改正の解説』ファイナンス別冊344頁（大蔵財務協会，2006）参照。

与に該当しないもの（同項柱書）のいずれかに該当するものに限り，損金算入が認められることとなった[161][162]。そこで，以下では，(a)ないし(c)の各場合について，損金算入のための具体的な要件を概説する。

なお，損金算入が認められる場合において，譲渡制限が付されている等の一定の要件を満たす新株予約権は，「特定新株予約権」[163]として当該費用の帰属事業年度につき特例が設けられている（法法54条の2）。

(a) 事前確定届出給与

役員給与としてのストック・オプションが，法人税法34条1項2号の事前確定届出給与に該当するためには，以下の(i)ないし(iv)の要件を満たす必要がある。

(i) 所定の時期に支給される給与であり，確定した数の新株予約権等を支給するものであること

(ii) 付与する新株予約権が「適格新株予約権」であること

(iii) 業績連動給与に該当しないこと

(iv) 届出を行う，または届出不要の要件を満たすこと

また，事前確定届出給与として損金算入される額は，概要，特定新株予約権による給与の場合には交付時の価額（法令111条の3第3項。後述(2)⑤参照），それ以外の場合には交付決議時価額（法令71条の3第1項）である。以下，上記の各要件について詳述する。

---

(161) 平成29年度税制改正前は，法人税法54条の2第1項に規定する新株予約権（平成29年度税制改正により「特定新株予約権」と定義された）であれば，基本的にはすべて損金算入が認められていたが，平成29年度税制改正により，金銭報酬，株式報酬の別を問わず，法人税法34条に定める損金算入のための要件を統一的に適用するべく同条および関係法令が改正された。なお，その後，令和元年度税制改正により，後述(b)(v)の「適正な手続」の内容が厳格化された。

(162) これらの他，法人税法上，定期同額給与（法法34条1項1号）も損金算入が認められる類型ではあるが，新株予約権による給与であって定期同額給与に該当するものは通常想定されない（大蔵財務協会編『改正税法のすべて 平成29年版』307頁〔大蔵財務協会，2017〕）ため，本1-5においても検討の対象外とした。

(163) 「特定新株予約権」の意義については後述(2)を参照されたいが，役員から役務の提供を受けてその対価として付与する新株予約権であるストック・オプションは，通常，譲渡制限が付されるため，特定新株予約権に該当することとなる。

1-5 ストック・オプションの税務

(i) 所定の時期に支給される給与であり、確定した数の新株予約権等を支給するものであること

本(i)の要件については、条文上、以下の3つの類型が規定されている。

(ア) 確定した額に相当する新株予約権を支給する給与（法令69条8項）
(イ) 確定した数の新株予約権を支給する給与（法法34条1項2号）
(ウ) 確定した額の金銭債権に係る特定新株予約権を支給する給与（法法34条1項2号）

この点、上記(ア)および(ウ)については、「確定した額」がその要件の一つとなっている。しかし、実務上は、ストック・オプションに関する会計基準等との関係で、ストック・オプションの支給を決定する取締役会（指名委員会等設置会社においては報酬委員会）において、新株予約権の1個当たりの払込金額を、「新株予約権の割当日における諸条件をもとにブラック＝ショールズ・モデル等の算式を用いて算出する公正価値」とすることが通例である。この場合、新株予約権を支給する給与に相当する「額」（上記(ア)）、あるいは相殺構成（上記1－3■2(1)①参照）における払込債務との相殺に充てるために付与される金銭（報酬）債権の「額」（上記(ウ)）は、上記の算式により算出される新株予約権1個当たりの公正価値に、付与する新株予約権の個数を乗じた額となる。そのため、上記(ア)および(ウ)のいずれについても、ストック・オプションの支給の決定時点において、上記の通例的な払込金額の定め方のように、「算定式」が定まっているだけでは「確定した額」とはいえないと考えられることから、これらの類型によることはできないこととなる。

また、上記(ウ)については、「確定した額の金銭債権に係る」ことが要件とされているが、無償構成（上記1－3■2(1)②参照）によりストック・オプションを交付する場合には、そもそも金銭債権の付与が行われないことから、上記(ウ)の類型によることはできないこととなる。

これに対して、上記(イ)については、「確定した数」の新株予約権を支給することがその要件であり、相殺構成および無償構成のいずれの場合においても、ストック・オプションの支給を決定する取締役会決議（指名委員会等設

置会社においては報酬委員会）において，各役員に対して割り当てることとなる新株予約権の数を定めることが多い。したがって，この場合には，上記(イ)の類型によることで，本(i)の要件を満たすことが可能である[164]。

なお，実務においては，割当日に確定数の新株予約権を割り当てた後に，退任等の一定の事由が生じた場合には，役員が新株予約権の一部を放棄したとみなす，または，会社が新株予約権を無償取得できる旨の条件を付すことも多いが，このような条件により，役員の手元に残る新株予約権の数が割当数より少なくなることをもって，上記(イ)の「確定した数」の新株予約権を支給することとの要件の充足は否定されないと考えられる。

以上に加えて，本要件を充足するためには，事前に確定した給与を「所定の時期」に支給する必要がある。この点，ストック・オプションについては，通常，支給の決定と同時に，割当日を含む，新株予約権の発行のための募集事項（法238条）を決定するため，当該要件を充足すると考えられる。また，「所定の時期」は将来の一定の日とすれば足ることから，一定の期間の役務の提供の対価としての新株予約権を当該期間終了後に付与するという事後交付型の事前確定届出給与として，ストック・オプションを支給することも可能である[165]。

(ii) 交付される新株予約権が「適格新株予約権」であること

「適格新株予約権」の要件は以下のとおりである（法法34条1項2号ハ・7項，法令71条の2）。

---

[164] 経済産業省産業組織課「『攻めの経営』を促す役員報酬～企業の持続的成長のためのインセンティブプラン導入の手引～（2021年6月時点版）」（以下，「手引」という）72頁参照。なお，会社法上，新株予約権の申込人は，会社から割当通知を受けた新株予約権の個数全数の引受けを行わないことも可能である（法242条2項2号参照）。これに対応して，実務においては，新株予約権の発行決議において，「各割当対象者に割り当てる本件新株予約権の数は，各割当対象者による本件新株予約権の引受けの申込みの数が，本決議において定めた各割当対象者の新株予約権の数に満たない場合には，当該申込みの数とする。」との条件を付して割り当てる新株予約権の数を定めることも多い。このような条件を付して，割り当てる新株予約権の数を定めたとしても，各役員が，割当通知を受けた新株予約権数の個数全数を申し込む場合には，上記(イ)の「確定した数」の新株予約権を支給することとの要件の充足は否定されないと考えられる。

1-5 ストック・オプションの税務

(ア) 当該新株予約権の行使により市場価格のある[166]株式が交付されるものであること

(イ) 当該新株予約権が、役務提供を受ける内国法人または当該内国法人との間に支配関係[167]がある法人によって発行されていること

(ウ) 株主総会等[168]の決議により役員個人別の報酬について定めた日から新株予約権を交付する日まで（特定新株予約権にあっては行使が可能となる日まで）の間、(イ)の支配関係の継続が見込まれること

したがって、上場会社がその新株予約権を自社の役員に付与する場合のみならず、上場会社が直接または間接に発行済株式総数の50％超を保有する子会社（以下、「支配子会社」という）において、当該支配子会社の役員に対し、当該上場会社の発行する新株予約権を付与する場合には、基本的には、当該支配子会社においても、当該新株予約権は、「適格新株予約権」に該当することとなる。なお、支配子会社が役員個人別の報酬を定めた時点において、当該上場会社の傘下から離脱し、当該上場会社による株式保有割合が発行済株式総数の50％以下となることが予定されている場合には、(ウ)の要件を満たさず、当該支配子会社において、当該上場会社の新株予約権は、「適格新株予約権」に該当しないおそれがある点には留意が必要である[169]。

---

[165] 手引78頁Q52参照。もっとも、平成29年度税制改正に関する財務省主税局担当者の解説では、ストック・オプションについて、「通常は決めたらすぐに交付するものであると考えております」として、原則として事前交付型のものが用いられることが想定されている旨が述べられている（小竹義範＝安藤元太「平成29年度法人税関係の改正について I 役員給与の見直し（株式交付信託ほかQ&Aを含めて）、II 役員給与に係る損金算入等の手続きについて」租税研究813号176頁〔2017〕）。

[166] なお、「市場価格があることの判定は、報酬決定時点（所定の時期に確定した数の株式を交付する旨の定めを行った時点）で行われる」と解されている（手引42頁Q7）。

[167] 新株予約権の発行会社との間に支配関係（法法2条12号の7の5、法令4条の2第1項）がある法人としては、①当該発行会社が、直接に発行済株式の総数または出資の総額（被支配法人が保有する株式または出資を除く。本注および注(180)において「発行済株式等」という）の50％超を保有する関係（直接支配関係）がある法人、②当該発行会社および当該発行会社との間に直接支配関係がある法人が保有する、他の法人の株式の総数または出資の総額が、当該他の法人の発行済株式等の50％超となる当該他の法人等がこれに該当する。

[168] 株主総会の委任を受けた取締役会を含むとされる（手引59頁Q28参照）。

(iii) 業績連動給与に該当しないこと

　法人税法上の「業績連動給与」（法法34条5項）に該当する給与は，事前確定届出給与には該当しない（同条1項2号柱書）。具体的には，役員給与としてのストック・オプションに関しては，(ア)業績を示す指標を基礎として算定した数の新株予約権を付与する場合，または(イ)特定新株予約権について，無償で取得され，もしくは消滅する新株予約権の数が，役務提供期間以外の事由により変動する場合には，「業績連動給与」に該当することとなるため，事前確定届出給与には該当しない。たとえば，前述1－1■1(2)①図表1－1のように，権利行使条件として，権利行使可能となる新株予約権の数が，業績目標の達成度合いにより比例的に定まるとの条件を設け，権利行使条件を満たさない新株予約権については無償取得されるとの条件を付した新株予約権については，上記(イ)の場合に該当するため，事前確定届出給与には該当しないこととなる。このように，上記(ア)または(イ)に該当するストック・オプションについて，損金算入を実現するためには，後述(b)の業績連動給与についての損金算入の要件を満たすよう，検討すべきこととなる。

　もっとも，業績指標その他の条件により，そのすべてを支給するか，またはそのすべてを支給しないかのいずれかとする定めに従って支給する給与については，業績連動給与に該当せず，事前確定届出給与の対象となるとされている（法基通9－2－15の5）。そのため，たとえば，一定の業績目標を達成した場合には，交付した特定新株予約権の全部について行使可能となり，

---

(169) もっとも，純粋なグループ内再編の場合であって，再編後にも実質的には支配関係が継続する場合にも，条文の形式的な適用により，(ウ)の要件を満たさないと解すべきかについては議論の余地がある。たとえば，同一の上場会社の傘下にある支配子会社Aと支配子会社Bについて，Aを存続会社，Bを消滅会社とする合併が予定されている場合，Bは当該合併後には法人格が消滅することから，当該上場会社とBの間では，形式的には，支配関係継続の見込みがないこととなる。しかし，役員給与の損金算入制度における「適格新株予約権」は，平成29年度税制改正に関する財務省主税局担当者の解説において，「組織再編税制とは違う制度ですので，書いていないことをもって一切認められないという趣旨ではなく」「もう少し幅を持った読み方をしていただいて問題ないと考えております」（小竹＝安藤・前掲注（165）178頁）との考え方が示されており，実質的な支配関係継続の有無により判断することも十分に合理的であると解される。

達成できなかった場合には，交付した特定新株予約権の全部について行使不可とするとの内容の権利行使条件を付す場合には，当該特定新株予約権の損金算入は，事前確定届出給与としての損金算入の要件を満たした場合に認められることとなる[170]。

また，実務上，禁固刑以上の刑に処せられた場合等の非違行為があった場合に，付与したストック・オプションとしての新株予約権が無償取得されるとの規定が設けられることが多いが（前述１－１■１(2)③図表１－２参照），このような不祥事や非違行為は「業績」には当たらないと考えられるため[171]，かかる理由に基づく無償取得を行ったとしても，「役務提供期間以外の事由により変動する給与」には該当しない[172]。

(iv) 届出を行う，または届出不要の要件を満たすこと

事前確定届出給与として損金算入が認められるためには，原則として，一定の期間内に，納税時の所轄税務署長に対して，当該確定した給与の届出を行う[173]ことが必要である（法法34条１項２号イ，法令69条４項，法規22条の３第１項）。

しかし，例外として，特定新株予約権による給与については，以下の発行および付与の時期に関する要件を満たせば，届出は不要とされている（法法34条１項２号イかっこ書，法令69条３項）[174]。

(ア) 職務執行開始日[175]から１カ月を経過する日までに株主総会等[176]の

---

(170) なお，当該権利行使条件を付した場合であって，条件不成就により，付与した特定新株予約権の全部について権利行使がなされない場合には，後述(2)③記載のとおり，給与等課税事由（法法54条の２第１項）が発生しないこととなり，当該特定新株予約権の全部について，損金算入が認められないとの点には留意する必要がある。
(171) 小竹＝安藤・前掲注(165)176頁参照。
(172) 手引57頁Q23参照。
(173) なお，届出を行っている場合，届出から支給日までの間に生じた業績悪化改定事由（当該事業年度において当該内国法人の経営の状況が著しく悪化したことその他これに類する事由をいう。法令69条１項１号ハ，法基通９－２－13）に基因して交付する新株予約権の数を減少させる変更については，内容の変更に関する株主総会等の決議をした日から１月を経過する日（同日より前に支給日が来る場合には当該支給日の前日）までに，その変更の届出をすることにより，その変更後の給与が事前確定届出給与に該当する（法令69条５項，法規22条の３第２項）。

第Ⅱ編　第1章　ストック・オプション

　　　決議により特定新株予約権の交付が決定されること
　(イ)　(ア)の決議日から1カ月を経過する日までに特定新株予約権が交付される旨が、(ア)の決議において定められていること

　そのため、届出不要の要件を満たすためには、定時株主総会の日から1カ月以内に取締役会（指名委員会等設置会社においては報酬委員会）を開催し、役員別の報酬を定めるとともに、新株予約権発行の決議（指名委員会等設置会社においては、報酬委員会の決議を受けて行う、取締役会による新株予約権の発行決議または執行役による新株予約権の発行の決定）を行い、かつ、当該発行決議においては、新株予約権の割当日を、当該発行決議日から1カ月以内の日と定めるとのスケジュールにて、ストック・オプションの発行を行う必要があることとなる。

　(b)　一定の業績連動給与

　業績連動給与は、役員給与としてのストック・オプションとの関係では、以下の(ア)または(イ)のいずれかの要件に該当するものをいう（法法34条5項）。
　(ア)　業績を示す指標[177]を基礎として算定される数の新株予約権による給与
　(イ)　役務提供期間以外の事由により無償で取得されまたは消滅する新株予約権の数が変動する特定新株予約権による給与

---

(174)　届出不要となるための要件については、「新株予約権による給与で、将来の役務の提供に係るものとして政令に定めるもの」（法法34条1項2号イ第2かっこ書）と定められ、これを受けた政令（法令69条3項）は、上記の新株予約権の発行および付与の時期に係る要件のみを定める。このように、「将来の役務提供に係る」給与として、権利行使期間の開始日を、報酬の対象となる役務提供期間の満了日以降と設定することは求められていないため、仮に、新株予約権の権利行使期間と将来の役務提供の対象期間とが一致していない場合でも、届出不要の要件の充足は妨げられないこととなる。

(175)　たとえば、定時株主総会において役員に選任された者で、同日に就任した者および役員に再任された者については、当該定時株主総会の開催日とされている（法基通9－2－16）。また、役員の任期が複数年の場合であっても、通常は、定時株主総会をもって毎年職務執行開始日が到来するものと考えられる（手引59頁Q29参照）。

(176)　株主総会の委任を受けた取締役会を含む（手引59頁Q28参照）。

(177)　「業績を示す指標」とは、後述(ii)において挙げられるものに限られず、支給者または当該支給者との間に支配関係がある法人（前掲注(167)参照）の業績を示す指標であれば足りる（法法34条5項）。

1-5 ストック・オプションの税務

　この点，実務上，ストック・オプションに業績連動要件を付す手法として，新株予約権の募集事項（法238条）の決定と同時に，当該新株予約権の権利行使条件として，権利行使可能となる新株予約権の数が，業績目標の達成度合いにより比例的に定まることとし，権利行使条件を満たさない新株予約権については無償取得されるとの条件を付した事前交付型のストック・オプションを付与する方法がある。このような事前交付型の業績連動ストック・オプションについては，上記(イ)の要件を充足することが多いと考えられる。また，ストック・オプションに業績連動要件を付す他の手法として，一定期間の業績目標の達成後に，その達成度に応じて算出した個数の新株予約権を付与する，事後交付型のストック・オプションを付与する方法によることも可能である。このような事後交付型の業績連動ストック・オプションについては，上記(ア)の要件を充足することが多いと考えられる。

　そして，上記(ア)または(イ)の要件を充足し，業績連動給与に該当することとなるストック・オプションについては，以下の(i)ないし(viii)の要件を満たす場合に限り，損金算入が認められる（法法34条1項3号）。

(i) 支給者が一定の要件を満たす内国法人であること
(ii) 一定の業績を示す指標を基礎として交付または無償取得される新株予約権の数が算定されること
(iii) 交付される新株予約権が「適格新株予約権」であること
(iv) ある法人の業務執行役員全員に対して同様の算定方法に基づく業績連動給与が支給されること
(v) 一定の日までに適正な手続により算定方法が決定されていること
(vi) 算定方法の内容が開示されていること
(vii) 新株予約権が一定の時期に交付され，またはされる見込みであること
(viii) 損金経理をしていること

　また，損金算入可能な金額については，特定新株予約権による給与の場合は交付時の価額（法令111条の3第3項。後述(2)⑤参照）とされ，その他の場合についても特段の規定が置かれていないことから，当該ストック・オプシ

ョンの支給時の時価である[178]。以下，上記の各要件について詳述する。

　(i) 支給者が一定の要件を満たす内国法人であること

　まず，損金算入が認められる業績連動給与としてのストック・オプションは，以下の内国法人が支給する新株予約権に限られている（法法34条1項3号柱書，法令69条20項）。もっとも，上場会社は，通常(ア)の要件を満たし，また，上場会社の完全子会社または完全孫会社は，通常(イ)の要件を満たす。

　(ア) 同族会社[179]以外の内国法人
　(イ) 後述(v)の適正な手続終了の日において同族会社である内国法人であって，同族会社以外の法人との間に当該法人による完全支配関係[180]があるもの

　(ii) 一定の業績を示す指標を基礎として交付または無償取得される新株予約権の数が算定されること

　業績連動給与として交付するストック・オプションの損金算入が認められるためには，業績を示す指標のうち以下の(ア)ないし(ウ)のいずれかの指標（またはこれらの指標の組合せ）を基礎として，交付または無償取得される新株予約権の数が算定されることが必要となる。なお，(ア)および(ウ)の指標に関しては当該指標が有価証券報告書に記載されるものであることも要件となっている（法法34条1項3号イ）。

　(ア) 利益の状況を示す指標[181]（法令69条10項，法基通9－2－17の4）
　(イ) 業績連動給与を支給する内国法人の株式またはその内国法人との間に

---

[178] 小竹＝安藤・前掲注（165）183頁参照。
[179] 概要，3人以下の株主とその一定の関係者が発行済株式総数の50％超を所有している会社をいう（法法2条10号，法令4条）。
[180] 新株予約権の発行会社との間に完全支配関係（法法2条12号の7の6，法令4条の2第2項）がある法人としては，①当該発行会社が，直接に発行済株式等（発行済株式等の意義については注（167）参照。また，組合型の従業員持株会により保有される株式および役員または従業員を対象とするストック・オプションの行使により発行された株式（ストック・オプションを付与された役員もしくは従業員，またはこれらの相続人が保有するものに限る）の総数が，発行済株式等の5％未満である場合には，これらの株式数も，発行済株式等の数から除かれる）の全部を保有する関係（直接完全支配関係）がある法人，②当該発行会社および当該発行会社との間に直接完全支配関係がある法人が，他の法人の発行済株式等の全部を保有する関係にある当該他の法人等がこれに該当する。

完全支配関係のある法人の株式の，市場価格の状況を示す指標[182]（法令69条11項）

(ウ) 売上高の状況を示す指標であって利益の状況を示す指標または株式の市場価格の状況を示す指標と同時に用いられる[183]もの（法令69条12項）

いずれの指標も，職務執行開始日以降（に終了する事業年度）における状況を示す指標であればよいことから（法法34条1項3号イ参照），複数年度にわたる指標を用いることも可能である。また，一定の連結グループの状況を示す指標を用いることも認められている（法基通9－2－17の3参照）。

なお，新株予約権の数の算定方法は，これらの指標を基礎とした「客観的なもの」でなければならず（法法34条1項3号イ柱書），たとえば，取締役等の裁量等により報酬額が変わるものは認められない[184]。また，当該算定方法は確定した具体的な数の新株予約権を限度とするものでなければならない（同号イ(1)，法基通9－2－18）。

たとえば，権利行使可能となる新株予約権の数が業績目標の達成度合いにより比例的に定まるとの権利行使条件を設け，権利行使条件を満たさない新株予約権については無償取得されるとの条件を付した事前交付型の業績連動ストック・オプションについては，その権利行使条件に用いられる業績指標が，上記(ア)ないし(ウ)のいずれかの指標またはこれらの指標の組合せであると

---

[181] 利益の状況を示す指標の具体例として，営業利益，経常利益，税引前当期純利益，当期純利益，インタレスト・カバレッジ・レシオ，EBITDA，ROA，ROE（過年度比，他社比，計画比含む），修正ROE，EPS，EBIT，平準化EBITDA，ROCE，ROIC，ROI，平準化EPS，業務純益，保険引受利益等が挙げられる（大蔵財務協会編『改正税法のすべて　平成28年版』335頁～336頁〔大蔵財務協会，2016〕）。

[182] 株式の市場価格の状況を示す指標の具体例として，一定の日の株価，一定期間の株価の平均値，株価の上昇幅，インデックス比，時価総額，株主総利回り等が挙げられる（大蔵財務協会編・前掲注（162）302頁～303頁参照）。

[183] 「同時に用いられるもの」については，利益や株式の市場価格の状況を示す指標と組み合わせて算定される場合（いわゆるかけ算の場合），売上高の状況を示す指標により算定される報酬と利益または株式の市場価格の状況を示す指標により算定される報酬が両方用いられる場合（いわゆる足し算の場合）の双方が考えられる（手引85頁Q63）。なお，売上高で利益を除した売上高利益率は，そもそもイの利益の状況を示す指標であると考えられている（大蔵財務協会編・前掲注（162）335頁参照）。

[184] 手引93頁Q71参照。

の要件を満たす場合には（確定した具体的な数の新株予約権を限度とするとの要件については，交付された新株予約権の数が上限となるため，確定した具体的な数の新株予約権を限度とするものであるといえることから），本(ii)の要件を満たし得ることとなる。

(iii) 交付される新株予約権が「適格新株予約権」であること

「適格新株予約権」の要件については，前述(a)(ii)を参照されたい。ただし，事前確定届出給与の場合は，役員個人別の報酬について定めた日から支配関係の継続見込みが必要とされるのに対して，業績連動給与の場合は，後述(v)の適正な手続の終了日から支配関係の継続見込みが必要とされる点が異なる（法令71条の2）。

(iv) ある法人の業務執行役員全員に対して同様の算定方法に基づく業績連動給与が支給されること

業績連動給与については，ある法人の業務執行役員[185]（法令69条9項，法基通9－2－17）全員に対して同様の算定方法に基づく業績連動給与が支給されることが，損金算入の要件となっている（法法34条1項3号柱書・同号イ）。ここで「同様の」算定方法とは，基本的には算定方法の基礎となる指標が同一であり，かつ算定式の内容が類似していること等を指すが，役員の職務内容等に応じて合理的に定められている場合には，役員ごとに異なる指標を用いることも許される[186]。

(v) 一定の日までに適正な手続により算定方法が決定されていること

前述(ii)の算定方法については，「適正な手続」によって決定されることが求められている（法法34条1項3号イ2）。この「適正な手続」については，非同族会社・同族会社の区別に従って，以下のいずれかの方法によること

---

[185] 「適正な手続」の終了日時点での，取締役会設置会社における代表取締役もしくは業務執行取締役（法363条1項），指名委員会等設置会社における執行役，またはこれらに準ずる役員をいう。

[186] 大蔵財務協会『改正税法のすべて　平成18年版』329頁（大蔵財務協会，2006）参照。なお，居住者役員については株式，非居住者役員については同種の役員の株数に相当する金銭を交付することでも，この要件を充足することは可能と解されている（手引92頁Q69）。

で，要件を充足することができる（法令69条16項・17項）。

　(ア)　内国法人が非同族会社の場合

　　㋐　所定の要件を充足する報酬委員会の決定[187]（指名委員会等設置会社の場合）

　　㋑　株主総会の決議による決定（指名委員会等設置会社を除く）

　　㋒　所定の要件を充足する，報酬諮問委員会に対する諮問その他の手続を経た取締役会の決議による決定[188]（指名委員会等設置会社を除く）

　　㋓　㋐から㋒までに準ずる手続

　(イ)　内国法人が同族会社の場合

　　㋐　当該法人との間に完全支配関係（前述(i)(イ)参照）がある法人（同族会社を除く。以下，「完全支配関係法人」という）による，報酬委員会の決定[189]に従って行われる，当該法人の株主総会または取締役会の決

---

[187] 具体的には，①当該報酬委員会の委員の過半数が当該法人の独立社外取締役であること，②当該法人の業務執行役員に係る特殊関係者が当該報酬委員会の委員でないこと，および③当該報酬委員会の委員である独立社外取締役の全員が当該決定に係る当該報酬委員会の決議に賛成していることが必要となる（法法34条1項3号イ(2)，法令69条16項1号）。なお，「独立社外取締役」とは社外取締役である「独立職務執行者」のことである（同条14項）。そして，「独立職務執行者」に該当するか否かの判断基準（同条18項，法規22条の3第3項・4項）は，証券取引所における独立役員の基準（いわゆる「独立性基準」）とおおむね同等であり，「独立役員届出書」の対象となっている者は，原則，独立職務執行者にも該当すると考えられる（手引89頁Q64－2）。また，「特殊関係者」（法令69条15項）とは，業務執行役員の①親族，②事実上婚姻関係と同様の事情にある者，③使用人，④業務執行役員から受ける金銭その他の資産によって生計を維持しているもの，または②ないし④に該当する者と生計を一にする親族をいう。

[188] 具体的には，①当該報酬諮問委員会の委員の過半数が当該法人の独立社外取締役等（社外取締役または社外監査役である独立職務執行者）であること，②当該法人の業務執行役員に係る特殊関係者が当該報酬諮問委員会の委員でないこと，③当該報酬諮問委員会の委員である独立社外取締役等の全員が当該決定に係る当該報酬諮問委員会の決議に賛成していること，および④当該決定に係る給与の支給を受ける業務執行役員が当該決定に係る当該報酬諮問委員会の決議に参加していないことが必要となる（法法34条1項3号イ(2)，法令69条16項3号）。なお，「報酬諮問委員会」は3以上の委員から構成される合議体に限定されている（同号）。

[189] 具体的には，①当該報酬委員会の委員の過半数が当該完全支配関係法人の独立社外取締役であること，②(i)当該法人の業務執行役員または(ii)当該法人もしくは当該完全支配関係法人の業務執行役員に係る特殊関係者である者（ただし，当該完全支配関係法人の業務執行役員を除く）が当該報酬委員会の委員でないこと，③当該報酬委員会の委員である当該完全支配関係法人の独立社外取締役の全員が当該決定に係る当該報酬委員会の決議に賛成していることが必要となる（法法34条1項3号イ(2)，法令69条17項1号）。

議による決定[190]

㋑　所定の要件を充足する，完全支配関係法人による，報酬諮問委員会の決定に従って行われる，当該法人の株主総会または取締役会の決議による決定[191]

㋒　㋐または㋑に準ずる手続

たとえば，上場会社である監査役会設置会社または監査等委員会設置会社の場合，実務上は，上記(ア)㋒の「適正な手続」の要件を充足するように，報酬諮問委員会の人員構成や決議方法を工夫[192]する必要がある場合が多いと考えられる（法令69条16項3号）。

また，法人税法施行令は，「適正な手続」の要件について，株主総会や取締役会の決議等，算定方法の決定の主体を定めるが，当該算定方法を規定すべき媒体，たとえば，取締役会決議による場合に，新株予約権の募集事項（法238条）として算定方法を定めることまでは要求していない。したがって，当該算定方法を，（新株予約権の募集事項ではなく）割当契約書において定めたうえで，取締役会等において当該割当契約書の承認を行うことでも，本要件を満たし得ると考えられる。

なお，上記の「適正な手続」については，その給与に係る職務執行期間開

---

(190)　完全親会社等（完全支配関係法人）において具体的な算定方法まで決定したうえで，完全子会社等である同族会社において当該決定のとおりに決議されることを要し，当該同族会社の裁量によって内容が変更される場合には，適正な手続とは認められない。たとえば，完全親会社等において複数の算定方法の候補を決定し，その後完全子会社等である同族会社がそれらの候補の内から一つを選択して決議した場合には，かかる決議は完全親会社等の決定に従って行われた当該同族会社の決定とは認められず，本要件を満たさないと考えられる（小竹＝安藤・前掲注（165）181頁参照）。

(191)　具体的には，①当該報酬諮問委員会の委員の過半数が当該完全支配関係法人の独立社外取締役等であること，②(i)当該法人の業務執行役員または(ii)当該法人もしくは当該完全支配関係法人の業務執行役員に係る特殊関係者である者（ただし，当該完全支配関係法人の業務執行役員を除く）が当該報酬諮問委員会の委員でないこと，③当該報酬諮問委員会の委員である当該完全支配関係法人の独立社外取締役等の全員が当該決定に係る当該報酬諮問委員会の決議に賛成していること，および④当該決定に係る給与の支給を受ける業務執行役員が当該決定に係る当該報酬諮問委員会の決議に参加していないことが必要となる（法法34条1項3号イ(2)，法令69条17項2号）。

(192)　具体例につき手引90頁Q64－4参照。

始日の属する事業年度の開始日から3カ月（確定申告書の提出期限が延長されている場合は，その延長月数に2カ月を加えた月数）が経過する日までに行う必要がある（法令69条13項）。

　(vi)　算定方法の内容が開示されていること

　前述(ii)の算定方法の内容については，(v)の手続終了後遅滞なく，有価証券報告書，四半期報告書，半期報告書もしくは臨時報告書，または金融商品取引所の規則に基づく開示[193]のいずれかによって開示されることが求められている（法法34条1項3号イ(3)，法規22条の3第5項）。なお，同族会社の場合は，同族会社と完全支配関係にある非同族会社[194]の上記各書類によって開示されていればよい（同条6項）。

　なお，当該開示に際しては，原則として，業務執行役員のすべてについて，当該業務執行役員ごとに，算定の基礎となる業績を示す指標，新株予約権の支給の限度としている確定数および客観的な算定方法の内容を開示する必要があるが，個々の業務執行役員ごとに算定方法の内容が明らかになるものであれば，同様の算定方法を採る業績連動給与について包括的に開示することとしていても差し支えないとされる（法基通9－2－19）[195]。

　(vii)　新株予約権が一定の時期に交付されまたはされる見込みであること

　役員給与としてのストック・オプションについて，業績連動給与として損金算入が認められるためには，交付の時期について一定の要件を満たす必要がある。

　具体的には，特定新株予約権による給与で，無償で取得され，または消滅する新株予約権の数が，役務提供期間以外の事由により変動するものについては，その算定方法が前述(v)の「適正な手続」により決定された日の翌日から1カ月を経過する日までに交付されることが，損金算入の要件とされてい

---

(193)　東京証券取引所の有価証券上場規程に基づく適時開示はこれに該当する。
(194)　同族会社にとっての完全親会社等（完全支配関係法人）である上場会社はこれに該当する。
(195)　この通達は「個々の役員の給与の算定方法が結果的に明らかになるのであれば個々の役員の名前を出さなくてもよく，役位別でよい」ことを明らかにしたものとされる（小竹＝安藤・前掲注（165）182頁参照）。

る（法法34条1項3号ロ，法令69条19項1号ロ）。たとえば，上記に該当する，権利行使可能となる新株予約権の数が業績目標の達成度合いにより比例的に定まるとの権利行使条件，および権利行使条件を満たさない新株予約権については無償取得されるとの条件を付した事前交付型の業績連動ストック・オプションについて，当該権利行使条件および無償取得事由を割当契約において定め，前述(v)の「適正な手続」の要件を満たす取締役会決議において当該割当契約を承認した場合，本(vii)の要件を満たすためには，当該ストック・オプションの割当日は，当該取締役会決議の日の翌日から1カ月以内の日とする必要があることとなる。

また，上記以外の新株予約権による業績連動給与[196]については，新株予約権の数の算定の基礎とした業績連動指標の数値が確定した日（たとえば，連結計算書類の内容を会社法444条7項に基づき定時株主総会にて報告した日〔法基通9－2－20〕）の翌日から2カ月を経過する日までに新株予約権が交付され，または交付される見込みであることが，損金算入の要件とされている（法令69条19項1号イ(2)）。

　(viii)　損金経理をしていること

損金経理（法法2条25号）をしていることも，業績連動給与について損金算入が認められるための要件とされている（法法34条1項3号ロ，法令69条19項2号）。

　(c)　退職給与で業績連動給与に該当しないもの

退職給与で業績連動給与に該当しない給与については，法人税法34条1項柱書により，同項の適用除外となるため，同条2項の不相当に高額な役員給与に該当しない限り[197]，損金算入が認められる。したがって，役員給与

---

[196] たとえば，一定期間の業績目標の達成後に，その達成度に応じて算出された個数の新株予約権を付与する事後交付型の業績連動型のストック・オプションが該当し得る。

[197] 退職給与として支給する新株予約権については，事前確定届出給与および業績連動給与として支給する新株予約権について損金算入が認められるための要件である，適格新株予約権（前述(a)(ii)参照）であることとの要件も課されていない（小竹＝安藤・前掲注(165)175頁参照）。

としてのストック・オプションが退職給与に該当する場合には，業績連動給与に該当せず，かつ不相当に高額な役員給与に該当しない限り，損金算入が認められることになる。

なお，役員の将来の所定の期間における役務提供の対価として譲渡制限付新株予約権（後述(2)②参照）が交付される給与であって，その役務提供を受ける法人においてその期間の報酬費用として損金経理（退職給付引当金その他これに類するものの繰入れに係るものを除く）が行われるようなものは，たとえば，その譲渡制限付新株予約権を行使することができる期間の開始日がその役員の退任日であることにより，所得税法上，その役員において退職所得として扱われるものであっても（前述■2(5)①参照），法人税法34条1項柱書に定める退職給与には該当しないとされている（法基通9－2－27の2）。

また，退職給与が業績連動給与に該当するか否かの判断に関し，役員の退職給与金額の算定方法として実務上一般的である，役員の退職直前の給与の額を基礎として，当該役員が業務に従事した期間および役員の職責に応じた倍率を乗ずる方法（いわゆる功績倍率法）に基づいて支給する退職給与は，業績連動給与には該当しないとされている（法基通9－2－27の3）。

(2) ストック・オプションを対価とする費用の帰属事業年度の特例等

① 費用の帰属事業年度の特例

法人課税の基本原則の1つである別段の定めと公正処理基準のルール[198]によれば，法人が，個人から役務の提供を受けた対価としてストック・オプション目的の新株予約権を付与した場合には，当該新株予約権の価値は，（その会計処理にあわせて）その付与日から権利確定日までの期間にわたって損金算入すべきこととなる（法法22条3項2号，法基通2－2－12）[199]。

---

[198] 「別段の定め」がない限り，益金に計上されるべき収益の額ならびに損金に計上されるべき原価，費用，損失の額は，「一般に公正妥当と認められる会計処理の基準」に従って計算されなければならない（三上＝坂本・前掲注（147）33頁）。

[199] 三上＝坂本・前掲注（147）33頁～34頁。

しかし、これに関し、法人税法は、その対価として次の②に記載の新株予約権（特定新株予約権）が交付された場合には、特例として、当該付与対象者において給与等課税事由が生じた日において発行法人が役務の提供を受けたものとして、法人税の所得計算等を行うこととする旨の「別段の定め」を置いている[200]（法法54条の2第1項）。

すなわち、従業員等から役務の提供を受ける対価として法人税法54条の2第1項に該当するストック・オプション目的の新株予約権を付与する場合、企業会計上は、当該ストック・オプションの付与日における当該ストック・オプションの公正な評価額は、付与日から権利確定日までの期間にわたって費用計上することとなる（ス基4項〜7項参照）が、法人税法上は、給与等課税事由が生じた日において発行法人が役務の提供を受けたものとして費用が帰属することとなるのである。

なお、この特例規定は、（損金算入が可能な費用であることを前提に）その費用の期間帰属を規定しているものであり、その費用がたとえば役員給与に該当するのであれば、別途役員給与に関する法人税の規定を適用して損金算入の可否自体が決まることとなる（前述(1)②参照）。

② 対象となる新株予約権

この規定の適用対象となる「特定新株予約権」は、(a)所得税法施行令84条3項に規定する権利の譲渡についての制限その他特別の条件が付されている新株予約権（以下、「譲渡制限付新株予約権」という）であり、かつ(b)(i)当該譲渡制限付新株予約権と引換えにする払込みに代えて役務の提供の対価として個人に生じる債権をもって相殺されるもの、または(ii)(i)のほか当該譲渡制限付新株予約権が実質的に役務の提供の対価と認められるものに限られる[201]（法法54条の2第1項・6項、法令111条の3第1項）。

---

[200] これは、ストック・オプションの取得者について所得税法上課税される時点が権利行使時または株式譲渡時に繰り延べられている（前述■2(3)および■2(4)参照）ため、所得税と法人税とを総合して考えた場合に損金計上が先行して事実上の課税の繰延べになること等の理由から、法人の損金算入時期を繰り延べる「別段の定め」を置いたものである（財務省大臣官房文書課編・前掲注（160）344頁、三上＝坂本・前掲注（147）34頁）。

前述1-3■2(1)①の相殺構成で発行された新株予約権は，ここでいう「(b)(i)当該譲渡制限付新株予約権と引換えにする払込みに代えて役務の提供の対価として個人に生ずる債権をもって相殺されるもの」に該当する。また，前述1-3■2(1)②の無償構成で発行された新株予約権は，ここでいう「(b)(ii)(i)のほか当該譲渡制限付新株予約権が実質的に役務の提供の対価とみとめられるもの」に該当することになる。加えて，相殺構成および無償構成のいずれの場合においても，インセンティブ報酬として交付する新株予約権であるストック・オプションは，通常，譲渡制限が付されるため，ストック・オプションとして交付される新株予約権は，特定新株予約権に該当することとなる。

③ 給与等課税事由

給与等課税事由とは，所得税法その他所得税に関する法令の規定によりその個人の給与所得，事業所得，退職所得および雑所得（個人が非居住者である場合には，居住者であるとしたときにおけるこれらの所得）の金額に係る収入金額（または総収入金額）とすべき金額を生じさせる事由をいう（法法54条の2第1項，法令111条の3第2項）。具体的には，前述■2(3)の譲渡制限付ストック・オプションの場合には，その権利行使による株式の取得または譲渡制限の解除を指す。すなわち，前述■2(3)のように権利行使時または譲渡制限の解除時にその個人が経済的利益を享受したとされるものについては，法人税法上，その権利行使時または譲渡制限の解除時にその役務提供に係る費用が生じたものとされる（法法54条の2第1項）。他方，前述■2(4)の税制適格ストック・オプションの場合には，給与等課税事由が発生しないため，損金不算入とされる（同条2項）。

---

(201) なお，合併，分割，株式交換または株式移転（以下，「合併等」という）に際し，その合併等に係る被合併法人，分割法人，株式交換完全子法人，株式移転完全子法人の「特定新株予約権」を有する者に対して，その合併等に係る合併法人，分割承継法人，株式交換完全親法人または株式移転完全親法人の譲渡制限付新株予約権「承継新株予約権」）が交付された場合も，法人税法54条の2第1項の適用対象とされている。

第Ⅱ編　第1章　ストック・オプション

④　特定新株予約権が消滅した場合

②の特定新株予約権が交付された場合において，当該特定新株予約権が権利行使されずに消滅したときには，役務提供に係る費用は給与等課税事由が生じておらず損金算入されていないため，その消滅による利益の額についても益金不算入とされる（法法54条の2第3項）。

⑤　役務提供に係る費用の額

法人税法上，役務の提供による費用の額は，提供を受けた役務の価額によることが原則であるが，ストック・オプション会計基準5項では，提供を受けた役務の価額ではなく交付した新株予約権の価額で代替的に測定することとされている。しかし，法人税法54条の2第1項に該当する場合には，費用計上時期が繰り延べられるところ，価額の変動がある資産を対価とするゆえにどの時点での価額で測定するべきかが必ずしも明確ではないことになる。そこで，法人税法施行令111条の3第3項は，②に記載の特定新株予約権を対価とする役務提供に係る費用の額は，正常な取引条件で行われたものである場合には，その特定新株予約権が交付された時の時価相当額によるものとすることを明確にしている。そのため，原則として給与等課税事由が生じた時の時価による評価をする必要はなく，会計上の費用計上額と結果として同額になるものと考えられる（処理の事例については，下記**図表1－42**を参照）。

図表1－42　　　　ストック・オプションの会計・税務処理

時　点	会計処理	税務処理	申告調整
交付時	―	前払費用　　　200 ／新株予約権債務200	（別表5(1)利益積立金額の計算に関する明細書） 前払費用　200（当期の増） 新株予約権　△200（当期の増）

378

役務提供時	役員報酬　　100 ／新株予約権　100	—	（別表4所得の金額の計算に関する明細書） 役員給与等の損金不算入 100（加算・留保） （別表5(1)利益積立金額の計算に関する明細書） 新株予約権　△100（当期の減）
	役員報酬　　100 ／新株予約権　100	—	（別表4所得の金額の計算に関する明細書） 役員給与等の損金不算入 100（加算・留保） （別表5(1)利益積立金額の計算に関する明細書） 新株予約権　△100（当期の減）
確定前失効時	（見積り変更）	新株予約権債務　200 ／前払費用　　　200	（別表5(1)利益積立金額の計算に関する明細書） 前払費用　200（当期の減） 新株予約権　△200（当期の減）
権利確定時	—	—	—
権利行使時（非適格）	新株予約権債務 200 現金　　　　　100 ／資本金等　　300	新株予約権　　200 現金　　　　　100 ／資本金等　　300 役員報酬　　　200 ／前払費用　　200	（別表4所得の金額の計算に関する明細書） 役員給与等の認容 200（減算・留保） （別表5(1)利益積立金額の計算に関する明細書） 前払費用　200（当期の減）

権利行使時（適格）	新株予約権 現金 ／資本金等	200 100 300	新株予約権債務 現金 ／資本金等 その他流出 ／前払費用	200 100 300 200 200	（別表4所得の金額の計算に関する明細書） 役員給与等の損金不算入 200（加算・流出） 役員給与等の認容 200（減算・留保） （別表5⑴利益積立金額の計算に関する明細書） 前払費用 200（当期の減）	
確定後失効時	新株予約権 ／特別利益	200 200	新株予約権債務 ／前払費用	200 200	（別表4所得の金額の計算に関する明細書） 新株予約権消滅益の益金不算入200（減算・留保） （別表5⑴利益積立金額の計算に関する明細書） 前払費用 200（当期の減）	

第2章

新株予約権付社債

第Ⅱ編　第2章　新株予約権付社債

2-1 新株予約権付社債の会社法上の位置づけ

　会社法において新株予約権付社債は，「新株予約権を付した社債をいう」と定義づけられている（法2条22号）。

　新株予約権付社債の発行については，社債の募集に関する規定は適用されず（法248条），新株予約権の募集事項の決定手続（法238条）に従うことになる。新株予約権付社債の社債部分についての募集事項の決定は，会社法238条の規定によって社債に関する条文（法676条）と同様の決定事項が定められる形になっている（法238条1項6号）。このように会社法における新株予約権付社債の発行手続は，社債に関する会社法676条から680条が適用される形ではなく，新株予約権を単独で発行する場合と同じ条文が適用される点には留意する必要がある。

　転換社債型新株予約権付社債については，新株予約権付社債のうち，会社法236条1項3号により，当該社債を行使時の出資の目的とする内容を有するものとして整理される。また非分離型の新株引受権型新株予約権付社債は，同じく新株予約権付社債のうち，金銭を出資の目的とするものとして整理される。一方，従来の分離型新株引受権付社債については，新株予約権付社債が原則として新株予約権部分と社債部分を別個に譲渡することが禁止されていることから（法254条2項・3項），新株予約権付社債の概念には含まれず，新株予約権と社債が同時に発行されたものとして整理されることになる。

　なお，新株引受権型新株予約権付社債については，後述する会計処理の方

法が区分処理しか認められなくなったため，会計上の理由で最近はほとんど発行例はない。この点については後述2－4で補足する。

2-2 新株予約権付社債の発行手続

1　会社法上の発行手続

(1) 発行の決定

　会社法では，新株予約権付社債の発行の決定につき，公開会社（法2条5号）とそれ以外の会社（以下「非公開会社」という）において異なる取扱いをしている。

① 公開会社
(a) 募集事項の決定機関

　公開会社の場合，募集事項の決定は，取締役会の決議による（法240条1項・238条2項）。ただし，有利発行の場合には，株主総会決議（特別決議）による決定が必要となり（法240条1項・238条3項・2項），その場合は，取締役は株主総会において，有利な条件または金額で募集を行うことが必要な理由を説明しなければならない（同条3項）。また，支配株主の異動を伴う場合において，総株主の議決権の10分の1以上の議決権を有する株主から反対があったときにも株主総会決議（普通決議）が必要となる（法244条の2）。

(b) 募集事項の決定

　株式会社の決定機関は，新株予約権付社債の募集をするとき，以下の新株予約権の募集事項および社債の募集事項を定めることが必要となる（法238

条1項・676条,施162条)。なお,かかる募集事項は募集ごとに均等に定めなければならない(法238条5項)。

① 募集新株予約権の内容および数

このうち,募集新株予約権の内容は,以下のとおりである(法236条1項)。

(i) 新株予約権の目的である株式の数(種類株式発行会社にあっては,株式の種類および種類ごとの数)またはその数の算定方法

(ii) 新株予約権の行使に際して出資される財産の価額またはその算定方法

(iii) 金銭以外の財産を当該新株予約権の行使に際してする出資の目的とするときは,その旨ならびに当該財産の内容および価額

(iv) 新株予約権を行使することができる期間

(v) 新株予約権の行使により株式を発行する場合における増加する資本金および資本準備金に関する事項

(vi) 譲渡による新株予約権の取得について当該株式会社の承認を要することとするときは,その旨

(vii) 取得条項付新株予約権とするときは取得事由および取得と引換えに交付する財産その他の一定事項

(viii) 株式会社が合併,吸収分割,新設分割,株式交換または株式移転をする場合において,新株予約権者に再編会社の新株予約権を交付することとするときは,その旨およびその条件

(ix) 新株予約権を行使した新株予約権者に交付する株式の数に1株に満たない端数がある場合において,これを切り捨てるものとするときは,その旨

上記の事項は新株予約権の内容の必要的法定事項にすぎず,それ以外の事項を新株予約権の内容とすることができる[1]。ただし,新株予約権の行使の

---

[1] 相澤・論点解説226頁。

条件については，その条件を新株予約権の内容として定める必要があるとされている（法911条3項12号ニ）[2]。

② 新株予約権部分の対価が無償である場合はその旨。有償である場合は払込金額またはその算定方法

　　会社法では，改正前商法上の「発行価額」（改正前商280条ノ20第2項3号）に相当する概念として，払込金額（募集新株予約権1個と引換えに払い込む金銭の額。法238条1項3号）という概念が用いられている。

③ 募集新株予約権の割当日

　　新株予約権の申込者は割当日において募集新株予約権者となるものとされていることにかんがみ（法245条1項），「割当日」は必須の募集事項となる（法238条1項4号）。

④ 募集新株予約権と引換えにする金銭の払込みの期日を定めるときは，その期日

　　新株予約権の発行は，新株発行と異なり，払込みにつき期間を定めることはできず，また「払込みの期日」は，新株予約権においては必須の募集事項ではない（法199条1項4号・238条1項5号参照）。なお，この「払込みの期日」（法238条1項5号）と「払込期日」（法246条1項。後述(2)③参照）とは，区別すべき概念である。

⑤ 新株予約権買取請求または売渡請求（法118条1項・179条2項・777条1項・787条1項・808条1項）の請求方法につき別段の定めをするときは，その定め

⑥ 募集社債の総額

⑦ 各募集社債の金額

⑧ 募集社債の利率

⑨ 募集社債の償還の方法および期限

⑩ 利息支払の方法および期限

（2）　江頭・株式会社法823頁注6，前田・会社法入門310頁。

⑪ 社債券を発行するときは，その旨
⑫ 社債権者が記名式と無記名式との間の転換請求（法698条）ができないこととするときは，その旨
⑬ 社債管理者を定めないこととするときは，その旨
⑭ 社債管理者が社債権者集会の決議によらずに，訴訟行為または破産もしくは再生その他の手続行為（法706条1項2号）をすることができるとするときは，その旨
⑮ 社債管理補助者を定めることとするときは，その旨
⑯ 各募集社債の払込金額，もしくはその最低金額またはこれらの算定方法
⑰ 募集社債と引換えにする金銭の払込みの期日
⑱ 一定の日までに募集社債の総額について割当てを受ける者を定めていない場合において，募集社債の全部を発行しないこととするときは，その旨およびその一定の日
⑲ 数回に分けて募集社債と引換えに金銭の払込みをさせるときは，その旨および各払込みの期日における払込金額
⑳ 他の会社と合同して募集社債を発行するときは，その旨および各会社の負担部分
㉑ 募集社債と引換えにする金銭の払込みに代えて金銭以外の財産を給付する旨の契約を締結するときは，その契約の内容
㉒ 社債管理の委託（法702条参照）に係る契約において法に規定する社債管理者の権限以外の権限を定めるときは，その権限の内容
㉓ 社債管理の委託（法702条参照）に係る契約において社債管理者の辞任事由を規定するとき（法711条2項参照）はその事由
㉔ 社債管理補助の委託（法714条の2参照）に係る契約において法714条の4第2項各号に掲げる行為をする権限または法に規定する社債管理補助者の権限以外の権限を定めるときは，その権限の内容
㉕ 社債管理補助の委託（法714条の2参照）に係る契約における法714

条の4第4項の規定による報告または同項に規定する措置の定めの内容
㉖ 募集社債が信託社債であるときは、その旨および信託を特定するために必要な事項

(c) **株主に対する情報開示（通知，公告など）**

公開会社において取締役会で募集事項を決定した場合，株主に新株予約権付社債の発行の差止めの請求の機会を与えるため，割当日の2週間前までに，株主に対して募集事項を通知（法240条2項）または公告（同条3項）しなければならない。例外として割当日の2週間前までに金融商品取引法4条1項から3項に基づく届出が行われている場合その他の株主の保護に欠けるおそれがないものとして法務省令で定める場合には，かかる通知および公告は不要となる（法240条4項）。

なお，株主の保護に欠けるおそれがないものとして法務省令で定める場合とは，割当日の2週間前までに，下記の書類が届出または提出されている（金融商品取引法上の電磁的方法による提供も含まれる）場合である。ただし，下記の書類は，会社法238条1項の募集事項に相当する事項をその内容とする必要がある（施53条）。

① 有価証券届出書（金商5条1項）
② 発行登録書（金商23条の3第1項）および発行登録追補書類（金商23条の8第1項）
③ 有価証券報告書（金商24条1項）
④ 四半期報告書（金商24条の4の7第1項）
⑤ 半期報告書（金商24条の5第1項）
⑥ 臨時報告書（金商24条の5第4項）

なお，有価証券通知書は，金融商品取引法上の開示書類ではないため含まれていない。

② **非公開会社**
(a) **募集事項の決定機関**

非公開会社の場合，募集事項の決定機関は，下記のとおりである。

① 募集事項の決定は，株主総会の特別決議によるのが原則となる（法238条2項・309条2項6号）。これは，非公開会社では，新株予約権付社債の発行および当該新株予約権の行使により株主の持分比率が低下した場合，かかる株主が他の株主からの譲受けにより持分比率の回復を図ることが困難なことにかんがみ，株主の経済的利益と持分比率に関する利益を保護するための規定である[3]。さらに，種類株式発行会社において，募集新株予約権付社債の目的である株式の種類が譲渡制限株式である場合には，当該種類株主総会の特別決議（法238条4項・324条2項3号）も必要となる（当該決議を要しないとする定款の定めがある場合を除く）。

② ①にかかわらず，株主総会において，募集新株予約権付社債の内容および数の上限，ならびに払込金額の下限（または金銭の払込みが不要の場合はその旨）を定めたうえで，募集事項の決定を取締役（取締役会設置会社においては取締役会）に委任することができる（法239条1項・309条2項6号）。なお，かかる委任の決議の効力は決議の日から1年以内の割当日が定められた募集に限られる（法239条3項）。

③ 無償とすることが特に有利な条件である場合または（有償の場合）払込金額（前記②の場合はその下限金額）が特に有利な金額である場合（いわゆる有利発行の場合），取締役が募集事項決定（前記②の場合は取締役への委任決定）の株主総会において，有利発行の条件で募集を行うことが必要な理由を説明しなければならない（法238条3項・239条2項）。

(b) **募集事項の決定**

前述①(b)参照。この点については，非公開会社と公開会社とで取扱いが異ならない。

(c) **株主に対する情報開示（通知，公告など）**

非公開会社の行う新株予約権付社債の募集に関しては，募集株式の募集の場合と同様に通知および公告は不要である。

---

(3) 弥永真生『リーガルマインド会社法〔第15版〕』355頁（弘文堂，2021）。

③ 証券作成の要否および証券の形態

会社法では，新株予約権付社債券の不発行制度が認められている（法238条1項6号・676条6号）。

さらに，記名式の新株予約権付社債券も認められている（法249条3号）。なお，記名式新株予約権付社債については，その新株予約権部分の譲渡についての会社への対抗要件は新株予約権原簿への記載であり（法257条2項），その社債部分についての譲渡の会社への対抗要件は社債原簿への記載である（法688条2項）。また，発行決議で禁止されない限り，記名式新株予約権付社債券と無記名式新株予約権付社債券との間の転換請求も認めている（法236条1項11号・290条・676条7号・698条）。

(2) 新株予約権付社債の申込み，割当て，払込み

① 引受人に対する情報開示

新株予約権付社債を募集する会社は，引受けの申込みをしようとする者に対し，(a)株式会社の商号，(b)募集事項，(c)新株予約権付社債の行使に際して金銭の払込みをすべきときは，払込みの取扱いの場所，(d)その他法務省令で定める事項を通知する必要がある（法242条1項）。(d)の法務省令で定める事項とは，下記の事項である（施54条）。

① 発行可能株式総数（種類株式発行会社にあっては，各種類の株式の発行可能種類株式総数を含む）

② 株式会社（種類株式発行会社を除く）が発行する株式の内容として会社法107条1項各号に掲げる事項を定めているときは，当該株式の内容

③ 株式会社（種類株式発行会社に限る）が会社法108条1項各号に掲げる事項につき内容の異なる株式を発行することとしているときは，各種類の株式の内容（ある種類の株式につき会社法108条3項の定款の定めがある場合において，当該定款の定めにより株式会社が当該種類の株式の内容を定めていないときは，当該種類の株式の内容の要綱）

④ 単元株式数についての定款の定めがあるときは，その単元株式数（種

類株式発行会社にあっては，各種類の株式の単元株式数）
⑤ 次に掲げる定款の定めがあるときは，その規定
  (i) 株式譲渡の承認手続に関する定款の定め（法139条1項・140条5項・145条1号・2号）
  (ii) 株式会社による特定の株主からの株式取得に関する定款の定め（法164条1項）
  (iii) 取得請求権の行使により他の株式を取得できる内容の取得請求権付株式の端数処理に関する定款の定め（法167条3項・2項4号・108条2項5号ロ）
  (iv) 取得条項付株式を株式会社が取得する日，ならびに取得する株式が一部である旨およびその一部の決定方法に関する定款の定め（法168条1項・169条2項・107条2項3号ロ・ハ）
  (v) 相続人に対する株式の売渡しの請求に関する定款の定め（法174条）
  (vi) 種類株主総会における取締役または監査役の選任などに関する定款の定め（法347条1項・2項・108条1項9号）
  (vii) 株式会社が株式の譲渡につき承認をしたとみなされる場合に関する定款の定め（施26条1号・2号，法145条3号・139条2項）
⑥ 株主名簿管理人を置く旨の定款の定めがあるときは，その氏名または名称および住所ならびに営業所
⑦ 電子提供措置をとる旨の定款の定めがあるときは，その旨
⑧ 定款に定められた事項（新株予約権付社債の引受けの申込みをしようとする者に対して通知すべき事項〔前述(a)ないし(c)に掲げる事項および前述①ないし⑥に掲げる事項〕を除く）であって，当該株式会社に対して新株予約権付社債の引受けの申込みをしようとする者が当該者に対して通知することを請求した事項

もっとも，申込者に対し，金融商品取引法上の目論見書を交付している場合には，当該通知は不要となる（法242条4項）。

また，新株予約権付社債を引き受けようとする者がその総数を引き受ける

契約を締結する場合にも，当該通知は不要となる（法244条1項）。

② **新株予約権付社債の申込み・割当て**

新株予約権付社債の募集に応じて申込みを行おうとする者は所定の事項が記載された書面を会社に対して交付しなければならない（法242条2項。一定の場合は電磁的方法によることもできる。同条3項）。また，新株予約権付社債の募集において，当該募集に応じて申込みを行う者は，新株予約権付社債の新株予約権のみの申込みをしても，社債部分についても申込みをしたものとみなされる（法242条6項）。

新株予約権付社債を募集する会社は，申込者の中から新株予約権付社債の割当てを受ける者および割り当てる新株予約権付社債の数を自由に定めることができる（割当自由の原則：法243条1項）。

もっとも，新株予約権付社債の目的である株式の全部または一部が譲渡制限株式である場合，または新株予約権付社債が譲渡制限新株予約権付社債である場合，株式会社は，株主総会（取締役会設置会社においては取締役会）の決議により上記の決定をしなければならない（法243条2項）。

そして，株式会社は，割当日の前日までに，申込者に対して割り当てる新株予約権付社債の数，社債の種類および各社債の金額を通知しなければならない（法243条3項）。

新株予約権付社債を無償で発行する場合も有償で発行する場合もともに，必ず募集事項として「割当日」を定め（法238条1項4号），払込みがあったかどうかにかかわらず，新株予約権付社債の申込者は割当日において権利者となる（法245条1項）。

③ **新株予約権付社債の払込み**

新株予約権付社債の新株予約権部分を有償で発行する場合には，新株予約権付社債の割当てを受けた新株予約権者は，前述(1)①(b)④で「金銭の払込みの期日」を定めたときはその日または定めていない場合は新株予約権の行使期日の各前日までに，払込金額の全額を会社に払い込まなければならない（法246条1項）。新株予約権付社債権者は，前記の日までに払込みを行わな

ければ，当該新株予約権付社債に付された新株予約権を行使することができない（同条3項）。

また，新株予約権付社債を発行する際の払込みにつき，発行会社の承諾を条件に，払込金額に相当する金銭以外の財産を給付し，または当該株式会社に対する債権をもって相殺することによって金銭以外の財産による払込みも認められる（法246条2項）。この場合，金銭以外の財産によって払込みを行うことについて，募集事項決定の際にその旨を決議する必要はなく，また給付財産についての検査役の調査も不要である。

(3) 新株予約権付社債の登記

① 登記事項

新株予約権付社債を発行した場合，新株予約権付社債の新株予約権部分につき下記の登記事項（法911条3項12号）を変更することになるため，発行後2週間以内に変更登記を行うことが必要となる（法915条）。

(a) 新株予約権の数
(b) 当該新株予約権の目的である株式の数（種類株式発行会社にあっては，株式の種類および種類ごとの数）またはその数の算定方法（法236条1項1号）
(c) 当該新株予約権の行使に際して出資される財産の価額またはその算定方法（法236条1項2号）
(d) 金銭以外の財産を当該新株予約権の行使に際してする出資の目的とするときは，その旨ならびに当該財産の内容および価額（法236条1項3号）
(e) 当該新株予約権を行使することができる期間（法236条1項4号）
(f) 上記(b)ないし(e)以外の新株予約権の行使の条件を定めたときは，その条件
(g) 当該新株予約権が取得条項付新株予約権のときは，会社法236条1項7号に掲げる事項

(h) 募集新株予約権を無償で募集する場合には，その旨（法238条1項2号）
(i) 有償の場合は，募集新株予約権の払込金額またはその算定方法（法238条1項3号）

② 登記の添付書面

①の変更登記を行うための添付書面は，下記のとおりである。

(a) 募集事項の決定に関する書面（取締役の過半数の一致を証する書面，取締役会の議事録または株主総会の議事録。商登46条2項）
(b) 募集新株予約権の引受けの申込みまたは総数引受けの契約（法244条1項）を証する書面（商登65条1号）
(c) 前述(1)①(b)④で「金銭の払込みの期日」を定めたときは，当該払込みがなされたことを証する書面（商登65条2号）
(d) 支配株主の異動を伴う場合において株主総会決議が不要なときは，その旨を証する書面（商登65条3号）

なお，公開会社においては，割当日の2週間前までに，株主に対して，新株予約権付社債の募集事項の通知または公告が必要とされているが（法240条2項・3項），かかる通知または公告に関する書面は，登記の添付書面ではない。

2 金融商品取引法上の開示手続

新株予約権付社債は金融商品取引法上の有価証券であるから（金商2条1項5号，開令1条6号），新株予約権付社債の発行会社は，以下の場合，金融商品取引法に規定する有価証券届出書または臨時報告書を提出することにより，一定の情報の開示を行うことが必要である。

(1) **有価証券届出書**

発行総額が1億円以上の新株予約権付社債を国内で募集する場合，その発行会社は，有価証券届出書の提出が必要となる（金商4条1項・5条1項）。

2-2 新株予約権付社債の発行手続

また，届出の効力が生じるまで（原則として中15日。金商8条1項）は募集により新株予約権付社債を取得させることはできない（金商15条1項）。1億円以上か否かについては，当該新株予約権付社債券の発行価額の総額で判断する（開令ガ4－5）。

この有価証券届出書は，発行会社が内国会社である場合，原則として証券情報，企業情報その他の記載事項を記載する必要がある（開令第2号様式。金商5条1項，開令8条1項）。

すでに1年以上継続して有価証券報告書を提出している発行会社は，上記の企業情報に代えて，直近の有価証券報告書およびその添付書類ならびにその提出以後に提出される四半期報告書または半期報告書ならびにこれらの訂正報告書の写しをとじ込み，かつ，当該有価証券報告書提出後に生じた事実で内閣府令で定めるものを記載することにより，企業情報の有価証券届出書への別途の記載作業が軽減される（いわゆる組込方式：開令第2号の2様式。金商5条3項，開令9条の3，開令ガ5－26）。

また，すでに1年以上継続して有価証券報告書を提出しており，かつ，企業情報がすでに公衆に広範に提供されているものとして，すでに発行している有価証券の取引状況などが一定の基準に該当している発行会社は，上記の企業情報の記載に代えて，直近の有価証券報告書およびその添付書類ならびにその提出以後に提出される四半期報告書または半期報告書および臨時報告書ならびにこれらの訂正報告書を参照すべき旨を記載すればよい（いわゆる参照方式：開令第2号の3様式。金商5条4項，開令9条の4）。単に「一定の書類を参照すべき」との記載をすれば足りるため，組込方式よりも届出書の作成作業はさらに軽減される。

組込方式および参照方式を利用した場合はいずれも，有価証券届出書の提出から届出の効力発生までの期間（待機期間）が通常の場合（中15日）と比べて通常中7日に短縮される（開令ガ8－2）。

新株予約権付社債の有価証券届出書の添付資料は以下のとおりである（金商5条13項，開令10条1項1号）。

① 定款
② 取締役会の議事録などの写しまたは株主総会の議事録の写しまたは行政庁の認可を受けたことを証する書面
③ 資本金の額の変更につき，行政庁の許可，認可または承認を必要とする場合における当該許可，認可または承認があったことを知るに足る書面

(2) 臨時報告書

金融商品取引法上の有価証券報告書の提出義務（継続開示義務）を有する会社（金商24条1項参照）は，以下の場合に，遅滞なく臨時報告書を提出する必要がある（金商24条の5第4項）。

① 発行価額または売出価額の総額が1億円以上の新株予約権付社債について，海外で募集（50名未満の者を相手方とする場合は除く）が開始された場合（開令19条2項1号，開令ガ24の5－11・4－5）

この場合に提出される臨時報告書については，

(a) （発行，募集につき行政庁の許可，認可または承認を必要とする場合）発行，募集につき行政庁の許可，認可または承認があったことを知るに足る書面

(b) 取締役会の議事録などの写しまたは株主総会の議事録の写し

および

(c) 当該募集に際し目論見書が使用される場合における当該目論見書

が添付書類となる（開令19条4項1号）。これらの添付書類は，臨時報告書とともに公衆縦覧される（開令ガ24の5－15）。

なお，募集時に新株予約権付社債の発行条件が未定であり，発行価格などが未定のままで臨時報告書を提出した場合には，それらが決定した時に臨時報告書の訂正報告書の提出が必要となる（開令ガ24の5－9）。

また，国内外で同時に募集が行われる場合で，国内募集に係る有価証券届出書または発行登録追補書類に臨時報告書の記載事項が記載されているとき

は，臨時報告書の提出は不要とされている。
② 海外で50名未満の者を相手方とする募集により取得される有価証券で，発行価額の総額が1億円以上であるものの発行につき，取締役会の決議等もしくは株主総会の決議または行政庁の認可があった場合（開令19条2項2号）

当該臨時報告書の添付書類については前記①記載の書類のうち目論見書の添付は不要となる（開令19条4項2号）。また，訂正報告書の提出については前記①と同様である。

なお，有価証券届出書および臨時報告書を提出する先は，下記のとおりである（金商194条の7第1項，金商令39条2項，開令20条1項・2項）。

(a) 資本金の額が50億円未満の会社，またはその発行する有価証券で金融商品取引所に上場されているものがない会社の場合：当該内国会社の本店または主たる事務所の所在地を管轄する財務局長（開令20条1項）。

(b) 資本金の額が50億円以上，かつその発行する有価証券が金融商品取引所に上場されている会社：関東財務局長（開令20条2項）。

(3) MSCBに関する開示

平成21年12月に公布・施行された開示府令において，MSCBについて特有の開示項目が制定された。まず，金融商品取引法においてMSCBは「行使価額修正条項付新株予約権付社債券等」と定義されている（開令19条8項）。そのうえで，MSCBを発行する場合は，開示が必要となる主な事項は以下のとおりである（開令第2号様式ほか－記載上の注意，開令19条2項1号リ・2号イ）。

① 当該MSCBの特質
② MSCBの発行等により資金を調達しようとする理由
③ MSCBと密接に関連するデリバティブ取引その他の取引があればその内容
④ MSCBに表示された権利の行使に関する事項についての取得者と発

行会社の取決めの内容（ない場合はその旨）
⑤ 発行会社の株券の売買に関する事項についての取得者と発行会社との間の取決めの内容（ない場合はその旨）
⑥ 発行会社の株券の貸借に関する事項についての取得者と発行会社の特別利害関係者等との間の取決めがあることを知っている場合には，その内容
⑦ その他投資者の保護を図るために必要な事項

①の「特質」の内容については企業内容等開示ガイドライン5－7－2に具体的な記載事項に関する規定が置かれている。内容は株価下落による希薄化の可能性，行使価額修正の基準・頻度に関する情報，行使価額等の下限等および新株予約権の取得条項等の有無である。

②の資金調達の理由については，企業内容等開示ガイドライン5－7－4に具体的な記載事項に関する規定が置かれている。内容はMSCB発行による資金調達の検討の経緯，発行済株式総数の増加が株主に及ぼす影響，当該MSCB発行による資金調達が株主にとって有利または不利である点である。

さらに，有価証券報告書，四半期報告書といった継続開示書類において，当該期間中における権利行使されたMSCBの数，交付株式数，平均行使価額等および資金調達額ならびに当該期間末の権利行使済みのMSCBの数，交付株式数，平均行使価額等および資金調達額の累計の記載が必要となる（開令第3号様式・第4号の3様式ほか－記載上の注意）。

また，MSCBは基本的に第三者割当（開令19条2項1号ヲ）により発行されるが，その場合，第三者割当特有の開示項目を遵守する必要があることに留意が必要である（開令第2号様式ほか－記載上の注意，開令19条2項1号ヲ・2号ホ）。

なお，東京証券取引所の適時開示ルールにおいても，同様に詳細な開示が求められる（東京証券取引所上場部編『東京証券取引所会社情報適時開示ガイドブック〔2020年11月版〕』77頁～81頁・403頁～407頁〔東京証券取引所，2017〕参照）。

■3 外為法上の報告

　居住者（日本内に主たる事務所を有する法人など：外国為替及び外国貿易法6条1項5号）である発行会社が外国において，新株予約権付社債を発行または募集した場合，資本取引に該当し，発行後20日以内に日本銀行を通じて財務大臣に「証券の発行又は募集に関する報告書」および「証券の取得又は譲渡に関する報告書」各1通を提出する必要がある（外国為替及び外国貿易法20条5号・6号・55条の3第1項5号・7号，外国為替令18条の5第2項，外国為替の取引等の報告に関する省令9条1項・11条1項）。

　また，非居住者からの手取金の受領については，原則として，「支払又は支払の受領に関する報告書」の提出も必要となる（外国為替及び外国貿易法55条，外国為替の取引等の報告に関する省令2条・3条）。

2-3 転換社債型新株予約権付社債の有利発行に関する諸問題

　転換社債型新株予約権付社債（Convertible BondsまたはCB）による資金調達は，公募増資と比べて株価に与える影響が間接的であり，また近時の日本の低金利を背景としてゼロクーポンでの発行が可能なことから金利負担を抑えることができる。

　そこで以下では，上記のような新株予約権付社債の性質も踏まえ，有利発行の問題について検討する。

1　新株予約権付社債（旧転換社債）の有利発行

　平成13年商法改正前は，株式への転換権が付された社債は「転換社債」として規定され，その有利発行については，「株主以外の第三者に対し特に有利なる転換の条件を附したる転換社債を発行するには（中略）第343条に定むる決議（筆者注：株主総会の特別決議）あることを要す」と定められていた（平成13年改正前商341条ノ2第3項）。そして，転換社債の発行が有利発行に該当するか否かの判断基準については，「解釈論としては，特別の事情のない限り，転換価額決定時の株式の市価以上に転換価額を決定すれば特に有利な転換価額ということにはなら」ないと考えられており[4]，実務もかかる解釈に従い，転換価額の下方修正条項等について特に既存株主に不利と認められるような内容の特段の規定を置かない限り，決議直前の株価を下回ら

（4）　新注会(11)42頁［鴻常夫］参照。

ない転換価額を定めている限り有利発行には該当しないとの取扱いが一般的であった[5]。このような解釈がなされたのは、当時は転換権を株式オプションと捉えるという考え方が一般的ではなかったためであり、発行決議においても転換権部分と社債部分を別個に決議するということは要求されていなかった。

2 平成13年商法改正後会社法導入前の規定および解釈

平成13年商法改正において「新株予約権」概念が導入されたのを契機に、旧転換社債および旧新株引受権付社債についての規定の整理が行われ、これらの特殊な社債は「新株予約権付社債」という用語に統一されることとなった。また、その有利発行については、「株主以外の者に対し特に有利なる条件の新株予約権を付したる新株予約権付社債を発行する場合」と規定された（改正前商341条ノ3第3項）。このような「特に有利なる条件の新株予約権」との文言や社債部分と新株予約権部分の発行価額を別々に決議する旨の規定（同条1項1号・2号）からすると、新株予約権付社債の有利発行については、平成13年改正法は、文言上からは新株予約権部分の公正価値を基準にすべきという考え方を前提にしているように思われる。

しかしながら、実務においては、平成13年改正後商法下において発行された転換社債型新株予約権付社債のうち、新株予約権部分を無償と定める事例が大半であった。これは、新株予約権部分の公正価値を前提にすべきではないという考え方もまた依然として根強く存在していることを示している。他方、新株予約権部分の公正価値を前提にするとしてもその他の考慮を加味するか否かにより、いくつかの考え方が学説および実務において議論されたところでもある。

このような状況における当時の議論について、以下、各説を便宜上、厳格

---

[5] 転換社債のみならず、新株引受権付社債についても同様の解釈がとられていた（新注会(11)153頁〔鴻常夫〕）。

説，緩和説および中間説とに分類して詳述することとする（なお，そもそも既存株主の保護は有利発行規制ではなく取締役の善管注意義務の問題とするべきという立法論も従来から存するところである）。

(1) 厳格説

新株予約権の公正価値のみを基準に有利発行性を判断する立場であり，「株主以外の者に対し特に有利なる条件の新株予約権を付したる新株予約権付社債を発行する場合」とする平成13年改正後商法341条ノ3第3項の文言に最も忠実な解釈である。

具体的には，「新株予約権付社債の発行価額は，経済的には，普通社債の対価部分と新株予約権の対価部分とに分解でき，発行決議の際，両者を明確に認識する形で決議しなければならない。転換社債型における新株予約権の発行価額を無償として取り扱うことは，新株予約権の評価の透明性を確保しようとする平成13年改正の趣旨に反する。」[6]，「従来の新株引受権附社債や転換社債は改正法（筆者注：平成13年改正商法）のもとでは，新株予約権を無償で発行したものとすることも考えられなくもない。（中略）しかし，このように構成すると従来の転換社債・新株引受権附社債は常に有利発行になってしまい，株主総会特別決議が必要だとなってしまうのではないかという疑問が生じる。（中略）社債の利率が安い部分が実質的・経済的には新株予約権の対価であるということを有利発行か否かの判断に当たっては考慮する（この局面では実質的に無償発行とは扱わない）との解釈も考えられなくはないが，改正法はわざわざ社債と新株予約権の発行価額を別途決議させたうえで，新株予約権の部分について『特に有利なる条件』の発行かどうかを問題にしており，解釈論としては相当苦しいといわざるを得ない」[7]などと述べられている。

厳格説によると，新株予約権付社債の新株予約権部分を無償で発行するこ

---

(6) 江頭憲治郎『株式会社・有限会社法〔第2版〕』613頁〜614頁（有斐閣，2002）。
(7) 藤田友敬「新株予約権制度の創設」法律のひろば2002年4月号20頁。

2-3 転換社債型新株予約権付社債の有利発行に関する諸問題

とは、本来客観的な価値を有するはずの新株予約権部分について「特に有利なる条件」で発行することに他ならず、基本的に有利発行に該当することになる。

しかしながら、後述のとおり会社法の規定は新株予約権部分の対価を無償とする場合であっても有利発行とならない場合がありうることを前提としていると考えられるため、このような厳格説は、会社法下においては解釈論としては消滅したのではないかと思われる。

(2) 緩和説

上記のような厳格説に対しては、かかる説を前提とする限り、(i)新株予約権部分を無償として発行しているユーロCBなどの発行がすべて有利発行に該当することになってしまい実務の混乱を招く、(ii)公開会社など多数の株主が存在する会社においては株主総会を頻繁に開催することは困難であることから、資金調達活動の機動性が大きく損なわれるといった実務界からの懸念が提示され[8]、そのような立場から、新株予約権付社債の有利発行性の判断にあたっては新株予約権の公正価値を基準とする必要はないとする緩和説が提唱された。なお、このような立場は、新株予約権付社債に関する会計上の一括法による処理（詳細は後述2-4を参照）に対して一定の法的根拠を与える必要があるという実務上の要請を考慮したものともいえる。

具体的には、「転換社債型新株予約権付社債にあっては、社債の償還権と新株予約権とが同時にそれぞれ存在しえない以上、それぞれの部分を区分して価値を認識することは無意味なことではないか。（中略）転換社債型新株予約権付社債については、一体として評価すべきものであるとすれば、発行価額の決定は社債の発行価額についての決定しかありえないわけで、そのことの当然の帰結として、新株予約権の価額はゼロとして決定するほかはない。（中略）これをゼロとしたからといって直ちに新株予約権を特に有利に

---

[8] 日本証券業協会・転換社債に関するワーキング・グループ「商法改正に伴う転換社債の取扱いについて」旬刊商事法務1628号133頁（2002）。

発行したことになるものではない。(中略)ここで，特に有利でないこととは，一体化された新株予約権付社債の発行の条件が特に有利でないということを意味する。」[9]，「新株予約権の発行価額を無償としたとしても，新株予約権の行使条件等の設定いかんによっては有利発行に該当しない場合があり得る」[10]などと説明されている。

　緩和説によると，新株予約権の公正価値を基準としないため，新株予約権部分を無償で発行したとしても，ただちに「特に有利なる条件」に該当することはないことになる。

　ただし，上記のような緩和説においても，有利発行に該当しないためには，「有利であるかどうかを判定するのに最も重要な要件である社債としての利率については，ブックビルディング方式により需要状況を勘案したうえで決定するとしています。このようにして決定される利率で発行される以上，当該新株予約権付社債の発行条件が特に有利な条件で発行されるとの法的評価を受けることはない」[11]，「改正前商法下において取引所有価証券市場や店頭売買有価証券市場に上場されている転換社債と同様の条件設定が行われる場合（海外における同様のものを含む）は有利発行の問題は生じないものとするが，それ以外の場合は諸条件を総合的に勘案して条件設定を行う必要がある」[12]といった形で，ブックビルディング方式によることや公募形式で従前発行された転換社債と同様の条件設定が行われることなどが必要であるとして新株予約権付社債の有利発行に関して一定の制約を課している点には留意する必要がある。

　緩和説はその根拠として，転換社債型新株予約権付社債は，新株予約権部分と社債部分を分離して譲渡できず（改正前商341条ノ2第4項本文），また，平成13年商法改正前の転換社債と同様の商品性を維持するためにその社債

---

(9) 証券取引法研究会編『転換社債型新株予約権付社債の理論と実務』別冊商事法務266号40頁(2003)。
(10) 日本証券業協会・前掲注(8) 133頁。
(11) 証券取引法研究会編・前掲注(9) 40頁。
(12) 日本証券業協会・前掲注(8) 134頁。

要項において新株予約権部分と社債の償還権とがそれぞれ単独では存在しえないような条件を設定するのが通例であるという点に着目し，その公正価値についても両者を一体として捉えるべきであると主張する[13]。しかしながら，新株予約権と社債の償還権がそれぞれ金融商品としては単独では存在できないとしても，有利発行性を判断するにあたって両者を分離して新株予約権部分単独の公正価値を算定することはオプション評価理論上基本的に可能と考えられる。また，持分比率の低下と自益権の価値の低下からの既存株主の保護という有利発行規制の趣旨からすれば，潜在的株式である新株予約権部分の対価こそが第一義的に問題とされるべきである。さらにいえば，新株予約権付社債権者は自らの判断で新株予約権の行使を選択できるという意味で，新株予約権の保有者と類似の経済的立場にあるという観点からも，その有利発行性についてはあくまでも新株予約権の公正価値を基準とすべきであると思われる。金融商品として単独で存在しえないから新株予約権単独の公正価値も観念すべきではないというのは必ずしも説得的とは思われない。

(3) 中間説

前記のような学説と実務との乖離という状況を踏まえ，実務の混乱を回避しつつ平成13年改正商法の文言にできる限り忠実な解釈をとるべきという観点から，新株予約権の公正価値を基準にしつつも，新株予約権付社債のその他の発行条件をも加味したうえで当該公正価値を判断するという中間説が主張されるに至った。

具体的には，「新株予約権付社債の発行が有利発行に該当するかどうかは，(中略) 無償とした新株予約権の価値が社債の発行価額に含まれているかという実質によって決まる。(中略) 商法341条の3第1項の解釈としては，すでに指摘されているように，新株予約権の公正価値をその発行価額として決議すべきものと考える。」[14]，「普通の新株発行の場合と違って，有利発行

---

(13) 証券取引法研究会編・前掲注（9）40頁。

かどうかの判断についてはほかの要素を加味して，全体的に有利かどうかを判断する」[15]などとされる。この点，平成13年改正商法下における法務省の原田審議官の解説によると，「基本的には，新株予約権の公正価値より特に低い価額で新株予約権が発行される場合が有利発行になるものと考えるべきである。（中略）社債に付して発行される新株予約権の場合に，新株予約権付与の見返りとして社債の利率を低く定めることは，通常行われていることであり，経済的な合理性も認められる。（中略）社債の利率の低額化については，客観的な経済的価値の算定が可能なものであり，一定の手法により新株予約権の公正価値を算定した後，このようにして算出された社債の利率の低額化部分を実質的に新株予約権の対価の払込みがあったものと考えて，有利発行に当たらないと考えることができるのではないかと考える。」[16]とあり，中間説に近い立場をとっていると考えられる。

中間説によると，新株予約権部分を無償で発行する場合であってもその分社債部分の利率を低く設定しているなど，新株予約権部分の公正価値が社債部分の対価に反映されている場合には有利発行には該当しないことになる。なお，後述のとおり会社法の規定はこの立場に近いと解される。

■3　会社法施行後の規定および解釈

会社法下では新株予約権付社債についてまとまった規定が置かれることはなく，一部の新株予約権付社債特有の規定を除き，基本的には新株予約権と社債の規定がそれぞれ適用されることとなった。新株予約権付社債の有利発行については，新株予約権に関する会社法240条1項および238条3項が適用される。この点からすると，新株予約権部分を社債部分と区分して考える厳格説または中間説により親和性があると考えられる。

---

(14) 黒沼悦郎「公開会社における種類株式・新株予約権の効用と問題点」民商法雑誌126巻4号・5号459頁（2002）。
(15) 証券取引法研究会編・前掲注（9）43頁。
(16) 原田晃治「平成13年改正商法（11月改正）の解説〔V〕」旬刊商事法務1641号29頁〜30頁（2002）。

2-3 転換社債型新株予約権付社債の有利発行に関する諸問題

　また，会社法においては，新株予約権付社債の社債部分の発行価額が新株予約権行使時の払込金額と同額となるべき旨の改正前商法341条ノ3第2項が廃止されている。同条項による規制のもとでは，新株予約権部分の発行価額を有償とする場合には，新株予約権付社債全体を取得するために投資家が支払った金額より新株予約権行使時の払込金額（社債部分の発行価額）が少額になってしまい，平成13年改正前商法下における旧転換社債と同一の商品性を継続することができなくなるのではないかとの主張がなされ，これが新株予約権部分は無償で発行せざるをえないとの考え方につながっていた（新株予約権部分を無償とすれば，投資家が支払った金額が社債部分の発行価額と一致することになるので，同条項の規制下にあっても旧転換社債の商品性は維持される）。会社法においては，同条項が廃止されたため，旧転換社債の商品性を維持するために新株予約権部分の発行価額を無償としなければならないという議論は不要になり，法文上新株予約権部分を有償と定めることの障害は存在しない。この点も新株予約権部分の公正価値を観念する厳格説または中間説の立場になじむものといえる。

　他方で，会社法238条3項は新株予約権の有利発行について，(a)募集新株予約権部分の対価を無償とする場合は，無償とすることが引受者に「特に有利な条件」であるとき（同項1号），また(b)募集新株予約権部分の対価が有償であるときは，新株予約権部分の払込金額が引受者に「特に有利な金額」であるとき（同項2号）は，株主総会の決議を要する旨定めている（法240条1項・238条2項）。前述(b)の文言からは新株予約権の払込金額と公正価値の関係を基準としていると考えられる。しかしながら，一方で前述(a)の文言から明らかなとおり，会社法の条文上は新株予約権の発行価額を無償とすることのみをもって有利発行になるとは解されていない。したがって，会社法は厳格説の立場をとっていないことは明らかであると思われる。

　この点，会社法導入前において厳格説を主張していたと思われる江頭教授も，現在では，「新株予約権の払込金額を零として発行しても，その経済的価値相当額を会社が社債の払込金額から得ている限り新株予約権の有利発行

(会社法238条3項)に当たらない」という見解をとっているようにうかがえる[17]。

以上からすると，会社法の規定は中間説的な立場になじむものであると考えられる。

■4 新株予約権の公正価値に関する裁判例

前述■3記載のとおり会社法は新株予約権付社債の有利発行について，新株予約権部分の公正価値を基準とする中間説的な立場をとっていると思われるため，参考までに新株予約権の公正価値に関する基準および算定方法に関する裁判例についても以下あわせて若干紹介しておく。なお，下記(1)および(2)は改正前商法下における事件である。

(1) ライブドア対ニッポン放送事件（平成17年㈰第20021号，東京地裁決定）

平成17年2月に株式会社ニッポン放送が，株式会社フジテレビジョンに対して第三者割当ての方式で新株予約権を発行する旨の取締役会決議をしたところ，株式会社ニッポン放送の既存株主であった株式会社ライブドアから発行差止めの仮処分の申立てがなされた事件である。裁判所は，結論としては別の理由により差止めを認容したものの，有利発行性の問題については，(a)「新株予約権の有利発行とは，公正な発行価額よりも特に低い価額による発行をいい，公正な発行価額であるか否かは現在の株価，権利行使価額，権利行使期間，金利，株価変動率等の要素をもとにオプション評価理論にもとづき算出された新株予約権の発行時点における価格をいう」旨の規範を示したうえで，(b)本件の特殊性として，発行後短期間内に新株予約権が行使される高い蓋然性があることを考慮すれば実質的に新株発行と同視できることから，新株発行に関する時価の90％以上の価額での発行は有利発行に当たら

---

[17] 江頭・株式会社法825頁注8。

ないとする日本証券業協会の自主ルール（「第三者割当増資の取扱いに関する指針」）を採用することができるとして，本件の新株予約権の発行価額と権利行使価額の合計額が発行会社の平均株価の90％を上回っていることから新株予約権の有利発行性を否定した。

(2) TRNコーポレーション事件（平成18年㈣第20001号，東京地裁決定）

同じく新株予約権を特定の第三者に割り当てた事例で，既存株主から有利発行であるとの主張がなされた。裁判所は，新株予約権の有利発行性について前述(1)(a)と同様の規範を提示したうえで，発行会社がブラック＝ショールズ・モデルに基づき算定したオプション価額（新株予約権の公正価額）の算定過程で用いられた希薄化率の評価が適切でないとした[18]。また，当該新株予約権には発行会社による任意消却条項が付されているからオプションとしての公正価値が引き下げられているとの発行会社の主張については，発行会社としては経済的合理性を考えるならば新株予約権の行使期間が始まる1カ月前までに消却の通知を行って新株予約権を消却しておくのが合理的であるにもかかわらずあえて当該新株予約権を発行し，割当先もあえてこれを引き受ける意向を示していることからすると，本件の当事者間においては実際に消却条項が行使される可能性は高いとはいえない旨判示した。したがって，当該新株予約権の発行価額はその公正価額より不当に低い金額で決定されているとして，発行の差止めを認めた。

---

[18]　「商法280条ノ21第1項前段の規定が株主以外の者に『特ニ有利ナル条件』をもって新株予約権を発行する場合に株主総会の決議を要求しているのは，『特ニ有利ナル条件』をもってする新株予約権の発行が既存株主の経済的な利益を損なうおそれがあるからである。このような観点からすると，新株予約権の発行に際して有利発行か否かの判断をするに際し，その発行による希薄化の効果を当然に考慮するのが相当であるかについてはなお疑問が残る。」として，そもそも本件においては希薄化率を使用することについて否定的な判断をしている。

(3) サンテレホン事件（平成 18 年㈲第 20058 号，東京地裁決定）

会社法下における募集新株予約権を特定の第三者に割り当てた事例であり，既存株主から有利発行であるとの主張がなされた。裁判所は，募集新株予約権の有利発行性について前述(1)(a)と同様の規範を提示しつつ，当該募集新株予約権の取得条項の存在がオプションの公正価額を引き下げる効果をもたらしているとの発行会社の主張に関して，取得条項の内容および当該募集新株予約権の発行目的などについて具体的な事実関係の検証を行ったうえで，「取得条項が実際に行使される蓋然性が低いため，当該取得条項の存在が募集新株予約権の公正価額を大幅に引き下げることについて合理的な理由は見出すことはできない」と否定し，当該募集新株予約権の発行価額はその公正価額より不当に低い金額で決定されているとして，発行の差止めを認めた。

(4) オープンループ事件（平成 18 年㈲第 286 号，札幌地裁決定）

同じく会社法下における募集新株予約権を特定の第三者に割り当てた事例であり，既存株主から有利発行であるとの主張がなされた。本件では，当該募集新株予約権には，発行会社が新株予約権者に対して事前通知を行うことにより，行使価額が通知日の直前の週の最終取引日を最終日とする3連続取引日の大阪証券取引所における発行会社普通株式の終値平均値の 92% に相当する金額に修正される条項が付されており，この修正条項に基づく行使価額の修正がなされる蓋然性の有無が争点となった。裁判所は，募集新株予約権の有利発行性について前記(1)(a)と同様の規範を提示しつつ，発行会社に資金需要があること等を認定して，行使価額の修正がなされる可能性が高いとし，「本件募集新株予約権の価額を算定するに際しては，修正後の価額を基準とするのが相当であるところ，債務者の本件募集新株予約権のオプション価額についての算定結果は，本件修正条項による通知がされる可能性が低いとして，当初行使価額を基準としており，相当でない」とし，当該募集新株

予約権の発行は，公正なオプション価額よりも特に低い払込金額によりなされたとして，発行の差止めを認めた[19]。

(5) オートバックスセブン事件（平成 19 年㋾第 20137 号，東京地裁決定）

新株予約権付社債に関する有利発行の初の決定事例である。新株予約権部分を無償で発行した場合の有利発行性の判断については，「特段の事情ない限り，当該新株予約権付社債の利率とその会社が普通社債を発行する場合に必要とされる利率との差に相当する経済的価値」（実質的な対価）と，前記(1)(a)と同様の規範により求められる新株予約権の公正価値とを比較して，実質的な対価が公正価値を大きく下回るときに有利発行に該当するとしたが，本件ではそのような場合には該当しないとして有利発行性を否定した。前記のとおり，新株予約権の公正価値についての考え方は前述(1)ないし(4)の決定と同様の規範を示し，比較する対象として新株予約権が無償である場合に，その対価として発行会社が普通社債と比較した場合の社債部分の低い比率の経済的価値を享受している場合には有利発行に該当しない場合があるとの考え方であり，中間説の立場に立っているものと考えられる。

(6) 丸八証券事件（平成 20 年㋾第 529 号，名古屋地裁決定）

同じく，新株予約権付社債に関する有利発行の決定事例である。裁判所は，新株予約権付社債の有利発行性について前述(5)と同様の規範を提示し，有利発行性を否定した。また本件では，既存株主側が，発行会社が取締役会決議日前の 1 カ月間の終値平均に 7％ のアップ率を加算して転換価額を算定した点について，発行会社の株価が転換価額の算定基準期間の直前に急落していることなどにかんがみると，算定基準期間の株価は適正価格から乖離し

---

[19] なお，その後に発行会社が行った別の募集新株予約権等の発行について，オープンループ事件の提訴株主グループが再び有利発行等を理由とした差止訴訟を提起した。裁判所は，結論として有利発行に該当しないと判断しているが（平成20年㋾第265号，札幌地裁決定），決定文からは具体的な争点ははっきりとしない。

ており有利発行に該当するとの主張を行っており，裁判所は，この主張に関して，「新株予約権発行に際して設定された転換価額が株式の公正な発行価額を大きく下回るときは，当該新株予約権付社債の発行は，会社法238条3項1号所定の『特に有利な条件』による発行（有利発行）に該当する余地があると解するのが相当である」としたうえで，発行会社の株価の推移等を認定したうえで，転換価額が株式の公正な発行価額を大きく下回るものではないと判示している。有利発行性について前述(5)と同様の規範を提示して有利発行性を判断する一方で，転換価額と「株式の公正な発行価額」の乖離のみを理由として有利発行に該当するかのような判示をしているが，その意図は必ずしも明らかではない。

　前記いずれの裁判所の判断も，新株予約権の有利発行性についてオプション評価理論により算定された公正価値を基準にするという点，および実際に発行会社がオプション評価理論に基づく算定に用いた各種要素ないしその算定結果の修正の妥当性について，個々の事案における具体的な事実関係に基づいて検討を行っているという点に特徴がある。

　このような裁判所の判断からすると，新株予約権（および新株予約権付社債）の発行会社としては，一定の専門家によるオプション評価理論に基づく算定結果を鵜呑みにすることはできず，専門家が用いた算定の過程ないし算定の基礎とした判断要素が合理的なものであったか否かについて，個々のケースの具体的事情を考慮しつつ緻密に検証する必要があると思われる。

2-4 新株予約権付社債の税務

■1 発行法人の税務

(1) 発行時の処理

① 転換社債型の場合

会計処理上社債部分と新株予約権部分を区別して処理する区分法と社債部分と新株予約権部分を区別しない一括法があるが，法人税法においてはこの会計上の処理に合わせて，区分法の場合は社債と新株予約権を区別して処理し，一括法の場合は全部を社債として処理することとなる。なお，新株予約権は，会計上は純資産の部の項目として扱われるが，法人税法上は負債として扱われる（法法2条16号・18号，法令8条・9条）。

② 転換社債型以外の場合

①と同様である。

(2) 新株予約権の権利行使時の処理

① 転換社債型の場合

転換社債型の新株予約権付社債につき新株予約権の権利行使された場合には，その社債部分を権利行使の際の出資の目的としていることから社債の現物出資を受けたものとして処理される。すなわち，その社債の帳簿価額と新株予約権の帳簿価額（一括法の場合には新株予約権の帳簿価額はゼロ）の合計

額を増加する資本金等の額として処理する（法令8条1項2号）。

なお，社債の給付をする側において課税の繰延措置の適用がない場合（後述）においてもこの処理は変わらず，発行法人側において課税が生じることはない。

② 転換社債型以外の場合

通常の新株予約権が行使された場合と同様の処理になる（後述**第3章3－7**■1(2)参照）。

■2　新株予約権付社債の所有者の税務

(1) 取得時

① 法　人

発行法人に対する金銭の払込みまたは金銭以外の資産の給付により取得した場合には，払い込んだ金銭の額または給付した資産の価額が新株予約権付社債の取得価額となる（法令119条1項2号）。ただし，通常よりも有利な価額により発行されたと認められる場合[20]には，その時の価額により取得したものとされ（同項4号），その価額と払込金額との差額につき受贈益が生じることとなる（法法22条2項）。なお，新株予約権付社債の社債部分と新株予約権部分の区分は，適正に処理が行われている限りにおいて会計処理と同様で支障はないものと考えられる[21]。

② 個　人

発行法人に対する金銭の払込みにより取得した場合には，払い込んだ金銭の額が取得価額となる（所令109条1項1号）。有利発行にあたる場合には，その時の価額をもって取得価額とし（同項6号），その価額と払込金額との差額については，経済的利益を享受したものとして収入金額に算入する（所法36条1項）。新株予約権と社債部分の区分については，通達では，原則と

---

[20] 有利発行の判定については，後述**第3章3－7**■2(1)①を参照のこと。
[21] 会計処理については，金融商品会計基準35項～39項参照。

して新株予約権付社債の取得価額のうち社債の額面金額を超過する部分を新株予約権に相当する部分としている（所基通48－6の3）。

(2) 転換社債型の新株予約権を行使した場合

① 法　　人

　転換社債型新株予約権付社債は，■1(2)で述べたように新株予約権の権利行使の際にその社債を出資の目的とする，すなわち現物出資の形態をとるものであり，権利行使する者は社債を発行法人に現物出資することとなる。法人税法上は，現物出資は譲渡として取り扱われることとなる。

　社債（有価証券）を譲渡した場合には，譲渡対価と譲渡原価の差額につき譲渡損益を計上することとなるが（法法61条の2第1項），新株予約権付社債に係る新株予約権の権利行使により社債を現物出資（譲渡）し，その社債と交付を受ける株式がおおむね同額と認められる場合[22]には，その譲渡対価は社債の帳簿価額相当額として計算し譲渡損益が生じないこととされている（同条14項4号）。この場合交付を受ける株式の取得価額は，その社債の帳簿価額相当額となる（法令119条1項21号）。

　なお，おおむね同額と認められない場合には，交付を受けた株式のその時の価額を譲渡対価として譲渡損益を計上することとなる。

② 個　　人

　法人同様個人についても転換社債型新株予約権付社債の権利行使をした場合で，その社債と交付を受ける株式がおおむね同額と認められる場合には，譲渡についての課税が繰り延べられる（所得税の場合には，その譲渡がなかったものとみなされる。所法57条の4第3項4号）。交付を受けた株式の取得価額は，その社債の取得価額相当額となる（所令167条の7第7項6号）。

　なお，おおむね同額と認められない場合には，交付を受けた株式の時価と

---

[22] おおむね同額と認められる場合と限定されているのは，簿価譲渡の規定を奇貨として課税逃れを図るような行為を除外するためのものであり，正常な取引で通常のオプション程度の価額差であればおおむね同額と認められるものと解されている。

社債の帳簿価額の差額につき一般株式等または上場株式等の譲渡所得等として申告分離課税されることとなり（措置法37条の10・37条の11），その交付を受ける株式の取得価額はその時の価額となる（所令109条1項6号）。

(3) 転換社債型以外の新株予約権を行使した場合

後述第3章3－7■2(2)を参照のこと。

2-5 新株予約権付社債発行と組織再編行為

■1 組織再編行為時の新株予約権付社債の処理

　会社法においては、組織再編行為[23]時における新株予約権付社債の処理に関する規定が整備され、改正前商法または平成13年法律第128号による改正前の商法下において生じていた新株予約権付社債の承継の可否に関する問題[24]の多くは立法的に解決されたものと思われる。すなわち、組織再編行為に際して、新株予約権付社債の発行会社（以下「発行会社」という）は、合併契約書、株式交換契約書などに記載することにより、存続会社、完全親会社または承継会社に新株予約権付社債を承継させることができる。ただし、会社法のもとでは、厳密にいうと、新株予約権は、組織再編行為時に"承継"されるわけではない。つまり、改正前商法のような新株予約権にか

---

(23)　本2-6においては、「組織再編」とは、株式会社間の合併、株式交換、株式移転および会社分割を意味するものとし、事業譲渡については、特に検討の対象としない。

(24)　たとえば、平成13年法律第128号による改正前の商法下においては、株式交換後においても、完全子会社となる会社が発行した転換社債および新株引受権付社債の転換権または新株引受権の行使により発行される株式は、完全子会社となる会社の株式のままとされており（原田晃治ほか『一問一答平成11年改正商法』26頁（商事法務、1999）参照）、かかる転換権または新株引受権の行使がなされた場合、株式交換により生じた完全親子会社関係が失われるとの問題が存在した。なお、平成13年法律第128号による改正前の商法下で発行された転換社債および新株引受権付社債には、依然として同改正前の商法が適用されるため（平成13年法律第128号附則第7条）、これらの問題のうちのいくつかは、会社法施行後も問題となりうることに留意する必要がある。たとえば、福岡銀行と熊本ファミリー銀行との間の共同株式移転の事案では、株式移転計画の規定にかかわらず、福岡銀行が発行していた転換社債が持株会社であるふくおかフィナンシャルグループに承継されないとの問題が生じた。

かる義務を承継する（かどうか）という法律構成ではなく，消滅会社等の新株予約権が消滅し，新たに存続会社等の新株予約権が交付されるという法律構成が取られている[25]（ただし，ここでは便宜上，このような消滅会社等の新株予約権の消滅および存続会社等の新株予約権の交付を「承継」と呼ぶものとする）。

組織再編行為に際しての新株予約権付社債の処理が新株予約権の内容としてあらかじめ定められた条件に合致しない場合，新株予約権付社債権者は，発行会社に対して新株予約権付社債の買取りを請求することができる。新株予約権付社債の買取請求については，後述■2を参照されたい。また，新株予約権付社債権者は，社債権者としての地位も有することから，組織再編行為時に債権者保護手続による保護も受けうる[26]。

組織再編行為時における新株予約権付社債の処理を検討する際には，発行要項またはTerms and Conditions of the Bondsなどの社債契約上の規定（以下，社債契約の内容を規定する文書を「発行要項等」という）も遵守する必要がある[27]。かかる規定の内容次第では，たとえ会社法において認められた処理をする場合であったとしても，社債権者集会（会社法第4編第3章）または発行要項などに定められた社債権者の意思決定方法であるBondholders' Meetingなどを開催したうえで，発行要項などの内容を変更する必要が生じる可能性があることに留意する必要がある。

以下に，組織再編行為に際して発行要項などを変更した例をあげる。

---

(25) 相澤哲編著『新・会社法の解説』別冊商事法務295号71頁（2006）参照。
(26) 相澤・論点解説685頁参照。
(27) 発行要項等に定められた規定に違反した場合，当該新株予約権付社債の債務不履行を構成するだけにとどまらず，いわゆるクロス・デフォルト条項が定められた他のすべての契約の債務不履行を構成する可能性があり，実務上当該規定を遵守しないという選択肢は取りえないものと思われる。

(1) すかいらーく社債権者集会開催の目的[28]

【大要下記事項等に関する社債要項および信託証書の改定】

① 社債要項に，2006年6月9日に開始される当社株式の公開買付けにおいて72,472,600株以上の株式について応募があったことを証明する当社代表取締役が署名した証明書を提出することにより，当社は2006年7月15日から2006年8月15日の期間内に，社債権者に対して3日以上30日以内の事前通知を行うことにより，額面金額の113%で本社債を繰上償還することを選択できる旨の条項を追加する。

② 株式交換または株式移転により当社が他の会社の完全子会社となる場合の本社債に関する一定の義務を定めた社債要項5.3.3条は，上記①記載の事前通知を当社が行った日以降に行われる株式交換または株式移転に加えてマネジメント・バイアウトに関連する，2006年8月31日までに当社取締役会において承認される予定の株式交換には適用しない旨の条項を追加する。

③ 信託証書7.1.4条に定める当社の負う当社株式の上場維持努力義務に関して，上記①記載の事前通知以後は当社普通株式の上場廃止をすることができる旨の条項を追加する。

④ 社債要項に，上記①記載の事前通知を行った日の営業の終了以降において本社債に付された新株予約権の行使ができない旨の条項を追加する。

(2) サミー社債権者集会開催の目的[29]

【下記事項等に関する社債要項および信託証書の改定】

① 持株会社設立のための株式移転日前から代替社債発行手続期間終了までの一定期間（9月27日から10月31日まで）における当社社債に付さ

---

[28] すかいらーく平成18年6月8日付けプレス・リリースより抜粋。すかいらーくは，マネジメント・バイアウト（MBO）にかかる公開買付けのための繰上償還を可能とする社債要項・信託証書の改訂について社債権者の承認を得ている（旬刊商事法務1773号69頁（2006）ニュース参照）。

れた新株予約権の行使停止
② 社債権者が代替社債との交換に応じない場合の社債権者および受託会社への繰上償還通知期間の短縮
③ 当社株式の上場廃止（9月27日予定）に伴う信託証書上の上場維持義務の免除

■2 新株予約権買取請求

　会社法は，新株予約権付社債権者を保護するために，組織再編行為において新株予約権の内容としてあらかじめ定められた条件[30]に合致しない取扱いがされる場合には，新株予約権付社債権者が発行会社に対して新株予約権を公正な価格で買い取ることを請求することができる旨規定する（法787条1項・808条1項）。新株予約権付社債権者は，新株予約権の買取りを請求するときは，併せて，新株予約権付社債についての社債の買取りも請求しなければならない（法787条2項・808条2項）。ただし，新株予約権付社債の発行決議において定めることで（法238条1項7号），組織再編行為に際しての買取請求の対象を新株予約権部分のみと定めることができる（法787条2項ただし書・808条2項ただし書）。

　「公正な価格」を具体的にどのように算定するのかについては，今後議論の集積がなされるものと思われるが，江頭教授は，新株予約権者は，株主ではなく債権者にすぎないので，組織再編行為時にシナジーの分配を受けるべ

---

(29) サミー平成16年8月6日付けプレス・リリースより抜粋。ただし，改正前商法下における事案である。サミーは，セガとの共同株式移転方式による共同持株会社の設立に向け，同社が発行する転換社債型新株予約権付社債への対応として，持株会社が発行する転換社債型新株予約権付社債に乗換えが可能なスキームを検討していた（サミー平成16年6月29日付けプレス・リリース参照）。

(30) 「新株予約権発行後に当社が他社と合併する場合，会社分割を行う場合，資本減少を行う場合，その他これらの場合に準じ，株式数の調整を必要とする場合は，合理的な範囲で，新株予約権行使の際の割当株式数は適切に調整されるものとする」といった漠然とした定めでは，条件に合致するか否かの判定が困難であるため，そもそも「条件」に該当しないと主張されている（藤田友敬「新会社法における株式買取請求権制度」黒沼悦郎＝藤田友敬編『企業法の理論（上）江頭憲治郎先生還暦記念』309頁注96（商事法務，2007）参照）。

き理由はなく，組織再編行為前に有したその経済価値（金銭的評価）に等しい存続会社などの新株予約権または金銭を交付されれば足りると主張されている[31]。また，藤田教授は，新株予約権の引継ぎについて，発行時に具体的な引継条件が規定されていたにもかかわらず（たとえば，企業再編比率に即して新株予約権の行使によって取得する株式数を調整するなど），その条件に沿った引継ぎが行われなかった場合，公正な対価で企業再編が行われたとして，条件に従った引継ぎがなされた状態を想定し，その場合に得られたであろう価値を「公正な価格」と考え，発行時に，①企業再編の際に新株予約権を引き継ぐことは決められていたが，引継条件が十分に具体的ではない場合，②企業再編の際の取扱いが特に定められていない場合には，企業再編がなされなかったとすれば当該新株予約権が有していたであろう価格を「公正な価格」と考えると主張している[32]。

新株予約権買取請求の手続については，株式買取請求と同様の手続が設けられている（法788条・809条）。

3 各組織再編行為における処理

以下，新株予約権付社債の各組織再編行為時における会社法上の処理および一般的な発行要項などにおける処理について論じることとする。

(1) 合　併

① 発行会社が消滅会社となる場合

発行会社が消滅会社となる合併を行う場合，会社法上は，消滅会社が発行していた新株予約権は消滅するものとされているため（法750条4項・754条4項），新株予約権付社債の新株予約権部分については消滅する。ただし，存続会社または当該合併により新設された会社（以下，総称して「存続会社など」という）は，合併契約書の定めに従い，消滅会社が発行していた新株予

---

[31] 江頭・株式会社法882頁注2参照。
[32] 藤田・前掲注（30）307頁参照。

約権に代えて，当該新株予約権者に対して存続会社などの新株予約権または金銭を交付することができる（法749条1項4号・5号・753条1項10号・11号参照）。なお，前述■2記載のとおり，当該存続会社などの新株予約権または金銭の交付が新株予約権の内容として定められた条件に合致しない場合には，消滅会社が発行していた新株予約権の新株予約権者は，発行会社に対して，自己の有する新株予約権付社債の買取りを請求しうる（法787条1項1号・808条1項1号）。なお，新株予約権の内容として定めることができるのは存続会社などの新株予約権を交付する場合の条件に限られるので，金銭を交付する場合には，常に当該条件に合致しないこととなり，買取請求権が発生する。もっとも，新株予約権を発行する際に，当該新株予約権の内容として，発行会社が消滅会社となる合併を行う場合には発行会社が金銭を対価として当該新株予約権を取得することができる旨を定めておけば（法236条1項7号イ），新株予約権の代わりに金銭を交付する場合と実質的に同様の効果を生じさせることは可能であり，この場合には新株予約権の買取請求権は発生しない[33]。

発行要項などにおいては，発行会社が消滅会社となる合併を行う場合，新株予約権付社債を存続会社などに承継させるよう努力する旨の義務が規定されることが多いと思われる。以下にそのような義務を定めた例をあげる。

図表2－5　　　　　　　　発行要項における記載例

当社が組織再編行為を行う場合の特約
　当社による組織再編行為について提案がなされた場合，当社は，受託会社に対しては書面にて，本新株予約権付社債所持人に対しては本新株予約権付社債の要項に従い，かかる提案及び本新株予約権付社債に関する提案について通知を行うものとする。かかる通知には予定される当該組織再編行為の効力発生日を明記するものとする。また，当社が組織再編行為を行う場合，当社はさらに，受託会社に対しては書面にて，本新株予約権付社債所持人に対しては本新株予約権付社債の要項に従い，その旨及び予定される当該組織再編行為の効力発生

---

[33]　相澤・論点解説684頁参照。

2-5 新株予約権付社債発行と組織再編行為

日について通知を行うものとする。
(イ) 当社が組織再編行為を行う場合，(i)その時点において（法律の公的又は司法上の解釈又は適用を考慮した結果）法律上実行可能であり，(ii)その実行のための仕組みが既に構築されているか又は構築可能であり，かつ(iii)その実行のためにその全体に照らして当社が不合理であると判断する費用や支出（租税債務を含む。）を当社又は承継会社等に生じさせることがない限りにおいて，当社は，承継会社等をして，本社債の債務者とするための本新株予約権付社債の要項に定める措置及び本新株予約権に代わる新たな新株予約権（以下「承継会社等の新株予約権」という。）の交付をさせるよう最善の努力を尽くすものとする。

(ロ) 上記(イ)に定める事項が(i)その時点において（法律の公的又は司法上の解釈又は適用を考慮した結果）法律上実行可能ではないか，(ii)その実行のための仕組みが構築されておらず，かつ構築可能でないか，又は(iii)その実行のためにその全体に照らして当社が不合理であると判断する費用若しくは支出（租税債務を含む。）を当社又は承継会社等に生じさせる場合であり，その旨を当社が受託会社に対し当社の代表取締役が署名する証明書によって証明した場合には，その時点において（法律の公的又は司法上の解釈又は適用を考慮した結果）法律上及び実務上実行可能である限りにおいて，当社は，本新株予約権付社債所持人に対し，その保有していた本新株予約権付社債と同等の経済的利益を提供する旨の申出を行うか又は承継会社等をしてかかる申出を行わせるよう最善の努力をしなければならない。

なお，その全体に照らして当社が不合理であると判断する費用又は支出（租税債務を含む。）を当社又は承継会社等に生じさせることなく，（法律の公的又は司法上の解釈又は適用を考慮した結果）法律上及び実務上実行可能である場合には，当社は，承継会社等をして，かかる経済利益の一部として下記［省略］に定める新株予約権を交付させるよう最善の努力をしなければならない。

出典：三菱瓦斯化学の平成 18 年 9 月 5 日付け臨時報告書添付取締役会議事録より抜粋

図表 2－6　Terms and Conditions of the Bonds における記載例（一部修正済）

Transfer of Obligations Under a Corporate Event
Transfer：If (i) it is legally possible under the then applicable laws (taking into account the then official or judicial interpretation or application of such laws), (ii) a practical structure for the substitution of the New Obligor for the Company and the grant of the New Stock Acquisition Rights in such a

manner as set out in the Conditions＊ has been or can be established and agreed with the Trustee pursuant to the Condition and (iii) such substitution or grant can be consummated without the Company or the New Obligor incurring costs or expenses (including taxes) which are in the opinion of the Company unreasonable in the context of the entire transaction, then the Company shall use its best endeavours to cause the New Obligor to be substituted as the principal obligor under the Bonds and the Trust Deed pursuant to the Condition and the Trust Deed, and for the grant of the New Stock Acquisition Rights in relation to the Bonds in place of the Stock Acquisition Rights in the manner described in the Condition.

Equivalent Economic Interest : If the Company certifies (by a certificate of a Representative Director) to the Trustee that it is not legally possible to substitute the New Obligor or grant the New Stock Acquisition Rights as described in the Condition, or that a practical structure for substitution of the New Obligor or the grant of the New Stock Acquisition Rights as described in the Condition has not been or cannot be established and/or agreed with the Trustee pursuant to the Condition, or that such substitution or grant cannot be consummated without the Company or the New Obligor incurring costs or expenses (including taxes) which are in the opinion of the Company unreasonable in the context of the entire transaction, the Company shall and/or shall cause the New Obligor to propose to Bondholders a scheme which is designed to provide each Bondholder with an equivalent economic interest (as determined by the Company) as the Bonds (including the Stock Acquisition Rights) in place of the Bonds, provided that, in determining whether the scheme provides each Bondholder with an equivalent economic interest to the Bond (including the Stock Acquisition Rights), the Company shall consult an Independent Financial Adviser and shall take fully into account the advice so received. If it is legally possible and practicable under the then applicable laws (taking into account the then official or judicial interpretation or application of such laws) without the Company or the New Obligor incurring costs or expenses (including taxes) which are in the opinion of the Company unreasonable in the context of the entire transaction, the Company shall use its best endeabours for such equivalent economic interest to include the grant by the New Obligor of the New Stock Acquisition Rights in the manner described in the Condition as a part of such scheme.

＊　Terms and Conditions of the Bonds における当該条項が記入される。以下同じ。

新株予約権付社債を発行会社などに承継させるためには、合併契約書への記載が必要であり（法749条1項4号・5号・753条1項10号・11号参照）、発行会社が上述の義務を遵守したとしても、相手方当事会社が合意しない場合には、新株予約権付社債を承継会社などに承継させることができない。そのため、発行会社がかかる義務を履行したにもかかわらず、存続会社などに新株予約権付社債を承継させることができなかった場合、発行会社が新株予約権付社債を償還することができる旨規定されることがある。ただし、たとえば、発行要項などにおいて、発行会社が新株予約権付社債を存続会社などに承継させるよう「最善の努力」を尽くすよう求められている場合、かかる規定に基づき新株予約権付社債を償還することができるのは、例外的な場合に限られるであろう。次に発行会社が新株予約権付社債について上記のような償還ができる旨を規定した例をあげる。

図表2－7　　発行要項における記載例

当社が組織再編等を行う場合の繰上償還

　当社が組織再編等（以下に定義する。）を行う場合、当社は、本新株予約権付社債の要項に定める一定の措置を講ずること等を条件として、本新株予約権付社債権者に対して14日以上の事前の通知をしたうえで、残存本社債の全部（原則として一部は不可）を、その額面金額に対する下記の割合で表示される価額（償還日に下記7(1)記載の追加額の支払義務を負う場合は、かかる追加額を加えた価額）で繰上償還することができる。

　2006年9月21日から2007年9月20日まで110.0%
　2007年9月21日から2008年9月20日まで109.0%
　2008年9月21日から2009年9月20日まで108.0%

　　　　　　　　　　　　　（以下略）

「組織再編等」とは、(i)合併（新設合併又は当社が存続会社とならない吸収合併をいう。以下同じ。）、(ii)会社分割（本新株予約権付社債に基づく当社の義務が分割先の会社に移転される当社の新設分割又は吸収分割をいう。）、(iii)株式交換又は株式移転（当社が他の会社の完全子会社となる株式交換又は株式移転をいう。以下同じ。）及び(iv)資産譲渡（当社の財産の全部又は実質上全部の他の会

社への売却又は移転で，その条件に従って本新株予約権付社債に基づく当社の義務が相手先に移転される場合をいう。）について，当該行為が当社の株主総会（株主総会決議が不要の場合は，当社の取締役会）で承認された場合，並びに(v)その他の日本法上の会社再編手続で，これにより本社債及び／又は本新株予約権に基づく当社の義務が他の会社に引き受けられることとなるものを総称していうものとする。

出典：日本郵船の平成 18 年 8 月 31 日付け臨時報告書添付取締役会議事録より抜粋

図表 2 − 8 Terms and Conditions of the Bonds における記載例（一部修正済）

Corporate Event Redemption

If the Company certifies (by a certificate signed by a Representative Director) to the Trustee that (i) it is not legally possible under the then applicable laws (taking into account the then official or judicial interpretation of such laws) to effect a scheme provided for by the Condition, or (ii) it is legally possible as aforesaid but, despite the Company using its best endeavours, the Company cannot effect such a scheme in compliance with the Condition, or the scheme proposed to Bondholders in the manner contemplated by the Condition is not accepted by all (or an Extraordinary Resolution duly binding on all) Bondholders (including as a result of a failure to pass an Extraordinary Resolution at an adjourned meeting of Bondholders (including, but not limited to, due to lack of quorum)), then the Company may, having given not less than 14 days' prior notice to the Bondholders in accordance with Condition 19 (which notice shall be irrevocable), redeem all, but not some only, or the Bonds then outstanding at the following redemption prices (expressed as a percentage of the principal amount of the Bonds) together with all Additional Amounts due on the Bonds (if any) on the date (which shall be a date falling on or prior to the relevant Corporate Event Effective Date) specified for redemption in such notice:

Period during which the redemption falls	Redemption price (percentage of principal amount)
From and including 1st June, 2006 to and including 31st May, 2007	109
From and including 1st June, 2007 to and including 31st May, 2008	108
From and including 1st June, 2008 to and including 31st May, 2009	107

(Omitted)

Upon such notice, the Company shall be bound to redeem the Bonds then outstanding at the applicable redemption price on the date fixed for such redemption.

② 発行会社が存続会社となる場合

発行会社が存続会社となる合併を行う場合，会社法上，新株予約権または新株予約権付社債の処理については特段の規定は設けられておらず，新株予約権付社債は，発行会社の株式などを対象とするものとして存続するものと解される。

社債の発行要項などにおいては，当該新株予約権付社債の繰上償還などはなされず，新株予約権部分についても新株発行の場合に準じて取り扱うこと，または特段の規定が設けられないことが通例であると思われる。次に，合併などの場合に転換価額の調整を行うものとしている例をあげる。

図表2－9	発行要項における記載例

［発行要項で］定める転換価額の調整を必要とする場合以外にも，次に掲げる場合には，当社は，必要な転換価額の調整を行う。
① 株式の併合，当社を存続会社とする合併，他の会社が行う吸収分割による当該会社の権利義務の全部又は一部の承継，又は他の株式会社が行う株式交換による当該株式会社の発行済株式の全部の取得のために転換価額の調整を必要とするとき。

出典：ウェッジホールディングスの平成18年8月11日付け有価証券届出書訂正届出書添付発行要項より抜粋

なお，発行要項などにおいて新株予約権の条件の変更が可能とされている場合であったとしても，合併の前後を通じて新株予約権の価値に変更を生じさせないことは困難であり[34]，実務上は，何らの条件の変更も行わないことが多いのではないかと思われる。

---

[34] たとえ消滅会社の株式の価格と存続会社などの株式の価格が同じであったとしても，オプションの価値が同一となるとは限らない（改正前商法下における新株引受権につき，江頭憲治郎「転換社債・新株引受権付社債と希薄化防止条項」法曹時報38巻11号5頁以下（1986）参照）

(2) 株式交換

① 発行会社が完全子会社となる場合

　会社法においては，改正前商法と異なり，発行会社が完全子会社となる株式交換を行う場合，発行会社は，完全親会社に新株予約権付社債を承継させることができる。ただし，完全親会社が新株予約権付社債を承継する場合には，完全親会社の金銭債務が増加するため，完全親会社の債権者に対し，債権者保護手続をとる必要がある（法799条1項3号）。

　株式交換の場合，発行会社が消滅会社となる合併の場合と異なり，発行会社の法人格は，株式交換後も存続するため，理論的には，株式交換に際して何らの措置をとらず，完全子会社に対する権利として新株予約権付社債を存続させることも可能である。会社法上も，株式交換により完全子会社となる会社の新株予約権が必ず消滅することとはされておらず，発行会社の選択により新株予約権を承継させないことも可能であるものとされている。しかしながら，完全子会社が新株予約権付社債を発行している場合，当該新株予約権付社債の行使により，完全親子会社関係が崩れ，完全子会社の迅速な運営が困難となる[35]，連結納税制度が利用できなくなる[36]等の問題が生じうる。また，新株予約権付社債に付された新株予約権の行使により取得できる株式が上場株式であった場合，株式交換に際して当該株式の上場が廃止されるため（上場規程601条1項15号など参照），当該株式の流動性，ひいては新株予約権付社債の価値に大きな影響を及ぼす可能性がある。そのため，発行会社が完全子会社となる株式交換を行う場合，実務上，一般的には，完全親会社に新株予約権付社債を承継させるか，または株式交換に際して新株予約権付

---

[35] 親会社以外の株主が生じた場合，株主総会の招集手続の省略（法300条）や株主総会の決議の省略（法319条1項）などが困難となる。

[36] 親会社および子会社が連結納税義務を負担するためには，当該親子会社間に発行済株式または出資（自己が有する自己の株式または出資，ストック・オプションのため法人の役員または使用人に付与された新株予約権などの行使によって取得された株式などを除く）の全部を直接または間接に保有する関係が存する必要がある（法法4条の2）。

社債を償還する必要がある。

発行会社が完全子会社となる株式交換に際しても，発行会社が消滅会社となる合併の場合（前述(1)①参照）と同様に，新株予約権付社債を完全親会社に承継させるよう努力する旨の義務および発行会社がかかる義務を履行したにもかかわらず，完全親会社に新株予約権付社債を承継させることができなかった場合の償還条項が規定されることが多いと思われる。

② 発行会社が完全親会社となる場合

発行会社が完全親会社となる株式交換は，新株予約権者が有する権利が第三者に移転されたり，新株予約権などの他の財産と代替されることがないという点で，発行会社が存続会社となる合併に類似する。

そのため，発行会社が完全親会社となる株式交換を行う場合，新株予約権付社債については，発行会社が存続会社となる合併（前述(1)②参照）と同様に考えられる。

(3) 株式移転

発行会社に関する関係では，株式移転と発行会社が完全子会社となる株式交換は，当該会社の株主の変動が生じるだけで発行会社の法人格に変動はないという点で同様に考えることができる。そのため，株式移転に際しては，発行会社が完全子会社となる株式交換に際しての処理（前述(2)①参照）と同様の処理が新株予約権付社債についてなされることになる。ただし，株式移転の場合，株式移転の登記まで完全親会社が存在しない点が株式交換と異なるため，発行要項などの作成に際して留意する必要がある[37]。

(4) 会社分割

① 会社分割により新株予約権付社債が承継される場合

会社法においては，会社分割に際して，吸収分割契約または新設分割計画

---

(37) たとえば，発行要項等において，組織再編行為における完全親会社への通知義務が課されている場合，完全親会社が存在しないため，発行会社は，かかる義務を遵守することができない。

に記載することにより，新株予約権付社債を承継させることができる[38]。なお，前述■2記載のとおり，分割会社が発行していた新株予約権付社債の保有者は，新株予約権の内容として定められた条件に合致しない取扱いを受ける場合には，発行会社に対して，自己の有する新株予約権付社債の買取りを請求しうる（法787条1項2号・808条1項2号）。

　新株予約権付社債が承継される場合，新株予約権付社債権者は債権者としての保護も受けるが，会社法においては，無記名式の新株予約権付社債および振替新株予約権付社債（社振法192条1項）の保有者のように，発行会社にとって「知れている債権者」（法799条2項）に該当しない債権者については，当該新株予約権付社債が承継会社に承継される場合であっても，分割会社に債務の履行を請求できなくなっている[39]。発行会社の都合により，責任財産が大幅に減少する結果となり，新株予約権付社債権者の利益が害されかねないことに留意する必要がある。

　また，新株予約権付社債権者が分割会社への承継を承認しない場合，債権者保護手続において異議を述べる必要があるが（法789条1項2号。異議を述べた債権者に対しては，当該債権者を害するおそれがないときを除き，分割会社は弁済や担保提供をしなければならない。同条5項），社債権者が異議を述べるためには，原則として社債権者集会の決議によらなければならず（法740条1項），実務上異議を述べることが困難な場合も多いと思われる。会社法上，委託にかかる契約に別段の定めがある場合を除き，社債管理者も異議を述べることができるが（同条2項），社債管理者となる銀行などは，責任軽減のため，かかる別段の定めを設けることを主張するものと思われる。

　発行要項などにおいては，発行会社が消滅会社となる合併の場合（前述(1)

---

[38]　江頭・株式会社法938頁注3・940頁注8参照。
[39]　改正前商法においては，無記名社債権者のように会社が知らないため催告ができなかった債権者も「各別ノ催告ヲ受ケザリシ債権者」に含まれ，分割計画書または分割契約書の記載上債務を負担しないとされた会社も，一定の限度で，債務を弁済する責任を負うとされていた（改正前商374条ノ10第2項・374条ノ26第2項，江頭憲治郎『株式会社・有限会社法〔第4版〕』773頁〔有斐閣，2005〕参照）。

①参照）と同様に，発行会社が分割会社となる会社分割を行う場合，新株予約権付社債を承継会社に承継させる旨の規定がなされることがある。

また，発行要項などにおいて，会社分割の際に新株予約権付社債権者が償還を請求できる旨の規定がなされることもある。かかる記載がある例をあげる。

図表2－10	発行要項における記載例

　本新株予約権付社債の発行後，当社が吸収分割又は新設分割を行うことを当社の株主総会（株主総会の決議を要しない場合は，取締役会）で決議した場合，本新株予約権付社債の社債権者は，当社に対して，当該吸収分割又は新設分割の効力発生日の2週間前までに事前通知を行い，かつ，当社の定める請求書（以下「繰上償還請求書」という。）に繰上償還を請求しようとする社債を表示し，請求する年月日等を記載してこれに記名捺印した上，当該本新株予約権付社債券を添えて発行要項記載の償還金支払場所（以下「償還金支払場所」という。）に提出することにより，当該吸収分割又は新設分割の効力発生日以前に，残存する本社債の全部（一部は不可）を額面100円につき金100円で繰上償還することを請求することができる。登録をした本新株予約権付社債券にかかる本社債の繰上償還を請求する場合は，本新株予約権付社債券の提出に代えて，繰上償還請求書を登録機関を経由して，償還金支払場所に提出しなければならない。

出典：ウェッジホールディングスの平成18年8月11日付け有価証券届出書訂正届出書添付発行要項より抜粋のうえ，一部修正

②　会社分割により新株予約権付社債が承継されない場合

発行会社が会社分割を行うが，当該会社分割により新株予約権付社債が承継されない場合，発行会社に関する関係では，当該会社分割と発行会社が存続会社となる合併は，分割会社または存続会社の法人格に変動がないという点で同様に考えることができる。そのため，新株予約権付社債が承継されない会社分割に際しては，発行会社が存続会社となる合併の場合（前述(1)②参照）と同様に考えられる。

第3章

資金調達手段としての新株予約権

3-1 実務で用いられる資金調達手段としての新株予約権の諸類型

■1 資金調達手段としての新株予約権の意義

　本章では，新株予約権を資金調達手段として用いる場合について取り扱う。新株予約権の利用類型を利用目的の観点から大別すれば，①資金調達手段としての利用の他，②経営効率化のためのインセンティブ付与の目的での利用，および③買収防衛策としての利用があげられる。

　新株予約権とは，いうまでもなく，行使期間内に権利行使価額を払い込めば発行会社から新株の発行を受けることができる権利であり，新株予約権そのものはキャッシュ・フローを直接投資家にもたらすものではない一方で，少額で付与・取得されたものが高価な株式に転換されうるものであることから，新株予約権に関しては，インセンティブ付与目的での利用のほうが主として観念されやすい。従業員や役員に付与される典型的な狭義のストック・オプションとしての利用は，まさにこのような目的によるものである（なお，インセンティブの付与は，株式を付与することで十分に果たされるのであって，ストック・オプションによる必要はないとの理解もすでに一般化しているともいえるが，インセンティブ付与のために新株予約権を用いることが必要であるかは本章の目的外であるため，ここでは論じない）。

　買収防衛策としての利用は，米国において企業買収防衛策として発達したライツ・プラン（ポイズン・ピル）といわれる仕組みを模したものであって，典型的には，濫用的買収者による権利行使を排除する一方で他の株主には無

3-1 実務で用いられる資金調達手段としての新株予約権の諸類型

償同然で新株予約権の行使を認めることにより，濫用的買収者による企業買収を阻むことを目的とするものである。濫用的買収者以外の株主に無償同然で行使させることに主眼があることから，資金調達手段として機能することはない。

　資金調達手段としての利用には，大別すれば，新株予約権を資金調達手段として直接利用する場合と，投資リスクに見合ったミドルリターンの提供をすることによりデット性資金の投資活動を促進するために利用する場合とに分けられよう。後者は，新株予約権付社債のように，第一義的に調達される資金はデット性の資金であるものの，資金供与者にはエクイティ性の権利を取得する機会を付与する商品のように，デット性の資金調達のために，エクイティ性の新株予約権を同時に付与する場合である。広義には，エクイティ・キッカーとしての利用（あるいは投資促進のためのスイートナーとしての利用）類型と捉えることができようか。

　ところで，会社が自らの資金調達の手段として直接的に新株予約権を用いることについては，新株予約権の性質に照らし，新株予約権の発行により発行会社が得られる金額（資金調達額）が，通常の新株発行の場合におけるそれに比して一般的には非常に小さいと考えられることから，想定しにくいともいわれてきた。

　しかしながら，金融市場・証券市場における金融手法の創意工夫は目覚ましく，現在では新株予約権を資金調達手段として用いる手法が複数登場し，定着しつつあると考えられる。そもそも，株式が経営と所有を分離しつつ投資家から資金を集めるための仕組みである株式会社制度の根源的な目的に係るものであるのと同様に，株式を取得する権利を内包する新株予約権も本来的には株式会社にとって資金調達のために機能してしかるべきである。かかる観点からは，新株予約権の本来的な性格に着目した利用が，遅ればせながら定着し始めたとの評価もできよう（もっとも，現在までに登場している手法においては，新株予約権自体の払込価額は低額であって，払込価額そのものを調達資金として用いる手法ではないため，厳密には新株予約権の発行自体を直接の

資金調達手段とするものではない)。

　なお，インセンティブ付与目的での利用の典型例であるストック・オプションについては**本編第1章**を，ミドルリターンの提供のための利用の典型例である新株予約権付社債については**本編第2章**を，さらに，買収防衛策としての利用に関しては**本編第4章**を，それぞれ参照されたい。

■2　実務で用いられている手法の諸類型

　実務において用いられるに至っている，資金調達手段としての新株予約権の利用類型としては，

① 　新株予約権の枠外における別途の契約の存在をいわば「触媒」として，会社法上，新株予約権の内容として定めることができないまたは定めたとしても実現できない事柄を当該契約により実現しつつ，新株予約権を用いて資金調達を実現する類型と，

② 　金融商品取引法上の要請その他の原因により，通常の新株発行の方法による資金調達が実現しがたいような場合に，通常の新株発行に代えて新株予約権を発行する類型

とがあげられる。

　具体的には，①の類型に該当する資金調達手段としては，エクイティ・コミットメントラインが典型的であると考えられる。これに対して，②の類型の典型例としてはMSワラント（Moving Strike Price Warrant）があげられよう（ただし，3－3において後述するとおり，②の類型に関しては，新株発行に代えて新株予約権を発行することのみで，金融商品取引法上の要請その他を常に適法に回避できるわけではないことには注意を要する)。

　もっとも，①および②のいずれの類型も，将来における資金調達ニーズにあらかじめ備えておくことで，将来的に火急な資金調達ニーズが発生したとしても必要な資金を機動的に調達する手段を用意することを目的とする点では共通する。いずれも，新株予約権の特徴，すなわち，権利行使がなされる時点で初めて権利行使価額が払い込まれ，これによりエクイティ性資金が調

達される一方で，新株予約権自体の発行価額は低額であるという特徴を直接的に利用する資金調達手段であるといえよう。

3 資金供与者と資金調達者との間の法律関係の規律

いうまでもなく，新株予約権を資金調達手段として用いようという場合，調達される資金は，エクイティ性の資金であることが想定されている。そして，新株予約権を用いる場合，新株予約権者と発行会社との間の法律関係は，いうまでもなく第一義的には（会社法が許容する範囲内で定められる）新株予約権の内容により規律される。

しかしながら，エクイティ性の資金は，株式または新株予約権（あるいは新株予約権付社債）の発行のみから得られるものであるから，資金供与者と資金調達者たる発行会社との間の法律関係は，会社法が認める範囲内で，株式または新株予約権の内容として定めるところにより規律することとなる，といった形式論にとらわれるべきではない。従前から，匿名組合契約に基づく出資のように，「契約」に基づき調達される資金であってもエクイティ性が認められるものも存在し，また，そもそも株式や新株予約権も，コーポレート・ファイナンス理論においては，株主と会社との間における「契約」として捉えられている。株主間の平等の確保や流動性確保といった便宜性の観点から，株式や新株予約権については，その内容を一定の範囲で定型化しているにすぎないのであって，エクイティが，根源的に「契約」による規律と相容れないというわけではない。

新株予約権を資金調達手段として用いようという場合にも，新株予約権は会社法が許容する範囲でのみその内容を定めることができる硬質なものである，といった固定観念にとらわれずに，借入れなどのデット性資金の調達の場合と同様に，契約内容を柔軟に定めることにより，資金調達に係る条件・内容を柔軟に調整しようとする姿勢が肝要と思われる。

さらにいえば，「エクイティ」と「デット」の区分の相対化が進んだ会社法のもとにおいては，新株予約権や株式（特に種類株式）を，資金供与者と

発行会社との間における法律関係を「契約」のみにより規律した場合に直面する「壁」を打破するためのツールとして用いるとの発想が求められ，パラダイム・シフトが進んできた。

　３−２において詳述するところの，実務において現に用いられているエクイティ・コミットメントラインを１つの例とすれば，エクイティ・コミットメントラインの本来の目的とは，資金調達者側がいつでもエクイティ性の資金を調達できることを確保すべく，資金供与者側がエクイティ性資金を，一定の枠内であればいつでも資金調達者に対して提供することを約することを内容とするものであり，資金供与者からすれば新株予約権の取得そのものに意味があるものではない。しかしながら，他方で，資金調達者たる発行会社と資金供与者たる割当先との間における権利義務関係を「契約」のみで規律し，新株予約権を利用しないままとしたのでは，資金調達者にとっては調達に際しての機動性が確保しきれず，また，資金供与者にとっても，資金調達者に対する（議決権等を介した）影響力の確保や投下資本回収の途の用意との観点で不十分な点が残ってしまうことから，両者間の利害を調整するためのツールとして，会社法が用意している新株予約権という制度を用いるものであるにすぎないと評価することもできるのである。

　すなわち，３−２において後述するとおり，たとえば資金調達者と資金供与者との間において，資金調達者が通常の新株発行を行った場合には必ず資金供与者が一定額にて当該新株を取得する旨を約することを内容とする「契約」を締結するだけでは，資金調達者においては，新株発行により資金を調達するまでの間に，取締役会や株主総会における決議といった内部手続を経ることを要するほか，当該発行につき，金融商品取引法上の募集手続を遵守することが必要となりうるなど，資金調達までに時間を要し，機動性に欠ける場合がある。また，資金供与者が当該契約を遵守しなかった場合における法的効果につき不透明さも残る。他方，資金供与者の側からも，通常の新株発行を前提とするのでは，その取得行為が金融商品取引法上の引受行為に該当してしまい，引受審査を行わない限りは取得しえないまたは引受行為に該

当しないよう転売目的での取得を前提としないことが必要となってしまう，といった不都合が生じることとなる。そこで，会社法が用意している新株予約権という制度をツールとして用いることにより，これらの諸問題を解決せんとする１つの工夫が，現在実務において用いられているエクイティ・コミットメントラインであるといえよう（もっとも，種々の法的論点について慎重な検討を要することは，３－２において述べるとおりであるし，他の工夫の方法ももちろん存在する）。

以上に対して，新株予約権の内容のみならず「契約」による規律を介在させたのでは，第三者効が認められず，契約当事者間でしか拘束力がないために，発行会社等のニーズに適さず，したがって「契約」を一切用いない仕組みとすることが求められる場合もあろう。このような場合には，「契約」の要素を新株予約権や種類株式の内容に取り込む工夫を加えることにより，新たな資金調達手法が考案されることになると思われる。

今後も，金融市場・証券市場において，エクイティ・コミットメントラインや MPO（Multiple Private Offering）とは異なるニーズを背景としつつ，資金調達者および資金供与者間の権利義務関係の規律または利害関係を調整するためのツールとして，新株予約権がエクイティ・コミットメントラインやMPOとは異なる形で用いられることは当然に予期されるところである。

■4　調達資金の性質――「エクイティ」と「デット」

ところで，「デット」と「エクイティ」の区分が相対化している昨今，「デット」である事実または「エクイティ」である事実自体は，意味を失いつつある。むしろ，たとえば，(1)資金供与者＝投資家が得られる投資リターンに係る課税の内容（現在の税務における二分法的処理を前提とすれば，利子課税に服するか，配当課税に服するか），(2)自己資本比率規制における取扱い（自己資本の一部と取り扱われるか否か），(3)資金調達者の倒産時における取扱い（破産債権と扱われるか否か），および(4)会計上資本の部に計上されるか否か，あるいは有利子負債として取り扱われるか否か，といった「効果」面に着目

して資金調達手段が選択され、資金調達者・資金供与者が目的としている効果を得るためのツールとして、新株予約権が用いられることになると思われる。

5 今後の発展

紙幅の都合もあるため詳述はしないが、今後、資金調達手段として新株予約権が利用される局面・類型の例としては、（ミドルリターンの提供のための新株予約権付社債の発行を除けば）以下があげられようか。

① 新株予約権付社債に代替するものとして、新株予約権付ローンを実現するための利用（なお、後述3－4参照）
② 上記①と交錯する部分もあるが、アーリー・リストラクチャリングの文脈等においても利活用が想定されうる、いわば「デット・エクイティ・スワップ・コミットメントライン」を設定するための新株予約権の利用
③ 複数の事業会社が合弁会社を設立する場合における利用
④ LBO（Leveraged Buy-Out）やMBO（Management Buy-Out）その他の手法による企業買収取引、あるいはスタートアップ企業の成長局面における資金調達に関連して、実質的買収者あるいはスポンサーのリスクマネーの回収の方途としての利用（いわゆるエクイティ・キッカーやスイートナーとしての利用を含む）
⑤ 自己資本比率規制に服する銀行その他の預金受入金融機関等における、自己資本比率規制上の自己資本の解放、またはBISファイナンス達成の手段としての利用

以上に加えて、日本版SPACの導入への期待が高まりつつある昨今においては、米国SPAC市場において私募ワラントと公募ワラントが発行されることが一般化している中、日本版SPACが導入された暁にどのように新株予約権が資金調達目的で利用されていくかも関心が高まろう。

また、現在実務において用いられているエクイティ・コミットメントライ

3-1 実務で用いられる資金調達手段としての新株予約権の諸類型

ンの発展形として，現金担保付エクイティ・コミットメントラインの登場も予想されうる。3－2において後述するとおり，エクイティ・コミットメントラインは新株予約権者（割当先）の信用リスクを発行会社が負担するものであるが，事案によっては，信用リスクの負担を排除するための仕組みが必要になりえ，その場合には金銭信託を設定してその受益権に質権を設定するといった工夫が必要となると思われるのである。

さらには，事前払込型エクイティ・コミットメントラインともいうべき商品が登場する余地もあろう。TOB（Take Over Bid）決済資金を調達する手段としての利用など，短期間のコミットメントで足りるような場合には，新株予約権付社債を利用したり，取得条項に工夫を加える等により，発行会社サイドにおいては新株予約権行使時の行使価額が確実に払い込まれることを確保しつつ，他方で資金供与者サイドとしても一定の条件が充足されていなければ確実に（事前に払い込んだ）資金を回収する手段が確保される仕組みが構築され，利用されうるように思われるのである。昨今の裁判例により，取得条項の存在を根拠として新株予約権の払込価額を低額に抑えようとした場合には有利発行規制に抵触する懸念が高まっていることも事前払込型エクイティ・コミットメントラインの利用を促進する要素となる可能性もあろう。

ところで，エクイティ・コミットメントラインは，現在の実務においては常に割当先との間における契約関係を「触媒」としているが，将来的には，会社法の解釈・実務の深化に伴い，かかる「触媒」を前提とせず，資金供与者と発行会社との間における法律関係を新株予約権または新株予約権付社債の内容のみによって規律するタイプのものも登場する可能性もあり，「エクイティ・コミットメントライン」の形態ではないものの，現にこれに類する効果を発揮することが企図されているものも市場で見受けられる。あるいは，新株予約権者による新株予約権の行使が確保されるわけではないものの，行使することにインセンティブ（または行使しないことにディスインセンティブ）を課すことにより，一定の確度で行使されるように仕組むタイプ，

441

第Ⅱ編　第3章　資金調達手段としての新株予約権

交付株式数が固定され，行使価額の上昇により調達金額が増大するタイプや行使条件を発行会社の業績とリンクさせるタイプのエクイティ・コミットメントラインあるいはその他の新株予約権を用いた資金調達手法が紹介されており，仕組みや経済性等の設計も多様化している。

　以上を踏まえたうえで，本章においては，現在実務において用いられている新株予約権を利用した資金調達手段である，エクイティ・コミットメントライン，新株予約権付ローンおよびMSワラント，さらにはライツ・オファリングにつき，その具体例，内容を紹介したうえで，法的論点の考察を行う。そのうえで，3－6および3－7において資金調達手段として用いられる新株予約権の会計処理および税務上の取扱いについて触れておくこととする。

3-2 エクイティ・コミットメントラインに関する諸問題

■1 エクイティ・コミットメントラインとは

　本節では，エクイティ・コミットメントライン（あるいはエクイティ・ファシリティ）と呼ばれる新株予約権を利用した資金調達手法を取り扱う。

　エクイティ・コミットメントラインとは，公表事例としては平成17年ころから市場に登場し始めた新株予約権を利用したエクイティによる資金調達手段の一形態であり，資金調達を行おうとする会社（本節において，以下，「発行会社」という）が第三者割当てによって証券会社（発行会社が第三者割当てによって新株予約権を割り当てた証券会社を本節において，以下，「割当先」という）に対して新株予約権を発行し，コミットメント条項付第三者割当契約を当該割当先と締結することにより，機動的な資金調達を達成しようとするものである。発行会社の指示により割当先が新株予約権を行使することをコミットする仕組みであり，借入れに係るコミットメントラインの株式版ともいえるものであることから，エクイティ・コミットメントラインと呼ばれている。その特質は，本来は新株予約権者に帰属するところの，行使するか否かの意思決定権限を第三者割当契約という契約を触媒として発行会社側に移譲させることにある。その意味では，新株予約権を利用するものではあるものの，新株予約権の内容自体に特殊な条項を仕組むものではなく，「新株予約権」＋「契約」により実現されるものである。エクイティ・コミットメントラインの仕組みを導入した各発行会社より公表されている資料によると，

第Ⅱ編 第3章 資金調達手段としての新株予約権

各エクイティ・コミットメントラインのスキームに共通する仕組みの概要は以下のように整理できる。

図表3－1　エクイティ・コミットメントラインの概要

① 発行会社は割当先に対して新株予約権を発行する。新株予約権の割当てに際して，発行会社と割当先は，発行会社が新株予約権の行使指示を行った場合に割当先が新株予約権を行使する旨の合意を行う。
② 発行会社に現実に資金需要が生じたときは，発行会社は，割当先に対して，発行会社が希望する個数の新株予約権を行使するよう，指示を行う。かかる指示に従って割当先は新株予約権の行使を行う。
③ 割当先は新株予約権の行使に係る払込金額を発行会社に対して支払う。発行会社は，割当先に対して，払込金額と時価に連動した1株当たりの行使価額に応じて割り当てるべき株式を交付する。
④ 割当先は，発行会社から交付を受けた株式を売却することにより資金を回収する。

図表3－2　エクイティ・コミットメントラインのスキーム

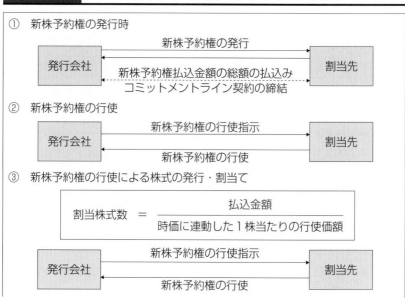

3-2 エクイティ・コミットメントラインに関する諸問題

④ 割当先による株式の売却

　一般に，発行会社は，エクイティ・コミットメントラインを活用することにより，資金調達ニーズに応じた機動的なエクイティ性資金の調達を実現できると説明されている。すなわち，株式の公募増資によって資金調達を行う場合であれば，会社法上，取締役会の決議（法201条1項）や募集事項の通知または公告（法201条3項・4項）などの手続が必要となり，かつ，金融商品取引法に基づく有価証券届出書の提出も必要となりうるため，資金調達に一定の時間を要することになる。特に発行登録制度を利用することのできない発行会社にとっては，有価証券届出書の提出のための手続的な負担がいっそう重くなることになる。これに対して，いったんエクイティ・コミットメントラインを設定した場合には，発行会社は，割当先に対して新株予約権を行使する旨の指示を行うことによって取締役会決議などの手続を経ることなくエクイティ性の資金を調達することが可能となり，また株式の割当てに際しては，有価証券の募集または売出しがないため有価証券届出書の提出も必要とされないと解される（なお，新株予約権の発行に際して金融商品取引法に基づく開示規制に服する必要がありうることには留意が必要である）。昨今の経済環境においては，M&Aなどによる事業展開のために迅速な資金調達が必要とされる場面もあり，また運転資金としてエクイティ性の資金調達を柔軟に行うことのニーズも存在する。エクイティ・コミットメントラインは，このような資金調達ニーズに応える仕組みであると評価することができよう。なお，その可否については今なお議論の残るところではあるが，新株予約権があらかじめ発行されているため，資金供与者たる割当先が約定に反して発行会社からの指示に従わなかった場合には，新株予約権を行使する旨の意思表示を求める裁判を介し，強制執行によってエクイティ性資金を調達することができる可能性が生じた点でも，発行会社にとって有用性は高いといえよ

う。

　また、割当先である新株予約権者（証券会社等）は、第三者割当契約において発行会社の指示なく新株予約権を行使しない旨を約定することがある。このような純然たるエクイティ・コミットメントラインを利用した場合には、発行会社の指示によってのみ新株予約権が行使される。そのため、MSCB（Moving Strike Convertible Bond（MSCB））を利用した資金調達その他の割り当てた新株予約権の行使について発行会社が指図権を有しない資金調達手段においては、（一定期間経過後に対価の低下するコールオプションをつけること等により、裁量行使に一定のインセンティブ（方向づけ）をすることが可能であるものの、法的な分析としては）割当先である証券会社等の裁量によって株式数が増加することになり、既存株主の権利が希釈化されるおそれが生じるのに対して、エクイティ・コミットメントラインを利用した場合には既存株主の権利の希釈化リスクについて発行会社のイニシアティブによって管理を行うことが可能となる。したがって、発行会社の資金調達ニーズのタイミング次第では、既存株主の権利に対する影響についてMSCB等よりも柔軟な対応がとれるエクイティ性の資金調達手段として、エクイティ・コミットメントラインを利用することのほうが有利である場合もありえよう（もっとも、前述のとおり、エクイティ・コミットメントラインの場合、触媒たる「契約」の内容により大きく左右されうるため、発行会社にとっての希釈化リスクがMSCB等と同様に存在することもありうる）。

　以上のようなメリットを有するエクイティ・コミットメントラインであるが、後述のとおり、エクイティ・コミットメントラインには、MSCB等と共通する論点を含めて多様な法的論点が存在する。したがって、エクイティ・コミットメントラインを利用するに際しては、これらの論点を十分に精査したうえで、自らの資金調達ニーズとの関係でなお資金調達手段として採用すべきものであるか、また、いかなる内容の「契約」とすべきかを検討することが肝要である。

　以下、本節においては、まず、実際にエクイティ・コミットメントライン

を設定した企業より公表されている資料を参考としてエクイティ・コミットメントラインにおける新株予約権およびコミットメント条項の具体的な内容について紹介する。そのうえで、エクイティ・コミットメントラインに関する法的論点の考察を行う。

ところで、借入れに係るコミットメントラインの場合と同様、エクイティ・コミットメントラインにおいても、発行会社は割当先の信用リスクに注意を払わなければならない（後述■3(6)参照）。エクイティ・コミットメントラインを設定しても、割当先に行使価格を払い込む資金力がなければ機動的な資金調達も画餅に帰すためである。

■2 エクイティ・コミットメントラインの具体例とその内容

本項では、実際にエクイティ・コミットメントラインを設定した企業より公表されているプレス・リリースなどの資料を参考として、エクイティ・コミットメントラインにおける設定の目的、新株予約権の発行要項およびコミットメント条項の内容を紹介する。なお、本項の記載は公表されている資料によって明らかにされている範囲でその内容を紹介するものであり、実際には、各案件ごとに非公表のアレンジメントが存在しうると推測される。また、いうまでもなく、法制度の改正、学説・判例の蓄積、実務慣行の変動などによって、以下の具体例が実務に妥当しなくなることもありうることには留意されたい。

(1) 設定の目的

エクイティ・コミットメントラインを設定する場合における共通の目的としては、資金需要に応じた機動的な資金調達を実行することを可能とすることがあげられている。もっとも、その具体的な資金需要については、各発行会社ごとに区々であり、調達資金の使途については、① M&A、業務提携、事業買収、子会社への出資、海外展開などの事業展開に関する資金需要を掲

げるもの，②新たに組成する不動産投資ファンドの出資金などの投資に関する資金需要を掲げるもの，③運転資金とするもの，④既存の借入金の返済資金とするものなどさまざまである。

図表3－3　エクイティ・コミットメントラインにおけるプレス・リリース中の新株予約権発行の理由の記載例

> アートスパークホールディングスが平成31年2月15日付けで公表したプレス・リリースに記載の「資金調達の主な目的」（抜粋）
>
> 2．募集の目的及び理由
> (1) 資金調達の主な目的
> 〔省略〕
> 　また，本件M&Aにより当社グループの大幅な事業拡大が見込まれること，今回の資金調達により継続的なシステム研究開発や人件費，企業買収等の投資への柔軟性の確保が可能となること等から，本日付で平成35年12月期までを実行期間とする中期経営計画を公表しております。
> 　他方で，本件M&Aに際しては，当社は，Canderaの株式取得価額2,000百万円のうち1,500百万円について銀行借入を行っております。将来に亘って当社グループが「クリエイターサポート事業」及び「UI/UX事業」を成長させ，企業価値の向上を目指していくにあたっては，継続的なシステム研究開発や人件費，企業買収等への投資が不可欠であり，そのためには自己資本の充実に加え，借入金の低減を図り，財務基盤の強化及び将来の投資需要に柔軟に対応できる財務柔軟性の確保を図ることが重要と考えております。かかる観点から，この度，本件M&Aに関連する借入金の返済を目的としてエクイティ性のファイナンスによる資金調達を行うことといたしました。
> 　当社グループは，今回の資金調達により，当社グループの更なる成長と安定的な財務体質の構築を実現し，企業価値の向上を図ることで，株主の皆様はじめステークホルダーの利益の最大化に努めてまいります。
> 　なお，今回のエクイティ・ファイナンスにおける具体的な資金使途及び支出予定時期につきましては，下記「3．調達する資金の額，使途及び支出予定時期(2) 調達する資金の具体的な使途」に記載しております。

3-2 エクイティ・コミットメントラインに関する諸問題

図表3－4 エクイティ・コミットメントラインにおけるプレス・リリース中の資金調達の使途の記載例

① 綜合臨床薬理研究所が平成17年8月18日付けで公表したプレス・リリースに記載の「発行の理由」および「今回調達資金の使途」
(1) 発行の理由
　当社は，M&A案件等により資金需要が発生した際の機動的な資金調達手段の確保を目的として，本新株予約権を発行いたします。
(2) 今回資金調達の使途
　本新株予約権の発行による差引手取概算額4,991,881,600円（当初の行使価額により計算。）は，M&A案件等に充当する予定であります。

② アートスパークホールディングスが平成31年2月15日付けで公表したプレス・リリースに記載の「調達する資金の具体的な使途」
(2) 調達する資金の具体的な使途
　上記差引手取概算額1,260,539,000円につきましては，上記「2．募集の目的及び理由(1)資金調達の主な目的」に記載しておりますとおり，本件M&Aに関連する借入金の返済を目的として，下記のとおり充当する予定であります。

具体的な使途	金額（百万円）	支出予定時期
本件M&Aに関連する借入金の返済	1,260	平成31年3月～平成34年3月
合計	1,260	

〔以下省略〕

③ 古河機械金属が平成22年12月20日付けで公表したプレス・リリースに記載の「今回の募集の目的及び理由」
　本新株予約権の第三者割当及びその行使による調達資金については，機械事業の海外展開，金属事業の鉱山権益の取得，電子化成品新製品の事業展開へ向けた投資資金を主たる資金使途といたします。これにより事業面での積極的な展開を図る体制が整うことで，外部環境の緩やかな回復と同時に当社事業の一層の回復及び成長の実現が可能と考えております。
〔以下省略〕

(2) 新株予約権の発行要項

次に，エクイティ・コミットメントラインにおいて利用される新株予約権の発行要項について，エクイティ・コミットメントラインに特有の内容となっている条項を中心に解説する。なお，以下の解説の中では端数処理などの形式的な事項についての説明は省略する。

① **新株予約権の目的である株式の種類および数**（図表3－5 7項参照）

新株予約権の目的である株式の種類は，発行会社の普通株式とされることが一般的である[1]。

また，行使によって発行会社が新たに発行し，または発行会社の保有する株式を移転する数は，行使請求に係る新株予約権の数に一定金額を乗じ，これを行使価額（新株予約権の行使により発行会社が株式を交付する場合における株式1株当たりの価額）で除した数とすると規定する例が多いようである。このような事例については，後述のとおり，行使価額について修正が行われることによって，新株予約権の目的である株式の数は変動することになる点に留意が必要である。これに対して，新株予約権の目的である株式の数が（株式の発行または分割などが行われる場合に調整されることを除き）一定とされている事例も見受けられる。

② **新株予約権の行使に際して出資される財産の価額**（図表3－5 11項参照）

各新株予約権の行使に際して出資される財産は金銭とし，新株予約権の行使に際して出資される財産の価額は，行使価額に割当株式数を乗じた額と規定したうえで，当初の行使価額を定める例が一般的である。なお，行使請求に係る新株予約権の数に一定金額を乗じた額としたうえで，行使請求によって生じる端数を現金によって精算するとの整理を行っている事例もある。

---

[1] 普通株式ではなく社債に近い内容の種類株式を新株予約権の目的とするエクイティ・コミットメントラインのアレンジを検討するものとして，品谷篤哉「貸金業法の制定とエクイティ・コミットメントライン」布井千博ほか編『会社法・金融法の新展開』224頁以下（中央経済社，2009）参照。

③　行使価額の修正（図表３－５　12項参照）

　新株予約権の各行使請求の効力発生日（以下，「修正日」という）の前日までの３連続取引日の金融商品取引所における発行会社の普通株式の終値の平均値の90％に相当する金額（以下，「修正日価額」という）が，当該修正日の直前に有効な行使価額を１円以上上回る場合または下回る場合には，行使価額は，当該修正日以降，当該修正日価額に原則として修正されるとし，修正後の行使価額が一定の下限を下回ることとなる場合には行使価額は当該下限とするといったような内容の行使価額修正条項が設けられている事例が多いようである。修正日価額については，３連続取引日ではなく，より長期間の取引日の終値の平均値や売買高加重平均価格をとる事例や直近の取引日の終値をとる事例も見受けられる。また，修正される行使価額の下限を設定する事例もある。

　このような行使価額修正条項はMSCBにおける転換価額修正条項に類似するものといえる。もっとも，MSCBにおける転換価額修正条項については週ごとあるいは月ごとに定期的に転換価額の修正が行われる事例が多いのに対して，エクイティ・コミットメントラインにおける行使価額修正条項は，上記のように新株予約権の行使請求の効力発生日を基準にその直前の数取引日の株式の終値の平均値を用いて行使価額を決定する事例が多い。このような事例では，割当先が発行会社の株式を新株予約権の行使時の市場価格より10％のディスカウントで株式を取得できる確率は，上記の転換価額修正条項の付されたMSCBよりも高いと評価できる[2]。この点，エクイティ・コミットメントラインによって新株予約権を割り当てられた割当先は，新株予約権の行使によって取得する発行会社の株式を原則として長期保有する意思を有していないことが公表されている事例も多いところ，証券会社は新株予約権の行使後直ちに取得した発行会社の株式を投資家に対して売却するシナリオを想定していると推測される。そのような推測からは，行使価額修正

---

[2] 小木曽良忠「開示規制，インサイダー取引等に係る法的論点」旬刊経理情報1101号24頁（2005）。

条項については，売れ残りの在庫の株式が出ないように工夫された，よく考えられた仕組みとの評価もなされるところである[3]。なお，定期的に行使価額の修正が行われる内容のエクイティ・コミットメントラインの事例も見受けられる。

　ただし，後述のとおり，行使価額修正条項については，有利発行該当性やいわゆる下方スパイラルの観点から検討しておくべき問題がある。

　④　**新株予約権を行使することができる期間**（図表3－5　14項参照）

　新株予約権を行使することができる期間については，1年から3年程度の期間が定められることが一般的である（期間が長いものとしては，**図表3－5**の事例のように5年の期間が定められる例もある）。

　⑤　**新株予約権の取得事由**（図表3－5　16項参照）

　新株予約権の割当日の翌日以降，発行会社の取締役会が取得する日を定めたときは，法定の手続に従って発行会社が残存する本新株予約権の全部または一部を取得することができると定められることが一般的である。

　⑥　**新株予約権の譲渡制限**

　新株予約権の譲渡について，発行会社の取締役会の承認を要するとの譲渡制限が設けられることが一般的である。

　エクイティ・コミットメントラインは，新株予約権自体に基づく権利関係に加えて，発行会社と割当先との間における「契約」にコミットメント条項の合意が含まれ，かかる条項に基づく権利関係が存続することを前提として初めて成り立つものである（かかる観点からは，エクイティ・コミットメントラインは，本来は契約のみによって組成することが望まれるものを，新株予約権を触媒として成立させているものであるとの評価も可能である）。もっとも，コミットメント条項は発行会社と割当先との間の相対の合意にすぎず，その効力は当事者間にしか及ばない。したがって，新株予約権が第三者に譲渡された場合には，当該第三者がコミットメント条項に係る債務を引き受けるか，

---

(3)　小木曽・前掲注(2)24頁。

3-2 エクイティ・コミットメントラインに関する諸問題

あるいは発行会社が当該第三者との間で新たに合意を行わない限り，コミットメント条項の効力は第三者に及ばないことになってしまう。その場合には，発行会社の資金調達ニーズに応じた機動的な資金調達というエクイティ・コミットメントラインの目的を達成することはできなくなろう。以上の観点から，割当先にとっては新株予約権を転売することによる投下資本の回収手段を奪われることになるものの，前述のとおり，新株予約権の譲渡について，発行会社の取締役会の承認を要するとの譲渡制限が設けられることが一般的となっている。

この点，公表されている資料による限り，新株予約権の発行要項に特段の譲渡制限が定められていないエクイティ・コミットメントラインも存在するようである。もっとも，前述のとおり第三者に新株予約権が譲渡された場合にはコミットメント条項の効力が当該第三者に及ばないことになるため，新株予約権の譲渡が完全に自由とされるのでは，エクイティ・コミットメントラインとしての効果がきわめて脆弱なものとなってしまう。そこで，新株予約権の発行要項に特段の譲渡制限が定められていない場合であっても，発行会社と割当先との間の契約において，合意によって新株予約権の譲渡制限が図られているものと推測される（**図表3－5**の事例においては，新株予約権の発行要項に譲渡制限は定められていないようであるが，割当先との間で本新株予約権を第三者に譲渡することができない旨の合意を行うことが，プレス・リリースにより開示されている）。

⑦ **新株予約権の払込金額およびその行使に際して出資される財産の価額の算定理由**（**図表3－5** 19項参照）

会社法上，新株予約権を発行する際に，その内容として決定することが必要とされているわけではないが，新株予約権の払込金額については，新株予約権の発行要項および割当先との間の第三者割当契約の内容などを考慮し，一般的な価格算定モデルであるブラック＝ショールズ・モデル，二項モデルまたはモンテカルロ・シミュレーションによる算定結果を参考として算定したことが発行要項に記載されることが一般的である。

当初の新株予約権の行使に際して出資される財産の価額については，新株予約権の発行に関する決議を行った取締役会の開催日の直近の金融商品取引所における発行会社の株式の普通取引の終値を基準としている例が多い。かかる終値に5％ないし10％を上乗せした金額としている例も見受けられる。ただし，前述のとおり，かかる金額は行使価額修正条項によって修正されることになる。

後述のとおり，新株予約権の払込金額は有利発行規制の対象となるか否かに関わるものであり，その設定には慎重な検討が求められる。

図表3－5　エクイティ・コミットメントラインにおける新株予約権の発行要項の具体例

古河機械金属が平成22年12月20日付けで公表したプレス・リリースに記載の新株予約権の発行要項（抜粋）

古河機械金属株式会社第1回新株予約権発行要項

1. **本新株予約権の名称**
   古河機械金属株式会社第1回新株予約権（以下「本新株予約権」という。）

2. **本新株予約権の総数**
   100,000個

3. **本新株予約権の払込金額の総額**
   金53,000,000円

4. **本新株予約権の申込期日**
   平成23年1月5日

5. **本新株予約権の割当日及び払込期日**
   平成23年1月5日

6. **募集の方法及び割当先**
   第三者割当の方法により，すべてみずほ証券株式会社に割り当てる。

7. 本新株予約権の目的である株式の種類及び数

本新株予約権の目的である株式の種類は当社普通株式とし，その総数は100,000,000株とする。（本新株予約権1個の行使により当社が当社普通株式を新たに発行又はこれに代えて当社の有する当社普通株式を処分（以下，当社普通株式の発行又は処分を「交付」という。）する数（以下「割当株式数」という。）は1,000株とする。）

ただし，第8項により割当株式数が調整される場合には，本新株予約権の目的である株式の総数は，調整後割当株式数に応じて調整されるものとする。

8. 本新株予約権の目的である株式の数の調整
   (1) 当社が第13項の規定に従って行使価額（第11項に定義する。）の調整を行う場合には，割当株式数は次の算式により調整される。ただし，調整の結果生じる1株未満の端数は切り捨てるものとする。

$$調整後割当株式数 = \frac{調整後割当株式数 \times 調整前行使価額}{調整後行使価額}$$

上記算式における調整前行使価額及び調整後行使価額は，第13項に定める調整前行使価額及び調整後行使価額とする。

   (2) 調整後割当株式数の適用日は，当該調整事由にかかる第13項第(2)号及び第(4)号による行使価額の調整に関し，各号に定める調整後行使価額を適用する日と同日とする。
   (3) 割当株式数の調整を行うときは，当社は，あらかじめその旨及びその事由，調整前割当株式数，調整後割当株式数及びその適用日その他必要な事項を新株予約権者に書面により通知し又は公告する。ただし，第13項第(2)号④に定める場合，その他適用の日の前日までに前記の通知又は
   公告を行うことができないときは，適用の日以降すみやかにこれを行う。

9. 各本新株予約権の払込金額

金530円（本新株予約権の目的である株式1株あたり0.530円）

10. 新株予約権証券

〔省略〕

11. 本新株予約権の行使に際して出資される財産の価額
   (1) 各本新株予約権の行使に際して出資される財産は金銭とし，その価額は，本新株予約権1個につき，行使価額（ただし，第12項又は第13項によって修正又は調整された場合は，修正後又は調整後の行使価額とする。）に割

当株式数を乗じた額とする。
(2) 本新株予約権の行使に際して出資される当社普通株式1株あたりの金銭の額（以下「行使価額」という。）は，当初金106円とする。ただし，行使価額は第12項又は第13項に定めるところに従い修正又は調整されることがある。

12. 行使価額の修正

平成23年1月6日以降，行使価額は，第18項第(3)号に定める本新株予約権の各行使の効力発生日（以下「修正日」という。）の直前取引日の株式会社東京証券取引所における当社普通株式の普通取引の終値（同日に終値がない場合には，その直前の終値）の90％に相当する金額に，当該修正日以降修正される。ただし，かかる修正後の行使価額が70円（以下「下限行使価額」という。ただし，第13項による調整を受ける。）を下回る場合には，行使価額は下限行使価額とする。

13. 行使価額の調整

〔省略〕

14. 本新株予約権を行使することができる期間

平成23年1月6日から平成28年1月5日（第16項各号に従って当社が本新株予約権の全部又は一部を取得する場合には，取得される本新株予約権については，当社取締役会が定める取得日の前銀行営業日）までの期間（以下「行使期間」という。）とする。ただし，行使期間の最終日が銀行営業日でない場合にはその前銀行営業日を最終日とする。

15. 本新株予約権の行使の条件

各本新株予約権の一部行使はできないものとする。

16. 本新株予約権の取得の事由及び取得の条件

(1) 当社は，本新株予約権の払込期日の翌日以降，会社法第273条第2項（残存する本新株予約権の一部を取得する場合は，同法第273条第2項及び第274条第3項）の規定に従って，当社取締役会が定める取得日の2週間前までに通知又は公告を行った上で，当該取得日に，本新株予約権1個あたり金636円の価額で，残存する本新株予約権の全部又は一部を取得することができる。残存する本新株予約権の一部を取得する場合には，抽選その他の合理的な方法により行うものとする。
(2) 当社は，当社が消滅会社となる合併契約が当社株主総会で承認されたと

き又は当社が他の会社の完全子会社となる株式交換契約若しくは株式移転計画が当社株主総会で承認されたときは，会社法第273条第2項の規定に従って，当社取締役会が定める取得日の2週間前までに通知又は公告を行った上で，当該取得日に，本新株予約権1個あたり金530円の価額で，残存する本新株予約権の全部を取得することができる。

17. **本新株予約権の行使により株式を発行する場合における増加する資本金及び資本準備金に関する事項**
〔省略〕

18. **本新株予約権の行使の方法**
 (1) 本新株予約権を行使しようとする場合，第14項に定める行使期間中に第21項に定める行使請求受付場所に対して行使請求に必要な事項を通知するものとする。
 (2) 本新株予約権を行使しようとする場合，前号の行使請求の通知に加えて，本新株予約権の行使に際して出資される財産の価額の全額を現金にて第22項に定める払込取扱場所の当社が指定する口座に振り込むものとする。
 (3) 本新株予約権の行使の効力は，第21項に定める行使請求受付場所に対する行使請求に必要な全部の事項の通知が行われ，かつ当該本新株予約権の行使に際して出資される財産の価額の全額が前号に定める口座に入金された日に発生するものとする。この日を効力発生日という。

19. **本新株予約権の払込金額及びその行使に際して出資される財産の価額の算定理由**
 　本発行要項及び割当先との間で締結する予定のコミットメント条項付第三者割当契約に定められた諸条件を考慮し，一般的な価格算定モデルである二項格子モデルを基礎として第三者算定機関が算定した結果を参考に，
 　新株予約権1個の払込金額を金530円とした。さらに，本新株予約権の行使に際して出資される財産の価額は第11項記載のとおりとし，行使価額は当初，本新株予約権の発行に係る取締役会決議日の前取引日（平成22年12月17日）の株式会社東京証券取引所における当社普通株式の普通取引の終値と同額とした。
〔以下省略〕

(3) コミットメント条項（行使指定条項）

　エクイティ・コミットメントラインは，新株予約権に加えて発行会社と割当先との間でコミットメント条項（行使指定条項）についての合意がなされ，発行会社の指示により割当先が新株予約権を行使することをコミットすることによって成立する仕組みであり，新株予約権の内容とともにコミットメント条項の内容も本質的な要素である。コミットメント条項の内容やコミットメントフィーの水準などの条件が不合理なものとなっていないかについて，株主等の利害関係者が確認できるように，発行会社は，プレス・リリース等によって適切な開示を行うことが求められるといえよう。以下，公表されているプレス・リリース等によって明らかにされている範囲で，主なコミットメント条項の具体的な内容について紹介する。

① 総　論

　コミットメント条項とは，一定の条件に従って新株予約権を行使すべき旨および行使すべき新株予約権の数を発行会社が割当先に対して指定した場合，かかる指定を受けた割当先が一定の条件および一定の制限のもとで，割当てを受けていた発行会社の新株予約権の権利行使を行うことをコミットする内容の条項である。かかるコミットにより，発行会社に資金調達ニーズが生じた場合に，発行会社が割当先に対して通知を行うことによって，発行会社は，割当先から新株予約権の権利行使を通じたエクイティ性の資金調達が可能となる。このようなスキームにより，発行会社はニーズに応じた資金調達を機動的に行うことが可能となるとともに，発行会社のイニシアティブによって新株予約権の権利行使のタイミングを調整することが可能となる。

　なお，発行会社は割当先に対して新株予約権の行使可能期間および行使可能個数を指定することができるものの，割当先は新株予約権を行使する義務を負わないとするスキームの例も存在する（一例としてフリービット株式会社が平成19年12月28日付けで大和証券エスエムビーシー株式会社に割当てを行った新株予約権があげられる（フリービット株式会社が平成19年12月10日付けで

公表したプレス・リリース参照))。フリービット株式会社の事例では，新株予約権の行使価額について，原則として修正日の前日までの3連続取引日の金融商品取引所における発行会社の普通株式の売買高加重平均価格の平均値としたうえで，発行会社の取締役会が資金調達のために必要と認めて行使価額の修正の決議を行った場合には，翌営業日以降，行使価額が上記の平均値の92％に相当する金額に修正されるという仕組みがとられている。

② 指定の条件

具体的な内容は個々の事例によって相違するが，発行会社による新株予約権の行使に関する指定については，次のような条件が設定されている事例が多い。

まず，発行会社が1度に行使することを指定できる新株予約権の数には一定の限度が設けられている事例が多い。また，発行会社が複数回の新株予約権の行使に関する指定を行おうとする場合には一定期間以上の間隔を空けなければならないとされている事例も見受けられる。

さらに，一定の事由が発生している場合には，発行会社による新株予約権の行使に関する指定を行うことができないとされている事例が多い。かかる事由の具体例としては，①発行会社の株価が一定の水準を下回る場合，②未公表の発行会社に関するインサイダー情報がある場合，③発行会社の財政状態または業績に重大な悪影響をもたらす事態が発生した場合などがあげられる。

これらの条件は，割当先の経済的な利益の観点あるいは後述のエクイティ・コミットメントラインに関する法的論点に対応する観点からそれぞれ設定されるものと解される。もっとも，このような指定の条件を設定することは，発行会社の資金調達ニーズに応じた機動的な資金調達というエクイティ・コミットメントラインの目的を制約することになることには留意が必要である。

③ 割当先の裁量による権利行使

発行会社が新株予約権の行使に関する指定を行った場合の他，一定の場合

には割当先がその裁量により新株予約権の行使を行うことができるとされている事例も見受けられる。

具体的には，①割当先が特定数の新株予約権の権利行使を希望し，発行会社がこれを受諾した場合に割当先の自己の裁量による新株予約権の行使が認められる事例，②一定期間（新株予約権の行使請求期間の最後の1カ月間など）に限り，一定の限度で割当先の自己の裁量による新株予約権の行使が認められる事例などが存在する。

また，原則として割当先による新株予約権の行使を認めたうえで，株価動向等を考慮して発行会社が新株予約権の行使を望まない場合には，発行会社の指定する期間，新株予約権の行使を禁止することができるという行使停止条項を設けているエクイティ・コミットメントラインの事例もある。この場合，行使停止条項に基づく新株予約権の全部または一部の行使を認めない期間の指定およびその取消しについては，発行会社の裁量によって決定することができるとされる。ただし，一定期間（たとえば，新株予約権の行使請求期間の最後の1カ月間など）については，新株予約権の行使を認めない期間として指定することができない。

一定の場合に割当先にその裁量による新株予約権の行使を認める建付けは，割当先の経済的な利益の観点から設けられるものと解される。もっとも，割当先の裁量による新株予約権の行使を認めることは，発行会社の資金調達ニーズに応じた機動的な資金調達というエクイティ・コミットメントラインの目的を制約することになることには留意が必要である。

④ 取得請求

発行会社の株式の取引所における終値または一定期間におけるかかる終値の平均値が一定の水準を下回った場合には，割当先が発行会社に新株予約権の取得を請求することができ，かかる請求がなされた場合，発行会社は，新株予約権の発行要項に従い，新株予約権を取得しなければならないとされている事例もある。

このような割当先の権利は，割当先の経済的な利益の観点から設けられる

3-2 エクイティ・コミットメントラインに関する諸問題

ものと解される。もっとも，割当先の権利として取得請求を認めることは，発行会社の資金調達ニーズに応じた機動的な資金調達というエクイティ・コミットメントラインの目的を制約することになることには留意が必要である。

⑤ プレス・リリースによる開示

投資家に対する情報開示の観点から，発行会社による新株予約権の行使に関する指定がなされた場合や割当先の希望および発行会社の承諾によって新株予約権の行使がなされる場合には，その都度プレス・リリースを行うとされている事例も見受けられる。

| 図表3－6 | エクイティ・コミットメントラインにおける新株予約権の権利行使時のプレス・リリースの具体例 |

① 綜合臨床薬理研究所が平成17年12月14日付けで公表したプレス・リリース（発行会社による新株予約権の行使に関する指定がなされた場合）

平成17年12月14日

各位

会社名　株式会社綜合臨床薬理研究所
代表者名　代表取締役社長　庄司　孝
（コード番号2399 東証マザーズ）
問合せ先 取締役管理本部長　倉田　忠正
（電話 0426-48-5733）

エクイティーコミットメントラインに基づく
指定通知書の交付に関するお知らせ

当社は，平成17年12月14日付で，メリルリンチ日本証券株式会社に対し，同社との間で本年8月に締結したコミットメント条項付き第三者割当て契約に基づき，第2回新株予約権の行使に関する指定通知書を交付いたしましたのでお知らせいたします。

この指定通知書に基づき，メリルリンチ日本証券株式会社は，一定の場合を除き，平成17年12月15日から始まる20取引日の間に，100個の第2回新株予約権を行使する予定です。新株予約権の行使により当社に払い込まれる手取概

第Ⅱ編　第３章　資金調達手段としての新株予約権

算額5億円は，株式会社イベリカの子会社，株式会社ベルテールの買収に充当する予定です。

② 綜合臨床薬理研究所が平成 18 年 1 月 16 日付けで公表したプレス・リリース（発行会社の承諾により新株予約権が行使された場合）

平成 18 年 1 月 16 日

各　位

会社名　株式会社綜合臨床薬理研究所
代表者名　代表取締役社長　庄司　孝
（コード番号：2399 東証マザーズ）
問合せ先　取締役管理本部長　倉田　忠正
（電話　0426-48-5733）

第 2 回新株予約権の行使完了に関するお知らせ

本日，メリルリンチ日本証券株式会社により，当社の第 2 回新株予約権について下記のとおり行使が行われ，残存する第 2 回新株予約権全ての行使が完了いたしましたので，お知らせいたします。この行使は，メリルリンチ日本証券株式会社による新株予約権行使の希望を当社が受諾したことにより行われたものです。

記

行使された新株予約権の個数：　　　　　　　200 個

発行された当社普通株式の数：　　　　　　　4079 株

以　上

⑥　コミットメントフィー

発行会社は，割当先に対してコミットメント条項に基づくコミットの対価として適正な金額のコミットメントフィーを支払う場合がある。かかる場合においては，発行会社は，エクイティ・コミットメントラインを導入しようとする際には，コミットメントフィーの負担も勘案したうえで，効率的な資

3-2 エクイティ・コミットメントラインに関する諸問題

金調達手段であるか判断することが必要となろう。なお，後述のとおり，コミットメントフィーの水準については，有利発行規制との関係についても留意が必要となる。

⑦ **割当先の意思**

割当先はエクイティ・コミットメントラインにおける新株予約権の行使により取得した発行会社の株式について，原則として長期保有する意思を有していないことがプレス・リリースに明記されることが一般的である。

⑧ **借株の禁止**

発行会社と割当先の間の第三者割当契約においては，割当先による発行会社の株式の借株を制限する規定が設けられることがある。すなわち，新株予約権の権利行使の結果，割当先が取得することになる発行会社の株式の数量の範囲内で行う当該株式と同一銘柄の株式の売付け等に係る空売りを目的とする場合を除き，当該株式の借株を行ってはならない旨の義務が割当先に課されている事例がある。MSCBに関しては「株式の空売りにより権利行使価額を下げようとする動きを呼びやすいこと」が問題点としてあげられており[4]，かかる問題点はエクイティ・コミットメントラインにも妥当しうると考えられる。一定の範囲で割当先による借株の禁止を合意することは，そのような弊害を防止することを意図した仕組みと解される。

図表 3 − 7	エクイティ・コミットメントラインにおけるプレス・リリース中の行使指示条項に関する事項の記載例

ディー・ディー・エスが平成30年8月17日付けで公表したプレス・リリースに記載の「行使指示条項」

【エクイティ・コミットメント・ラインの特徴について】
(2) 行使指示条項
　本契約においては，以下の行使指示条項が規定されております。
　すなわち当社は，当日を含めた5連続取引日（終値のない日を除く。）のマ

---

(4) 江頭・株式会社法821頁注2。

ザーズおける当社普通株式の普通取引の終値単純平均が本新株予約権の行使価額の一定割合を超過した場合（かかる場合を以下，「条件成就」といいます）。市場環境及び他の資金調達手法等を総合的に検討し，当社普通株式の出来高数に連動した一定個数を上限に，当社が本新株予約権の行使を指示（以下，「行使指示」といいます。）することができます。行使指示を受けた割当予定先は，原則として10取引日内に当該行使指示に係る本新株予約権を行使するため，一定の条件下において当社の資金需要に応じた機動的な資金調達が期待されます。

具体的には，当社は割当予定先との間で締結される本契約に基づき，当社の裁量により割当予定先に10取引日以内に行使すべき本新株予約権数を行使指示することができます。

各行使指示は，当日を含めた5連続取引日（終値のない日を除く。）のマザーズにおける当社普通株式の普通取引の終値単純平均が本新株予約権の行使価額の130％を超過した場合に，発行要項に従い定められる本新株予約権1個の目的である株式の数に行使を指示する本新株予約権の個数を乗じた株式数が，条件成就の日のマザーズにおける当社株式の出来高の15％に最も近似する株式数となる個数を上限として行われます。

また，当日を含めた5連続取引日（終値のない日を除く。）のマザーズにおける当社普通株式の普通取引の終値単純平均が本新株予約権の行使価額の150％を超過した場合には，発行要項に従い定められる本新株予約権1個の目的である株式の数に行使を指示する本新株予約権の個数を乗じた株式数が，条件成就の日のマザーズにおける当社株式の出来高の20％に最も近似する株式数となる個数を上限として行われます。

なお，本契約に基づく行使指示の株数は直近7連続取引日（条件成就日を含む。）の行使指示により発行されることとなる当社普通株式の数の累計が，マイルストーン社と当社代表取締役社長である三吉野健滋氏が締結した株式貸借契約の範囲内（1,000,000株）とすることとしております。

■3　エクイティ・コミットメントラインに関する法的論点

次にエクイティ・コミットメントラインに関する主な法的論点や法的リスクについて概説する。

(1) 有利発行該当性

　エクイティ・コミットメントラインの新株予約権には行使価額修正条項が設けられている結果，割当先は新株予約権を行使することにより高い確度で市場価格より低廉な金額で発行会社の株式を取得できることになる。このように割当先が市場価格からディスカウントされた金額で株式を取得できることから，新株予約権の発行がいわゆる有利発行（法238条3項）に該当し，新株予約権を引き受ける者の募集をしようとするときに発行会社の株主総会の特別決議が必要とならないか（法309条2項6号・238条2項）が論点となる。MSCBについて転換価額修正条項の存在により有利発行に該当するか問題とされるのと同様の論点である。

　この点，新株予約権の有利発行について改正前商法下では，①新株予約権の行使期間における予想株価と行使価額を比較して判断する考え方と②オプション評価モデルに従い，オプション自体の価値を評価して判断する考え方との間で議論があったものの，後者が通説的な見解とされていた。会社法のもとでも有利発行に該当する場合とは，「発行時点におけるその新株予約権の金銭的評価額を著しく下回る対価で，会社がそれを発行すること」をいうと説明されている[5]。

　上記の考え方を前提に，MSCBの転換価額修正条項に関する有利発行の該当性に関する議論と同様に，日本証券業協会が公表している第三者割当増資に関する自主ルール（「第三者割当増資の取扱いに関する指針」）[6]やかかる自主ルールに則した基準を判示する裁判例[7]を参考として市場価格の9割程度の金額によって新株予約権を行使できる行使価額修正条項であれば，有利発行には該当しないとの考え方がとられる場合もあるようである。

　もっとも，かかる考え方に対しては，MSCBに対してなされる反論と同様に，①1株当たり権利行使価額が常にその時点の株価の9割になるように

---

(5)　江頭・株式会社法818頁。

第Ⅱ編　第3章　資金調達手段としての新株予約権

設計されること（一時点の株価の 0.9 と値下がりのリスクのないものの 0.9 とは意味が違うことは明らかであること）[8][9]，②上場会社の新株発行の場合に発行決議日における時価からの 10％～15％ のディスカウントが伝統的に許容されてきたのは，第三者割当増資の場合には引受人が発行決議日から最低でも 15 日間の株価下落リスクにさらされることや株式数が一時に増加することによる需給面からの株価下落の可能性等が考慮されていたためであり，行使請求から所定の手続の満了までのわずかの期間しか株価下落リスクにさらされることがなく，また発行会社が一度に行使することを指定できる新株予約権の数には一定の限度が設けられているエクイティ・コミットメントラインにおける新株予約権の割当先の立場は，第三者割当増資の引受人の立場とは

---

(6) 平成22年4月1日付けで公表されているかかる自主ルールの内容は以下のとおりである。
「1．会員は，上場銘柄の発行会社（外国会社を除く。）が我が国において第三者割当（企業内容等の開示に関する内閣府令第19条第2項第1号ヲに規定する方法をいう。）により株式の発行（自己株式の処分を含む。以下同じ。）を行う場合には，当該発行会社に対して，次に定める内容に沿って行われるよう要請する。
　(1) 払込金額は，株式の発行に係る取締役会決議の直前日の価額（直前日における売買がない場合は，当該直前日からさかのぼった直近日の価額）に0.9を乗じた額以上の価額であること。ただし，直近日又は直前日までの価額又は売買高の状況等を勘案し，当該決議の日から払込金額を決定するために適当な期間（最長6か月）をさかのぼった日から当該決議の直前日までの間の平均の価額に0.9を乗じた額以上の価額とすることができる。
　(2) 株式の発行が会社法に基づき株主総会の特別決議を経て行われる場合は，本指針の適用は受けない。
2．会員は，1．(1)のただし書により払込金額が決定されるときには，発行会社に対し，株式の発行に係る取締役会決議の直前日の価額を勘案しない理由及び払込金額を決定するための期間を採用した理由を適切に開示するよう要請する。」
(7) 東京地決平成16・6・1判時1873号159頁など。ただし，弥永真生『会社法の実践トピックス24』（日本評論社，2009）273頁は，「第三者割当増資の取扱いに関する指針」で示された基準がいくつかの下級審裁判例で受け入れられているようにも思われると述べたうえで，「裁判例においては，つねに，10％のディスカウントが認められるという立場はとられておらず，一応合理的であるという事実上の推定が働くという立場がとられていると解釈するのが適当であると思われる」と指摘している。
(8) 江頭・株式会社法821頁注2。
(9) 弥永・前掲注（7）272頁は，「MSCBは，もし，修正転換価額に上限も下限もないとしても，決定日前の一定期間の平均株価のたとえば90％を修正後転換価額とするものであるから，MSCB保有者はリスクをほとんど負うことなく，10％の利益を得ることができることは，MSCBに付されている新株予約権の公正価値は直感的にもかなり多額であると推測される」と説明している。エクイティ・コミットメントラインにおける新株予約権についても同様のことがあてはまると解される。

3-2 エクイティ・コミットメントラインに関する諸問題

異なること[10]などの反論が考えられよう（武井一浩ほか編著『資金調達ハンドブック〔初版〕』148頁（商事法務，2008）も「日証協ルール（筆者注：「第三者割当増資の取扱いに関する指針」）の制定の経緯・趣旨や引受人側が負担するリスクの差異にかんがみると，行使価額修正条項の幅の決定にあたって日証協ルールを援用することは必ずしも適切ではないようにも思われる」と述べる）。また，「(MSCBの場合には）ゼロクーポンとするなど転換価額以外の発行条件も合わせて検討し有利発行にあたらないという結論を導き出しやすいが，新株予約権に関しては社債の条件も考えるというアプローチがとれないので，オプション価値の評価をする場合には慎重なアプローチが必要であろう」との指摘もなされていること[11]にも留意が必要である。

前述のとおり，エクイティ・コミットメントラインにおける新株予約権の発行要項には，新株予約権の払込金額について，新株予約権の発行要項および割当先との間の第三者割当契約の内容などを考慮し，一般的な価格算定モデルによる算定結果を参考として算定したことが記載されることが一般的であるが，新株予約権の発行に際して有利発行に該当するものとして手続を行わない限りは，払込金額が適正なものであるか，なお慎重な検討が必要といえよう。

なお，有利発行に該当するか否かについては，取得請求権の内容など払込金額（発行価額および行使価額）以外の新株予約権の条件についても考慮したうえで，判断することが必要となると考えられる。また，新株予約権とコミ

---

(10) 「下方修正条項付のCB・優先株式の問題性」旬刊商事法務1705号118頁（2004）におけるMSCBに関する議論を参照。弥永・前掲注（7）273頁も，「このディスカウントのルールは，当該新株引受人が発行会社と今後何らかの業務上の関係を継続していくことを前提に新株発行に応じ，かつ，取得した株式を少なくとも数年間は保有するという明示または黙示の前提がある場合の第三者割当増資に関して発展してきたものであると考えられる。逆に，当該株式の売買によって利益を上げるために引き受けるような引受人に対して，10％ものディスカウントをして，新株を発行することは，改正前商法の下でも特に有利な発行価額での発行と評価されざるを得なかったのではないかと思われる。なぜなら，そのような引受人にとっては，発行決議日と新株の効力発生日までの間に株価が変動する可能性を踏まえても，空売りをはじめとしてさまざまなリスク回避手段があり，10％というディスカウントを与えるほどのリスクを負担しているとは評価できないからである」と指摘している。

(11) 小木曽・前掲注（2）24頁。

ットメント条項を一体と見て、有利発行に該当するか判定するという考え方も成り立ちうると考えられる。たとえば、コミットメントフィーの金額が合理的な水準を超えるような金額である場合には、実質的な払込金額が減額されているものと評価されることも考えられる。このような観点からも発行会社には、コミットメントの条件やコミットメントフィーの金額について十分かつ適切な開示を行うことが求められよう。

(2) 下方スパイラル

MSCBの問題点として、株価が下落傾向にあると転換価額修正条項により転換価額が下がることによって株主の権利が希薄化され、そのことによってさらに株価が下落するということを繰り返すリスクが指摘されることがある。仮にこのようなリスクがMSCBによって引き起こされるのであれば、エクイティ・コミットメントラインにおいても同様のリスクが想起されるものと解される。

この点、エクイティ・コミットメントラインでは、原則として発行会社が新株予約権の行使に関する指定を行わない限り、新株予約権が行使されない。そこで、発行会社が上記のリスクがあると考える場合には、発行会社は、新株予約権の行使に関する指定を行わないことによって上記のリスクの顕在化を防止することができると解される。

また、前述のとおり、①発行会社の株価が一定の水準を下回る場合や②発行会社の財政状態または業績に重大な悪影響をもたらす事態が発生した場合には、発行会社が新株予約権の行使に関する指定を行うことができないとされるエクイティ・コミットメントラインの事例もあるが、そのような仕組みは下方スパイラルの悪循環が発生することを防止する効果を有すると考えられる。

ただし、発行会社による新株予約権の行使の指定が行われない場合には、当然ながら発行会社の意図に沿った資金調達はできないことになる。

(3) インサイダー取引規制

　前述のとおり，エクイティ・コミットメントラインを設定する目的は発行会社によってまちまちであるが，M&Aや事業買収の資金を調達する目的でエクイティ・コミットメントラインが利用される事例も存在する。このような場合には，エクイティ・コミットメントラインによって調達する資金の使途が金融商品取引法166条2項に規定する重要事実に該当することもありうるところ，発行会社が新株予約権の行使に関する指定を行うに際して，割当先にかかる重要事実が明示または黙示に知らされることもありえよう。そのため，発行会社の新株予約権の行使に関する指定と発行会社によるかかる重要事実の公表のタイミング次第では，割当先が新株予約権を行使することによって，取得した発行会社の株式を売却する行為がインサイダー取引規制の対象と判断されるリスクが生じうる。この点，前述のとおり，未公表の発行会社に関するインサイダー情報がある場合には，発行会社が新株予約権の行使に関する指定を行うことができないとされるエクイティ・コミットメントラインの事例もあるが，そのような仕組みは割当先の行為がインサイダー取引規制の対象となるリスクに配慮したものと解される。

　なお，MSCBについては，期中に発行会社がMSCBの割当先に対して指定等を行うことは想定されておらず，仕組み上，MSCBの割当先が転換権を行使して発行会社の株式を取得し，かかる株式を売却する時点において，発行会社の会社情報を知る契機が設けられているわけではない。そのような意味で，MSCBによって資金調達を行う場合と比べてエクイティ・コミットメントラインを利用する場合のほうがインサイダー取引規制に対して慎重な対応が求められるといえよう。

(4) 情報開示

　エクイティ・コミットメントラインにおいては，発行会社が新株予約権を第三者割当てによって発行する際には，金融商品取引法上の募集に該当し，

同法に基づく有価証券届出書の提出が必要となりうる。これに対して，新株予約権を割り当てられた割当先が当該新株予約権を行使し，発行会社の株式を取得することや当該株式を売却することは，（当該売却が金融商品取引法上の売出しに該当することによって所定の情報開示が必要とされない限り）金融商品取引法上の開示規制に服さないことになる。もっとも，かかる割当先による行為は，実質的には発行会社の発行した株式の引受行為に近似するとも考えられることから，割当先が発行会社の株式を売却する行為も含めて，金融商品取引法に基づく開示規制の対象とすべきとの主張もありうるところと解される。

この点，もっぱら金融商品取引法に基づく規制を潜脱する目的でエクイティ・コミットメントラインが利用されたような場合は別論として，法解釈としては割当先の発行会社の株式を売却する行為が売出しに該当しない限りは割当先のかかる売却行為が金融商品取引法に基づく開示規制の対象となることはないものと解される。もっとも，金融商品取引法上の要請とは別に，投資家に対する情報開示を充実させるべきという価値判断はありうべきものであろう。前述のとおり，新株予約権の行使がなされる場合のつどプレス・リリースを行うことが発行会社と割当先との間で合意される事例もあり，そのような取扱いについて新株予約権の行使によって取得した株式を投資家に販売する段階での投資家に対する一定の情報開示の機能を持たせようとしているとの評価をするものもある[12]。

(5) 新株予約権の移転

エクイティ・コミットメントラインは，新株予約権に加えて発行会社と割当先との間でコミットメント条項についての合意がなされ，発行会社の指示により割当先が新株予約権を行使することをコミットすることによって成立する仕組みである。そのため，コミットメント条項の効力が及ばない第三者

---

[12] 小木曽・前掲注（2）25頁。

3-2 エクイティ・コミットメントラインに関する諸問題

に新株予約権が移転した場合には，エクイティ・コミットメントラインとしての機能を果たすことができなくなってしまう。そのような事態を回避するために，新株予約権の権利内容としてその譲渡による取得については，発行会社の取締役会の承認を要するものとするといった譲渡制限を設けたり（法236条1項6号），あるいは発行会社と割当先との間の合意により新株予約権の譲渡制限が図られる。

　ここで，上記の譲渡制限に反して新株予約権の譲渡が行われたり，あるいは新株予約権に対する執行が行われた結果，新株予約権が第三者に移転した場合の取扱いはどのようなものであろうか。まず，新株予約権の権利内容として譲渡制限が付され，会社法上の譲渡制限新株予約権（法243条2項2号）として取り扱われる場合，（無記名式の新株予約権証券が発行されている場合を除き）発行会社から譲渡等の承認を得たうえで，新株予約権原簿の名義書換えをしなければ，譲渡当事者間では新株予約権の移転の効力が生ずるものの，その効果は，発行会社を含めた第三者に対抗することができないこととなる（法257条1項。ただし，記名式の新株予約権証券が発行されている新株予約権については発行会社に対してのみ移転の効果を対抗できないことになる。同条2項）。かかる移転の効力を発行会社に対抗できない結果として，発行会社は移転前の新株予約権の権利者を新株予約権者として取り扱うことができるものと解される。したがって，エクイティ・コミットメントラインの事例では，割当先から新株予約権が移転した場合であっても，発行会社がかかる移転を承認したうえで，新株予約権原簿の名義書換えをしない限り，発行会社は，割当先を新株予約権者として取り扱うことができ，コミットメント条項に基づく請求を行ったうえで，割当先による新株予約権の行使を受けることができるものと解される[13]。なお，当該新株予約権を第三者に譲り渡そうとする新株予約権者は，発行会社に対して，当該第三者が当該新株予約権を

---

(13) なお，このように割当先が新株予約権を移転させた場合には，割当先に新株予約権を行使する資力が備わっていないか，あるいは割当先がコミットメント条項を遵守する意思を有していない可能性も高いものと思われ，したがって，エクイティ・コミットメントラインとして機能するかどうかは別の問題である。

取得することについて承認をするか否かの決定をすることを請求することができ，また，当該新株予約権を取得した新株予約権取得者は，発行会社に対して，当該新株予約権を取得したことについて承認をするか否かの決定をすることを請求することができる（法262条・263条1項）。もっとも，発行会社がかかる取得を承認しない場合であっても，譲渡制限株式の場合とは異なり，当該新株予約権の買取り，指定買取人の指定等を行う義務は生じない[14]。したがって，かかる会社法上の請求権によってエクイティ・コミットメントラインとしての利用が阻害されることはないものと解される。

これに対して，新株予約権の権利内容としては譲渡制限は付されておらず，発行会社と割当先との間の合意によって新株予約権の譲渡制限が図られているにすぎない場合には，かかる譲渡制限の効果は相対の約定のものにとどまることとなる。したがって，割当先がかかる合意に反して新株予約権の譲渡を行った場合には，割当先に対して契約違反に基づく責任追及を行うことはできるものの，発行会社は新株予約権の譲受人を新株予約権者として取り扱うことが必要となる。そして，かかる譲受人と発行会社との間で新たな合意がなされていない限り，かかる譲受人はコミットメント条項に拘束されることなく新株予約権を行使できることになる。割当先が保有する新株予約権に対する強制執行により，新株予約権が移転した場合についても同様である。

なお，不測の事態により新株予約権が割当先から第三者に移転し，エクイティ・コミットメントラインとしての機能が果たせなくなった場合には，発行会社の取締役会決議による新株予約権の取得の手続等によって対処することになろう。

---

[14] このような取扱いの理由について，江頭・株式会社法834頁注4は，「譲渡制限新株予約権は，その発行趣旨からして，権利者に投下資本回収の必要性は乏しいはずであるし，権利者は，権利行使後に株式を譲渡することはできるからである」と説明する。

(6) 割当先の信用悪化

　エクイティ・コミットメントラインは，実際に新株予約権の権利行使がなされるまでは割当先による出資のコミットがなされているにすぎず，新株予約権にかかる払込金額を除き，資金調達は実行されていない。そこで，エクイティ・コミットメントラインの設定時には割当先に十分な資力が備わっている場合であっても，いざ発行会社が新株予約権の行使に関する指定を行い，資金調達を行おうとした時点において，割当先の信用状態が悪化しており，新株予約権の権利行使に伴う出資を行う資金が不足するような場合にはエクイティ・コミットメントラインによる資金調達を達成することができないことに留意する必要がある。

　なお，MSCB については，当初に MSCB の割当先から発行会社に対して社債の発行代り金として資金供与がなされることにより発行会社の資金調達が完了するため，いったん MSCB を発行した後は割当先の資力の影響を受けることはない。したがって，エクイティ・コミットメントラインによって資金調達を行おうとする発行会社は，MSCB によって資金調達を行う場合と比べて，割当先となる証券会社の資力に配意する必要があろう。

　発行会社による割当先の財産状況の確認内容は適時開示の項目の1つとなっている。

図表3－8 エクイティ・コミットメントラインにおけるプレス・リリース中の割当先の財産の確認状況に関する事項の記載例

ディー・ディー・エスが平成30年8月17日付けで公表したプレス・リリースに記載の「割当予定先の払込みに要する財産の存在について確認した内容」

(4) 割当予定先の払込みに要する財産の存在について確認した内容
　当社は，マイルストーン社から預金口座の残高照会書の写しを受領し平成30年7月26日時点の当該預金残高を確認することにより，本新株予約権の引受けに係る払込を行うことが十分に可能な資金を保有していることを確認しており

ます。なお，本新株予約権の行使に必要な金額の全額を確認することはできておりませんが，本新株予約権の行使に当たってマイルストーン社は，基本的に新株予約権の行使を行い，行使により取得した当社株式を市場で売却することにより資金を回収するという行為を繰り返して行うことが予定されているため，一時に大量の資金が必要になることはありません。マイルストーン社は，当社を含む多数の会社の新株予約権も引き受けておりますが，それらの会社においても概ね同様のスキームで，新株予約権の行使により取得した当該会社の株式を売却することで新たな新株予約権の行使に必要な資金を調達している旨を聴取により確認しております。以上のことから当社は，マイルストーン社が本新株予約権の発行価額総額並びに本新株予約権の行使に必要となる資金の総額の払込みに要する金額を有しているものと判断いたしました。

4 エクイティ・コミットメントラインの応用形

本節の最後に，エクイティ・コミットメントラインの応用形として，ドイツ銀行あるいはドイツ証券が開発したものとされる最低資本調達金額保証型ファイナンス（Floored Block Finance）を紹介する。

最低資本調達金額保証型ファイナンスとは，発行会社の株式の時価の一定割合（たとえば60％）の価格で新株予約権を割り当てたうえで，割当先が一定の行使請求期間内に発行会社の株式の時価に応じて決定される行使価格（たとえば，行使請求の効力発生日の前日までの2連続取引日における普通取引の終値の平均値の95％に相当する金額から，新株予約権の払込金額を控除した金額）に基づいて割り当てられた新株予約権のすべてを行使することを保証する取引である。一般的には，①発行会社が資金調達することのできる最低金額が保証されていること，②新株予約権の行使価格が株価に応じて変動するものの，発行される株式の数が固定されているため，1株利益の希薄化の比率があらかじめ決まっていることが最低資本調達金額保証型ファイナンスの主な特徴として指摘されている。割当先にとっては，時価より安い価格で新株予約権の取得・行使が可能となる約定を合意することにより，（発行会社の株式の時価が新株予約権の払込金額を下回らない限り）確実に手数料収入が見込めるスキームとなる。

3-2 エクイティ・コミットメントラインに関する諸問題

　実際に最低資本調達金額保証型ファイナンスの手法を用いて資金調達が行われた事例では、スキームの特徴およびMSCBと比較したメリットについて以下のような説明がなされている。

図表3－9　最低資本調達金額保証型ファイナンスにおけるプレス・リリース中の取引のメリットに関する記載例

グッドウィル・グループが平成19年6月25日付けで公表したプレス・リリースに記載の「『最低資本調達金額保証型』ファイナンス（Floored Block Finance＝"FBF"）の特徴」および「『最低資本調達金額保証型』ファイナンス（Floored Block Finance＝"FBF"）とMSCB等の商品との相違点及び比較メリット」

◇「最低資本調達金額保証型」ファイナンス（Floored　Block Finance＝"FBF"）の特徴
① 希薄株数の限定
　　本新株予約権の目的である当社普通株式数は、400,000株であるため、株価動向に係らず、発行株式数が限定されております。
② 最低資本調達金額の当初確保及び保証
　　当社は、新株予約権1個につき、取引当初時価（条件決定日の普通株式終値）の60％相当（フロア金額）にあたる金額を確保します。仮に、行使請求期間内（3ヶ月以内）に普通株式時価がフロア金額を下回っても、割当先によって当該最低資本調達金額については保証されています。
③ 全部権利行使（マンダトリー・エクササイズ）による確実な資本充実
　　割当先との間に締結する予定の「新株予約権買取契約」において、割当先は、原則として、行使請求期間内における400,000株の全部権利行使（マンダトリー・エクササイズ）を保証します。これにより、当社の資本充実の確実性が担保されます。ただし、当社による取得請求があった場合はこの限りではありません。
④ 株価上昇に伴う資本調達金額増加の可能性
　　行使請求期間内における時価に基づいて、全部権利行使（マンダトリー・エクササイズ）されるため、当該期間内の株価上昇に伴い、新株払込金額が増加する可能性があります。

◇「最低資本調達金額保証型」ファイナンス（Floored　Block Finance＝"FBF"）とMSCB等の商品との相違点及び比較メリット

① 発行株数が完全に固定されているため，MSCBでよく見られる，「株価下落により発行株数増加→さらに多くの株式の売り→株価下落により発行株数増加→さらに多くの株式の売り」といった悪循環（デス・スパイラル）にはなりません。
② 一般的にMSCBでは，社債権者は株価が下限転換価格（フロア価格）を下回った場合に繰上償還（プット）できる権利を有しており，株価下落によって被るリスクは限定的です。対して，FBFでは割当先にフロア価格未満の株価下落リスクが完全に残るため，株価下落の要因となる権利行使及び売却を回避するインセンティブが，割当先にて働くと考えております。
③ 一般的にMSCBでは，上限転換価格（キャップ価格）が存在するため，会社が享受できる株価上昇の恩恵には限りがありますが，FBFでは株価上昇の恩恵を100％享受することが可能です。
④ MSCBは発行時に負債計上されますが，FBFは発行時に「本新株予約権の払込金額の総額（条件決定日の普通株式終値の60％相当（フロア金額））」に相当する部分が，純資産として計上されます。
⑤ MSCBと異なり，当社による当該新株予約権の取得以外の理由で，割当先に対し資金返済の必要性はありません。

　もっとも，発行会社の株価が下落基調の場合には，最低資本調達金額保証型ファイナンスによって調達できる資金の総額が，当初に見込んでいた調達資金の総額を下回ることになりかねないことに留意が必要となる。特に最低資本調達金額保証型ファイナンスに伴う新株発行により，株式の希薄化に対する嫌気を誘い，株価下落を引き起こす場合には，発行会社が予定していた資金調達が叶わない可能性もありえよう。最低資本調達金額保証型ファイナンスを実施することによって株価が大きく下落する場合には，資金調達に要する発行会社のコストも株式の発行により資金調達を行う場合に比べて割高となる。

3-3 MSワラントに関する諸問題

1 MSワラントとは

(1) はじめに

　本節では，行使価額修正条項付新株予約権あるいはムービング・ストライク型新株予約権（Moving Strike Price Warrant，以下本節において「MSワラント」という）と呼ばれる新株予約権を利用した資金調達手法を取り扱う[15]。

　MSワラントについては確立した定義があるわけではないが，本節においては，資金調達を目的として第三者割当ての方法によって発行される新株予約権であって，かつ発行会社株式の株価の変動に応じてその権利行使価額（新株予約権の行使に際して出資される財産の価額）が修正される条項が付されたものをMSワラントと呼ぶこととする。なお，新株予約権を用いた資金調達スキームとしては，社債や融資などの他の資金調達手段を組み合わせるスキームや，新株予約権の行使義務を新株予約権の割当先に課すエクイティ・コミットメントライン（前述3-2参照）などもあるが，本節においては，他の資金調達手段を組み合わせることなく発行されるMSワラントのうち，新株予約権の割当先が新株予約権を行使する法的義務を負わないスキームに

---

(15) MPO（Multiple Private Offering）と呼ばれる資金調達スキームも，MSCBまたはMSワラントを用いる資金調達スキームの一種である（冨永康仁「多様なニーズに応えるMPOの仕組みとメリット」旬刊経理情報1072号13頁（2005））。

ついて触れることとする。

(2) スキームの概要（図表3－10参照）

　MSワラントを用いる資金調達スキームにおいては，多くの場合，発行される新株予約権のすべてを単独の証券会社が引き受けるが，単独またはこれに準じる数の投資事業組合がその割当てを受ける場合も少なくないようである。

　発行会社は，新株予約権の発行に際して一定の額の金銭の払込みを受けるが，その際の払込金額は，権利行使価額に比して相当に低額とされていることが多い。そのため，その資金調達目的は，新株予約権が行使され，権利行使価額が発行会社に対して払い込まれることによってはじめて達せられるといえる場合が通常である。

　そこで，MSワラントを用いる資金調達スキームにおいては，資金調達目的を達成するべく，新株予約権者による新株予約権の行使を可及的に促進する内容の権利行使価額の修正条項が付されることが一般的である。このような修正条項の具体的な内容は後述■2(1)③記載のとおりであるが，概していえば，修正後の権利行使価額が新株予約権の行使時点の発行会社株式の株価よりも低額となることを新株予約権者が合理的に期待できるような内容とすることが多い[16]。このようにして，MSワラントを用いる資金調達スキームにおいては，エクイティ・コミットメントラインとは異なり，新株予約権者は新株予約権を行使する法的義務を発行会社に対して負っていないものの，権利行使価額が修正されることによって新株予約権者が新株予約権を行使する経済的なインセンティブを持つことで，その資金調達目的が達せられることが期待されている。

　なお，MSワラントの割当てを受けた者は，新株予約権を行使した日からこれによって発行会社株式の交付を受ける日までの株価変動リスクを回避するため，空売りを利用する場合が多いようである（空売り（借株）の制限につき，後述■2(4)参照）。具体的には，MSワラントの割当てを受けた者は，①

3-3 MSワラントに関する諸問題

まず，株券貸借取引[17]により第三者から借り受けた発行会社株式を相対取引により機関投資家に売却し，または，株式市場において売却し，②その直後に新株予約権を行使し，③新株予約権の行使によって発行会社から交付を受けた発行会社株式を上記の借株に対する返却にあてることが多いようである[18]。

図表3－10　MSワラントを用いる資金調達スキームの概要

1. 前　提（注1）
(1) 当事者
　A社：新株予約権の発行者
　B社：新株予約権者
(2) 新株予約権の内容
　新株予約権の目的である株式の種類：A社普通株式
　新株予約権の目的である株式の数の算定方法：900円を行使価額で除して得た数

---

[16] このような修正後の権利行使価額と新株予約権の行使時点の発行会社株式の株価との差額について，経済的には公募増資の場合の引受販売手数料に事実上相当する性格を有すると評価する考え方もあるようである（梅本剛正「MSCBと不公正な証券取引」民商法雑誌134巻6号898頁，904頁（2006）参照）。もっとも，MSワラントの場合には，公衆に転売することを前提として開示責任等を負担することを背景としてなされる引受審査と同等の審査が必ずしもなされるものではないと推測され，経済的な性格が引受販売手数料に相当すると直ちに評価できるかは，今後実証研究が必要と思われる。

　なお，本文に言及する本日証協規則（後述■2(1)③(a)参照）においては，証券会社がMSワラントを含めた第三者割当増資等に係る株券等の買受けを行うに際しては一定の場合に所定の確認を行うことが必要とされているが（本日証協規則6条および9条参照），かかる確認としては上記引受審査と同等の審査を行うことまでは必ずしも不可欠とはされていない（日本証券業協会の会員における引受審査のあり方等に関するワーキング・グループ最終報告である平成19年2月22日付けの「会員における引受審査のあり方・MSCBの取扱いのあり方等について」（本節において以下「MSCBに関する日証協ワーキング・グループ報告」という）20頁～21頁，平成22年3月16日付けで公表した「金融商品取引法の改正等に伴う本協会諸規則の一部改正等に対するパブリック・コメントと本協会の考え方について」の「会員におけるMSCB等の取扱いに関する規則」項目8参照）。

[17] 株券貸借取引とは，当事者のいずれか一方（貸出者）が他方（借入者）に株券を貸し出し，借入者は貸出者に対して貸借料を支払う一方，合意された期間を経た後においては，借入者が貸出者に対象銘柄と同種，同等，同量の株券を返還する株券の消費貸借取引をいう。

[18] 冨永・前掲注(15) 11頁，奥総一郎「事業再生企業を対象にした下方修正条項付転換社債（MSCB）」銀行法務21・656号45頁（2006）参照。

第Ⅱ編　第3章　資金調達手段としての新株予約権

修正後の行使価額：行使請求の効力発生日前日のB金融商品取引所におけるA社普通株式の普通取引の終値の90％に相当する金額
新株予約権の行使に際して出資される財産の価額：900円
(3) 金融商品取引所におけるA社普通株式の普通取引の終値（1株当たり）
X－1日：100円
X＋α日：85円

2. 事　例
(1) 空売りを利用しない場合

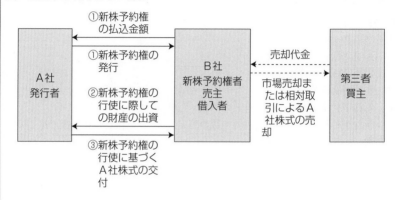

ア．取引の概要
① A社は第三者割当ての方法によりB社に対して新株予約権を割り当て，B社は，A社に対してその対価を払い込み，新株予約権の交付を受けた。
② B社は，X日において，新株予約権1個を行使し，A社に対して900円を払い込んだ。この場合，新株予約権の行使価額は90円で，その目的であるA社普通株式の数は10株である。
③ B社は，X＋α日において，A社から，上記②の行使に基づきA社普通株式10株に係る株券の交付を受けた。B社が交付を受けた当該株式の同日における時価（850円）は，B社が新株予約権の行使に際して払い込んだ金銭の額（900円）よりも低い。
イ．補　足
・新株予約権行使日（X日）後その目的である株券の交付を受ける日（X＋α日）までの株価変動リスクを負担するため，B社は空売りその他のリスク回避手段を一切講じないことを前提とすると，通常は，B社は新株予約権の行使によって必ず利益を得ることができるというわけではない。

3-3 MSワラントに関する諸問題

・そのため，空売りその他のリスク回避手段を一切講じないことを前提とすると，通常は，B社が新株予約権を行使することについてのインセンティブは上記リスク回避手段を講じる場合と比べて相対的に小さいといえよう。

(2) 空売りを利用する場合

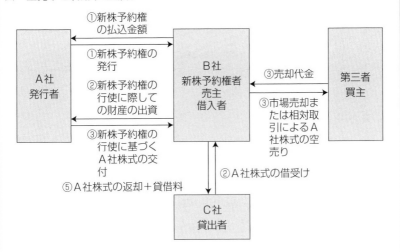

ア．取引の概要
① A社は第三者割当ての方法によりB社に対して新株予約権を割り当て，B社は，A社に対してその対価を払い込み，新株予約権の交付を受けた。
② B社は，X日において，C社から，貸借取引により，A社普通株式10株を借り受けた。
③ B社は，同日，株式市場において，1株当たり100円（注2）で，C社から借り受けたA社普通株式10株を空売りした。
④ B社は，同日，新株予約権1個を行使し，A社に対して900円を払い込んだ。この場合，新株予約権の行使価額は90円で，その目的であるA社普通株式の数は10株である。
⑤ B社は，X＋α日において，ⅰA社から，上記④の行使に基づきA社普通株式10株に係る株券の交付を受け，ⅱC社に対して，当該株券を上記②の借株に対する返却にあてた。

イ．補　足
・B社は，空売りを組み合わせることにより，新株予約権の行使日（X日）後その目的である株券の交付を受ける日（X＋α日）までの株価変動リスクを回避し，その行使日において収益（1株当たり，10円－貸借料（注

3))を確定することができる。
・そのため，B社は空売りを組み合わせれば一種の裁定取引が可能となるため，通常，B社が新株予約権を行使することについてのインセンティブは高いといえよう。

(注1) 説明の便宜上，前提および事例は現実の取引を単純化したものである。
(注2) 金融商品取引法施行令26条の4第1項に規定する直近公表価格を超える価格であることを前提としている（同項参照）。
(注3) 説明の便宜上，新株予約権を取得するために要した費用等は捨象している。

(3) スキームの特徴

　MSワラントの利用は，「財務内容が相対的に劣る，あるいは業績不振の企業が（これを）行なう例が多い」ようである[19]。その理由については，MSワラントを利用する発行会社はそもそも通常の新株発行による資金調達が困難であるという観点からの説明として，たとえば，（MSCBに関するものではあるが）「規模の小さなベンチャー系上場企業の場合は，新株発行により公募増資しようとしても，証券会社の引受審査が過去の実績を重視するため，審査を通り難いという事情があるために，MSCBによる資金調達を選択しているようである。調達額も数十億円程度の規模であり，増資の引受けであれば証券会社には手数料収入の魅力は低いと思われる」[20]というような説明がされている。また，同様の観点からの説明として，「仮に資本調達によって期待できる企業価値向上が，増資額に十分見合うものであったとしても，再生企業の普通株式は往々にして低迷過程で出来高も減少して流動性が低くなっているケースが多い。かかる状況で一度に大量の普通株式が市場に放出されると，短期的に市場がこれを吸収しきれず，需給悪化による株価下落を招きやすい。そうなると基盤が脆弱な再生企業にとっては信用不安再燃によ

---

[19] 平成16年7月9日付け日経金融新聞5頁参照。なお，近時における関連事例として，株式会社ペッパーフードサービスによる新株予約権の発行事例（2020年7月31日公表）等があげられる。
[20] 梅本剛正「MSCBと不公正な証券取引」民商法雑誌134巻6号897頁（2006）。

る負のスパイラルを引き起こすリスクが高まってしまう」ことに加え，「証券会社としては，信用力に不安を残し，かつ相対的に流動性の低い再生企業の普通株式を引き受けるのは多大なリスクテイクであり，そのリスクに見合った手数料を要求するのは当然のことである。しかしながら，発行額面の5～10％にものぼる手数料支払いは，再生企業の損益に無視できないインパクトを与えることになり，メイン銀行も含めなかなか簡単にゴーサインを出すことができない」という事情を指摘する見解[21]もある。

他方，情報の非対称性が大きな会社であることなどを理由に，市場株価が会社の適正な価値を反映するものとなるに至っていないと考えられる会社に関しては，資金調達手段として，通常の新株発行よりもむしろMSワラントの方が合理性がある場合もあるという説明もありえよう。すなわち，「発行企業の経営者にとって，現在の株価が割安と映り，時とともに，市場が自社株式を正当に評価すると考えている」場合には，通常の新株発行によるよりも，将来の株価水準に応じた資金調達が可能なMSワラントによる方がむしろ合理的といえる場合もありうるのではないかと思われる[22]。とりわけ，ロックアップ条項（後述■2(1)④参照）を付しているMSワラントや，当初の権利行使価額をその時点の市場価格を上回る価格（いわゆるアウト・オブ・ザ・マネー）とし，将来，株価が期待される水準にまで上昇して初めて権利行使価額が行使時の市場価格を下回る状態（いわゆるイン・ザ・マネー）となるように設計されたMSワラント（たとえば，**図表3－16**のターゲット・イッシュー・プログラムと呼ばれるスキーム中の「ターゲット価格」の仕組み）などについては，このような説明が通常妥当するのではないかと思われる。

(4) エクイティ・コミットメントラインとの相違点[23]

MSワラントを用いる資金調達スキームとエクイティ・コミットメントラ

---

(21) MSCBに関するものではあるが，奥・前掲注(18) 44頁。
(22) MSCBに関するものではあるが，梅本・前掲注(20) 888頁および久保田安彦「新株予約権制度の効用と法的問題点」法学セミナー675号22頁（2011）参照。

インのスキームとは，いずれも権利行使価額の修正条項を有する新株予約権を用いるなど，その仕組みにおいて共通する点も多い。

両者の最大の相違点は，新株予約権が実際に行使されるようにするための仕組みである。新株予約権を利用した資金調達スキームの場合，基本的には，新株予約権が実際に行使され，行使価額が発行会社に払い込まれて初めてその資金調達目的を達成できるわけであるが，会社法上は，新株予約権それ自体はオプションとして設計されており，その行使は，新株予約権者の権利であって，義務とはされていない（すなわち，新株予約権を行使するか否かは新株予約権者単独の裁量に委ねられている）。そこで，エクイティ・コミットメントラインのスキームでは，新株予約権の内容自体に特殊な条項を仕組むことはせずに[24]，民法上の「契約」の枠組みによって一定の行使義務を新株予約権者に課すことにより，新株予約権が実際に行使されることを担保しようとする。「契約」の枠組みを利用することにより，新株予約権の内容に関する会社法上の制約による影響を直接受けることなく，行使義務の内容（具体的には，新株予約権行使のタイミングや，行使に際して発行会社に払い込むべき額についての定めなど）を比較的柔軟に設計しやすくなる。

他方，上記のような契約上の行使義務を課さないMSワラントを用いた資金調達スキームでは，新株予約権のオプションとしての性格・機能は基本的に維持しつつ，新株予約権を行使する方向の経済的なインセンティブを新株予約権者に与える（ないしはそれをコントロールする）ことによって，新株予約権が実際に行使されることを担保しようとする。単純にいえば，権利行使価額が行使時の市場価格を下回る状態（いわゆるイン・ザ・マネー）にあれば，通常，新株予約権者は新株予約権を行使することによって利益を得るこ

---

(23) エクイティ・コミットメントラインに関する前述3−2参照。イー・レヴォリューションが平成18年12月21日に発行した第3回新株予約権のように，発行した新株予約権300個のうち200個についてのみ，新株予約権の行使義務が新株予約権の割当先に課されている（平成18年12月6日付け同社プレス・リリース参照），すなわち，MSワラントとエクイティ・コミットメントラインが組み合わされて発行される例もある。

(24) したがって，新株予約権それ自体については，オプションとしての性格・機能が維持されている。

とができるため，新株予約権を行使する方向の経済的なインセンティブが新株予約権者に生じることになるところ，権利行使価額の定めやその修正条項，権利行使条件の定め[25]などを工夫することによって，上記のインセンティブを利用し，その資金調達目的を実現しようとするのである。初期のMSワラントを用いた資金調達スキームでは，権利行使価額が常に行使時の市場価格を下回る状態として設計され，他方，権利行使の時期や条件に特段の制限が課されず，その意味で，発行会社が新株予約権が行使されるタイミングをまったくコントロールできない仕組みのものも散見された。もっとも，近時は，権利行使価額の定めやその修正条項，権利行使条件の定めなどを工夫することによって，新株予約権が行使されるタイミングについても発行会社が可及的にコントロールすることを企図したスキームが利用されてきている（たとえば，**図表3－11**記載のスキーム）。このような資金調達スキームにおいては，当初の権利行使価額をその時点の株価水準と比べて相当に高く設定し，新株予約権の行使を事実上抑制した複数の回号の新株予約権を同時に発行し，実際に資金調達を行う必要が生じるつど，調達すべき資金の規模に応じて，行使を促進させたい回号の新株予約権の権利行使価額を発行会社取締役会の決議に基づきその時点の株価水準よりも割安に修正することにより，その資金調達目的が実現されることが企図されている。さらに，**図表3－16**のMSワラントでは，新株予約権者にとっては，新株予約権を行使して取得した株式を直ちに売却して利益を得ることを想定している場合，いったん権利行使価額の修正がなされれば必ずイン・ザ・マネーの状態になり，権利行使可能期間中どのタイミングで新株予約権を行使しても利益が出ることとなる一方，新株予約権の権利行使ができなくなればかかる利益を将来的に享受できなくなるため，一定の段階で保有するすべての新株予約権について権利行使を表明するインセンティブとなるという作用を通じて，新株

---

(25) かかる行使条件を新株予約権の内容として定める場合と，割当契約等の契約で定める場合とがある。後者の例としては，**図表3－16**のターゲット・イッシュー・プログラムと呼ばれるスキーム中の「行使許可条項」があげられる。

予約権者による積極的な新株予約権の行使と行使する新株予約権の早期確定がより期待しやすい工夫が施されていると理解することができる。

このように，エクイティ・コミットメントラインのスキームと契約上の行使義務を課さないMSワラントを用いた資金調達スキームとでは，法的な仕組みの差異はあるものの，資金調達手段としての機能は近接しつつある。いずれのスキームを用いるかについては，個別具体的な資金調達ニーズとの関係上どちらのスキームのほうがそれを実現するのに便宜であるかや，スキームに対する法的安定性の評価などによって判断されることになると思われる。

図表3－11　取締役会の決議により新株予約権の行使価額が修正される記載例

ゲンキーが平成28年8月17日付けで公表したプレス・リリースの記載（抜粋）

(2) 本新株予約権の商品性
　　今回の資金調達は，当社が割当予定先に行使期間を2年間とする本新株予約権を割当て，割当予定先による本新株予約権の行使に伴って当社の資本が増加する仕組みとなっております。
　　本新株予約権の行使価額は，当社の過去の株価動向やボラティリティを考慮するとともに，将来の業績向上を期待し，当初7,000円といたしました。
　　但し，当社は平成28年9月6日以降，当社取締役会の決議により行使価額を修正することができます。行使価額の修正を決議した場合，当社は本新株予約権者に直ちに行使価額修正通知を行うものとし，通知日の翌営業日に，行使価額は，通知日（通知日が取引日でない場合には直前取引日）の東京証券取引所における当社普通株式の普通取引の終値（気配表示を含みます。）の90％に相当する金額（円位未満小数第2位まで算出し，その小数第2位を切り上げるものとします。）に修正されます。
　　但し，かかる修正後行使価額が下限行使価額を下回ることとなる場合には，修正後行使価額は下限行使価額とします。なお，以下に該当する場合には当社は行使価額修正通知を行うことができません。
　　　① 金融商品取引法，関連諸法令及び諸規則並びに東京証券取引所の規則に基づく開示（以下「開示」といいます。）がなされた書類（有価証券報告書，四半期報告書，臨時報告書，これらの訂正報告書，プレスリリー

スを含むがこれらに限られません。）に記載されているものを除き，開示されている当社の直近の監査済連結財務諸表にかかる営業年度の期末日以降，当社及びその企業集団（連結財務諸表の用語，様式及び作成方法に関する規則第4条第1項第1号に定める企業集団をいいます。）の財政状態，経営成績又はキャッシュ・フローの状況に重大な悪影響をもたらす事態が発生している場合
② 当社にかかる業務等に関する重要事実等（金融商品取引法第166条第2項所定の重要事実及び同法第167条第2項所定の事実をいいます。）で公表（金融商品取引法施行令第30条に基づきなされる公表措置をいいます。）がなされていないものがある場合
③ 本新株予約権のいずれかの回号に関し発せられた前回の行使価額修正通知を行ってから2か月が経過していない場合

また，本新株予約権には，当社の決定により本新株予約権の全部の取得を可能とする条項が設けられています（詳細は，別紙発行要項第16項を参照。）。

なお，割当予定先は，当社の取締役会の承認がない限り，本新株予約権買取契約に基づき割当を受けた本新株予約権を当社以外の第三者に譲渡することはできません。

割当予定先は，本新株予約権を譲渡する場合には，あらかじめ譲渡先となる者に対して，当社との間で譲渡制限の内容を約束させ，また，譲渡先となる者がさらに第三者に譲渡する場合にも当社に対して同様の内容を約束させるものとします。

また，当社は，割当予定先との間で，金融商品取引法に基づく本新株予約権の募集に係る届出の効力発生後に，本新株予約権買取契約を締結するとともに，下記概要の覚書を締結する予定です。

①覚書に基づく行使禁止について
　当社は，取締役会決議により，割当予定先に対し，以下の場合を除いて，いつでも本新株予約権の行使を禁止する旨の通知（以下「行使禁止通知」といいます。）を行うことができます。
・行使禁止通知が行われる日の前営業日（当該日に当社普通株式の普通取引の終値（気配表示を含む。）がない場合には直近の終値（気配表示を含む。）のある日）の当社普通株式の普通取引の終値（気配表示を含む。）が，当初行使価額の7,000円を上回る場合
・開示がなされた書類（有価証券報告書，四半期報告書，臨時報告書，これらの訂正報告書，プレスリリースを含むがこれらに限られない。）に記載されているものを除き，開示されている当社の直近の監査済連結財務諸表にかかる営業年度の期末日以降，当社及びその企業集団の財政状態，経営成

績又はキャッシュ・フローの状況に重大な悪影響をもたらす事態が発生している場合
・当社にかかる業務等に関する重要事実等で公表がなされていないものがある場合

　行使禁止通知において，当社は割当予定先に本新株予約権について権利行使を禁止する期間（以下「行使禁止期間」といいます。）を指定します。当社が行使禁止通知を行った場合には，割当予定先は，行使禁止期間において本新株予約権を行使することができません。ただし，行使禁止期間中に東京証券取引所における当社普通株式の普通取引の終値（気配表示を含む。）が当初行使価額の7,000円を上回った場合には，当該日の翌営業日以降，行使禁止期間は終了し，割当予定先は本新株予約権を行使することができます。

　なお，いずれの行使禁止期間の開始日も，平成28年9月6日以降の日とし，いずれの行使禁止期間の終了日も，平成30年8月5日以前の日とします。

②覚書に基づく取得請求について

　平成29年9月6日（同日を含みます。）以降の日を初日として，5連続取引日（但し，終値のない日は除く。）にわたって東京証券取引所における当社普通株式の普通取引の終値が本新株予約権の下限行使価額を下回った場合において，当該5連続取引日の最終日以降の取引日，又は平成30年8月6日（同日を含みます。）以降平成30年8月15日（同日を含み，かつ，同日必着とします。）までの期間内の取引日のいずれかにおいて，割当予定先は，当社に対し，本新株予約権の取得を請求する旨の通知（以下「取得請求通知」といいます。）を行うことができます。

　割当予定先が取得請求通知を行った場合には，当社は，取得請求通知を受領した日から3週間以内に別紙発行要項に従い，本新株予約権の払込金額と同額の金銭を支払うことにより残存する本新株予約権の全部を取得しなければなりません。

(3) 本新株予約権を選択した理由

　当社は，上記「(1) 資金調達の主な目的」に記載した内容を実行するために，資本性調達手法のみならず，負債性調達手法を含めた様々な手法について検討を行いました。当社としては，当社の判断によって希薄化をコントロールしつつ資金調達や自己資本増強が行えること，資金調達の蓋然性が確保された手法であるかを重視いたしました。

　結果，上記「(2) 本新株予約権の商品性」に記載した本新株予約権並びに割当予定先と締結する予定の覚書及び本新株予約権買取契約の内容を考慮して，本スキームが当社にとって最良の資金調達方法であると判断いたしました。

3-3 MSワラントに関する諸問題

(本新株予約権の主な特徴)
① 株価上昇時における機動的な資金調達の実現
　株価が上昇してから新株発行の準備を開始した場合，発行手続に一定の期間が必要となるため，その期間中の株価変動等により，資金調達機会を逸してしまう可能性があります。これに対し，株価上昇を見込んだ行使価額を設定した本新株予約権を予め発行しておくことで，株価上昇後に機動的に資金調達を行うことが可能となります。
② 希薄化への配慮
　割当予定先と当社との間で締結する覚書により，当社は行使禁止期間を定めることができます。これにより，当社による希薄化のコントロールが一定程度，可能となります。
③ 最大希薄化か固定されていること
　本新株予約権の目的である普通株式数は700,000株で一定であり，最大増加株式数は固定されております。なお，700,000株は，平成28年8月17日における発行済株式数対比9.93％となります。
④ 行使価額の修正決議が可能
　本新株予約権の行使価額は原則として固定されていますが，当社取締役会の決議により，行使価額を修正することができます。これによって行使価額を大幅に上回って株価が上昇した場合には資金調達額を増額できます。また，株価が行使価額を下回って推移している場合においても，資金ニーズが発生した場合に行使価額を修正することが可能です。
　また，7,000個の新株予約権を第6回新株予約権2,000個，第7回新株予約権2,000個及び第8回新株予約権3,000個の3回に分けて発行することで，各号それぞれにおいて行使価額の修正を決議することができるため，より機動的な資金調達が可能となり，資本政策の柔軟性の確保に繋がると考えます。なお，行使価額を修正する決議を行った場合に，行使価額が当初行使価額を下回る価額に修正される可能性がありますが，下限は第6回新株予約権について2,454円，第7回新株予約権について2,804円及び第8回新株予約権について3,155円とそれぞれ定められており，当社が行使価額の修正を決定した後に株価が急落した場合であっても，行使価額の下方修正には歯止めが掛かる仕組みとなっています。
⑤ 株価上昇によるメリットを享受できること
　行使価額の上限が設定されていないため，株価上昇時には調達額が増大するメリットを享受できます。
⑥ 流動性の向上
　割当予定先において，本新株予約権の権利行使により発行される株式が市場にて売却されることにより流動性の向上が期待できます。

第Ⅱ編　第３章　資金調達手段としての新株予約権

⑦　資金調達の柔軟性

本新株予約権の払込金額（発行価額）と同額の金銭を対価として，いつでも本新株予約権の全部を取得できます。これにより，将来，本新株予約権による資金調達の必要がなくなった場合や当社が別の資金調達方法が望ましいと判断した場合には，当社の裁量により切替えを行うことができ，今後の資本政策の柔軟性が確保されております。また，本新株予約権については，当社株式の株価動向や市場環境等に応じて，各号それぞれで取得を実施することができます。7,000個の新株予約権を３回に分けて発行することで，より資本政策の機動性及び柔軟性を確保することができると考えております。なお，取得価額は発行価額と同額であり，キャンセル料その他の取得価額以外の割当予定先への支払いは一切発生いたしません。

⑧　譲渡制限

割当予定先は，当社取締役会の事前の承認を得ることなく，本新株予約権買取契約に基づき当社以外の第三者に本新株予約権を譲渡することはできません。

　また，本スキームには下記のデメリットが存在しますが，上記のとおり，当社にとって当該デメリットを上回る優位性が評価できるものと考えております。

（本スキームのデメリット）

①　本新株予約権の発行時点では本新株予約権の発行価額の総額だけの資金調達となり，その後の権利行使の進捗により，資金調達・資本増強の目的を実現することになります。割当予定先は権利行使を行う義務は負っておらず，市場環境等を考慮しながら権利行使を行うスキームとなっており，権利行使が完了するまでには一定の期間を要することが想定されます。また，株価が下限行使価格を下回って推移した場合，権利行使が行われないこととなります。

②　株価が下落した場合には，調達額が予定額を下回る可能性があります。

③　割当予定先が権利行使請求により取得した株式を売却した場合には，株価下落の要因となりえます。

④　第三者割当形態となるため，資金調達を行うために不特定多数の新規投資家を幅広く勧誘することはできません。

　本新株予約権を選択するにあたり，下記のとおり，他の資金調達方法と比較検討を行った結果，本スキームが現時点において当社にとって最良の選択であると判断いたしました。

（他の資金調達方法との比較）

①　公募増資との比較

公募増資による新株式発行は，即時の資金調達が可能であるものの，希薄化についても即時に生じるため，株価に対して直接的な影響を与える可能性があります。
② 第三者割当増資との比較
第三者割当による新株式発行は，即時の資金調達が可能であるものの，希薄化についても即時に生じるため，株価に対して直接的な影響を与える可能性があります。また，割当先が相当程度の議決権を保有するため，当社の株主構成やコーポレートガバナンスに影響を及ぼす可能性があるものと考えております。
③ 第三者割当型転換社債型新株予約権付社債との比較
第三者割当型転換社債型新株予約権付社債（以下「CB」という。）は，様々な商品設計が考えられますが，一般的には割当先が転換権を有しているため，当社のコントロールが及びません。また，転換価額が固定のCBでは，株価が転換価額より上昇しない限り，転換が進捗せず資本増強目的が達成できないことが懸念されます。一方，株価に連動して転換価額が修正されるCBでは，転換により交付される株式数が転換価額に応じて決定されるという構造上，希薄化か確定しないために株価に対して直接的な影響が懸念されます。
④ ライツ・オファリングとの比較
いわゆるライツ・オファリングには，当社が金融商品取引業者と元引受契約を締結するコミットメント型ライツ・オファリングと新株予約権の権利行使は株主の決定に委ねられるノンコミットメント型ライツ・オファリングがあります。コミットメント型ライツ・オファリングは，国内における事例が少なく事前準備に相応の時間を要することや引受手数料等の発行コストの増大が予想されます。また，ノンコミットメント型ライツ・オファリングでは，既存投資家の参加率が不透明であることが，資金調達の蓋然性確保の観点から不適当であると判断いたしました。
⑤ 行使価額が固定された新株予約権との比較
行使価額が修正されない新株予約権は，株価上昇時にその上昇メリットを当社が享受できず一方で株価下落時には行使が進まず資金調達が困難となります。
⑥ 借入・社債との比較
借入や社債による資金調達では，利払い負担や返済負担が生じるとともに，当社の財務健全性の低下が見込まれます。

2 MSワラントの具体例とその内容

本項では、実際にMSワラントを発行した企業より公表されているプレス・リリースなどの資料を参考として、MSワラントの発行の目的、MSワラントを用いた資金調達での新株予約権の発行要項および付随的な特約の内容を紹介する。なお、本項の記載は公表されている資料によって明らかにされている範囲でその内容を紹介するものであり、実際には、各案件ごとに非公表のアレンジメントが存在しうる。また、いうまでもなく、法制度の改正、学説・判例の蓄積、実務慣行の変動などによって、以下の具体例が今後の実務に妥当しなくなることもありうる点には留意されたい。

(1) 新株予約権の発行要項

次に、MSワラントを利用した資金調達の場合の新株予約権の内容（法236条1項）について、MSワラントに特有の内容となっている条項を中心に解説する。

① 新株予約権の目的である株式の数またはその数の算定方法（法236条1項1号）

MSワラントを利用した資金調達の場合、新株予約権の権利行使価額の修正によって新株予約権の目的である株式の数が増減するものの発行例が多い（図表3-12参照）。

もっとも、近時は、既発行株式の過度な希薄化に対する市場の懸念などに配慮して、新株予約権の権利行使価額の下方修正によって増加する新株予約権の目的である株式の数に上限を設ける例（図表3-13参照）も多くなってきている（ただし、この場合でも、時価を下回る払込金額をもって株式が交付される場合などにおいて調整されうる旨の調整条項は設けられることが通常である）。

3-3 MSワラントに関する諸問題

図表3－12 MSワラントにおけるプレス・リリース中の新株予約権の目的である株式の数の定めに関する記載例

セルシードが平成23年9月14日付けで公表したプレス・リリースの発行要項の記載（抜粋）

2. 新株予約権の目的である株式の種類及びその数の算定方法

　本新株予約権の目的である株式の種類は当社普通株式とし，本新株予約権1個の行使請求により当社が当社普通株式を交付する数（以下「交付株式数」という。）は，50,000,000円（以下「出資金額」という。）を行使価額（第3項第(2)号に定義する。）で除して得られる最大整数とし，本新株予約権複数個の行使請求により当社が当社普通株式を交付する数は，行使請求の対象となった本新株予約権の数に出資金額を乗じた金額（以下「出資金総額」という。）を行使価額で除して得られる最大整数とする（1株未満の端数を生じたときはこれを切り捨て，現金による調整は行わない。）。なお，本新株予約権の目的である株式の総数の上限は，本新株予約権の総数に出資金額を乗じた金額を行使価額で除して得られる最大整数となる。ただし，第4項又は第5項に従い，行使価額が修正又は調整された場合は，本新株予約権の目的である株式の総数は変更される。

図表3－13 MSワラントにおけるプレス・リリース中の新株予約権の目的である株式の数の定めに関する記載例

日本金属工業が平成22年11月26日付けで公表したプレス・リリースの（別紙）発行要項の記載（抜粋）

2. 新株予約権の目的である株式の種類およびその数の算定方法

　本新株予約権の目的である株式の種類は当社普通株式とし，本新株予約権1個の行使請求により当社が当社普通株式を交付する数（以下「交付株式数」という。）は，50,000,000円（以下「出資金額」という。）を行使価額（第3項第(2)号に定義する。）で除して得られる最大整数とし，本新株予約権複数個の行使請求により当社が当社普通株式を交付する数は，行使請求の対象となった本新株予約権の数に出資金額を乗じた金額（以下「出資金総額」という。）を行使価額で除して得られる最大整数とする（1株未満の端数を生じたときはこれを切り捨て，現金による調整は行わない。）。なお，本新株予約権の目的たる株式の総数の上限は，本新株予約権の総数に出資金額を乗じた金額を行使価額で除して得られる最大整数となる。ただし，第4項または第5項に従い，行使価額が修正または調整された場合は，本新株予約権の目的たる株式の総数は変更される。

第Ⅱ編　第3章　資金調達手段としての新株予約権

> 3. **新株予約権の行使に際して出資される財産の価額**
>   〔省略〕
>   (2) 本新株予約権の行使により交付する当社普通株式の数を算定するにあたり用いられる当社普通株式1株あたりの価額（以下「行使価額」という。）は，当初132円とする。ただし，第4項または第5項に従い，修正または調整される。

② **新株予約権の行使に際して出資される財産の価額またはその算定方法**（法236条1項2号）

前述3－2「エクイティ・コミットメントラインに関する諸問題」参照。

③ **権利行使価額の修正**（法236条1項2号）

(a) **上方修正条項・下方修正条項**

MSワラントを用いた資金調達の場合，MSワラント発行後の金融商品取引所における発行会社の普通株式の株価の変動に応じて，権利行使価額が修正される旨の条項が付されることとなる。権利行使価額の修正がなされない新株予約権であれば，市場価格の上昇などによって，新株予約権の行使価額がその時点の市場価格を上回る状態（いわゆるアウト・オブ・ザ・マネー）となり，新株予約権者にとってこれを行使する経済的なインセンティブが喪失し，もって，資金調達目的が実現されなくなってしまうためである。

このような権利行使価額の修正条項には，一定の日（後述(b)参照）において算出される特定の株価（後述(c)参照）に一定の比率（後述(d)参照）を乗じて得られる額と当初の権利行使価額とを比較し，前者が後者を上回る場合には前者の額をもって修正後の権利行使価額とする条項（以下本③において「上方修正条項」という）と，前者が後者を下回る場合には前者の額をもって修正後の権利行使価額とする条項（以下本③において「下方修正条項」という）とがある。

MSワラントを利用した資金調達の場合の新株予約権には，上方修正条項と下方修正条項の双方が付されているものが一般的であるが，上方修正条項のみが付されているものや，下方修正条項のみが付されているものもあ

3-3 MSワラントに関する諸問題

る[26]。また，これらの上方修正条項や下方修正条項は，修正後権利行使価額の上限または下限の定めと組み合わせて用いられることもある。

　もっとも，上場会社がMSワラントを利用して資金調達を行う場合には，平成19年10月31日付け「金融商品取引法制の整備並びに上場制度総合整備プログラム対応及び組織体制の変更に伴う業務規程の一部改正に関する適時開示実務上の取扱いの見直し等について」と題する通知により公表された実務上の取扱基準により，「下方にのみ行使価額の修正が行われるMSCB等[27]又は行使価額の上方修正に過度な制限が付されたMSCB等については，一定の場合（業務提携又は資本提携のために発行する場合であって，新株予約権等の行使により交付される株券について取得後6か月以上の保有が約され，その旨が公表されるとき等）を除き，流通市場の機能影響又は株主の権利への影響が大きいものと一般的に考えられ，企業行動規範の『遵守すべき事項』に掲げる流通市場の機能又は株主の権利の毀損行為の禁止規定に反するおそれがあるものとして公表措置の審査対象とな」るとの制約[28]が課されているため，留意する必要がある。

　日本証券業協会の規則でも，かかる東京証券取引所の規則と同様の制約が課されていると解される。すなわち，「第三者割当増資等の取扱いに関する

---

(26) もっとも，MSワラントの発行目的が資金調達にあり，新株予約権の行使を可及的に促進するほうがその目的に適合的であるため，上方修正条項のみが付されているMSワラントはむしろ例外的である。これらの上方修正条項や下方修正条項は，修正後権利行使価額の上限または下限の定めと組み合わせて用いられることもある。

(27) MSCB等とは，上場会社が第三者割当により発行する「CB等」（上場会社が第三者割当により発行する，(1) 新株予約権付社債券（同時に募集され，かつ，同時に割り当てられた社債券（金商法2条1項5号に掲げる有価証券または同法2条1項17号に掲げる有価証券で同項5号に掲げる有価証券の性質を有するものをいう）および新株予約権証券であって，一体で売買するものとして発行されたものを含む），(2) 新株予約権証券，(3) 取得請求権付株券（取得請求権の行使により交付される対価が当該取得請求権付株券の発行者が発行する上場株券等であるものをいう）であって，「CB等」に付与または表章される新株予約権または取得請求権の行使に際して払込みをなすべき1株当たりの額が，6カ月間に1回を超える頻度で，当該新株予約権等の行使により交付される上場株券等の価格を基準として修正が行われ得る旨の発行条件が付されたものをいう（上場規程410条1項，上場施行規則411条1項・2項）。

(28) 東京証券取引所上場部編『東京証券取引所会社情報適時開示ガイドブック〔2017年3月版〕』607頁（東京証券取引所，2017）。

規則」(以下,本節において「本日証協規則」という)9条において,「市場及び既存株主への影響」が買受時において日本証券業協会の会員が確認すべき事項として掲げられているところ,その内容に関して,「例えば,MSCBのうち下方にのみ転換価額の修正が行われたり,上方修正に過度な制限が付されたものについては,業務・資本提携等のために割り当てる場合で,発行会社と買受人との間で転換後の株式について6か月以上の(貸株やデリバティブでのヘッジを行わず実質的に)長期保有が約され,その旨が開示される場合など,市場及び既存株主への影響に一定の配慮がなされる場合を除き,会員は,自らの買受け,及び第三者による買受けの斡旋のいずれも行うべきでないとの認識を共有した」との見解が示されている[29]。

なお,MSワラントに上方修正条項が付されていない場合はもちろんのこと,上方修正条項が付されているとしても,修正後権利行使価額の上限の定めが設けられている場合には,たとえば,ディスカウント率(後述(d)参照)が同じ10%であるとしても,修正後権利行使価額の上限を超えて株価が上昇したときは,10%を超えるディスカウントを得ることができるため,一般的には,そのオプション価値は相対的に高く,上記の場合以外の場合と比べ,当該新株予約権の払込金額につき,公正と認められる金額は自ずと高くなると考えられる[30]。

また,会社法113条4項のいわゆる授権枠留保規制との関係については,後述■3を参照されたい。

(b) **決定日**

MSワラントを用いた資金調達において利用される新株予約権には,権利行使価額については,新株予約権の各行使請求の効力発生日を基準として修正される旨定められるもののように事実上毎日修正されるとするものや(図表3−14参照),月や週に1度のみ修正されるとするものなどが存在する。

---

[29] MSCBに関する日証協ワーキング・グループ報告20頁。
[30] MSCBに関するものではあるが,弥永真生「MSCBと有利発行規制」旬刊経理情報1126号41頁(2006)参照。

3-3 MSワラントに関する諸問題

(c) 権利行使価額を修正する際に用いられる株価

MSワラントを用いた資金調達においては，権利行使価額を修正するに際しては，権利行使価額の操作可能性を低下させるという観点から，前述(b)の決定日の前日の金融商品取引所における発行会社の普通株式の終値ではなく，当該前日までの3連続取引日または5連続取引日の金融商品取引所における発行会社の普通株式の終値の平均値が用いられる例が多い。

なお，権利行使価額の操作可能性を低下させるという観点からは，売買高加重平均価格（VWAP）のような指標を用いる方がより望ましいという指摘があり[31]，実際に売買高加重平均価格を用いて権利行使価額を修正するMSワラントもある。

(d) ディスカウント率

MSワラントを用いた資金調達においては，一定期間の金融商品取引所における発行会社の普通株式の終値の平均値（前述(c)のような方法によって得られる）の90％から99％に相当する範囲内の金額をもって修正後の権利行使価額とする例が多い。このような実務は，「moving-strike条項により，毎月決定日を発行決議として時価の90％程度相当額で第三者割当増資を行う場合と実質的には異ならないと考えられるところ，かかる考え方による限り，第三者割当増資における日証協ルールに照らして不当に低くディスカウント率を定めたものとはいえないように思われる」[32]などといった見解を参考としたものであると思われる。

もっとも，MSワラントの有利発行該当性の判断基準として日本証券業協会の第三者割当増資に関する自主ルールを参考にすることができるという上記の見解に依拠することについては，「一時点の株価の0.9と値下がりのリスクのないものの0.9とは意味が違うことは明らかである」として上記の見解に反対する有力な学説[33]もある（この点に関する詳細については，前述**第2章2-3**参照）。

---

(31) 梅本・前掲注(20) 899頁参照。
(32) 新家寛「MPOをめぐる法的問題——有利発行か否か」旬刊経理情報1072号16頁（2005）。

497

この点については,東京証券取引所より,「行使価額の修正条項等の発行条件を決定するにあたり,日本証券業協会『第三者割当増資等の取扱いに関する指針』(平成22年4月1日制定)を参考に時価の90％相当額を下回らないように設定しさえすれば足りると考えていると見受けられる事例もありますが,本来,買受人が経済的利益を享受できる可能性,発行体の信用リスク,社債の利率を含む発行条件,買受人が負う価格下落リスク,株式の消化可能性その他のさまざまな観点から十分な検討を行い,総合的に判断することが望まれます。なお,MSCB等の条件決定にあたって,修正後の行使価額が時価の90％相当額を下回る設定をするような場合には,株式の希薄化又は流通市場の機能を毀損への影響が大きいものと一般的に考えられ,企業行動規範の『遵守すべき事項』に掲げる流通市場の機能又は株主の権利の毀損行為の禁止規定に反するものとして公表措置の審査対象となるおそれがありますので,十分に留意」するようにとの指針が示されている[34]。ディスカウント率の決定においては,90％を一定の目安としつつも,かかる指針をも踏まえ,上記さまざまな観点から慎重に検討する必要がある。

図表3－14　MSワラントにおけるプレス・リリース中の新株予約権の権利行使価格の修正に関する記載例

新日本科学が平成26年6月9日付けで公表したプレス・リリースの記載（抜粋）

5．行使価額の修正
(1)　平成26年6月27日以降,第14項第(1)号に定める本新株予約権の各行使請求の通知が行われた日（以下「修正日」という。）の直前取引日の株式会社東京証券取引所（以下「東証」という。）における当社普通株式の普通取引の終値（同日に終値がない場合には,その直前の終値）の90％に相当する金額の0.1円未満の端数を切り上げた金額（以下「修正日価額」という。）が,当

---

[33]　MSCBに関するものではあるが,江頭・株式会社法792頁注2。さらに,渡辺宏之「転換価額修正型新株予約権の『公正価値』――MSCB, MSワラント等の公正価値と有利発行該当性に関する考察」法律時報89巻2号88頁（2017）,弥永・前掲注(30) 40頁も同旨。
[34]　東京証券取引所上場部編・前掲注(28) 74頁,606頁。

該修正日の直前に有効な行使価額を 0.1 円以上上回る場合又は下回る場合には，行使価額は，当該修正日以降，当該修正日価額に修正される（修正後の行使価額を以下「修正後行使価額」という。）。

ただし，かかる算出の結果，修正後行使価額が 658 円（ただし，第 6 項第(1)号乃至第(5)号による調整を受ける。以下「下限行使価額」という。）を下回る場合には，修正後行使価額は下限行使価額とする。

(2) 前号により行使価額が修正される場合には，当社は，第 14 項第(2)号に定める払込みの際に，本新株予約権者に対し，修正後行使価額を通知する。

④ 新株予約権を行使することができる期間（法 236 条 1 項 4 号）

MS ワラントを用いた資金調達の場合の新株予約権の場合，これを行使することができる期間については，その払込期日の翌営業日を始期として，1 年から 3 年程度の期間が定められることが一般的である。

他方，新株予約権を行使することができる期間が，たとえば，19 日間（丸石自転車株式会社の第 1 回新株予約権[35]）のような短期に定められた例もないわけではない。もっとも，一般論としては，新株予約権を行使することができる期間が短くなればなるほど，発行会社のエクイティによる資金調達という観点からは，新株発行ではなく，新株予約権の発行によるべき必要性・合理性は低下するということがいえよう（「本件新株予約権は，オプションとしての形式を持つものの，その行使がなされることが確実であり，かつ，発行後極めて短期間に行使されることが予定されているということができ，そのような観点から，本件新株予約権の発行は，実質的には新株の発行と同一であるということができる」と判示した東京地裁平成 17 年 3 月 11 日決定（判タ 1173 号 143 頁）および前述■1(3)参照）。

ところで，アメリカにおける MSCB の場合，一定期間（平均して 86 営業日程度のようである）株式への転換を禁止するロック・アップ条項が付されることが多く，このことについては，「MSCB 発行企業の経営者にとって，

---

[35] 旧法下の実例であるが，同社が平成 16 年 4 月 20 日付けで公表したプレス・リリース参照。

現在の株価が割安と映り,時とともに,市場が自社株式を正当に評価すると考えているとするなら,ロック・アップ期間を設けて,転換権の行使時期を遅らせようとすることは論理的ではある」とする評価がある[36]。

わが国における新株予約権を利用した資金調達の場合も,新株予約権の内容として,その権利行使を発行後一定期間制限することによってロック・アップ条項を付すことができるほか(**図表3－15**),新株予約権の権利行使価額の定めや新株予約権の行使条件の定め等を工夫することにより上記のロック・アップ条項と同様の効果を得ることが可能であり,このような条項を付したMSワラントの発行例もある(前述 1(3)および(4)参照)。なお,ロック・アップのために,権利行使価額を,将来の株価上昇を見越して現在の株価水準よりも一定程度高い額(目標株価)に定めるという仕組みと,民法上の「契約」の枠組みによって,発行会社の許可がない限り新株予約権を行使することができない旨の行使条件[37]を設けるという仕組みとを併用する例もある(**図表3－16**)[38]。

図表3－15	MSワラントにおけるプレス・リリース中のロックアップ条項の記載例

間組が平成22年12月6日付けで公表したプレス・リリースの記載(抜粋)
(注)本新株予約権の払込期日は平成22年12月25日であった。

13. 本新株予約権の権利行使期間
　平成23年6月25日から平成24年12月24日まで(ただし,第15項に従って当社が本新株予約権の全部を取得する場合,当社が取得する本新株予約権については,当社取締役会が定める取得日の前日を権利行使期間の最終日とする。)。ただし,権利行使期間の最終日が銀行営業日でない場合にはその前銀行営業日を最終日とする。

---

[36] 梅本・前掲注(20)888頁。
[37] 新株予約権の行使は,新株予約権者の権利であって,義務とはされていない点において,エクイティ・コミットメントラインのスキームとは異なり,新株予約権のオプションとしての性格・機能が維持されている。
[38] なお,**図表3－16**の事例では,行使価額の修正の頻度を下げることにより,金融商品取引所の規則や本日証協規則に定める「MSCB等」に該当しないような設計がされている。

3-3 MSワラントに関する諸問題

図表3－16　行使条件付ターゲット・イシュー・プログラムの記載例

あかつきフィナンシャルグループが平成26年2月14日付けで公表したプレス・リリースの記載（抜粋）
※行使許可条項付・ターゲット・イシュー・プログラム「TIP・2014モデル」

　この手法は，当社が新株式の発行に際して希望する目標株価（ターゲット価格）を3パターン定め，これを行使価額として設定した新株予約権です（下表のとおり）。これは，将来の株価上昇を見越し，3パターンの行使価額によって，段階的に新株式を発行（ターゲット・イシュー）できることを期待して設定したものです。またドイツ銀行ロンドン支店の権利行使に関しては，当社の行使許可なくして行使できない仕組みになっております。行使許可条項については，一定株数および一定期間の制約を定めており，ドイツ銀行ロンドン支店はこの行使許可の制約の中で権利行使することになります。行使許可については，当社の資金需要および市場環境等を見極めながら判断致します。なお，当社は，行使許可を行った場合，その都度プレスリリースを行います。行使価額は原則としてターゲット価格に固定されますが，1）行使請求期間中に株価が固定行使価額を大幅に上回って上昇した場合，又は2）緊急の資金需要が発生したときのために，当社は第6回新株予約権に関して，行使価額修正に関する選択権を保有しております。ターゲット・イシュー・プログラム「TIP・2014モデル」の特徴は，行使価額修正選択権が付された第6回新株予約権に関しても，当社の選択により行使価額が修正された後も修正後の価額で行使価額が固定されること，すなわちいわゆるMovingStrikePrice（当社の株価に連動して日々行使価額が変動すること）にならないことです。また下記3(1)に記載のとおり第6回新株予約権に関して当社が行使価額を修正する頻度が6ヶ月に1度未満であることから，取引所の定める「有価証券上場規程」第410条第1項および日本証券業協会の定める「第三者割当増資の取扱いに関する規則」第2条第2号の定める「MSCB等」には該当しません。
〔省略〕

3. 資金調達方法の概要および選択理由
(1) 資金調達方法の概要

　今回の資金調達は，当社がドイツ銀行ロンドン支店に対し本新株予約権を割当て，ドイツ銀行ロンドン支店による本新株予約権の行使に伴って当社の資本が増加する仕組みとなっております。本新株予約権の行使価額は当初固定（第4回新株予約権は1,700円，第5回新株予約権は1,950円，第6回新株予約権は2,500円）されていますが，当社は第6回新株予約権に関して，平成26年9月3

日以降，当社取締役会の決議により行使価額の修正を行うことができます。当該決議をした場合，当社は直ちにその旨を本新株予約権者に通知するものとし，通知日の翌営業日に，行使価額は，通知日（通知日が取引日でない場合には直前の取引日）の取引所における当社普通株式の普通取引の終値（気配表示を含みます。）の90％に相当する金額の1円未満の端数を切下げた額に修正されます。ただし，かかる修正後の行使価額が下限行使価額（当初1,700円とし，第6回新株予約権の発行要項第11項の規定を準用して調整されます。）を下回ることとなる場合には，行使価額は下限行使価額とします。なお，以下に該当する場合には当社はかかる取締役会決議及び通知を行うことができません。

① 金融商品取引法第166条第2項に定める当社の業務等に関する重要事実であって同条第4項に従って公表されていないものが存在する場合
② 前回の行使価額修正通知を行ってから6ヶ月が経過していない場合
③ 下記に記載の行使許可期間内である場合

　　当社はドイツ銀行ロンドン支店との間で，金融商品取引法に基づく届出の効力発生を条件として，以下の内容を含む本買取契約を締結いたします。ドイツ銀行ロンドン支店は，本買取契約に従って当社に対して本新株予約権の行使にかかる許可申請書（以下，「行使許可申請書」といいます。）を提出し，これに対し当社が書面により本新株予約権の行使を許可（以下，「行使許可書」といいます。）した場合に限り，行使許可書の受領日当日から20営業日の期間（以下，「行使許可期間」といいます。）に，行使許可書に示された数量の範囲内でのみ本新株予約権を行使できます。なお，一通の行使許可申請書に記載する行使可能新株予約権数は各回330,000個を超えることはできず，従前の行使許可申請に基づく行使許可期間中に当該行使許可にかかる本新株予約権の行使可能数が残存している場合には，ドイツ銀行ロンドン支店は当該期間の満了又は当該行使許可にかかる本新株予約権の全部の行使を完了することとなる行使請求書を当社に提出するまで新たな行使許可申請書を提出することができません。

なお，当社は，本新株予約権の割当日以降，当社取締役会が本新株予約権を取得する日を定めたときは，取得の対象となる本新株予約権の新株予約権者に対し取得日の通知又は公告を当該取得日の1ヶ月前までに行うことにより，取得日の到来をもって，当該取得日に残存する本新株予約権の全部又は一部を発行価額と同額にて取得することができますが，上記行使許可期間内は，かかる買入消却をすることが本買取契約により制限されます。

(2) 資金調達方法の選択理由
　本スキームには以下の「(3) 本スキームの特徴」に記載のメリットおよびデメリットがありますが，本スキームは当社が行使許可を通じて本新株予約権の

3-3 MSワラントに関する諸問題

行使の数量および時期を一定程度コントロールすることができるという特徴をもっており，当社の資金需要や市場環境等を勘案しながら機動的に資金を調達することができるため，既存株主の利益への影響を抑えながら自己資本を増強することが可能であることから，以下の「(3) 本スキームの特徴」に記載の［他の資金調達方法との比較］のとおり，他の資金調達手段と比較しても，本スキームによる資金調達方法が現時点において最適な選択であると判断し，これを採用することを決定しました。

(3) 本スキームの特徴
　本スキームには，以下のようなメリットおよびデメリットがあります。
［メリット］
① 固定行使価額（資金調達目標株価）によるターゲット・イシュー
　株価の上昇局面において効率的かつ有利な資金調達を実現するため，新株予約権を3回のシリーズに分け，予め将来の株価上昇を見込んで3通りの行使価額を設定しております（1. に記載の表のとおり）。行使価額は原則として固定されており，行使価額の修正を行うことのできる第6回新株予約権についても当社が希望しない限り行使価額の修正は行われないため，仮に将来において株価が急落した場合でも当初の予測を超えて希薄化が促進されることはありません。
② 行使許可条項
　ドイツ銀行ロンドン支店は，当社の許可なく本新株予約権を行使できない仕組みとなっております。本買取契約において，ドイツ銀行ロンドン支店は，原則として当社が本新株予約権の行使を許可した場合に限り，当該行使許可の到達日当日から20営業日の期間に当該行使許可に示された数量の範囲内（一回あたりの権利行使上限個数は330,000個）でのみ本新株予約権を行使できるものと定められます。当社は，かかる行使許可について，当社の資金需要および市場環境等を見極めながらその都度判断を下します。これによって当社は，ドイツ銀行ロンドン支店による権利行使に一定の制限を課し，かつ資金需要および市場環境を判断しながら権利行使許可のタイミングを判断することが可能になります。
③ 最大交付株式数の限定
　本新株予約権の目的である当社普通株式数は990,000株で固定されており（行使価額を修正可能な第6回新株予約権も330,000株で固定），株価動向に係らず，最大交付株式数が限定されております。
④ 買入消却条項
　将来的に本新株予約権による資金調達の必要性がなくなった場合，又はそれ以上の好条件での資金調達方法が確保できた場合等には，当社の選択により，

いつでも残存する本新株予約権を買入消却することが可能です。買入消却額は発行価額と同額であり，キャンセル料その他の追加的な費用負担は一切発生いたしません。

⑤ 行使価額修正条項・選択権

上記①に記載の通り，本新株予約権の行使価額は原則として固定されていますが，第6回新株予約権に関しては，当社の判断により行使価額を修正することが可能です。これによって第6回新株予約権については当初の目標株価であった行使価額を大幅に上回って株価が上昇した場合に資金調達額を増額でき，又は緊急の若しくは機動的な資金ニーズに対しても対応することが可能です。なお，第6回新株予約権の行使価額は下方にも修正される可能性がありますが，下限は1,700円と定められており，当社が行使価額の修正を決定した後に株価が下落した場合であっても，行使価額の下方修正には歯止めが掛かる仕組みとなっています。

⑥ 資金調達のスタンバイ（時間軸調整効果）

新株発行手続には，有価証券届出書の待機期間も含め通常数週間を要します。よって，株価がターゲット価格に達してから準備を開始しても，数週間の発行準備期間を要し，かつその期間中の株価変動等により，機動的かつタイムリーな資金調達機会を逸してしまう可能性があります。これに対し，それぞれのターゲット価格を設定した本新株予約権を予め発行しておくことにより，株価上昇後の有利な価格による資金調達をスタンバイできます。

［デメリット］

① 当初に満額の資金調達は出来ない

新株予約権の特徴として，新株予約権者による権利行使があって初めて，行使価額に行使個数を乗じた金額の資金調達がなされます。本新株予約権の当初行使価額（ターゲット価格）は，当社の希望により，いずれも現時点の当社株価よりも高く設定されており，上記［メリット］⑤に記載の第6回新株予約権における行使価額の修正により行使価額がターゲット価格を下回る額とならない限り，当社株価がターゲット価格を超えて初めて権利行使請求が行われる可能性が生じます。

② 不特定多数の新投資家へのアクセスの限界

第三者割当方式という当社と割当先のみの契約であるため，不特定多数の新投資家から資金調達を募るという点において限界があります。

③ 株価低迷時に，資金調達がされない可能性

株価が長期的に行使価額（第4回新株予約権は1,700円，第5回新株予約権は1,950円，第6回新株予約権は2,500円）を下回る状況などでは，資金調達ができない可能性があります。

④ 割当予定先が当社株式を市場売却することにより当社株価が下落する可能

性
　割当予定先の当社株式に対する保有方針は短期保有目的であることから、割当予定先が新株予約権を行使して取得した株式を市場で売却することを前提としており、現在の当社株式の流動性も鑑みると、割当予定先による当社株式の売却により当社株価が下落する可能性があります。
⑤　割当予定先が本新株予約権を行使せず、資金調達がなされない可能性
　当社から、割当予定先に対して行使を指図することはできない仕組みであり、割当予定先が行使をしない限り全く資金調達がなされない可能性もあります。
⑥　行使価額の修正ができず、資金調達が制限される可能性
　第6回新株予約権については、当初の目標株価であった行使価額を大幅に上回って株価が上昇した場合に資金調達額を増額でき、又は緊急の若しくは機動的な資金ニーズに対しても対応できるよう行使価額の修正を行えるようにしておりますが、金融商品取引法第166条第2項に定める当社の業務等に関する重要事実であって同条第4項に従って公表されていないものが存在する場合（資本提携先との提携の蓋然性が高まった場合を含む）、前回の行使価額修正通知を行ってから6ヶ月が経過していない場合及び行使許可期間内である場合には行使価額を修正できず、資金調達が制限される可能性があります。
［他の資金調達方法との比較］
①　公募増資
　公募増資による新株発行は、資金調達が一度に可能となるものの、同時に将来の1株当たり利益の希薄化を一度に引き起こすため、株価に対する直接的な影響が大きいと考えられます。
②　株主割当増資
　株主割当増資では希薄化懸念は払拭されますが、割当先である既存投資家の参加率が不透明であることから、十分な額の資金を調達できるかどうかが不透明であり、今回の資金調達方法として適当でないと判断いたしました。
③　第三者割当増資
　第三者割当増資は即時の資金調達として有効な手段となりえますが、現時点では適当な割当先が見つかっておらず、また見つかったとしても第三者割当増資のみによっては、当社の将来的な資金需要を満たす金額の資金調達を行うことは困難な見込みであるため、本新株予約権の発行により資金調達のパイプを整備する必要があると判断いたしました。
④　MSCB
　株価に連動して行使価額が修正される転換社債型新株予約権付社債（いわゆるMSCB）の発行条件および行使条件は多様化していますが、一般的には、転換により交付される株数が行使価額に応じて決定されるという構造上、転換の完了までに転換により交付される株式総数が確定しないため、株価に対する直

接的な影響が大きいと考えられます。
⑤ 行使価額が固定された新株予約権
　行使価額が修正されない新株予約権のみを発行する場合は，株価上昇時にその上昇メリットを当社が享受できず，一方で株価下落時には行使が進まず資金調達が困難となります。
⑥ 新株予約権無償割当てによる増資（ライツ・イシュー）
　いわゆるライツ・イシューには当社が金融商品取引業者と元引受契約を締結するコミットメント型ライツ・イシューと，当社がそのような契約を締結せず，新株予約権の行使は株主の決定に委ねられるノンコミットメント型ライツ・イシューがありますが，コミットメント型ライツ・イシューについては国内で実施された実績が乏しく，資金調達手法としてまだ成熟が進んでいない段階にある一方で，引受手数料等のコストが増大することが予想され，適切な資金調達手段ではない可能性があります。また，ノンコミットメント型のライツ・イシューについては，上記の株主割当増資と同様に，割当先である既存投資家の参加率が不透明であり，十分な額の資金調達を実現できるかどうかが不透明であり，割当先が金融機関一社に特定され，その行使の動向を予想しやすい本新株予約権と比較した場合，今回の資金調達方法としては適当でないと判断いたしました。
⑦ 社債による資金調達
　社債による資金調達については，予定している資金使途が顧客預り資産の拡大のための資本提携出資資金であることを勘案し，資本増強を充足する資金調達を検討していたことから，今回の資金調達の方法としては選択いたしませんでした。

⑤　発行会社による取得条項

　MSワラントとして利用される新株予約権の場合，発行会社の取締役会が取得する日を定めたときは，法定の手続に従って発行会社が残存する新株予約権の全部または一部を取得することができる旨の取得条項が定められることが一般的である（**図表3－17**参照）。

　MSワラントとして利用される新株予約権にこのような取得条項が付される趣旨については，次のような説明がなされることが多い。もっとも，次のうち(a)と(b)の説明については，MSワラントの本来の目的がエクイティ性の資金の調達にあることに照らせば，異論もありうるであろう。

(a) 「株価が下落すると,それに合わせて転換価額が引き下げられるため,転換によって発行される株式数が増加し,株式の希薄化が進展することでさらなる株価下落につながる,といったスパイラルな株価下落が生じる」おそれがある場合に,発行会社が取得条項を発動しMSワラントを取得することにより株式の希薄化を未然に防止し,さらなる株価下落を回避することを可能とするため[39]

(b) 発行会社がいつでもMSワラントを取得できる状態に置くことにより,MSワラントを取得した者が空売りによりヘッジ取引を行うことを牽制するため[40][41]

(c) エクイティによる資金調達の必要性が存しなくなった場合に,発行会社がMSワラントを取得することを可能とするため[42]

実務上は,「特に有利な金額」(法238条3項2号)による募集新株予約権の発行として株主総会の特別決議が必要とならないようにしたいという要請がある場合も多いが,払込金額があまりに高額である場合にはMSワラントの割当先を確保することが困難であるため,実務的には,MSワラント発行に際してその公正なオプション価額自体を下げなければMSワラントの発行による資金調達そのものが危ぶまれるような事例も多いのではないかと推察される。そして,このような要請のもと,上記のような取得条項は,MSワラントの公正なオプション価額を下げる要素として最も重視されていたものの1つでもあったのではないかと推測される(たとえば,**図表3-18**参照)。

なお,「本件募集新株予約権の割当日後は,債務者の取締役会が定めた任意の日において払込金額をもって本件募集新株予約権を取得することができるとしていることからすると,募集新株予約権者は,これによって債務者の

---

[39] 冨永・前掲注(15)10頁。
[40] 新家・前掲注(32)17頁参照。
[41] 「もしその証券会社が〔中略〕ヘッジ目的の普通株式の空売りを〔中略〕していたとすると,コールがかかれば片方のポジションが消えて逆サイドのリスクのみが裸で残ってしまうので」,上記のような牽制効果がある(MSCBに関するものではあるが,奥・前掲注(18)46頁)。
[42] 新家・前掲注(32)16頁参照。

株式を取得するオプションを失うこととなる。そのため，募集新株予約権者の立場からすると，このような取得条項が定められていることは，公正なオプション価額の算定を下げる要素として一応考慮すべきものともいえる。」と判示した裁判例もある[43]。

もっとも，この裁判例は，二項格子モデルによる算定式によって公正なオプション価額を算定する場合，資金調達というMSワラントの発行目的にかんがみて，発行会社の「取締役会において行使期間の初日である同年7月4日に取得日を定める決定がされない場合も考慮したうえで，公正なオプション価額を検討する必要があるというべきである。」と判示したうえで，さらに，「取得条項がない場合の本件募集新株予約権1個当たりの公正な価額としての最安値は154万4,730円であるところ，前記のとおり，債務者〔注：発行会社〕主張の本件募集新株予約権の発行目的であれば，むしろ債務者の取締役会が行使期間の初日である同年7月4日に取得日を定める決定をしない可能性が高いといえる本件においては，取得条項があることにより理論的にオプション価格を下げる余地があるとしても，取得条項がないとして算定された本件募集新株予約権の上記価額を大幅に下回る9万1,000円にまで下げる合理的な理由を直ちに見いだすことは困難というべきである」と判示し，結論的に，有利発行に該当するにもかかわらず株主総会の特別決議を経ていないとしてMSワラントの発行を仮に差し止めたものである。このような裁判例を踏まえれば，MSワラントの公正なオプション価額を算定するに際して，一般論としては，上記のような取得条項の存在を過大視し，その価額を大幅に低く算定することは適切ではないといえよう[44]。

---

(43) 東京地決平成18・6・30金判1247号6頁〔サンテレホン事件〕。また，同判決の判例評釈としては，鳥山恭一「取締役会決議による新株予約権の発行と株主の発行差止請求：サンテレホン株式会社事件」法学セミナー623号121頁（2006），島田邦雄ほか「公正なオプション価格を大きく下回る払込金額による募集新株予約権の発行が原則として募集新株予約権の有利発行に当たるとされ発行差止めの仮処分が認容された事例」旬刊商事法務1778号61頁（2006）および山岸暢子「取得条項付募集新株予約権と有利発行の判断基準」ジュリスト1375号132頁（2009）を参照されたい。

(44) 弥永・前掲注（30）42頁参照。

3-3 MSワラントに関する諸問題

図表3－17 MSワラントにおけるプレス・リリース中の新株予約権の取得条項の記載例

新日本科学が平成26年6月9日付けで公表したプレス・リリースの記載（抜粋）

9．新株予約権の取得条項
(1) 当社は，当社取締役会が本新株予約権を取得する日（当該取締役会後15取引日を超えない日に定められるものとする。）を別に定めた場合には，当該取得日において，残存する本新株予約権の全部を取得する。当社は，本新株予約権を取得するのと引換えに，当該本新株予約権の新株予約権者に対して，本新株予約権1個あたり払込金額と同額を交付する。当社は，取得した本新株予約権を消却するものとする。
(2) 当社は，当社が消滅会社となる合併，吸収分割，新設分割，株式交換又は株式移転（以下「組織再編行為」という。）につき当社株主総会（株主総会の決議を要しない場合は，取締役会）で承認決議した場合，当該組織再編行為の効力発生日以前に，当社が本新株予約権を取得するのと引換えに当該本新株予約権の新株予約権者に対して本新株予約権1個あたり払込金額と同額を交付して，残存する本新株予約権の全部を取得する。当社は，取得した本新株予約権を消却するものとする。
(3) 当社は，当社が発行する株式が東証により監理銘柄，特設注意市場銘柄若しくは整理銘柄に指定された場合又は上場廃止となった場合には，当該銘柄に指定された日又は上場廃止が決定した日の翌銀行営業日に，本新株予約権を取得するのと引換えに当該本新株予約権の新株予約権者に対して本新株予約権1個あたり払込金額と同額を交付して，残存する本新株予約権の全部を取得する。当社は，取得した本新株予約権を消却するものとする。
(4) 本項第(1)号及び第(2)号により本新株予約権を取得する場合には，当社は，当社取締役会で定める取得日の2週間前までに，当該取得日を，本新株予約権者に通知する。

図表3－18 MSワラントにおけるプレス・リリース中の新株予約権の払込金額の算定の理由の記載例

日本金属工業が平成22年11月26日付けで公表したプレス・リリースの記載（抜粋）

5. 発行条件等の合理性
(1) 払込金額の算定根拠及びその具体的内容
　〔省略〕
　　（ⅰ）本新株予約権の行使請求により交付されることとなる株式数が当社株式の売買高と比較して相当数にのぼることに加え，当社の判断で本新株予約権が取得され得ることから，新株予約権者は株価の変動次第では新株予約権の価値を実現することができなくなるリスクを回避することを目的としたデルタヘッジに制約を受けること
　〔省略〕
という特性を踏まえて，〔省略〕，新株予約権者の投資リスクを勘案して，〔省略〕同規模の公募増資を行う場合に想定される発行スプレッド（条件決定日の時価株価と発行価額の差）と同じ水準である8％のディスカウントに基づき，当社株式の株価変動率及び流動性等を勘案した結果として算定されています。

⑥　譲渡制限

　MSワラントとして利用される新株予約権の場合，その譲渡については発行会社の取締役会の承認を要するとの譲渡制限が設けられることが一般的である。

　MSワラントとして利用される新株予約権に譲渡制限が付されることの趣旨については，新株予約権が行使されることなく投機的な投資家に譲渡された場合には，株式の空売りなどを用いた投機的な株式売却行動を誘発し，下方スパイラルが促進されてしまうおそれがあるため，このようなリスクを予防することを意図したものであると説明されている[45]。

⑦　新株予約権の商品性等に関する東京証券取引所からの要請・日本証券業協会の規則[46]

　東京証券取引所は，上場会社に対して，「MSCB等」（行使価格の修正頻度が6カ月に1回を超える新株予約権で，第三者割当ての方法により発行されるも

---

[45]　直接にはMSCBに関するものではあるが，冨永・前掲注（15）10頁，奥・前掲注（18）46頁参照。

[46]　上場規制，本日証協規則が実務に与えた影響については，証券取引法研究会「最近のエクイティ・ファイナンスに関する話題」「会社法の検討──ファイナンス関係」別冊商事法務333号72頁～73頁（2009）を参照。

3-3　MSワラントに関する諸問題

のは，通常これに該当する[47]）の商品性等につき一定の要請を行っている。すなわち，かかる「MSCB等」の定義に該当するMSワラント（本3-3において以下，「規制対象MSワラント」という）の発行に際しては，「調達資金の使途，新株予約権等の行使条件の合理性，MSCB等の発行数量及び当該発行に伴う株式の希薄化の合理性等について十分に確認・検討を行ったうえで，流通市場への影響及び株主の権利に十分に配慮すること」[48]が要請されている（「MSCB等の発行及び開示並びに第三者割当増資等の開示に関する要請」（平成19年6月25日付東証上会第1号））。

　日本証券業協会も，同様に，同協会の会員に対して，「MSCB等」（行使価格の修正頻度が6カ月に1回を超える新株予約権で，第三者割当ての方法により発行されるものは通常これに該当する[49]）の買受けを行う場合には，買受け時の確認事項として同様の内容を確認することを求めている（本日証協規則9条）。

(2)　新株予約権の割当契約（買取契約）に関する規制

　金融商品取引所の規則上，上場会社は，「MSCB等」の定義に該当する新株予約権を発行する場合には，これを買い受けようとする者による転換または行使を制限する措置を講じることが義務づけられている。たとえば東京証券取引所の場合，企業行動規範の「遵守すべき事項」として，上場会社が規制対象MSワラントを発行する場合，規制対象MSワラントの割当てを受

---

(47)　「MSCB等」の定義の詳細については，前掲注（27）参照。
(48)　具体的には，商品性等の十分な理解に基づく発行証券の選択等，発行スキームに関する既存株主への影響等に配慮した十分な確認・検討（資金調達の使途，新株予約権等の行使条件の合理性，MSCB等の発行数量および当該発行に伴う株式の希薄化の規模の合理性等，その他，財政状態および経営成績の確認・検討や株価等の動向の確認・検討，割当先等の確認・検討など，流通市場への影響および株主の権利に関する重要な事項に配慮すること）が項目として掲げられている。詳細については，東京証券取引所上場部編・前掲注（28）612頁以下参照。
(49)　MSCB等の定義については，本日証協規則2条2号に規定があり，上場規程とほぼ同じ内容が定められている。もっとも，本日証協規則上は，MSCB等の買受け時の確認および新株予約権等の行使制限に関する規定については，発行に係る株主総会の特別決議を行っていないものに限って適用される（本日証協規則3条柱書）。

ける者との間の買取契約において，次の(a)から(e)までに記載の内容の行使制限を課す必要がある旨定められている（上場規程434条1項，上場施行規則436条）[50]。

(a) 新株予約権等の転換または行使をしようとする日を含む暦月において行使数量（転換または行使により取得することとなる株券等の数のこと）が当該規制対象MSワラントの発行の払込日時点における上場株券等の数の10%を超える場合には，当該10%を超える部分に係る新株予約権等の転換または行使（以下本(2)において「制限超過行使」という）を行うことができないこと[51]。

(b) 上場会社は，規制対象MSワラントを保有する者による制限超過行使を行わせないこと[52]。

(c) 買受人は，制限超過行使を行わないことに同意し，新株予約権等の転換または行使に当たっては，あらかじめ，上場会社に対し，当該新株予約権等の行使が制限超過行使に該当しないかについて確認を行うこと。

(d) 買受人は，当該規制対象MSワラントを転売する場合には，あらかじめ転売先となる者に対して，上場会社との間で上記(b)および(c)の内容な

---

[50] さらに，MSCB等の定義に該当しない場合でも，上場会社が発行する有価証券に係る金商法2条20項に規定するデリバティブ取引その他の取引が上場会社が発行するCB等と密接不可分の関係であって，かつ，当該CB等および当該デリバティブ取引その他の取引が一体としてMSCB等と同等の効果を有する場合には，当該CB等および当該デリバティブ取引その他の取引を一体としてMSCB等とみなして，新株予約権行使の制限に関する合意や後述する転換または行使の状況に関する開示の義務づけについて，同様の規制を適用することとしている（上場規程410条3項・434条3項）。本日証協規則でも，有価証券とデリバティブ取引その他の取引を一体として見た場合に，MSCBと同じ性質を有するようなものについても，MSCB等とみなすとの規定が置かれている（本日証協規則18条）。

[51] ただし，買受契約には，「対象株券等が上場廃止となる合併，株式交換及び株式移転等が行われることが公表された時から，当該合併等がなされた時又は当該合併等がなされないことが公表された時までの間」その他上場施行規則436条5項各号に掲げる期間または場合においては，制限超過行使を行うことができる旨を定めることができる（上場規程434条1項，上場施行規則436条5項各号）。

[52] 上場施行規則436条1項の「その他の」という文言からすれば，(a)の内容の行使制限（同項）は例示にすぎず，これは，(b)の内容の行使制限（同条4項1号）と独立に意味を有するものではないようにも思われるが，東京証券取引所は両者を互いに独立した内容の行使制限と位置づけているようである（東京証券取引所上場部編・前掲注（28）611頁）。

3-3 MSワラントに関する諸問題

らびに転売先となる者がさらに第三者に転売する場合にも上記(b)および(c)の内容を約させること。

(e) 上場会社は，上記(d)の転売先となる者との間で，上記(b)および(c)の内容ならびに転売先となる者がさらに第三者に転売する場合にも上記(b)および(c)の内容を約すること。

ただし，次の(f)から(i)までの条件をすべて満たす場合その他東京証券取引所が適当と認める場合には，上記の買受契約に関する行使制限についての規制の適用が除外されている（上場規程434条2項，上場施行規則436条6項）。

(f) 業務提携または資本提携のために規制対象MSワラントを発行すること。

(g) 上場会社と買受人との間で対象株券等について取得後6カ月以上の保有が約され，その旨が公表されること。

(h) 当該買受人が，当該保有を約した期間中において当該対象株券等に係る株券等貸借取引を行わないこと。

(i) 当該買受人が，当該買受け（買受けを行うことを決定している場合を含む）後から当該保有を約した期間が終了するまで当該対象株券等に係る店頭デリバティブ取引を行わないこと。

なお，日本証券業協会の規則も，上記の東京証券取引所の規則と同様に，会員が「MSCB等」[53]の買受けを行う際には，新株予約権の行使制限等の取扱いを内容とする買取契約を締結することを求めている（本日証協規則13条）（上記行使制限を内容とする契約に関するプレス・リリースにおける記載例については図表3－19を，また例外規定の記載例については図表3－20を，それぞれ参照）。

---

(53) MSCB等の定義については，前掲注（27）参照。

図表3－19	MSワラントにおけるプレス・リリース中の東証上場規程，本日証協規則に基づく行使制限の記載例

理研ビタミンが平成28年12月26日付けで公表したプレス・リリースの記載（抜粋）

〈割当予定先による行使制限措置〉
① 当社は，東証の定める有価証券上場規程第434条第1項及び同規程施行規則第436条第1項乃至第5項の定めに基づき，MSCB等の買受人による転換又は行使を制限するよう措置を講じるため，日本証券業協会の定める「第三者割当増資等の取扱いに関する規則」に従い，所定の適用除外の場合を除き，本新株予約権の行使をしようとする日を含む暦月において当該行使により取得することとなる株式数が本新株予約権の払込日時点における当社上場株式数の10％を超えることとなる場合の，当該10％を超える部分に係る新株予約権の行使（以下「制限超過行使」という。）を割当予定先に行わせない。
② 割当予定先は，上記所定の適用除外の場合を除き，制限超過行使に該当することとなるような本新株予約権の行使を行わないことに同意し，本新株予約権の行使にあたっては，あらかじめ当社に対し，本新株予約権の行使が制限超過行使に該当しないかについて確認を行う。

図表3－20	MSワラントにおけるプレス・リリース中の上場規程の例外規定に該当することから行使制限をおいていないことの記載例

間組が平成22年12月6日付けで公表したプレス・リリースの記載（抜粋）

(2) 割当予定先を選定した理由
　割当予定先である安藤建設は当社の資本業務提携先であり，平成15年の資本業務提携契約締結以来，大型建築案件・民間土木案件の共同受注，海外土木案件への共同取組，資機材の共同購買，共同技術開発，技術協力，社員教育の協力等を進めております。
　当社は，安藤建設との資本業務提携を引き続き推進し，両社の信頼・協力関係を一層深め，相互に競争力・収益力を向上させていくことが，厳しい経営競争に勝ち抜くために必要不可欠であると考えており，第1回新株予約権がその行使期間満了日（平成22年12月24日）が経過するまで行使されないことを停止条件として，第1回新株予約権と同内容にて，本新株予約権を割り当てるこ

3-3 MSワラントに関する諸問題

> (3) 割当予定先の保有方針及び行使制限措置
> 　当社と割当予定先は，本新株予約権買取契約において，当社の取締役会の決議による当社の承認を得ることなく本新株予約権を譲渡しないこと，及び有価証券上場規程施行規則第436条第6項に則り，本新株予約権の権利行使により交付される当社普通株式（以下「対象株式」といいます。）を取得後6か月間（以下「継続保有期間」といいます。）継続保有することを約す予定です。
> 　また，当社は，割当予定先が資本業務提携の趣旨に則り対象株式を継続保有する方針であることを確認しております。
> 　なお，本新株予約権の発行は東京証券取引所の定める有価証券上場規程第434条第2項，同施行規則第436条第6項の要件を満たすことから，割当予定先に対して権利行使を制限する措置は講じません。
> 〔省略〕
>
> (5) 株券貸借に関する契約
> 　当社と割当予定先との間において，対象株式に関連する株券貸借に関する契約を締結しておらず，またその予定もありません。
> 　なお，当社と割当予定先は，有価証券上場規程施行規則第436条第6項に則り，本新株予約権買取契約において，継続保有期間中に当該対象株式に係る株券等貸借取引を行わないことを約す予定です。
>
> (6) 店頭デリバティブ取引に関する契約
> 　当社と割当予定先は，有価証券上場規程施行規則第436条第6項に則り，本新株予約権買取契約において，当該契約の調印日以降（割当日までに調印することを予定しております。），継続保有期間が終了するまでの間，当該対象株式に係る店頭デリバティブ取引を行わないことを約す予定です。

(3) 開示規制

① 開示府令

　平成21年12月11日公布の開示府令によって，MSワラントは，「行使価額修正条項付新株予約権付社債券等」（開令19条8項）として，その発行開示および継続開示上，一般的な新株予約権よりも充実した開示が求められることになった。開示府令上の「行使価額修正条項付新株予約権付社債券等」

とは，取得請求権付株券，新株予約権証券および新株予約権付社債券等であって，権利行使によって割り当てられる株式の数または権利行使に際して支払われるべき金銭その他の財産の価額が，当該有価証券の発行後の株価を基準として決定され，または修正されることがある旨の条件が付されたものをいう[54]。金融商品取引所および日本証券業協会の自主ルールとは異なり，規制の対象となる「行使価額修正条項付新株予約権付社債券等」の定義は，行使価格の修正頻度が6カ月に1回を超えるものといった限定がなく，その修正頻度の多寡にかかわらず対象となり，また，第三者割当ての方法により発行されるものに限定されておらず公募により発行されるものもその対象とされている点には留意が必要である。

(a) **発行開示**

開示府令上，募集・売出しに係る有価証券が行使価額修正条項付新株予約権付社債券等に該当する場合において，有価証券届出書[55]に記載することが求められる事項のうち，特に重要であると思われる点は，以下のとおりである。

(i) 【表紙】の【募集有価証券】の欄[56]

有価証券の種類として，「新株予約権証券（行使価額修正条項付新株予約権付社債券等）」と記載することや，文章で「この新株予約権証券は，企業内容の開示に関する内閣府令第19条第8項に規定する行使価額修正条項付新株予約権付社債券等である。」のように記載してもよいとされている[57]。

---

[54] 前掲注（50）に記載した金融商品取引所および日本証券業協会の自主ルールと同様に，有価証券とデリバティブ取引その他の取引を一体として見た場合に，行使価額修正条項付新株予約権付社債券等と同じ性質を有するようなものについても，行使価額修正条項付新株予約権付社債券等とみなして開示規制が適用される（開令19条9項）。

[55] 本章では，紙幅の都合上，発行登録書および発行登録追補書類に関連する条文を引用していない。

[56] 開示府令第2号様式記載上の注意（4）。

[57] 谷口義幸＝宮下央＝小田望未「第三者割当に係る開示の充実等のための内閣府令等の改正」旬刊商事法務1888号9頁（2010）参照。

3-3 MSワラントに関する諸問題

(ii) 第一部【証券情報】第1【募集要項】4【新規発行新株予約権証券】(2)【新株予約権の内容等】の欄[58][59]

「新株予約権の内容等」の欄に「行使価額修正条項付新株予約権付社債券等の特質」との欄を設け，①株価の下落により割当株式数が増加し，または資金調達額が減少するものである場合はその旨，②行使価額等の修正基準およびその修正頻度，③行使価額等の下限，割当株式数の上限および資金調達額の下限（これらが定められていない場合はその旨およびその理由），④提出会社の決定による新株予約権の全部の取得を可能とする旨の条項の有無を，「分かりやすく，かつ，簡潔に」[60]記載するものとされている。

(iii) 第一部【証券情報】第1【募集要項】4【新規発行新株予約権証券】欄の欄外[61]

「新規発行新株予約権証券」の欄外に，(a)行使価額修正条項付新株予約権付社債券等の発行により資金の調達をしようとする理由，(b)権利の行使に関する事項について割当予定先との間で締結する予定の取決めの内容（たとえば一定期間における権利行使の数量を制限することの合意。締結する予定がない場合はその旨），(c)提出者の株券の売買について割当予定先との間で締結する予定の取決め（たとえば，株価への影響等の観点から発行会社の株式について一定数量または一定の期間売却をしない旨の合意，空売りを目的とした借株を行わない旨の合意）の内容（締結する予定がない場合はその旨），(d)提出者の株券の貸借に関する事項について割当予定先と提出者の特別利害関係者等との間で締結される予定の取決め（たとえば，提出会社の役員が有価証券の取得者に対して所有株式を貸株する旨の合意）があることを知っている場合にはその内容，(e)その他投資者の保護を図るため必要な事項[62]等[63]を記載する必要が

---

(58) 記載上の留意事項の詳細については，企業内容等開示ガイドライン5－7－2を参照されたい。
(59) 実例分析については，山中政人＝百々ミチル＝上田真嗣「『行使価額修正条項付新株予約権付社債券等』の法定開示」ビジネス法務2010年8月号136頁以下（2010）参照。
(60) 新株予約権の内容等の記載と重複する事項についても，重ねて「行使価額修正条項付新株予約権付社債券等の特質」欄に記載することが求められている（開令ガ5－7－2）。
(61) 開示府令第2号様式記載上の注意(12) i ・(8) d (a) ～ (f)。

ある。

　上記のうち，(a)の「行使価額修正条項付新株予約権付社債券等の発行により資金の調達をしようとする理由」の記載については，資金調達の検討の経緯（他の方法による資金調達の検討の有無およびその内容を含む），現在および将来における発行済株式総数の増加が提出会社の株主に及ぼす影響，かかる方法により資金の調達をすることが提出会社の株主にとって有利または不利である点（他の方法による資金調達との比較を含む）を記載する必要がある（開令ガ5－7－4，5－7－5）。

(ⅳ)　第一部【証券情報】第4【提出会社の状況】1【株式等の状況】(1)【株式の総数等】①【株式の総数】の「種類」の欄および同(1)【株式の総数等】の欄外

　提出会社に既発行の行使価額修正条項付新株予約権付社債券等が存在する場合には，【株式の総数】の「種類」の欄にその旨を記載するとともに[64]，【株式の総数等】の欄の欄外に前述(ⅲ)記載の(b)から(e)までの事項に相当する事項を記載する必要がある[65]。

(b)　継続開示

　継続開示義務の規制に服する発行会社が行使価額修正条項付新株予約権付社債券等を発行している場合には，継続開示との関係でも，行使価額修正条

---

[62]　臨時報告書における「その他投資者の保護を図るため必要な事項」の記載（開令19条2項1号リ(7)）に関して，平成21年12月11日に「『企業内容等の開示に関する内閣府令の一部を改正する内閣府令（案）』等に対するパブリックコメントの概要及びそれに対する金融庁の考え方」（本3－3において以下「金融庁パブリックコメント」という）「行使価額修正条項付新株予約権付社債券等に係る開示」No.6（7頁）では，「提出会社と取得者との間で，報告の対象である行使価額修正条項付新株予約権付社債券等の有価証券としての内容を実質的に変更するような条件等を合意しているような場合」が例示されている。ただし，本項に記載する内容はある程度重要性の高いものに限られると考えられている（谷口ほか・前掲注(57)11頁参照）。

[63]　なお，前掲注(50)および前掲注(54)記載の有価証券とデリバティブ取引その他の取引を一体として見た場合に，行使価額修正条項付新株予約権付社債券等と同じ性質を有するようなものに該当する場合にあっては，かかる「デリバティブ取引その他の取引」の内容の記載も求められている。

[64]　開示府令第2号様式記載上の注意(40) c。

[65]　開示府令第2号様式記載上の注意(40) e (a) ～ (e)。

項付新株予約権付社債券等に関する事項を記載することが求められる。継続開示書類（具体的には，有価証券報告書，半期報告書または四半期報告書）において記載することが求められる事項のうち，特に重要であると思われる点は，以下のとおりである。

(i) 第一部【企業情報】第4【提出会社の状況】1【株式等の状況】(1)【株式の総数等】②【発行済株式】の「種類」欄，「内容」欄，および同(1)【株式の総数等】の欄外

「株式の総数等」の項目において，発行済株式の「種類」欄に行使価額修正条項付新株予約権付社債券等を発行している旨を記載するとともに，「内容」欄の冒頭に「行使価額修正条項付新株予約権付社債券等の特質」の記載が要求され[66]，また，欄外において，前述(a)(iii)記載の(b)から(e)までの事項に相当する事項の記載が要求される等[67]，発行開示と同趣旨の記載が要求されている。

(ii) 第一部【企業情報】第4【提出会社の状況】1【株式等の状況】(3)【行使価額修正条項付新株予約権付社債券等の行使状況等】の欄

行使価額修正条項付新株予約権付社債権等の行使状況等として，当該期間に権利行使された行使価額修正条項付新株予約権付社債権等の数，当該期間の交付株式数，当該期間の平均行使価額等，当該期間の資金調達額，累計の行使数，累計の交付株式数，累計の平均行使価額等，累計の資金調達額の記載が要求され[68]，当該期間における権利行使が全くなかった場合でも，当該行使価格修正条項付新株予約権付社債権等が存在する限り記載の必要があるとされている[69]。

---

(66) 開示府令第3号様式記載上の注意（20）d・第4号の3様式記載上の注意（10）d・第5号様式記載上の注意（16）d。
(67) 開示府令第3号様式記載上の注意（20）e・第4号の3様式記載上の注意（10）e・第5号様式記載上の注意（16）e。
(68) 開示府令第3号様式記載上の注意（21－2）・第4号の3様式記載上の注意（12）・第5号様式記載上の注意（17－2）も参照。
(69) 谷口ほか・前掲注（57）11頁参照。

第Ⅱ編　第3章　資金調達手段としての新株予約権

②　金融商品取引所の規則

上場会社については，金融商品取引所の規則上，「MSCB 等」の定義に該当する MS ワラントの発行および当該 MS ワラントの行使の状況につき，適時開示を行うことが義務づけられている。

東京証券取引所の場合，規制対象 MS ワラントの発行時には新株予約権の内容や商品性の他にも，当該資金調達方法を選択した理由，調達する資金の使途および発行条件の合理性等について，わかりやすく具体的な説明を行うことが求められている[70]。また，新株予約権の権利行使制限を内容とする買取契約を締結していること（詳細や具体例については，前述■2(2)を参照）や「株券貸借に関する契約」に関する事項の開示についても，要求されている。なお，ここにいう「株券貸借に関する契約」については，具体的には，「上場会社役員，役員関係者及び大株主と割当予定先との間における，自社株券の貸借に関する契約・合意等がある場合又は契約・合意等を行う予定がある場合には，契約・合意の内容について可能な範囲で記載する。」とされている[71]（これらの実例については，図表3－21参照）。

図表3－21	MS ワラントにおけるプレス・リリース中の貸株の制限の記載例

新日本科学が平成26年6月9日付で公表したプレス・リリースの記載（抜粋）

(5)　株券貸借に関する契約

　本新株予約権の発行に伴い，株式会社永田コーポレーションは，その保有する当社普通株式について割当予定先への貸株を行う予定です。
　本新株予約権に関して，本新株予約権の割当予定先は本新株予約権の権利行使により取得することとなる当社普通株式の数量の範囲内で行う売付け等以外の本件に関わる空売りを目的として，当社普通株式の借株は行いません。

---

[70] 規制対象MSワラントの発行にあたっては公表予定日の10日前までに，東京証券取引所担当者と開示内容等について事前相談すること等が要請されている（「MSCB等の発行及び開示並びに第三者割当増資等の開示に関する要請」（平成19年6月25日付東証上会第1号）に詳細が定められている。東京証券取引所上場部編・前掲注（28）604頁参照）。

[71] 東京証券取引所上場部編・前掲注（28）76頁参照。

さらに、規制対象 MS ワラントを発行している場合は、「MSCB 等の月間行使状況に関する開示」として、毎月初に、前月における規制対象 MS ワラントの行使の状況を開示することが義務づけられており、また「MSCB 等の大量行使に関する開示」として、(a)月初からの規制対象 MS ワラントの行使累計が当該規制対象 MS ワラントの発行総額の 10% 以上となった場合および、(b)さらに同月中における開示後の行使累計が規制対象 MS ワラントの発行総額の 10% 以上となった場合についても、当該転換または行使の状況を直ちに開示することが義務づけられている（上場規程410条）。もっとも、開示の対象となる期間（前月）に、規制対象 MS ワラントの行使が行われず、また、行使価格の修正も行われなかった場合には、「MSCB 等の月間行使状況に関する開示」は不要とされている[72]。

(4) 空売り・市場売却の制限

本日証協規則が定める「MSCB 等」[73]に該当する MS ワラントを保有する日本証券業協会の会員は、当該 MS ワラントの行使により交付される株式の空売りおよび市場売却に関して一定の制限が課されており、その概要は次の(a)から(c)までに掲げるとおりである（ただし、本日証協規則 12 条各号に掲げる場合[74]には、かかる制限は課されない）。

上記規制の趣旨については、「MSCB 等については、一部の買い受けた証券会社において、多量の空売り等により株価が下落したところでまとめて株式に転換するといった行為が見受けられている。本来、過剰な市場売却等に

---

(72) 東京証券取引所上場部編・前掲注（28）515頁参照。
(73) MSCB等の定義については、前掲注（27）参照。
(74) ①MSCB等の発行条件に、新株予約権等の行使価額が、発行決議日の取引所金融商品市場の売買立会における対象株券等の終値を下回る修正が行われうる旨の条項が付されていない場合、および②本日証協規則10条に規定する空売りまたは11条に規定する市場売却を行おうとするときの取引所金融商品市場の売買立会における対象株券等の価格が、発行決議日の取引所金融商品市場の売買立会における当該対象株券等の終値以上または行使価額の修正が行われうる下限の価額未満である場合を指す。

より相場に重大な影響を与えた場合には作為的相場形成の禁止規定等により補足されるべきとは考えられるものの，本条文は,「市場プレイヤーとしての証券会社の積極的な自己規律の維持の観点から」設けられたものであるとの説明がなされている[75]。

(a) MSCB 等を保有する証券会社は，MSCB 等の観察期間中に自己が保有している MSCB 等に係るヘッジのための空売りを行おうとする場合には，金融商品取引所の直近公表価格以下の価格において当該空売りを行ってはならない。ただし，金融商品取引所の公表価格が上昇局面にある場合に当該直近公表価格において行う当該空売りについては，この限りでない（本日証協規則10条）。

(b) MSCB 等を保有する証券会社は，MSCB 等の行使価額が終値を参照するものである場合には，原則として，当該 MSCB 等の観察期間中の各営業日の終了前15分間において，自己の計算による対象株券等の市場売却に係る発注（売買立会の終了前15分間の前に発注した売り注文の変更および引条件付注文を含む）を行ってはならない（本日証協規則11条1項）。

(c) MSCB 等を保有する証券会社は，MSCB 等の行使価格が終日の売買高加重平均価格（VWAP）を参照するものである場合には，原則として当該 MSCB 等の観察期間中に，各営業日の前10営業日の対象株券等の平均売買数量の25％の数量（当該数量が一売買単位に満たない場合は一売買単位）を超える数量の自己の計算による対象株券等の市場売却を行ってはならない（本日証協規則11条3項）。

3 MS ワラントに関する法的論点

本節においてすでに述べたものの他，MS ワラントに関する主な法的論点としては，有利発行該当性の問題（個別の条項との関係ではすでに述べている

---

[75] 横田裕「MSCB等の取扱いに関する理事会決議の概要」旬刊商事法務1805号6頁（2007）参照。

が，もちろん，MSワラントについてもより一般的にこの問題の検討が必要となろう）や，金融商品取引法上の開示規制との関係などがあげられるが，これらの点についてはエクイティ・コミットメントラインの場合と基本的に同様と考えることが可能であると思われるため，エクイティ・コミットメントラインに関する前述3－2を参照されたい。

なお，会社法上，新株予約権者が行使可能な新株予約権の行使により取得することとなる株式の数（本節において以下「新株予約権の目的株式数」という）は，発行可能株式総数中の未発行株式数と自己株式数との合計数を超えてはならないとされている（法113条4項）[76]。この点，MSワラントに下方修正条項が付されている場合には，権利行使価額の下方修正に伴い新株予約権の目的株式数が増大するため，とりわけ，修正後権利行使価額の下限の定めが設けられていないMSワラントについては，会社法113条4項の上記授権枠留保規制に抵触しないように留意する必要が特に大きいといえよう[77]。

---

[76] なお，かかる計算においては，新株予約権の行使期間の初日が到来していないものについては規制の対象から除外されている（相澤・論点解説240頁参照）。
[77] MSCBに関するものではあるが，弥永・前掲注（30）43頁参照。

第Ⅱ編　第3章　資金調達手段としての新株予約権

3-4　ライツ・オファリング

■1　ライツ・オファリングとは

　本節では[78]，ライツ・オファリング（Rights Offering）と呼ばれる新株予約権を利用した資金調達方法を取り扱う。

　ライツ・オファリングは，会社法277条に基づく株主に対する新株予約権の無償割当てを利用した資金調達方法で，「ライツ・イシュー（Rights Issue）」と呼ばれる場合もある。具体的な仕組みは，上場会社である発行会社が，一定の期日における株主全員に対して新株予約権無償割当てを行い，割当てを受けた株主が所定の行使価額（法236条1項2号）を支払って当該新株予約権を行使することにより，発行会社から当該株主に対して株式が交付されるが，上記行使価額として払い込まれた金銭が当該上場会社の調達資金となる，というものである[79]。この新株予約権（「ライツ」と呼ばれる）につ

---

(78)　本節は，令和3年9月30日に脱稿したものである。
(79)　投資信託及び投資法人に関する法律（昭和26年6月4日法律第198号，以下「投信法」という）上の投資法人については，従来は株式会社における新株予約権に相当する枠組みが存在しなかったため，J-REITなどの投資法人がライツ・オファリングを実施することはできない状況にあった。この点，平成25年6月19日に公布された「金融商品取引法等の一部を改正する法律」（平成25年法律第45号）により，新投資口予約権無償割当てによる新投資口予約権の発行を可能とする改正がなされた（改正投信法2条17項・88条の2以下）。投信法の改正と併せて，金融商品取引法に基づく各種の規制についても改正が行われ，この改正法の施行日（平成26年12月1日）以降は，投資法人がライツ・オファリングによる資金調達を実施することが制度上可能となっている。

いては上場されることが一般的であり[80]、これにより、新株予約権の割当てを受けた株主は、当該新株予約権を行使する代わりに、当該新株予約権を市場で売却することによって、その対価を取得することができる。要するに、新株予約権の割当てを受けた株主は、当該新株予約権についての行使価額を払い込むことによって株式の交付を受け、それによって自己の持株割合を維持することもできるし、もし、行使価額を払い込む資金的余裕がない場合等においても、割り当てられた新株予約権を市場で売却することで、自己の持株に関する経済的利益の希釈化分を回収することもできる、という立場を確保できることになる訳である。

また、ライツ・オファリングにおいては、一定の期間内に権利行使がなされなかった新株予約権について、引受証券会社が発行会社経由で取得したうえで権利行使を行い、その結果取得した株式を市場等で売却するというスキームも想定されるが、かかるスキームを「コミットメント型ライツ・オファリング」と呼ぶ場合がある。これに対して、このような引受証券会社による新株予約権の取得および行使が行われないスキームは、「ノン・コミットメント型ライツ・オファリング」と呼ばれることがあり、かかるスキームにおいては、行使されなかった新株予約権は行使期間の満了により自動的に消滅することになる。

ライツ・オファリングは、従前より、海外、特に欧州市場や昨今のアジア市場で広く実施されてきたが[81]、わが国においては、各種の規制による実務

---

(80) わが国における新株予約権の上場市場としては、たとえば、東京証券取引所（本節において、以下「東証」という）が、平成18年の会社法の施行に伴い新株引受権制度が廃止された際に、従前の新株引受権証書の上場制度を引き継ぐものとして新株予約権証券の上場制度を定めており、近年も、平成21年12月22日に公表した規則改正「『上場制度整備の実行計画2009（速やかに実施する事項）』に基づく業務規程等の一部改正について」（同年12月30日施行）により新株予約権証券の上場基準を緩和する等、新株予約権証券の上場制度の整備を行っている。なおその後も、後述の■3(1)のとおり、東証は、ノン・コミットメント型ライツ・オファリングについて、新株予約権証券の上場基準の見直し（厳格化）等の規則改正を行っている。

(81) ライツ・オファリングの諸外国における普及の状況については、太田洋＝柴田寛子「ライツ・オファリングの規制緩和と第三者割当増資に関する規律〔上〕」旬刊商事法務1951号21頁（2011）参照。

図表3－22　ライツ・オファリングのスキーム

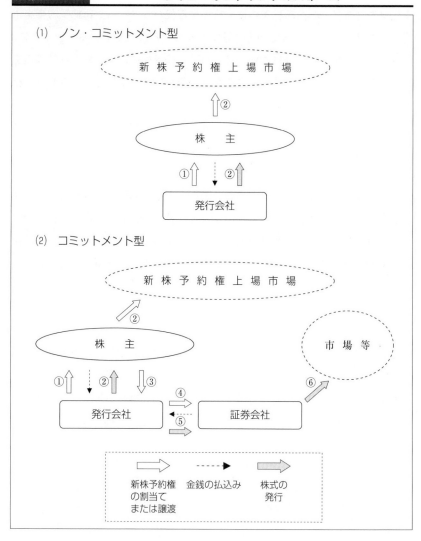

上の障害があり，実現は困難であると考えられてきた。しかしながら，平成21年12月30日に施行された東証の上場規程の改正等を受けて，平成22年4月に，わが国で初めての新株予約権を利用したライツ・オファリングの実

施事例が現れたほか[82]，平成23年には，ライツ・オファリングに係る開示制度等の整備のための「資本市場及び金融業の基盤強化のための金融商品取引法等の一部を改正する法律」（平成23年法律第49号。本節において，以下，「改正法」という）による金融商品取引法の改正ならびにこれに伴う政省令等の改正（平成24年2月15日公布，平成24年4月1日施行。本節において，以下，「改正府令等」という）ならびに日本証券業協会の「有価証券の引受け等に関する規則」等の一部改正（平成24年3月19日公表，平成24年4月1日施行。本節において，以下，「日証協規則改正」という）等により，わが国の上場企業がライツ・オファリングを実施しやすくするための環境整備が進められてきたことから，近年わが国においても急速に注目を集めるに至った。

　株式の発行を伴う資金調達方法としては，わが国上場企業の間では，1970年代以降は公募増資および第三者割当増資が主流となってきたが[83]，これらはいずれも既存株主以外の投資家または既存株主の一部にのみ株式を交付するものであり，既存株主にとっては希釈化が生じる資金調達方法であった。これに対して，ライツ・オファリングは，既存株主すべてに新株予約権を割り当てることにより，既存の株主にとって希釈化の影響を受けにくい形の資金調達を実現できる。他方，既存株主の希釈化に配慮した資金調達方法としては，1970年頃までわが国上場企業の間で増資のための手法として広く用いられていた株主割当増資もあるが，ライツ・オファリングは，株主割当増資（通常の場合，その完了までに約3～4カ月必要とされている）と比べて迅速性があり，また，資金調達の確実性という観点からも，一定の失権が生じる可能性がある株主割当増資と異なり，コミットメント型ライツ・オファリングの場合には，当初予定している金額を確実に調達することができるというメリットがある[84]。さらに，ライツ・オファリングは，公募増資による場合よりも大規模な資金調達が容易となるという指摘もある[85]。

---

(82)　タカラレーベンの事例（平成22年3月5日決議，同社の平成22年3月5日付けプレス・リリース参照）。
(83)　宮島英昭＝原村健二＝江南喜成「戦後日本企業の株式所有構造——安定株主の形成と解消」フィナンシャル・レビュー2003年12月号211頁（2003）参照。

図表3－23 ライツ・オファリングと公募増資および第三者割当増資との比較

	ライツ・オファリング	公募増資	第三者割当増資
対象となる投資家	既存株主	一般の投資家	特定の投資家
既存株主にとっての希釈化の影響	影響を受けにくい	影響あり	影響あり
資金調達の規模	大規模な資金調達が容易になる可能性あり	市場の吸収力により一定の限界あり	大規模な第三者割当増資に対する規制あり
ローンチ後の所要期間	新株予約権の行使期間満了日まで2.5カ月程度（平成26年会社法改正の施行後は1.5カ月程度）	1カ月程度（グリーンシューオプションに係る第三者割当てを除く）	2週間から1カ月程度

2 ライツ・オファリングと外国証券取引規制[86]

(1) 総論

　ライツ・オファリングを行う場合，株主の中に外国に居住する者等が存在すると，外国証券取引規制との抵触が問題となる可能性がある。特に，米国居住株主が存在する場合には，それらの者にライツ・オファリングにより新株予約権が割り当てられると，当該新株予約権の行使による新株発行が1933年米国連邦証券法（本節において，以下，「米国証券法」という）所定の

---

[84] 株主割当増資の特色については，安田三洋「株主割当増資──機能不全の資本市場を救う？」日経ビジネス2009年6月29日号76頁（2009），杉本健太郎「ライツ・オファリングの基礎知識」ビジネス法務2012年4月号82頁（2012）参照。

[85] 藤田勉『上場会社法制の国際比較』205頁（中央経済社，2010），山田剛司「〔報告〕引受ビジネスに関する最近の動向について」大証金融商品取引法研究会特別号7頁（2011）参照。

[86] ライツ・オファリングと外国証券取引規制の関係の詳細については，太田洋＝柴田寛子「ライツ・オファリングの規制緩和と第三者割当増資に関する規律〔下〕」旬刊商事法務1953号30頁（2011）参照。

「有価証券の募集」に該当し，当該権利行使の前までに米国証券取引委員会（本節において，以下，「SEC」という）への登録を完了させる必要があり，かかる登録に関して膨大なコストと手続上の負担が生じるほか，ひとたび登録を行うと，1934年米国連邦証券取引所法（本節において，以下，「米国取引所法」という）に基づく継続開示義務が課されることとなる。

わが国の企業でも，NYSE上場会社またはNASDAQ上場会社のように，すでにSEC登録を行っており，米国取引所法に基づく継続開示義務を負っている会社であればともかく，そうでない会社にとっては，かかる負担は実際上耐え難いものと思われる。また，これと同様の証券取引規制は，米国の各州（州の証券規制は，一般に「blue sky law」と呼ばれる）のほか，米国以外の各国・地域（たとえば，豪州，韓国，中国，香港等）においても存在するとされている。このように，発行会社には，機動的な資金調達の実現や調達コストの削減のため，外国証券取引規制に基づく登録ないし届出義務を可能な限り回避したいというニーズがあることから，どのようにしてかかる登録ないし届出義務を回避するのかが，ライツ・オファリングを実施する上で重要な課題となる。

(2) 考えられる手法とその問題点

外国証券取引規制，特に，米国における証券取引規制に基づく届出義務を回避するために，ライツ・オファリングを実施する発行会社が依拠しうる一般的な方法としては，以下のものが考えられる[87]。

① 米国証券法の下における Rule 801 に基づく登録免除

この方法は，米国居住株主の保有する株式数が，発行会社における発行済株式総数の10%以下である場合に利用可能な登録免除制度であるが，この方法に依拠する場合，発行会社は，Rule 801 の定めるところに従い，米国居住株主の株式保有比率を確認しなければならず，実務上いかなる方法でか

---

[87] 引受証券会社による（未行使新株予約権の行使により取得した）株式の売却に関する登録免除規定については，後掲注（106）参照。

かる確認を行うかが大きな問題となる（たとえば，米国の証券取引所に上場していなくても，発行会社との契約なく預託銀行が発行するUnsponsored ADRによって発行会社の関知しない間に米国居住株主数が増加している等の理由により，発行会社による米国居住株主数の把握が困難か，またはその把握のために相当のコストを要する場合も多い）。

なお，この方法を利用する場合，米国居住株主の取得した新株予約権は米国外でのみ譲渡可能とすることが必要となるほか，ライツ・オファリングに関する有価証券届出書やプレス・リリース等の「情報提供文書」を，Form CBの様式によりSECに提出しなければならないこととされている。

既に公表されているいくつかの事例では，この方法が用いられたようであるが，外国人株主が多数存在するような上場企業の場合には，米国居住株主の保有する株式数が発行済株式総数の10％を超える可能性があり，実務上この方法を採用することが困難な可能性もある。

② 米国証券法4条2項（私募免除規定）に基づく適格機関投資家向け私募による登録免除

新株予約権に，米国居住株主は「適格機関投資家（Qualified Institutional Buyer）」（本節において，以下，「QIB」という）でなければ行使できないという行使条件を付すことにより，登録免除を受ける方法である。具体的には，SECの定めた米国証券法に関するレギュレーションDに依拠することで，SECへの登録を回避する方法である。

(a) 株主平等原則との関係

かかる登録免除制度を利用する場合には，QIBに該当しない米国居住株主については新株予約権の行使を制限することになることから，株主平等原則（法109条1項）との関係が問題となる。すなわち，(i)外国株主の一部の権利行使を不可とするうえに，(ii)米国居住株主の中でも権利行使ができる株主（QIB）と権利行使ができない株主（QIB以外の米国居住株主）とが出てきてしまうことから，株主平等原則に反しないかの検討が必要になる。これらのうち，(i)については，下記③(a)において詳述するとおり，一定の整理がな

されている。これに対して，(ⅱ)については，現時点においては詳細な議論はなされていないが，米国居住株主の中でも QIB とそれ以外の株主との間で取扱いを区別することに関し，合理性と相当性の存否について検討が必要となる。もっとも，(ⅰ)について，一定の場合にそのような取扱いをすることが許容されるのであれば，(ⅱ)についても，そのような区別が許容されるものと思われる。

(b) QIB であることの確認と権利行使請求に関する実務

米国証券法4条2項を利用する場合には，QIB に該当する米国居住株主に限って権利行使を認めることとなるが，割当先が QIB であることの確認のために「合理的な努力」を尽くすことが必要とされることから，具体的な確認方法をどのようにするかが実務上問題となる。この点，海外におけるライツ・オファリングの事例等では，一般的には，事前の割当先調査に加え，米国居住の株主から新株予約権の権利行使を受け付けるに際して，（自らが QIB であることを表明保証する旨の）インベスター・レターを受領する方法が用いられているようであるが，わが国においては，現在の振替システムがインベスター・レターの提出者と株主との照合作業を行うことを想定した仕組みとなっていないことから，各米国居住株主が QIB に該当するか否かの判定に際しては，たとえば，株主名簿管理人の関与等により，照合作業を効率的に行うための　新たな仕組みを検討する必要がある[88]。

また，実務上，米国証券法4条2項に基づく適格機関投資家向け私募を行う場合には，米国において公募を行う場合に準じた内容の英文目論見書を作成することが一般的であることから，わが国のライツ・オファリングで当該免除規定に依拠する場合にも，同様の英文目論見書の作成が必要となる可能

---

[88] 平成25年11月27日に発表された日医工株式会社の案件（以下「日医工案件」という）では，新株予約権者に米国私募コーディネーターを通じて発行会社に宣誓書を提出させ，かつ米国私募コーディネーターが発行会社及び新株予約権者に適格機関投資家確認書を発行した上で，新株予約権者にこれらの手続が履践された旨の表明がなされた行使請求取次依頼書に適格機関投資家確認書を添えて直近上位口座管理機関に提出させるという方式がとられたようである（柴田弘典＝舩越輝＝川端康弘「コミットメント型ライツ・オファリングの新展開」旬刊商事法務2032号73頁～74頁（2014）参照）。

性があり，その場合には相当の費用および時間を要する可能性がある[89]。

③ 米国居住株主の権利行使を一律に不可とする方法

前述のとおり，ライツ・オファリングにおいて米国証券法上の登録義務が問題となるのは，新株予約権の行使により株式が交付されることが「募集」に該当すると解されるためであることからすれば，米国居住株主による新株予約権の権利行使を一律不可とすることにより，上記①および②のような免除規定に依拠することなく米国証券法上の登録義務を回避する方法も考えられる。

(a) 株主平等原則との関係

上記のような権利行使制限については，そもそも日本法上，株主平等原則に違反するのではないかという点が議論となっていたが，平成23年9月16日付けで公表された，「金融庁・開示制度ワーキング・グループ　法制専門研究会報告〜ライツ・オファリングにおける外国証券規制への対応と株主平等原則の関係について〜」において，「資金調達手段として利用するための必要性」と「権利行使を制限される株主の利益との関係での相当性」という要件が満たされる場合には，米国居住株主を含む外国株主の権利行使を不可としても株主平等原則に反するものではないとの整理が示されたことにより，当該論点に関しては一応の解決をみたと考えることができる[90]。

今後は，かかる要件を充足するためには具体的にどのような条件が整っていれば足りるのか（特に，権利行使を制限される株主の経済的利益がどの程度確保されていれば，「相当性」の要件が満たされたものと考えられるのか）という点について，新株予約権の行使条件と併せて検討をする必要があるが，通常は，ライツ・オファリングを実施しようとするわが国企業の新株予約権（ライツ）が上場された場合に，当該新株予約権の割当てを受けた株主が，わが国の金融商品取

---

[89]　日医工案件では，ライツ・オファリングに関するすべてのプレス・リリースを含む直近事業年度の末日以降の重要なプレス・リリースの英訳を作成し，発行会社のホームページで公表するという対応がとられたようである（柴田ほか・前掲注（88）74頁参照）。

[90]　詳細については，小長谷章人＝有吉尚哉「ライツ・オファリングにおける外国証券規制への対応と株主平等原則の関係——法制専門研究会での審議と報告書の概要」旬刊商事法務1944号30頁（2011）参照。

引所において，当該新株予約権を売却し，換金できる状況が確保されていれば，この「相当性」の要件が充足されると解されることになろう。

(b) **米国居住株主でないことの確認と権利行使請求に関する実務**

仮に株主平等原則の問題をクリアできたとしても，米国居住株主についての権利行使制限が名目上のものにすぎず，実際上は米国居住株主が権利行使できる可能性がある場合には，依然として米国居住株主に対する「募集」が行われたものとみなされる可能性があることから，株主からの権利行使請求に際して株主の属性（米国居住株主であるか否か）をどのようにして確認するかが，実務上は非常に重要となる。

まず，株主の属性の確認は，株主名簿上の株主のみならず，実質的な所有者についてまで行うことが望ましいとされているが，米国居住株主は，証券会社・信託銀行等の名義（ノミニー名義）で開設された証券口座に株式の保管を依頼することが多いため，口座の名義人である株主名簿上の株主に対して実質的所有者の照会を行っても，守秘義務等を理由として回答が得られない場合が多い。したがって，株主名簿上の株主を基準に判断することで足りるか否かについての検討が必要となる。

また，米国証券取引規制の適用を受けない状態を確保するためには，米国居住株主以外の（権利行使制限に服さないものとされる）外国居住株主の権利行使についても，SECの定めた米国証券法に関するレギュレーションS[91]の要件を満たす必要がある。

これらの観点からは，株主から，新株予約権の権利行使を受け付けるに際して，（自らが米国居住株主ではないこと等を表明保証する旨の）インベスター・レターを受領する方法も考えられるが，上述のとおり，現行の振替システムは，必ずしも発行会社による株主の属性確認の結果を直接に反映できる制度とはなっていない。したがって，株主の属性確認が適切に行われるとし

---

(91) 米国証券法の下で1990年にSECが制定した，有価証券の募集が米国「外」で行われたものとみなされるための要件について定めた規則。詳細については，たとえば，青木浩子『国際証券取引と開示規制』46頁〜90頁（東京大学出版会，2000）参照。

ても，口座管理機関に対する行使請求に際して，当該請求者と発行会社において把握している株主の属性に関する情報とを照合するための実務上の工夫[92]が必要となるものと考えられる。

3 ノン・コミットメント型ライツ・オファリング

(1) スキームの概要

ノン・コミットメント型ライツ・オファリングは，前述 1 の図表 3 − 22 の(1)に記載したとおり，発行会社が既存株主に対して新株予約権の無償割当てを行い，既存株主（または既存株主からその割り当てられた新株予約権を譲り受けた者）が当該新株予約権を行使した場合に，発行会社から株式が交付されるというスキームで行われる。割当ての対象となる新株予約権は金融商品取引所に上場されることが想定されており，その場合，割当てを受けた株主およびその他の投資家は，市場取引によって当該新株予約権の売買を行うことができる。行使期間内に割当てを受けた株主または市場取引により新株予約権を取得した投資家が，割当てを受けた新株予約権を行使した場合には，発行会社は当該行使に係る払込金を受領すると共に，行使者に対して株式を交付することになるが，最終的に行使期間内に行使が行われなかった新株予約権は，行使期間の満了により自動的に消滅する（法287条）。

かかるノン・コミットメント型ライツ・オファリングは，コミットメント型ライツ・オファリングと異なり，発行会社による未行使の新株予約権の取得および引受証券会社への譲渡等の手続がなく，制度設計上も手続上も簡便ではあるものの，行使されない新株予約権については発行会社に対して払込金が支払われないことから，行使状況によっては当初想定していた金額の資金を調達できないリスクがある。

具体的なスケジュールは案件ごとに異なるものと思われるが，たとえば以

---

[92] 実務上は，新株予約権行使請求取次依頼書において投資家から米国居住株主に該当しない旨の確認を求める等の方策が採られている。

3-4 ライツ・オファリング

下のようなスケジュールが考えられる。なお，平成26年に成立した会社法改正により，新株予約権無償割当てに関する割当通知の期限が，新株予約権の行使期間の「初日」の2週間前から実質的に行使期間の「末日」の2週間前となり（法279条2項・3項），日程の短縮が可能になった。

図表3－24 ノン・コミットメント型ライツ・オファリングのスケジュール案

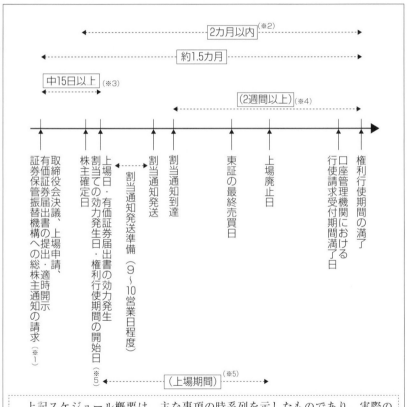

上記スケジュール概要は，主な事項の時系列を示したものであり，実際の日程は案件によって異なる。特に，本文中で述べた東証の規則改正に基づき，株主総会決議が必要になる場合は割当て迄に株主総会開催に関する手続を加える必要がある。また，目論見書については作成および交付が不要となる前

535

(※1) 保振の規程上，発行会社は，保振に対して，株主確定日の前営業日を起算日として7営業日前の日までに總株主通知の請求をする必要があるとされている（振替業務規程施行規則195条1項）。
(※2) 東証の規則上，上場新株予約権の行使期間満了日は，基準日等後2ヶ月以内に到来することが必要とされている（上場規程304条1項1号，上場規程施行規則306条1項2号）。
(※3) 組込方式（金商5条3項）または参照方式（金商5条4項）の利用要件を満たす場合には有価証券届出書の効力発生までの期間短縮が可能となる（開令ガB-8-2，平成22年4月21日付けパブコメ回答の5）。
(※4) 会社法279条3項の規定により，通知から行使期間末日まで2週間を確保する必要がある。
(※5) 平成26年改正会社法の施行日（平成27年5月1日）に合わせて，新株予約権証券の上場日を，行使期間の初日以降とする東証の規則改正が行われた。

また，東証は，平成26年10月に，ノン・コミットメント型ライツ・オファリングについて，資金調達の合理性を担保する観点から，新株予約権証券の上場基準の見直し等のための規則改正を行った。同改正により，①増資の合理性に係る評価手続の基準として，証券会社による審査（日本証券業協会の「有価証券の引受け等に関する規則」に定める項目に準じた事項の審査）または株主総会決議等による株主の承認を得ること，また②経営成績および財政状態に係る基準として2期連続経常赤字または債務超過のいずれにも該当しないことが新株予約権証券の上場基準として追加された[93]。上記①により事前に証券会社による引受審査の実施または株主総会の開催が必要となり，スケジュールに大きく影響することとなった。

---

[93] 平成26年10月24日株式会社東京証券取引所「新株予約権証券の上場制度の見直しに係る取引参加者規程等の一部改正について」。太田洋＝有吉尚哉「ライツ・オファリングの最新動向」旬刊商事法務2045号67頁～71頁（2014）も参照。

3-4 ライツ・オファリング

(2) ローンチ（取締役会決議）時点およびそれ以前に必要な手続

① プレヒアリング

取締役会決議以前に想定される手続としては，プレヒアリングがあげられる。

プレヒアリングとは，一般的に，資金調達に先立ち，事前に対象となる投資家から需要等の調査を行う行為をいう。ライツ・オファリングにおいては，割り当てられた新株予約権の行使比率が資金調達の成否にとって非常に重要であることから，発行会社には，その資金調達目的の実現可能性を把握するため，大株主による権利行使の意向について事前に把握したいとのニーズがある。しかしながら，金融商品取引法は，有価証券届出書の提出前に，発行会社が有価証券の取得勧誘を行うことを禁止しており（金商4条1項本文），かつ，企業内容等開示ガイドラインB－2－3が「会社法第277条の規定による新株予約権無償割当て……については，新株予約権証券の取得勧誘に該当することに留意する。」と規定していることからすれば，発行会社が大株主に権利行使の意向を聴取することは，形式的には届出前勧誘規制に抵触する可能性がある。この点，平成26年8月27日付で企業内容等開示ガイドラインが改正され，企業内容等開示ガイドラインB－2－12②において，特定投資家および大量保有報告制度上の株券等保有割合が5％以上である者を対象とする一定の方式によるプレヒアリングについては有価証券の取得勧誘または売付け勧誘等には該当しないとの考え方が示された。

したがって，実務上は，発行会社としては，大株主との間で何らかのやりとりを行う場合には，かかる企業内容等開示ガイドラインに沿った形で行うなど新株予約権証券の取得勧誘に該当しないよう留意する必要がある[94]。

② 取締役会決議

ライツ・オファリング実施のための取締役会決議においては，(i)株主に割り当てる新株予約権の内容および数またはその算定方法，(ii)新株予約権無償割当ての効力発生日，ならびに(iii)（発行会社が種類株式発行会社である場合に

は）当該新株予約権無償割当てを受ける株主の有する株式の種類を決定する必要がある（法278条1項）。

③ 有価証券届出書の提出および適時開示

上記①に記載のとおり，新株予約権無償割当ては取得勧誘行為に該当することから，上場株式を対象とした新株予約権の無償割当てに際しては，金融商品取引法上の有価証券の募集として有価証券届出書（または発行登録書および発行登録追補書類）を提出することが必要となる（金商5条1項）。作成する有価証券届出書は，通常の形式のものの他，一定の条件を満たす場合には，組込方式（同条3項）や参照方式（同条4項）を利用することにより，有価証券届出書の企業情報に係る記載を簡略化することができる。

新株予約権の株主に対する無償割当てにおいては，上記の通常の開示規制に加えて，有価証券届出書を原則として権利割当日の25日前までに提出することが必要とされている（金商4条4項）。この点については，平成22年4月の開示府令の改正により，当該規制は新株予約権が上場される場合には適用されないこととなったことから（同項ただし書，開令3条5号），有価証券届出書の提出から権利割当日までに要する期間は，通常の公募増資の場合と同様（すなわち，原則として15日（金商8条1項），組込方式または参照方式の有価証券届出書の場合には概ね7日（開令ガB－8－2，平成22年4月21日付けパブコメ回答の5））となり，かかる改正前に比べるとスケジュールの短縮が可能となっている。

また，各金融商品取引所が定める適時開示のルールに従ってプレス・リリースの作成および公表を行うことも必要である（東証の場合には，上場規程402条1号f）[95]。

④ 上場申請

上記③記載の金融商品取引法4条4項の適用を排除し，かつ，割当てを受

---

[94] 金融法委員会「ライツ・オファリングと金商法上の勧誘規制についての中間論点整理」（平成25年5月15日）も参照。
[95] 実務上は適時開示に加えて，発行会社のウェブサイト上に特設ページを設け，Q&A等を掲載するケースが多く見られる。

けた株主に対して新株予約権を行使する代わりに売却して換金するという選択肢を付与する等の観点から，上場企業が行うライツ・オファリングにおいては，新株予約権を国内の金融商品取引市場に上場するケースが一般的である。

この場合には，取締役会決議後速やかに上場申請を行い，金融商品取引所の上場審査を受ける必要がある。なお，上場審査に要する日数は案件ごとに異なる可能性があるが，事前相談を前提とした場合には4営業日程度（株主総会決議が必要な場合は決議後4営業日程度）が1つの目安として想定される。

⑤ 総株主通知の請求

新株予約権を既存株主に対して無償で割り当てる場合，取締役会において，いつの時点における株主に対して割当てを行うかを決定することに加えて，かかる時点における株主を確定する必要がある。

この点については，従前は会社法上の基準日（法124条1項）を設定する必要があったが，平成22年6月21日に施行された保振の業務規程等の改正により，基準日設定を経ずに，権利割当日における株主を確定することが可能となった（保振「株式等の振替に関する業務規程」（本節において，以下「振替業務規程」という）92条，振替業務規程施行規則350条）。かかる制度の下においては，発行会社は，保振に対して，株主確定日の前営業日を起算日として7営業日前の日までに総株主通知の請求を行うことになると考えられる（振替業務規程施行規則195条1項）。

(3) ローンチ後権利行使期間開始日までに必要な手続

① 株主の確定

上記(2)⑤記載の総株主通知を行った場合には，当該総株主通知によって株主確定日における株主が確定し，下記③記載のとおり，当該株主に対して新株予約権が割り当てられることとなる。

② 有価証券届出書の効力の発生

株主に対する新株予約権の割当ては，株主による新株予約権証券の「取

得」に該当することから，新株予約権無償割当てに係る権利割当日（株主確定日の翌日）までには，有価証券届出書の届出の効力が生じている必要がある（平成22年4月21日付けパブコメ回答の1）。

この点，有価証券届出書の提出から効力発生までの期間は原則として15日とされているが（金商8条1項），組込方式（金商5条3項）または参照方式（同条4項）の利用要件を満たす場合には，有価証券届出書の効力発生までの期間を概ね7日に短縮することができる（開令ガB－8－2，平成22年4月21日付けパブコメ回答の5）。

なお，有価証券届出書の効力発生後に継続開示書類（特に，四半期報告書が想定される）が提出された場合等には訂正届出書の自発的提出が必要となるが，改正府令等により，あらかじめ有価証券届出書において当該継続開示書類の提出の時期等が記載されている場合には，訂正届出書の提出を不要とする点が明確化された（開令ガB－7－7）。

③ **新株予約権の無償割当ての効力発生**

株主確定日における株主は，取締役会決議（上記(2)②参照）において定められた効力発生日に新株予約権の割当てを受けることになる。

なお，保振の「株式等振替制度に係る業務処理要領」（本節において，以下，「業務処理要領」という）においては，効力発生日は株主確定日の翌日とされている[96]。

④ **新株予約権の上場**

上記(2)④記載の上場申請の結果，上場承認を得られた場合には，新株予約権が上場され，株主は割当てを受けた新株予約権を市場で売却することができるほか，新株予約権の割当てを受けた株主以外の投資家も，市場で新株予約権を取得することができる。

なお，上場日については，上記③の新株予約権の無償割当ての効力発生日となるのが通常と思われる。

---

[96] 業務処理要領の資料4－2－2，資料4－2－3参照。

また，平成26年改正会社法施行のタイミングに合わせて，新株予約権証券の上場日を，行使期間の初日以降とする東証の規則改正が施行されたため，行使期間の初日を従前より繰り上げて上場日とするのが通常になるものと思われる。

⑤ **目論見書の作成および交付**

上記(2)③記載のとおり，上場株式を対象とした新株予約権の無償割当ては金融商品取引法上の有価証券の募集に該当することから，発行会社は，原則として，目論見書を作成し，投資者である株主に対して，割当通知（下記⑥参照）の受理に先立ちまたはこれと同時にそれを交付することが必要とされている（金商13条1項・15条2項，開令ガB－15－5）。

ただし，改正法により，(i)新株予約権が金融商品取引所に上場されており，またはその発行後遅滞なく上場されることが予定されていること，および(ii)当該新株予約権に関して有価証券届出書提出後遅滞なく，届出を行った旨その他一定の事項[97]を時事に関する事項を掲載する日刊新聞紙に掲載することという要件を満たす場合には，目論見書の作成および交付が不要となった（金商13条1項ただし書・15条2項3号）ため，ライツ・オファリングに要する時間とコストが軽減されることになった。

⑥ **割当通知**

発行会社は，新株予約権の無償割当ての効力発生日後遅滞なく，株主確定日現在の株主に対して，当該株主が割当てを受けた新株予約権の内容および数を通知する必要があるとされている（法279条2項）。

かかる割当通知については，株主確定後に，書類の封入作業等の送付のための準備作業が必要となる。準備作業に要する具体的な日数については，発行会社ごとに異なりうるため，保振および株主名簿管理人との調整が必要となるものと思われるが，実務上の目安としては，現状では，9ないし10営業日程度の日数を要すると考えられているようである。また，送付に要する

---

(97) 具体的には，有価証券届出書の提出日，EDINETのウェブページのアドレスおよび発行者の連絡先を記載する必要がある（開令11条の5）。

日数についても別途考慮する必要がある。

　上述した平成26年の会社法改正により，割当通知の日から新株予約権の行使期間の末日までの期間が2週間より短い場合には，行使期間が割当通知の日から2週間を経過する日まで延長されたものとみなすとされたため（法279条3項），実質的には予定された新株予約権の行使期間の末日の2週間前までに割当通知を行えば足りることになった。これにより，ライツ・オファリングに要する全体の期間は，少なくともノン・コミットメント型ライツ・オファリングについては，理論的には最短で1.5カ月程度まで短縮可能になったと思われる（前述(1)の**図表3-24**参照）[98]。もっとも，同時に施行された東証の規則改正に基づき，株主総会決議が必要になる場合には，割当てまでに株主総会開催に関する手続が必要となり，逆に全体の期間は長期化することとなっている（後述(5)の**図表3-25**参照）。

　⑦　**新株予約権の登記**

　会社法上，新株予約権を発行した場合には，発行後2週間以内に一定の事項について登記をする必要があるとされていることから（法911条3項12号・915条1項），ライツ・オファリングにおいても新株予約権の無償割当ての効力発生後に新株予約権の登記を行う必要がある。

(4)　**権利行使期間の開始日以降に必要な手続**

　①　**権利行使**

　新株予約権の割当てを受けた株主および市場で新株予約権を取得した投資家は，行使期間内に保有する新株予約権を行使することができる。具体的には，各新株予約権者が，新株予約権の振替を行うための口座を開設した口座管理機関に対して，自己の保有する新株予約権の行使を行う旨を申し出るとともに払込金の支払いを行うことになる。

　業務処理要領の資料4-5-2「振替新株予約権の予約権行使の処理日程」

---

[98]　太田＝柴田・前掲注(86)29頁参照。

によれば，行使期間中に新株予約権が行使された場合には，発行会社（行使請求受付場所）に対して行使請求および払込金の支払いが完了した日から3営業日後に，当該新株予約権の行使を行った株主または投資家に対して発行会社の株式が交付されることになる。

② **行使状況の開示**

行使期間中の他の新株予約権者，特に発行会社の大株主による新株予約権者の行使状況は，ライツ・オファリングの成否やライツ・オファリング後の株主構成に直結する情報であり，新株予約権を行使するか否かの判断にも影響しうる[99]。そのため，法令上の義務ではないものの，投資家に対する情報提供を充実させる観点から，新株予約権の行使期間中，プレス・リリースなどの方法により大株主の新株予約権の行使状況や新株予約権の行使状況の速報などを公表することが一般的である。

③ **新株予約権の上場廃止**

新株予約権の上場廃止日については，上場施行規則上は，「新株予約権の行使期間満了の日前の日であって当取引所が定める日」とされている（上場施行規則306条6項）が，実務上は，市場における取引の決済に要する日数を考慮の上，行使期間満了日の数営業日前に上場廃止とするのが通例である。

④ **権利行使期間の満了**

新株予約権は，会社法上は権利行使期間が満了するまで行使可能であるが，業務処理要領によれば，新株予約権者が口座管理機関に対して新株予約権の行使請求の取次ぎの依頼および払込金の支払いを行った日の翌営業日に，当該新株予約権行使請求が発行会社（行使請求受付場所）に取り次がれることが想定されている[100]。したがって，新株予約権者が新株予約権の行使期間内に確実に新株予約権の行使を行うことができるようにするために

---

[99] 濃川耕平＝有吉尚哉「コミットメント型ライツ・オファリングの実務における法的留意点」旬刊商事法務2011号63頁～64頁（2013）参照。
[100] 業務処理要領の資料4－5－2「振替新株予約権の予約権行使の処理日程」参照。

は，口座管理機関における行使請求受付期間満了日は，行使期間満了日の前営業日に設定することが実務上必要となる。

権利行使期間が満了した時点で行使されていなかった新株予約権は，行使期間の満了をもって自動的に消滅することになる（法287条）。

⑤ **新株予約権の行使および消滅の登記**

新株予約権の行使および消滅についても登記が必要であるが（法915条1項・911条3項12号），新株予約権の行使については毎月末日から2週間以内（法915条3項1号），新株予約権の消滅については消滅から2週間以内（同条1項）に，それぞれ登記を行う必要がある。

(5) **ノン・コミットメント型ライツ・オファリングの実例（エー・ディー・ワークス）**

わが国におけるノン・コミットメント型ライツ・オファリングは，2017年7月末時点において20を超える実例が積み上がっている。平成26年改正会社法の施行後に実施された案件として，株式会社エー・ディー・ワークスの事例（2017年4月25日決議）を紹介する。同社のプレス・リリース等によると，同事例におけるスケジュールは以下のとおりとなっている。

図表3−25 エー・ディー・ワークスのライツ・オファリングのスケジュール

日程	内容
平成29年4月25日	取締役会決議 有価証券届出書提出
同年5月11日	届出の効力発生日
同年6月29日	定時株主総会決議
同年7月3日	総株主通知請求
同年7月12日	株主確定日
同年7月13日	本新株予約権無償割当ての効力発生日

同年7月13日	本新株予約権上場日 行使期間の初日
同年7月31日目処	株主割当通知書送付日
同年9月 5日	売買最終日
同年9月 6日	上場廃止日
同年9月12日	行使期間の最終日

また，エー・ディー・ワークスの事例における新株予約権の発行要項は，**図表3－26**に掲記のとおりである。なお，同社の平成29年4月25日付けプレス・リリースによれば，当該新株予約権に関しては米国証券法に基づく登録は行われず，行使条件において米国居住株主による行使が排除されている（前述■2(2)③参照）。また，本事例においては，(i)株主にとって，新株予約権の行使にあたり資金拠出が必要になること，(ii)東証の新株予約権証券の上場に係る有価証券上場規程においても，増資の合理性に係る評価手続きが求められていること等から，株主総会において出席株主の過半数の承認を得ることを，ライツ・オファリングの実施の条件としている。

図表3－26 エー・ディー・ワークスのライツ・オファリングにおける新株予約権の発行要項

株式会社エー・ディー・ワークスが平成29年4月25日付けで公表したプレス・リリースに記載の新株予約権の発行要項（抜粋）

第20回新株予約権発行要項

1. 新株予約権の名称
   株式会社エー・ディー・ワークス第20回新株予約権（以下「本新株予約権」という。）

2. 本新株予約権の割当ての方法
   会社法第277条に規定される新株予約権無償割当ての方法により，2017年7

第Ⅱ編　第3章　資金調達手段としての新株予約権

月12日（以下「株主確定日」という。）における当社の最終の株主名簿に記載又は記録された当社以外の株主に対し，その有する当社普通株式1株につき本新株予約権1個の割合で，本新株予約権を割り当てる（以下「本新株予約権無償割当て」という。）。

3．本新株予約権の総数
　株主確定日における当社の発行済株式総数から同日において当社が保有する当社普通株式の数を控除した数とする。

4．本新株予約権無償割当ての効力発生日
　2017年7月13日

5．本新株予約権の内容
(1) 本新株予約権の目的である株式の種類及び数
　　本新株予約権1個当たりの目的である株式の種類及び数は，当社普通株式1株とする。
(2) 本新株予約権の行使に際して出資される財産の価額
　　各本新株予約権の行使に際して出資される財産の価額（以下「行使価額」という。）は，本新株予約権1個あたり39円とする。但し，当社第91期定時株主総会（以下「本株主総会」という。）開催日（2017年6月29日予定）の前営業日の株式会社東京証券取引所における当社普通株式の普通取引の終値（終値がない場合は，それに先立つ直近日の終値）が，39円未満となる場合は，当該終値を行使価額とする。
(3) 本新株予約権の行使期間
　　2017年7月13日から2017年9月12日までとする。
(4) 本新株予約権の行使により株式を発行する場合における増加する資本金及び資本準備金に関する事項
　① 本新株予約権の行使により株式を発行する場合において増加する資本金の額は，会社計算規則第17条第1項の規定に従い算出される資本金等増加限度額の2分の1の金額とし，計算の結果1円未満の端数が生じたときは，その端数を切り上げるものとする。
　② 本新株予約権の行使により株式を発行する場合において増加する資本準備金の額は，上記①記載の資本金等増加限度額から上記①に定める増加する資本金の額を減じた額とする。
(5) 本新株予約権の譲渡制限
　　譲渡による本新株予約権の取得については，当社取締役会の承認を要しない。

(6) 本新株予約権の行使の条件
　　　各本新株予約権の一部行使はできないものとする。
   (7) 本新株予約権の取得事由
　　　本新株予約権の取得事由は定めない。

6. 社債，株式等の振替に関する法律の適用
　本新株予約権は，その全部について社債，株式等の振替に関する法律（平成13年法律第75号。その後の改正を含む。以下「社債等振替法」という。）第163条の定めに従い社債等振替法の規定の適用を受けることとする旨を定めた新株予約権であり，社債等振替法第164条第2項に定める場合を除き，新株予約権証券を発行することができない。また，本新株予約権の取扱いについては，振替機関の定める株式等の振替に関する業務規程その他の規則に従う。

7. 本新株予約権の行使請求受付場所
〔省略〕

8. 本新株予約権の行使に際しての金銭の払込取扱場所
〔省略〕

9. 本新株予約権の行使の方法
   (1) 本新株予約権を行使しようとする本新株予約権者は，直近上位機関（当該本新株予約権者が本新株予約権の振替を行うための口座の開設を受けた振替機関又は口座管理機関をいう。以下同じ。）に対して，本新株予約権の行使を行う旨の申し出及び払込金の支払いを行う。
   (2) 直近上位機関に対し，本新株予約権の行使を行う旨を申し出た者は，その後これを撤回することができない。
   (3) 本新株予約権の行使請求の効力は，行使請求に要する事項の通知が行使請求受付場所に到達し，かつ，当該本新株予約権の行使に際して出資される財産の価額の全額が払込取扱場所の当社の指定する口座に入金された日に発生する。

10. 米国居住株主による本新株予約権の行使について
　米国居住株主は，本新株予約権を行使することができない。なお，「米国居住株主」とは，1933年米国証券法（U.S. Securities Act of 1933）ルール800に定義する「U.S. holder」を意味する。

11. 振替機関

〔省略〕

12. その他
    (1) 上記各項については，本株主総会における本新株予約権無償割当てに係る議案の承認決議及び金融商品取引法による本新株予約権無償割当てに係る届出の効力発生を条件とする。
    (2) 上記に定めるものの他，本新株予約権の発行に関し，必要な事項の決定は代表取締役社長に一任する。

以　上

■4　コミットメント型ライツ・オファリング

(1)　スキームの概要

　コミットメント型ライツ・オファリングは，前述■1の図表3－22の(2)に記載したとおり，発行会社が既存株主に対して新株予約権の無償割当てを行い，その割当てを受けた既存株主（または既存株主から当該新株予約権を譲り受けた者）が当該新株予約権を行使した場合に発行会社から株式が交付される一方，最終的に未行使の新株予約権については，発行会社が取得条項を利用して取得したうえで引受証券会社（コミットメント証券会社）に譲渡し，当該引受証券会社は，譲渡を受けた当該新株予約権を行使して取得した株式を市場等で売却するというスキームで行われる。ノン・コミットメント型ライツ・オファリングと同様に，コミットメント型ライツ・オファリングにおいても，割当ての対象となる新株予約権は金融商品取引所に上場されることとなり，割当てを受けた株主は，市場取引によって当該新株予約権の売買を行うことで，行使価額を払い込む資金的余裕がない等の事情でそれら新株予約権の行使を行わない場合でも，増資に伴う希釈化による経済的不利益の（実質的な）補填を受けることができる。当該新株予約権の上場廃止までにその割当てを受けた株主（または市場取引により新株予約権を取得した投資家）が当該新株予約権を行使した場合には，発行会社は当該行使に係る払込金を

3-4 ライツ・オファリング

受領するとともに行使者に対して株式を交付することになる一方で，上場廃止までに行使されなかった新株予約権についても，最終的には引受証券会社（コミットメント証券会社）によって行使されることになる点に特徴がある。

このように，コミットメント型ライツ・オファリングは，ノン・コミットメント型と異なり，未行使の新株予約権が最終的には引受証券会社（コミットメント証券会社）によって行使されることになることから，割り当てられた新株予約権のすべてが最終的に行使される建付けとなっており，発行会社から見たときには，行使状況のいかんにかかわらず当初想定していた金額の資金を確実に調達できるというメリットがある。他方，発行会社による未行使の新株予約権の取得および譲渡と，引受証券会社（コミットメント証券会社）による未行使の新株予約権の取得および行使ならびに取得した株式の売却といった手続が必要となるため，制度設計上，手続が複雑である他，大量保有報告制度や公開買付規制との関係[101]，さらには税務上の取扱い等，法的に検討が必要な論点も増えることになる。

具体的なスケジュールは案件ごとに異なるものと思われるが，たとえば以下のようなスケジュールが考えられる。ノン・コミットメント型と同様，平成26年に成立した改正会社法の施行後において想定されるスケジュールについても示すこととする。

以下では上記のスケジュールのうちポイントとなる点について説明を加えるが，ローンチから上場廃止までの流れはノン・コミットメント型ライツ・オファリングと類似していることから，引受証券会社によるプレヒアリング

---

(101) 大量保有報告制度および公開買付規制とライツ・オファリングとの関係については，改正府令等において一定の制度整備がされたが，コミットメント型ライツ・オファリングとの関係では，（ⅰ）一定の要件を満たす新株予約権について，その割当時ではなく行使時に大量保有報告制度および公開買付規制を適用するようにするための改正，（ⅱ）引受証券会社が未行使分の新株予約権を取得する場合において，新株予約権の取得日から一定の期間は株券等所有（保有）割合の対象から除外するための改正，ならびに（ⅲ）引受証券会社が引き受けた募残の売出しを行うことが，短期大量譲渡に該当する場合における大量保有報告書の記載事項の簡素化，といった改正等がされている。また日証協規則改正においても，新株予約権の取得日から一定の期間は，当該新株予約権について引受証券会社の議決権の行使が制限されている。

549

第Ⅱ編 第3章 資金調達手段としての新株予約権

図表3－27　コミットメント型ライツ・オファリングのスケジュール案

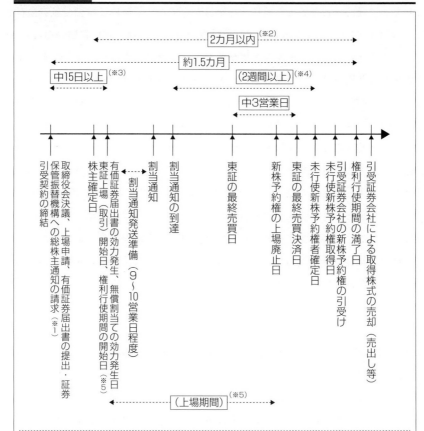

上記スケジュール概要は，主な事項の時系列を示したものであり，実際の日程は案件によって異なる。また，目論見書については作成および交付が不要となる前提で記載している。
(※1)　保振の規程上，発行会社は，保振に対して，株主確定日の前営業日を起算日として7営業日前の日までに総株主通知の請求をする必要があるとされている（振替業務規程施行規則195条1項）。
(※2)　東証の規則上，上場新株予約権の行使期間満了日は，基準日等後2カ月以内に到来することが必要とされている（上場規程304条1項1号，上場規程施行規則306条1項2号）。
(※3)　組込方式（金商5条3項）または参照方式（金商5条4項）の利用

> 　要件を満たす場合には有価証券届出書の効力発生までの期間短縮が可能となる（開令ガＢ－８－２，平成22年４月21日付けパブコメ回答の5）。
> （※４）　会社法279条３項の規定により，通知から行使期間末日までの２週間を確保する必要がある。
> （※５）　改正会社法の施行日に合わせて，新株予約権証券の上場日を，行使期間の初日以降とする東証の規則改正が行われた。

およびコミットメント，上場廃止後の未行使新株予約権の発行会社による取得および引受証券会社への譲渡，ならびに引受証券会社による新株予約権の行使および取得株式の売却に焦点を絞って解説することにする。

(2)　引受証券会社によるプレヒアリング

　前述■3(2)①に記載した，発行会社によるプレヒアリングに加えて，コミットメント型ライツ・オファリングにおいては，引受証券会社によるプレヒアリングの必要性が議論されることが多い。

　これは，コミットメント型ライツ・オファリングにおいては，新株予約権の行使比率が（資金調達の成否という観点から）発行会社にとって重要であることに加えて，引受証券会社にとっても，最終的に取得しなければならないこととなる未行使新株予約権の数およびその行使により取得する株式数を事前にある程度把握できることが，引受証券会社が負担する売れ残りリスクを限定し，かつ，引受けの可否について判断をするために非常に重要であるためであると考えられる。

　しかし，前述■3(2)①記載のとおり，有価証券届出書の提出前に大株主に権利行使の意向を聴取することは，事前勧誘規制に抵触する可能性があることから，引受証券会社がプレヒアリングを行う際にも，企業内容等開示ガイドラインに沿った形で行うなど「取得勧誘」に該当しないよう留意する必要がある。

　なお，引受証券会社のリスクを限定するという観点からは，新株予約権の

割当てを受けた株主に対して,引受証券会社が当該新株予約権の行使を働きかけることも考えられる。この点,かかる引受証券会社による新株予約権の行使の働きかけについては,改正府令等により,虚偽告知の禁止および断定的判断の提供の禁止といった一定の行為規制が適用されることになった(金融商品取引業等に関する内閣府令(平成19年8月6日内閣府令第52号)117条1項33号)。

(3) 引受証券会社によるコミットメント

前述(1)記載のとおり,コミットメント型ライツ・オファリングにおいては,コミットメントを行う引受証券会社が,未行使の新株予約権を発行会社経由で取得し,これを行使して取得した株式を市場等で売却することが想定されている。

かかる行為を約束することは,新株予約権の全部または一部について残額引受け(金商2条6項2号・28条7項2号)を行う場合と,その行為態様やリスク負担の点で類似性を有することから,改正法により「有価証券の引受け」に該当することとなった(改正法による改正後の金商2条6項3号・28条7項3号)[102]。これにより,コミットメント型ライツ・オファリングにおいてコミットメントを行う引受証券会社には,有価証券届出書の虚偽記載等に関する損害賠償責任(金商21条1項4号)等の規制が適用されることになる。

なお,引受証券会社と発行会社との間では引受契約が締結されるが,当該契約の締結のタイミング(引受証券会社のコミットメントのタイミング)については,取締役会決議の時点が想定される。

(4) 未行使新株予約権の発行会社による取得および引受証券会社への譲渡

コミットメント型ライツ・オファリングにおいては,上場廃止から権利行

---

[102] 野崎彰=有吉尚哉=齋藤将彦=滝琢磨「平成23年改正金商法等の解説(2)開示制度等の見直し〔上〕——ライツ・オファリング」旬刊商事法務1936号29頁(2011)参照。

3-4 ライツ・オファリング

使期間満了までの間に，未行使の新株予約権を発行会社が取得することが想定されている。かかる新株予約権の取得の方法としては，取得条項（法236条1項7号）の活用が考えられるが，取得のタイミングとしては，金融商品取引所における最終売買日に係る決済が完了し，未行使新株予約権に係る権利者が確定した後ということになると思われる。取得の対価についてはさまざまな考え方がありうるところであり[103]，今後の実務の蓄積を待つ必要があるが，米国居住株主等の一定の株主について新株予約権の行使を禁止するような場合（前述■2(2)③参照）には，金融商品取引所における当該新株予約権の最終の終値またはこれに準じた価格で取得する方が，株主平等原則との関係では説明が付けやすいようにも思われる（もっとも，この場合，新株予約権を行使するインセンティブが小さくなるため，未行使新株予約権の数が大きく増える可能性がある）。

　上記のとおり発行会社が取得した新株予約権は，権利行使期間満了までの間に行使ができるように，発行会社から引受証券会社（コミットメント証券会社）に対して速やかに譲渡されることになる。株式と異なり，自己新株予約権の処分についてはいわゆる有利発行規制の直接の適用はないとされているが[104]，時価よりも低廉な金額で譲渡する場合には，その後の新株予約権の行使に伴い交付される株式が実質的に有利発行になるのではないかという問題や，税務上の問題が生じる可能性があることから，譲渡価格の定め方については今後さまざまな観点から検討を行う必要があろう[105]。

(5) 引受証券会社による新株予約権の行使および取得株式の売却

　コミットメント型ライツ・オファリングにおいては，引受証券会社（コミットメント証券会社）は，発行会社から譲り受けた新株予約権について，権利行使期間満了までに権利行使を行い，株式を取得することが想定されてい

---

(103) 太田＝柴田・前掲注（86）35頁～37頁参照。
(104) 相澤哲＝豊田祐子「新会社法の解説（6）新株予約権」旬刊商事法務1742号21頁（2005）参照。
(105) 太田＝柴田・前掲注（86）35頁～37頁参照。

る。

　引受証券会社（コミットメント証券会社）は，その取得に係る株式を処分して，自らが負担した金額の回収等を図ることになるが，処分の方法としては，市場での売却，ブロックトレードおよび売出し（金商2条4項）の形態による公募等が考えられる。また，引受証券会社が取得した株式が大量となった場合には，いわゆるグローバル・オファリング[106]等により海外の投資家に販売を行うことも考えられる。

(6) コミットメント型ライツ・オファリングの実例（アイ・アールジャパン）

　わが国におけるコミットメント型ライツ・オファリングは，株式会社アイ・アールジャパンの事例（平成25年4月12日決議）を第1号案件として平成26年改正会社法施行前に3例が存在していた。同社のプレス・リリース等によると，アイ・アールジャパンの事例におけるスケジュールは以下のとおりとなっている。

図表3－28　アイ・アールジャパンのライツ・オファリングのスケジュール

日　程	内　容
平成25年4月12日	取締役会決議 有価証券届出書提出
同年4月20日	届出の効力発生日
同年4月23日	株主確定日
同年4月24日	新株予約権無償割当ての効力発生日 新株予約権上場日
同年4月30日	株主割当通知書の送付日

---

(106)　この場合に依拠する米国証券法上の登録免除制度としては，Rule 144AおよびSection 4 (1－1/2)（米国居住者に販売する場合）ならびにレギュレーションS（米国居住者以外に販売する場合）等が考えられる。

同年5月17日	一般投資家の新株予約権行使期間開始日
同年5月23日	売買最終日
同年5月24日	上場廃止日
同年5月29日	口座管理機関における行使請求受付期限
同年5月30日	一般投資家の新株予約権行使期間満了日
同年6月4日	残存する新株予約権全部の取得日
同年6月5日	取得した新株予約権の引受証券会社への譲渡日
同年6月5日～6日	引受証券会社の新株予約権の行使期間

　また，アイ・アールジャパンの事例における新株予約権の発行要項は，**図表3－29**に掲記のとおりである。なお，同事例では，米国証券法との関係ではRule 801の登録免除制度（前述■2(2)①参照）が利用されている（発行要項の5.(6)②）。

図表3－29 アイ・アールジャパンのライツ・オファリングにおける新株予約権の発行要項

株式会社アイ・アールジャパンが平成25年4月12日に提出した有価証券届出書添付の同社臨時取締役会議事録別紙記載の新株予約権の発行要項（抜粋）

第1回新株予約権発行要項

1. 新株予約権の名称
　株式会社アイ・アール ジャパン第1回新株予約権（以下「本新株予約権」という。）

2. 本新株予約権の割当ての方法
　会社法第277条に規定される新株予約権無償割当ての方法により，平成25年4月23日（以下「株主確定日」という。）における当社の最終の株主名簿に記載又は記録された当社以外の株主に対し，その有する当社普通株式1株につき本新株予約権1個の割合で，本新株予約権を割り当てる（以下「本新株予約権無

償割当て」という。）。

3. **本新株予約権の総数**
   株主確定日における当社の発行済株式総数から同日において当社が保有する当社普通株式の数を控除した数とする。

4. **本新株予約権無償割当ての効力発生日**
   平成 25 年 4 月 24 日

5. **本新株予約権の内容**
   (1) 本新株予約権の目的である株式の種類及び数
      本新株予約権 1 個当たりの目的である株式の種類及び数は，当社普通株式 0.1 株とする。
   (2) 本新株予約権の行使に際して出資される財産の価額
      ① 各本新株予約権の行使に際して出資される財産の価額は，本新株予約権 1 個当たり 600 円とする。
      ② 本新株予約権の行使に際して出資される当社普通株式 1 株当たりの財産の価額は，6,000 円とする。
   (3) 本新株予約権の行使期間
      平成 25 年 5 月 17 日から平成 25 年 5 月 30 日まで及び平成 25 年 6 月 5 日から平成 25 年 6 月 6 日までとする。
   (4) 本新株予約権の行使により株式を発行する場合における増加する資本金及び資本準備金に関する事項
      ① 本新株予約権の行使により株式を発行する場合において増加する資本金の額は，会社計算規則第 17 条第 1 項の規定に従い算出される資本金等増加限度額の 2 分の 1 の金額とし，計算の結果 1 円未満の端数が生じたときは，その端数を切り上げるものとする。
      ② 本新株予約権の行使により株式を発行する場合において増加する資本準備金の額は，上記①記載の資本金等増加限度額から上記①に定める増加する資本金の額を減じた額とする。
   (5) 本新株予約権の譲渡制限
      譲渡による本新株予約権の取得については，当社取締役会の承認を要しない。
   (6) 本新株予約権の行使の条件
      ① 各本新株予約権の一部行使はできないものとする。
      ② 米国の 1933 年証券法（その後の改正を含み，以下「米国証券法」という。）に係るルール 801（以下「ルール 801」という。）に従い，本新株予

約権の行使につき米国における登録が免除されており，ルール801を適用するための要件として，米国の居住者が米国証券法に係るレギュレーションS（以下「レギュレーションS」という。）に従った取引以外の方法で本新株予約権の取引を行うことを禁止することが要求されていることから，外国に居住又は所在する者により保有され又は実質的に保有されている本新株予約権（以下「表明対象本新株予約権」という。）が行使される場合には，以下の表明がなされた行使請求取次依頼書が本新株予約権の保有者（以下「本新株予約権者」という。）が本新株予約権の振替を行うための口座の開設を受けた振替機関又は口座管理機関（以下「直近上位機関」という。）に提出されることを条件とする。

表明対象本新株予約権が，本新株予約権無償割当て又はレギュレーションSに従って行われた取引によって取得されたことを表明する。

(7) 外国法令の遵守

外国法令の遵守のため，本新株予約権の行使請求取次依頼書に，本新株予約権を行使しようとする各本新株予約権者から以下の表明を受けたものとみなす旨を記載するものとする。

① 本新株予約権を行使しようとする日本国内に居住又は所在する本新株予約権者は，当該行使により，ルール801（ルール801を適用するための要件として，米国の居住者がレギュレーションSに従った取引以外の方法で本新株予約権の取引を行うことを禁止することが要求されている。）に従い，本新株予約権の行使につき米国における登録が免除されていることを理解している旨を表明したものとみなされる。また，本新株予約権を行使しようとする日本国内に居住又は所在する本新株予約権者は，当該行使により，本新株予約権無償割当て又はレギュレーションSに従って行われた取引のいずれかを通じて当該行使に係る本新株予約権を取得した旨を表明し合意したものとみなされる。

② 本新株予約権を行使しようとし又は本新株予約権若しくはその行使により発行される当社普通株式に関してその他の取引を行う本新株予約権者は，本新株予約権の行使により，ⅰ当該本新株予約権者又は当該本新株予約権の実質的保有者が居住し又は現在所在している法域において適法に本新株予約権の募集を受け，これを取得及び行使し，本新株予約権の目的となる当社普通株式の募集を受けこれを引受けたこと，並びにⅱ当該本新株予約権者は，直接的又は間接的に，登録が必要となる又は法令に違反することとなる法域において募集，売却，譲渡，交付又は配分をする目的で，本新株予約権の目的となる当社普通株式を取得するものではないことを，当社，直近上位機関及び当社の代理人に対して表明及び保証したものとみなされる。

(8) 本新株予約権の取得事由

当社は，平成25年6月4日に，交付財産（以下に定義する。）と引換えに，同日において残存する本新株予約権の全部（一部は不可）を取得するものとする。「交付財産」とは，本新株予約権1個当たり，平成25年6月3日の大阪証券取引所における当社普通株式の普通取引の売買高加重平均価格（以下「大証VWAP価格」という。）（同日に大証VWAP価格がない場合にはその日に先立つ直近日の大証VWAP価格）から6,000円を差し引いた金額を10で除して得られる金額（負の数値である場合は0とする。）の70％に相当する額（1円未満の端数が生じたときは，その端数を切り捨てるものとする。）をいう。

(9) 本新株予約権を行使した際に生ずる1株に満たない端数の取り決め

本新株予約権を行使した本新株予約権者に交付する株式の数に1株に満たない端数が生じたときは，その端数を切り捨てるものとする。

6. 社債，株式等の振替に関する法律の適用

本新株予約権は，その全部について社債，株式等の振替に関する法律（以下「社債等振替法」という。）第163条の定めに従い社債等振替法の規定の適用を受けることとする旨を定めた新株予約権であり，社債等振替法第164条第2項に定める場合を除き，新株予約権証券を発行することができない。また，本新株予約権及び本新株予約権の行使により交付される株式の取扱いについては，振替機関の定める株式等の振替に関する業務規程その他の規則に従う。

7. 本新株予約権の行使請求受付場所

〔省略〕

8. 本新株予約権の行使に際しての金銭の払込取扱場所

〔省略〕

9. 本新株予約権の行使請求及び払込の方法

(1) 本新株予約権を行使しようとする本新株予約権者は，直近上位機関に対して，本新株予約権の行使を行う旨の申出及び行使代金の支払いを行う。

(2) 直近上位機関に対し，本新株予約権の行使を行う旨を申し出た者は，その後これを撤回することができない。

(3) 本新株予約権の行使請求の効力は，行使請求に要する事項の通知が上記第7項記載の行使請求受付場所に到達し，かつ，当該本新株予約権の行使に際して出資される財産の価額の全額が前項に定める払込取扱場所の当社の指定する口座に入金された日に発生する。

3-4 ライツ・オファリング

10. 株式の交付方法
　当社は，行使請求の効力発生後，当該行使請求に係る本新株予約権者に対し，当該本新株予約権者が指定する直近上位機関における振替口座簿の保有欄に振替株式の増加の記録を行うことにより株式を交付する。

11. 振替機関
　〔省略〕

12. その他
　〔省略〕

以　上

(7) 平成26年改正会社法施行後のライツオファリングの展開

　平成26年10月の東証の上場基準の見直しにより実質的にノン・コミットメント型ライツ・オファリングによる資金調達の余地が狭まることとなった結果，平成27年以降は実施事例が激減していたが，平成29年4月に株式会社エー・ディー・ワークスがノン・コミット型ライツ・オファリングを公表した。同事例では新株予約権の行使価額を発行決議日の前営業日の終値と同額としており（ノンディスカウント型），既存株主に配慮した設計としながら，新株予約権の行使比率も44.7％となっており，案件公表前の時価総額（約86億円）と比較して多額の資金調達（約38億円）に成功していることが注目される[107]。

　また，コミットメント型ライツ・オファリングにおいても一部コミットメント型という新しい引受形態の案件が登場している。2018年1月に公表された株式会社フージャースホールディングスのコミットメント型ライツ・オファリングにおいては，引受証券会社が取得および権利行使を行うことを約する新株予約権の数に発行新株予約権数の20％の上限が設けられており，

---

[107] 当該事例においては，新株予約権の市場価格と理論価格の乖離も大きくないように思われる（株式会社エー・ディー・ワークス「ノン・コミットメント型ライツ・オファリング（行使価額ノンディスカウント型）第20回新株予約権の最終行使結果及び発行済み株式総数に関するお知らせ）」（平成29年9月20日）。

第Ⅱ編　第3章　資金調達手段としての新株予約権

このような設計により引受証券会社の引受リスクを抑えることが可能になる(108)。

今後も既存株主の利益に配慮した資金調達方法としてのライツ・オファリングのさらなる実務の発展に期待したい。

---

(108)　当該事例では一般投資家による権利行使割合が94.9％となったことにより，当初予定されていた金額全額の資金調達に成功している。

3-5 資金調達手段として用いられる新株予約権の会計処理

1 会計基準

新株予約権の会計処理全般を取り扱う会計基準というものは明確には存在していないようであるが[109]、「現金を対価として受け取り、付与される」新株予約権の会計処理については、企業会計基準委員会から、企業会計基準適用指針第17号「払込資本増加複合金融商品適用指針」が公表されている。

そこで、本節においては、資金調達手段として用いられる新株予約権の会計処理について単純な資金調達スキーム（たとえば、前述3－3において言及したMSワラントを用いる資金調達スキーム）を前提として、払込資本増加複合金融商品適用指針に従った会計処理の概要を紹介する。

2 発行会社側の会計処理

(1) 発行時の会計処理

新株予約権を発行したときは、その発行に伴う払込金額（法238条1項3号）を、純資産の部に「新株予約権」として計上する（払込複合適指4項）。通常の場合は、当該新株予約権と引換えにされた金銭の払込みの金額、金銭以外の財産の給付の額または当該株式会社に対する債権をもってされた相殺

---

[109] 秋坂朝則「新株予約権の会計と税の諸問題」租税研究697号33頁（2007）参照。

の額が，増加すべき新株予約権の額とされる（計55条1項参照）。

(2) 権利行使時の会計処理

新株予約権が行使された場合の会計処理については，払込資本増加複合金融商品適用指針5項において計算規則の規定に従った会計処理と齟齬が生じないような定めがなされているため，通常，計算規則の規定に従った会計処理を行えば払込資本増加複合金融商品適用指針にも適合することになる。

① 新株発行のみを行う場合

新株予約権の行使に応じて，新株を発行する場合，資本金等増加限度額（計13条1項）の2分の1以上の額を資本金として計上し，資本金として計上しないこととした額は資本準備金として計上しなければならない（法445条)[110]。

新株予約権の行使に応じて新株のみを発行する場合における資本金等増加限度額は，行使時における当該新株予約権の帳簿価額と行使に際して払込みまたは給付を受けた財産の額の合計額である（計17条1項）。

② 新株発行と自己株式処分の両方を行う場合

(a) 資本金等増加限度額

新株予約権の行使に応じて，新株発行と自己株式処分の両方を行う場合においても，前述①の場合と同様，資本金等増加限度額の2分の1以上の額を資本金として計上し，資本金として計上しないこととした額は資本準備金として計上しなければならない。

新株発行と自己株式処分の両方を行う場合における資本金等増加限度額は，原則として，行使時における当該新株予約権の帳簿価額と行使に際して払込みまたは給付を受けた財産の額の合計額のうち新株発行に対応する

---

[110] なお，計算規則17条1項4号は，新株予約権の行使に応じて行う株式の交付に係る費用の額のうち，株式会社が資本金等増加限度額から減ずるべき額と定めた額を資本金等増加限度額の計算上減額すると定めているが，かかる額は，当分の間，ゼロとするとされている（計附則11条2号）。そのため，本文ではこの点についての説明は省略している。

3-5 資金調達手段として用いられる新株予約権の会計処理

額[111]である（計17条1項）。ただし，行使時における当該新株予約権の帳簿価額と行使に際して払込みまたは給付を受けた財産の額の合計額のうち自己株式処分に対応する額[112]が処分する自己株式の帳簿価額を下回る場合は，その差額（自己株式処分差損に相当）が資本金等増加限度額の計算上減額される（同項5号参照）[113]。

(b) その他資本剰余金

新株予約権の行使に応じて，新株発行と自己株式処分の両方を行う場合において，行使時における当該新株予約権の帳簿価額と行使に際して払込みまたは給付を受けた財産の額の合計額のうち自己株式処分に対応する額が処分する自己株式の帳簿価額を上回るときは，その差額（自己株式処分差益に相当）をその他資本剰余金に計上する（計17条2項1号）。

なお，行使時における当該新株予約権の帳簿価額と行使に際して払込みまたは給付を受けた財産の額の合計額のうち自己株式処分に対応する額が処分する自己株式の帳簿価額を下回る場合は，その差額（自己株式処分差損に相当）はまずは資本金等増加限度額の計算上減額の対象となるが（前記②(a)参照），当該自己株式処分差損相当額（α）が行使時における当該新株予約権の帳簿価額と行使に際して払込みまたは給付を受けた財産の額の合計額のうち新株発行に対応する額（β）をも上回るときは[114]，当該自己株式処分差損

---

[111] 新株発行に対応する額は，「当該行使に際して発行する株式の数を当該行使に際して発行する株式の数及び処分する自己株式の数の合計数で除して得た割合」と定義される株式発行割合（計17条1項柱書）を乗ずる方法により計算される。行使時における当該新株予約権の帳簿価額と払込みまたは給付を受けた財産の額の合計額のうち新株発行に対応する額についてのみ資本金等増加限度額を増加させることとされているのは，「株式が発行されないかぎり，資本金および資本準備金の額は増加しないという整理がされているからである」（弥永真生『コンメンタール会社計算規則・商法施行規則〔第3版〕』179頁〔商事法務，2017〕）。

[112] 自己株式処分に対応する額は，「1から株式発行割合を減じて得た割合」と定義される自己株式処分割合（計17条1項5号ロ）を乗ずる方法により計算される。

[113] 自己株式処分差損相当額を資本金等増加限度額の計算上減額することとした計算規則17条1項5号の趣旨としては，「資金調達の性質を有する新株予約権の行使に応じて行う株式の交付において自己株式を処分することによってその他資本剰余金あるいはその他利益剰余金の額が減少することはできるだけ回避すべきであると考えられるからであろう」との説明がなされている（弥永・前掲注（111）182頁）。

[114] 計算規則17条2項1号ロ(1)に掲げる額が同号ロ(2)に掲げる額よりも多い場合である。

相当額の全部を資本金等増加限度額の計算に反映させることができないため，当該超過額（α－β）はその他資本剰余金の額を減額させることになる（計17条2項1号）。同号に基づいて会計処理をすると，その他資本剰余金の額がマイナスとなるような場合において，その他資本剰余金の額をゼロまでしか減少させなかった場合には，残額について，その他利益剰余金の額を減少させる必要がある（計29条3項）。

③ 自己株式処分のみを行う場合

新株予約権の行使に応じて，自己株式処分のみを行う場合，行使時における当該新株予約権の帳簿価額と行使に際して払込みまたは給付を受けた財産の額の合計額から処分する自己株式の帳簿価額を減じて得た額（自己株式処分差損益に相当）により，その他資本剰余金の額を増減させる（計17条2項1号）[115]。同号に基づいて会計処理をすると，その他資本剰余金の額がマイナスとなるような場合において，その他資本剰余金の額をゼロまでしか減少させなかった場合には，残額について，その他利益剰余金の額を減少させる必要がある（計29条3項）。

新株予約権の行使に応じて，自己株式処分のみを行う場合，新株発行がなされないため，行使時における当該新株予約権の帳簿価額や行使に際して払込みまたは給付を受けた財産の額を資本金や資本準備金の額に振り替えるという会計処理は生じない（計17条1項柱書参照）[116]。

(3) 金銭を対価とする取得条項に基づく取得の会計処理

取得条項が付された新株予約権について，発行会社が当該条項に基づきこれを取得する場合は，その取得価額を，増加すべき自己新株予約権の額とする（計55条5項）。その取得価額は，取得の対価がすべて発行会社の株式であることその他の例外要件（払込複合適指12項参照）に該当する場合を除き，

---

[115] 自己株式処分差益相当額についてはその他資本剰余金に計上し，自己株式処分差損相当額についてはその他資本剰余金から減額する。
[116] 弥永・前掲注（111）参照。

取得した自己新株予約権の時価（取得した自己新株予約権の時価よりも支払対価の時価の方が，より高い信頼性をもって測定可能な場合には，支払対価の時価）に取得時の付随費用を加算して算定する（払込複合適指11項）。

資金調達手段として用いられる新株予約権については金銭を対価とする取得条項が付されているものが多いが，発行会社が当該条項に基づきこれを取得する場合は，通常，取得の対価として交付される金銭の額に上記付随費用を加算して得た額が増加すべき自己新株予約権の額となる。

3 取得者側の会計処理（新株予約権の発行会社以外の者が取得者となる場合）

(1) 取得時の会計処理

新株予約権を取得したときは，有価証券の取得として処理する（払込複合適指7項）。したがって，新株予約権は，取得時に時価で測定し（金実指29項），保有目的の区分に応じて[117]，売買目的有価証券またはその他有価証券として会計処理する（払込複合適指37項）。なお，払込資本増加複合金融商品適用指針37項は，取得時の時価の算定については，新株予約権がコール・オプションとしての性格を有することに照らし，「デリバティブ取引に対する評価方法に準じて行うことが適当と考えられる」とする。

(2) 権利行使時の会計処理

新株予約権を行使し，発行会社の株式を取得したときは，当該新株予約権の保有目的区分に応じて，売買目的有価証券の場合には権利行使時の時価で，その他有価証券の場合には帳簿価額（金実指57項(4)）で株式に振り替える（払込複合適指8項）。

---

[117]「通常，譲渡制限が付されている新株予約権はその他有価証券に区分されることになると思われます。また現在，新株予約権に関する活発な市場が存在しているとはいえないと思いますので，売買目的有価証券に分類される新株予約権は少ないのではないでしょうか」とされている（秋坂・前掲注(109) 38頁）。

第Ⅱ編　第３章　資金調達手段としての新株予約権

(3) 譲渡時の会計処理

　新株予約権に対する支配が他に移転したときは，その消滅を認識するとともに，移転した新株予約権の帳簿価額とその対価としての受取額との差額を当期の損益として処理する（払込複合適指９項，金基11項）。

　なお，取得条項が付された新株予約権について，これが当該条項に基づき発行会社によって取得された場合は，取得条項付の転換社債型新株予約権付社債における転換社債型新株予約権付社債権者側の会計処理（払込複合適指24項参照）に準じて処理する（払込複合適指９項）。したがって，取得条項に基づき受領する対価が金銭の場合には，当該新株予約権の消滅を認識するとともに，当該新株予約権の帳簿価額とその対価としての受取額との差額を当期の損益として処理することとなる（払込複合適指24項(1)）。

■ 4　権利行使価額の修正時の会計処理

　資金調達手段として用いられる新株予約権の場合，発行会社株式の株価の変動に応じてその権利行使価額が修正される旨の条項が新株予約権に付されていることも多い。

　資金調達手段として用いられる新株予約権の行使価額の修正については，これを取り扱う会計基準というものは明確には存在していないようである。もっとも，上記の権利行使価額修正条項に基づき新株予約権の権利行使価額が修正された場合も，このような権利行使価額の修正可能性が新株予約権の発行に伴う払込金額に反映されているはずであるため，通常は，上記の修正自体について何らかの会計処理が必要となることはないと考えられる[118]。

---

[118]　野口晃弘「転換社債・新株引受権付社債の下方修正条項と会計処理」會計147巻１号71頁（1995），名越洋子「新株予約権の発行と行使価額の下方修正」明大商学論叢89巻２号211頁（2007）参照。

3-6 資金調達手段として用いられる新株予約権の税務上の取扱い

1 発行法人の税務

(1) 発行時の処理

　新株予約権は，会計上は純資産の部の項目として扱われるが，法人税法上は負債として扱われる（法法2条16号・18号，法令8条・9条参照）。法人が新株予約権を発行した場合，払い込まれた金銭の額が資産計上されるとともに同額の負債が計上されることとなり別段の課税関係は生じない。また，法人が新株予約権を発行する場合において，払い込まれる金銭の額がその新株予約権のその発行の時の価額に満たないとき（その新株予約権を無償で発行したときを含む）またはその新株予約権と引換えに払い込まれる金銭の額がその新株予約権のその発行の時の価額を超えるときは，その満たない部分の金額（その新株予約権を無償で発行した場合には，その発行の時の価額）またはその超える部分の金額に相当する金額は，損金不算入または益金不算入とされる（法法54条の2第5項）。ゆえに，いわゆる有利発行等が行われる場合であっても，発行法人に課税関係が生じることはない。

(2) 権利行使時の処理

　新株予約権者が権利行使をした場合，発行法人は自己株式を交付（新株の発行または自己株式の譲渡）することとなる。この場合，その行使に際して払

い込まれた金銭の額および給付を受けた金銭以外の資産の価額ならびにその新株予約権の帳簿価額の合計額に相当する金額を資本金等の額として計上することとなる（法令8条1項2号）。すなわち，発行法人においては，資本等取引であり課税関係が生じることはない。

■2　新株予約権者の税務

(1)　新株予約権の取得時

①　法　　人

　法人税法上新株予約権は有価証券に該当する（法法2条21号，金商2条1項9号，法令11条）。有価証券の取得価額は，金銭の払込み（金銭以外の資産の給付を含む）により取得した場合にあっては，その払込みをした金銭の額および給付をした金銭以外の資産の価額の合計額（付随費用がある場合にはそれを加算する）となる（法令119条1項2号）。ただし，いわゆる有利発行により取得した有価証券は，その取得時の価額をもって取得価額とし，取得価額と払込金額との差額は受贈益として益金算入される（同項4号）。なお，有利発行に該当する場合とは，その払込金額を決定する日の現況におけるその新株予約権の価額に比して社会通念上相当と認められる価額を下回る場合をいい，社会通念上相当と認められる価額を下回るかどうかは，その新株予約権の価額と払込金額の差額がその新株予約権の価額の概ね10％以上かどうかにより判定される（法基通2－3－7）。

　また，発行法人から株主等として無償で新株予約権の交付を受けた場合で，その発行法人の他の株主等に損害を及ぼすおそれがないと認められるときには，その新株予約権の取得価額はゼロとされる（法令119条1項3号・4号）。

②　個　　人

　法人税法と同様に所得税法上も新株予約権は有価証券に該当し（所法2条1項17号，金商2条1項9号，所令4条），払込みにより取得した場合には，

その払込金額をもって取得価額とする（所令109条1項1号）。ただし，有利発行[119]に該当する場合でその新株予約権について譲渡制限その他特別の制限が付されていないものについては，その時の時価をもって取得価額とし，取得価額と払込金額との差額については経済的利益を享受したものとして収入金額に算入される（前述第１章１−５■2(2)参照）。なお，会社法238条2項の決議（法239条1項・240条1項による場合を含む）に基づく新株予約権でその内容として譲渡制限その他特別の条件が付されているもので，かつ，引き受ける者に特に有利な条件もしくは金額であることとされるものを発行法人から取得した場合には，取得時において有利発行による経済的利益を享受できる状況にないことから，その経済的利益部分の取得価額はないこととなる（前述第１章１−５■2(3)参照）。

また，発行法人から株主等として無償で新株予約権の交付を受けた場合で，その発行法人の他の株主等に損害を及ぼすおそれがないと認められるときには，その新株予約権の取得価額はゼロとされる（所令109条1項4号）。

(2) 権利行使時

① 法　人

新株予約権の権利行使により取得した株式の取得価額は，その払込金額と新株予約権の帳簿価額との合計額となる（法令119条1項2号）。

② 個　人

通常の発行により取得した新株予約権またはその発行時に経済的利益に対して課税された新株予約権の権利行使により取得した株式の取得価額は，その払込金額と新株予約権の取得価額との合計額となる（所令109条1項1号）。

上記(1)②の有利発行であっても発行時において課税されない新株予約権の権利行使により取得した株式の取得価額は，その株式の権利行使時の価額と

---

[119] 所得税における有利発行の判定は，法人税と同様の方法になるものと解される（所基通23〜35共−7）。

なり，その価額から新株予約権の取得価額と払込金額を差し引いた金額については，経済的利益として収入金額に算入される（前述**第1章1－5**■**2**(3)参照）。

第4章

買収防衛策と新株予約権

4-1 実務で用いられる新株予約権を用いた買収防衛策の諸類型

■1 総　論

(1) 買収防衛策の意義

　ストック・オプションと並んで新株予約権が用いられることが多いのが，買収防衛策の対抗措置としてである。

　買収防衛策指針においては，「買収」は，「会社に影響を行使しうる程度の数の株式を取得する行為をいう」と定義され（指針Ⅰ1），「買収防衛策」とは，「株式会社が資金調達などの事業目的を主要な目的とせずに新株または新株予約権の発行を行うこと等により自己に対する買収の実現を困難にする方策のうち，経営者にとって好ましくない者による買収が開始される前に導入されるものをいう」と定義されている（指針Ⅰ2）。

　単に上場企業が自己に対して提起された買収に対してとる一定の対抗措置という，広い意味での買収防衛策としては，安定株主工作，第三者割当増資，防戦買い，借入れによる自社株買い，株式非公開化（ゴーイング・プライベート），合併等の組織再編等，さまざまな種類のものがあるが，新株予約権を用いた買収防衛策は，買収者が登場した時点において，全株主または買収者以外の者に新株予約権を交付し，当該新株予約権の行使またはその取得による対価としての普通株式の交付（全株主に新株予約権が交付される場合には，買収者は新株予約権を行使することができず，強制取得の対象にならない

か，なるとしても対価として普通株式以外のものが交付される）により，買収者の議決権を希釈化し，もって買収者による支配権の取得を防止することをその効果とするものが多い。

(2) 買収防衛策において新株予約権が用いられる理由

① 種類株式を用いた買収防衛策

新株予約権を利用した買収防衛策の淵源は，米国において1980年代以降から発達してきたフリップ・イン型ライツ・プラン（ポイズン・ピル）であるが，わが国の会社法上，このライツ・プランと類似の機能を果たす防衛策を構築するための法的ツールとして利用可能なものとして，種類株式および新株予約権があげられる。

種類株式を用いて買収防衛策を設計する場合としてまず考えられる手法は，議決権行使条項付株式（法108条1項3号）を利用する方法である。もっとも，株主平等原則等の会社法上の制約や上場規則との兼ね合いもあり，一般的には，上場会社が種類株式を用いて買収防衛策を導入するのは必ずしも容易ではない。

例えば，議決権行使条項付株式を利用する方法のうち，会社法の立案担当者により紹介されていた，いわゆる「議決権制限プラン」[1]については，株主平等原則や種類株式制度の限界といった観点からその適法性に疑問が呈されているほか[2]，敵対的買収者が出現して議決権行使条項付種類株式の議決権制限効果が生じた時点において，当該議決権行使条項付種類株式のすべてが会社法115条の「議決権制限株式」に該当することとなると解されるため，同条の規定により，議決権制限株式の数を発行済株式の総数の2分の1以下にするための必要な措置をとらなければならないことになるという問題点があることが指摘されている。

---

(1) 葉玉匡美「議決権制限株式を利用した買収防衛策」旬刊商事法務1742号28頁以下（2005）参照。
(2) 前者につき，たとえば江頭・株式会社法135頁注7。後者につき，藤田友敬「組織再編」旬刊商事法務1775号63頁（2006）。

また，一定割合以上の株式を保有している株主の有する株式のみについて無議決権株式を対価とする取得の対象とする，取得条項付株式（法108条1項6号・2項6号イ・107条2項3号ハ）を利用するスキームも考えうるが，既存の株式に取得条項を付するために全部取得条項を実行して対価として取得条項付株式を交付するという，厳格かつ煩瑣な手続が必要であるため，普通株式のみを発行している上場会社が利用することは非常に困難である[3]。

その他，種類株式を用いた買収防衛策としては，株主総会において決議すべき事項のうち一定の事項について，当該決議のほか，当該種類の株式の種類株主を構成員とする種類株主総会の決議がなされることを必要とする，拒否権付種類株式（いわゆる「黄金株」。法108条1項8号）を，第三者割当ての方法により特定の者またはグループに対して発行する方法もあるが，これについても，金融商品取引所における上場規則への適合性等[4]の問題点がある。

② 新株予約権を用いた買収防衛策

上記①のとおり，種類株式を用いた買収防衛策は，それぞれ会社法上あるいは上場規則上のハードルが存在しているため，現在大多数の会社で採用されている買収防衛策は新株予約権を用いたものとなっている。

新株予約権を用いた買収防衛策は，買収者が登場した時点において，あらかじめ全株主または特定の者に交付された新株予約権が行使されること（もしくは取得条項の発動により取得されること），またはその時点で全株主に対して交付される新株予約権が行使されること（もしくは取得条項の発動により取得されること）によって買収者以外の株主に議決権普通株式が交付され，そ

---

(3) 取得条項付株式を利用した防衛策等につき，相澤・論点解説88頁〜89頁参照。もっとも，全部取得条項付種類株式の脱法的な利用には批判もあるところである（藤田友敬「新会社法における株式買取請求制度の改正」証券取引法研究会編『証券・会社法制の潮流』272頁〔日本証券経済研究所，2007〕，田中亘「ブルドックソース事件の法的検討〔上〕」旬刊商事法務1809号12頁〔2007〕）。

(4) 上場規程601条1項17号は，上場廃止基準の1つとして，株主の権利内容およびその行使が不当に制限されている場合をあげ，上場施行規則601条15項3号は拒否権付種類株式の発行が原則としてこれにあたると規定している。

の結果として買収者の議決権が希釈化されることで，買収防衛の効果を発揮する。現時点で採用されている新株予約権を用いた買収防衛策においては，①敵対的買収者またはその一定の関係者等は新株予約権を行使することができないとする条件（このような内容の行使条件を，以下「差別的行使条件」という），および②敵対的買収者またはその一定の関係者等に割り当てられた新株予約権については，これを取得しないものとするか，取得する場合でもその対価を議決権普通株式以外の財産とする一方で，それ以外の一般株主に割り当てられた新株予約権については，これを議決権普通株式を対価として取得する，というもの（このような内容を有する取得条項を，以下「差別的取得条項」という）を付した新株予約権を，買収者に対する対抗措置として利用することが想定されている。差別的行使条件および差別的取得条項（以下「差別的取得条項等」と総称する）の詳細については，4－2■1において詳述する。

　その導入に定款変更決議等を要する種類株式を用いたスキームと異なり，新株予約権を用いたスキームの場合には，公開会社においては，有利発行に該当する場合を除き，取締役会決議のみでその発行を行うことができるという利点（法240条1項）がある。

■2　実務で用いられる新株予約権を用いた買収防衛策の諸類型

(1) 総　　論

　一口に新株予約権を用いた買収防衛策といっても，新株予約権の発行手続に関連して，新株予約権の発行時期（敵対的買収者の登場前（「平時」）か登場後（「有事」）か，新株予約権の発行決議機関が取締役会（通常発行）か株主総会（有利発行）か，発行対象が全株主（株主割当て）か特定の者（第三者割当て）かという違いがある。

　また，発行される新株予約権の内容についても，行使条件（敵対的買収者

について行使を認めるか否か）や取得条項を付する場合における取得対価といったファクターによってさまざまな分類が可能である。

(2) 発行手続による分類

　新株予約権を用いた買収防衛策をその発行手続の視点から分類した場合，おおむね次のように分類することができる。

```
┌平時発行型
│　┌株主割当て型……①（例：ニレコ型ライツ・プラン）
│　└第三者割当て型
│　　　┌通常発行型……②（例：TBSが日興プリンシパル・インベストメンツ
│　　　│　　　　　　　　　　（現・シティグループ・キャピタル・パートナー
│　　　│　　　　　　　　　　ズ）に対して発行した新株予約権（旧プラン））
│　　　└有利発行型……③（例：信託型ライツ・プラン）
└有事発行型
　　┌株主割当て型……④（例：事前警告型買収防衛策，ブルドックソースの買
　　│　　　　　　　　　　収防衛策，ピコイ事件における新株予約権無償
　　│　　　　　　　　　　割当て，東芝機械＊の買収防衛策，日本アジアグ
　　│　　　　　　　　　　ループの買収防衛策）
　　└第三者割当て型
　　　　┌通常発行型……⑤（例：ニッポン放送がフジテレビジョンに対して発行
　　　　│　　　　　　　　　　した新株予約権）
　　　　└有利発行型
```

＊現・芝浦機械。

　上記のうち，まず①，④および⑤については，「著しく不公正な方法」による発行（法210条2号，改正前商280条ノ10）として，発行が差し止められた事例がある[(5)]。

4-1　実務で用いられる新株予約権を用いた買収防衛策の諸類型

　①のニレコが導入したポイズン・ピルに関する事案は，平時において，基準日における全株主に対し，無償で，敵対的買収者は行使することができないという行使条件の付いた新株予約権（行使価額は1株につき1円）を，1個の持株につき2個無償で付与しようとしたところ，投資ファンドより，このような新株予約権の発行は，既存株主に著しい希釈化の損害を与えるものであるとして，差止めが申し立てられたものである。

　また，⑤のニッポン放送によるフジテレビジョンに対する新株予約権の第三者割当てに関する事案は，有事（敵対的買収者であるライブドアが発行会社であるニッポン放送の発行済株式の約29.6％に相当する株式を買い付けた状況）において，ニッポン放送を子会社化すべく友好的公開買付けを行っていたフジテレビジョンに対して新株予約権を第三者割当ての方法により発行しようとしたところ，ライブドアが，会社の経営支配権に現に争いが生じている場面において，取締役会が，支配権を争う特定の株主の持株比率を低下させることを目的に新株予約権を発行することは，著しく不公正な方法による発行であるとして差止めを求めたものである。

　他方，⑥の有事発行・第三者割当て・有利発行型は，有事において株主総会特別決議を経ることの現実的な困難性から，その利用には限界がある。

　以上から，実務上用いられている新株予約権を用いた買収防衛策は，発行手続の観点からは，②の平時発行・第三者割当て・通常発行型，③の平時発行・第三者割当て・有利発行型，および④の有事発行・株主割当て型の3タイプのいずれかに属しているのが現状である。

　②は，平時において友好的な提携先に対してその公正価額の払込みを対価としてあらかじめ新株予約権を有償で第三者割当ての方法により発行し，有事にその行使をしてもらうものである。

（5）　①につき，東京高決平成17・6・15判タ1186号254頁，④につき，東京高決平成20・5・12金判1298号46頁〔ピコイ事件〕（ただし，新株予約権無償割当てに瑕疵があるとして，それに基づく新株発行について差止めが認められた事例である），東京高決令和3年5月26日資料版商事法務446号154頁〔日本アジアグループ事件〕，⑤につき，東京高決平成17・3・23判タ1173号125頁参照。

577

③の信託型ライツ・プランは，無償で発行することについて有利発行のための株主総会特別決議を経たうえで，差別的取得条項等の付された新株予約権をSPCまたは信託銀行に対して第三者割当ての方法により発行するとともに，信託銀行に将来有事が到来した場合における株主を受益者とする信託を設定し，発行会社と信託銀行との間の信託契約において，有事に当該新株予約権が分配される旨を定めるものである。

④は，その多くが有事に際しては場合により取締役会決議により株主割当ての方式で差別的取得条項等の付された新株予約権を発行する旨を平時においてあらかじめ公表しておく，いわゆる「事前警告型」の買収防衛策において用いられている。このような事前警告型買収防衛策の中には，有事における対抗措置を新株予約権の無償割当てに限定せず，法令および定款で許容されるあらゆる対抗措置を講じることがありうるとするもの（オープン・エンド型）もある。④に関連して，ブルドックソースの買収防衛策に加えて，近時，大規模買付行為等が開始された後ないし大規模買付行為等の開始が切迫した段階になって買収防衛策を導入するいわゆる「有事導入型」の利用が増加している。「有事導入型」の近時の動向については後述4－4参照。

(3) 新株予約権の行使条件および取得条項の内容による分類

有事において敵対的買収者の議決権比率を希釈化させることが新株予約権を用いる買収防衛策の目的であるから，買収防衛策として用いられる新株予約権には，敵対的買収者およびそのグループには原則として新株予約権の行使を認めない旨の行使条件が付されているのが通常である。

また，買収防衛策として用いられる新株予約権については，敵対的買収者以外の株主に議決権普通株式が確実に取得されるよう，取得条項付新株予約権の制度を活用し，敵対的買収者が登場した場合に，株主による行使を待たずに会社が強制的に新株予約権を取得し，その対価として，敵対的買収者以外の株主に対して議決権普通株式を交付することが通常想定されている。

このような差別的取得条項等については，従前は，株主平等原則に反する

のではないかとの指摘も存した[6]が，後述するブルドックソース事件最高裁決定において，少なくとも差別的取得条項等を内容とする新株予約権の無償割当てについては株主平等原則の趣旨が及び，個別事例においてその趣旨に反するか否かが問題となることが明確にされた。取得条項により新株予約権を取得する場合において，敵対的買収者の新株予約権をどのように取り扱うかについては，上記のように種々の対応が考えられるが，株主平等原則の趣旨に配慮し，議決権普通株式以外の経済的価値のある対価を交付することにより，買収者における経済的損害の程度に一定の配慮を行いつつ，議決権比率の希釈化という所期の目的を達成するというスキームが採用されることもある。

これらの差別的取得条項等の内容についてもさまざまなタイプが存在するが，この点は，4－2■1において述べることとする。

■3 新株予約権を用いた買収防衛策の適法性

(1) 買収防衛策指針との関係

① 総　論

新株予約権を用いた買収防衛策を設計するにあたり，その適法性を確保するためには，買収防衛指針の定める基準が1つの参考となる（ただし，当該基準は裁判規範そのものではないため，当該基準に合致することが防衛策の適法性を確保するための必要十分条件では必ずしもないことには留意する必要がある）。

買収防衛策指針が，買収防衛策が適法であるための条件として提示する各原則の内容は概要以下のとおりである。

② 企業価値・株主共同の利益の確保・向上の原則

この原則は，「買収防衛策の導入，発動および廃止は，企業価値，ひいて

---

[6] 江頭憲治郎ほか「新株予約権・種類株式をめぐる実務対応〔下〕」旬刊商事法務1629号8頁〜9頁（2002）参照。

は，株主共同の利益を確保し，または向上させる目的をもって行うべきである」とする原則である（指針Ⅲ1）。

同原則の趣旨は，「株式会社は，従業員，取引先など様々な利害関係人との関係を尊重しながら企業価値を高め，最終的には，株主共同の利益を実現することを目的としている。買収者が株式を買い集め，多数派株主として自己の利益のみを目的として濫用的な会社運営を行うことは，その株式会社の企業価値を損ない，株主共同の利益を害する。また，買収の態様によっては，株主が株式を売却することを事実上強要され，又は，真実の企業価値を反映しない廉価で株式を売却せざるをえない状況に置かれることとなり，株主に財産上の損害を生じさせることとなる。したがって，株式会社が，特定の株主による支配権の取得について制限を加えることにより，株主共同の利益を確保し，向上させることを内容とする買収防衛策を導入することは，株式会社の存立目的に照らし適法かつ合理的である」というものである（指針Ⅳ1）。

買収防衛策指針は，企業価値・株主共同の利益を損なうおそれのある買収行為を類型化し，当該類型化された買収行為に対する防衛策をもって，株主共同の利益を向上させるものの代表例としている（指針Ⅳ1（注1）参照）。

具体的には，

「① 次の(a)から(d)までに掲げる行為等により株主共同の利益に対する明白な侵害をもたらすような買収
　(a) 株式を買い占め，その株式について会社側に対して高値で買取りを要求する行為
　(b) 会社を一時的に支配して，会社の重要な資産等を廉価に取得する等会社の犠牲のもとに買収者の利益を実現する経営を行うような行為
　(c) 会社の資産を買収者やそのグループ会社等の債務の担保やその弁済原資として流用する行為
　(d) 会社の資産を一時的に支配して会社の事業に当面関係していない

高額資産等を処分させ，その処分利益をもって一時的な高配当をさせるか，一時的高配当による株価の急上昇の機会をねらって高値で売り抜ける行為

② 強圧的二段階買収（最初の買付けで全株式の買付けを勧誘することなく，二段階目の買付条件を不利に設定し，あるいは明確にしないで，公開買付け等の株式買付けを行うことをいう）など株主に株式の売却を事実上強要するおそれがある買収

③ 株主共同の利益を損なうおそれがある買収の提案であるにもかかわらず，株主に，株式を買収者に譲渡するか，保持し続けるかを判断するために十分な時間や情報ないし買収者に対する交渉の機会を与えない買収」

をあげている[7]。

以上から，新株予約権を用いた買収防衛策について，企業価値・株主共同の利益の確保・向上の原則への適合性を確保するには，買収者が上記①から③までに該当するかまたはこれに準ずる類型に該当することをもって，新株予約権の発行もしくは無償割当ての決議（事前警告型買収防衛策等の場合）またはその分配（信託型ライツ・プランの場合）の要件とするとともに，差別的行使条件として，新株予約権の行使が認められない買収者の類型も同様に設定することが考えられる。

③ 事前開示・株主意思の原則

この原則は，「買収防衛策は，その導入に際して，目的，内容等が具体的に開示され，かつ，株主の合理的な意思に依拠すべきである」とする原則である（指針Ⅲ2）。前段は「事前開示の原則」，後段は「株主意思の原則」にそれぞれ対応するものである（指針Ⅳ2参照）。

事前開示の原則については，具体的には，会社法，金融商品取引法等の法令や金融商品取引所の規則で定められた開示ルールに従うことのみならず，

---

[7] ①は，企業価値侵害型買収行為，②は，構造的強圧型買収行為，③は，機会喪失・実質的強圧型買収行為と呼ぶことができるであろう。

事業報告や有価証券報告書などを活用して自主的に買収防衛策の開示に努めることが重要である旨指摘されている（指針Ⅳ2(1)(注3)）。買収防衛策の開示の詳細については，後述■5および■6を参照。

次に，株主意思の原則に関しては，基本的には，買収防衛策の導入とその発動がどの程度株主の意思に基づいたといい得るものであるかが問題となり，その意味で，導入および発動のいずれの局面についても，それが株主総会の決議に基づくことが同原則への適合性の観点からは相対的にはベターであることは明らかである[8]が，そのようにすることが防衛策の適法性の確保のために不可欠であるとまではされていない。たとえば，買収防衛策指針においても，防衛策の導入を取締役会の決議のみで行うことが排除されているわけではなく，「株主の総体的意思によってこれを廃止できる手段（消極的な承認を得る手段）を設けている場合には，株主意思の原則に反するものではない」とされている（指針Ⅳ2(2)②）ところである。

④ **必要性・相当性確保の原則**

必要性・相当性確保の原則とは，「買収防衛策は，買収を防衛するために，必要かつ相当なものとすべきである」とする原則である（指針Ⅲ3）。

その趣旨は，「買収防衛策は，株主共同の利益を確保し，向上させるためのものであるが，買収防衛策における株主間の異なる取扱いは，株主平等の原則や財産権に対する重大な脅威になりかねず，また，買収防衛策が株主共同の利益のためではなく経営者の保身のために濫用されるおそれもある。こうした買収防衛策による弊害を防止することは，その適法性及び合理性を確保するうえで不可欠である。このため，買収防衛策は，株主平等の原則，財産権の保護，経営者の保身のための濫用防止等に配慮し，必要かつ相当な方法によるべきである」というものである。

---

[8] 買収防衛策指針Ⅴ1(1)は，「株主総会決議に基づいて，買収防衛策としての新株予約権等を発行するときは，通常，①株主共同の利益を確保し，向上させるものであることが推認され，②株主の意思に依拠し，かつ，③取締役会の権限濫用のおそれのない必要かつ相当な方法によるものと推認されると考えられるので，指針の示す三原則に合致し，公正な発行とされる可能性が高い。」とする。

4-1 実務で用いられる新株予約権を用いた買収防衛策の諸類型

新株予約権を用いた買収防衛策に対する必要性・相当性の原則の適用に関して，買収防衛策指針は以下のような準則を示している[9]。

(i) 新株予約権を行使する権利は，株主としての権利の内容でないから，新株予約権の行使の条件として，買収者以外の株主であることという条件を付すことは，株主平等の原則に違反するものではない（指針Ⅳ 3 (注4) ①)。

(ii) 新株予約権の割当ては，会社法上の株主としての権利とは無関係であるから，買収者以外の株主に対してのみ新株予約権の割当てを行うことは，株主平等の原則に違反するものではない（指針Ⅳ 3 (注4) ②)。

(iii) 株主以外の者に対し，特に有利な条件によって新株予約権を発行することは，既存の株式の価値を著しく低下させるので，株主総会の特別決議が必要である（指針Ⅳ 3 (注5) ①)。

(iv) 買収者以外の株主であることを行使条件とする新株予約権を，株主割当てで発行することは，取締役会の決議で行うことができる。しかし，当該新株予約権の内容が，買収者に過度の財産上の損害を生じさせるおそれがあるようなものである場合には，会社法238条2項・3項等の脱法行為と判断されるリスクがあるので，新株予約権の内容について適法性を高めるための工夫（指針Ⅴ 2(1)参照）を講じる必要がある（指針Ⅳ 3 (注5) ②)。

(v) 取締役会は，買収防衛策を発動するに際しては，株主共同の利益に対する脅威が存在すると合理的に認識したうえで（防衛策発動の必要性），当該脅威に対して過剰でない相当な内容の防衛策を発動しなければならない。こうした判断にあたっては，外部専門家（弁護士，フィナンシャル・アドバイザー等）の分析を得るなど，判断の前提となる事実認識等に重大かつ不注意な誤りがない，合理的な判断過程を経た慎重な検討が求められる。こうした慎重な検討は，取締役の恣意的判断を排除する可

---

[9] 以下，いずれも買収防衛策指針Ⅳ 3 における記述を，会社法の規定に沿って改めている。

能性を高める効果があり，買収防衛策の公正性を高めるうえで必要である（指針Ⅳ3（注6））。

(2) 企業価値研究会報告書との関係

① 総　論

買収防衛策指針が制定された後，500社（当時）を超える企業が買収防衛策を導入し，さらに司法判断に至る事例も出現したことを受けて，経済社会的観点からみた買収防衛策のあるべき姿[10]，合理的な買収防衛策の在り方を示した上で，そのような合理的な買収防衛策に関してそれまでの裁判例との関係について整理をすることを目的として制定されたのが，企業価値研究会の平成20年6月30日付け報告書「近時の諸環境の変化を踏まえた買収防衛策の在り方」（以下本章において「企業価値研究会報告書」という）である。

なお，買収防衛策指針では買収開始前における買収防衛策の「導入」についての考え方を示しており，買収開始後に導入される買収防衛策はそもそも検討の対象としていなかったのに対して，企業価値研究会報告書は買収防衛策の導入・発動の在り方全体について検討を行うと述べており，基本的には平時・有事導入に共通に妥当する議論となっていることにも留意が必要である。

幅広い論点が検討されているが，特に新株予約権を用いた買収防衛策との関係で留意すべき事項として，以下のものが挙げられる。

② 買収防衛策の目的・在り方

企業価値研究会報告書はその冒頭で，買収防衛策の目的を確認している（企業価値研究会報告書1）。

（ⅰ）買収防衛策は，究極的には，株主の利益を守るためのものであることが前提である。

---

[10] 新原浩朗「近時の諸環境の変化を踏まえた買収防衛策の在り方――企業価値研究会報告書の背景と意味」旬刊商事法務1842号15頁（2008）参照。

(ⅱ) 買収防衛策の在り方を検討する際には，敵対的買収には，積極的効果（その脅威の存在が経営陣に規律を与えることや，買収により株主共同の利益が向上する場合があるなど）があることに留意しなければならない。

(ⅲ) 買収防衛策を実際に発動して買収を止めることは，買収に賛成する株主がこれに応じて株式を買収者に売却する機会を奪うことになることを念頭に置くべきである。

(ⅳ) 経営陣の保身を図ることを目的として買収防衛策が利用されることは，決して許されるべきものではなく，当企業価値研究会は，そのような買収防衛策は支持できない。

③ 金員等の交付

企業価値研究会報告書は買収防衛策の在り方として2つの視点を提示しているが，その1点目が「買収者に対する金員等の交付を行うべきではない」（企業価値研究会報告書2(1)）との点である。

この指摘を受けて，買収者に対する金員等の交付にかかる記載をプレス・リリースから削除する動きも見られた[11]。もっとも，企業価値研究会報告書は，買収者に対して金員等を交付することにより対抗措置の相当性が確保される場合があるという後述のブルドックソース事件最高裁決定の考え方を否定するものではない。企業価値研究会の座長であった神田秀樹教授も，企業価値研究会報告書の考え方は，ブルドックソース事件の最高裁決定そのものを否定するものではなく，最高裁決定と両立・共存するものである旨指摘している[12]。

したがって，当該記述の力点は，どのような場合に買収者に対して経済的

---

(11) 三菱UFJ信託銀行証券代行部編『買収防衛策の導入傾向と事例分析――平成22年6月総会社の実態』別冊商事法務357号9頁以下（2011）参照。なお，従前，企業年金連合会は，「企業買収防衛策に対する株主議決権行使基準」（平成20年3月24日）において，「買収者に割り当てられた新株予約権について，企業が経済的対価を交付して取得できる旨を含むプランにおいては，原則として反対する」としていたが，同基準は平成22年11月4日付けで廃止された。

(12) 神田秀樹ほか「座談会 企業価値研究会報告書と今後の買収防衛策のあり方〔上〕」旬刊商事法務1842号13頁（2008）〔神田発言〕。神田秀樹「経済教室 買収防衛策――企業価値研報告書をめぐって〔下〕基本的考え方と規範提示」2008年7月30日付け日本経済新聞朝刊も参照。

補償を付与しなくとも買収防衛策の発動が「相当性」を有するものとされ、ひいては適法とされるのかについての考え方を明らかにしようとした点にあるものと解すべきであろう。

④ 取締役会と株主総会との関係

企業価値研究会報告書が買収防衛策の在り方として提示したもう一点が買収局面における被買収者の取締役の行動の在り方であり、「形式的に株主総会に判断を委ねるのではなく、自ら責任をもって買収防衛策の導入及び発動の要否について判断し、その上で株主に対する説明責任を果たすことが求められる」と述べた（企業価値研究会報告書3(1)）。併せて、取締役が買収防衛策を運用する際の基本的な考え方として8項目を挙げており、それらは取締役が買収提案を評価するに際して、自らの保身目的ではなく、当該買収提案が株主共同の利益に適うかを真摯に検討することを担保するという観点から具体化された行動指針であると考えられる。

⑤ 合理的な買収防衛策の「適法性」の検討

企業価値研究会報告書は、買収防衛策の適法性の問題を検討するにあたって、その目的およびその行使の態様等に着目して過去に現れた事例における裁判所の判断を検討している。

1つ目の類型は「株主が買収の是非を適切に判断するための時間・情報や、買収者・被買収者間の交渉機会を確保する場合」であり、この場合に関する裁判例として日本技術開発事件東京地裁決定[13]を挙げている。

2つ目の類型は「買収提案の内容に踏み込んで実質的に判断を下して発動し、買収を止める場合」であり、この類型はさらに(a)株主共同の利益を毀損することが明白である濫用的買収に対して発動する場合と(b)買収提案が株主共同の利益を毀損するかどうかという実質判断に基づいて発動する場合に分けられ、(a)の該当性が問題となった事例としてニッポン放送事件東京高裁決定[14]、(b)が問題となった事例としてブルドックソース事件最高裁決定[15]が

---

(13) 東京地決平成17年7月29日判時1909号87頁。

あげられている。

　株主意思の原則との関係では，1つ目の類型の場合には，恣意的な運用がなされないのであれば，時間や情報を確保する場合や，あるいは交渉機会を確保する場合において，当該取締役会が自らの判断で買収防衛策を導入し，さらに，合理的と認められる範囲の手続に反して必要な情報を出してこないとか交渉に応じない買収者に対し，これを発動することが取締役会限りで認められうると整理されている。2つ目の類型については，大要，(a)に該当する場合は，取締役会は，取締役会限りの判断により防衛策を発動することが認められるのに対し，(b)の場合には「買収防衛策を発動することは，制限的であるべきである」とされ，買収者が合理的な手続を遵守した場合には，原則として，買収の是非に関する株主の意思は，株主が買収提案に応じるか否かの意思決定，あるいは，株主総会における取締役の選解任についての株主による選択を通じて表明されることが想定され（企業価値研究会報告書脚注20），仮に発動するとしても，発動について必要性と相当性の要件を満たすことが要求されると指摘している。

4　新株予約権を用いた買収防衛策に関する裁判例

(1)　総　　論

　これまでに買収防衛策について司法判断が下された主要な事例を類型化すると以下のようになる。

　ブルドックソース事件最高裁決定は，SPJによる敵対的公開買付けに対抗して，買収防衛策としての対抗措置の発動（差別的取得条項等付新株予約権無

---

(14)　東京高決平成17年3月23日高民集58巻1号39頁。当該事案においては，結論としては濫用的買収に該当するとは認められないとして，新株予約権の第三者に対する発行について差止めの仮処分を肯定したが，この際，一定の範囲を濫用的買収として，取締役会が買収防衛策を発動できることを肯定している（企業価値研究会報告書脚注8）。

(15)　最決平成19年8月7日民集61巻5号2215頁。

図表4-1 司法判断が下された買収防衛策（除，第三者割当増資の事例）の分類

防衛策の種類 対抗措置 発動決定機関	平時導入型 （事前警告型）	（広義の）有事導入型		
		対その他	対市場買増し	対公開買付け
取締役会のみ	（日本技術開発[16]） 日邦産業	ピコイ[17]	（ニッポン放送[18]） 日本アジアグループ	富士興産・原審決定
株主総会決議あり	N/A	N/A	N/A	ブルドックソース 富士興産・抗告審決定

償割当て）にかかる承認議案がそれを株主総会の特別決議事項とする旨の定款変更決議の可決を条件として付議されており，当該承認議案は会社法295条2項所定の定款に基づく株主総会決議として特別決議をもってなされていた。

　日邦産業事件と日本アジアグループ事件はいずれも，買収防衛策の導入および対抗措置の発動が取締役会限りで行われた。このうち日邦産業事件では買収防衛策の導入が平時に行われていたのに対して，日本アジアグループ事件では，CI11が第1次公開買付けを撤回した後，引き続きCI11が日本アジアグループの株式を市場で買い集めたり，再度の公開買付けを行う具体的かつ切迫した危険がある，いわば「半」有事の状況下で買収防衛策の導入が行われた。いずれの事件においても原審で対抗措置が差し止められたものの，

---

(16)　対抗措置としては，平成17年商法改正前における株式分割が用いられた事案であった。
(17)　同事件の事案は，対抗措置の発動を株主総会に付議した場合には，普通決議による承認すら取得できないであろうと解される事案であった（その点につき，例えば，山田剛志「取締役会決議による買収防衛策と不公正発行〔上〕――差別的取得条項付新株予約権無償割当を中心に」金融・商事判例1358号〔2011〕9頁参照）。
(18)　対抗措置としては，新株予約権の第三者割当発行が用いられた事案であった。

日邦産業事件では異議審が原審決定を取り消したのに対し,日本アジアグループ事件では原審決定が維持されている。

富士興産事件については,その抗告審決定は株主意思確認総会後に出されており,事案の構図としてはブルドックソース事件の事案と同様であるが,そこでの株主意思確認総会はいわゆる勧告的決議の方式で行われている点でブルドックソース事件と異なる。これに対して富士興産事件の原審決定は株主意思確認総会が行われる前に出されている点で,取締役会限りで買収防衛策の導入および対抗措置の発動がなされる事案と位置づけることができる。すなわち,原審決定は,有事導入型の買収防衛策であって取締役会限りで導入および対抗措置(差別的取得条項付新株予約権無償割当て)の発動がなされる事案について,また,抗告審決定は,有事導入型の買収防衛策であって,その導入および対抗措置(差別的取得条項等付新株予約権無償割当て)の発動が株主意思確認総会の勧告的決議に基づいてなされる事案についてのものでありそれぞれが独自に重要な意義を持つものと解される(つまり,原審決定についても,通常の場合と異なり,独自の意義が残るものと考えられる)。

(2) ブルドックソース事件最高裁決定[19]

① 総　論

ブルドックソースが,米国投資ファンドのスティール・パートナーズ・ジャパンの関係会社(SPJ)による公開買付けに対抗して行った差別的取得条項等付新株予約権の無償割当てに対し,SPJ側が会社法247条の類推適用による差止めの仮処分を求めた事件は,わが国で新株予約権を用いた買収防衛策の適法性が裁判所によって認められた初の事例となった。

本件の事案の概要は以下のとおりである。

---

[19] ブルドックソース事件の買収防衛策の内容,事案の経過および裁判所の判断の詳細については,岩倉正和=佐々木秀「スティール・パートナーズからの敵対的買収に対するブルドックソースの対抗措置の検証」岩倉正和=太田洋編著『M&A法務の最先端』157頁～278頁(商事法務,2010)も参照。

第Ⅱ編　第4章　買収防衛策と新株予約権

　ソースその他調味料の製造および販売等を主たる事業とするブルドックソースの発行済株式総数の約10.25％を関連会社と併せて保有していたスティール・パートナーズ・ジャパンは，米国法人の関係会社を通じて，平成19年5月18日，ブルドックソースの発行済株式の全部を取得することを目的として，株式公開買付け（以下本項において「本件公開買付け」という）を開始した（買付期間は同年6月28日までの30営業日。公開買付価格は当初1株1,584円）。その後同年6月15日に買付期間は同年8月10日まで，買付価格は1,700円に変更された。

　これに対し，ブルドックソースの取締役会は，証券取引法（当時）に基づく意見表明報告書の提出し質問権を行使したうえで，同年6月7日，本件公開買付けはブルドックソースの利益ひいては株主共同の利益を毀損するものとして本件公開買付けへの反対を決議し，その対応策として，(i)一定の新株予約権無償割当てに関する事項を株主総会の特別決議事項とすること等を内容とする定款変更議案（以下本項において「本件定款変更議案」という）および(ii)これが可決されることを条件として，新株予約権の無償割当て（基準日である同年7月10日現在の株主に対し，その有する株式1株につき3個の割合で新株予約権（以下本項において「本件新株予約権」という）を割り当てることをその内容とするもの。以下本項において「本件無償割当て」という）を行うことを内容とする議案（以下本項において「本件議案」という）を同年6月24日開催予定の定時株主総会（以下本項において「本件総会」という）に付議することを決定した。本件総会において，本件定款変更議案および本件議案は，議決権総数の約83.4％の賛成により可決された。この株主総会特別決議を受け，ブルドックソース取締役会は，同日の取締役会において，本件無償割当ての詳細事項を決定する決議を行った。

　本件新株予約権には，SPJ関係者はこれを行使することができないとの行使条件および譲渡制限条項（譲渡に際して取締役会の承認を必要とする旨の条項）が付されているとともに，取締役会が別途定める日をもって，本件新株予約権を取得し，SPJ関係者以外の新株予約権者に対しては対価として本件

4-1 実務で用いられる新株予約権を用いた買収防衛の諸類型

新株予約権1個につき1株の普通株式を交付することができる一方，SPJ関係者の有するものについては，対価として本件新株予約権1個につき396円（本件公開買付けにおける当初の買付価格の4分の1に相当）を交付することができる旨の取得条項が付されていた。

SPJは，同年6月13日，本件無償割当ては，株主平等の原則に違反して法令・定款に違反し，かつ，著しく不公正な方法によるものであるなどと主張して，本件無償割当ての差止めを求める仮処分命令の申立てをした[20]。

本件では東京地裁がSPJ側の差止請求を却下し，東京高裁はSPJ側の抗告を棄却したため，事案は最高裁に持ち込まれ，最終的に同事件の許可抗告審の決定である前掲・最高裁平成19年8月7日決定が抗告を棄却して決着したが，同決定は新株予約権を用いた買収防衛策について検討するうえでのリーディング・ケースであるので，以下その内容を概説する。

② **買収防衛策としての差別的取得条項等を内容とする新株予約権無償割当てが株主平等原則違反とならないための一般的要件**

最高裁は，有事に際して，買収防衛策としての差別的取得条項等を内容とする新株予約権の無償割当てを実施する場合，会社法247条が類推適用され得ることを前提に，当該無償割当ての適法性につき，株主平等原則に反するかという点と新株予約権の不公正発行に該当するかという点の2点から司法審査を行うという判断枠組みを採用した。そのうえで，最高裁はまず，新株予約権無償割当てが株主平等原則の趣旨に反しないための一般的要件につき，「株主平等の原則は，個々の株主の利益を保護するため，会社に対し，株主をその有する株式の内容及び数に応じて平等に取り扱うことを義務づけるものであるが，個々の株主の利益は，一般的には，会社の存立，発展なしには考えられないものであるから，特定の株主による経営支配権の取得に伴い，会社の存立，発展が阻害されるおそれが生ずるなど，会社の企業価値がき損され，会社の利益ひいては株主の共同の利益が害されることになるよう

---

[20] SPJは，当初は株主総会における新株予約権無償割当ての件の決議禁止の仮処分も申し立てていたが，原決定の手続の中途で申立てを取り下げている。

な場合には，その防止のために当該株主を差別的に取り扱ったとしても，当該取扱いが衡平の理念に反し，相当性を欠くものでない限り，これを直ちに同原則の趣旨に反するものということはできない」と判示した。

すなわち，最高裁は，株主平等原則の趣旨に反しないものとするためには，(i)特定の株主による経営支配権の取得による企業価値毀損（株主共同の利益の侵害）のおそれが存すること＝対抗措置の必要性，および(ii)対抗措置の相当性，という2つの要件をクリアすることが必要であるとしたわけである。

③ 特定の株主による経営支配権の取得に伴う株主共同の利益の侵害のおそれ（＝対抗措置の必要性）に関する株主（総会）の判断の法的意義

以上の判断枠組みを前提としたうえで，最高裁は，「特定の株主による経営支配権の取得に伴い，会社の企業価値がき損され，会社の利益ひいては株主の共同の利益が害されることになるか否かについては，最終的には，会社の利益の帰属主体である株主自身により判断されるべきものであるところ，株主総会の手続が適正を欠くものであったとか，判断の前提とされた事実が実際には存在しなかったり，虚偽であったなど，判断の正当性を失わせるような重大な瑕疵が存在しない限り，当該判断が尊重されるべきである」と判示し，適正な手続を通じて株主が対抗措置を発動する必要性が存すると判断した場合には，かかる判断を尊重すべきであるとした。最高裁は，当該株主の判断は常に株主総会を通じてなされるべきであるとか，株主総会における特別決議がなければ対抗措置発動の必要性は充足されないなどとは特に述べていない。

④ 上記②および③の基準の本件新株予約権無償割当てへのあてはめ

(a) 対抗措置の必要性

最高裁は，「本件（株主）総会において，本件議案は，議決権総数の約83.4％の賛成を得て可決されたのであるから，抗告人関係者〔SPJ〕以外のほとんどの既存株主が，抗告人による経営支配権の取得が相手方〔ブルドックソース〕の企業価値をき損し，相手方の利益ひいては株主の共同の利益を

害することになると判断したものということができる」,「本件総会の手続に適正を欠く点があったとはいえ」ない,「上記判断は,抗告人関係者において,発行済株式のすべてを取得することを目的としているにもかかわらず,相手方の経営を行う予定はないとして経営支配権取得後の経営方針を明示せず,投下資本の回収方針についても明らかにしなかったことなどによるものであることがうかがわれるのであるから,当該判断に,その正当性を失わせるような重大な瑕疵は認められない」などとして,結論的に,対抗措置発動の必要性については本件株主総会における株主の判断が尊重されるべきである旨を示した。

(b) **相当性の判断**

(i) 買収者以外の既存株主の大多数の賛成の存在

最高裁は,「抗告人関係者は,本件新株予約権に本件行使条件および本件取得条項が付されていることにより,当該予約権を行使することも,取得の対価として株式の交付を受けることもできず,その持株比率が大幅に低下することにはなる。しかし,本件新株予約権無償割当ては,抗告人関係者も意見を述べる機会のあった本件総会における議論を経て,抗告人関係者以外のほとんどの既存株主が,抗告人による経営支配権の取得に伴う相手方の企業価値のき損を防ぐために必要な措置として是認したものであ」り,「抗告人関係者は,本件取得条項に基づき抗告人関係者の有する本件新株予約権の取得が実行されることにより,その対価として金員の交付を受けることができ,また,これが実行されない場合においても,相手方取締役会の本件支払決議によれば,抗告人関係者は,その有する本件新株予約権の譲渡を相手方に申し入れることにより,対価として金員の支払を受けられることになるところ,上記対価は,抗告人関係者が自ら決定した本件公開買付けの買付価格に基づき算出されたもので,本件新株予約権の価値に見合うものということができる」として,SPJ以外の既存株主の大多数の賛成の存在およびSPJが本件新株予約権の無償割当てによって被る経済的損害について会社側から補償を受けることができることを理由に,対抗措置の相当性を肯定した。

なお、最高裁は、買収者に対する経済的不利益の補償が、防衛側の会社による多額の現金（具体的には、取得条項に基づく取得対価の総額として21億1,464万円）の出捐を伴うことにつき、「相手方が本件取得条項に基づき抗告人関係者の有する本件新株予約権を取得する場合に、相手方は抗告人関係者に対して多額の金員を交付することになり、それ自体、相手方の企業価値をき損し、株主の共同の利益を害するおそれのあるものということもできないわけではないが、上記のとおり、抗告人関係者以外のほとんどの既存株主は、抗告人による経営支配権の取得に伴う相手方の企業価値のき損を防ぐためには、上記金員の交付もやむを得ないと判断したものといえ、この判断も尊重されるべきである」として、このような現金の出捐も、少なくとも圧倒的多数の買収者以外の株主の賛同があれば、上記の適法性に関する判断に影響を与えるものではないとの判断を示している。

⑤ **買収防衛策としての新株予約権無償割当ての不公正発行該当性**（会社法247条2号の「著しく不公正な方法」による新株予約権の発行か否か）

(a) **株主平等原則の観点（対抗措置の必要性および相当性）からの不公正発行該当性**

最高裁は、まず、「本件新株予約権無償割当てが、株主平等の原則から見て著しく不公正な方法によるものといえないことは、これまでに説示したことから明らかである。」として、対抗措置の不公正発行該当性判断は、基本的に株主平等原則違反の有無についての判断と重なる部分がある旨判示した。

(b) **買収防衛策の導入時期の観点からの不公正発行該当性**

そのうえで、最高裁は、買収防衛策の導入時期の観点から本件無償割当ては不公正発行に該当するのではないかとの論点につき、「確かに、会社の経営支配権の取得を目的とする買収が行われる場合に備えて、対応策を講ずるか否か、講ずるとしてどのような対応策を採用するかについては、そのような事態が生ずるより前の段階で、あらかじめ定めておくことが、株主、投資家、買収をしようとする者等の関係者の予見可能性を高めることになり、現

4-1　実務で用いられる新株予約権を用いた買収防衛策の諸類型

にそのような定めをする事例が増加していることがうかがわれる。しかし，事前の定めがされていないからといって，そのことだけで，経営支配権の取得を目的とする買収が開始された時点において対応策を講ずることが許容されないものではない。本件新株予約権無償割当ては，突然本件公開買付けが実行され，抗告人による相手方の経営支配権の取得の可能性が現に生じたため，株主総会において相手方の企業価値のき損を防ぎ，相手方の利益ひいては株主の共同の利益の侵害を防ぐためには多額の支出をしてもこれを採用する必要があると判断されて行われたものであり，緊急の事態に対処するための措置であること，前記のとおり，抗告人関係者に割り当てられた本件新株予約権に対してはその価値に見合う対価が支払われることも考慮すれば，対応策が事前に定められ，それが示されていなかったからといって，本件新株予約権無償割当てを著しく不公正な方法によるものということはできない」として，いわゆる有事導入・有事発動型の買収防衛策としての新株予約権の無償割当てであっても，緊急性，株主総会における承認，買収者の経済的不利益に対する補償という要素がある本件事案においては，不公正発行には該当しない旨，判示した。

(c)　買収防衛策の導入目的の観点からの不公正発行該当性

最高裁は，「株主に割り当てられる新株予約権の内容に差別のある新株予約権無償割当てが，会社の企業価値ひいては株主の共同の利益を維持するためではなく，専ら経営を担当している取締役等又はこれを支持する特定の株主の経営支配権を維持するためのものである場合には，その新株予約権無償割当ては原則として著しく不公正な方法によるものと解すべきであるが，本件新株予約権無償割当てが，そのような場合に該当しないことも，これまで説示したところにより明らかである」として，買収防衛策の導入目的が取締役の自己保身等である場合には不公正発行となるが，本件についてはそのような事情は認められない旨，判示している。

595

⑥ 買収防衛策指針等との関係から見たブルドックソース事件最高裁決定の射程

上記のとおり，ブルドックソース事件最高裁決定は，現時点において買収防衛策としての差別的取得条項等付新株予約権無償割当ての適法性について最高裁が判断を下した唯一のものであるが，それ以前に公表されていた買収防衛策指針やそれまでの新株予約権を用いた買収防衛策に関する裁判例との関係を簡単に整理すると以下のとおりである。

まず，買収防衛策指針が買収防衛策の適法性を確保するための3原則としてあげた企業価値・株主共同の利益の確保・向上の原則，事前開示・株主意思の原則，必要性・相当性確保の原則と最高裁決定とは，少なくとも同決定の事案を前提とする限り，矛盾するものではないということはできるであろう。しかしながら，本最高裁決定の射程が及ぶ範囲については，買収防衛策指針との関係という観点から見た場合でも，いくつかの問題が残されている。

まず，企業価値・株主共同の利益の確保・向上の原則との関係では，買収防衛策指針においては，対抗措置の発動が正当化される（すなわち，その必要性が肯定される）買収行為に関して一定の類型（企業価値侵害型，構造的強圧型，機会喪失・実質的強圧型）が示されているところ，本最高裁決定を前提とすると，これ以外の類型（現経営陣とはまったく異なる事業計画の実行のために買収を企図するストラテジック・バイヤーによる買収はその典型であろう）であっても，適正な手続に基づく株主による支持があれば，対抗措置発動の必要性が肯定されることになるのかが問題となる。特に，買収者の側が買収によって対象会社の企業価値が増大し，株主共同の利益に資することを（裁判上）立証した場合においても，なお，株主による判断のほうが尊重されることになるのかについては，理論上問題となろう。

次に，事前開示・株主意思の原則との関係では，本最高裁決定は，そもそも取締役会決議のみによる防衛策の導入ないし発動の余地を否定しているのかが問題となる。しかしながら，本最高裁決定は有事導入の事案を前提にす

4-1 実務で用いられる新株予約権を用いた買収防衛策の諸類型

るものであり，買収防衛策導入時における株主総会の決議の要否について特に述べるものではない。また，「有事」の局面において株主総会決議が取得されていることも，あくまで，それが取得されていれば，株主平等原則違反の有無の判断（およびそれとオーバーラップする不公正発行該当性の判断）に際しての要素である対抗措置発動の必要性が（企業価値の毀損を裏づける具体的事実の主張立証なしに）基礎づけられるというにとどまり，取締役会決議のみで対抗措置が発動される場合でも，敵対的買収者による大規模買付行為等により会社の企業価値が毀損されることが具体的事実をもって主張立証された場合には，当該対抗措置発動の必要性が基礎づけられる余地がありうることが示唆されている。また，対抗措置の相当性の判断においても，株主の圧倒的多数による賛同が考慮要素にあげられているものの，株主総会決議が不可欠であるとまでは読み込めない。したがって，本最高裁決定は，取締役会決議のみによる買収防衛策の導入・発動が適法になされる余地を認める買収防衛策指針や後述のニッポン放送事件東京高裁決定の考え方を必ずしも否定するものではないと考えられる。もっとも，ニッポン放送事件東京高裁決定が示した，いわゆる「例外4類型」に該当しない場合であっても買収防衛策の発動が適法であると認められる場合がありうるかについて，最高裁がどのように考えているのかは明らかではない。いずれにせよ，本最高裁決定により，「例外4類型」に該当するか否か不明な場合でも（少なくとも有事において企業価値の毀損のおそれを肯定する株主総会における株主の判断があれば）買収防衛策の発動が適法と認められる場合があることが明らかになったことは疑いない。

　第3に，株主総会との関係では，本最高裁決定は，対抗措置発動の必要性に関する判断に際しては株主の判断が尊重されるとしているところ，当該株主の判断は株主総会を通じてなされたものであることを要するか，さらにはその特別決議をもってなされたものであることまで必要であるかが実務的には大きな問題とされていた。本最高裁決定は，そもそも当該株主の判断は株主総会を通じてなされたものであることを要するかとの点や株主総会の決議

が定款に基づくものでなければならないか(いわゆる「勧告的決議」で足りるか)との点につき,何ら触れるところがない。しかしながら,当該株主の判断は,定款によって授権された株主総会の権限として行われる必要まではないと解される(すなわち,勧告的決議でも足りると考えられる)ことについては後述4－2■2(6)①で述べるとおりである。

また,勧告的決議で足りるとして,その決議要件は普通決議で足りるか特別決議であることまで必要かであるが,本最高裁決定は,事実として多数の株主が議案に賛成したことを指摘するにとどまり,対抗措置発動の適法性を支える理由として特別決議が成立したことにつき積極的に言及するものではない[21]。そもそも,本最高裁決定は,買収防衛策の必要性の有無,すなわち,「特定の株主による経営支配権の取得に伴い,会社の企業価値がき損され,会社の利益ひいては株主の共同の利益が害されることになるか否かについては,最終的には,会社の利益の帰属主体である株主自身により判断されるべき」と判示しており,このような論理からすれば,(取締役の選任を通じて会社の経営支配権の帰趨を決することができる)出席株主の総議決権数の過半数が「企業価値が毀損されることになる」と判断したにもかかわらず,特別決議の成立に至っていないからといって,当該判断を尊重しないというのは適当ではないとも考えられる。すなわち,仮に特別決議を必要とすれば,出席株主の総議決権数の過半数が対抗措置の発動に賛成した場合であっても,当該議決権数の3分の1超を有する株主が反対したときには当該議案は否決されることになるが,このように株主の中の少数派の判断を多数派の判断に優先させることの合理性も特段見当たらない。

他方で,本件対抗措置の発動は,会社の経営支配権の移転の当否について株主の意思を問うという点において,株主総会の普通決議を決議要件とする支配株主の異動を伴う募集株式の発行等(法206条の2)と実質的に同一の

---

[21] 同事件最高裁決定は,原々審決定(東京地決平成19年6月28日金融・商事判例1270号12頁)とは異なり,株主総会の特別決議が存することを,防衛策の発動が適法と認められるための不可欠の前提要件としていないことにも留意すべきである。

4-1　実務で用いられる新株予約権を用いた買収防衛策の諸類型

状況にあるといえることからすれば，本最高裁決定を踏まえても，普通決議で足りるとするのが妥当であると考えられる[(22)]。この点は，(5)④(b)において後述するように，富士興産事件において問題となり，抗告審決定により普通決議で足りるとの判断が示されている。

最後に，買収防衛策指針のいう必要性・相当性確保の原則との関係では，本最高裁決定が，対抗措置の相当性を基礎づけるファクターとして，SPJに本件無償割当てによって被る経済的不利益の補償のために現金を交付する手当てがなされている点を重視していることにかんがみると，そもそもかかる補償を行うことが対抗措置の相当性が認められるための必須の要件であるのか，そうであるとして補償の方法としては現金以外の財産を交付する方法も認められるか，また，相当性が認められるためにはどの程度の補償が必要か，といったことが問題となりうる。ブルドックソースの事案においては，新株予約権の取得対価として，買収者自らが当初付した公開買付価格をもとに，「新株予約権の価値に見合う」程度の現金が交付されることとなっており，このような補償がされた場合には相当性が相当広く認められ得ることは明らかである。しかしながら，本最高裁決定は，そもそも買収者にそのような補償を支払うことが相当性が認められるための必須の要件と述べているわけではなく，買収者以外の株主による賛成の程度や，当該手続への買収者の関与も相当性判断の要素として摘示していることや，本件の高裁決定がSPJは「濫用的買収者」であるとの認定を前提に経済的補償は本来は不要であった旨を明言している点にもかんがみると，補償の要否やその内容，さらにはその程度についても他の要素（買収防衛策が「平時」において導入済みであり，敵対的買収者が大規模買付行為等を開始した場合に対抗措置の発動によって経済的不利益を被る可能性がある点が事前に「告知」されていたかどうかも重要な考

---

(22) 飯田秀聡「企業価値基準における買収防衛策に関する裁判所の役割」久保大作ほか編『吉本健一先生古稀記念論文集・企業金融・資本市場の法規制』249頁（商事法務，2020）参照。もっとも，この点については，学説においては，「特別決議という高いハードルを課すことは実質的にも妥当なのではないか」とする見解も存するところである（田中亘「ブルドックソース事件の法的検討〔下〕」旬刊商事法務1810号28頁〔2007〕参照）。

慮要素の一つとなるべきであろう）との相関関係において，具体的な事案ごとにケース・バイ・ケースで判断されることとなるものと考えられよう[23]。

(3) 日邦産業事件

① 事案の概要

近時の裁判例で参考になるものとして，まず日邦産業事件がある。本事案は，株主総会決議によって導入した事前警告型買収防衛策に基づき，当該防衛策が定める情報提供等のルールに重要な点で違反して大規模買付行為を行おうとする買収者に対して取締役会限りで発動された対抗措置が争われた事案であり，原審（名古屋地決令和3年4月7日資料版商事法務446号144頁）で新株予約権無償割当てを仮に差し止める決定がされたが，その後異議審（名古屋高決令和3年4月22日資料版商事法務446号130頁）で原審決定は取り消されている[24]。

本件の事案の概要は以下のとおりである。

エレクトロニクス事業等に関する設備，金型，治具，製品，部品等の企画，開発，製造および販売ならびに輸出入等を目的とする日邦産業の発行済株式総数の約19.73％を保有していたフリージア・マクロス（フリージア）は，令和3年1月27日に買付数の下限を0.27％，上限を7.85％として株式公開買付け（以下，本項において「本件公開買付け」という）を開始した。

それに先立ち，日邦産業は平成21年5月15日に従前の事前警告型買収防衛策（以下，本項において「旧防衛策」という）を廃止する旨の決議を行ったが，フリージアの持株比率が平成31年3月18日に5.77％，同月27日に9.92％，同年4月26日に12.10％と上昇する中，平成31年4月23日に旧防

---

[23] この点については，4－1■3⑵③のとおり，企業価値研究会報告書の2⑴において，明示的に，「買収者に対する金員等の交付を行うべきでない」とされている。しかしながら，4－1■3⑵③のとおり，当該記述の力点は，どのような場合に買収者に対して経済的補償を付与しなくとも買収防衛策の発動が「相当性」を有するものとされ，ひいては適法とされるのかについての考え方を明らかにしようとした点にあるものと解すべきであろう。
[24] 日邦産業事件については，太田洋「日邦産業事件および日本アジアグループ事件と買収防衛策の今後〔上〕〔下〕」旬刊商事法務2264号22頁および2265号17頁（2021）参照。

4-1 実務で用いられる新株予約権を用いた買収防衛策の諸類型

衛策と同様の事前警告型買収防衛策（以下,「新防衛策」という）の導入を取締役会で決議し,同年6月21日の定時株主総会で賛成割合約66.46%（フリージアを除いた場合の賛成割合は約75.32%）で新防衛策の導入が可決されていた。新防衛策には,日邦産業株式の保有割合が20%以上となる買付等を行おうとする場合には,それに先立ち,日邦産業の取締役会に対して,新防衛策に定められている手続を遵守する旨の誓約書等を記載した意向表明書を提出するとともに,株主や投資家,取締役会の判断や評価等のために,提供すべき情報が記載されているリストに基づき,必要かつ十分な情報を提供する旨（以下,本項において「本件手続ルール」という）が定められていた。

このような状況下で,フリージアが本件手続ルールを遵守することなく本件公開買付けを行ったことから,日邦産業は,①フリージアを含む例外事由該当者は新株予約権を行使できないとの差別的行使条件,および②2021年4月1日以降に取締役会において決議することにより,未行使かつ行使可能な新株予約権を,普通株式を対価として取得できるとの取得条項が付された新株予約権の無償割当て（以下,本項において「本件無償割当て」という）による対抗措置の発動を,取締役会において決議した。

これに対してフリージアは本件無償割当ては株主平等原則（法109条1項）に違反し,かつ,著しく不公正な方法による（法247条1号2号）などと主張して,本件無償割当ての差止めを求める仮処分命令の申立てをした。原審決定は本件無償割当てを仮に差し止める旨を決定したが,異議審決定は原審決定を取り消す旨の決定を下し,これに対してフリージアが保全抗告の申立てを行ったが,名古屋高裁は異議審決定を維持する旨の決定を下した。これらに対してフリージアが2件の特別抗告の申立てを行ったが,2021年7月27日付けでいずれについても申立てを取り下げ,本件は確定した。

その後2021年7月28日付けでフリージアが本件公開買付けを撤回したことを受けて,同月30日を取得日として日邦産業による本件新株予約権の無償取得が行われた。

② 日邦産業の新防衛策と（異議審決定および）抗告審決定の主要な意義

本件は、日邦産業が、事前警告型買収防衛策である新防衛策（いわゆるトリガー割合が20％とされている点など、内容は事前警告型買収防衛策として一般的なものであるが、有効期間が1年間とされている点はやや特徴的である。なお、定款に防衛策についての根拠規定はない）に基づき、意向表明書を提出するとともに、株主や投資家、取締役会の判断や評価等のために、提供すべき情報が記載されているリストに基づき、必要かつ十分な情報を提出、提供すること等を定めたルールに違反して意向表明書を提出することなく本件公開買付けを開始したフリージアに対して、日邦産業が（独立委員会の勧告に基づき）取締役会限りで本件無償割当てを決定したことに対して、フリージアがその差止めを求めた事案である。原審決定は、差止めを認める理由として「会社法247条1号及び2号に該当する」ためとしか述べておらず、その判断の根拠が明らかではないが、おそらく、対抗措置の発動が取締役会限りで決定されていることを問題視したものと推測される。これに対して、異議審決定は、新防衛策は、日邦産業の2019年および2020年の株主総会においてそれぞれ約66.46％（フリージアを除いた場合約75.32％）および約64.64％（同約85.22％）の賛成でその継続が承認されている[25]こと等をあげて、「その目的及び内容に合理性があり、債務者〔日邦産業〕の株主の合理的意思に依拠するものであると一応認められる」とした上で、後述するフリージア側の主張をいずれも斥けて、本件無償割当ては適法であるとした。また、抗告審決定も、異議審決定の基本的な判断枠組みを是認したうえで、さらにその理由を一部敷衍して異議審決定を支持し、本件無償割当ては適法であるとした。

このように、株主総会の普通決議によりその導入および継続が承認されたいわゆる事前警告型買収防衛策に基づき、当該防衛策が定める情報提供等のルールに重要な点で違反して大規模買付行為を行おうとする買収者に対して、独立委員会の勧告を受けて取締役会限りで対抗措置を発動することが許

---

[25] なお、日邦産業の定款に買収防衛策についての規定は特に存しないため、これらの株主総会決議は、いずれもいわゆる勧告的決議である。

されることは，日本技術開発事件東京地裁決定およびそれも踏まえて作成・公表された企業価値研究会報告書以来，実務法曹および学界では概ね多数説となっていたものと考えられるが[26]，(異議審決定および)抗告審決定は，そのことを初めて正面から認めた司法判断として，大きな意義を有しているものと考えられる。情報提供等のルール違反の場合に取締役会限りで対抗措置を発動可能とする部分は，一般的な事前警告型買収防衛策の中核ともいえる部分であり，それが否定されてしまえば，情報提供等のルールを設定しても実効性が大きく損なわれることにかんがみれば，株主総会の普通決議によりその導入および継続が承認された新防衛策について，異議審および抗告審決定が，上記のような判断を下したことは適切と評価されるであろう。

　また，本件無償割当てにおいては，ブルドックソース事件においてブルドックソースが用いた差別的取得条項等付新株予約権無償割当ての場合と異なり，買収者およびその関係者(「例外的事由該当者」と定義されている)に対して直接的に経済的な補償がなされるメカニズムが特に組み込まれていないが[27]，抗告審決定は，この点に関する異議審決定による「買収者に対する経済的補償は，会社に経済的損失を与えるものであって，企業価値ひいては株主共同の利益を損なう面も否定できないことや，買収者へ経済的補償を交付することは，かえって過度かつ不必要な防衛策の発動を誘発し，株主が買収の是非を判断する機会を奪うおそれがあることなどからすると，買収者に対する経済的補償が常に必要であるとまではいい難いというべきである」との判示をそのまま引用したうえで，さらに，フリージアは「本件買収防衛プラン導入の相手方〔日邦産業。以下同じ〕取締役会決議以降も相手方株式の取得を更に進め，……本件買収防衛プランの導入継続を承認する本件各株主総会決議がされた後……に本件公開買付けを開始している……が，これらの本

---

[26] ブルドックソース事件最高裁決定後において，事前警告型買収防衛策に関する諸論点をまとめて検討した文献として，例えば，太田洋＝野田昌毅「買収防衛策――事前警告型買収防衛策を中心に」金融・商事判例1290号2頁～11頁(2008)等参照。

[27] ただし，本件でも，例外的事由該当者であっても，日邦産業取締役会の承認を得て，新株予約権を第三者に譲渡することは可能であるとされている。

件買収防衛プラン導入後における抗告人〔フリージア。以下同じ〕による相手方株式の追加取得は，対抗措置発動のおそれがあることの事前警告がされた上で敢えて行われたものであるから，当該対抗措置が現実に発動されることになったからといって，相手方が抗告人に経済的補償をしなければならないものではない」と述べ，また，対抗措置が発動されると，フリージアは，新防衛策が導入された2019年4月23日以前に取得した日邦産業株式についても経済的不利益を被る点については，同防衛策では，「買収者等が相手方株式の大規模買付け等を中止すれば，相手方取締役会は対抗措置発動の停止の決議を行うものとするとされ……，これを受けて，本件新株予約権無償割当てにおいては，当該割当て後であっても令和3年7月31日までの間は，相手方取締役会が，相手方が新株予約権を取得することが適切であると認める場合には，相手方は，全ての新株予約権を無償で取得できるものとされており……，そうなれば持株比率の希釈化は中止されることになる」と指摘し，例外的事由該当者であっても，日邦産業取締役会の承認を得て，新株予約権を第三者に譲渡することも可能とされている点をも勘案して，「本件新株予約権無償割当てにおいては，債権者に生じる経済的不利益を回避又は軽減させる措置が講じられているといえる」として，本件の新株予約権無償割当てが株主平等原則違反等として違法になるわけではないと判示している。これは，企業価値研究会報告書が，「損害回避可能性」ないし「危険の引受け」の考え方を用いて，「買収者にとって，〔損害回避可能性が確保された〕プロセスが保証されている場合には，買収者に対して金員等の交付を行う必要はないと考えられる」とし，「手続を守らない場合には発動の際に金員等の交付を行わないとしても，相当性……の範囲内であると考えられる」と述べていたことを，裁判所が，初めて具体的な事案に即して適用し，差別的取得条項等付新株予約権無償割当てを適法と判断したものであって，画期的である。

なお，フリージアが，本件無償割当てでは，買収者に対する経済的補償がなく，株主間の価値の移転を伴うものであるから，第三者に対する有利発行

と同様,株主総会の特別決議が必要とされるべきであると主張したのに対して,異議審決定は,会社法上,取締役会設置会社においては,新株予約権無償割当てを取締役会決議で行うことができること,新株予約権無償割当てには有利発行規制が存在しないこと,株主割当てによる新株発行の場合にも有利発行規制の適用は排除されていること,支配株主の異動を伴う募集株式の発行等に際して株主総会決議が必要となる場合でもその決議要件は普通決議で足りるとされていることから,新防衛策の導入につき,株主総会特別決議が必要であると解することはできないと判断しており,抗告審決定も概ねこれをそのまま是認している。このように,抗告審決定が,普通決議により導入された買収防衛策の発動を是認した点でも重要な意義を有している。

③ その他の論点と(異議審決定および)抗告審決定

フリージアは,日邦産業の新防衛策に基づく新株予約権無償割当てを差し止めるべきとする前提として,新防衛策それ自体が無効であるとするが,その理由は,異議審の段階から一貫して,主として以下の6点に集約されている。すなわち,①新防衛策を導入した日邦産業の2019年の取締役会決議は,2009年に同内容の旧防衛策を一度廃止した日邦産業の行動と矛盾するものであり,禁反言の法理に反すること,②新防衛策は,フリージアが日邦産業株式を取得した後である有事に導入・継続されているから,特定の株主であるフリージアを差別する意図が明らかであって,経営陣の保身目的で導入されたともいえるから相当性を欠くこと,③日邦産業は,新防衛策の継続を承認した2020年の株主総会決議において,フリージアが取りまとめて発送した議決権行使書面を恣意的に排除しており,同決議は取り消されるべきまたは無効であること,④新防衛策は,買収者に対する経済的補償がなく,株主間の価値の移転を伴うものであるから,第三者に対する有利発行と同様,株主総会の特別決議が必要とされるべきところ,これが欠けていること,⑤対抗措置の発動の可否が株主の意思に委ねられていないこと,⑥独立委員会には,日邦産業の経営陣と特別の利害関係があり,客観的に中立的な判断ができる立場にはない者がいて独立性に欠けること,の6点である。また,フリ

ージアは，さらに，新防衛策に基づく対抗措置の発動（新株予約権の無償割当て）が違法であるとする理由として，⑦本件公開買付けは，完了してもフリージアの日邦産業に対する持株比率が27.57％となるにすぎず，特定の株主による経営支配権の取得が生じる場合には当たらないこと，⑧フリージアは濫用的買収者やいわゆるグリーンメーラーではなく，フリージアと日邦産業の資本業務提携による機密情報の流出や取引先等との関係悪化のおそれはないうえ，日邦産業と資本業務提携をすることによってシナジー効果を上げることができるから，本件の新株予約権無償割当ては，専ら経営陣の保身目的で行われたものであること，を主張した。

　このうち，一般的に想定されていた事前警告型買収防衛策の発動の場合と異なり，本件特有の論点と考えられるのは，①と⑦であるが，まず①については，抗告審決定は，「社会経済情勢，市場環境，企業の事業構造等の変化に伴い，当該変化の状況や必要性に応じて，株式会社が一度廃止した買収防衛策を再度導入することそれ自体に問題があるとはいえない」とした上で，新防衛策が導入された2019年4月23日時点では，日邦産業は，顧客の技術等に関わる機密情報を旧防衛策廃止当時よりもはるかに多く保有するに至っており，このような事情の変化を踏まえて，一方的な大規模買付行為に基づく支配権の移動は機密情報の流出のおそれとステークホルダーとの間の良好な関係を毀損するおそれがあるとの経営判断により新防衛策を導入したことは，それが株主総会決議で承認されていることも勘案すれば，信義則に反し無効であるとまでいうことはできないと判示している。また，⑦については，異議審決定は，新防衛策は，「債務者株式の保有割合が20％以上となる買付けや取得（大規模買付け等）を対象としているのであって，債務者株式の保有割合を27.57％とすることを指向する本件公開買付けがその対象に含まれることは明らかである。また，本件公開買付けの上限が債務者の株主総会における総議決権数の3分の1未満であるからといって直ちに，対抗措置の発動につき正当な理由がないとはいえない」としており，抗告審決定も，この判断をそのまま是認している。

また、⑦に関して、フリージアは、その 2021 年 1 月 28 日付け公開買付届出書において、本件公開買付けの目的の 1 つとして、「資本業務提携の交渉に際しての交渉力の強化」を挙げており、また、本件公開買付けの上限を持株比率 27.57％ に設定した理由として、日邦産業の株主総会特別決議事項につき単独で拒否権を確保することもあげている以上、本件公開買付けが実行されると、フリージアが日邦産業の経営支配権に相当の影響力を及ぼし得ることになることは否定しがたく、上記の上限割合の設定をもって買収防衛策発動を否定する根拠とすることは難しいように思われる。

④ 残された課題

日邦産業事件抗告審決定により、株主総会の普通決議によりその導入および継続が承認されたいわゆる事前警告型買収防衛策に基づき、当該防衛策が定める情報提供等のルールに重要な点で違反して大規模買付行為を行おうとする買収者に対して、独立委員会の勧告を受けて取締役会限りで対抗措置（差別的取得条項等付新株予約権無償割当て）を発動することが許されることが、司法の場においても明らかとなったが、事前警告型買収防衛策については、いくつか重要な問題が残っている。その中でも最も重要なものが、株主総会の普通決議によりその導入および継続が承認された事前警告型買収防衛策が定める情報提供等のルールを遵守して大規模買付行為を行おうとする買収者に対して、対抗措置を発動することが許される場合はどのような場合であるか、具体的には、どのような範囲で、取締役会限りでの対抗措置の発動が認められるのかという点である[28]。

(4) 日本アジアグループ事件

① 事案の概要

同じく取締役会決議による対抗措置の発動が争われたのが日本アジアグループ事件である。本件は日本アジアグループ（日本アジア）がシティインデ

---

[28] この論点を指摘するものとして、例えば、田中亘『企業買収と防衛策』266 頁〜267 頁・353 頁・358 頁〜359 頁（商事法務, 2012）参照。

第Ⅱ編　第4章　買収防衛策と新株予約権

ックスイレブンス（CI11）の市場での株式買い上がりに対応して取締役会決議によって導入した買収防衛策に基づいて取締役会限りで発動された対抗措置が争われた事案であり，原審で新株予約権無償割当てを仮に差し止める決定がされ，その後異議審（東京地決令和3年4月7日資料版商事446号163頁）および抗告審（東京高決令和3年4月23日資料版商事446号154頁）でも当該決定は維持された(29)。

本件の事案の概要は以下のとおりである。

測量ならびに空間情報（地理情報）の取得，解析，活用および販売，再生可能エネルギー発電による電力供給等の事業を営む会社の株式または持分を所有することにより，当該会社の事業活動を支配・管理することを目的とする日本アジアの発行済株式総数の30.77％を関連会社と併せて保有していたCI11が令和3年3月17日に，一定の前提条件が充足されることを条件として上限および下限設定なしの公開買付け（以下，本項において「第2次公開買付け」という）を行う旨の予告を公表した。

それに先立ち，日本アジアの社長による日本アジアに対するマネジメント・バイアウトの一環として，カーライル・グループの投資ファンドであるグリーンホールディングスエルピーが令和2年11月5日に日本アジアの株式の全部の取得を目的として公開買付け（以下，本項において「MBO公開買付け」という）を開始し，これに対して，CI11は令和3年2月5日から対抗公開買付け（以下，本項において「第1次公開買付け」という）を開始していた（公開買付期間は3月22日まで，決済開始日は3月29日）。MBO公開買付けは令和3年2月9日に応募株式数が買付予定数の下限に到達せず不成立となった。

その後，日本アジアは令和3年3月1日に，同年4月下旬開催予定の臨時株主総会における承認を条件に同年3月18日を基準日とする日本アジア株式1株当たり300円の特別配当を実施する旨を公表した。CL11は，同特別

---

(29) 日本アジアグループ事件については，太田・前掲注(24)17頁参照。

配当の基準日に照らすと，特別配当を受けることができず，配当落ち分だけ日本アジア株式1株当たり資産価値が減少するにもかかわらず当初の価格での株式取得を余儀なくされると考え，同年3月3日第1次公開買付けを撤回した。

日本アジアは令和3年3月9日の取締役会で差別的取得条項等付新株予約権の無償割当てを用いた買収防衛策を導入することを決議し，公表した。

その後もCI11は株式を買い増し，同年3月17日第2次公開買付けの予告の公表に至ったところ，日本アジアは，①同買収防衛策所定の手続違反，②第2次公開買付けが有する強圧性，③CI11の経営方針の欠如による企業価値の毀損のおそれ，④ステークホルダーへの悪影響を主な理由として，買収防衛策に基づく対抗措置の発動を，株主総会を経ることなく，取締役会で決議し，CI11が対抗措置発動に対して新株予約権の無償割当ての差止請求に係る仮処分命令申立てを行った。

原審決定は新株予約権無償割当てを仮に差し止める旨を決定し，東京地裁が原審決定への異議申立てを却下，東京高裁は保全抗告を却下する旨を決定し，抗告審判決が確定した。

なお，その後同年4月27日にCI11は予告どおり第2次公開買付けを開始し，日本アジアは同年5月14日時点で意見表明を留保，6月18日時点で中立の立場を取っていたが，7月14日に賛同意見を表明するに至り，7月30日にCI11の第2次公開買付けが成立した。

② **日本アジアの防衛策の内容**

(a) 「半」有事導入型・特定標的型

日本アジアが2021年3月9日に取締役会限りで決定・導入した買収防衛策（以下本項において「本プラン」という）は，いわゆる事前警告型買収防衛策と概ね同様に，日本アジアの株主に，大量買付行為が行われるかどうかについての情報を提供するとともに，大量買付行為がなされる場合には，その強圧性の問題を解消し，株主に対して，大量買付行為がなされることを受け入れるか否かについて適切な判断をするための必要かつ十分な情報および時

間を提供するためのものである。大量買付者に対しては，情報の提供等の一定の手続を遵守し，当該手続が完了するまでは大量買付行為を行わないことを求めるとともに[30](以上の部分を以下，「本件ルール」と呼ぶ)，(i)本件ルールを遵守せず，株主が大量買付行為を受け入れるかを問う株主総会を開催する以前において大量買付行為を実行または継続しようとする場合，または(ii)日本アジア取締役会が，大量買付行為がなされることに反対であり，これに対して対抗措置を発動すべきであるとして株主総会を開催し，当該総会において対抗措置の発動に関する議案が承認された場合には，対抗措置を発動することとしている。

　もっとも，本プランは，一般的な事前警告型買収防衛策とは異なり，純粋な「平時」に導入されたものではなく，その導入のプレスリリースの表題が「株式会社シティインデックスイレブンスらによる当社株式を対象とする大量買付行為の具体的かつ切迫した懸念に基づく当社の財務及び事業の方針の決定を支配する者の在り方に関する基本方針及び当社株式の大量買付行為への対応方針（買収防衛策）の導入に関するお知らせ」とされていることにも表れているように，CI11が第1次公開買付けを開始した後，当該公開買付けは撤回したものの，CI11らが日本アジアの経営権を取得することを断念したような事情は見受けられず，むしろ，直ちに市場で日本アジア株式の買集めが可能である点で，引き続き，CI11らが①市場で日本アジア株式を買い集める，または②再度日本アジア株式に対する公開買付けを開始する等して日本アジアの経営権の取得を図る具体的かつ切迫した懸念があると考えられるとして導入されたものである。その意味で，本プランは，CI11による第1次公開買付けが撤回された後，第2次公開買付けの予告がなされる前に

---

[30]　具体的には「大量買付行為は，取締役会評価期間の経過後（但し，株主総会が開催されることとなった場合には，対抗措置の発動に関する議案の否決及び株主総会の終結後）にのみ開始されるべきものとします。」とされている（日本アジアの2021年3月9日付「株式会社シティインデックスイレブンスらによる当社株式を対象とする大量買付行為の具体的かつ切迫した懸念に基づく当社の財務及び事業の方針の決定を支配する者の在り方に関する基本方針及び当社株式の大量買付行為への対応方針（買収防衛策）の導入に関するお知らせ」33頁参照）。

4-1 実務で用いられる新株予約権を用いた買収防衛策の諸類型

導入されたものとはいえ，経営支配権争奪状況のない純粋な「平時」に導入されたものではなく，いわば「半」有事の状況下で導入されたものと評価できる。

本プランは，その導入にあたっては特別委員会[31]の諮問を経て取締役会決議により導入され，その導入について株主総会の承認を得ていない。また，①対抗措置が発動される対象が，抽象的に日本アジア株式について実施される可能性のあるすべての大量買付行為を行う者およびその関係者とされておらず，(i) CI11 らとその関係者による大量買付行為および(ii) CI11 らによる日本アジア株式を対象とする大量買付行為の具体的かつ切迫した懸念が継続している状況下において企図されるに至ることがありうる他の大量買付行為を対象に限定されている点（すなわち，「特定標的型」である点），②対抗措置として新株予約権無償割当てが想定されているが，当該割り当てられた新株予約権（甲種新株予約権）には，(i)特定株式保有者による権利行使は認められない旨の差別的行使条件，および(ii)日本アジアが特定株式保有者以外の者からは日本アジアの普通株式と引換えに甲種新株予約権を取得する一方，特定株式保有者からはその行使条件に一定の制約が付された別の新株予約権（乙種新株予約権）と引換えに甲種新株予約権を取得する旨の差別的取得条項が付されており，この乙種新株予約権については，交付から10年経過後11年を経過する日までの間に未行使の乙種新株予約権が残存する場合には，それを日本アジアが買い取ることができることとされている等，特定株式保有者の経済的利益を極力損なわないようにするための工夫が施されている点，③対抗措置は，基本的には，株主総会による承認が得られた場合であって，かつ，大量買付行為が撤回されない場合にのみ，特別委員会の勧告を最大限尊重したうえで発動されるものとされている点，ならびに④本プランは，大量買付行為が具体的に懸念されなくなった後はこれを維持すること

---

[31] 本プランにおいては，取締役会による恣意的な判断を防止し，運用の公正性・客観性を一層高めるため，外部の有識者1名，社外取締役兼独立役員2名，社外監査役兼独立役員2名の合計5名から成る特別委員会が設置されており，取締役会は，特別委員会の勧告を最大限尊重したうえで，対抗措置の発動の是非等について判断するものとされている。

は予定されておらず，その有効期間は，2021年開催予定の定時株主総会後最初に開催される取締役会の終結時まで[32]とされている点などが特徴的である。

(b) 本プラン特有の内容

本件固有の事情に起因した本プランに特有の点としては以下の点が挙げられる。

すなわち，まず，①に関連するが，本プランが，CI11らによる日本アジア株式の市場買上がりを受けて導入されたことにも基因して，本件ルールに違反するか否かの基準となる大量買付者の日本アジア株式に対する株券等保有割合（いわゆるトリガー割合）が20.5％とされている。

また，③のとおり，本プランにおける対抗措置（以下，本項において「本件対抗措置」という）は，株主意思確認総会による承認が得られた場合であって，かつ，大量買付行為が撤回されない場合に・の・み，特別委員会の勧告を最大限尊重したうえで発動されることが原則ではあるが，大量買付者が，本プランに定める手続を遵守せず，株主意思確認総会を開催する以前において大量買付行為を実行しようとする場合には，取締役会は，特段の事由がない限り，特別委員会の勧告を最大限尊重したうえで，株主総会の承認を得ることなく，対抗措置を発動するものとされている。この部分は，例えば東芝機械の買収防衛策[33]においては，取締役会限りで本件対抗措置が発動される場合でも，事後的に株主意思確認総会を開催して，仮に本件対抗措置の発動が追認されなかった場合には，CI11らに生じる経済的損失を回避すべく，法令上認められる範囲内で対応を行うものとされているところであり[34]，本プランがこのような設計となっていることが，裁判所において，本件対抗措

---

[32] ただし，日本アジアの2021年開催予定の定時株主総会後最初に開催される取締役会の終結時において，現に大量買付行為を行っている者または当該行為を企図する者であって日本アジア取締役会において定める者が存在する場合には，当該行われているまたは企図されている行為への対応のために必要な限度で，この有効期間は延長されるものとされている。

[33] その詳細については，後述4－4■3，および，太田洋＝松原大祐＝政安慶一「東芝機械の『特定標的型・株主判断型』買収防衛策について〔上〕〔下〕——いわゆる有事導入型買収防衛策の法的論点の検討」旬刊商事法務2240号10頁以下および2241号38頁以下（2020）参照。

置の発動（甲種新株予約権の無償割当て）が不公正発行に該当し，不適法と判断されるに至った主たる理由ではないかと考えられる。もちろん，そのような設計がなされたことには理由があり，CI11らが市場において急速に日本アジア株式を買い上がっている状況では，臨時株主総会（株主意思の確認が行われる場合には，2021年4月下旬に開催予定であった当該臨時株主総会で当該株主意思の確認が行われることが想定されていた）の議決権行使基準日（同年3月18日）までの間に，CI11らが，当該株主意思確認総会で対抗措置発動承認議案を否決するに十分な株式を買い集めることができることや，新防衛策に違反して市場内外で取得した株式に係る議決権の取扱いが不透明であることを危惧したものと推測される。

③ 原審決定，異議審決定および抗告審決定

原審決定，異議審決定および抗告審決定は，いずれも，取締役会限りで導入された買収防衛策に基づいて，取締役会限りで対抗措置としての差別的取得条項付新株予約権無償割当てがなされる場合には，(a)会社の企業価値，株主共同の利益を維持するためではなく，取締役等，これを支持する特定の株主の経営支配権維持のためである場合には，株主共同の利益の保護という観点からこれを正当化する特段の事情がない限り，著しく不公正な方法によるものと解すべきであるところ，(b)経営支配権に現に争いが生じている場面において，敵対的買収によって経営支配権を争う特定の株主の持分比率を低下させ，取締役等またはこれを支持する特定の株主の経営支配権を維持することを主要な目的として新株予約権無償割当てがされた場合は，これに該当するというべきであって，(c)特段の事情として，敵対的買収者が真摯に合理的な経営を目指すものではなく，会社に回復しがたい損害をもたらす事情があることを会社側で疎明できなければ，当該新株予約権無償割当ては不公正発行に該当する，というニッポン放送事件東京高裁決定以来の判断枠組みを踏

---

(34) 東芝機械による2020年2月12日付け「株式会社シティインデックスイレブンスによる当社株式に対する公開買付けに関する意見表明（反対）及び株主意思確認総会の開催のお知らせ」26頁～27頁参照。

襲している点では共通している。そして，そのうえで，本件無償割当ては，経営支配権争奪状況において，取締役会限りで導入された本プランに基づいて，取締役会限りで決定・実施されるものであるところ，上記でいう「特段の事情」の疎明もないため，不公正発行に該当すると結論づけている。

しかしながら，原審決定，異議審決定および抗告審決定には，その理由付けにそれぞれ微妙な差異がある。まず，原審決定では，本プランの導入および本件無償割当ての決定につき株主総会決議を経ることが予定されていない点につき，①「対抗措置の発動についても，取締役会の決議のみによって行われ，当該対抗措置の発動の是非等につき，株主総会の決議を経ることは予定されていない」，②「本件新株予約権無償割当ては，上記対抗措置の発動の是非等に関する株主の意思が明らかでなく，事後的にこれが明らかにされる状況もない」と指摘されていたのみであったが，異議審決定では，さらに，③「株主の意向による新株予約権無償割当ての撤回も予定されていないこと」，④「〔本件における対抗措置の発動が〕株主総会の結果による撤回の余地も認めていないものであること」，⑤「支配権争いが生じている状況で新株予約権無償割当てを行うのであれば，事後的にでも株主に決定させる措置を講じるのが望ましいというべきであること」といった認定および判断が付加されており，本件無償割当てにつき，事後的な株主総会の結果等に基づいて撤回されるような手当てがなされていないことが重視されているようである。もっとも，この点に関して，抗告審決定では，「〔本件における対抗措置の発動につき〕株主総会の結果を受けてこれを撤回する余地は残されていないこと」が認定されてはいるものの，同決定からは，全体を通して，そのことが異議審決定ほど重視されているような印象は受けない。

また，抗告審決定では，日本アジア側の主張に答える形で，④「本件買収防衛策に基づく対抗措置の発動としての本件新株予約権無償割当てには，相手方らが市場等で抗告人〔日本アジア。以下同じ〕株式を買い集めることにより，株主総会における株主意思の確認が有名無実化されることを回避するとの正当な目的がある」といえるかとの点，および㋺「株式の市場内外買付

4-1 実務で用いられる新株予約権を用いた買収防衛策の諸類型

けを通じた買収では，対象会社の株主に対し，望まぬ株式売却を強いる効果（いわゆる強圧性）があるので，抗告人にはこれを排除する目的があった」といえるかとの点につき，それぞれ踏み込んだ検討がなされている。そして，抗告審決定では，㋑については，ほぼ考慮されておらず，㋺についても，「そのような強圧性のある買収手法に一定の対処をすべきであるという主張自体は，理解できる面があ」り，「抗告人に，強圧性のある買収手法を排除する目的があったとの主張は，客観的には理解できないではない」と一定の理解が示されつつも，本件では，「相手方〔CI11ら。以下同じ〕は，再公開買付け〔第2次公開買付け〕を実施する予定である旨を公表した際，再公開買付け前の株式の市場内外買付けは抗告人株式の議決権割合の3分の1までしか行わず，その後の買付けは再公開買付けにおいて行うことを明言しており，市場内外買付けによる強圧性については相応の配慮がされて」いただけでなく，「上記再公開買付けは，買付予定数に下限が設定されていないが，他方，買付予定数には上限も設定されず，再公開買付け終了後の議決権割合が3分の2以上となった場合には，全株買付けとその後の公開買付価格と同額によるスクイーズアウト（締出し）が予定されており，強圧性の程度は必ずしも高くないか，又は強圧性の減少のために相応の措置がとられているといえる」として，結論的に，本件無償割当てにつき「客観的には，抗告人に強圧性のある買収手法を排除する目的があった可能性は否定することができないが，仮にこれがあるとしても，その目的自体弱いものというべき」と判示されている。そのため，抗告審決定においては，最終的に，本件無償割当ては「経営支配権の維持・確保を主要な目的としているといえる」とされ，不公正発行に該当するものとされている。

④　敵対的公開買付けへの対応と市場買上りへの対応

以上のとおり，日本アジアグループ事件について，特に抗告審決定では，本プランの導入および本件無償割当ての決定につき株主総会決議を経ることが予定されていない点が最大のネックとなって，本件無償割当てが不公正発行に該当すると判断されたものと解される。また，本プランでは，株主総会

の位置づけがやや曖昧であるとも解される余地があり[35]，そのために，本プランそのものの導入につき株主総会決議が取得されていなかった点とも相まって，CI11らが本件ルールを遵守しなかった事実が重視されなかったのではないかと考えられる。したがって，日本アジアグループ事件抗告審決定を受けて，今後，買収防衛策を策定するにあたっては，実務上，株主意思を確認するプロセスを可能な限り組み込むことが必要となるものと解される。また，それら防衛策の中に一定の「ルール」を組み込む場合でも，それが株主意思を確認する目的等に裏付けられた合理的で相当なものであることを確保しておくべきであろう。

　他方，日本アジアグループ事件抗告審決定にも疑問点ないし積み残された課題があるようにも思われる。

　すなわち，抗告審決定が，ブルドックソース事件最高裁決定に照らして，取締役会決議のみで導入された買収防衛策に基づき，取締役会限りで対抗措置（差別的取得条項付新株予約権無償割当て）を発動すること[36]を問題視すること自体は理解できるものの，本件では，CI11は，第1次公開買付けを開始してそれを撤回した後，第2次公開買付けの実施を予告しつつ，その直前まで市場内で急速に株式を買い集めているところ，そのような状況では，株主総会に対抗措置発動の是非につき付議するとしても，時間の経過とともに株主構成自体が大量買付者側に有利に変わっていくことになるため，急速に市場で買い上がってくる大量買付者への対抗措置の発動のために株主総会決議を常に要求することには無理があるようにも思われる。たとえば，本件では，株主意思の確認が行われる場合には，2021年4月下旬に開催予定であった臨時株主総会で当該確認が行われることが想定されており，当該臨時株

---

(35)　東芝機械の買収防衛策の場合には，株主意思確認総会は，CI11による同社株式への公開買付けの是非を，株主が強圧性のない状況下で判断する機会と位置づけられていた。
(36)　しかも，本プラン導入の時点ではともかくとして，差別的取得条項付新株予約権（甲種新株予約権）無償割当ての決議時点では，当該無償割当ては，全部買付けを目的とする（上限が付されていない）公開買付け（すなわち，強圧性の程度が相対的に弱い）に対してなされた形になっている。

主総会の議決権行使基準日は同年3月18日とされていたが，CI11らは同月4日から16日のわずか13日間で市場[37]において20.24％から30.77％まで実に10.53％も買い上がっている[38]。本件を離れても，買収者への対抗措置の発動の是非を問う臨時株主総会（株主意思確認総会）を開催する場合，当該臨時株主総会の議決権行使基準日は，基本的に，その設定のための取締役会決議および公告をしてから最短で暦日ベースで15日後の日とせざるをえない[39]が，日本アジアのように東京証券取引所市場第1部に上場している会社でも，大量買付者は，15日間あれば10％を超える大量の株式を市場で買い集めることが可能なケースもあり，その場合には，当該議決権行使基準日までの間に，自力で，対抗措置の発動に常に反対する株主の票（すなわち，自分自身の議決権数）を大きく増加させることができることになる。市場買集めによる支配権取得には対象会社株主に対する強圧性もありうる[40]ため，そのような議決権行使基準日までの急速な市場買上がりに対して，対象会社の取締役会側にも何らかの対抗手段が付与されることが衡平であるようにも思われる。

また，本件でCI11らは，第1次公開買付けの撤回（3月3日）直後から第2次公開買付けの予告公表（3月17日）までの間，市場で日本アジア株式を急速に買い上がっているが，これに対して，機動的に対応策を講じること（言い換えれば，取締役会限りで対応策を講じること）が認められなければ，実質的に，「支配権プレミアムの株主に対する公正な分配」というわが国の強制公開買付規制の趣旨が害されることになってしまうのではないかとの懸念もある。なぜなら，第2次公開買付けの内容は，公開買付価格を特別配当相

---

(37) 一部ToSTNeT-1取引によるものを含む。以下同じ。
(38) CI11による2021年3月16日付け変更報告書No.13および同月24日付け変更報告書No.16参照。
(39) 法124条3項本文。
(40) 市場買集めによる買収には対象会社の株主への強圧性がありうることを指摘する文献として，飯田秀総「公開買付規制における対象会社株主の保護」法学協会雑誌123巻5号226頁〜227頁・236頁（2006），飯田秀総「公開買付規制の改革——欧州型の義務的公開買付制度の退出権の考え方を導入すべきか」旬刊商事法務1933号19頁〜20頁（2011），田中・前掲注（28）411頁〜414頁参照。

当額の 300 円引き下げた以外は実質的に第 1 次公開買付けとほとんど同じであり，上記を認めると，実質的には，公開買付けを一定期間中断して，当該期間中に公開買付者に市場買付けを行うことを容認しているのにも等しい状況となるともいえるからである。この点は，英国および EU 諸国の法制とは異なって市場買集めについては基本的に強制公開買付規制（いわゆる 3 分の 1 ルール）を課していないわが国金融商品取引法の問題点が顕在化したものといわざるをえないであろう。確かに，抗告審決定は，この問題についてまったく等閑視しているわけではなく，本件においては，CI11 が「再公開買付け前の株式の市場内外買付けは抗告人株式の議決権割合の 3 分の 1 までしか行わず，その後の買付けは再公開買付けにおいて行うこと」を「公約」していることを，日本アジアが取締役会限りで対抗措置を発動することを否定する実質的な理由の 1 つとしてあげているが，CI11 がそのような「公約」を行ったのは，日本アジアが本プランの導入を取締役会で決議した 8 日後の 3 月 17 日[41]（なお，本件無償割当ての取締役会決議がなされたのは，そのさらに 5 日後である 3 月 22 日）であり，この時点ではすでに CI11 は市場買付けを通じて株主構成自体を自らに有利に変えることが理論上可能であるため，それにもかかわらず常に株主意思確認総会を要求することは状況によっては衡平性を欠く結果となりうるようにも思われる。

さらに，抗告審決定は，買収者が「真摯に合理的な経営を目指すものではない」ことを示すために会社において行うことが必要な疎明の程度につき，高いハードルを課しているように見える（直接的な証拠を要求しているように見える）。しかし，抗告審決定が前提としているニッポン放送事件抗告審決定自体も，買収者が「真摯に合理的な経営を目指すものではない」ことを示すために会社において行うことが必要な疎明の程度を，そこまで高いものと考えていたのかどうかは定かではない[42]し，仮にそこまで高いものが想定されていたとしても，買収者が「真摯に合理的な経営を目指すものではな

---

[41] CI11 による 2021 年 3 月 17 日付け「日本アジアグループ株式会社（証券コード：3751）の株券等に対する公開買付けの開始予定に関するお知らせ」2 頁参照。

い」と取締役会が判断した上で対抗措置の発動を是認している状況において，昭和25年旧商法改正以来の公開会社についての「経営と所有との分離」（法295条2項参照）という枠組みの中で，会社のサステナブルな成長および企業価値の中長期的な最大化に一義的な責任を負うはずの取締役会（しかも，近年，コーポレートガバナンス・コードの相次ぐ改訂を受けて，独立社外取締役の割合は増大を続けている）の権能および判断を，そこまで弱いものと考えてよいのかという点には，疑問も残る。

いずれにせよ，日本アジアグループ事件については，会社側によるMBOの公表が契機となってこのような経営支配権争奪状況が生じたという特殊事情もあるため，抗告審決定の判示をどこまで一般化できるのかについては慎重に検討する必要があろう。

(5) 富士興産事件

① 事案の概要

有事導入型買収防衛策に基づく取締役会決議による対抗措置の発動が争われた事例である富士興産事件も重要である。本件は，その資産運用会社を通じてAslead Capital Pte. Ltd.（アスリード）が開始した公開買付けに対応して，富士興産が取締役会決議によって導入した買収防衛策（以下，本項において「本件買収防衛策」という）に基づいて，取締役会限りで発動された対抗措置（以下本項において「本件対抗措置」という）が争われた事案であり，原審（東京地決令和3年6月23日資料版商事法務450号151頁）で新株予約権無償割当ての差止仮処分の申立てが却下され，抗告審（東京高決令和3年8月10日資料版商事法務450号146頁）もアスリード側による抗告を棄却した[43]。

---

(42) ニッポン放送事件東京高裁決定は，「取締役会が『相当』の範囲で防衛策を行使することを認める米国デラウェア州においても，ほぼ確実に違法とされる」ような「極端ともいえるほど強力な防衛策」を違法としたものであって，「より穏健な（目的や効果が限定された）防衛策について，それが許容されるか，許容されるとしてどこまでの範囲で許容されるかについては，本決定は何ら明らかにしておらず，それはすべて今後の裁判例に委ねられている」と指摘するものとして，田中・前掲注（28）345頁〜346頁参照。

本件の事案の概要は以下のとおりである。

石油類等の仕入れおよび販売等の事業を営む富士興産の発行済株式総数の15.27％を保有していたアスリードが令和3年4月28日に，上限なし，下限を既保有分と併せて40％として公開買付け（以下，本項において「本件公開買付け」という）を開始した。

これに対して富士興産は令和3年5月7日に独立委員会を設置し，その勧告に基づいて，同5月24日に取締役会において本件買収防衛策の導入を決議・公表した。同28日には取締役会は，(i)本件公開買付けに対して反対意見を表明するとともに，(ii)同年6月24日開催の定時株主総会（以下，本項において「本総会」という）に，本件買収防衛策の導入および本件対抗措置の発動の承認を諮る議案および2021年3月期期末配当を1株当たり103円に大幅に増配する旨（当該配当金額は，本件公開買付けの撤回事由に該当する最低限の金額[44]と同額であった）を決定，公表し，さらに，(iii)アスリードに対し，本件公開買付けの期間延長を要請し，拒否した場合には取締役会限りで本件対抗措置を発動することを公表した。

アスリードが本件公開買付けの期間延長を拒否したため，富士興産は，同年6月11日，本件対抗措置の発動を，株主総会を経ることなく取締役会限りで決議した。これに対して，アスリードが新株予約権の無償割当ての差止請求に係る仮処分命令申立てを行った。

原審は新株予約権無償割当ての差止仮処分の申立てを却下し，抗告審もアスリード側の抗告を棄却した。

なお，原審決定後，抗告審決定前の6月25日，本総会において，本件買収防衛策の導入および本件対抗措置の発動が承認された。

その後8月24日にアスリードは本件公開買付けを撤回し，それを受けて

---

[43] 富士興産事件については，太田洋「富士興産事件原審決定と抗告審決定の検討と分析」旬刊商事法務2275号36頁（2021）参照。

[44] 富士興産の帳簿価額上の純資産の10％以上となる最低限の金額（金商27条の11第1項，金商令14条1項1号ツ，金融庁「株券等の公開買付けに関するQ&A」問35への回答（2010年3月31日追加）参照）。

8月25日に富士興産は本件対抗措置の発動を中止した。

② **富士興産の防衛策の内容**

(a) **有事導入型**

　本件買収防衛策は，いわゆる事前警告型買収防衛策と概ね同様に，富士興産の株主に，大規模買付行為等が行われるかどうかについての情報を提供するとともに，大規模買付行為等がなされる場合には，その強圧性の問題を解消し，株主に対して，大規模買付行為等がなされることを受け入れるか否かについて適切な判断をするための必要かつ十分な情報および時間を提供するためのものである。大規模買付者に対しては，情報の提供等の一定の手続を遵守し，当該手続が完了するまでは大規模買付行為等を行わないことを求め（以上の部分を本項において「本件ルール」という），(i)本件ルールを遵守せず，株主が大規模買付行為等を受け入れるかを問う株主総会（株主意思確認総会）を開催する以前において大規模買付行為等を実行または継続しようとする場合，または(ii)富士興産取締役会が，大規模買付行為等がなされることに反対であり，これに対して対抗措置を発動すべきであるとして，株主意思確認総会において対抗措置の発動に関する議案を提出し，それが承認された場合には，対抗措置を発動することとされている。

　しかしながら，本件買収防衛策は，事前警告型買収防衛策とは異なり，すでに開始されている本件公開買付けへの対応を目的として導入されたものであり，①東芝機械の買収防衛策のように，大規模買付者によって公開買付けの開始予告がなされたものの，実際に公開買付けが実施される前の段階で，かかる予告を機縁として導入されたものではなく，②日本アジアの買収防衛策のように，大規模買付者が，いったん第1次公開買付けを開始した後，当該公開買付けは撤回したものの，日本アジアの経営支配権を取得することを断念したような事情は認められないとともに，引き続き，大規模買付者が，(i)市場で日本アジア株式を買い集める，または(ii)再度日本アジア株式に対する公開買付けを開始する等して日本アジアの経営権の取得を図る具体的かつ切迫した懸念があると考えられるとして，第2次公開買付けの予告がなされ

る前に導入されたものでもない。その意味で、東芝機械や日本アジアの買収防衛策がいわば「半」有事の状況下で導入されたものと評価し得ることとは異なり、まさに実際に「有事」が到来した後に導入されたもの（いわば「純粋な」有事導入型買収防衛策）といえる。

　本件買収防衛策の基本的な設計は、①対抗措置が発動されうる株券等保有割合等（以下、本項において「トリガー割合」という）が20％とされている点、②対抗措置として差別的取得条項等付新株予約権無償割当て（以下、本項において「本無償割当て」という）が用いられている点、③対抗措置の発動に原則として株主意思確認総会における承認が要求されている点、④独立委員会が設置されている点などで、一般的な事前警告型買収防衛策と同様の建付けとなっている。

　他方で、一般的な事前警告型買収防衛策と同様に基本的には大規模買付者に対して大規模買付行為等趣旨説明書や必要情報の提供を求める建付けとはなっているものの、事前警告型買収防衛策とは異なり、本件買収防衛策導入前にすでに開始されている本件公開買付けについては、本件公開買付けの公開買付届出書を大規模買付行為等趣旨説明書とみなすこととされ、金融商品取引法に基づく意見表明報告書における質問権の行使をもって必要情報の提供を求めるものとされている。

　前述した①から④までの諸点に加えて、⑤対抗措置として差別的取得条項等付新株予約権無償割当てが想定されているが、当該割り当てられた新株予約権（第1回A新株予約権。以下、「本新株予約権」という）には、(i)非適格者（日本アジアの買収防衛策にいう特定株式保有者に相当）による権利行使は認められない旨の差別的行使条件、および(ii)富士興産が非適格者以外の者からは富士興産の普通株式と引換えに第1回A新株予約権を取得する一方、非適格者からはその行使条件に一定の制約が付された別の新株予約権（第1回B新株予約権。以下、本項において「本第2新株予約権」という）と引換えに第1回A新株予約権を取得する旨の差別的取得条項が付されており、この第1回B新株予約権については、交付から10年経過後11年を経過する日まで

の間に未行使の第1回B新株予約権が残存する場合には、それを富士興産が買い取ることができることとされている等、非適格者の経済的利益をできるだけ損なわないようにするための工夫が施されている点、⑥対抗措置は、基本的には、株主意思確認総会による承認が得られた場合であって、かつ、大規模買付行為等が撤回されない場合にのみ、特別委員会の勧告を最大限尊重したうえで発動されるものとされている点は、東芝機械の買収防衛策以降の近時の傾向に沿ったものと考えられる。

(b) **日本アジアの買収防衛策と異なる点**

本件買収防衛策は、直近で裁判所により不適法と判断された日本アジアの買収防衛策と構造および内容において類似するが、同防衛策とは異なる点もある。すなわち、①日本アジアの買収防衛策では、それが、CI11による日本アジア株式の市場買上がりを受けて導入されたことにも基因して、同防衛策所定の「ルール」に違反するか否かの基準となるトリガー割合が20.5%とされているところ、本件買収防衛策では、トリガー割合は、20%とされている。また、②日本アジアの買収防衛策では、大規模買付者が、本プランに定める手続を遵守せず、株主意思確認総会を開催する以前において大規模買付行為等を実行しようとする場合には、取締役会は、特段の事由がない限り、特別委員会の勧告を最大限尊重したうえで、株主総会の承認を得ることなく、対抗措置を発動するものとされているが、本件買収防衛策では、取締役会限りで本件対抗措置が発動される場合でも、その発動（取締役会における本無償割当ての決定）後、原則として、本無償割当ての効力発生日前に株主意思確認総会を開催し、当該取締役会の決定の是非を、事後的に株主に諮るものとされ、当該株主意思確認総会において株主が本件対抗措置の発動に関する議案を承認しなかった場合には、取締役会は、当該株主の意思に従い、本無償割当てを中止する旨が明記されている。本件買収防衛策が②の設計を取っていることが、裁判所が、本件買収防衛策における対抗措置の発動（本無償割当て）が不公正発行に該当せず、株主平等原則の趣旨にも反しないとして、適法と判断するに至った主たる理由ではないかと考えられる。

③ 原審決定の分析と検討
(a) ニッポン放送事件の判断枠組みを踏襲することの妥当性

原審決定は，被保全権利の有無を，新株予約権無償割当ての不公正発行該当性と株主平等原則（の趣旨）違反の有無という両面から検討し，まず，前者については，日本アジアグループ事件抗告審決定とほぼ同様に，取締役会限りで導入された買収防衛策に基づいて，取締役会限りで対抗措置としての差別的取得条項等付新株予約権無償割当てがなされる場合には，それが(a)会社「の企業価値ひいては株主の共同の利益を維持するためではなく，専ら経営を担当している取締役等又はこれを支持する特定の株主の経営支配権を維持するためのものである場合」には，当該「無償割当ては，株主の共同の利益の保護という観点から新株予約権無償割当てを正当化する特段の事情がない限り，著しく不公正な方法によるものと解すべき」としたうえで，(b)会社の経営支配権に現に争いが生じている場面（以下，本項において「経営支配権争奪状況」という）において，株式の敵対的買収によって経営支配権を争う特定の株主の持株比率を低下させ，経営を担当している取締役等またはこれを支持する特定の株主の経営支配権を維持することを主要な目的として新株予約権無償割当てがされた場合は，〔上記(a)〕の場合に該当するというべきであ」って，(c)「会社は，〔上記(a)〕の特段の事情として，敵対的買収者が真摯に合理的な経営を目指すものではなく，敵対的買収者による経営支配権取得が会社に回復し難い損害をもたらす事情があることを疎明すべき」と判示した。ここまでは，ニッポン放送事件東京高裁決定以来，裁判所が採用してきた判断枠組み（以下，本項において「本件判断枠組み」という）を踏襲している。

しかしながら，同じ有事導入型買収防衛策に関して，ブルドックソース事件最高裁決定は，株主総会における議案の承認が対抗措置発動の条件とされていた事案ではあったが，株主平等原則の趣旨違反の有無→不公正発行該当性，という順序で検討を行ったうえで，基本的には，買収防衛策に基づく対抗措置の必要性（脅威＝企業価値毀損のおそれ）および相当性（脅威との比較で対抗措置が均衡を失していないか）という基準で差別的取得条項等付新株予

約権無償割当ての適法性を判断しているところであり，また，ピコイ事件東京高裁決定は，本件と同様に取締役会限りで買収防衛策の導入・対抗措置の発動が決定された事案につき，株主平等原則（の趣旨）違反の有無が不公正発行該当性と一体的に検討されており，問題となった差別的取得条項等付新株予約権無償割当ては株主平等原則の趣旨に反し，不公正発行にも該当するとして，当該無償割当ては不適法としている[45]。

また，本件では，本件判断枠組みの(b)の部分について，①本件において債権者・債務者間で争いが生じていた点は，「債務者の経営支配権自体というよりも，債務者株式の非公開化の是非であったというべき」である，②本「無償割当ては，債権者らがこれによる不利益を免れる余地があるから，直ちにアスリードキャピタル（債権者ら）の持株比率を低下させる効果を有するものであったとはいい難」い，③「債務者取締役会の対応は，〔本件公開買付け〕について適切な判断を下すための十分な情報と時間を確保することができないことにより，会社の利益ひいては株主の共同の利益が害されることになるか否かについて，会社の利益の帰属主体である株主自身により，判断させようとするものである」，といった認定に基づいて，本無償割当ては，「経営支配権を争う特定の株主の持株比率を低下させ，経営を担当している取締役等又はこれを支持する特定の株主の経営支配権を維持することを主要な目的」としたものではない，と判示しており，結論とその理由との間にやや論理的飛躍があるようにも思われる。そもそも，本件判断枠組みの(b)の部分は，第三者割当増資が不公正発行にあたるか否かを判断する基準として判例が伝統的に用いてきた主要目的ルールの派生形であるところ，資金調達目的を想定することもできず，第三者割当発行でもない差別的取得条項等付新

---

[45] 買収防衛策の導入と対抗措置発動に株主総会決議がある場合にはブルドックソース事件最高裁決定の判断枠組みが，ない場合（取締役会決議のみの場合）にはニッポン放送事件東京高裁決定の枠組みが，それぞれ用いられるべきで，ピコイ事件についても後者が用いられるべきであったと解する見解として，例えば，大杉謙一「ピコイ事件」中東正文＝大杉謙一＝石綿学編著『（別冊金融・商事判例）M&A判例の分析と展開Ⅱ』117頁〜118頁（経済法令研究会，2010）参照。

第Ⅱ編　第4章　買収防衛策と新株予約権

株予約権無償割当てについて，このような考え方を適用すること自体に疑問もある。

　もっとも，原審決定も，具体的な検討の実質的な中身においては，不公正判断該当性の判断と株主平等原則（の趣旨）違反の有無の判断とで特に異なっているようには見えず，上記の点は，単なる判断の順序の問題であるとの見方もありえようが，新株予約権無償割当ての差止事由としては法令違反にあたる株主平等原則（の趣旨）違反（法247条1号）の判断の方が不公正発行該当性（同条2号）の判断よりも論理的に先行するはずである[46]。また，最高裁による判断が示されなかったニッポン放送事件東京高裁決定の判断枠組みが果たして適切であるか（一般化できるか）自体についても疑問がないわけではない[47]。

　以上の諸点に鑑みれば，本件では，ブルドックソース事件最高裁決定が採用した判断枠組みを用いたうえで，本件買収防衛策は，企業価値毀損のおそれがあるか否かを最終的には株主の判断に委ねようとするものであるところ，公開買付期間を延ばさず，株主意思確認総会（本総会）が開催される前に本件公開買付けを終了させ，できるだけ早期に決済を行いたいというアスリードの利益と，企業価値毀損のおそれがあるか否かを最終的に株主の判断に委ねるために株主意思確認総会を本件公開買付けの決済前に開催したいという会社（ひいては一般株主）側の利益を比較衡量した場合，前者を特に優先すべき理由はないと解される（買収が約1か月程度早まることがアスリードにとって重要な利益であるとは思われない）ことから，無償割当てが対抗措置として相当性を有していれば，株主平等原則の趣旨違反にもあたらず，ひい

---

[46]　ニッポン放送事件では，対抗措置として新株予約権の第三者割当てが用いられたため，株主平等原則の趣旨違反の点が問題となることはなかった。

[47]　ニッポン放送事件の事案が，単に敵対的買収者による買収を阻止するだけでなく，「友好的買収者に支配権を取得させることを明示の目的とし，しかも，その目的を確実に実現させる効果を持つ防衛策」という，「極端ともいえるほど強力な防衛策」であって，「取締役会が，より限定された目的・効果を持つ防衛策を行使した場合まで，『特段の事情』がない限りこれをすべて違法とするのが本決定の趣旨である，とは必ずしも解されないであろう」と論じるものとして，田中・前掲注(28) 345頁。

ては不公正発行にも該当しない，という判断の道筋を辿った方が適切であったとも考えられる。原審決定が，本件判断枠組みの(b)の部分，すなわち，経営支配権争奪状況において，株式の敵対的買収によって経営支配権を争う特定の株主の持株比率を低下させ，経営を担当している取締役等またはこれを支持する特定の株主の経営支配権を維持することを主要な目的として新株予約権無償割当てがされたといえるかという部分を否定する結論を補強するためであろうか，本件において債権者・債務者間で争いが生じていた点は，「債務者の経営支配権自体というよりも，債務者株式の非公開化の是非であったというべき」というやや強引な認定を行っている点にも，本件を，かかる判断枠組みを用いて判断すること自体の無理が表われているようにも思われる。

(b) 何が日本アジアグループ事件とは異なる結論を導いたか

原審決定は，基本的に日本アジアグループ事件抗告審決定の判断枠組みを踏襲して判断したにもかかわらず，原審決定と日本アジアグループ事件抗告審決定（問題となった差別的取得条項等付新株予約権無償割当てを不公正発行に該当するとした）とは正反対の結論に至っている。

原審決定は，本件公開買付けの買付予定数に下限（アスリード・グループ全体の株券等所有割合が40％となる水準）が設定されており，その下限の条件を満たす応募が集まった場合に公開買付期間を延長することも予定されていなかったこと等も併せ考慮すると，「強圧性の問題が全く生じないとはいえない」として，このことを，本無償割当てが不公正発行に該当しないことの理由の1つとして指摘している。しかし，本件公開買付けは，買付予定数につき上限の定めがない全部買付けであって，公開買付け終了後の議決権割合が3分の2以上となった場合（および3分の2に達しなかった場合でも臨時株主総会でキャッシュ・スクイーズ・アウトのための株式併合議案が可決された場合）には，本件公開買付価格と同額の価格によるキャッシュ・スクイーズ・アウトが予定されており，部分買付けの場合と比較して，相対的には強圧性は低いものと評価できる。これに対して，対抗措置を不公正発行とした日本

アジアグループ事件でCI11が用いていた日本アジア株式の買付けの手法は，市場買上がりであって，その後に上限なし・下限なしの全部買付けおよび公開買付価格と同額の価格によるキャッシュ・スクイーズ・アウトが予告されていたとはいえ，強圧性がないとはいえない事案であった。日本アジアグループ事件でCI11が用いていた買付けの手法と本件でアスリードが用いている買付けの手法のどちらが強圧性が強いかについては議論がありうるように思われるが，いずれにせよ，日本アジアグループ事件抗告審決定においては強圧性が存すること自体は認定されているのであって，買付手法の強圧性の程度が両者における不公正発行該当性に関する判断の違いに直結したとまでは考えられない。また，両者の事案では，①ともに大規模買付者は実質的には投資ファンドであって，②ともに経営権の取得を目的とするものではない（買収成立後も現経営陣に経営を委ねる）と主張されており，③それぞれの買収防衛策の内容も概ね似通っている。したがって，原審決定と日本アジアグループ事件抗告審決定との判断の差は，主として，差別的取得条項等付新株予約権無償割当ての後に，株主意思確認総会の結果を受けてそれを撤回する余地が存するか否かに基づくものではないかと推測される。

(c) **株主意思の表明は本件公開買付けへの応募を通じてなされるべきか**

本件で，当事者間で最も争われた点は，株主意思の表明は本件公開買付けへの応募を通じてなされるべきであって，本件公開買付開始前の日を基準日とする株主意思確認総会において，本件買収防衛策の導入および本無償割当ての是非を株主に諮ることが事後的に予定されているとしても，取締役会限りでそれらを決定することは原則として不公正発行に該当するのではないかとの点であった。特に，アスリードは，公開買付け開始後に株主意思確認総会が開催される場合，当該公開買付けに応募した株主は当該総会において議決権を行使するインセンティブを完全に失うため，当該総会では，当該公開買付けに応募しなかった株主によって当該議案の可決が左右されることになり，当該議案の可決の蓋然性が高まるとの問題があるため，当該議案が当該総会に付議される予定であるということは，不公正発行該当性を否定する理

由とはならない旨主張したようである。

　確かに、わが国では、一般に、公開買付けの応募条件として、公開買付応募申込書に（間近に迫った株主総会における議決権行使に関する）包括委任状を添えて応募することを求めること（公開買付けについての応募条件を付すること）は認められないと解されており[48]、そのような懸念が生じる余地が完全に否定されるわけではない。しかしながら、仮に株主意思確認総会における決議が当該公開買付けに応募した株主を除いた株主の議決権行使でなされる可能性が高まることにより、買収防衛策の導入等に関する議案が可決される蓋然性が高まるとの懸念が存在するのであれば、アスリードには、委任状勧誘を実施して、本件買収防衛策の導入等にかかる議案に反対する旨の委任状を本件公開買付けに応募した株主から取得することができるはずであり、それら株主は、上記議案が可決された場合には、本件公開買付けが撤回され、本件公開買付けを通じてその保有株式を売却することが結果的にできなくなってしまうのであるから、上記のような委任状勧誘に応じてアスリードに対して委任状を提出するインセンティブを有しているはずである。また、実務上、公開買付けに応募する株主の多くは、公開買付期間の直前まで対象会社の株価動向を注視したうえで、公開買付期間の終了直前に応募に踏み切っているのが実情のようであり、株主意思確認総会が公開買付期間の終了まで若干の余裕をもった日に開催されるのであれば（本件では、第1回延長後において、本総会開催日から本件公開買付けの期間末日までは15日間の余裕があった）、特に上記のような懸念は大きなものとならないと解される。ちなみに、ブルドックソース事件においても、同様の点は問題となっているが、同事件の原々審決定ではSPJによる同様の主張は排斥されている（最高裁ではこの点に関する判断は特に示されてはいない）。

(d) 配当額の大幅引上げの影響

　本件では、本件買収防衛策の導入と同時に大幅増配が決定・公表されてい

---

[48] 例えば、長島・大野・常松法律事務所編『公開買付けの理論と実務〔第3版〕』264頁注10（商事法務、2016）参照。

るが，当該配当金額は，本件公開買付けの撤回事由に該当する最低限の金額であった。そのため，本件大幅増配と同時に導入が決定された本件買収防衛策，そしてそれに基づいて決定された本無償割当ては，本件大幅増配と相俟って，本件判断枠組みの(b)にいう，経営支配権争奪状況において，経営支配権を争う特定の株主の持株比率を低下させ，経営を担当している取締役等またはこれを支持する特定の株主の経営支配権を維持することを主要な目的とした新株予約権無償割当てにあたるのではないかということが問題となった。

原決定は，この点につき，「これは，同日に策定・公表された中期経営計画（2021年度～2023年度）において利益還元策が変更されたこと等……に基づくものであり，合理的な理由がないものとは断じ難い」と判示しているが，本件大幅増配が本件公開買付けの撤回基準をクリアしている点に照らすと，本件公開買付けへの対応策であったことは否めず，この部分の判示はやや説得力を欠く。

本件大幅増配は，それが，アスリードに対する本件公開買付けの期間延長要請と同時に決定・公表されていること等に鑑みると，本公開買付者らに対して，本件公開買付けを一旦撤回して，再度公開買付けを行うことを強く促し，これによって実質的に本件公開買付けの期間末日を本総会の会日後とする（その結果，本総会の結果を受けて，アスリードが公開買付けを撤回することを可能にする）ことを狙ったものと解される。そうであるとすれば，端的に，本件大幅増配は，本件買収防衛策の導入と本無償割当ての決定と一体となって，「〔本件公開買付け〕について適切な判断を下すための十分な情報と時間を確保することができないことにより，会社の利益ひいては株主の共同の利益が害されることになるか否かについて，会社の利益の帰属主体である株主自身により，判断させようとするものであるということができる」と判示した方がより説得性が増したのではないかと思われる。

本件大幅増配を実施すること自体については議論があり得ようが[49]，本件買収防衛策および本無償割当ての適法性との関係でいえば，本件大幅増配

を実施したとしても，本公開買付者らは公開買付価格をそれによって社外に流出する金銭の分だけ引き下げて再度公開買付けを実施すればよいだけであって[49]，それによって本件買収防衛策および本無償割当ての適法性が左右されるものではないと考えるべきであろう[50]。

④ 抗告審決定の分析と検討

(a) ニッポン放送事件の判断枠組みを踏襲することの妥当性

抗告審決定も，その判断枠組みについては原審決定をそのまま引用して，本件判断枠組みを用いて判断を行っている。前述③(a)において，原審決定が，基本的に，（日本アジアグループ事件抗告審決定が採用したものと同様の判断枠組みである）本件判断枠組みを踏襲して，不公正発行該当性→株主平等原則の順で検討を行ったことに疑問を呈したが，このことは，本総会で本件買収防衛策の導入等にかかる議案が普通決議をもって可決された後に下された抗告審決定についていっそう妥当するように思われる。

抗告審の手続段階では，本総会で本件買収防衛策の導入等にかかる議案が普通決議をもって可決されており，その意味で，買収防衛策としての対抗措置の発動（差別的取得条項等付新株予約権無償割当て）にかかる承認議案が株主総会の特別決議によって可決されていたブルドックソース事件の事案と，ほぼ同様の状況にあったといえる。そうであれば，本件では，少なくとも抗告審の段階では，ブルドックソース事件最高裁決定が採用した判断枠組みに従って，まずは，本無償割当てが株主平等原則の趣旨に反しないか否かを，本件買収防衛策とそれに基づく本件対抗措置発動の必要性（企業価値毀損のおそれ）とその相当性の両面から判断することとしたうえで，本件では，本総会で本件買収防衛策の導入等にかかる議案が普通決議をもって承認されて

---

(49) この点につき，飯田秀総「対象会社による配当と公開買付価格の引下げ」旬刊商事法務2221号4頁以下（2020）参照。
(50) 実際，日本アジアグループ事件の事案では，CI11は，日本アジアによる同様の大幅増配の公表後，それによる現金の社外流出分だけ公開買付価格を引き下げて第2次公開買付けを実施し，最終的に当該引下げ後の公開買付価格を10円引き上げて第2次公開買付けを成立させている。

いる以上，原則として上記の必要性は肯定され，本件対抗措置に相当性が認められるのであれば，本無償割当ては株主平等原則の趣旨に反しておらず，ひいては不公正発行にも該当しない，という判断の道筋をたどるべきであったように思われる[51]。

(b) 株主意思確認総会の決議要件

　抗告審決定においては，本件買収防衛策の導入等にかかる承認決議が普通決議でなされており，ブルドックソース事件では，承認決議が，議決権総数の約83％の賛成を得て特別決議をもってなされたのと比較すると不十分ではないかという点について，①新株予約権無償割当てについては，法律上，株主総会の特別決議による承認が必要とされているわけではないこと，②ブルドックソース事件の事案は，対象会社の定款で特別決議を要するものと定められていたという事実関係の下における判断であること，③公開買付けによる「買収に対する対抗手段の発動が必要か否かの判断は，現経営陣と買収者側のいずれに経営を委ねるべきかという株主の経営判断の問題であるから，買収提案の具体的内容や，買収者側と現経営陣との交渉経過等も明らかにされ，株主が意見を述べる機会を与えられた株主総会の場で，会社の利益の帰属主体である株主の多数が，当該買収に対して対抗手段の発動が必要であると判断した場合には，その判断は合理性があるものとして尊重されるべきであ」ることから，富士興産が株主総会の普通決議によることとした理由にも合理性があると判示した。本判示部分は，原審決定では本総会の開催がそれより後であったために触れられていなかったものである。

　ブルドックソース事件最高裁決定が下された直後から，裁判所が，買収防衛策の必要性（企業価値の毀損のおそれの存在）について会社側の疎明を基本的に要求しない旨の判断基準を適用するためには，会社側において，有事導

---

[51] ニッポン放送事件東京高裁決定の判断枠組み・基準は取締役会のレベルでのみ対抗措置の決定が行われる場合に，ブルドックソース事件最高裁決定の判断枠組み・基準は対抗措置の発動につき株主の承認が得られている場合に，それぞれ適用されるものと考えるべきであろう，と指摘する見解として，例えば，大杉・前掲注(45) 117頁〜118頁，飯田・前掲注(22) 253頁〜254頁参照。

入型買収防衛策の導入と対抗措置の発動について，①株主総会で特別決議の成立要件をクリアする必要があるのか，②普通決議の要件をクリアすればよいのか，③さらには場合によっては普通決議の要件をクリアしなくともよい場合があるのか，という点は学説において争いの的になってきた。抗告審決定は，この点について，ブルドックソース事件最高裁決定以降はじめて，少なくとも②で足りるとの判断を下したものである点で，重要な意義を有する。なお，抗告審決定は，少なくともその論理構造や文面上は，③の考え方も必ずしも否定していないように思われる。

(c) **相当性要件について**

　原審決定は，本件対抗措置（本無償割当て）の相当性につき，「債権者〔アスリード。以下同じ〕らは，本件対応方針の仕組み及び対抗措置（その発動としての本件新株予約権無償割当て）の内容等に照らし，本件新株予約権無償割当てによる不利益を免れる余地もあったといえる……。以上の諸点に鑑みると，債権者らが受ける上記の影響を考慮しても，本件新株予約権無償割当てが，衡平の理念に反し，相当性を欠くものとは認められない」「債権者らは，本件新株予約権無償割当てが，債権者に過大な不利益を被らせるものであって，その必要性及び相当性がないから，株主平等原則に違反する旨を主張するが，……債権者らの上記主張を採用することはできない」と判示しており，抗告審決定もかかる判示を引用している。

　このように，原審決定および抗告審決定は，第2新株予約権を用いて，対抗措置の発動対象とされた大規模買付者等につき損害回避可能性を確保し，万一，新株予約権無償割当ての効力が発生した場合でも，当該大規模買付者等が被る可能性がある経済的損失をなくすまたは極小化するような手当てが講じられた差別的取得条項等付新株予約権無償割当てについて，対抗措置として相当性を有している旨をはじめて認めた司法判断として重要な意義を有している。

(6) 主要な裁判例

本項で紹介したものを含め，新株予約権を用いた買収防衛策に関する主要な裁判例について以下の**図表４－２**を参照されたい。

図表４－２　新株予約権を用いた買収防衛策に関する裁判例

事件名	決定日	事案・決定の概要
イチヤ新株予約権発行差止仮処分申立事件	高知地決平成16年6月1日資料版商事法務251号216頁（新株予約権発行差止仮処分申立事件） 高知地決平成16年7月8日資料版商事法務251号220頁（保全異議申立事件） 高松高決平成16年8月23日資料版商事法務251号226頁（保全抗告申立事件）	衣料品販売会社であるイチヤの株主Aは，平成16年5月現在同社の発行済株式総数約9,634万884株中176万1,000株を有するとともに，イチヤが発行している第1回新株予約権の新株予約権者であった。資金繰りに窮したイチヤの代表取締役Bは，Aに対して第1回新株予約権の行使を促したものの，Aがこれに応じなかった。このため，イチヤの取締役会は第2回新株予約権を第三者割当ての方式で発行したうえで，株式移転を実施し，イチヤを新たに設立する完全親会社のもとで完全子会社化することとした。第一回新株予約権にはイチヤの株式交換または株式移転による完全子会社化をもって無償消却事由とする旨の定めがあったため，上記株式移転により，第1回新株予約権は無償消却された。Aは，第2回新株予約権の発行は，Aを支配株主の地位から放逐することでBが会社支配権を維持することを主要な目的とするものであって，著しく不公正な方法による発行であるなどとして，その差止めを求めた（旧商法280条ノ39第4項，同280条ノ10）。原決定（高知地決平成16年6月1日）は差止めを認めたものの，異議審は当該発行には資金調達が重要な位置を占めているなどとして原決定を取り消し，仮処分申請を却下した。抗告審（高松高決平成16年8月23日）は，新株予約権がすでに発行済みであるとして抗告を棄却した。

4-1 実務で用いられる新株予約権を用いた買収防衛策の諸類型

ニッポン放送新株予約権発行差止仮処分申立事件	東京地決平成17年3月11日判タ1173号143頁（新株予約権発行差止仮処分申立事件） 東京地決平成17年3月16日判タ1173号140頁（保全異議申立事件） 東京高決平成17年3月23日判タ1173号125頁（保全抗告申立事件）	地上波テレビ等の放送事業者であるフジテレビという）は，AMラジオの放送事業者であるニッポン放送の発行済株式総数の約12.4%を保有していたが，ニッポン放送の経営権を獲得することを目的とし，その発行済株式のすべての獲得を目指して公開買付け（以下「本件公開買付け」という）開始を決定した。他方，コンピュータネットワークに関するコンサルティング等を業とするライブドアは，ニッポン放送の発行済株式の約5.4%を保有していたが，本件公開買付けの期間中である平成17年2月8日に東京証券取引所の立会外取引であるToSTNeT-1を利用して，その子会社を通じてニッポン放送の株式の買い増しを行い，同月21日までに子会社と併せて総議決権に対し約37.85%の割合を有するに至った。これに対しニッポン放送は，同月23日の取締役会において新株予約権を割当先をフジテレビとして発行することを決議した。これがすべて行使された場合には，ライブドアの株式保有割合は約42%から約17%へと減少し，フジテレビの株式保有割合は新株予約権の行使により取得する株式数だけで約59%に達するものであった。 ライブドアは，本件発行は著しく不公正な方法によるものであるなどとして差止めの仮処分を求めたところ（旧商法280条ノ39第4項，同280条ノ10），各決定はいずれも当該発行が著しく不公正な方法によるものであるとして差止めを認めた。
ニレコ新株予約権発行差止仮処分申立事件	東京地決平成17年6月1日判タ1186号274頁（新株予約権発行差止仮処分申立事件）	オートメーション装置および計測装置の製造・販売等を主たる事業とするニレコは，PBRの値が平成15年9月当時で0.31，平成16年3月当時で0.40，同年9月時点で0.55ときわめて低い値であったことなどから，将来，敵対的買収に直面した場合の防衛策として，平成17年3月14日，新株予約権（以下「本件新株予約権」と

635

第Ⅱ編　第4章　買収防衛策と新株予約権

	東京地決平成17年6月9日判タ1186号265頁（保全異議申立事件） 東京高決平成17年6月15日判タ1186号254頁（保全抗告申立事件）	いう）を発行する旨の取締役会決議を行った。本件新株予約権は，同月31日最終の株主名簿上の株主に対し，その所有株式1株につき2個の割合で割り当てられるもので，新株予約権1個当たりの目的である株式の数は1個，発行価額は無償，発行日は同年6月16日，行使価額は1円，行使期間は同日から平成20年6月16日までの3年間であった。また，行使条件は，ニレコの発行済議決権株式総数の20%以上の保有者が登場した場合（以下「手続開始要件」という）に，新株予約権の割当てを受けている者が行使できるというものであり，新株予約権の譲渡については取締役会の承認を要するものとされ，かつ，承認申請がされても承認はしない旨定められていた。また，新株予約権の消却事由として，手続開始要件が成就するまでの間，取締役会が企業価値最大化のために必要であると認めたときは，取締役会の決議をもって新株予約権の全部を無償で消却することができるものとし，その判断にあたっては，ニレコの代表取締役社長ならびに社外者である弁護士および大学助教授の合計3名（後に社長を外部の弁護士＝元名古屋高検検事長に入替）から構成される特別委員会の勧告を最大限尊重するものとされていた。ニレコの株主が，本件新株予約権の発行が不公正発行であるなどとして差止めを申し立てたところ，いずれの決定も，本件新株予約権の発行が著しく不公正な方法によるものであるとして，差止めを認めた。
ブルドックソース新株予約権無償割当差止仮処分申立事件	東京地決平成19年6月28日民集61巻5号2243頁（新株予約権無償割当差止仮処分申立事件）	前述(2)参照。

4-1 実務で用いられる新株予約権を用いた買収防衛策の諸類型

	東京高決平成19年7月9日民集61巻5号2306頁（抗告申立事件）	
	最決平成19年8月7日民集61巻5号2215頁（抗告申立事件）	
オートバックスセブン新株予約権付社債発行差止申立事件	東京地決平成19年11月12日金判1281号52頁（新株予約権付社債発行差止仮処分命令申立事件）	車両・運搬具の販売およびそれらのタイヤ・チューブ・ホイールの販売等を目的とするオートバックスセブンの取締役会は，平成19年10月26日，第三者割当てによる新株予約権付社債（以下「本件新株予約権付社債」という）の発行について決議し，同日，プレス・リリースを行って公表した。本件新株予約権付社債に付する新株予約権の内容として，①各社債に付する新株予約権の数は10個とすること，②新株予約権の取得と引き換えにする金銭の払込みは要しないこと，③新株予約権の目的である株式の種類は普通株式とすること，④新株予約権の行使に際して出資される財産は，新株予約権に係る各社債とすること，⑤新株予約権の行使によりオートバックスセブンがその普通株式を交付する場合における株式1株当たりの出資される財産の価額は2,890円とすることなどが定められた。本件新株予約権付社債がすべて普通株式に転換された場合，割当てを受けた第三者（SK Advisory LimitedおよびARCM. Ltd.）は発行済株式総数の約36.43％の持株比率を有することになるとされていた。投資マネージメントサービスの提供等を目的として設立された英国の有限責任会社であるシルチェスター・インターナショナル・インベスターズ・リミテッド（以下「シルチェスター」と

637

第Ⅱ編　第4章　買収防衛策と新株予約権

		いう）は，アメリカ合衆国デラウェア州法に基づいて設立されたトラストが保有するオートバックスセブン株式（発行済株式の2.4％に相当）について仮処分申立ての追行権限を委託されていたところ，本件新株予約権付社債の発行が有利発行（法238条3項1号）および著しく不公正な方法による発行（同247条）にあたるとして，その差止めを求めた。これに対し，裁判所は，本件新株予約権付社債に係る新株予約権部分の実質的な対価はその公正な価値を大きく下回るものではなく，また，オートバックスセブンの取締役会が上記発行を決議した時点において同社の経営支配権に争いが生じていた事情は窺うことができず，オートバックスセブンに資金調達の必要性がないとはいえないなどとして差止めを認めなかった。
ピコイ新株発行差止申立事件	新潟地決平成20年3月27日金判1298号59頁（新株発行差止等仮処分申立事件） 新潟地決平成20年4月3日金判1298号56頁（保全異議申立事件） 東京高決平成20年5月12日金判1298号46頁（保全抗告申立事件）	木材および建物の保存工事等を営むピコイは，A社との間で，平成19年1月26日，「業務提携及び資本提携に関する基本契約書」（以下「基本契約書」という）を取り交わし，ピコイはA社に対して第三者割当増資を行うこと，A社はピコイが発行する議決権付株式総数の35％を上限としてピコイ株式を保有することができること，およびA社が取得するピコイの議決権付株式は第三者に対して信託することが定められた。当該基本契約書の定めに基づき，A社はピコイ株式94株の割当てを受け，その結果ピコイ株式147.5株（議決権147個）を有するに至り，ピコイ株式147株は基本契約書に基づき，A社からB法律事務所に信託譲渡された。当該信託譲渡により平成20年2月15日の時点でB法律事務所は，発行済の議決権付株式421株のうち147個を有する大株主となり，その他に大株主として65個の議決権を有するC社も存在した。当時ピコイにはその創業者と当時の経営陣との間で対立があり，創業者側の株主であるC社がピ

4-1 実務で用いられる新株予約権を用いた買収防衛策の諸類型

		コイの代表取締役を含む現取締役5名の解任と，新取締役6名の選任を目的事項とする臨時株主総会の招集を請求した。A社はB法律事務所に対し，C社の株主提案に賛成するよう指図した。ピコイの取締役会は，平成20年3月15日に取得条項を付した新株予約権の無償割当てを決議し，同日新株予約権を発行するとともに，当該取得条項を発動してB法律事務所に割り当てられた新株予約権を取得した。 　B法律事務所は，ピコイによる新株予約権無償割当てが株主平等原則（法109条1項）に反し著しく不公正な発行にあたるとして，当該発行に基づく新株の発行を差し止めることを求めた（同210条類推）。原決定，異議審および抗告審のいずれも，B法律事務所が経営に関与することによってピコイの企業価値は毀損されないとして，新株予約権無償割当ては現経営陣の経営支配権の維持のためのものであり，著しく不公正な方法によるものであることを認めた。
オープンループ新株予約権発行差止申立事件	札幌地決平成20年11月11日金判1307号44頁（新株発行差止等仮処分申立事件）	コンピューターハードウェア・ソフトウェアおよびコンピュータ周辺機器の企画開発等を主たる事業内容とするオープンループは，平成20年10月27日，取締役会を開催して新株および新株予約権の発行を決議した（以下それぞれ「本件新株」および「本件新株予約権」という）。本件新株予約権については，当該決議において，発行総数3万4,000個，払込金額1個当たり748円とし，割当先は株式会社エスケイ・キャピタルとすることなどが定められた。クオンツ・キャピタルおよびクオンツ・キャピタル・アジア・リミテッド（以下これらを総称して「両会社」という）は，いずれも株式会社クオンツの完全子会社であったところ，オープンループ株式につき両会社合わせて発行済株式の34.49%にあたる3万1,244株を保有していた。 両会社は，本件新株および本件新株予約権の発

		行によってその持株比率が 20.71％ に低下することになるため，本件新株および本件新株予約権の発行が有利発行および著しく不公正な方法による発行に当たるとして，差止めを求めた。これに対し，決定は，本件新株および本件新株予約権の発行に先立って会社支配権に争いが生じていたことを認めたうえで，オープンループが自らの会社支配権を維持する意図をもって本件新株および本件新株予約権の発行を行ったことを否定できないとしつつも，同社が赤字経営からの脱却を企図していたことも合わせて認定し，支配権の維持が主要な目的であったとまでは認められないとして差止めを認めなかった（有利発行についても，本件新株および本件新株予約権の払込価額は，それぞれ法 199 条 3 項および同 238 条 3 項 2 号の「特に有利な金額」には当たらないとした）。
丸八証券新株予約権付社債発行差止申立事件	名古屋地決平成 20 年 11 月 19 日金判 1309 号 20 頁（新株予約権付社債発行差止仮処分申立事件）	有価証券の売買，有価証券指数等先物取引，有価証券オプション取引等を業とする丸八証券は，平成 20 年 10 月 31 日，臨時取締役会において第三者割当てによる新株予約権付社債（以下「本件新株予約権付社債」という）の発行について決議し，同日，プレス・リリースを行って公表した。本件新株予約権付社債に付する新株予約権の内容としては，①各社債に付する新株予約権の数は 5,000 万円の 1 種につき 1 個とすること，②新株予約権の取得と引換えにする金銭の払込みは要しないこと，③新株予約権の目的である株式の種類は普通株式とすること，④新株予約権の行使に際して払込みをなすべき額は，社債の発行価額と同額とし，転換価額は当初 50 円とすることなどが定められた。本件新株予約権付社債がすべて普通株式に転換された場合，割当てを受ける第三者のうちの 1 人に当たる丸八証券代表者甲の持株比率は 15.15％ から 4.95％ 上昇して 20.10％ になる一方，同じく丸八証

		券の株主である乙フィナンシャルホールディングスの持株比率は 10.91％ から 3.63 ポイント低下して 7.28％ となるものであった。以上のような経緯に基づき，乙フィナンシャルホールディングスは，本件新株予約権の発行が有利発行（法 238 条 3 項 1 号）および著しく不公正な方法による発行（同 247 条）にあたるとして，その差止めを求めた。裁判所は，本件新株予約権付社債に係る新株予約権部分の実質的な対価はその公正な価値を大きく下回るものではなく，また，丸八証券が本件新株予約権付社債の発行を臨時取締役会において決議した当時においては相応の資金調達の必要があったと認められるから，会社支配権の維持または争奪などを主たる目的として発行されたものということはできないなどとして，差止めを認めなかった。
日邦産業新株予約権無償割当差止仮処分申立事件	名古屋地決令和 3 年 3 月 24 日資料版商事法務 446 号 152 頁（新株予約権無償割当差止仮処分申立事件） 名古屋地決令和 3 年 4 月 7 日資料版商事法務 446 号 144 頁（保全異議申立事件） 名古屋高決令和 3 年 4 月 22 日資料版商事法務 446 号 130 頁（保全異議申立	前述(3)参照。

	事件の決定に対する保全抗告事件）	
	名古屋高決令和3年5月14日判例集未登載（保全異議申立事件の決定に対する保全抗告棄却決定に対する許可抗告申立事件）	
日本アジア新株予約権無償割当差止仮処分申立事件	東京地決令和3年4月2日資料版商事法務446号166頁（新株予約権無償割当差止仮処分命令申立事件）	前述(4)参照。
	東京地決令和3年4月7日資料版商事法務446号163頁（保全異議申立事件）	
	東京高決令和3年4月23日資料版商事法務446号154頁（新株予約権無償割当差止仮処分決定認可決定に対する保全抗告事件）	

4-1　実務で用いられる新株予約権を用いた買収防衛策の諸類型

富士興産新株予約権無償割当差止仮処分申立事件	東京地決令和3年6月23日資料版商事法務450号151頁	前述(5)参照。
	東京高決令和3年8月10日資料版商事法務450号146頁	

　本稿脱稿後に，東京機械製作所がアジア開発キャピタルおよびその子会社による市場買集め（株券等保有割合にして38.64％までの買集めを行っていた）に対して，買収防衛策に基づく対抗措置（差別的取得条項等新株予約権の無償割当て）を発動したことについて，アジア開発キャピタルらから差止めの申立てがなされた事案が現れている。当該事案については，原審（東京地決令和3年10月29日資料版商事法務453号107頁），抗告審（東京高決令和3年11月9日資料版商事法務453号98頁），上告審（最決令和3年11月18日資料版商事法務453号97頁）において，いずれも差止めを認めない判断がなされた。紙幅の関係もあり，当該事案について，本稿での詳細な分析はできないものの，市場買増しに対する買収防衛策の発動事案について，最高裁を含む裁判所が，買収者であるアジア開発キャピタルら以外の出席株主の議決権の過半数を可決要件（いわゆる Majority of Minority〔MOM〕要件）とする株主総会決議により対抗措置発動が承認されていることを根拠の1つとして対抗推置発動を認めた点で，今後の買収防衛策に係る実務において重要な意義を有するものと考えられる。

■5　新株予約権を用いた買収防衛策と金融商品取引所における事前相談および適時開示

　上場会社が買収防衛策を導入する場合には，金融商品取引所の規則により事前相談や開示が要求されており，この開示は，買収防衛策指針の事前開示

の原則への適合性を確保する重要な手段の1つである。以下では東京証券取引所（以下，「東証」という）上場企業が買収防衛策を導入する場合を例にとって説明する。

上場規程[52]440条では，「買収防衛策の導入に係る遵守事項」として，①開示の十分性（買収防衛策に関して必要かつ十分な適時開示を行うこと），②透明性（買収防衛策の発動（買収防衛策の内容を実行することにより，買収の実現を困難にすることをいう。以下同じ）および廃止（買収防衛策として発行された新株または新株予約権を消却する等導入された買収防衛策を取り止めることをいう）の条件が経営者の恣意的な判断に依存するものでないこと），③流通市場への影響（株式の価格形成を著しく不安定にする要因その他投資者に不測の損害を与える要因を含む買収防衛策でないこと），④株主の権利の尊重（株主の権利内容およびその行使に配慮した内容の買収防衛策であること）の4つを定め，これらの事項を遵守していないと東証が認める場合には，その旨を公表することができることとされている（上場規程508条1項2号）。

他方，上場規程601条17号は，「株主の権利内容及びその行使が不当に制限されているとして施行規則で定める場合」を上場廃止基準の1つとしており，これを受けて上場施行規則601条15項1号および2号は，そのような場合に該当する買収防衛策として，

(a) 買収者以外の株主であることを行使または割当ての条件とする新株予約権を株主割当ての形で発行する買収防衛策（以下，「ライツプラン」という）のうち，行使価額が株式の時価より著しく低い新株予約権を導入時点の株主等に対し割り当てておくものの導入（実質的に買収防衛策の発動の時点の株主に割り当てるために，導入時点において暫定的に特定の者に割り当てておく場合を除く）

---

[52] なお，上場規程2条80号では，買収防衛策は，「上場会社が資金調達などの事業目的を主要な目的とせずに新株又は新株予約権の発行を行うこと等により当該上場会社に対する買収（会社に影響力を行使しうる程度の数の株式を取得する行為をいう。以下同じ。）の実現を困難にする方策のうち，経営者にとって好ましくない者による買収が開始される前に導入されるものをいう。」と定義されている。

(b) ライツプランのうち、株主総会で取締役の過半数の交代が決議された場合においても、なお廃止（上場規程440条2号に規定する廃止をいう）または不発動とすることができないものの導入

の2つをあげている。(a)は、随伴性のないライツ・プラン（いわゆる「ニレコ型」ライツ・プラン）の導入、(b)は、いわゆるデッドハンド型の買収防衛策である。

　そして、東証は、上記の上場規程および上場施行規則を受け、その趣旨を敷衍したガイドライン（以下、本■5において「買収防衛策開示ガイドライン」という）を新たに設けている[53]。

　また、買収防衛策が導入される場合には、通常適時開示が必要（事前警告型買収防衛策等につき上場規程402条1号ar、信託型ライツ・プランにつき上場規程402条1号a）となり、さらに、実務上は、その適時開示にあたって公表予定日の3週間前までに東証への事前相談が必要とされている（買収防衛策開示ガイドライン3(1)）が、かかる時期はあくまで目安であり、前例のないスキームを用いる場合や遵守事項に抵触していないかについて懸念がある場合については、さらに十分な時間的余裕を持って事前相談を実施することが要請されている[54]。なお、事前相談の方法については、原則として、東証における対象会社の担当者宛に電子メールにて関係資料を送付して行えばよいものとして現在運用されている。

---

[53] 東京証券取引所上場部編『東京証券取引所会社情報適時開示ガイドブック〔2020年11月版〕』441頁以下（東京証券取引所、2020）。
[54] もっとも、いわゆる「有事導入型」買収防衛策の導入の場合には、具体的事情によっては、このような3週間程度前のタイミングでの事前相談が困難な場合も考えられるであろう。

6 買収防衛策の事業報告，有価証券報告書等および金融商品取引所のコーポレート・ガバナンス報告書における開示

(1) 事業報告における開示

　株式会社が当該株式会社の財務および事業の方針の決定を支配する者の在り方に関する基本方針（以下本■6において「基本方針」という）を定めている場合には，基本方針の内容その他の事項を事業報告の内容としなければならないこととされている（施118条3号）。

　この基本方針とは，「いわゆる買収防衛策に関する事項や，安定株主対策というような，もっぱら株主の分布に関する方針を定めるものに限らず，たとえば，上場会社であれば，株式を上場していることの意義，中長期的な視点をも踏まえた会社の経営方針（企業価値の維持・増大やこれに対する市場の評価に対する取組み等を含む）等の具体的な取組みや支配の在り方に係る背景的事情をも勘案した基本方針」であるとされている[55]。

　そして，株式会社がこの基本方針を定めている場合には，施行規則118条3号により，

① 基本方針の内容の概要（施118条3号イ）

② 当該株式会社の財産の有効な活用，適切な企業集団の形成その他の基本方針の実現に資する特別な取組み（施118条3号ロ(1)）

③ 基本方針に照らして不適切な者によって当該株式会社の財務および事業の方針の決定が支配されることを防止するための取組み（施118条3号ロ(2)）

④ ②および③の取組みの，(a)当該取組みが基本方針に沿うものであること，(b)当該取組みが当該株式会社の株主の共同の利益を損なうものでは

---

[55] 相澤哲＝郡谷大輔「新会社法関係法務省令の解説（5）事業報告〔下〕」旬刊商事法務1763号16頁（2006）参照。

ないことおよび(c)当該取組みが当該株式会社の会社役員の地位の維持を目的とするものではないことへの該当性に関する当該株式会社の取締役会の判断およびその理由

という4つの事項を、その事業報告において毎期開示することが必要とされる。

新株予約権を用いたものを含むいわゆる買収防衛策は、上記③の、「基本方針に照らして不適切な者によって当該株式会社の財務および事業の方針の決定が支配されることを防止するための取組み」に該当するので[56]、株式会社が、基本方針を定めており、かつ、具体的な買収防衛策をも定めている場合には、施行規則118条3号により、当該買収防衛策の内容を、その基本方針への適合性（④(a)）、株主共同の利益を損なうものでないこと（同(b)）ならびに役員の保身を目的とするものでないこと（同(c)）に関する取締役会の判断およびその理由と併せて、事業報告において開示することが必要となる。

なお、形式的には、基本方針を定めていない場合には買収防衛策の内容を事業報告において開示することは不要となるが[57]、企業価値の最大化ないし株主共同の利益の最大化に資するような適法な内容の買収防衛策であれば、企業価値の最大化ないし株主共同の利益の最大化の観点から「不適切な者によって当該株式会社の財務および事業の方針の決定が支配されることを防止するための取組み」に該当すると考えられるため、そのような買収防衛策が導入されている会社には施行規則118条3号ロ(2)所定の「取組み」が存することになり、結果として、何らかの内容の「基本方針」が存していることになると考えられるので、実際上は、企業価値の最大化ないし株主共同の利益の最大化に資するような適法な内容の買収防衛策であれば、基本方針とともに必ず事業報告において開示されることになるものと解される。

また、このように導入された買収防衛策の内容が事業報告において開示された場合、監査役ないし監査役会（監査等委員会設置会社においては監査等委

---

(56) 相澤＝郡谷・前掲注（55）16頁参照。
(57) 相澤・論点解説456頁参照。

員会,指名委員会等設置会社においては監査委員会)は監査報告にそれについての意見を記載しなければならないものとされている(施129条1項6号・130条2項2号・130条の2第1項2号・131条1項2号)。

ちなみに,施行規則118条3号(特にそのイ)の存在により,いわゆる有事に際して買収防衛策を発動する可能性のある会社は,たとえ現時点では特段の買収防衛策を導入していない場合でも,少なくとも上記に述べた基本方針を定め,事業報告においてそれらを開示しておかないと,いざ有事に際して買収防衛策を導入し直ちにそれを発動した場合,暗黙裡に基本方針が存在していたにもかかわらず有事に至るまでそれを開示していなかったということで開示義務違反を問われるリスクや,そもそも「基本方針」といった重要な経営方針を有事に至ってから付け焼き刃的に決定すること自体,当該基本方針やそれに基づいて導入される買収防衛策の内容について会社が株主利益の観点から慎重かつ十分な検討を行っていないのではないかという疑念を抱かせる事実であるとして,裁判所によって当該防衛策の導入および発動が役員の保身のためのものと解釈されることになるリスクが高まるのではないかとの指摘もあるので,注意が必要である[58]。

(2) 有価証券報告書等における開示

有価証券報告書提出会社は,有価証券報告書(金商24条1項)においても買収防衛策に関する開示が必要となる。具体的には,開示府令第3号様式の第一部第2【事業の状況】の3【対処すべき課題】において,「基本方針を定めている会社については,会社法施行規則(平成18年法務省令第12号)第118条第3号に掲げる事項を記載すること。」とされている(同様式・記載上の注意(12),開令第2号様式・記載上の注意(32))。したがって,基本方針および買収防衛策を定めている場合には,有価証券報告書において,基本方針

---

[58] 相澤・論点解説456頁,太田洋「新会社法下における本年株主総会への対応〔上〕」旬刊商事法務1758号40頁(2006)。これに対し,田中信隆=松元暢子「事業報告における買収防衛策の開示」ビジネス法務2006年12月号26頁は反対。

に関する他の事項と併せ，買収防衛策についても，事業報告におけるのと同様の開示を行うことが必要となる。

また，【対処すべき課題】欄において開示した買収防衛策の一環として新株予約権を発行している場合には，開示府令第3号様式第一部第4【提出会社の状況】の1【株式等の状況】の(4)【ライツプラン内容】において，発行している新株予約権に関する事項を開示しなければならない（同様式・記載上の注意(22) a）。ただし，【新株予約権等の状況】欄の記載と重複している場合には，その旨のみ記載すれば足りる（同）。このように，【ライツプランの内容】欄における開示が要求されるのは，新株予約権が発行されている場合のみである（同b）から，信託型ライツ・プランについては当該開示が必要であるが，事前警告型買収防衛策等のように新株予約権が有事に発行されることが予定されているだけであればかかる開示は不要である。

買収防衛策の開示に関する同様の規制は，有価証券届出書（開令第2号様式），四半期報告書（開令第4号の3様式）についても同様である。

(3) 金融商品取引所のコーポレート・ガバナンス報告書における開示

上場会社は，その発行する株券等が上場されている金融商品取引所の規則により，買収防衛策に関する開示が要求されている場合がある。ここでは，東京証券取引所の上場規程を例に説明する。

東京証券取引所へ新規上場申請をする会社は，上場が承認された場合には，「コーポレート・ガバナンスに関する事項について記載した報告書」（以下，「コーポレート・ガバナンス報告書」という）を提出したうえ，公衆縦覧に供せられることに同意しなければならないこととされている（上場規程204条12項1号）。そして，コーポレート・ガバナンス報告書の記載事項は，同取引所の上場施行規則211条4項各号および「コーポレート・ガバナンスに関する報告書」記載要領[59]（以下，本(3)において「記載要領」という）において定められているところ，上場施行規則211条4項7号「その他当取引所が

第Ⅱ編　第4章　買収防衛策と新株予約権

必要と認める事項」として，記載要領Ⅴ「その他」の1は，「買収防衛策の導入の有無」をあげており，そこでは，

- 買収防衛策を導入している会社については，導入の目的およびスキームの概要を簡潔に記載する。この場合の「買収防衛策」とは，上場会社が資金調達などの事業目的を主要な目的とせずに新株または新株予約権の発行を行うこと等による当該上場会社に対する買収（会社に影響力を行使しうる程度の数の株式を取得する行為をいう）の実現を困難にする方策のうち，経営者にとって好ましくない者による買収が開始される前に導入されるものをいう。ここで「導入」とは，買収防衛策としての新株または新株予約権の発行決議を行う等買収防衛策の具体的内容を決定することをいう。
- 当該防衛策の合理性に対する経営陣の評価や意見などを記載することも考えられる。
- 上場会社ウェブサイトで買収防衛策の概要を開示している場合は，そのURLを掲載することが考えられる。
- 会社の財務および事業の方針の決定を支配する者の在り方に関する基本方針（施118条3号参照）を決定している場合にはその内容を記載する。
- 新規上場申請者が，買収防衛策の導入を予定している場合は，その内容を記載する。

旨が規定されている。したがって，これに従って，コーポレート・ガバナンス報告書において買収防衛策の開示がなされることとなる。

　なお，かかるコーポレート・ガバナンス報告書は，制度導入当時（平成18年3月1日），すでに上場されていた株券の発行者も提出する義務を負っていたものである（上場規程同日改正附則3項）。また，上場会社は，コーポレート・ガバナンス報告書をいったん提出した後，その内容に変更を生じた場

---

(59) 2021年6月改訂版。https://www.jpx.co.jp/equities/listing/cg/tvdivq0000008j85-att/tvdivq000000uvc4.pdf 参照。

4-1 実務で用いられる新株予約権を用いた買収防衛策の諸類型

合には，遅滞なく変更後のコーポレート・ガバナンス報告書を提出する必要があるとされている（上場規程419条1項）。

4-2 買収防衛策で用いられる新株予約権の設計と発行手続

■1 買収防衛策で用いられる新株予約権の特徴

(1) 総　論

わが国の買収防衛策において想定される対抗措置の主流は新株予約権の発行を伴うものであるが，その形態としては，理論的には，①（取得条項付）新株予約権無償割当て（法277条～279条）による方法および②募集新株予約権の株主割当てによる方法（法241条）[60]等が考えられる。これらの手法はいずれも，一定の時点における株主（大量取得者を含む）のすべてに対し，新株予約権を割り当てるものである。

もっとも，このうち一般には①の新株予約権無償割当ての方法が用いられている。これは，②の募集新株予約権の株主割当てによる方法は，仮に募集新株予約権と引換えに金銭の払込みを要しないこととする仕組みを採用した場合であったとしても（法236条1項2号参照），株主に対して引受けの申込みの手間を負わせることとなるため（法242条参照），この申込みに要する期間を実務的に必要とせざるをえず，かかる引受けの申込手続が不要な①の新株予約権無償割当ての方法に比して，有事において機動的に対抗措置を発動できない点で防衛効果が劣ると解されることに基因するものと思われる。な

---

[60] 改正前商法下においては新株予約権の無償割当ての方法によることができなかったため，株主割当ての方法を用いざるをえなかった。

お，②の募集新株予約権の株主割当てについてはその差止めを認める明文の規定が会社法上存在するのに対し（法247条），①の新株予約権無償割当てについてはかかる差止規定が明文上は存在しない点もかつてはメリットの1つとして指摘されていたが，前出のブルドックソース事件最高裁決定（最決平成19年8月7日民集61巻5号2215頁）により，①の新株予約権無償割当てについても会社法247条の類推適用が認められることが明確となったことから，この点はもはや①の方法を採用することのメリットとはいえない。

本4−2では特に断りのない限り，対抗措置の内容としては，主として①の（取得条項付）新株予約権無償割当てに焦点をあてることとし，以下，本■1において，買収防衛策において用いられる新株予約権の特徴として，その行使条件（特に差別的行使条件），取得条項（特に差別的取得条項），新株予約権証券の不発行，新株予約権の譲渡制限，その他の特徴の順に説明していくこととする。

なお，このような買収防衛策は，その導入に際して新株予約権の発行を伴うものではないことから，その導入時には必ずしも新株予約権の発行要項ないしその概要の決定が法律上不可欠とされるものではない。また，以下の説明は，実務上，一般的な買収防衛策の導入に際して公表された新株予約権の発行要項ないしその概要について説明をするものであり，後述の信託型ライツ・プランとは異なる。

(2) 行使条件（特に差別的行使条件）

会社法上，新株予約権の内容（法278条1項1号）として一定の行使条件を定めることができる旨の明文の規定は存在しないものの[61]，一般に権利についてその行使の条件を定めることは可能であり，新株予約権の内容としてその行使の条件を定めることも当然に可能であるとされている[62]。

---

(61) もっとも，会社法911条3項12号ニは，「ロ〔筆者ら注：会社法236条1項1号ないし4号に掲げる事項〕ハ〔筆者注：会社法236条3項に掲げる事項〕に掲げる事項のほか，新株予約権の行使の条件を定めたときは，その条件」を登記事項とする。
(62) 相澤哲＝豊田祐子「新会社法の解説(6)新株予約権」旬刊商事法務1742号18頁（2005）参照。

買収防衛策において付与される新株予約権には，当該新株予約権の内容として一定の行使条件を付するとされているのが一般的であるが，その代表的なものは，敵対的買収者またはその一定の関係者もしくは一定割合（たとえば20％）以上の株式を保有する者（以下，「敵対的買収者等」という）は当該新株予約権を行使することができないとする差別的行使条件である。このような差別的行使条件が存在することによって，敵対的買収者等を除く一般株主は付与された新株予約権を行使することができる一方，敵対的買収者等は付与された新株予約権を行使することができないことから，結果的に敵対的買収者等の議決権割合および敵対的買収者等が保有する株式価値が希釈化され，買収防衛の効果が生じることになるわけである。

　この点に関して，新株予約権は株式ではないため，権利内容について株式のような厳格な「平等原則」は存在せず，株主平等原則（法109条1項）との抵触の問題はそもそも生じないとする考え方も従前存していた[63]ところであるが，少なくとも新株予約権の無償割当てについては株主平等原則の趣旨が及ぶ（ただし，必要性および相当性を充足すれば例外が認められる）ことがブルドックソース事件最高裁決定により明確となった[64]。

(3) 取得条項（特に差別的取得条項）

① 趣　旨

　4－1■1(2)②で述べたように，会社法上，取得条項付新株予約権（法236条1項7号）を用いることで，新株予約権者による新株予約権の行使を待たず，会社が強制的に新株予約権を取得し，その対価として普通株式等を交付するものとすることが可能である。

---

[63] たとえば，買収防衛策指針Ⅳ・3（注4）①では，「新株予約権を行使する権利は，株主としての権利の内容ではないことから，新株予約権の行使の条件として，買収者以外の株主であることという条件を付すことは，株主平等の原則に違反するものではない」としていた。
[64] なお，新株予約権無償割当てについても株主平等原則を厳格に適用すべきとの見解として，たとえば，末永敏和「株主平等の原則」森淳二朗＝上村達男編『会社法における主要論点の評価』109頁～111頁（中央経済社，2006）参照。

このように，取得条項を事前警告型買収防衛策の対抗措置としての新株予約権に付すことにより，いわゆる有事の状況において，会社が主導する形で，割り当てた新株予約権を普通株式等に転換せしめることが可能となる。

② 取得条項の具体的設計

対抗措置の発動に伴って株主に割り当てられた新株予約権の取得は，敵対的買収者等の議決権比率の希釈化という防衛効果を，新株予約権者による新株予約権の行使を待つことなく発生させようとするものである。したがって，取得条項の内容は，基本的に，買収者およびその者と一定の関係を有する者に割り当てられた新株予約権については，これを取得しないものとするか，取得する場合でもその対価を議決権普通株式以外の財産とする一方で，それ以外の一般株主に割り当てられた新株予約権については，これを議決権普通株式を対価として取得する，という差別的取得条項とされる。もっとも，事前警告型買収防衛策を導入する段階では，新株予約権の発行要項を同時に公表する必要がないため，具体的状況に応じて柔軟な対応が可能となるよう，どのような内容の取得条項が付されることになるかについては明確にされない場合が多いが，以下，実際に公表された実例をもとに，有事に際してどのような内容の取得条項を付された新株予約権が発行されることになるか，概説する。

まず，買収防衛策における対抗措置として用いられる新株予約権に付される取得条項には，(a)有償取得条項と(b)無償取得条項とが存する（通常，これらは同一種類の新株予約権に同時に付されるが，後者が付されていない実例も存する）ので，以下，順次説明する。

(a) **有償取得条項**

（ⅰ）有償取得条項の具体例

買収防衛策を公表するプレス・リリースにおいて，対抗措置として全株主に対して割り当てられる新株予約権に付することがありうる有償取得条項として，

「1. 当社は，大規模買付者が大規模買付ルールに違反をした日その他の

一定の事由が生じることまたは取締役会が別に定める日が到来することのいずれかを条件として，取締役会の決議に従い，新株予約権の全部または例外事由該当者〔取締役会が所定の手続に従って定める一定の大規模買付者ならびにその共同保有者および特別関係者ならびにこれらの者が実質的に支配しまたはこれらの者と共同ないし協調して行動する者として取締役会が認めた者等〕以外の新株予約権者が所有する新株予約権についてのみ取得することができる旨の取得条項を取締役会において付すことがあり得る。

2. 前項の取得条項を付す場合には，例外事由該当者以外の新株予約権者が所有する新株予約権を取得するときは，これと引換えに，当該新株予約権者に対して当該新株予約権1個につき予め定める数の当社普通株式（以下「交付株式」という）を交付し，例外事由該当者に当たる新株予約権者が所有する新株予約権を取得するときは，これと引換えに，当該新株予約権者に対して当該新株予約権1個につき交付株式の当該取得時における時価に相当する価値の現金，債券，社債もしくは新株予約権付社債その他の財産，または当該新株予約権に代わる新たな新株予約権（これらの全部または一部を当社普通株式に代えることもあり得る）を交付する旨の定めを設けるものとする。」

旨の記載をしている実例が存する[65]。ここで，「取締役会が別に定める日」とあるが，取得条項の内容としてこのような定めがあれば，会社法236条1項7号ロの事由が取得事由として定められていることとなるため，取締役会が取得日を定めた場合には，取得の対象となる新株予約権の新株予約権者およびその登録新株予約権質権者に対し，当該取得日の2週間前までに，当該

---

[65] たとえば，よみうりランドの事前警告型買収防衛策（平成19年2月22日付けプレス・リリース）およびパイロットコーポレーションの事前警告型買収防衛策（平成20年2月25日付けプレス・リリース）を参照。もっとも，よみうりランドの事前警告型買収防衛策はすでに廃止され，現在のパイロットコーポレーションの事前警告型買収防衛策は，例外事由該当者が保有する新株予約権を取得する場合にその対価として金員等の交付は行わないこととされている。

4-2 買収防衛策で用いられる新株予約権の設計と発行手続

取得日および取得する取得条項付新株予約権を通知または公告しなければならない（法273条2項・3項・274条3項・4項）。この場合，取得の効力は，取得日として取締役会が定めた日と上記の取得日等に関する通知または公告の日から2週間を経過した日のいずれか遅い日に生じる（法275条1項）。

上記の実例においては，実際に新株予約権を取得する場合，理論的には，(a)全部の新株予約権を取得する場合と(b)一部の新株予約権のみを取得する場合（この場合でもさらに2つの場合が考えられる）とが考えうるところである。しかしながら，このうち，(a)全部の新株予約権を取得する場合で，かつ，会社法236条1項7号ハの定めおよびこれに基づく決定，通知等（法274条3項・4項）を行わない場合は，(i)一般株主は新株予約権の取得の対価として普通株式を取得し，(ii)大規模買付者等の例外事由該当者は，普通株式の時価に相当する価値の現金，債券，社債もしくは新株予約権付社債その他の財産，または当該新株予約権に代わる新たな新株予約権を取得することとなるが，会社法236条1項7号ハの定めを用いることなく，株主ごとに取得の対価を異なるものとすることは法が予定していないと解されるから（法236条1項7号イ・ニ〜チ参照），結論的にはかかる全部の取得は認められず，後述の複数の一部取得を同時に行うこととなろう。これに対し，(b)一部の新株予約権のみを取得する場合には，(i)一般株主は新株予約権の取得の対価として普通株式を取得し，(ii)大規模買付者等の例外事由該当者は，(その保有に係る新株予約権は取得されないため）新株予約権を保持したままとなるか，あるいは，(i)' 一般株主は，取得条項の効果としてではなく，新株予約権を行使することによって普通株式を取得し，(ii)'大規模買付者等の例外事由該当者は，新株予約権の取得の対価として，普通株式の時価に相当する価値の現金，債券，社債もしくは新株予約権付社債その他の財産，または当該新株予約権に代わる新たな新株予約権を取得することとなる。いずれの仕組みを活用すべきかは，後述する取得対価の差別化に関する問題を踏まえて，当該事案における対抗措置発動の必要性，相当性も勘案しながら個別具体的に決すべきことになろう。

なお，上記のとおり(a)の「全部の新株予約権を取得する場合」には，実際上，一般株主からの取得と，大規模買付者等の例外事由該当者からの取得を，それぞれ別個の取得事由とすることとなる。これは，ブルドックソースが実施した新株予約権無償割当てに係る新株予約権の発行要項に定められていたタイプのもの[66]であり，いずれも取得事由の記載としては，「取締役会が別途定める日」とするものであるが，仮に同日であっても取得対象者ごとに取得日を定める取締役会決議を行うこととなり，それゆえ，これらの取得条項に基づく取得は，一部取得となる（法236条1項7号ハ）。

　このように取得条項を複数の一部取得条項で構成する理由は，取得条項付新株予約権の取得による対価としての株式の交付について譲渡損益の繰延べを認めている法人税法61条の2第14項5号，所得税法57条の4第3項5号が，繰延べの要件として「取得事由の発生によりその取得の対価として当該取得をされる新株予約権者に当該取得をする法人の株式のみが交付される場合の当該取得事由の発生」〔傍丸筆者〕と規定しているところ，1つの取得事由で買収者と買収者以外の新株予約権者について対価を異なるものとする取得条項の場合には，上記のとおり会社法上の解釈における限界があることに加え，その取得によって株式と株式以外の財産の2種類の取得対価が交付されることとなるため，上記の「当該取得をする法人の株式のみが交付される場合」に該当するといえるかどうかについても疑義が生じるのに対し，取得対価ごとに取得事由を複数構成した場合には，株式のみを取得対価とする買収者以外の新株予約権者に関する取得条項については，「当該取得をする法人の株式のみが交付される場合」ということができるため，上記課税繰延べの要件に少なくとも形式的に合致するという，税務上の理由にもよるものと考えられる（後述■3(1)参照）。

---

[66]　平成19年6月24日付けプレス・リリース「当社定時株主総会特別決議に基づく新株予約権無償割当てに関するお知らせ」別紙「新株予約権無償割当ての要項」10.の(1)および(2)，http://www.bulldog.co.jp/company/pdf/070625_IR1.pdf参照（後述4-4■2事例4-10に所収）。

図表4-3　ありうる有償取得条項の整理

	全部の新株予約権を取得する場合	一部の新株予約権のみを取得する場合	
一般株主の取得の対価	普通株式	普通株式	N/A（新株予約権が取得されないため）
例外事由該当者の取得の対価	普通株式の時価に相当する価値の現金，債券，社債もしくは新株予約権付社債その他の財産，または当該新株予約権に代わる新たな新株予約権（これらの全部または一部を当社普通株式に代えることもありうる）	N/A（新株予約権が取得されないため）	普通株式の時価に相当する価値の現金，債券，社債もしくは新株予約権付社債その他の財産，または当該新株予約権に代わる新たな新株予約権（これらの全部または一部が当社普通株式に代えられることもありうる）

(ii) 取得対価の差別化

差別的取得条項等が付された新株予約権については，敵対的買収者等は新株予約権を行使できず，または会社による取得もなされず，経済的損失を被るリスクを常に抱えることとなるが，このような新株予約権を株主に対する無償割当ての方法で取締役会決議のみで発行し得るかについては，かねてより，敵対的買収者等以外の一般株主に対する有利発行（法240条1項・238条3項）に該当するものとされる場合があり得ることが指摘されているところである[67]。この有利発行規制の趣旨は，一般に，株主が取締役会決議のみで経済的価値の希釈化による損失を被ることを防止することとされていることから，敵対的買収者等に経済的損失を与えることなく議決権の希釈化を図ることができれば，有利発行規制の適否を問題とすることなく，結果的に，取締役会決議のみで新株予約権無償割当てを行うことが可能になるとも解し得る。取得条項付新株予約権における取得対価の種類としては，株式に限ら

---

[67] 葉玉匡美「TOBと買収防衛策」T&A master 176号40頁（2006）参照。この問題については後述■2(2)③を参照。

ず，あらかじめ取得条項に定めておく限り，金銭，社債，新株予約権付社債，新たな新株予約権をはじめとするあらゆる財産を定めておくことが可能である（法236条1項7号ニ～チ）ため，敵対的買収者等以外の新株予約権者には普通株式を，敵対的買収者等に該当する新株予約権者には普通株式以外の財産であって当該普通株式の価値に相当する価値を有するものを，それぞれ取得対価として交付することにより，敵対的買収者等に経済的希釈化による損失を与えることなくその議決権の希釈化を生ぜしめ，もって防衛効果を確保することが可能である。このような考慮を背景として，取得条項を用いて，敵対的買収者等に該当する新株予約権者とそれ以外の一般株主である新株予約権者との間で，当該新株予約権の取得の対価を異なるものとするタイプの取得条項付新株予約権の株主に対する無償割当てを対抗措置として用いる買収防衛策が登場するに至った。

　なお，企業価値研究会報告書2(1)においては，「買収者に対する金員等の交付を行うべきではない」とされているものの，4－1■3(2)③のとおり，当該記述は，買収者に対して金銭等を交付することにより対抗措置の相当性が確保される場合があるというブルドックソース事件最高裁決定の考え方を否定するものではなく，その力点は，どのような場合に買収者に対して経済的補償を付与しなくとも買収防衛策の発動が「相当性」を有するものとされ，ひいては適法とされるのかについての考え方を明らかにしようとした点にあるものと解すべきであろう。もっとも，上記企業価値研究会報告書の記載や機関投資家等から否定的評価を受け，前述のとおり，買収者に対する金員等の交付にかかる記述を削除する例も増えている。他方で，後述4－4■3において詳述する東芝機械の買収防衛策のように，例外事由該当者には，取得する新株予約権の対価としては，現金や債権等の財産ではなく，行使に一定の制約が付された別の新株予約権とする設計することも考えられ，4－1■4(4)②および(5)②のとおり，日本アジアグループ事件や富士興産事件の事案でも同様のスキームが採用されたように，今後は同様の事例が増加するのではないかと思われる。

(b) 無償取得条項

対抗措置として用いられる新株予約権に，一定の場合に無償にてすべての新株予約権を取得しうる旨の取得条項を付すものとされている事例が見受けられる。具体的には，①株主総会において大規模買付者の買収提案について普通決議による賛同が得られた場合，②株主総会において大規模買付者の提案に係る取締役候補者全員が取締役として選任された場合，③いわゆる第三者委員会の全員一致による決定があった場合，および④その他取締役会が別途定める場合には，対抗措置として発行された新株予約権の全部が無償で取得される旨定められた取得条項が付されていることがある。

かかる取得条項は，有事において対抗措置の発動により新株予約権が付与された後，大規模買付者が買収提案における対象会社株式の買取価格を引き上げたこと等により，当該買収提案が企業価値や株主共同の利益の最大化に資することとなったと判断される場合等において，速やかに対抗措置を解除することを可能とするために設けられるものであり，新株予約権を対抗措置として用いる買収防衛策の合理性・適法性を高めるものと解される[68]。

(4) 差別的取得条項等を定めた新株予約権発行の決定機関に関する定款規定

① 取締役会決議のみで差別的取得条項等の付された新株予約権の無償割当て等を行いうることを定める定款規定

ブルドックソース事件最高裁決定において，新株予約権無償割当てにも株主平等原則の適用があることが明らかにされたことは前述(2)記載のとおりであるが，そもそもこのように買収防衛策において用いられる新株予約権について株主平等原則違反や不公正発行該当性が問題となる理由は，新株予約権に差別的取得条項等が付されているからに他ならない。そして，差別的取得条項等の付された新株予約権の無償割当てないし募集について法令違反ない

---

[68] 買収防衛策指針Ⅵ・2（6）（11）参照，江頭・株式会社法822頁注4参照。

し不公正発行の問題を生ずるとの疑義を可及的に払拭するための最も重要なファクターが株主意思への依拠であることは，（そのことが理論的に見て正鵠を射たものであるか否かはともかくとして）買収防衛策指針やブルドックソース事件最高裁決定が示すところであり（前述4－1■3(1)および4－1■4(2)参照），株主意思を確認するための最良の方法は，新株予約権の発行段階（すなわち防衛策の発動段階）における株主総会決議である。しかしながら，防衛策の発動段階においては実務上緊急性が要求されることがほとんどであり，このような緊急の状況下において株主総会決議を取得できる時間的猶予はないことも想定される。

そこで，防衛策の導入時ないし導入後買収者登場前の段階において，定款を変更し，差別的取得条項等の付された新株予約権を取締役会の決議のみで無償割当て等することができる旨を定めておくことが考えられる。たとえば，代表的な対抗措置である新株予約権無償割当てについていえば，会社法278条3項本文により，取締役会設置会社においては，その決定機関は，取締役会と定められていることから，形式的な機関権限の根拠規定としては定款規定は不要であるものの，このような定款規定をあえて設けることにより，（もちろん防衛策発動の他の要件も満たしていることが前提であるが）有事における差別的取得条項等の付された新株予約権の発行が定款の裏づけを有することとなり，新株予約権の発行段階において，株主総会の（特別）決議を改めて取得しなくとも，法令違反や有利発行ないし不公正発行該当性の問題に関する疑義を可及的に払拭することに資するのではないかとも考えられる。

なお，実務上，このような定款変更を行っている例として，パイロットコーポレーションの事前警告型防衛策がある。

事例4－1：パイロットコーポレーションの定款規定

> **第41条（新株予約権の内容）**
> 　取締役会は，その発行する新株予約権を引き受ける者の募集をしようとするときまたは新株予約権無償割当てを行う場合には，新株予約権の内容として，以下の事項を定めることができる。
> (1) 対応方針で定める者（以下，「買収者等」という。）による当該新株予約権の行使は認められないものとすること
> (2) 当会社が当該新株予約権の一部を取得することとするときに，買収者等を除く新株予約権者が所有する当該新株予約権のみを取得することができるものとすること

② 取締役会決議のほか株主総会または株主総会の委任を受けた取締役会決議によっても差別的取得条項等の付された新株予約権の無償割当て等を行いうることを定める定款規定

　対抗措置の発動が株主の意思に基づいていることを可及的に確保するという観点からは，対抗措置としての差別的取得条項等の付された新株予約権の無償割当て等の決定機関を株主総会とすることが考えられる。代表的な対抗措置である新株予約権無償割当てについていえば，会社法278条3項本文は，取締役会設置会社における新株予約権無償割当ての決定機関を取締役会と定めているため，その権限を株主総会に付与するには，同項ただし書に基づく「別段の定め」が必要となる。ただし，対抗措置発動の機動性という観点からは，取締役会決議のみによる発動の余地を放棄するまでの必要はないため，結局，定款規定のあり方としては，株主総会（その委任に基づく取締役会を含む）と取締役会のいずれについても無償割当ての決定権限があるとすることが実務上最も便宜であろう（なお，取締役会はもともとかかる決定権限自体は有しているのであるから，取締役会についてかかる無償割当ての決定権限がある旨を明記する意味は，むしろ差別的取得条項等の付された新株予約権無

償割当てを取締役会決議のみで実施し得ることについての株主からの authorization ということになろう。この点については，前述①を参照されたい)。ブルドックソース事件においても，このような定款変更が行われ，株主総会を決定機関として，その特別決議に基づき（ただし，詳細事項の決定は取締役会に委任された），新株予約権無償割当てが実施された。

以下にブルドックソースの定款規定を掲げる。

事例4－2：ブルドックソースの定款規定

> **第18条（新株予約権無償割当てに関する事項の決定）**
> 1．当会社は，当会社の企業価値および株主共同の利益の確保・向上のためになされる，新株予約権者のうち一定の者はその行使または取得に当たり他の新株予約権者とは異なる取扱いを受ける旨の条件を付した新株予約権に係る新株予約権無償割当てに関する事項については，取締役会の決議によるほか，株主総会の決議または株主総会の決議による委任に基づく取締役会の決議により決定する。

(5) 新株予約権証券の不発行

事前警告型買収防衛策において株主に付与される新株予約権については，通常，新株予約権証券を発行しないものとされている（法236条1項10号参照）。新株予約権証券の発行は大きな事務負担を伴うものであるのみならず，仮に会社が証券発行新株予約権について取得をする場合には，取得日の1か月前までに通知および公告をすることが要求されているところ（法293条1項1号），新株予約権証券を発行していない場合には，この規制は及ばず（同項柱書参照），より迅速な形で敵対的買収者等の議決権の希釈化を図ることができるためである。

なお，付言すると，仮に新株予約権証券を発行するとした場合，新株予約権について譲渡制限を定めたとしても，新株予約権証券を交付することによ

り，第三者に対抗しえなくなること（法257条1項・2項）[69]には注意を要する。

(6) 新株予約権の譲渡制限

買収防衛策で付与される新株予約権には譲渡制限を付すものとされることが通常である（法236条1項6号）。これは，敵対的買収者等が当該新株予約権を買い集めることにより，敵対的買収者等の議決権を希釈化することができなくなるのを防止すること，一般株主に付与される新株予約権については会社側が強制取得して対価として普通株式を交付することが想定されており，その間に新株予約権が転々流通されることにより手続が煩雑になることを避けること等の趣旨によるものである。

(7) その他の特徴

① 割当比率

事前警告型買収防衛策において付与される新株予約権は，株主が保有する株式1株について何個，という形で割り当てられることとなる（法278条2項参照）。割当ての比率について，導入の際には1株当たり1個とされていることが多いものの，必ずしもこれに限定される理由はなく，現にブルドックソースの事例では1株あたり3個の新株予約権が割り当てられた。

② 目的株式数

事前警告型買収防衛策において付与される新株予約権の内容のうち，目的である株式の数（法236条1項1号，以下，「目的株式数」という）は，原則として1株とされることが，実務上，圧倒的に多い[70]。

いずれにせよ，取締役会による裁量の余地を残す定めがなされている場合

---

[69] 無記名新株予約権の場合には，新株予約権証券を交付することにより当該新株予約権の譲渡を会社にも対抗し得ることとされているため（法257条3項），新株予約権に譲渡制限を付することは無意味である（相澤＝豊田・前掲注（63）23頁注4，会社法コンメンタール(6)170頁〔川口恭弘〕参照）。

[70] 他方で，2株以下などという例もある（日清製粉グループ本社等）。

には,目的株式数については,対抗措置の発動時に敵対的買収者等の議決権割合の希釈化率と発行可能株式総数（いわゆる授権枠）を睨みつつ,状況に応じて取締役会がこれを定めることとなる。

なお,対抗措置発動の際に定めた目的株式数（上記①の割当比率も同様）について,すべての新株予約権が行使された場合には発行可能株式総数が不足することとなる場合でも,行使期間の初日が到来するまでに発行可能株式総数を拡大させれば足りる（法113条4項）[71]。

③ 権利行使価額

行使に際して出資される財産の価額（法236条1項2号。以下,「権利行使価額」という）は,「1円」または「1円以上で取締役会が定める額」などとされていることが多く,具体的な権利行使価額については対抗措置発動の際に決定されることとなるが,あまりに高額な権利行使価額の設定は新株予約権者による新株予約権の行使を阻害することになり,結果として敵対的買収者等の議決権の希釈化効果を弱めかねないことになるので,実務上,権利行使価額そのものを高額に設定するメリットは乏しい。また,新株予約権に取得の対価を株式とする取得条項が付され,会社が取得条項を行使した場合には,当該新株予約権は行使されないため,権利行使価額の定めが有する意味はほとんどない。

ただし,後述■2(3)③のとおり,上場株式を目的とする新株予約権無償割当てであれば,常に金融商品取引法上の「募集」（金商2条3項）に該当し,法定の開示書類の提出が要求されうるところ,権利行使価額次第で提出するべき開示書類の種類が変わりうることになる。

④ 行使期間

新株予約権を行使することができる期間（法236条1項4号,以下,「行使期間」という）については,買収防衛策の導入時には明確にされていないことが多い。

---

[71] 相澤哲＝岩崎友彦「新会社法の解説(3) 株式（総則・株主名簿・株式の譲渡等）」旬刊商事法務1739号41頁（2005）参照。

行使期間の定めも，上記③の権利行使価額と同様，会社が取得条項を用いて敵対的買収者等の議決権割合の希釈化を企図する場合には，大きな意味を持たないこととなる。

2 買収防衛策において用いられる新株予約権に関するその他の主要な論点

(1) 総　　論

買収防衛策において用いられる新株予約権を設計するにあたって検討すべきその他の主要な論点として，有利発行該当性の問題，不公正発行該当性の問題等が存する。以下，これらに関する問題の所在を簡潔に説明するとともに，それらの問題に対処するため実務では具体的にどのような方法が用いられているか，概説する。

(2) 内　　容

①　株主平等原則との関係

事前警告型買収防衛策において新株予約権無償割当てにより発行される新株予約権には，前述のとおり，差別的取得条項等が付されていることから，かかる新株予約権を割り当てる新株予約権無償割当ては，株主平等原則に違反するのではないかが問題となる。この問題は，(ⅰ)そもそも新株予約権無償割当てに「株主」平等の原則ないしその趣旨が及ぶか，という論点と，(ⅱ)及ぶとした場合に，どのような場合に株主平等原則ないしその趣旨に反するか，という論点の2つからなる。

ブルドックソース事件最高裁決定は，(ⅰ)については，新株予約権無償割当てにも株主平等原則の趣旨が及ぶ旨を判示したうえで，(ⅱ)については，基本的に買収防衛策としての新株予約権無償割当てを実施する必要性（「特定の株主による経営支配権の取得に伴い，会社の存立，発展が阻害されるおそれが生ずるなど，会社の企業価値がき損され，会社の利益ひいては株主の共同の利益が

害されることになるような場合」かどうか）とその対抗措置としての相当性が満たされれば例外的に株主平等原則の趣旨に反しないとした。そのうえで，最高裁は，前者については原則として株主の判断が尊重されるとし，後者については，株主の判断（賛成した株主の割合）に加えて買収者が被る経済的不利益に対する手当ての有無を考慮して判断している。同決定は，有事導入の事例に関する裁判例であり，平時において導入される事前警告型防衛策において対抗措置として用いられる新株予約権については，潜在的な敵対的買収者等にも大規模買付行為等に踏み切った場合の結果に関して予測可能性が存することから，裁判所においてより広く対抗措置としての相当性が認められる可能性が相当程度あるものと解される。実際に前述4－1■4(3)の日邦産業事件においては，事前警告型買収防衛策に関して，買収防衛策導入後に買収者が追加取得していた株式に関する希釈効果による不利益については，「事前警告がされた上で敢えて行われたものであるから，当該対抗措置が現実に発動されることになったからといって，相手方が抗告人に経済的補償をしなければならないものではない」と述べ，買収防衛策導入前の取得株式と区別して議論しており，裁判所も，予測可能性について一定の考慮を行っている点が注目される（なお，結論としては，買収防衛策導入前の取得株式に関する希釈効果との関係でも相当性を認めている）。これらの詳細については，前述4－1■4(2)および(3)を参照されたい。

② **不公正発行該当性**

会社が法令・定款に違反し，または著しく不公正な方法により新株予約権を発行することによって株主が不利益を受けるおそれが存する場合には，株主は，会社に対しその発行の差止めを請求することができる（法247条2号）。前述のとおり，ブルドックソース事件最高裁決定は，法令等違反あるいは著しく不公正な新株予約権無償割当てについて会社法247条の類推適用が認められることを前提に判示を行っているため，新株予約権無償割当てについてもそれが不公正発行に該当するか否かが裁判所において審査されうることとなる。この場合の不公正発行への該当性に関する判断基準についてもやは

り、ブルドックソース事件の最高裁決定が示した基準が重要である（その詳細は、前述4-1■4(2)で紹介したとおりである）が、同決定は、不公正発行該当性の判断要素の1つとして、防衛策の導入時期について触れており、「確かに、会社の経営支配権の取得を目的とする買収が行われる場合に備えて、対応策を講ずるか否か、講ずるとしてどのような対応策を採用するかについては、そのような事態が生ずるより前の段階で、あらかじめ定めておくことが、株主、投資家、買収をしようとする者等の関係者の予見可能性を高めることになり、現にそのような定めをする事例が増加していることがうかがわれる」と判示している。この判示部分からは、裁判所が、「平時」において買収防衛策をあらかじめ導入しておき、潜在的な敵対的買収者等に対して予見可能性を付与しておくことは、新株予約権無償割当てが不公正発行に該当すると認定されないようにするための1つの要素である、と考えていることがうかがえる。

このほか、ブルドックソース事件最高裁決定によれば、新株予約権の無償割当てが不公正発行に該当するか否かに関しては、対抗措置導入・発動の経緯・目的、敵対的買収者等の属性、それが現に行っているまたは行おうとしている大規模買付行為等の持つ強圧性、対抗措置の発動に際しての株主総会の決議の有無および株主の間における当該決議の賛否に関する分布、等々のファクターが裁判所によって考慮されることになるものと考えられるが、この判断は最終的には個別具体的な事実関係に依存したケース・バイ・ケースの判断とならざるをえないであろう。

なお、ブルドックソース事件後に、同事件最高裁決定の判旨を引用して、差別的取得条項付新株予約権無償割当てに基づき発行された新株予約権の行使による新株発行の差止めを認めた事例がピコイ事件である。同事件は、ピコイの取締役会が、株主側による、現取締役5名の解任と新取締役6名の選任を目的事項とする臨時株主総会の招集請求に対抗して実施した、差別的取得条項付新株予約権の無償割当て（ピコイ株式1個に対して新株予約権3個の割合で割り当てられるが、非適格者〔上記臨時株主総会の招集請求を行った株

第Ⅱ編　第4章　買収防衛策と新株予約権

等〕に割り当てられた新株予約権は，割当ての効力発生と同時に，現金またはそれに相当する上場株式等の有価証券を対価として取得され，消却されるというもの）に対して，「非適格者」の株主側が，この新株予約権無償割当ては株主平等原則に反し著しく不公正な発行に当たることを理由として，他の株主に割り当てられた新株予約権の行使に基づく新株の発行の差止めを求めたものである。東京高裁は，この不公正発行性の点につき，東京高裁平成20年5月12日決定（金判1298号46頁）において，ブルドックソース事件最高裁決定の判示を引用したうえで，ピコイの経営陣が，最大株主の協力を得て上記臨時株主総会で株主提案を否決することを目論んだが，これが奏功しない見込みとなったため，上記最大株主の議決権行使を制約する仮処分申立てに及んだものの，これも認容の見込みがないことから取り下げ，急遽，ピコイ従業員らをして労働組合を結成させ（東京高裁は，結成日，経緯に照らして，このように推認できるとする），上記臨時株主総会を開催不能としたうえ，上記新株予約権無償割当てを実施したという経緯に照らすと，上記新株予約権無償割当ては，ピコイ経営陣の経営支配権を維持するためのものであり，また，現経営陣に代わって上記最大株主らが経営支配権を取得し，ピコイの経営に関与することになったとしても，ピコイの企業価値が毀損されることにはならないから，結局上記新株予約権無償割当ては株主平等原則の趣旨に反し，著しく不公正な方法によるものとして，これに基づき発行された新株予約権の行使による新株の発行の差止めを認めた。このように，ピコイ事件における対抗措置としての新株予約権無償割当ては，取締役会決議のみで実施され，ブルドックソース事件と異なり株主総会による承認を経ていないものであった。このほか，取締役会限りでの対抗措置の発動に対する裁判例として，前述4－1■4(3)の日邦産業事件や前述4－1■4(4)の日本アジアグループ事件も参照されたい。

③　有利発行への該当性の問題

新株予約権の第三者割当てによる発行については，(i)無償で発行され，かつそれが新株予約権を引き受ける者にとって「特に有利な条件」である場

合、または(ii)払込金額が新株予約権を引き受ける者に「特に有利な金額」である場合には、いわゆる有利発行に該当するものとされ、株主総会の特別決議が必要とされる（法238条2項・3項1号・2号・309条2項6号）。

　他方で、新株予約権無償割当てについては、第三者割当てではなく、株主の有する株式の数に応じて割り当てられるものであり（法278条2項）、当然ながら上記の有利発行に関する規定の適用はないことから、会社法上の有利発行規制は一切及ばないとする考え方もありうる。この点は、ブルドックソース事件最高裁決定においては、そもそも株主総会の特別決議で新株予約権無償割当てが決議されていたためか、特段問題とされなかった。もっとも、有利発行規制の趣旨を既存株主の保有する財産的価値の保護と捉える限り、新株予約権無償割当てについて・の・み既存株主（敵対的買収者等を含む）の保有する財産的価値を保護しないとする合理的理由も特に見出し難いこと、特に、前述のとおり、事前警告型買収防衛策における対抗措置として用いられる新株予約権につき差別的取得条項等が付される場合には、実質的には敵対的買収者等に対して新株予約権は割り当てられていないに等しい（もっとも、実務で用いられている買収防衛策においては、敵対的買収者等には、当該割り当てられた新株予約権を取締役会の承認を得るなどして第三者に譲渡して経済的価値の回収を図る途は残されているのが通例である）ことから、第三者割当てによる発行に準じ、いわゆる有利発行規制に反するのではないかと指摘される場合がある[72]。前述のとおり、対抗措置として用いられる新株予約権には通常譲渡制限が付されるところ、譲渡制限新株予約権は、譲渡制限株式の場合と異なり（法140条参照）、会社が譲渡を承認しないときでも、会社には当該新株予約権を買い取り、または指定買取人を指定する義務は生じないとされているため、会社の判断により当該新株予約権を譲渡する途が奪われる場合があり、このことを重く見れば、特に敵対的買収者等については、その投下資本の回収機会が奪われる可能性があるとして、そのような内容の差別

---

[72] 葉玉・前掲注（67）40頁参照。

的取得条項等が付された新株予約権無償割当てを有利発行規制に服せしめるべきとの考え方に至る可能性もあろう。

そこで，このような有利発行規制との抵触の問題を可及的に払拭するため，(i)新株予約権に取得条項を付し，敵対的買収者等の属性により新株予約権の取得の対価を選択できるようなスキームを採用することで，敵対的買収者等の属性によってはその保有する新株予約権の価値に応じた経済的対価が交付される可能性を残しておく方法（前述■1(3)②(a)参照）や，(ii)取締役会限りで差別的取得条項等が付された新株予約権の無償割当てを行うことができる根拠規定を定款に設ける方法（前述■1(4)①参照）を採用する例も見られる。

もっとも，会社法のもとにおける新株・新株予約権の有利発行に関する規制の趣旨は既存株主の保護にあり，損害を受けることとなる既存株主が特別多数決により承認するのであれば，特定の者が利益を享受するような新株・新株予約権の発行も許容される，という規制であるのに対し，買収防衛目的で行われる新株予約権無償割当ては，これによって特段の不利益を受けない（むしろ敵対的買収者等の議決権が希釈化される分，反射的に利益を受けることになる）多数派の株主による決議またはこれによって選任された取締役から成る取締役会の決議によって実施されるものであって，前提としている利害状況がまったく異なる点に留意する必要がある[73]。また，前述4－1■4(3)②で述べたとおり，日邦産業事件における新株予約権無償割当てについて，買収者に対する経済的補償がなく，株主間の価値の移転を伴うものであるから，第三者に対する有利発行と同様，株主総会の特別決議が必要とされるべきであるとの主張がなされたのに対して，異議審決定は，会社法上，取締役

---

[73] 有利発行を受ける者が，既存株主の一部である場合，当該既存株主の参加により特別決議が得られたとしても，特別利害関係人の議決権行使による著しく不当な決議として，決議取消事由となる可能性が高い（法831条1項3号。新注会(5)325頁〔岩原紳作〕参照）。とすれば，結局当該有利発行決議が瑕疵なく行われるためには，割当てを受けていないと同視される敵対的買収者等のみによる特別決議を経ることが必要となるものと解されるが，そのような決議が成立することはありえない。

会設置会社においては，新株予約権無償割当てを取締役会決議で行うことができること，新株予約権無償割当てには有利発行規制が存在しないこと，株主割当てによる新株発行の場合にも有利発行規制の適用は排除されていること，支配株主の異動を伴う募集株式の発行等に際して株主総会決議が必要となる場合でもその決議要件は普通決議で足りるとされていることから，買収防衛策の導入につき，株主総会特別決議が必要であると解することはできないと判断しており，抗告審決定も概ねかかる判断をそのまま是認していることから，有利発行への該当性を否定したものと考えられる。

したがって，結論的に，この問題をあえて有利発行規制との関係において論じなければならない必然性は必ずしも存しないように思われる。

(3) 新株予約権無償割当ての手続

① 基準日の設定方法

買収防衛策に基づいて新株予約権の無償割当てを実施するにあたっては，一定の時点において無償割当ての対象である株主を特定する必要があり，会社は会社法124条1項に基づく基準日を設定することとなる[74]。

② 基準日，効力発生日，行使期間の初日の関係

新株予約権無償割当てを実施した場合には，新株予約権無償割当てがその効力を生ずる日後遅滞なく各株主が割当てを受けた新株予約権の内容および数について通知しなければならないものとされている（法279条2項）。この通知は，通知対象者である株主が特定されなければ行うことができないから，株主の確定作業に要する期間も考慮のうえ，通知の日を設定する必要がある。なお，新株予約権無償割当てを受けた株主に対しては新株予約権の行使の準備をする時間的余裕を与える必要があることから，行使期間の末日が当該通知の日から2週間を経過する日前に到来するときは，行使期間は，当

---

[74] 会社法278条の新株予約権の無償割当てについては，取締役会決議により実施することができるとされており（法278条3項），会社法上，必ずしも事前に公告したうえで基準日を設定することは要求されていないが，買収防衛策が問題となる上場会社においては，総株主通知（社振法151条1項1号）を受けるべく，基準日を設定することが，実務上は必要となろう。

該通知の日から2週間を経過する日まで延長されたものとみなされる（法279条3項）。

③ 会社法277条による新株予約権無償割当てと金融商品取引法上の「募集」への該当性（開令ガ2－3）

新株予約権は金融商品取引法上の有価証券であり（金商2条1項9号・2項前段），その発行が募集または売出しに該当する場合には，有価証券届出書または有価証券通知書の提出が必要となりうる（金商4条1項本文・6項本文）。この点，新株予約権無償割当ては，当該割当てがなされる段階ではそもそも「取得の申込みの勧誘」に該当する行為がないようにも思われるが，企業内容等開示ガイドライン2－3は，「会社法第277条の規定による新株予約権無償割当てについては，新株予約権の取得勧誘に該当することに留意する」としていることから[75]，対象会社が上場会社等のいわゆる開示会社（金商24条1項）である場合（および開示会社でなくとも割当ての対象である株主の数が50名[76]以上である場合）には原則として「募集」に該当する（金商2条3項1号，金商令1条の5）[77]こととなるため，行使価額の総額[78]が1億

---

[75] その理由は，新株予約権の行使時の払込みを含めて考えると実質的には株主割当てによる株式の募集と同様であることがあげられている（「『証券取引法等の一部を改正する法律の施行等に伴う関係ガイドライン（案）』に対するパブリックコメントの結果について」（平成19年10月2日）別紙1「コメントの概要及び金融庁の考え方」（以下「平成19年10月パブコメ結果」という）No.2（http://www.fsa.go.jp/news/19/syouken/20071002-1/01.pdf）参照）。もっとも，行使を予定していない買収防衛目的の新株予約権についてかかる理由づけが説得的といえるか，疑問なしとしない。

[76] 割当対象株主中に適格機関投資家が含まれており，当該適格機関投資家から適格機関投資家以外の者に譲渡されるおそれが少ないものとして政令（金商令1条の4第1号）で定める場合に該当するときは，当該適格機関投資家は50名の算定から除かれる（金商2条3項1号）。

[77] 割当対象株主の数が50名以上であっても，それがすべて適格機関投資家である場合には「募集」に該当しない（金商2条3項1号）。逆に，割当対象株主の数が50名未満であっても，いわゆるプロ私募（同項2号イ，金商令1条の4第1号），特定投資家私募（金商2条3項2号ロ，金商令1条の5の2第2項2号）または少人数私募（金商2条3項2号ハ，金商令1条の7第1号）のいずれにも該当しない場合には「募集」に該当する。対象会社が上場会社である場合には，新株予約権の行使により取得される株券はその発行者が有価証券報告書提出義務を負うものであるため，常に「募集」に該当することとなる。

[78] 規定上は発行価額と行使価額の合計が1億円以上であれば提出義務があるが，無償割当ての場合，発行価額はゼロと解されるから，行使価額の総額で計算することとなる。

円以上であるときは有価証券届出書の提出義務があり（金商4条1項柱書・5号，開令2条3項1号）[79]，それ以外の場合で，行使価額の総額が1,000万円を超える場合には有価証券通知書の提出義務がある（金商4条6項，開令4条5項）[80]。

④ 発行登録の利用

有価証券届出書の提出が必要な場合において，有価証券の募集または売出しを一定の日における株主名簿に記載された株主に対して行うに際し，発行登録を行っていない場合には，当該一定の日（つまり，新株予約権無償割当ての効力発生日）の25日前までに有価証券届出書を管轄財務局に提出する必要がある（金商4条4項）。他方，発行登録を行っている場合には，当該一定日（つまり，新株予約権無償割当ての効力発生日）の10日前までに発行条件等のみを記載した発行登録追補書類を管轄財務局に提出することで足り（金商23条の8第3項），前者に比し速やかな新株予約権の割当てが可能となる。

発行登録を行うためには，1年間以上継続して有価証券報告書を提出していることに加え，①新株予約権に関し有価証券届出書を提出する日（割当期日前25日以前の日）前6カ月のいずれかの日（以下，「算定基準日」という）以前3年間の有価証券市場における売買金額の合計を3で除して得た額が100億円以上であり，かつ，②3年平均時価総額（算定基準日，算定基準日の前年の応当日および算定基準日の前々年の応当日の時価総額の合計を3で除して得た額）が100億円以上，といった一定の要件を満たす必要がある（金商23条の3第1項・5条4項，開令9条の4第5項1号）。

---

(79) なお，この場合，新株予約権無償割当てを受ける株主に対し，当該無償割当てがその効力を生ずる日までに目論見書を交付する必要がある（金商15条2項，平成19年10月パブコメ結果No.2)。

(80) 有価証券通知書は「当該特定募集等が開始される日の前日までに」提出するものとされているところ（金商4条6項本文），対抗措置発動に関するプレス・リリースをもって「募集」がなされたと解される可能性を考慮し，決議の前日までに提出することも考えられるが，その記載内容はもちろん，添付書類に議事録が要求されることからも（開令4条2項1号ロ），かかるタイミングでの提出は不可能である。したがって，無償割当ての効力発生が「募集」に該当するものと解したうえで（かかる解釈は企業内容等開示ガイドライン2-3の文言に反するものではない），当該効力発生日の前日までに提出すれば足りるものと解すべきであろう。

(4) 行使手続

　買収防衛策に係る新株予約権の発行要項ないしその概要において，新株予約権の行使方法や，行使時点の認定方法に関する規定が置かれているものも存する。

　行使方法については，新株予約権を行使しようとする者が，新株予約権の行使条件において行使できないこととされている者に該当しない旨誓約する記載を含む行使請求書の提出によって行うこととするものが実務上よく見られる。もっとも，実際には株主からの行使を待たず会社から取得することが通常であろう（前述■1(3)①参照）。

(5) 取得手続

① 電子公告と「公告の日」および公告期間

　会社法236条1項7号ハに基づく一部取得の効力発生日については，早くても会社法274条3項による通知の日または同条4項の公告の日から2週間を経過した日となる（法275条1項2号参照）。会社法274条3項および4項に基づく公告を利用する場合，当該「公告の日から2週間を経過した日」に一部取得の効力が発生することとなる。ここで，会社法274条4項の公告を電子公告により行う場合，当該公告を(a)会社法940条1項1号の公告ととらえるか，(b)同項4号の公告ととらえるか，という点が問題となるが，会社法の立案担当者は(a)説に依っているようであり，公告期間の末日は，公告の開始後2週間を経過する日とされている[81]。

② 株券電子化に伴う実務上の問題

　平成21年1月5日の株式等決済合理化法の施行により，上場会社が振替株式制度に移行したこと（いわゆる株券電子化）に伴い，対抗措置の発動に際しての具体的な手続に変容が生じた。すなわち，取得条項付新株予約権を

---

[81] 松本真「電子公告の公告期間」登記情報544号7頁（2007）参照。

取得し，その対価として株式を交付する場合，会社は当該交付を新規発行により行うのであれば新規記録手続（社振法130条）を，自己株式の処分により行うのであれば振替手続（社振法132条）を行う必要があるが，いずれの手続による場合も，当該交付を受ける株主の口座を特定しなければならない（社振法130条1項3号・132条3項4号）。

そこで，株主の口座を会社が知るために通知を行うことが1つの方法として考えられるが（社振法131条1項。取得条項付新株予約権の取得の対価として株式を交付するに際しての通知の相手方については，取得条項付新株予約権の新株予約権者または登録新株予約権者とされている〔社債，株式等の振替に関する命令14条1項5号〕），当該通知に対して新株予約権者等が対応せずに，相当数の特別口座が開設されかねないことによる実務的な問題点を踏まえて，株主有償割当増資における対応に準じた対応を行うことなども検討される。

なお，株式の交付を自己株式の処分ではなく新株発行により行えば，会社は振替口座等の記載または記録を待たずに株主名簿記載事項の株主名簿への記載または記録を行いうることから（法132条1項1号，社振法161条1項参照），即座に当該株式に係る議決権行使を認めることが可能と解される[82]。もっとも，当該株式が譲渡可能となるまでに要する期間を短縮する方策等，検討すべき課題は残る[83]。

(6) 買収防衛策の導入に際して株主総会決議を取得する場合の選択肢

① 勧告的決議[84]

買収防衛策の導入に際して株主総会決議を取得する場合の選択肢としては，まず，定款により買収防衛策の導入等につき株主総会が承認決議を行うことができる旨の定款規定を設けることなく，買収防衛策の導入そのものを

---

[82] 武井一浩＝群谷大輔＝石﨑泰哲「株券電子化と買収防衛策」旬刊商事法務1856号82頁（2009）参照。
[83] 葉玉匡美「株券電子化による買収防衛策の変容」T&A master 2009年3月2日号41頁参照。

議案として上程する方法（いわゆる勧告的決議の方法）があげられる。この方法は，たとえば，平成18年4月ないし6月総会会社においては合計36社が，平成19年6月総会では118社が，平成20年4月ないし6月総会では89社が，平成21年6月総会会社では60社が，平成22年6月総会会社では86社が，それぞれ採用していたところであり，買収防衛策の導入が我が国において始まった当初から実務的に定着していたといえる[85]。会社法では，株主総会は会社法に規定する事項または定款に定める事項に限り決議することができるとされていることから（法295条2項），勧告的意味しかない株主総会決議というものを認めることは困難であり，法令上も定款上も株主総会の決議事項とする旨の規定がない事項につきなされた株主総会決議は無効であるとする見解もある[86]。もっとも，会社を法的に拘束するものではないにせよ，株主がその意思を表明する手段として株主総会における決議を活用することは特に禁圧されるべきものではなく，買収防衛策の導入が株主の支持を得て行われたものであることを明確化する手段として，このような勧告的決議をもって買収防衛策の導入を承認する方法を用いることも積極的に認め

---

[84] 勧告的決議には，一般的に，①法令・定款によって総会の決議事項とされているものの，理論的観点から，普通の株主総会決議であれば有する拘束力を持たないものと解釈されているもの，②法令・定款上，株主総会の決議事項とされていない事柄について，総会が決議するもの，の2種類が存するものと考えられるが，本稿では②の文脈で論じている。なお，①は主として株主提案権の行使が可能な範囲に関して議論がなされてきたものである（上柳ほか編集代表・前掲注（73）71頁〔前田重行〕参照）。

[85] 別冊商事法務編集部編『買収防衛策の事例分析』別冊商事法務310号169頁（2007），三菱UFJ信託銀行証券代行部編『買収防衛策の現状と今後の動向――平成19年6月総会会社の事例分析』別冊商事法務316号134頁（2008），三菱UFJ信託銀行証券代行部編『買収防衛策の導入傾向と事例分析――平成20年6月総会会社の実態』別冊商事法務329号149頁（2009），同編『買収防衛策の導入傾向と事例分析――平成21年6月総会会社の実態』別冊商事法務342号59頁（2010），同編注（12）20頁参照。

[86] 勧告的決議に関しては，株主総会が勧告的意味しか有しない決議を行うことができるかにつき改正前商法230条ノ10との関係で議論があり，一般論としてこれに否定的な見解も見られた（たとえば，上柳ほか編集代表・前掲注（74）26頁～27頁〔江頭憲治郎〕は，このような勧告的決議を株主総会がなし得ることにつき否定的にも読める）。なお，仮にかかる勧告的決議を行うことが認められたとしても，その法的効果を否定したうえ，事実上の効果についても疑問を呈する見解も学界・会社法立案担当者の間では根強い（森本滋ほか「会社法への実務対応に伴う問題点の検討――全面適用下の株主総会で提起された問題を中心に」旬刊商事法務1807号26頁以下〔2007〕参照）。

られてしかるべきであろう[87]。企業価値研究会報告書の3(4)①(b)（注1）においても、「買収防衛策の導入又は発動についていわゆる勧告的決議により株主総会で議決権の過半数の賛成を得たという事情についても、当該買収防衛策が株主の合理的意思に依拠していることを示す事情としては考慮され得る」とされている。

② 定款変更に基づく買収防衛策承認決議

　他方，定款で買収防衛策の導入または変更等について株主総会の承認を得るべきことを規定することにより，買収防衛策の導入等を承認する旨の株主総会決議の会社法上の位置づけを明確化し，当該株主総会決議が会社法295条2項に抵触して無効ないし会社法上何ら意味を有しないとの主張がなされないようにする方法を採用する会社も相当数に上る。これらの会社では，買収防衛策の導入または変更等を株主総会の決議事項とする旨の定款変更を行ったうえで買収防衛策の導入に係る議案を上程する方法により，買収防衛策の導入を行っている。前述のとおり，ブルドックソース事件最高裁決定の判示からすれば，必ずしもこのような定款変更まで必須であるとは解されないが，買収者側から指摘され得る法的論点をできるだけ絞り込むとの観点からは，実務上，定款変更を行うための特別決議の取得に特段の不安がない会社であれば，このような方法を採用しておくほうが無難であるといえよう。

　具体的な定款変更の方法としては，(i)直截に，買収防衛策の導入または変更等を承認する決議を行うことを株主総会に授権する（たとえば，東京テアトル，ブルドックソースなど。東京テアトルの定款規定は**事例4－3**参照）方法が採用されるのが一般である。これに対し，(ii)事前警告型買収防衛策の内容の概略そのものを直接定款に規定する旨の定款変更を行った事例も存する

---

[87]　買収防衛策指針は，買収防衛策の導入に際しては株主の合理的な意思に依拠すべきであるとし，その具体的な方策として「法律上特別決議が必要な事項よりも株主に与える影響が小さい事項であれば，株主総会の普通決議等により買収防衛策を採ることも株主による自治の一環として許容される」（指針Ⅳ2（2）①参照）としている。したがって，同指針に基づいて考えるならば，少なくとも買収防衛策の導入に関する限り，法令上または定款上株主総会の決議事項とされていない事項であっても，「株主による自治の一環」として株主総会の決議を得ることは，許容されると考えることができる。

(たとえば、すでに買収防衛策を廃止したが、イズミヤの事例）が、法令や裁判例の変更に伴い事前警告型買収防衛策を修正する必要が存する場合、そのつど株主総会における定款変更手続を経なければならず、機動性に欠けるように思われる。

事例4－3：東京テアトル

> **第18条（大規模買付行為に関する対応方針）**
> 　当会社は取締役会の決議により、当会社の株式の大規模買付行為に関する対応方針（以下「大規模買付行為対応方針」という。）を定めることができる。取締役会が大規模買付行為対応方針を定めたときは、その後初めて行われる株主総会の決議をもって承認を得なければならない。また、株主総会の承認を得た後3年以内に終了する事業年度のうち最終のものに関する定時株主総会において大規模買付行為対応方針の存続について承認を得なければならず、その後も同様とする。
> 2　当会社は取締役会が必要があると認めたときは、いつでも取締役会の決議をもって、大規模買付行為対応方針を廃止することができる。

③　他の議案の承認を通じて買収防衛策の導入について間接的に株主総会の承認を得る方法

このような形で間接的に買収防衛策の導入等についての株主意思の確認を行う方法としては、定款変更議案の採決を通じてかかる確認を行う方法とそれ以外の議案の採決を通じてかかる確認を行う方法とがある。前者の例としては、(i)「対応方針において予定している行使条件付新株予約権の発行に備える」等を理由として発行可能株式総数を拡大するもの（たとえば、平成18年定時株主総会における阪急ホールディングス（現・阪急阪神ホールディングス）およびシャープなど）と(ii)「対応策の有効期間内においても株主の意向を反映させることを可能とするため」に取締役の任期を短縮（2年→1年）する

もの（たとえば，平成18年定時株主総会における小田急電鉄）とが存する。後者の例としては，取締役各候補者は対応方針について全員賛成の意思を表明している旨を明示したうえで取締役選任議案を株主総会に上程する事例（たとえば，平成18年定時株主総会におけるセントラル硝子および神戸製鋼所[88]）が存するところである。

(7) 新株予約権無償割当ての効力を争う方法

　会社法は募集新株予約権の発行の差止めについて規定を置く一方（法247条），新株予約権の無償割当てについては差止めの制度について法定されていない。したがって，仮に，違法あるいは著しく不公正な方法によって買収防衛策に基づく対抗措置の発動として新株予約権の無償割当てが行われた場合において，株主がいかなる根拠で差し止めることが可能かについては，従前議論が存しており，(i)募集新株予約権の発行の差止めに関する規定（法247条）を類推適用すべきであるとする説，(ii)（新株予約権に取得条項が付されていることを前提とする）募集株式の発行等の差止請求権（法210条）を類推適用すべきであるとする説，(iii)取締役・執行役の違法行為差止請求権（法360条1項・422条1項）を用いるべきであるとする説，(iv)会社法の規定に直接基づかない差止請求方法（株主権に基づく妨害排除請求権を被保全権利とする差止請求，株主の「法律および定款に従った業務運営を求める権利」を被保全権利とする差止請求ないし民事保全法23条に基づく差止めの仮処分など）を活用すべきであるとする説などが唱えられていた[89]ところである。もっとも，前述のとおり，ブルドックソース事件最高裁決定において，新株予約権無償割当てについては会社法247条が類推適用されうることが当然の前提とされたうえで判示がなされたことから，株主は法令・定款違反または著しく不公

---

[88] もっとも，神戸製鋼所は平成19年の定時株主総会において，勧告的決議により買収防衛策の存続につき直接株主意思の確認を経る方式に変更している。

[89] 本論点に関して詳細な分析を行っている論稿として，弥永真生「株式の無償割当て・新株予約権の無償割当て・株式分割と差止め」旬刊商事法務1751号4頁（2005）以下，荒井紀充＝田中信隆「買収防衛策と『訴訟リスク』」企業会計58巻10号48頁（2006）以下が存する。

正な方法による発行として裁判所に新株予約権無償割当ての差止めを請求し得ることを前提として今後の実務は運用されることになろう。

なお，ピコイ事件高裁決定（東京高裁平成20年5月12日決定（金判1298号46頁））は，著しく不公正な方法より実施された新株予約権無償割当てがすでに効力を発生し，会社法247条の類推適用による差止めも不可能な段階にある場合に，かかる無償割当てによって発行された新株予約権の行使による新株の発行につき，「新株予約権発行はその行使による新株発行を当然に予定している手続であり，新株予約権の発行について法令違反や定款違反，あるいは不公正発行といった瑕疵がある場合には，それに続く新株の発行も当然これらの瑕疵を引き継いだものになるというべきである。したがって，先行する新株予約権発行手続に会社法247条の差止事由がある場合には，それに引き続いて行われる新株発行手続にも当然に同法210条の差止事由があるというべきである」と判示し，差止めを認めた。同決定が新株予約権無償割当てを著しく不公正な方法によるものと認めた理由等については，前述(2)②を参照されたい。

(8) スケジュール設計

電子公告利用会社における一部取得条項付新株予約権の無償割当てによる場合のスケジュール例は以下のとおりである。

図表4－4　スケジュール例(※1)

番号	日程	手続	根拠法令
1	X－14日－4営業日	①新株予約権無償割当ておよび②基準日の設定に関する取締役会決議	①につき会社法278条1項各号・236条1項各号 ②につき会社法124条1項・362条2項1号
2	1と同日	電子公告調査機関への調査申込み	会社法941条，電子公告規則3条1項・6条2項(※2)

4-2 買収防衛策で用いられる新株予約権の設計と発行手続

3	（1の後，Xまでに）	有価証券通知書の提出（※3）	金融商品取引法4条6項，開示府令4条
4	X－14日	無償割当てを受ける権利を有する株主を定めるための基準日公告	会社法124条1項・3項本文
5	X（基準日）		
6	X＋1日	無償割当ての効力発生日	会社法279条1項，効力発生日につき会社法278条1項3号
7	6と同日	取得する日および取得する新株予約権の決定に関する取締役会決議	会社法273条1項・2項，274条1項・2項，236条1項7号イ・ロ・ハ
8	6と同日	電子公告調査機関への調査申込み	会社法941条，電子公告規則3条1項・6条2項
9	6の後遅滞なく	各株主が割当てを受けた新株予約権の内容および数について通知	会社法279条2項
10	X＋1日＋4営業日	取得する新株予約権に関する公告（※4）	会社法273条2項・3項，274条3項・4項
11	9の到達日から2週間以上（※5）	新株予約権の行使期間の末日	会社法279条3項
12	X＋15日＋4営業日	一部取得の効力発生日（※6）	会社法275条1項1号・2号

※1　新株予約権の発行価額の総額と行使価額の総額を合算した金額が1億円未満の場合を前提とする。なお，本スケジュールは会社法および金融商品取引法に基づく理論的な最短スケジュールを想定したものであり，実際のスケジュール策定にあたっては個別事情に応じた実務上の修正が必要となる点，注意されたい。

※2　公告期間の始期の2日（行政機関の休日に関する法律1条1項各号に掲げる日を除く）前までの電子公告調査機関から法務大臣への報告が必要とされ（電6条2項），会社はさらにその2営業日前までに電子公告調査機関に対する調査申込みを行う必要がある（電3条1項）。

※3　新株予約権の発行価額の総額と行使価額の総額を合算した金額が1億円以上となる場合，有価証券届出書の提出が必要となる（金商4条1項5号，開令2条4項1号参照）。その他新株予約権無償割当てにおける発行開示規制については前述(3)③を参照されたい。

※4　一部取得条項付新株予約権の取得に際しては，取得する取得条項付新株予約権を取締役会決議により決定したうえで（法274条1項・2項），直ちに，当該取得条項付新株予約権を取得す

683

る旨を通知または公告するものとされ（同条3項・4項），取得事由の発生日（法275条1項1号）もしくは当該通知または公告がなされた日から2週間を経過した日（同項2号）のいずれか遅い日に，取得の効力が発生するものとされている（同項）。なお，かかる取得する新株予約権の決定に関する通知または公告と，取得する日の決定に関する通知または公告は1つの通知または公告により行うことも可能と解される（松本真＝清水毅「取得条項付新株予約権」登記情報549号39頁（2007）参照。ブルドックソース事件における公告の実例につき，平成19年7月25日付け日本経済新聞（朝刊）17面参照）。

※5　なお，新株予約権無償割当てに際しては，各株主が割当てを受けた新株予約権の内容および数について通知しなければならないものとされているが，かかる通知は新株予約権無償割当てがその効力を生ずる日後遅滞なく行う必要がある（法279条2項）。また仮に行使期間の末日が当該通知の日から2週間を経過する日前に到来するときは，行使期間は，当該通知の日から2週間を経過する日まで延長されたものとみなされる（法279条3項）。

※6　会社法236条1項7号ハに基づく一部取得の効力発生日については，早くても会社法274条3項による通知または同条4項の公告の日から2週間を経過した日となる（法275条1項2号参照）。電子公告において公告が必要となる期間については前述(5)①のとおり，立案担当者の解説によれば2週間とされている。

■3　新株予約権を用いた買収防衛策に関する税務・会計上の論点

(1)　税務上の論点

　新株予約権を用いた買収防衛策が導入された場合，そのような導入がされたことのみでは，新株予約権の発行なども行われない以上，対象会社に対してもその株主に対しても何ら課税が生じないことはいうまでもない。

　問題は，実際に新株予約権無償割当てが実施されて，差別的の行使条件の付された新株予約権が各株主に割り当てられたこと等によって，対象会社またはその株主（敵対的買収者を含む）に課税が生じることとなるか否かである。

　平成17年7月7日の国税庁見解「新株予約権を用いた敵対的買収防衛策の【新類型】に関する原則的な課税関係について（法人税・所得税関係）」[90]によれば，差別的行使条件を付した新株予約権を用いた事前警告型買収防衛

---

[90]　平成17年7月7日付け「新株予約権を利用したライツプランの課税関係について」（http://www.meti.go.jp/policy/economy/keiei_innovation/keizaihousei/pdf/rightsplan_tax.pdf）の別紙2-④参照。

4-2 買収防衛策で用いられる新株予約権の設計と発行手続

策に関しては、それが発動された場合でも、買収者にも新株予約権が付与され（会社法277条の新株予約権無償割当ての場合には当然に買収者にも付与される）、しかも当該新株予約権が少なくとも取締役会の承認によって譲渡可能となっている限り、新株予約権の付与時にも、新株予約権の行使時にも、対象会社はもちろん、買収者を含む株主に対しても課税が生じることはない旨が明らかにされている。

もっとも、差別的取得条項に基づく取得が行われ、買収者以外の株主に対象会社の新株式が交付された場合に、どのような課税関係が生じるか、さらに問題となる。

所得税法57条の4第3項5号、法人税法61条の2第14項5号によれば、「取得事由の発生によりその取得の対価として当該取得をされる新株予約権者に当該取得をする法人の株式のみが交付される場合の当該取得事由の発生」の場合には、新株予約権者については課税が生じないこととされている（所法57条の4第3項柱書・33条、法法61条の2第14項柱書・1項）が、買収者以外の新株予約権者には新株式を、買収者には現金を、というように取得対価の種類を区々に分ける場合にもこれが適用されるか、解釈上問題となる（特に、買収者に現金その他の取得対価が交付される場合には、株式分割との類似性が薄れ、買収者以外の株主に課税関係が生じないことを基礎づける理由として、株式分割がなされた場合には対象会社のみならず株主に課税関係が生じないこととのバランス論を援用することが困難になることから、問題となる）。

この点に関し、課税当局からは特段公式見解は公表されていないが、ブルドックソース事件においては、ブルドックソースから国税庁に対する照会に対し、東京高裁によるSPJからの抗告棄却決定を受け、平成19年7月24日、国税庁より、「一般株主の皆様から本要項第10項(1)に基づき本新株予約権を取得しその対価として当社株式を交付しても、一般株主の皆様に課税上の問題が生じない旨、および、かかる取扱いは、非適格者……から本要項第10項(2)に基づき本新株予約権を取得しその対価として金銭を交付する場合であっても影響を受けない旨」[91]の回答がなされている。

685

この回答を前提とすれば，取得条項において取得対価の種類を買収者たる株主とそうでない一般株主とで分ける場合においても，対象会社はもちろんのこと，少なくとも新株式の交付を受ける一般株主には課税関係が生じないといえそうである。ただし，ブルドックソースが実施した新株予約権無償割当てに係る取得条項は，買収者であるSPJと，それ以外の株主とで，取得対象者類型ごとに別個の取得条項とされている[92] (それゆえ各取得条項の発動は一部取得〔法236条1項7号ハ〕となる)ために，各取得条項ごとに見れば，上記所得税法57条の4第3項5号および法人税法61条の2第14項5号にいう，「当該取得をする法人の株式のみが交付される場合」に該当すると考えられることが理由となったものと考えられなくもない。したがって，取得条項を1つとしたうえで，取得対価を分ける構成の場合については，このような税務上の観点からも，また前述した会社法上の解釈としての限界があることからも，実務上用いることは困難といえるであろう（前述■1(3)②(a)(i)参照）。

(2) 会計上の論点

新株予約権を用いた買収防衛策が導入された場合，そのような導入がされたことのみでは，新株予約権の発行なども行われない以上，対象会社において特段の会計処理を行う必要は存しないことはいうまでもない。

問題は，実際に新株予約権無償割当てが実施されて，差別的取得条項等の付された新株予約権が各株主に割り当てられたこと等によって，対象会社においてどのような会計処理が必要となるかである。

まず，新株予約権の無償割当てを行った場合，対象会社においては，一般

---

(91) 平成19年7月24日付けプレス・リリース「当社新株予約権の（一部）取得に関するお知らせ」(http://www.bulldog.co.jp/company/pdf/070725_IR1.pdf) 参照。
(92) 平成19年6月24日付けプレス・リリース「当社定時株主総会特別決議に基づく新株予約権無償割当てに関するお知らせ」(http://www.bulldog.co.jp/company/pdf/070625_IR1.pdf) 別紙「新株予約権無償割当ての要項」10.の（1）および（2）参照（後述4-4■2に所収）。

4-2 買収防衛策で用いられる新株予約権の設計と発行手続

のストック・オプションと異なって費用計上を行う必要はなく，その段階では特段の会計処理は不要[93]である。また，割り当てられた新株予約権が行使された場合，行使価額として払い込まれた金額が存する場合には，当該行使価額の合計額に相当する額だけ対象会社において資本金および資本準備金が増加することとなる（通常は，新株予約権の発行要項に従って，計算規則17条1項の規定に従い算出される資本金等増加限度額の2分の1の金額[94]が資本金の増加額とされ，残額が資本準備金の増加額とされる）。

さらに，対抗措置として，差別的取得条項の付された新株予約権が用いられ，当該取得条項に基づく取得が行われた場合における対象会社の会計処理がどうなるかが問題となる。まず，①当該取得条項に基づき，買収者以外の一般株主から，それらの者に割り当てられた新株予約権が議決権普通株式を対価として取得された場合，かかる取引によって対象会社はどのような会計処理を行う必要があるかが問題となるが，結果だけを述べれば，当該取引によって対象会社において増加する資本金および資本準備金の額はともにゼロであり，また，前述のとおり，もともと新株予約権の無償割当てによって特段費用等が計上されているわけでもないので，それら新株予約権が議決権普通株式を対価として取得されても利益等が計上されることもない。次に，②当該取得条項に基づき，買収者から，その者に割り当てられた新株予約権が無償で取得された場合，かかる取引によって対象会社はどのような会計処理を行う必要があるかであるが，これも結果だけを述べれば，当該取引によって対象会社において利益や損失が生じたり，株主資本が変動したりすることもない。

最後に，③当該取得条項の発動によって，買収者から，その者に割り当てられた新株予約権が現金（またはその他の財産）を対価として取得された場合であるが，この場合には，対象会社において，結果として，損益計算書

---

[93] 払込資本増加複合金融商品適用指針34項，ストック・オプション会計基準27項(6)33項参照。
[94] 計算の結果1円未満の端数が生じる場合は，その端数を切り上げた金額とされる（法236条1項5号・445条1項・2項，計13条1項参照）。

上，当該現金の流出額（または当該その他の財産の時価相当額）に相当する額の特別損失が認識されることになるものと解される[95]。

---

[95] ブルドックソース事件では，株主（SPJを含む）からの新株予約権の取得後の自己新株予約権の消却損としてSPJに交付した現金と同額の21億1,464万円が特別損失として計上された（平成19年8月7日付けプレス・リリース「特別損失の計上および業績予想の修正に関するお知らせ」(http://www.bulldog.co.jp/company/pdf/070807_IR3.pdf) ならびに同社の平成20年6月6日付け定時株主総会招集通知添付の事業報告および計算書類参照）。

4-3 新株予約権を用いた事前警告型買収防衛策

1 新株予約権を用いた事前警告型買収防衛策の諸類型

(1) 総　論

　いわゆる事前警告型買収防衛策とは，一般に，導入会社の取締役会において，導入会社の株券等を大量に取得等する者（以下，「大量取得者」という）が従うべき一定のルールをあらかじめ定めるなどし，大量取得者がこのルールに違反した場合（買収防衛策の発動要件が充足された場合）等においては一定の対抗措置を講じることをあらかじめ決議のうえ公表しておき，潜在的な買収者に対して警告しておく買収防衛策をいう。この買収防衛策の主眼は，このような「事前警告」を行っておくことにより，いわゆる有事において対抗措置を講じた場合にそれによって損害を被る大量取得者から導入会社の取締役等に対して対抗措置の差止め，損害賠償責任の追及等がなされることを未然に防止し，もって大量取得者が生ずること自体を予防するか，またはこれが生じた場合に，より株主の利益となるような買収提案を引き出すといった点にあるものと考えられる。

　いわゆる事前警告型買収防衛策を分類する方法についてはさまざまなものがありうるところであるが，大要，①大量取得者が登場した場合の会社の対応に関するルールおよび手続を詳細に定め，原則として大量取得者がかかる

ルールに違反した場合にのみ取締役会は対抗措置を講じるとするタイプ[96]（「買付ルール設定型」），②上記のようなルールに違反した場合に加えて，買収提案が企業価値ないし株主共同の利益を毀損すると取締役会が判断する場合にも対抗措置を講じるとするタイプ[97]（「取締役会判断型」），③大量取得者が登場した場合の会社の対応に関するルールおよび手続を詳細に定めたうえで，一定の場合には対抗措置発動の是非を株主総会決議あるいはこれに準じた株主意思確認手続に諮るとするタイプ（「株主（総会）判断型」）に分類しうる。もっとも，現在は少なくとも一定の場合には何らかの形で株主の意思を確認することを可能とする株主（総会）判断型に収斂してきているといえる。

そこで，本章では，事前警告型買収防衛策の類型のうち株主（総会）判断型について簡潔に紹介する。

(2) 株主（総会）判断型

買収者が登場した場合の会社の対応に関するルールおよび手続を詳細に定めたうえで，有事において対抗措置発動の是非を原則として株主総会決議あるいはこれに準じた株主意思確認手続に諮るとしているタイプのものである。このようなタイプの事前警告型買収防衛策の類型のうち，主要なものとしては，①いわゆる野村プラン（公開買付期間延長要請型），②株主意思確認手続型，③（単純な）株主総会開催型，④定款授権に基づく株主総会開催型が存在する。これらは，有事に際して，株主総会ないしそれに準じる株主意思確認手続を通じて対抗措置発動の是非につき株主に諮ることを前提としているため，（取締役会が自己保身のために対抗措置発動の是非につき公正な判断を行わない事態が生じないようにチェックする機能を有する）第三者委員会が設置される事例が相対的に少ない点で共通している。

---

[96] 例えば平成17年4月28日の取締役会決議で導入されたパナソニック（旧・松下電器産業）の買収防衛策の事例があるが，同買収防衛策は平成28年末をもって廃止されている。

[97] 例えば平成24年5月8日に更新される以前の東芝の買収防衛策の事例があるが，同買収防衛策は平成24年5月8日以降は株主意思確認総会を開催することも可能な仕組みとなり，さらに，同買収防衛策は2015年に廃止されている。

4-3 新株予約権を用いた事前警告型買収防衛策

以下，順次これらにつき説明する。

① いわゆる野村プラン（公開買付期間延長要請型）

野村證券の担当者によって公表されている株主総会判断型の事前警告型買収防衛策である[98]。このプランの骨子は，株券等の大量取得行為等に関して，(i)取締役会の賛同を得ることなく公開買付けを実施する場合には，公開買付期間を60営業日（上記プランの公表時には60暦日とされていたが，現行金融商品取引法下[99]では公開買付期間の最長期間である60営業日とする趣旨であろう）に設定すること，および，(ii)公開買付け以外の方法で発行済株式総数の20％以上の株式を取得しようとする場合，または，結果として発行済株式総数の20％以上の株式を取得する場合には事前に取締役会の賛同を得ること，というルールを設定したうえ，(a)上記(i)が遵守された場合には，取締役会は公開買付期間の終了前に（臨時）株主総会を開催し，対抗措置発動の是非を当該株主総会に諮るものとし，(b)上記(i)または(ii)が遵守されなかった場合には，原則として，取締役会の判断により対抗措置（差別的取得条項等付新株予約権の無償割当てが想定されているようである）を講じる，というものである。このようなタイプの事前警告型買収防衛策を採用した実例としては，平成18年5月23日に導入され，直近では令和3年5月14日にその一部変更および継続が公表された神姫バスの事例が存する。

事例4－4：神姫バスの買収防衛策の概要

1 対象となる買付け
- 特定株主グループの議決権割合が20％以上となることを目的とする会社株券等の買付行為
- 結果として特定株主グループの議決権割合が20％以上となる会社株券等の買付行為

---

[98] 香田温子＝鈴木賢一郎＝渡辺奈津子「株主総会判断型の買収防衛策」旬刊商事法務1752号33頁以下（2005）参照。

[99] 金融商品取引法27条の2第2項，金融商品取引法施行令8条1項参照。

2 対抗策の内容
　→取締役会決議または株主総会決議を経て，差別的行使条件・差別的取得条項の付された新株予約権の無償割当てを実施する。
3 大規模買付けルールの内容
　① 公開買付けによる場合
　　→大規模買付者が会社取締役会の事前の同意を得ずに公開買付けを実施する場合は，公開買付期間を法令上の最長期間である60営業日に設定する。
　② 公開買付けによらない場合
　　→大規模買付者は，事前に会社取締役会の同意を得る。
4 大規模買付者が大規模買付ルールを遵守した場合の流れ
　① 公開買付けによる場合
　　　ア　会社取締役会は，大規模買付者から大規模買付情報を取得するように努め，当該情報を株主に提供
　　　イ　公開買付期間満了前に株主総会を開催し，新株予約権無償割当てに関する議案を上程
　　　ウ　イの議案が可決されれば新株予約権無償割当てを実施
　② 公開買付けによらない場合
　　→対抗措置は発動しない
5 大規模買付者が大規模買付ルールを遵守しない場合の流れ
　① 公開買付けによる場合
　　→取締役会決議により新株予約権無償割当てを実施する。ただし，「当社の企業価値を著しく毀損しない買付行為」の条件をすべて満たすと取締役会が合理的に判断した場合には，新株予約権無償割当てを実施しない。
　② 公開買付けによらない場合
　　→①と同様

4-3 新株予約権を用いた事前警告型買収防衛策

図表4−5 神姫バスの買収防衛策の手続に関するフローチャート

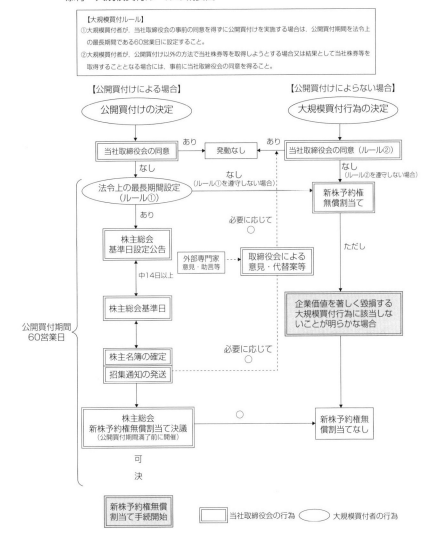

出典：令和3年5月14日付け神姫バスプレス・リリースより抜粋

② 株主意思確認手続型

このタイプの事前警告型買収防衛策の骨子は，株券等の大量取得行為等に関して，そのような行為を行おうとする者（買収者）に対して，①一定の必要情報の提出を求め，②当該必要情報に基づき，取締役会が，当該買収者を，グリーンメイラー等の悪質な買収者に該当し，当該買収者による提案が株主の共同の利益に対する明白な侵害をもたらすおそれのあるものであると判断しないことを前提として，その者に対して12週間ないし18週間の検討期間中「待機」することを求め[100]，書面投票または株主意思確認投票において新株予約権の発行が否決されない限り，対抗措置として新株予約権が発行される，というものである。

このようなタイプの事前警告型買収防衛策を採用した実例としては，平成18年3月29日に導入された新日本製鐵の事例や，平成18年10月20日に導入されたカゴメの事例等が存するが，いずれも現在は廃止されている。

事例4－5：カゴメの買収防衛策の概要

1 対象となる買付け
 ・保有者の株券等保有割合が20％以上となる買付けその他一切の行為
 ・公開買付者およびその特別関係者の株券等所有割合の合計が20％以上となる公開買付け
2 対抗策の内容
 →取締役会決議を経て，差別的行使条件・差別的取得条項を付した新株予約権の無償割当てを実施する
3 買付ルールの内容
 ① 対象となる買付者は，買付けの実行を停止して所定の「買付説明

---

[100] その間，公開買付けの開始またはその他の方法による導入会社の株券等の取得に着手しないことが要求される。さらには取締役会が必要情報をすべて受領してから株主意思確認「総会」の開催まで20週間ないし40週間を要する。

4-3 新株予約権を用いた事前警告型買収防衛策

書」を提出。取締役会が当該買付説明書の記載内容が不十分と判断した場合は，買付者は，取締役会の定める期限（原則として上限60日間）までに追加の必要情報を再提出。

② 会社取締役会は，必要十分な情報が記載された買付説明書を受領次第，その旨を公表し，所定の期間（60日または90日。ただし延長可）内に買付提案の検証および買付者との交渉を行う。併せて，株主意思確認総会の投票基準日の決定および代替案等の作成を行う。

③ 株主意思確認総会の株主投票または株主による書面投票により，実務上可能な限り速やかに，株主意思の確認をする。決議要件は，総株主の議決権の3分の1以上を有する株主が出席または投票し，その議決権の過半数の賛同が得られること。

④ 取締役会は，株主意思確認手続の結果に従って，新株予約権無償割当ての実施または対抗策の不発動の決議を行う。

⑤ 買付者は，取締役会が対抗策の不発動の決議をするまでの間，買付等を実行できない。

4　対抗策が発動される場合
  ・本ルールに定める手続を遵守しない買付けであり対抗策の発動が相当である場合
  ・会社の企業価値および株主共同の利益を明白に侵害するおそれのある買付けの場合
  ・強圧的2段階買付けの場合
  ・株主意思確認総会または書面投票の決議により，対抗策発動が可決され，取締役会が買付者に対し，買付けを撤回するよう申し入れたが，買付者がこれを拒否した場合

5　その他
  ・有効期間は平成27年開催の定時株主総会まで。ただし，期間満了前でも，取締役会決議により廃止，修正，変更されうる。

第Ⅱ編 第4章 買収防衛策と新株予約権

図表4－6　カゴメの買収防衛策の手続に関するフローチャート

〈当社株式の大量取得行為に関する対応策のフロー図〉

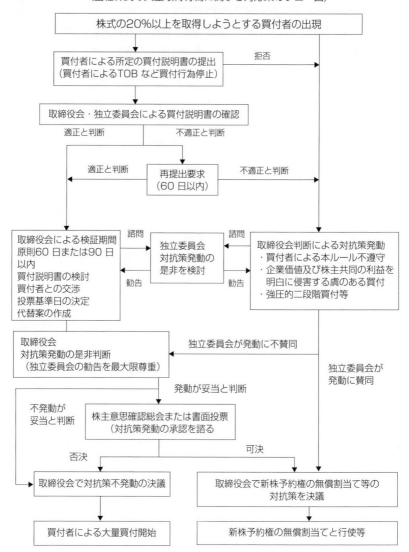

出典：平成24年5月18日付けカゴメプレス・リリースより抜粋

なお、このタイプの事前警告型買収防衛策については、①株主意思の確認は会社法上の株主総会手続そのものを通じては行われないことから、株主総会に関して会社法上株主に対して与えられている権利保護のための諸制度（たとえば、株主提案権、総会検査役選任請求権など）が利用可能であるのかが不明確である点、および②買収者に関する情報収集および買収者の買収提案の評価のための期間につき、原則として12週間ないし18週間という長期の期間を設定することが前提とされている点等において実務上疑義があるとの指摘もなされている[101]。

③ （単純な）株主総会開催型

このスキームの骨子は、以下のとおりである。すなわち、

① 従来の事前警告型買収防衛策（のうちの買付けルール設定型）と同様に、まず、導入会社の取締役会において、導入会社の株券等を大量に取得する者が従うべきルール（「大規模買付行為等に関するルール」）をあらかじめ設定する（買収者の買収提案等の評価期間は原則として60日間（現金のみによる対象会社の株券等のすべてを対象とする買付行為の場合）または90日間（それ以外の場合）とする）。

② 一定の数以上の導入会社の株券等を買い付けることを目的とする公開買付けが開始されまたは一定の数以上の導入会社の株券等が取得された場合（「大規模買付行為等が行われる場合」＝トリガー事由が充足される場合）であって、(i)買収者がかかる行為を上記ルールに違反して行った場合、または(ii)買収者が上記ルールを遵守してかかる行為を行った場合であっても、当該買収者による導入会社の株券等の大規模買付行為等が導入会社の株主共同の利益を毀損するおそれがあることが明らかに認められる場合等、対抗措置発動要件が充足される場合においては、取締役会は、原則として、トリガー事由の充足後直ちに基準日を設定して（買収

---

[101] 「〔スクランブル〕発展途上の買収防衛策」旬刊商事法務1765号70頁（2006）および宮下央「M&A戦略と法務　買収防衛策の新たな動きと事前警告型買収防衛策の問題点」MARR 140号18頁（2006）参照。

者による公開買付けの開始によってトリガー事由が充足された場合には当該基準日はどんなに遅くとも公開買付期間の終了前に設定される）臨時株主総会を開催する旨を定める。
③　当該総会においては，対抗措置（基本的には差別的取得条項等を付した新株予約権の無償割当て）発動の是非が諮られ，大規模買付行為等に対する対抗措置は，当該総会における承認決議に基づいて講じられるものとする（ただし，臨時株主総会を開催する暇がないほど株主共同の利益に対して急迫の危険が存在する場合には取締役会限りで対抗措置を発動することもありうるものとする）。
④　それら一連のルール，手順ならびに発動されうる対抗措置の種類および概要を，取締役会で決議のうえで公表し，潜在的な買収者に対してあらかじめ警告しておく。

というものである。

このようなタイプの事前警告型買収防衛策を採用した実例としては，たとえば，平成19年2月28日に，東京放送（TBS。現在の東京放送ホールディングス）が，それまで導入していた，日興プリンシパル・インベストメンツ（現・シティグループ・キャピタル・パートナーズ）に対する第三者割当てによる新株予約権発行による買収防衛策（旧プラン）を改定して構築した買収防衛策（新プラン）がある。

事例4－6：TBSの買収防衛策（新プラン）の概要

1　対象となる買付け
・会社の株券等の保有割合が20％以上となる買付け
・会社の株券等につき，公開買付けに係る株券等の株式所有割合およびその特別関係者の株券等所有割合の合計が20％以上となる公開買付け
2　対抗策の内容

→原則として株主総会決議を経て，新株予約権無償割当てを実施する。
3　買付ルールの内容
　①　対象となる買付者は，所定の必要情報および買付ルールを遵守する旨の誓約を記載した「買付意向説明書」を会社に提出する。会社取締役会は，提出された必要情報が不十分であると思料する場合には追加情報の提供を求めることができる。
　②　会社取締役会は，必要情報の提供が完了した場合には，取締役会による評価，検討，意見形成，代替案立案および買付者との交渉のための期間として，取締役会評価期間（対価を現金の円価のみとする公開買付けによる全株式買付け提案の場合には60日，それ以外の場合には90日）を設定し，企業価値評価特別委員会（特別委員会）に対抗措置発動の是非等について諮問する。取締役会評価期間は，特別委員会の勧告に基づき，最大30日間延長することができる。
　③　特別委員会は，必要情報等の検討の結果，全員一致により，買付者がガイドラインに定める濫用的買収者ではないと判断した場合には，対抗措置不発動の勧告を行う。それ以外の場合には，対抗措置の発動の是非等につき株主総会に諮るべきである旨の勧告を行う。また，買付者が買付ルールを遵守しなかった場合には，原則として，対抗措置を発動すべきである旨の勧告を行う。
　④　会社取締役会は，特別委員会の勧告を最大限尊重し，対抗措置不発動，株主総会招集または対抗措置発動の決議を行う。株主総会の普通決議により，対抗措置発動承認の議案が可決したときは，対抗措置として，差別的行使条件・差別的取得条項の付された新株予約権の無償割当てを実施する。否決したときは，対抗措置は不発動となる。
4　対抗策が発動される場合
　・買付者が買付ルールを遵守せず，特別委員会が対抗措置発動の勧告

を行った場合
- 買付者が買付けルールを遵守したが，特別委員会が株主総会に諮るべき旨の勧告を行い，株主総会普通決議で対抗措置発動承認の議案が可決された場合

5 その他
- 平成22年4月以降最初に開催される定時株主総会において廃止する旨の決議がされない限り3年間自動更新され，その後も同様とする。ただし，取締役会もしくは株主総会で廃止の決議がされた場合または特別委員会が全員一致で廃止の勧告をした場合にはその時点で廃止される。

図表4－7　TBSの買収防衛策（新プラン）の手続に関するフローチャート

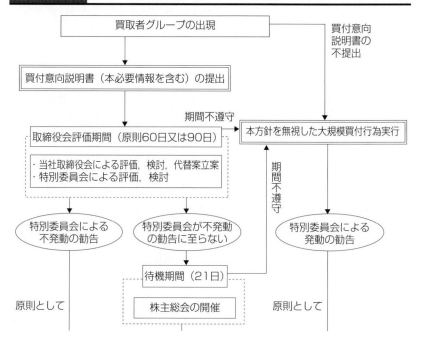

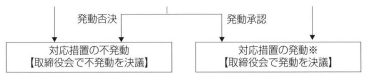

出典：平成 19 年 2 月 28 日付け東京放送（当時）プレス・リリースより抜粋

④ 定款授権に基づく株主総会開催型

この他に，対抗策の発動のための手続の骨子は上記③と同様であるものの，あらかじめ定款変更を行って，対抗策としての新株予約権無償割当てに関する承認決議（普通決議であることが前提）を株主総会で行うための根拠規定を置くタイプも，実務上存在する。このタイプの実例においては，株主総会決議（普通決議）はあくまで対抗策発動が株主の意思に依拠していることを確認ないし確保するためのものにすぎない（新株予約権無償割当て実施の機関決定ではない）と位置づけられており，新株予約権無償割当て実施の機関決定自体は取締役会が行うことが予定されている。すなわち，対抗策発動のための新株予約権無償割当ての「承認」決議を株主総会で行うことができる旨の定款規定は，法定の株主総会決議事項以外の事項を定款によって追加するものであり，したがって，会社法278条3項ただし書の「別段の定め」ではなく，会社法295条2項の「定款で定めた事項」に該当する。

上記のような対抗策発動のための新株予約権無償割当ての承認のための株主総会決議に関する定款根拠規定を置いている実例としては，平成18年6月29日に導入され，直近では令和3年6月24日にその改定がなされたゴールドウインの買収防衛策[102]などが存する。

---

(102) なお，ゴールドウインの買収防衛策においては，上記の承認決議の根拠規定のほか，前述4－2■1(4)で紹介した，差別的行使条件等を定めた新株予約権を取締役会限りで無償割当て等することができる旨を定める定款規定，および株主総会があらかじめ上記の新株予約権無償割当てを承認する決議を行うことができる旨の定款規定も設けられている。

第Ⅱ編　第4章　買収防衛策と新株予約権

事例4－7：ゴールドウインの買収防衛策の概要

1　対象となる行為
　・株券等所有割合が20％以上となる公開買付けの公開買付開始公告を行うこと
　・株券等保有割合が20％以上となる株式の取得
2　対抗措置の内容
　→取締役会決議に基づく，差別的行使条件・差別的取得条項の付された新株予約権の無償割当て
3　買収ルールの内容
　①　大規模買付行為を行おうとしまたは行っている者は，会社に対しあらかじめ大規模買付情報を記載した買収提案書を提出する。
　②　取締役会は，受領した買収提案を，社外役員および外部有識者で構成される特別委員会に付議する。特別委員会は，買収提案の受領日から60日または90日，取締役会に対し不発動確認決議を勧告するか否かを審議する。
　③　特別委員会が不発動確認決議を勧告した場合，取締役会はこれを最大限尊重し，不発動確認決議を行う（行わない場合は株主総会を招集する）。それ以外の場合，取締役会は独自に検討のうえ不発動確認決議を行うか決める。
　④　買収提案者が一定の要件のもとに書面により請求した場合，または，取締役会が必要と判断した場合，取締役会は株主総会を開催し，買収提案に対する対抗措置の発動承認決議案を提出する。
4　対抗措置を発動する場合
　①　取締役会による不発動確認決議前，または，株主総会決議否決前に，ある者が1に定める行為をした場合
　②　株主総会において，買収提案に対する対抗措置の発動承認決議案が可決された場合

4-3 新株予約権を用いた事前警告型買収防衛策

5 その他
・有効期間は,原則として各期の定時株主総会後最初に開催される取締役会の終結の時まで
・株主総会による本買収防衛策導入承認決議の有効期間は3年間

図表4−8 ゴールドウインの買収防衛策の手続に関するフローチャート

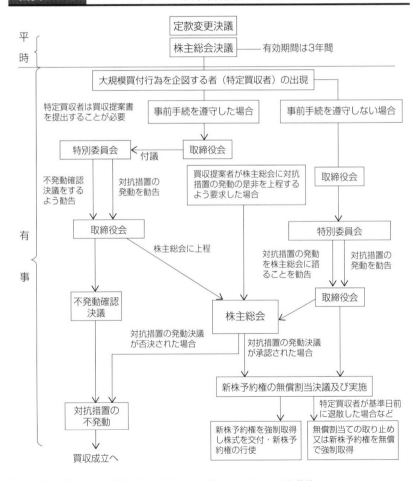

出典:令和3年5月25日付けゴールドウインのプレス・リリースより抜粋

事例4－8：ゴールドウインの買収防衛策に関する定款規定

（企業価値ひいては株主共同の利益の確保および向上のための方策）
第6条　当会社は，企業価値ひいては株主共同の利益を確保しかつ向上させることを目的として，当社の20％以上の株券等を取得した者およびその関係者等として，第2項に基づく株主総会の承認決議により定める者による行使に制約が付された新株予約権の無償割当てまたは株主割当て（以下「無償割当等」という。）を，取締役会決議により行うことができる。
②　株主総会は，前項の新株予約権の無償割当等を行うための手続について，予め承認決議を行うことができる。当該承認決議には，企業価値ひいては株主共同の利益を確保しかつ向上させる観点から相当と認められる一定の附帯条件を付することができる。当該承認決議は定款第16条第1項に定める決議要件〔普通決議要件〕によるものとし，当該総会決議に有効期間が付されているときで当該有効期間終了前に当該決議内容を変更する旨の株主総会決議を行う場合には，当該変更決議は定款第16条第2項に定める決議要件〔特別決議要件〕による。
③　株主総会は，取締役会決議により定めた一定の場合に，当社株券等の取得に関する特定の買収提案に対し，本条に基づく対抗措置としての無償割当等を行うことの承認決議をすることができる。当該決議は，議決権を行使することができる株主の議決権の過半数を有する株主が出席し，かつ出席した総株主の議決権の過半数の賛成をもってこれを行う。

⑤　特定標的型（乾汽船の買収防衛策）
　株主判断型の一種であるが，その対抗措置の対象を特定の者のみに限定している点で特徴的なものとして，乾汽船の買収防衛策をはじめとするいわゆ

る特定標的型と呼ばれる類型がある。乾汽船の買収防衛策も,「特定株主グループ」に属する者が大規模買付行為等をしようとする場合に,その者(大規模買付者)に対し,一定の情報提供要求および取締役会による評価・検討期間の設定を主な内容とする手続ルールを遵守することを求めるものであり,独立委員会が株主意思確認の勧告を行った場合には取締役会の判断で株主総会を開催して対抗措置発動の要否や内容について賛否を諮ることとしている点で株主総会判断型に位置づけられると考えられるが(ただし,後述の濫用的株主権行使の場合には独立委員会の勧告に関して明示的に株主意思確認の勧告への言及はない),その対象となる「特定株主グループ」としてアルファレオホールディングス合同会社(以下,「アルファレオ」という)と同社に関係する者のみを列挙しており,対抗措置の対象となる「本対象行為」は,「特定株主グループに属するいずれかによってなされる」ものに限定されている。

さらに,乾汽船の買収防衛策は,「本対象行為」が,買収防衛策一般で広く見られる大規模買付行為だけでなく(なお,対抗措置発動のトリガーとなる株券等保有割合が30%と高く設定されている),「濫用的株主権行使」,すなわち「株主権の行使(株主総会の招集請求または株主提案を含む)であって,株主権の濫用に該当すると裁判所の確定判決または確定した終局決定において認定された行為」も含んでいる点も特徴的である。

特定の者のみを対象とする買収防衛策に関しては,対象者が特定株主グループに限定されている方が,当該特定株主グループの従来の行動等,現在までの経緯を踏まえて,防衛策を導入するかどうかを具体的に判断できるため,対象者が特定されていない防衛策よりもむしろ,株主にとってもその採否を判断しやすいと考えられる。

なお,乾汽船の買収防衛策は株主総会の決議によっては廃止できないものとしている。買収防衛策の導入および廃止は法定の株主総会決議事項ではなく,定款に規定して初めて株主総会の決議事項になることから,株主総会の決議によって買収防衛策を廃止できないものとすることは法令に違反するも

のではないし，株主総会の決議によって廃止できるものとすると，特定株主グループが，本買収防衛策の廃止を目的事項とする株主総会の招集請求を繰り返し行うことにより，企業価値の向上に向けた各種施策の推進・展開するための時間や経営リソースが空費され，株主共同の利益を害するおそれがあるとの配慮によるものと考えられる。この点については後述■3(2)も参照されたい。

事例4－9：乾汽船の買収防衛策の概要

> 1 対象となる行為
> 　アルファレオを含む特定の株主グループが
> 　・株券等所有割合が30％以上となる株式の取得等を行うこと
> 　・濫用的株主権行使を行うこと
> 2 対抗措置の内容
> 　→取締役会決議に基づく差別的行使条件・差別的取得条項の付された新株予約権の無償割当て
> 3 大規模買付けルールの内容
> （大規模買付行為等の場合）
> 　① 大規模買付者は，大規模買付行為等の開始または実行に先立ち，意向表明書を提出するとともに，取締役会から要求があった情報（大規模買付情報）を提供する
> 　② 取締役会は，受領した意向表明書および大規模買付情報を，社外役員で構成される独立委員会に提供する。取締役会は，大規模買付情報の提供が完了した日の翌日から60日または90日（取締役会評価期間），取締役会において評価検討を行う。
> 　③ 取締役会が対抗措置を発動しようとする場合には，独立委員会に対し対抗措置の発動の是非を諮問する。独立委員会は，大規模買付者が大規模買付ルールを遵守した場合には，原則として，取締役会に対して対抗措置の不発動を勧告するが，大規模買付者が「濫用的

買収者」であると判断する場合には，大規模買付ルールが遵守されていても，対抗措置の発動を勧告する。大規模買付者が大規模買付ルールを遵守しなかった場合には，原則として，取締役会に対して対抗措置の発動を勧告する。
④ 独立委員会は，実務上可能であり，かつ，株主の意思を確認することが適切であると合理的に判断した場合には，取締役会に対して，株主総会において大規模買付行為等に対する対抗措置発動の要否や内容について賛否を諮る形式により，株主の意思を確認することを勧告できる。
⑤ 取締役会は，独立委員会の勧告を最大限尊重し，対抗措置の発動または不発動，株主総会の招集その他必要な決議を行う。

(濫用的株主権行使の場合)
① 特定株主グループによって濫用的株主権行使がなされた場合，取締役会は，対抗措置の発動に先立ち，独立委員会に対し対抗措置の発動の是非を諮問する。
② 独立委員会は，濫用的株主権行使の場合には，原則として対抗措置の発動を勧告する。
③ 取締役会は，独立委員会の勧告を最大限尊重し，対抗措置の発動または不発動その他必要な決議を行う。

4 対抗措置を原則として発動する場合
　① 大規模買付者が濫用的買収者である場合または大規模買付ルールを遵守しない場合
　② 濫用的株主権行使の場合
5 その他
　・有効期間は，2021年6月開催の定時株主総会終結時から2024年6月開催予定の定時株主総会終結時まで。ただし，期間満了前でも，取締役会決議により廃止されうる。

第Ⅱ編　第4章　買収防衛策と新株予約権

図表4－9　乾汽船の買収防衛策の手続に関するフローチャート

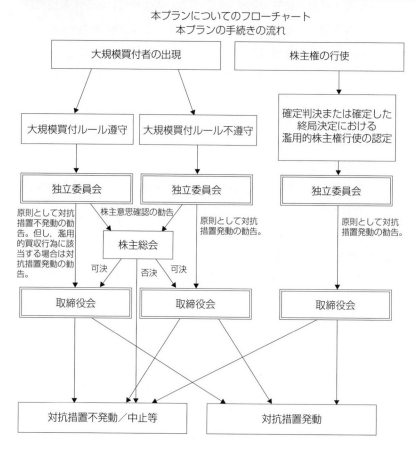

出典：令和3年5月14日付け乾汽船のプレス・リリースより抜粋

2　事前警告型買収防衛策と特別委員会

　事前警告型買収防衛策においては，新株予約権無償割当て等の対抗措置の発動要件となる，買収者の「濫用的買収者性」の認定その他，取締役会の実質的判断事項について，判断の恣意性を排除し，客観性を確保するため，社

外取締役や社外有識者等から構成される特別委員会（第三者委員会）を設置し，その勧告を最大限尊重し，またはこれに従うこととしている例が多い。すでに前述4－1■3(1)④において述べたとおり，買収防衛策指針も，必要性・相当性確保の原則の項において，防衛策発動の必要性，相当性の判断につき，外部専門家（弁護士，フィナンシャル・アドバイザー等）の分析を得ることなどを防衛策の公正性を高めるための方策として例示する（指針Ⅳ3（注6））とともに，買収防衛策の合理性を確保し，株主や投資家など関係者の理解と納得を得るための方策として，独立社外者の判断の重視を掲げている（指針Ⅴ2(2)参照）。ただし，前述■1(1)の買付ルール設定型にあっては，判断の対象が買付ルールの遵守がなされているかという比較的客観的な事項であることから，特別委員会を設置する意義に乏しく，パナソニックの事例でも特別委員会は設けられていなかった。同様に，前述■1(2)の株主（総会）判断型においても，特別委員会を設けない例が比較的多い（神姫バスなど）。

　第三者委員会の構成に関して，第三者委員会の委員にどの程度の独立性を要求するかは，防衛策の合理性，相当性にも関係するが，独立性のみを過度に重視し，発行会社の事業内容等の内情にあまりに疎い者を委員として選任した場合には，対抗措置の発動の適否に関する判断を適切に行うことができなくなるおそれも生じる。このような観点から，ほとんどの事例では，両方の要請を満たす存在として，社外取締役および社外監査役の両方またはいずれかを委員とすることができるものとしており，また実際にその両方またはいずれかを少なくとも1名は委員として選任している例がほとんどである。

　かつては，王子製紙による北越製紙[103]に対する敵対的公開買付けの際，社外役員のみで構成された北越製紙の第三者委員会が王子製紙を「濫用的買収者」と認定し，買収防衛策の発動も許容されるとの判断を示したこととの関連で，社外役員のみで構成された第三者委員会は独立性に欠け，単なる

---

(103)　現・北越コーポレーション。

「御用委員会」でしかないとの批判もあったところであるが，外部有識者については株主総会が選解任権を直接行使することができないため，株主の代表としての適格性に欠けるのではないかとの指摘や，有事に際して会社役員として株主代表訴訟の対象となることの覚悟なくして行った判断には重みがないとの見解も存するところである。企業価値研究会報告書においても，「特別委員会の構成については，独立の社外取締役を中心とする構成が望ましいとの指摘がある。いずれにせよ，現経営陣からの独立性が実質的に担保されている必要がある。」との記載があることや，上場会社において独立社外取締役を複数名選任することが一般化していることから，特別委員会の委員の構成においても，独立社外取締役を中心とした構成とする傾向が今後より一層強まっていくと予想される。

3　事前警告型買収防衛策の廃止

(1)　廃止の手続

近時，事前警告型買収防衛策に対する機関投資家や議決権行使助言機関からの厳しい意見[104]などを踏まえ事前警告型買収防衛策を廃止する企業が増加している。事前警告型買収防衛策の廃止の方法は，主に，①買収防衛策の有効期間満了による方法，②株主総会において買収防衛策の廃止を決議する方法，③取締役会において買収防衛策の廃止を決議する方法，④特別委員会において買収防衛策の廃止を決議する方法等が考えられるところであるが，実務上，①買収防衛策の有効期間満了による廃止が多数を占めている。もっ

---

[104] 例えば，2021年4月改正の第一生命保険の議決権行使基準では，①直近3期連続ROE5％未満，②独立社外取締役が2名以上在任していない，③買収者に対して金員を交付する記載がある場合，④買収防衛策指針にある要件を満たさない場合のいずれかの場合は原則として反対するとする。また，ISS「2021年版日本向け議決権行使助言基準」27頁では買収防衛策議案については原則として反対を推奨すると述べられ，GLASS LEWIS「2021 PROXY PAPER GUIDELINES——AN OVERVIEW OF THE GLASS LEWIS APPROACH TO PROXY ADVICE〔JAPAN〕」15頁でも，いくつかの例外的事案を除き，基本的に反対助言とするとしている。

とも，有効期間満了による廃止の場合であっても，取締役会において買収防衛策を非継続とする旨の決議を行うのが一般的である。

事前警告型買収防衛策を導入している企業が定款で買収防衛策の導入または変更等について株主総会の承認を得るべきことを規定していた場合には，買収防衛策の廃止に伴って定款変更を行うか否かも検討の必要がある。定款変更は法的には必須のものではなく，定款変更を行うか否かは将来再度買収防衛策を導入する可能性があるか否か，その際に改めて定款変更を行うか否かという観点から判断するべき事項であり，実務上も削除する事例と削除しない事例のいずれも存在している。

事前警告型買収防衛策を廃止した場合に主に必要となる開示として，①買収防衛策の廃止（非継続）に関するプレスリリースを行い，加えて，期間満了による廃止の場合には多くの企業において，②廃止直後に公表される事業報告および有価証券報告書で，前事業年度末時点の情報として，従前の買収防衛策を記載しつつも，「ご参考」として取締役会が買収防衛策の非継続を決議した旨や，廃止後の大量買付行為に対する対策等を記載する事例が多い。そして，翌年以降の事業報告および有価証券報告書の「会社の支配に関する基本方針」の項で，大要，大量買付行為が行われた際には，関係諸法令の許容する範囲内において，情報収集・提供，株主の検討期間の確保に努める旨等が記載されている。これは前述4－1■6(1)のとおり，現時点で買収防衛策を導入していない場合でも，少なくとも上記基本方針を定め，事業報告等においてそれらを開示しておかないと，いざ有事に際して買収防衛策を導入し直ちにそれを発動した場合に，暗黙裡に存在していた基本方針の開示義務違反を問われたり，会社が普段から株主利益の観点から慎重な検討を行っておらず，当該防衛策が役員の保身のためのものなのではないかという疑念をもたれることに対する懸念への対応であると考えられる。

さらに，コーポレート・ガバナンス報告書には買収防衛策の有無を記載する必要があり，その内容に変更が生じた場合には原則として遅滞なく変更後の報告書を提出する必要がある。実務上は，期間満了による廃止の場合，定

時株主総会の当日から1週間後までの間に変更後の報告書を提出する例が多い。

これらに加えて，発行登録を行っている場合には，発行登録の取下げおよびその旨のプレスリリースを行うことが考えられる。買収防衛策を廃止する場合の発行登録の取下げは必ずしも法令上義務付けられているものではないと考えられるが，買収防衛策を廃止することにより，当該発行登録に基づく新株予約権の割当ては行われないことになることから，投資家に対して適切な情報開示を行うという観点から，当該発行登録について任意の取下げ（開令ガB23の7-1）を行っている事例が多いように思われる。

(2) 買収防衛策廃止を求める株主提案（臨時株主総会招集請求を含む）の可否

関連して，近時株主から現に導入されている事前警告型買収防衛策を廃止するよう求める株主提案（およびこれを議案とする臨時株主総会招集請求）が行われた事例が複数登場している。株主には，会社法303条ないし305条に基づき株主提案権が，また会社法297条に基づき株主総会招集請求権が認められている。他方で，会社法では，株主総会は会社法に規定する事項または定款に定める事項に限り決議することができるとされており（法295条2項），その趣旨から，会社法にも定款にも規定されていない事項を株主提案権の対象とすることはできないと解される[105]。したがって，事前警告型の買収防衛策の廃止については定款で買収防衛策の廃止について総会決議事項とする旨の定めを置かない限り，株主提案権の対象とはならないと解される[106]。

この点が争われたのがレノvsヨロズ事件[107]（以下，「ヨロズ事件」という）

---

[105] 松井秀征「ヨロズ株主提案東京高裁決定の意義――株主提案議題等記載仮処分命令申立事件」旬刊商事法務2206号42頁（2019）参照。
[106] 中川秀宣「アクティビストによる買収防衛策廃止を議案とする総会招集申立事件の明暗」MARR Online 307号（2020）参照。
[107] 横浜地決令和元年5月20日資料版商事法務424号126頁，東京高決令和元年5月27日資料版商事法務424号118頁。

およびアルファレオホールディングス vs 乾汽船事件[108]（以下，「乾汽船事件」という）である。ヨロズ事件において，ヨロズは，株主であるレノより事前警告型買収防衛策を廃止することを株主総会の目的とする（以下，本項において「本件議題」という）株主提案の申出を受けたが，これを2019年6月開催予定の定時株主総会に上程しない旨を公表した。そこでレノは，会社法303条2項に基づく本件議題に係る議案要領通知請求権を被保全権利とし，招集通知および株主総会参考書類に本件議題ならびにこれに係る議案の要領および理由の全文を記載することを命じる旨の満足的仮処分（民事保全法23条2項）の申立てを行ったが，原審で申立て却下，抗告審で抗告棄却された。これに対して，乾汽船事件において，乾汽船がアルファレオアルファレオによる臨時株主総会の招集請求のうち，買収防衛策の廃止の議案については適法性に疑義があるとして，臨時株主総会における目的事項として取り上げなかったため，アルファレオが，東京地裁に対して，買収防衛策の廃止を目的事項とする乾汽船の株主総会招集許可の申立てを行った事案で，東京地裁は，アルファレオの申立てを認め，買収防衛策の廃止を目的事項として株主総会を招集することを許可する決定を下した。

　両事件で結論を分けた理由の1つとして，定款上の買収防衛策に関する規定ぶりの違いが指摘されている[109]。すなわち，株主提案権等が認められるためには，買収防衛策の廃止が総会決議事項として定款で定められている必要があるが，ヨロズ事件におけるヨロズの定款では「株主総会においては，法令又は本定款に別段の定めがある事項を決議するほか，当会社の株式等（金融商品取引法第23条の23第1項に定めるものをいう。）の大規模買付行為への対応方針を決議することができる」（15条1項）と規定されていたのに対し，乾汽船事件における乾汽船の定款では「当会社は，前条に規定する

---

(108)　東京地決令和2年3月6日判例集未登載。
(109)　松原大祐＝政安慶一＝白澤秀己「日本における敵対的買収を取り巻く制度(2)」ビジネス法務2021年5月号142頁および中川・前掲注（107）参照。また，松原＝政安＝白澤は，結論を分けたその他の理由として，提案株主の投資行動・属性，ならびに買収防衛策導入と提案株主の登場の前後関係の違いを指摘する。

買収防衛策の導入には株主総会の決議を得なければならない」(50条1項)と規定されており，ヨロズの定款上は買収防衛策は勧告的決議事項であることを確認した規定と読みうるのに対し，乾汽船の定款上は買収防衛策に関しては株主総会の決議を必須のものとして，総会決議事項とする趣旨の規定と読みうる。定款の規定のみで結論が決まるわけではない場面も多くあるものと思われるが，今後の同種の事案において判断の一助となりうるものと思われる。

4-4 新株予約権を用いた有事導入型買収防衛策の発展

■1 総　論

　ブルドックソース事件以降事前警告型買収防衛策が主流となっていたが，買収防衛策に対する機関投資家からの厳しい意見などを踏まえ事前警告型買収防衛策を廃止する企業が増加した。他方で，わが国においても非友好的買収事案や，公開買付けに至らないまでも経営権をめぐる争いが増加し，有事において既に具体化している特定の買収行為を念頭に置いた，いわゆる「有事導入型」買収防衛策が導入される事案も増加している。

■2　ブルドックソースにおける買収防衛策[110]

　ブルドックソースがSPJからの株式公開買付けに対応して実施した新株予約権無償割当ての概要については，前述4－1■4(2)においてすでに紹介したとおりであるが，この新株予約権無償割当てに係る新株予約権は，差別的行使条件および差別的取得条項（買収者以外の株主＝新株予約権者に対しては普通株式を取得対価とし，買収者に対しては現金を取得対価とする取得条項）が付されている点で，事前警告型買収防衛策において対抗措置として用いられる新株予約権無償割当てに係る新株予約権と基本的に共通の内容を有している。ブルドックソースの買収防衛策において特徴的であるのは，それが

---

(110)　なお，岩倉＝佐々木・前掲注（19）の論文も参照。

「有事導入」型であるために，平時における「事前警告」がなく，有事に至ってから導入され，直ちに実際に発動までされている（すなわち，新株予約権無償割当てが実施されている）ため，買収防衛策指針にいう株主意思の原則および必要性・相当性の原則の観点から，その適法性を確保するためにきわめて慎重な手続および買収者たるSPJの利益保護のための措置が講じられている点である。

その第1は，ブルドックソースは取締役会設置会社であり，新株予約権無償割当ては取締役会の権限で実施することができるにもかかわらず，手続的な慎重を期し，買収防衛策の導入および発動に株主意思が最大限反映されるようにするため，買収防衛のために行われる差別的取得条項等付新株予約権の無償割当ての決定を，①株主総会（特別決議），②株主総会（特別決議）の委任を受けた取締役会および③取締役会のいずれかで行うことができる旨の条項を定款に挿入している点である。特に無償割当てに関する株主総会決議の決議要件を，あえて特別決議として株主意思を最大限尊重していることが特徴的である。なお，実際の対抗措置の発動も，①に基づき行っている（ただし，詳細事項は取締役会で決定）。

第2は，新株予約権の取得の対価として，買収者（SPJ）に対しては，その経済的損害をてん補するため，当初の公開買付価格を，取得条項に基づく取得による希釈化率に合わせて4分の1とした，新株予約権1個当たり396円の現金を交付することとし，対抗措置が発動された場合でも買収者が経済的な希釈化を受けないように工夫されている点である。

上記の各点の意義については，前述4－1■4(2)を参照されたい。

第3は，対抗措置が発動され，無償で割り当てられた新株予約権が株式に転換した場合でも授権枠に余裕枠が残るようにしてSPJによる「第2次買収攻勢」があった場合でも対応できるようにするため，授権枠を停止条件付で拡大する株主総会特別決議を取得したが，停止条件が成就する場合を絞り込み，対抗措置として実施された新株予約権無償割当てによって割り当てられた新株予約権が株式に転換されることを停止条件とした（具体的には，当

4-4 新株予約権を用いた有事導入型買収防衛策の発展

該新株予約権無償割当てが実行され，かつ権利行使期間末日の翌日における発行済株式総数が5,000万株[111]以上となることを停止条件として，当該権利行使期間末日の翌日において授権枠を，当該停止条件に係る発行済株式数（5,000万株）の4倍に拡大した）点である。これは，買収者以外の既存株主がいたずらに授権枠拡大に伴う希釈化懸念を抱かないようにするための工夫であり，ブルドックソースが，買収者以外の既存株主の利益に最大限配慮したことがうかがえる。

以下に，ブルドックソースが実施した上記新株予約権無償割当てに係る新株予約権の要項を転載する。

事例4－10：ブルドックソースの新株予約権無償割当ての要項

新株予約権無償割当ての要項

1. 新株予約権の名称

    ブルドックソース株式会社第2回新株予約権（以下「本新株予約権」という。）

2. 割当ての方法及び割当先

    新株予約権無償割当ての方法により，基準日（下記第4項で定義される。）の最終の株主名簿及び実質株主名簿に記載又は記録された株主に対して，その有する当社株式1株につき3個の割合で本新株予約権を割当てる。但し，当社が有する当社株式については，本新株予約権を割り当てない。

3. 本新株予約権の総数

    基準日（下記第4項で定義される。）の最終の発行済株式の総数（但し，当社が有する当社株式の数を控除する。）の3倍の数と同数とする。

4. 基準日

---

[111] 当時におけるブルドックソースの発行済株式総数は約1,900万株であった。この「5,000万株」という数字は，SPJによる公開買付けの後にSPJに割り当てられる新株予約権数を想定して，新株予約権の株式への転換後の発行済株式総数を予想して決められたものである。たとえば，SPJが公開買付けでブルドックソースの発行済株式総数の50％を取得すると想定するなら，1,900万株×0.5×3＋1,900万株＝4,750万株となる（ちなみに，SPJが40％しか取得できない場合にはこの数字は5,320万株となる）ので，SPJによる公開買付けによって同社の発行済株式総数の過半数が取得されるような場合には，授権枠拡大の停止条件の成就＝授権枠の拡大がなされない仕組みとなっていた。

平成 19 年 7 月 10 日（以下「基準日」という。）
5. **新株予約権無償割当てがその効力を生ずる日**
平成 19 年 7 月 11 日（以下「効力発生日」という。）
6. **本新株予約権の目的である株式の種類及び数**
   (1) 本新株予約権の目的である株式の種類は，当社普通株式とする。
   (2) 本新株予約権1個の行使により当社が当社普通株式を新たに発行又はこれに変えて当社の有する当社普通株式を処分（当社普通株式の発行又は処分を，以下「交付」という。）する数（以下「割当株式数」という。）は，1株とする。
   (3) 基準日以後，当社が株式の分割又は併合を行う場合には，割当株式数は，以下の算式に従い調整されるものとする。但し，当該調整は，本新株予約権のうち，当該時点において未行使の本新株予約権に係る割当株式数についてのみ行われ，調整の結果生ずる1株未満の端数は切り捨てる。

   調整後の割当株式数＝調整前の割当株式数×株式の分割又は併合の割合

7. **本新株予約権の行使に際して出資される財産の価額**
   (1) 各本新株予約権の行使に際して出資される財産の価額は，行使価額（下記(2)で定義される。）に行使請求にかかる割当株式数を乗じた額とする。
   (2) 本新株予約権の行使により当社が当社普通株式を新たに交付する場合における株式1株当たりの払込金額（以下「行使価額」という。）は，1円とする。

8. **本新株予約権を行使することができる期間**
   平成 19 年 9 月 1 日から平成 19 年 9 月 30 日まで（以下「行使可能期間」という。）とする。

9. **本新株予約権の行使の条件**
   (1) 以下の①乃至⑤に該当する者（以下「非適格者」という。）は，本新株予約権を行使することができないものとする。
   ① (a)スティール・パートナーズ・ジャパン・ストラテジック・ファンド－エス・ピー・ヴイ・Ⅱ・エル・エル・シー，(b)スティール・パートナーズ・ジャパン・ストラテジック・ファンド（オフショア），エル・ピー，(c)スティール・パートナーズ・ジャパン株式会

社，(d)スティール・パートナーズ I，(e)スティール・パートナーズ II，(f)スティール・パートナーズ・ジャパン・アセット・マネジメント・エル・ピー，(g)リバティ・スクェア・アセット・マネジメント・エル・ピー，(h)リバティ・スクェア・アセット・マネジメント・エル・エル・シー，(i)エス・ピー・ジェイ・エス・ホールディングス・エル・エル・シー，(j)スティール・パートナーズ・ジャパン・ストラテジック・ファンド－エス・ピー・ヴィー I・エル・エル・シー，(k)スティール・パートナーズ・リミテッド，および(l) WGL キャピタル・コーポレーション（(a)から(l)までを併せて，以下「SPJ ら」という。）

② SPJ らの共同保有者（証取法第 27 条の 23 第 5 項に規定する「共同保有者」をいい，同条第 6 項に基づき共同保有者とみなされる者を含む。）

③ SPJ らの特別関係者（証取法第 27 条の 2 第 7 項に規定する「特別関係者」をいう。）

④ 上記①乃至③に該当する者から，当社取締役会の承認を得ることなく本新株予約権を譲り受け若しくは承継した者

⑤ 上記①乃至④に該当する者の関連者
（なお，ある者の「関連者」とは，実質的にその者を支配し，その者に支配され若しくはその者と共同の支配下にある者として当社取締役会が認めた者，又は，その者と協調して行動する者として当社取締役会が認めた者をいう。また，「支配」とは，他の会社等の財務及び事業の方針の決定を支配している場合（会社法施行規則第 3 条第 3 項に規定される「財務及び事業の方針の決定を支配している場合」をいう。）をいう。）

(2) 各本新株予約権の一部行使は，できないものとする。

10. **本新株予約権の取得の事由および取得の条件**

(1) 当社は，当社取締役会が別途定める日（但し，行使可能期間の初日より前の日とする。）をもって，本新株予約権（但し，非適格者の有する本新株予約権を除く。）を取得し，その対価として，本新株予約権 1 個につき当該取得日時点における割当株式数の当社普通株式を交付することができる。

(2) 当社は，当社取締役会が別途定める日（但し，行使可能期間の初日

より前の日とする。）をもって，本新株予約権（但し，非適格者の有する本新株予約権に限る。）を取得し，その対価として，本新株予約権1個につき金396円を交付することができる。

(3) 当社は，当社が消滅会社となる合併契約書の承認の議案又は当社が完全子会社となる株式交換契約書の承認の議案若しくは株式移転計画の承認の議案が当社株主総会で承認された場合，その他本新株予約権を無償で取得することが適切であると当社取締役会が合理的に認める場合には，当社が別途定める日をもって，すべての本新株予約権を無償で取得することができる。

11. 本新株予約権の行使により株式を発行する場合における増加する資本金および資本準備金に関する事項

(1) 本新株予約権の行使により株式を発行する場合において増加する資本金の額は，会社計算規則第40条第1項の規定に従い算出される資本金等増加限度額の2分の1の金額とし，計算の結果1円未満の端数が生じる場合はその端数を切り上げた金額とする。

(2) 本新株予約権の行使により株式を発行する場合において増加する資本準備金の額は，上記(1)記載の資本金等増加限度額から上記(1)に定める増加する資本金の額を減じた額とする。

12. 本新株予約権の譲渡制限

譲渡による本新株予約権の取得については，当社取締役会の承認を要するものとする。

13. 本新株予約権証券の発行

本新株予約権に係る新株予約権証券は，発行しない。

14. 本新株予約権の行使の方法および行使請求の効力発生日

(1) 本新株予約権の行使請求受付事務は，第15項(1)に定める行使請求の受付場所（以下「行使請求受付場所」という。）においてこれを取り扱う。

(2)① 本新株予約権を行使しようとするときは，当社の定める行使請求書（以下「行使請求書」という。）に，行使しようとする本新株予約権を表示し，その行使に係る本新株予約権の内容及び数，本新株予約権を行使する日等を記載して，これに記名捺印した上，行使可能期間中に行使請求受付場所に提出するものとする。

② 本新株予約権を行使しようとする場合，行使請求書の提出に加え

て，本新株予約権の行使に際して出資の目的とされる金銭の全額を第15項(2)に定める払込取扱場所の指定の口座に振込むものとする。
  (3) 本新株予約権の行使の効力は，行使に要する書類の全部が行使請求受付場所に到着し，且つ当該本新株予約権の行使に際して出資される金銭の全額が上記(2)②に定める口座に入金された日又は本新株予約権を行使する日として行使請求書に記載された日のいずれか遅い方の日に発生する。
15. 新株予約権の行使請求受付場所および払込取扱場所
  (1) 新株予約権の行使請求の受付場所 当社経営企画室
  (2) 新株予約権の行使に際する払込取扱場所 株式会社 みずほ銀行 本・支店
16. その他
  (1) 上記各項については，スティール・パートナーズ・ジャパン・ストラテジック・ファンド-エス・ピー・ヴィー-Ⅱ・エル・エル・シーが平成19年5月18日に開始した当社株券等に対する公開買付けについて，平成19年7月5日よりも前に，証券取引法第27条の11第1項に規定される公開買付けの撤回等が行われていないことを条件とする。
  (2) 当社は，平成19年7月5日よりも前の間は，当社取締役会が合理的に必要であると判断する場合には，本新株予約権の発行を中止することができる。
  (3) その他本新株予約権無償割当てに関して必要な事項は，当社代表取締役社長に一任する。
  (4) 会社法その他の法令の改正等により，本要項の規定について読替えその他の措置が必要となる場合には，当社は必要な措置を講じる。

■ 3　東芝機械における買収防衛策

(1)　総　　論

　東芝機械は，2020年1月17日に，オフィスサポート（以下，「OS」という）が東芝機械に対して，OSの子会社を公開買付者とする東芝機械株式に対する公開買付け（以下，本項において「本件公開買付け」という）を予告したこ

とを受けて，買収防衛策（以下，「本件防衛策」という）を導入した。その後，OSの完全子会社であるCI11は，東芝機械取締役会の同意を得ることなく本件公開買付けを開始したが，東芝機械の臨時株主総会（以下，本項において本件防衛策に定められた株主総会を抽象的に指す場合には「株主意思確認総会」といい，本件で開催された具体的な株主総会は「本件株主総会」という）において本件防衛策に基づく対抗措置（以下，「本件対抗措置」という）の発動が可決されたことを受けて，本件公開買付けを撤回した。本件は，これまでわが国の多数の上場企業において導入されてきたいわゆる事前警告型買収防衛策とは異なり，有事において，すでに具体化している特定の買収行為のみを対象として一定の手続の遵守を求める買収防衛策が導入された初めての事案であると思われる。

(2) **事案の概要**

本件防衛策導入に至る事案の概要は以下のとおりである[112]。

東芝機械の普通株式は東京証券取引所市場第一部に上場されているところ，CI11の特別関係者であるOSらは，2020年1月21日時点において，東芝機械株式を，発行済株式総数（自己株式を除く）に対する所有株式数の割合にして12.75％保有していた。

2019年11月13日に，東芝の完全子会社である東芝デバイス＆ストレージ（以下，「東芝DS」という）による，東芝機械の持分法適用会社であったニューフレアテクノロジーの完全子会社化を目的とした同社株式に対する公開買付けが公表されると，OSらは，東芝機械に対して，東芝および東芝DSとの間で，当該完全子会社化のスキームを，主として東芝機械のみが税務メリットを享受できるスキームに変更すべく協議することを求めたが，東芝機械が，公開買付規制における公開買付価格の均一性の観点等を理由にこれに応じなかったところ，OSらは，2020年1月10日以降，東芝機械に対

---

[112] 本件のより詳細な経緯等については，太田＝松原＝政安・前掲注（33）参照。

して，本件公開買付けを予告するに至った[113]。これに対して(1)記載のとおり，本件防衛策が導入されたものである。

(3) 東芝機械における防衛策の内容

東芝機械の導入した本件防衛策の概要は以下のとおりである。

① 「有事導入型」

本件防衛策は，これまでわが国の多数の上場企業において導入されてきた，いわゆる事前警告型買収防衛策と同様，東芝機械の株主が，大規模買付行為等がなされることを受け入れるか否かについて適切な判断を下すために，十分な情報と検討時間を確保すべく，大規模買付者に対して，一定の手続を遵守することを求めるものである。

しかしながら，本件防衛策は，事前警告型買収防衛策とは異なり，すでに具体化している本件公開買付けへの対応を目的として，その予告があったことを機縁として導入されたものである。すなわち，本件防衛策は，東芝機械に対して実施される可能性のあるすべての大規模買付行為等（概要，特定のグループの保有する東芝機械株式の議決権割合が20％以上となるような買付行為その他の行為と定義されている）に対して適用されるものではなく，OSまたはその子会社による本件公開買付けおよび本件公開買付けが予告されている状況下において第三者により実施される可能性のある大規模買付行為等に対してのみ適用される点が特徴的である。

なお，本件防衛策の導入は，取締役会の決議によるものであって，株主総会の承認を得ていないが，これは③で述べるとおり，株主意思確認総会の開催前に（公開買付期間を延長せずに）本件公開買付けを終了させるといった例外的な場合でない限り，本件対抗措置の発動には株主意思確認総会における承認が必須であるとされているため，防衛策の導入時にあえて株主総会決議による承認を得ておく必要性がないとの考慮によるものと考えられる。もっ

---

[113] OSらの要求の詳細については，CI11の2020年1月21日付け公開買付届出書，東芝機械の主張の詳細については，東芝機械の2020年2月12日付け意見表明報告書の訂正報告書参照。

とも，この点については，その後，OSの要求に基づき，本件株主総会の招集時に，本件防衛策の導入を事後的に追認するか否かを問う議案を，新たに第1号議案として付議することとされた。

② 独立委員会の設置

本件防衛策においては，取締役会による恣意的な判断を防止し，運用の公正性・客観性をいっそう高めることを目的として，独立社外取締役3名から成る独立委員会が設置されており，取締役会は，独立委員会の勧告を最大限尊重した上で，対抗措置の発動の是非等について判断するものとされている。

③ 本件対抗措置の発動

①で前述のとおり，本件対抗措置は，株主意思確認総会による承認[114]が得られた場合であって，かつ，大規模買付行為等が撤回されない場合にのみ，独立委員会の勧告を最大限尊重したうえで，発動されるものとされている。ただし，大規模買付者が，本件防衛策に定める手続を遵守せず，株主意思確認総会を開催する以前において大規模買付行為等を実行しようとする場合（典型的には，本件公開買付けに係る公開買付期間を延長せず，株主意思確認総会の開催前に本件公開買付けを終了させる場合）には，株主が，大規模買付行為等がなされることを受け入れるか否かについて適切な判断を下すために，十分な情報と検討時間を確保するという目的を達することができないため，取締役会は，独立委員会の勧告を最大限尊重したうえで，株主意思確認総会の承認を得ることなく，本件対抗措置を発動することができるものとされている。

④ 本件対抗措置の概要

本件対抗措置は，新株予約権の無償割当て（法277条以下）によるものと

---

[114] ブルドックソース事件では，株主総会に定款変更議案が付議され，対抗措置としての新株予約権無償割当ての決定権限を，取締役会だけでなく株主総会にも付与する（決議要件は特別決議）旨の新たな定款規定（第19条）に基づき，対抗措置の発動が株主総会決議により決定される体裁が採られていたが，本件における株主総会決議は定款に基づくものではなく，講学上，いわゆる勧告的決議と呼ばれるものに属する。

4-4　新株予約権を用いた有事導入型買収防衛策の発展

されている。当該新株予約権（以下，「本件新株予約権」という）の無償割当てにおいては，①非適格者[115]による権利行使は認められない旨の差別的行使条件，および②東芝機械が非適格者以外の者からは東芝機械の普通株式と引換えに本件新株予約権を取得する一方，非適格者からは行使に一定の制約が付された別の新株予約権（以下，「第2新株予約権」という）[116]と引換えに本件新株予約権を取得する旨の差別的取得条項が付されている。

　仮に，このような新株予約権の無償割当てがなされ，本件新株予約権について，それに付された差別的取得条項に基づき東芝機械がこれを強制取得し，非適格者以外の者に対して東芝機械の普通株式を交付し，非適格者に対して第2新株予約権を交付した場合，新株予約権には株式と異なって議決権が付されていないため，非適格者の議決権割合は希釈化されることとなる。

　⑤　有効期間

　本件防衛策は，すでに具体化している本件公開買付けへの対応を目的として導入されたものであるため，具体的な大規模買付行為等が企図されなくなった後はこれを維持することは予定されておらず，有効期間は，原則として，2020年開催予定の定時株主総会後最初に開催される取締役会の終結時までとされていた。

---

[115] 本件防衛策において「非適格者」とは，概要，大規模買付者，大規模買付者の共同保有者（金商27条の23第5項・6項），大規模買付者の特別関係者（同法27条の2第7項）およびこれらの関係者（これらの者と実質的利害を共通にしている者等）と定義されており，東芝機械の取締役会が株主意思確認総会後の2020年3月27日に，対抗措置としての本件新株予約権の無償割当てを決定した際には，「非適格者」として，同年2月21日現在の関係が維持されることを前提とした場合におけるOSらの関係者が例示されている（東芝機械の2020年3月27日付け「株主意思確認の結果を踏まえた新株予約権の無償割当てに関するお知らせ」）。

[116] 概要，非適格者は，大規模買付者が大規模買付行為等を中止または撤回し，かつ，その保有する東芝機械の株式を処分した場合，第2新株予約権の行使後における株券等保有割合が20％を下回る範囲において，第2新株予約権を行使できるものとされている。なお，第2新株予約権が交付された日から10年を経過する日以降，11年を経過する日までの間において，未行使の第2新株予約権が残存する場合，東芝機械は，第2新株予約権を，その時点における時価で取得することができるものとされている。

(4) 論　点

① 「有事導入型」の許容性

　有事において買収防衛策を導入および発動することに関して，本件同様に有事における買収防衛策の導入および発動が問題となったブルドックソース事件最高裁決定は，「事前の定めがされていないからといって，そのことだけで，経営支配権の取得を目的とする買収が開始された時点において対応策を講ずることが許容されないものではない」と判示して，有事における買収防衛策導入の可能性を肯定している。また，富士興産事件も，有事導入型の買収防衛策が許容されることは当然の前提としている。本件防衛策は，ブルドックソース事件における買収防衛策のように買収提案の内容に踏み込んだ実質的な判断を下して，対抗措置の発動により買収を阻止する目的ではなく，買収提案について基本的に株主意思確認総会にその判断を委ねることを前提に，株主の判断に必要な十分情報と検討時間を確保することを主たる目的とするものであるため，企業価値研究会報告書6頁以下において示されているとおり，その導入はよりいっそう肯定されやすいと考えられる。さらに，日本技術開発事件決定において，このような目的のためには取締役会が権限を行使することが許容されると解されているため，東芝機械が取締役会決議に基づき本件公開買付けの予告後に本件防衛策を導入したことも，その適法性を高める要素となると思われる。

② 株主意思確認総会における対抗措置発動の承認要件

　本件において，OSは，本件対抗措置の発動には株主総会の特別決議を要するとすべきである旨要求していたが，東芝機械は，本件対抗措置の発動についても普通決議とすることを決定し，結果的に，株主意思確認総会においては，本件防衛策の導入および本件対抗措置の発動について，定款に基づかない，いわゆる勧告的決議として，いずれも出席株主の総議決権の約62％を超える多数の賛成を得て可決されている。

　4－1■4(2)⑥のとおり，ブルドックソース事件最高裁決定は，買収防衛

4-4 新株予約権を用いた有事導入型買収防衛策の発展

策の必要性の有無,すなわち,「特定の株主による経営支配権の取得に伴い,会社の企業価値がき損され,会社の利益ひいては株主の共同の利益が害されることになるか否か」については,「最終的には,会社の利益の帰属主体である株主自身により判断されるべき」と判示しているところ,特別決議の成立に至っていないからといって,当該判断を尊重しないというのは適当ではないとも考えられるし,会社の経営支配権の移転の当否について株主の意思を問うという点において,株主総会の普通決議を決議要件とする支配株主の異動を伴う募集株式の発行等(法206条の2)と実質的に同一の状況にあるといえることからすれば,対抗措置発動の必要性に関する株主の判断は,普通決議によることで足りると考えられる。前述 4 － 1 ■ 4(5)④(b)のとおり,富士興産抗告審決定も,株主意思確認総会の承認要件について,少なくとも普通決議が得られていればよいとの判断を下した。

第Ⅱ編　第４章　買収防衛策と新株予約権

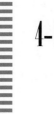

4-5 その他の新株予約権を用いた買収防衛策

■1　総　論

　これまで説明してきた事例警告型買収防衛策，有事導入型買収防衛策のほか，新株予約権を用いた買収防衛策としては，平時において，新株予約権を引き受けかつこれを信託することのみを目的とする特別目的会社（SPC）ないし信託銀行が設定した信託勘定に対して，あらかじめ新株予約権を発行しておく信託型ライツ・プランがあり，一定数の上場会社において採用されてきた。その概要は，後述■2のとおりである。

　なお，同様に，新株予約権を用いた買収防衛策として，平時において特定の第三者に新株予約権を割り当てる買収防衛策（TBSが平成17年5月18日に発行を決議した東京放送第1回新株予約権「TBS（旧プラン）型新株予約権」）[117]，および有事において特定の第三者に新株予約権を割り当てる買収防衛策（ニッポン放送が平成17年2月23日に発行を決議したニッポン放送第1回新株予約権「ニッポン放送型新株予約権」）といった例も過去に存在した。TBS（旧プラン）型新株予約権およびニッポン放送型新株予約権について

---

[117]　このスキームにおいては，敵対的買収者等が出現した場合，一定の条件を充足することにより，新株予約権の割当てを受けた日興プリンシパル・インベストメンツ（現・シティグループ・キャピタル・パートナーズ）は，TBS発行に係る普通株式の6カ月平均の価格から10％ディスカウントした価格で新株予約権を行使することができ，当該行使がなされると同社はTBSの発行済普通株式総数の約20％を取得することとなるので，結果として，敵対的買収者等の持株比率等が希釈化され，敵対的買収行為が阻害されることとなる。

は，その発行時期につき，いわゆる「平時」であるか「有事」であるかの違いはあるものの，いずれも「白馬の騎士（white knight）」に対する「株式ロックアップ・オプション（lock-up stock option）」[118]の一形態である点で共通性を有する。

■2　信託型ライツ・プラン

(1)　総　　論

　信託型ライツ・プランとは，図表4－10のとおり，会社が，一定の条件を充足する買収者が出現したときに著しく低廉な行使価額で行使可能となり，当該買収者に該当しないことが行使条件（差別的行使条件）とされ，同様に差別的な取得条項が付されているような新株予約権を，新株予約権を引き受けかつこれを信託することのみを目的とする特別目的会社（SPC）ないし信託銀行が設定した信託勘定に対して，あらかじめ無償または著しく低廉な発行価額で発行しておき，買収者が出現した場合には当該発行会社の一定の基準日現在のすべての株主にそれが無償で分配されるように定めておくことを主たる内容とする「平時導入型防衛策」[119]であり，平成26年8月末までに合計13社の上場企業によって導入された。もっとも現在は澁谷工業お

---

[118]　株式ロックアップ・オプション（lock-up stock option）とは，米国における敵対的買収防衛策に淵源を有するものであり，対象企業の未使用の株式発行授権枠の全部または一部に相当する新株についての引受オプション（コール・オプション）を「白馬の騎士（white knight）」に対して無償で付与するものである。TBS（旧プラン）型新株予約権およびニッポン放送型新株予約権はいずれも有償で発行されていることから，厳密には株式ロックアップ・オプション（lock-upstock option）とは異なるものの，その発行の目的等については共通する点が多いことから，ここでは株式ロックアップ・オプション（lock-up stock option）の一形態と分類する。なお，株式ロックアップ・オプション（lock-up stock option）については，武井一浩＝太田洋＝中山龍太郎編『企業買収防衛戦略』54頁〜55頁（商事法務，2004）163頁以下を参照。

[119]　後に詳述するとおり，実際に導入された信託型ライツ・プランの中には，「有事」において，買収者を含むすべての株主に新株予約権が交付されるのではなく，買収者以外の株主に対してのみ新株予約権が交付されることとなっているもの（後述の，いわゆる「受益者からの排除方式」を採用するもの）も存する。

および日本化学産業において利用が見られる程度になっている。

このスキームのもとでは，新株予約権発行会社の取締役会が「濫用的」であると認定した買収者が出現した場合には，買収者以外のすべての当該発行会社の株主が著しく低廉な行使価額で当該新株予約権を行使することになるので，結果的に「買収者」の当該発行会社に対する持株割合が大幅に希釈化されることとなる。したがって，当該発行会社の経営支配権の取得を狙う者は，事前に当該発行会社の取締役会と交渉して，当該取締役会が取締役の善管注意義務の観点から受け入れざるをえない程度に有利な買収条件を提示し，それによって当該新株予約権を消却してもらうように動機づけられることとなる。このスキームは，そのように，発行会社の取締役会に当該発行会社の支配権の取得を狙う者から有利な買収条件を引き出すための交渉上の「武器」を付与する効果を狙って設計されたものである。

図表4－10 　　　　澁谷工業の第5回信託型ライツ・プラン

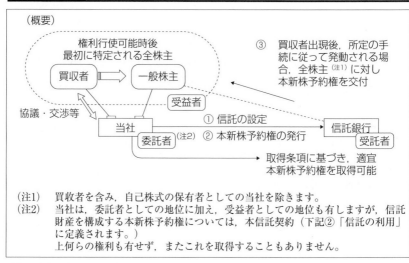

（注1）　買収者を含み，自己株式の保有者としての当社を除きます。
（注2）　当社は，委託者としての地位に加え，受益者としての地位も有しますが，信託財産を構成する本新株予約権については，本信託契約（下記②「信託の利用」に定義されます。）
　　　　上何らの権利も有せず，またこれを取得することもありません。

出典：平成31年8月29日付け澁谷工業プレス・リリースより抜粋

(2) 信託の方式等

信託型ライツ・プランにおいて，新株予約権の割当先としてSPCが用いられる場合（以下，「SPC利用方式」という）[120]には，当該SPCは当該新株予約権の割当てを受けると同時に，当該新株予約権を表章する新株予約権証券について，信託銀行に対しその管理を目的として有価証券管理信託を設定することとなるが，当該信託においては，当該SPCが委託者，信託銀行が受託者となり，受益者は，将来「買収者」が出現した時点以降に最初に特定される株主とされる。

他方，SPCを用いず，信託銀行が金銭信託を設定するなどして創設した信託勘定に直接新株予約権を発行する方式（以下，「直接信託方式」という）[121] が用いられる場合には，発行会社が委託者，信託銀行が受託者となり，受益者は，SPC利用方式の場合と同様，将来「買収者」が出現した時点以降に最初に特定される株主とされる。

直接信託方式をとる場合，発行会社は，新株予約権を信託銀行の信託勘定を割当先として発行すると同時に信託契約に基づいて将来の株主を受益者として信託していることになり，いわば将来の不確定の株主を実質的な割当人として新株予約権を発行していることにはなる。たしかに，第三者割当ての場合，割当先が確定していない新株予約権の発行はありえないが，直接信託方式であっても，信託勘定とはいえ，信託銀行という法人が割当先として一応確定しているから，新株予約権の発行として適法であるし，これを有価証

---

[120] 代表的なものとして，ウッドワンが導入した信託型ライツ・プラン（平成26年5月26日付けプレス・リリース。ただし同社は平成29年に信託型ライツ・プランを廃止している〔平成29年5月25日付けプレス・リリース〕）参照。なお，ウッドワンは，SPCとして一般社団法人を用いていた。

[121] 平成18年法律第109号による改正前の信託法（大正11年法律第62号）（以下，本注および後掲注（124）において「改正前信託法」という）のもとでは，直接信託方式による会社から信託銀行への新株予約権の発行と同時の信託が，信託も行為の要件としての「財産権ノ移転其ノ他ノ処分」（改正前信託法1条）に含まれるか議論があったが，現行の信託法のもとではこのような懸念は払拭されたと解される（寺本昌広『逐条解説新しい信託法〔補訂版〕』33頁〔商事法務，2008〕参照）。

券管理信託の一形態として受け入れることを否定する理由はないと考えられる[122]。

もっとも，受益者の範囲に関しては，そこから「買収者」を除外するという方式（以下，「受益者からの排除方式」という[123]。この方式を採用した場合には新株予約権の行使条件として差別的行使条件を用いる必要がなくなる）も存するが，現在までに実際にわが国で導入された実例では，新株予約権の行使条件において「買収者」は新株予約権を行使できない旨を定めて受益者の範囲からは「買収者」を除外しない方式（この方式を採用した場合には，企業買収に対する予防的効果を確保するために必然的に新株予約権の行使条件として差別的行使条件を用いることとなるので，以下，この方式を「差別的行使条件方式」という）を採用したものが大勢である。

なお，受益者が不確定であるため，信託行為（有価証券管理信託契約）に基づいて受益者代理人を置くこととなる（信託138条1項）[124]。

(3) 導入時における有利発行決議

信託型ライツ・プランにおいては，SPC利用方式においても，直接信託方式においても，新株予約権は無償で発行されるのが通常である。

会社法238条2項・3項1号・309条2項6号は，「金銭の払込みを要しな

---

[122] 沖隆一＝今井和男「信託型ライツ・プラン導入にあたっての実務上の留意点」金融法務事情1744号34頁（2005）参照。
[123] 代表的なものとして，イー・アクセスの信託型ライツ・プラン（平成17年5月12日付けプレス・リリース）参照。ただし，同社は平成20年に信託型ライツ・プランを廃止している（平成20年4月17日付けプレス・リリース）。
[124] 改正前信託法のもとでは，受益者が不特定の場合に置かれるのは信託管理人であるとされていた（改正前信託法8条1項）。これに対し，現行の信託法においては，信託管理人は「受益者が現に存しない場合」に置かれ（信託123条1項），「多数の受益者が頻繁に変動するために固定性を欠くような場合については，新法においては，信託管理人を選任できる場合には当たらず，第138条以下に規定する受益者代理人を選任すべき場合であるとの考え方をとっている。」（寺本・前掲注（123）311頁～312頁）とされ，現行信託法下で信託型ライツ・プランを設計する場合には，受益者代理人を置くこととなる。なお，旧信託法下の実務では，この信託管理人（新株予約権の行使条件充足時に株主の確定の作業にあたることとなる）には発行会社の役員または担当者が選任されることが多かったが，現行信託法下の信託型ライツ・プランでは，これらの者が受益者代理人に指定されることとなろう。

いとすることが当該者に特に有利な条件であるとき」は，有利発行として，その募集事項（法238条1項）の決定には株主総会の決議を必要としているところ，「特に有利な条件」であるか否かは，たとえばストック・オプションの無償発行の場合に本来会社が負担すべき金銭による取締役等への報酬の額を低く抑えることができるのであれば，その実質的な経済的効果からして，特に有利であるというわけではないとされる[125]ように，新株予約権の割当てと引換えに会社が何らかのそれに見合う経済的利益を得ているかどうかで判断される。

信託型ライツ・プランにおけるSPCまたは信託銀行への新株予約権の割当ては，会社において当該SPCまたは信託銀行から，新株予約権の割当てと引換えに特段の経済的利益を得るものではないから，「特に有利な条件」に該当し，有利発行として，その募集事項の決定については株主総会の特別決議が必要となる。

なお，ブルドックソース事件最高裁決定は，有事において対抗措置発動の必要性の判断が株主総会決議によってなされた場合には，原則的に裁判所は当該判断を尊重するというものであるところ，信託型ライツ・プランにおける株主総会特別決議は，あくまでその導入時である新株予約権の発行時に行われるものであって，買収者が登場する有事においては，一定の要件を満たせば自動的にその時点における株主に信託財産である新株予約権が分配されることとなっており，その際には改めて株主総会決議を取得することとはなっていないため，同決定との関係で，有事において対抗措置発動の適法性が一応問題となり得る。しかしながら，同じ平時導入型の買収防衛策である事前警告型と異なり，信託型ライツ・プランの場合には，株主総会特別決議（取締役会への委任決議である場合にはその後の取締役会決議も含む）によって実際に新株予約権が信託会社に対して発行されるのであり，その点はプレス・リリースや公告によって公表され，買収者はそれが新株予約権の分配事

---

[125] 相澤・論点解説316頁～317頁参照。

由となることを知悉したうえで大量買付行為に及ぶものであって，買収者については十分に予見可能性が確保されていることからすれば，同決定を前提としても，あえて新株予約権の分配時に改めて株主総会決議を経なければ適法性に疑義が生じる，ということはないように思われる。

第5章

新株予約権・新株予約権付社債を用いたM&A

第Ⅱ編　第5章　新株予約権・新株予約権付社債を用いたM&A

5-1 新株予約権を資金調達手段として用いるM&A

1　具体的なM&Aのための資金調達手段として新株予約権を用いた事例

　新株予約権をMSワラントの発行等の一般的な資金調達手段として用いられることも多く，そのようにして調達された資金を用いてM&Aを行うこともあるが，これらの資金調達は具体的なM&Aに紐づけられずに行われることが一般的である。しかしながら，より直接的に具体的なM&Aの契約締結公表とともに当該M&A実行のための資金調達手段として新株予約権の第三者割当てを行った実例としては，株式会社アエリア（以下，「アエリア」という）が株式会社サイバード（以下，「サイバード」という）の株式をロングリーチグループより取得するにあたってOakキャピタル株式会社（以下，「Oakキャピタル」という）に対して新株予約権の第三者割当てを行った事例があげられる[1]。

　当該案件においては，アエリアが平成30年6月28日をクロージング日としてサイバードの株式を取得するにあたって必要となる70億円の資金のうちの一部を調達するため，Oakキャピタルに対してアエリアの新株予約権の第三者割当てが行われたが，当該新株予約権は，平成30年6月13日を割当日および払込期日として，平成32年6月12日までを行使期間とするもの

（1）　株式会社アエリア「株式会社サイバードの株式取得（完全子会社化）及び第三者割当により発行される新株予約権の募集に関するお知らせ」（https://www.aeria.jp/pdf/gOV3zcBTE）。

5-1 新株予約権を資金調達手段として用いるM&A

で，払込金額を新株予約権1個当たり1,980円，新株予約権の1個当たりの目的である株式の数は100株で，新株予約権の行使価額は1株当たり1,547円とされていた。当該新株予約権の発行による調達額は34,558,920円，当該新株予約権がすべて行使された場合の新株予約権行使による調達額は2,700,133,800円となっていたが，サイバード株式取得のクロージング日である平成30年6月28日までに当該新株予約権を行使する旨のコミットメントはなかった模様である。また，金融商品取引所におけるアエリアの株式に係る終値が20取引日連続して各取引日における行使価額の180％を超えた場合には，アエリアが当該新株予約権1個あたり1,980円で取得することができるものとされていた。

M&Aにおいて資金をどのようにして調達するかは非常に大きな問題であり，新株予約権も1つの調達手段となりうるところである。本事案においても，金融機関等から株式取得目的での融資は難しく，また，公募増資や株主割当てにより資金調達ではM&A実行までに適時に資金を調達することができないために第三者割当てが選択され，割当候補者との協議の結果，上記のような新株予約権の第三者割当てが選ばれたものとされている。

本事案における新株予約権による資金多調達は，アエリアのプレスリリースにおいては，行使価額修正条項が付されておらず，新株予約権の目的となる株式の数も固定されているため，当初予定よりも大幅に希薄化が進むことがないことや，上記の180％コールオプション条項の存在によって新株予約権の行使を促して資本充実を図ることができることがメリットとして指摘をされている。しかしながら，当該新株予約権について行使がコミットされていたわけではない模様であり，当該M&Aのクロージング日までに新株予約権の行使が行われるかが不安定であるため，十分な行使が行われなかった場合には他の方法によって資金を調達しなければならないことが難点となる。実際に，本事案においては，当該新株予約権が十分に行使されなかった場合には一時的に借入れによって賄うことを検討する旨がプレスリリースにおいても言及されており[2]，また，サイバードの株式取得段階において当該

新株予約権行使による資金調達は1億8,800万円にとどまったため近畿産業信用組合から別途10億円の調達を行って株式取得代金に充て[3]、最終的にはOakキャピタルから当該新株予約権の取得および消却を行っている[4]。

2 資金調達および業務提携の手段として新株予約権付社債を用いた事例

　資金調達目的のみならず、業務提携をより効果的にするための手段として新株予約権付社債を用いた事案としては、株式会社大和証券グループ本社（以下、「大和証券グループ本社」という）とサムティ株式会社（以下、「サムティ」という）との資本業務提携の事例があげられる[5]。

　サムティは、大和証券グループ本社に対して第三者割当による自己株式の処分及び第1回無担保転換社債型新株予約権付社債の発行を行うとともに、サムティの株主が大和証券グループ本社に対する株式の譲渡を行うことを通じて、①大規模ホテル開発ファンドにおける協働、②アセットマネジメント事業の連携強化、③大和証券グループが保有するCRE（企業不動産）に関する情報のサムティグループに対する提供、④アジア展開における協働、⑤富裕層向け不動産販売およびクラウドファンディングにおける協働を意図した資本業務提携を大和証券グループ本社との間において行うものとされている。

　資本業務提携に際して、第三者割当てによる新株発行や自己株式の処分が行われ、これによって株主側が一定割合の株式を取得するとともに、新株発

（2）　注（1）参照。
（3）　株式会社アエリア「株式会社サイバードの完全子会社化の手続き完了及び第29回新株予約権の資金使途変更・買取り方針に関するお知らせ」(https://www.aeria.jp/pdf/onuRZpuv7)。
（4）　株式会社アエリア「第29回新株予約権の取得及び消却に関するお知らせ」(https://www.aeria.jp/pdf/FPf5LoODb)。
（5）　サムティ株式会社「大和証券グループとの資本業務提携、第三者割当による自己株式の処分及び第1回無担保転換社債型新株予約権付社債の発行、株式の売出し並びに主要株主である筆頭株主の異動に関するお知らせ」(https://www.samty.co.jp/news/auto_20190530441201/pdfFile.pdf)。

5-1 新株予約権を資金調達手段として用いるM&A

行や自己株式の処分を行った側の当事者が資金調達を行うことは非常に幅広く行われてきている。本事案においても自己株式の処分が行われているが，これにとどまらずサムティが新株予約権付社債の発行をあわせて行った理由の1つは資金調達目的であり，自己株式処分とあわせて調達した資金については，サムティの大阪本店および各支店を中心とした全国の主要都市における各開発アセット（マンション・オフィス・ホテルのいずれか）のための収益不動産用開発用地の取得資金に充当する予定とされている。さらに，単に自己株式の処分だけではなく新株予約権付社債の発行を併せることを選択した理由としては，上記の資金調達に加えて，①発行決議時点の時価を上回る水準に転換価額を設定すること，および，発行後の株式への転換を一定期間不可とすることで，発行後の1株当たり利益の希薄化を一定程度抑制するとともに，②ゼロ・クーポンで発行するため他の調達手法と比較して資金調達コストを低減することが可能であることから業務提携をより効果的にすることが可能であり，また，③新株予約権が行使された場合には自己資本の拡充も図られることがプレスリリースにおいては指摘されている。ここでは，新株予約権付社債が，単なる資金調達目的にとどまらず，業務提携の実をあげるとともに1株当たり利益が早期に大規模に生じてしまうことを可及的に避け既存株主の利益保護に配慮するという観点も重視されており，かかる観点から採用されているものと考えられる。

5-2 新株予約権を資金調達以外の手段として用いる M&A

1 買収時におけるアーンアウト（Earn-out）の手段としての活用

　会社や事業の買収をする際に，その買収対価の算定にはさまざまな手法があるが，実務において一般的であるいわゆる Discount Cash Flow 法によって買収対価を算定しようとする場合，対象会社や事業が将来的にどの程度の収益を上げることができるかの見通しが買収対価の算定に直結することになる。しかしながら，対象会社または事業について買い手と売り手との間には情報の不均衡があること等から，将来の収益の見通しについて買い手および売り手の見解が一致するとは限らず，その結果，両者の妥協点として，買収実行後の対象会社または事業の業績に応じて追加的に対価を支払うというアレンジメントを行うことがある。このようなアレンジメントは，一般に，アーンアウトと呼ばれる[6]。

　このようなアーンアウトのアレンジメントを行うと，買収実行後の対象会社の業績があらかじめ当事者で合意した一定の基準を満たした場合には，買い手が売り手に対してアーンアウトに基づく追加的な支払いを行うことになる。かかる支払いを金銭で行うこととすることも当然可能であるが，（対象会社のエクイティ・バリューに価値が連動する）新株予約権によってアーンア

---

[6] アーンアウト条項については，たとえば，松浪信也「アーンアウト条項における検討事項」旬刊商事法務1917号35頁（2010）を参照。

ウトを行うことも可能である。アーンアウトに新株予約権が用いられた例として，たとえば，株式会社ディー・エヌ・エーが米国カリフォルニア州 ngmoco, Inc. を買収した際の事例[7]や株式会社ユーザベース（以下，「ユーザベース」という）が米国 Quartz Media LLC（以下，「Qaurtz」という）を買収した際の事例[8]がある[9]。

　いずれの事例においても，買収の対象会社が米国法人であることから，アーンアウト対価としての新株予約権の交付方法としては，米国に設立した法人に新株予約権を取得させたうえで当該法人と対象会社とを合併させたうえで親会社株式や新株予約権を対象会社の株主に対して合併対価として交付する三角合併の手法が用いられている。

　ユーザベースの事案におけるアーンアウト対価は，ユーザベースの新株予約権が最大 2,500 万米ドル相当および現金最大 1,000 万米ドルであり，平成 30 年 12 月に終了する事業年度に係る Quartz の売上のうち諸条件を満たした売上と，同事業年度末時点の有料課金ユーザー数に応じて支払われ，Quartz が業績達成をするインセンティブを付与する効果が得られるものとされている。アーンアウト条件が満たされた段階でエクイティ対価が交付されるというわけではなく，あらかじめクロージング日時点において交付される新株予約権の行使可能数が，業績指標に対する達成比率に応じて増加されるものとされており，一定の条件が満たされた場合に改めて新株発行等の手続を行うことによる煩雑な手続や諸問題の発生を抑えつつ柔軟な制度設計をすることができるところが新株予約権を用いる 1 つのメリットとなってい

---

(7)　株式会社ディー・エヌ・エー「米国ngmoco社の買収，第三者割当による新株式発行及び新株予約権発行に関するお知らせ」(https://ssl4.eir-parts.net/doc/2432/tdnet/832605/00.pdf)。
(8)　株式会社ユーザベース「NewsPicks事業のグローバル展開に向けた，米国Quartz社の買収，第三者割当による新株式発行及び新株予約権発行に関するお知らせ」(https://ssl4.eir-parts.net/doc/3966/tdnet/1607302/00.pdf)。
(9)　それぞれの事案について，棚橋元「上場国内会社の株式を対価とする外国会社の買収──上場国内会社による米国での三角合併」旬刊商事法務1922号29頁（2011）および笠原康弘＝斉藤元樹＝堀内健司「日本の上場会社による株式対価を利用した米国企業の買収──ユーザベースがQuartz Media LLCを逆三角合併により買収した事例」旬刊商事法務2181号 4 頁（2018）参照。

る。

■2 株対価取引に関するアレンジメント実行の ためのツールとしての活用

　M&A 取引においては，個別の事情に応じて株式譲渡のタイミングを複数回に分ける等のさまざまなアレンジメントが組まれることも多い。また，株式を対価とする M&A の場合には，M&A 契約締結段階で条件について合意するとともに対価となるエクイティについて発行手続を行うのであればよいとしても，一定の期間を置いてから対価の発行手続を行うことは，その間の株式価値の変動に伴って手続上の問題を生じうるところであるが，新株予約権を M&A 契約締結の段階でその後の追加的なエクイティ対価の定め方まで合意しておくことができれば，新株予約権を用いることによってそのような問題も回避しうるため，新株予約権をそのような M&A 契約におけるアレンジメントの実行のためのツールとして用いられることもある。

　株式会社ネクソン（以下，「ネクソン」という）が Embark Studios AB（以下，「Embark」という）株式を追加取得する案件においては，ネクソンが Embark の議決権のうち約 66.1% をすでに所有しているところ，ネクソンが Embark の株式を追加的に取得すべく Embark の株主との間で，ネクソンの株式を対価として，以後の各年度における Embark の業績等の要素に応じてネクソンが Embark 株式を買い取ることができたり Embark の株主が Embark 株式を売りつけることができたりする複雑なアレンジメントを合意しており，そのアレンジメントを実行するためのツールとしてネクソンの新株予約権が用いられている[10]。この事案におけるアレンジメントは広範にわたるが，ネクソンの新株予約権が関わるところとしては，2年次から5年次までの間の各年ごとに，その対象となる Embark 株式について，ネクソンが Embark 株主から買い取るかまたは一定の条件を満たした場合に

---

(10) 株式会社ネクソン「第三者割当により発行される新株式及び新株予約権の募集に関するお知らせ」(https://pdf.irpocket.com/C3659/GDpy/wCmd/yDiE.pdf)。

5-2 新株予約権を資金調達以外の手段として用いる M&A

Embark 株主がネクソンに対して売りつけることができるものとしており，ネクソンが Embark 株主から Embark 株式を買い取ることができるとされている部分についてはコールオプション新株予約権と名付けられたネクソンの新株予約権が用いられ，一定の条件を満たした場合に Embark 株主がネクソンに対して Embark 株式を売りつけることができるとされている部分についてはプットオプション新株予約権と名付けられたネクソンの新株予約権が用いられている。

このアレンジメントは，結局のところ，あらかじめ定める条件および比率に従って Embark 株式とネクソン株式を交換する取引であるが，ある年次においてコールオプション新株予約権とプットオプション新株予約権の行使の対価として想定している Embark 株式は同一のものでありその意味において当該年次においてコールオプション新株予約権とプットオプション新株予約権は択一的関係に立つ。すなわち，ネクソンによるコールオプションおよびそれに紐づくコールオプション新株予約権の行使期間はプットオプション新株予約権の行使期間よりも早く到来することとされ，いずれか一方だけしか行使はできないものとなっている。

また，プットオプション新株予約権を保有する Embark 株主はいずれも Embark の役員または従業員であり，Embark の役員または従業員でなくなった場合にはプットオプション新株予約権を行使できなくなるという形の継続雇用要件が課されるとともに，各年次ごとに業績達成目標の達成度に応じて行使することができるプットオプション新株予約権の数が変わるものとされている。このようにプットオプション新株予約権に継続雇用要件および業績要件を付することによって，早期退職や業績未達成による企業価値低下といったリスクの低減を図ることが目的とされている。

もっとも，売主株主がクロージング後すぐに役員または従業員ではなくなってしまうことを防ぐというリテンション目的やクロージング後の業績達成インセンティブを持たせるという目的だけであれば，通常のアーンアウトであっても一定程度対応可能である。しかしながら，通常のアーンアウトであ

れば譲渡対象となる株式等についてはクロージングの段階で権利移転したうえで，その対価の金額確定をクロージング後の事情次第で変動させるものであるため，あくまでも対象となる株式等の権利はクロージング時点において買主に移転していることが前提であるが，本事案においては，対象となる株式についての権利が移転するかが2年次以後の事情次第となるところが異なるところである。これによって，買主たるネクソンは，2年次以後の対象会社たるEmbarkの業績等の事情を考慮しつつ，Embarkの保有株式割合を一定程度調整することができることが1つの特徴といえる。

　前述のとおり，プットオプション新株予約権の行使には継続雇用要件および業績要件が課されているため役員または従業員であるEmbark株主は，早期離職せずまた業績要件を達成するというインセンティブを有することになるが，当該プットオプション新株予約権の行使期間が到来する前に同一のEmbark株式を払込みの対象とするコールオプション新株予約権の行使期間が到来し，しかも当該コールオプション新株予約権には継続雇用要件や業績要件は課されていないため，①プットオプション新株予約権の行使条件が満たされている場合には，ネクソンとしては事前にコールオプション新株予約権の仕組みを用いて対象とされているEmbark株式を取得する強いインセンティブを有する[11]とともに，②プットオプション新株予約権の行使条件が満たされていない場合であっても，ネクソンの裁量によって，同じく対象となっているEmbark株式を取得することができることになるため，ネクソンとしては，Embarkの業績不振等によって株式の追加取得を望まない場

---

[11] プットオプション新株予約権行使の条件が満たされている場合には，ネクソンがコールオプション新株予約権を用いた仕組みによってEmbark株式を取得しなかったとしてもEmbark株主がプットオプション新株予約権を行使してネクソンはEmbark株式を取得させられる可能性が高い。また，この事案においては，ネクソンがコールオプション新株予約権を用いた仕組みによってEmbark株主が得られる経済的利益は，プットオプション新株予約権をEmbark株主が行使したことによって得られる経済的利益よりも約10％低くなるように設計されていることから，プットオプション新株予約権の行使条件が充足されているのであれば，ネクソンはコールオプション新株予約権を用いた仕組みによってEmbark株式を取得するインセンティブを強く有することになる。

合には株式を追加しないということも，業績要件等が満たされていなくとも株式の追加取得をすることも選択することができることになっている。

　本事案と同様のアレンジメントを達成するにあたっては，新株予約権を用いない場合には以下のような悩みを生ずることになるため，新株予約権を用いることは合理的といえる。すなわち，プットオプション新株予約権は，新株予約権行使の際に出資される財産が Embark 株式とされており，いわゆる現物出資規制を受けることになる[12]ところ，ネクソンの株式発行に対して出資される Embark 株式の価値が今後どのように変動するかは不明であり，現物出資された財産の価額が不十分であった場合には取締役が不足額塡補責任を負うことになってしまうため，そのような事態を避けるために本事案においては，新株予約権の行使価額は1円または2円とされている[13]。そして，その結果，当該新株予約権は割当予定先にとって特に有利な条件のものとなるため，株主総会の特別決議による承認を得るものとされているが，有利発行決議は1年以内のものまでしか決議ができないため，本事案のように今後数年にわたって株式発行されることが想定されている場合には，1回の株主総会によってすべてのラウンドについて承認決議を得ることができなくなってしまうが，毎回株主総会の承認を得ることとしてしまうと，数年後の株主総会で株主総会の特別決議による承認が得られるという保証もないためクロージングの可否が不安定になってしまう。しかしながら，本事案のように新株予約権を用いることとする場合には，新株予約権の発行については割当ておよび発行を行うのは数年後になるわけではないため，議案は複数に分ける必要があるものの1回の株主総会で承認を得ることが可能であり，そ

---

[12]　なお，現物出資規制によって原則として検査役調査が必要とされることになるが，行使された新株予約権の新株予約権者が交付を受ける株式の総数が発行済株式総数の10分の1を超えないようにすることによって会社法284条9項1号に基づいて検査役調査を免除されるようになっている。

[13]　本事案においてはプットオプション新株予約権の行使価額は新株予約権1個当たり2円となっているのに対して，コールオプション新株予約権の行使価額が新株予約権1個当たり1円とされているのは，プットオプション新株予約権とコールオプション新株予約権とで明確な差異を設けるためとされている。

の後の新株予約権行使について株主総会承認が必要となるわけでもないため，当事者がM&A契約において合意したアレンジメントを新株予約権を使うことによって実現することが容易になるという意味がある。

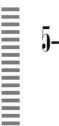

5-3 M&Aの手段として用いられる新株予約権・新株予約権付社債に関する税務・会計上の問題

　新株予約権や新株予約権付社債がM&Aの手段として用いられる場合でも，そのことによって会計上ないし税務上特別な問題が生じることは基本的になく，他の新株予約権・新株予約権付社債と同様の会計処理・税務処理に従って処理されることとなる。

　しかしながら，新株予約権がM&Aの手段として用いられる場合には，当該新株予約権は，現物株の代替物として取得されるものであるが，会計処理の観点からは，現物株とは若干異なる取扱いが求められる点に留意が必要である。

　まず，現物株をM&A目的で取得した結果，発行会社の株式が関連会社株式に該当するのであれば，取得原価をもって貸借対照表価額とすることができる（金基17項）ため，事後における取得株式の評価替えの問題は生じない。

　また，新株予約権付社債についても，転換社債型新株予約権付社債である場合には，社債の対価部分と新株予約権の対価部分に区分せず，普通社債の取得に準じて処理することが認められており（一括法，払込複合適指20項），当該新株予約権付社債に市場価格がないことが通常であることから，当該新株予約権付社債についても，債券の貸借対照表価額に準ずるとされ（金基19項），事後における評価替えの問題は生じない。

　しかしながら，新株予約権については，取得時に時価で測定した後，保有目的の区分に応じて，売買目的有価証券またはその他有価証券として会計処

747

第Ⅱ編 第5章 新株予約権・新株予約権付社債を用いたM&A

理されることとされており（払込複合適指7項・37項），M&A目的の新株予約権は，その他有価証券として会計処理されることとなるので，時価をもって貸借対照表価額とし，評価差額は洗替え方式に基づき，①評価差額の合計額を純資産の部（その他有価証券評価差額金）に計上するか，②時価が，取得原価を上回る部分は純資産の部に，取得原価を下回る部分は当期損失に計上するかのいずれかの方法により処理することが求められる（金基18項）。

したがって，新株予約権をM&Aの手段として用いた場合には，買収者において，上記②の会計処理を採用する限り，対象会社の株価に連動する形で，場合によっては四半期ごとに[14]特別損失を計上しなければならなくなる可能性が存することに注意が必要である。また，行使期間が短くなっていく新株予約権については，通常，その公正価値は下落していくのが通常であるから，その損失が純資産の部または当期損益に影響を与えることとなるという点に留意が必要である[15]。

---

(14) 上場会社については，平成20年4月1日以降開始する会計年度より四半期決算を行うことが金融商品取引法上義務づけられている。
(15) 本文記載の処理によった場合には，保有期間中に当期損失が計上されることとなるが，当該損失は，権利失効時に発生する新株予約権の消滅による損失を前倒しして処理しているという側面（権利失効時に発生する損失額は抑えられる）があり，また，権利行使により取得した株式の簿価も抑えられるため，行使後の株式の譲渡により得られる利益が増加するという側面もある。このため，保有期間中の当期利益等への影響と，将来も含めた利益・損失の計上への影響という両方向からの検討が必要となる問題である。

第6章

その他の目的で用いられる新株予約権

第Ⅱ編　第6章　その他の目的で用いられる新株予約権

6-1 「株主還元策」としての新株予約権無償割当て

　新株予約権の利用目的としては，前章までに紹介した，ストック・オプション，資金調達の手段，買収防衛策における対抗措置，M&Aの手段等が代表的であるが，新株予約権の利用目的はこれらに限られない。たとえば，上場会社が，「株主還元策」として，新株予約権を株主割当てにより発行する事例がある。

1　総論

　「株主への還元策」としての新株予約権無償割当てとは，株主が，経営陣の中長期的な経営計画を支持し，剰余金を配当でなく再投資に回すことに賛同した結果，業績が向上し株価が上昇した場合に，その成果を株主に「還元」しようとする発想に基づくものである。基本的には金銭配当の代替策であり，（株主還元のための一方策として理解されていることが多い）株式分割の変形版としての性質を有すると一般に理解されているようである。

　しかし，上場会社において，（新株予約権の払込金額を無償とした以上はその行使価額は有償とせざるをえないが）新株予約権の行使価額を有償とする譲渡制限を付した新株予約権を全株主に無償で割り当てる場合，各株主は行使価額を払い込まない限り，これを払い込んだ株主との関係で自己の持株割合が希釈化される。もっとも，行使価額＝株価÷（1＋既存株式1株当たりに割り当てられる新株予約権の行使により交付される株式の個数）であれば，行使価額を払い込まない株主については，自己の持株割合は希釈化されるが，その経

済的利益が希釈化されることはない。これに対し，行使価額＜株価÷（1＋既存株式1株当たりに割り当てられる新株予約権の行使により交付される株式の個数）である場合には，行使価額を払い込まない株主の経済的利益はその限度で実質的に希釈化されるため，各株主は希釈化を避けようとすれば行使価額の払込みを行わざるをえない。

このように，当該スキームは，全株主に行使価額の払込みを事実上「強制」し，実質的には会社が既存株主から資金を調達するための手段として機能する面があり，「株主還元」のためのスキームとは言えない場合が生じる。そのためか，実務で見られる実例も，ほとんどが，株主に割り当てる新株予約権の行使により交付される株式の数を既存株式1株に対し0.1株等の僅少な割合とすることにより，過度の希釈化が起きないように設計されている。

この点に関しては，前記の**第Ⅱ編第4章**で触れたニレコ事件の東京高裁決定との関係その他で法的な問題を惹起しうるが，それについては■3において詳述する。

■2　実　例

会社法によって新株予約権無償割当ての制度が創設される以前は，新株予約権を株主に無償で割り当てる方法として，新株予約権の引受権（改正前商280条ノ20第2項12号）の付与方式が採用されていた。この場合には新株予約権の割当てのためには引受権を有する株主からの申込みが必要であり，申込みを行わなかった株主の引受権は失権するものとされていた[1]。

会社法下における，「株主還元策」としての新株予約権無償割当ての実例として，平成22年6月4日に公表されたOakキャピタルの例がある。当該実例では，3期連続で無配が続いている等の状況下で，株主還元策の一環として行われるものであると説明されている。なお，割当基準日は平成22年9月30日，効力発生日は同年10月16日，行使期間は同年12月1日から平

（1）　会社法施行前の新株予約権の引受権の付与方式による実例として，2004年2月10日付けに公表されたインボイス（2011年4月30日付けでMBOにより上場廃止）の例等が存する。

成23年11月30日までであり，既存株式1株に対して新株予約権1個が割り当てられるとともに，新株予約権1個の目的である株式の数は0.25個とされている。また，新株予約権の譲渡には取締役会の承認が必要とされている。他方，Oakキャピタルは，この新株予約権無償割当ての公表に先立つ平成22年5月21日，株式併合（10株を1株に併合）および単元株式数の変更（1,000株から100株）の実施を公表している。この目的については，東証の「売買単位の集約に向けた行動計画」の趣旨を尊重し，売買単位を100株に変更すること，また，同社の発行済株式数が上場企業全体の平均の約15.2倍と多いため，発行済株式数の適正化を図り，その結果，1株当たりの諸指標（利益・純資産額等）や株価について他社との比較が容易になり，同社の状況に対する理解を深めることに資する等との説明がなされている。

しかし，このように，無配が続いている会社が，株式併合および単元株式数の変更に併せて，新株予約権無償割当てを実施する場合，実際には，株式併合および単元株式数の変更により全体の配当負担や株主管理コストを軽減するとともに，これらの措置により株主が被る議決権比率の希釈化の不利益を一定の範囲で緩和することを目的としていると考えられる[2]。

前述のとおり，新株予約権無償割当てにおいて，行使価額＜株価÷（1＋既存株式1株当たりに割り当てられる新株予約権の行使により交付される株

---

[2] たとえば，2007年1月29日付けにて公表されたサハダイヤモンドの新株予約権無償割当ては，株式併合（100対1。効力発生日平成19年3月31日），単元株式数の変更および第三者割当てによる新株予約権の有利発行の効力発生を条件として実施された（新株予約権の譲渡には取締役会の承認が必要とされている）。株式併合後の1株当たりに割り当てられる新株予約権の行使により割り当てられる株式の個数は1株であり，行使価額は170円であった。他方，同無償割当ての公表日である同年1月29日の株価は11円であり，100倍の株式併合比率を乗じた額は1,100円であるから，同日現在で計算した場合，株価÷（1＋既存株式1株当たりに割り当てられる新株予約権の行使により交付される株式の個数）は，1,100円÷2＝550円となり，行使価額のほうが廉価であるため，その日に権利行使が可能であったとすれば，新株予約権を行使しない株主についてはその経済的利益の希釈化が生じる構造となっている（かかる経済的利益の希釈化が生じないためには株価が340円以下であることを要する）。もっとも，効力発生日である平成19年5月22日における株価は166円であり，この場合株価÷（1＋既存株式1株当たりに割り当てられる新株予約権の行使により交付される株式の個数）は，166円÷2＝83円となり，行使価額のほうが高額である。なお，権利行使期間初日である平成19年6月25日（終期は平成20年2月29日）の株価は172円であった。

6-1 「株主還元策」としての新株予約権無償割当て

式の個数）であるような場合には，行使価額を払い込まない株主の経済的利益はその限度で実質的に希釈化される。この点，Oak キャピタルによる新株予約権無償割当ての行使価額は，1株当たり220円である[3]ところ，上記無償割当ての公表日である平成22年6月4日における同社の株価は24円であり，10倍の株式併合比率を乗じた額は240円であるから，同日現在で計算した場合，株価÷（1＋既存株式1株当たりに割り当てられる新株予約権の行使により交付される株式の個数）は，240円÷1.25 = 192円となり，行使価額の方が高額である。したがって，少なくとも新株予約権無償割当ての公表時点においては，株主の経済的利益の実質的な希釈化が生じないよう配慮された行使価額となっているといえる。

　以下に，参考までに Oak キャピタルが平成22年6月4日に公表した新株予約権無償割当てに係るプレス・リリースを掲げる。

　なお，その後 Oak キャピタルは，平成23年12月5日にも，新株予約権無償割当てを公表している。実施の趣旨については，「株主還元策への一環」であり，「本新株予約権の発行価額は，5期連続の無配に鑑みて株主の皆様のご支援に深い謝意を表すことを目的として無償といたしました。」と説明されている。そして，平成23年12月31日を基準日とし，当該基準日の株主の保有株式1株当たり1個の新株予約権が割り当てられ，その行使により新株予約権1個につき1個の普通株式が付与されることとされている。また，行使価額は，基準日前日である平成23年12月30日の終値に0.85を乗じた額とされている。

（3）　本新株予約権無償割当ての取締役会決議の前日（平成22年6月3日）の東京証券取引所の終値25円を参考に株主還元策であることを勘案して22円とし，さらに株式併合の併合比率（10株を1株）にて調整した結果の値であると説明されている。

第Ⅱ編 第6章 その他の目的で用いられる新株予約権

事例6－1：Oak キャピタルの新株予約権無償割当てのプレス・リリース

平成 22 年 6 月 4 日

各位

会社名 Oak キャピタル株式会社
代表者名 代表取締役会長兼 CEO ○
（コード番号 3113 東証第二部）
問合せ先 常務執行役員管理本部長 ○
（TEL. ○）

<u>株主割当による新株予約権の無償発行に関するお知らせ</u>

　当社は，平成 22 年 6 月 4 日開催の取締役会において，下記のとおり平成 22 年 9 月 30 日を基準日として，当該基準日の最終の株主名簿に記載又は記録された株主の皆様に対して新株予約権を割当てることを決定いたしましたので，お知らせいたします。
　なお，本件は，会社法第 277 条に基づく株主への新株予約権無償割当てによる第 5 回新株予約権（以下，「本新株予約権」といいます。）の発行により行うものでありますが，本新株予約権は下記 1. に記載の通り株主の皆様への還元を目的としたものであり，会社の役員・従業員に対するストックオプションとしての新株予約権同様，会社の将来的な企業業績向上，ひいては株主価値向上を現時点でポテンシャルとして株主の皆様に享受いただくという意味で，所謂ストックオプションに類似の新株予約権であります。
　また，本件は，平成 22 年 6 月 29 日開催予定の当社第 149 期定時株主総会において上程を予定しております「株式併合の件」が原案どおり承認可決され，それに基づく株式併合（10 株を 1 株に併合するものであり，以下「本件株式併合」といいます。）の効力が生ずること（効力発生日は平成 22 年 8 月 3 日を予定しております。）を条件としております。

記

1．株主に対して新株予約権を割当てる目的および理由

　当社におきまして第 146 期より 3 期連続で無配が続いており，また，前期（第 149 期）におきましては黒字化を達成したものの復配には至っておりません。斯かる状況下，長きにわたるご支援をいただいております株主の皆様への株主還元策の一環として，株主の皆様に無償で新株予約権を割当てるものです。
　株主の皆様に対する本新株予約権の割当の方法は，無償の新株予約権を会

6-1 「株主還元策」としての新株予約権無償割当て

社法第277条の規定に基づく新株予約権無償割当の方法により発行するものであり，当社の定める割当効力発生日において，株主の皆様において何ら申込みの手続きを要することなく割当てられることになります。また，権利行使（資金の払込み）は株主の皆様のご自由な判断によります。また，1年間の権利行使期間を設けましたのは，株主の皆様に，充分な時間をかけてご判断をいただくことが株主還元策としての趣旨に沿うとの考えによるものであります。なお，新・中期経営計画は，不透明な投資環境下であっても株主価値を高めることを目的として本年2月に策定され，現在推進されておりますが，当社は当該権利行使期間内におきまして株主の皆様に期待される結果が生み出されるよう経営に鋭意取り組んでいく所存でございます。

当社は，現在18,623名（平成22年3月31日現在）の多くの株主の皆様に支えられており，株主の皆様は当社のよき理解者であり応援者であると考えております。今後も株主の皆様とともに株主価値の増大と企業価値の最大化に邁進してまいります。

なお，本件は，株主の皆様に対する還元としての観点から行うものであり，資金調達を主たる目的といたしておりません。また，資金の払込みは，新株予約権者の判断によるため，現時点ではその金額および時期を資金計画に織り込むことは困難であります。従いまして，新規発行による手取金は営業費用等の運転資金に充当する予定ですが，具体的には，資金の払込みのなされた時点の状況に応じて判断いたします。

2．株主に対する新株予約権無償割当の内容

(1) 無償割当の方法

新株予約権無償割当（会社法第277条）の方法により，平成22年9月30日（木）を基準日とし，当該基準日の最終の株主名簿に記載又は記録された株主の皆様に対して，その有する当社普通株式1株につき1個の割合で本新株予約権を割当てます。

また，本新株予約権1個の目的である株式の数は，0.25株といたします。ただし，Oakキャピタル株式会社第5回新株予約権発行要項（以下，「発行要項」といいます。）第6項にしたがって調整される場合があります。

(2) 本新株予約権の内容等

①	本新株予約権の名称	Oakキャピタル株式会社第5回新株予約権
②	本新株予約権の目的となる株式の	本新株予約権1個当たり，当社普通株式0.25株

第Ⅱ編　第6章　その他の目的で用いられる新株予約権

	種類および株数	
③	基準日	平成 22 年 9 月 30 日
④	発行日（割当効力発生日）	平成 22 年 10 月 16 日
⑤	本新株予約権の総数	当社の基準日現在の発行済株式の総数（ただし，当社が有する当社普通株式の数を除く。）と同一の数とする。 なお，当社の平成 22 年 3 月 31 日現在の発行済株式の総数（自己株式控除後）215,650,464 株に本件株式併合の併合比率を乗じた株式数を基準日現在の株式数と仮定すると 21,565,046 個となるが，基準日は平成 22 年 9 月 30 日であり，それまでに発行済株式の総数（自己株式控除後）が変動するため，実際の数はこれと異なる可能性がある。
⑥	発行価額	無償
⑦	当該発行による潜在株式数	基準日現在の当社株主名簿に記載又は記録された当社各株主の有する各株式数（ただし，当社が有する当社普通株式の数を除く。）に 0.25 を乗じて算出された数値の整数部分を合計した数とする。ただし，発行要項第 6 項(3)により，本新株予約権 1 個の目的である株式の数が調整される場合には，これに応じて同様に変動する。 なお，当社の平成 22 年 3 月 31 日現在の発行済株式の総数（自己株式控除後）215,650,464 株に本件株式併合の併合比率および 0.25 を乗じて理論値を算出すると 5,391,261 株となるが，基準日は平成 22 年 9 月 30 日であり，それまでに発行済株式数（自己株式控除後）が変動すること，行使により生じた端数は現金化されることから，実際の数はこれと異なる可能性がある。
⑧	新規発行による手取金	払込金額の総額 1,186,077 千円 （差引手取概算額 1,149,077 千円） ＜内訳＞新株予約権発行分　　　　　　　　　　　0 円 　　　　新株予約権行使分 1,186,077 千円

⑨	行使価額	220円 本件新株予約権の発行に係る取締役会決議日の前日（平成22年6月3日）の東京証券取引所の当社普通株式の普通取引の終値25円を参考に株主還元策であることを勘案して22円とし，さらに本件株式併合の併合比率にて調整した結果の値
⑩	行使期間	平成22年12月1日から平成23年11月30日まで
⑪	行使の条件	ⅰ. 1個の本新株予約権をさらに分割して行使することはできないものとする。 ⅱ. 本新株予約権の新株予約権者が複数個の本新株予約権を保有する場合，本新株予約権の新株予約権者はその保有する本新株予約権の全部又は一部を行使することができる。ただし，本新株予約権の新株予約権者がその保有する複数個の本新株予約権の一部のみ行使した場合，当該行使時点をもって，未行使の本新株予約権全部を放棄したものとみなし，未行使の当該本新株予約権は，当該時点後一切行使ができなくなるものとする。 ⅲ. 本新株予約権は，本新株予約権の割当てを受けた者が，その割当てを受けた本新株予約権のみを行使できる（ただし，当初の新株予約権者から相続，合併，事業譲渡，又は会社分割により新株予約権を承継した者ならびに信用取引に関して証券金融会社が自己の名義で割当てられた本新株予約権について，証券取引所および証券金融会社の規則に従い，当該新株予約権を譲渡された証券会社および証券会社を通じて当該新株予約権を譲渡された者は，かかる承継又は譲渡により取得した本新株予約権についてはこれを行使することができる）ものとする。
⑫	譲渡制限	本新株予約権の譲渡による取得については，当社取締役会の承認を要する。（当社取締役会は譲渡による本新株予約権の取得を原則として承認しない方針であるが，事業譲渡もしくは会社分割による本新株予約権の取得，又は信用取引に関して証券金融会社が自己の名義で割当てられた本新株予約権について，証券取引所および証券金

第Ⅱ編　第6章　その他の目的で用いられる新株予約権

		融会社の規則に従い，当該新株予約権を譲渡された証券会社および証券会社を通じて当該新株予約権を譲渡された者による取得はこの限りでない。)
⑬	割当方法および割当予定先	平成22年9月30日の最終の株主名簿に記載又は記録された株主に対し，その所有する当社普通株式1株につき1個の割合をもって本新株予約権を割当てる。ただし，当社が所有する当社普通株式については，本新株予約権を割当てない。
⑭	その他	ⅰ．金融商品取引法による届出の効力発生を条件とする。 ⅱ．平成22年6月29日開催予定の当社第149期定時株主総会において上程を予定している「株式併合の件」が原案どおり承認可決され，本件株式併合の効力が生ずることを条件とする。

（注1）　本新株予約権を行使した場合において，本新株予約権の新株予約権者に交付する当社普通株式の数に1株に満たない端数があるときは，会社法第283条にしたがって，その端数に応じて金銭を交付いたします。
　　　　なお，処理の詳細につきましては，別途お知らせいたします。
（注2）　本新株予約権の目的となる株式の数および行使価額は，発行要項第6項および第8項にしたがって調整されることがあります。それに伴い，本リリース上に記載された他の数値も変動することがありますので，ご注意ください。
（注3）　上記のほか，本新株予約権の内容は，添付「Oakキャピタル株式会社第5回新株予約権発行要項」をご参照下さい。

(3)　**新株予約権無償割当ての日程**
　　平成22年6月4日取締役会決議
　　平成22年6月4日有価証券届出書提出
　　平成22年6月20日有価証券届出書効力発生（予定）
　　平成22年8月3日本件株式併合効力発生（予定）
　　平成22年9月11日基準日設定公告（予定）
　　平成22年9月30日基準日（予定）
　　平成22年10月16日株主割当新株予約権効力発生（予定）
　　平成22年12月1日から平成23年11月30日まで行使期間（予定）
　　（注）本新株予約権に上場の予定はありません。

3．新規発行による手取金の額および手取金の使途等

(1) 新規発行による手取金（差引手取概算額）

払込金額の総額 1,186,077 千円

発行諸費用の概算額 37,000 千円

差引手取概算額 1,149,077 千円

　上記払込金額の総額は，新株予約権の行使に際して払込むべき金額の合計額であり，基準日は平成22年9月30日であるため，実際の手取金の額は変動を生ずる可能性があります。さらに，上記金額は，全ての本新株予約権が行使され，かつ行使の結果交付される当社普通株式数に端数が生じないことを前提として計算されたものであり，本新株予約権の全てが行使されるとは限らないこと，行使により交付される当社普通株式数に端数が生じた場合は金銭処理が行われること，および割当てられた本新株予約権の一部を行使した新株予約権者は未行使の本新株予約権を放棄したとみなされることからも，払込金額の総額，発行諸費用の概算額および差引手取概算額は減少する可能性があります。

(2) 新規発行による手取金の使途および支出予定時期・金額

具体的な使途	金　額	支出予定時期
営業費用等の運転資金	1,149,077 千円	平成22年12月～平成23年11月

　ただし，本新株予約権の発行は，株主の皆様に対する還元としての観点から行うものであり，資金調達を主たる目的といたしておりません。また，資金の払込みは，新株予約権者の判断によるため，現時点ではその金額および時期を資金計画に織り込むことは困難であります。従いまして，新規発行による手取金は上記のとおり営業費用等の運転資金に充当する予定ですが，上記金額および時期はあくまで予定であり，その具体的には，資金の払込みのなされた時点の状況に応じて判断いたします。

4．発行条件の合理性

　本新株予約権の発行価額は，3期連続の無配に鑑みて株主の皆様のご支援に深い謝意を表すことを目的として無償といたしました。

　本新株予約権の行使に際して払込みをなすべき当社普通株式1株当たりの価額（以下，「行使価額」といいます。）は，本新株予約権の行使により発行される予定の株式数，並びに株主の皆様による本新株予約権の行使の可能性等を総合的に勘案いたしました結果，本件新株予約権の発行に係る取締役会決議日の前日（平成22年6月3日）の東京証券取引所の当社普通株式の普通取引の終値（以下，「直近終値」といいます。）25円を参考に株主還元策であることを勘案して22円とし，さらに本件株式併合の併合比率にて調整した結

果としての220円を行使価額としております。

　株式併合をまたぐこのタイミングで本新株予約権の発行決議を行うことは，株主の皆様に報いるうえで最も相応しい時期であると判断した結果によるものであることから，本新株予約権の行使に際して払込みをなすべき当社普通株式1株当たりの価額は，将来の時点をベースとするのではなく，直近終値をベースとして決定することが，将来の恣意性排除の観点から最善と考えました。また，終値に対する大幅なディスカウント率を設定することを避け，比較的長い1年間という行使期間を設定することにより，その期間の中で行使を実行していただくことが株主の皆様に提供できる最良の株主還元策と判断いたしました。

　また，株主還元策であることに鑑み，本新株予約権の目的となる株式の数を本新株予約権1個当たり当社普通株式0.25株といたしました。なお，これに伴い，本新株予約権を行使した場合において，本新株予約権の新株予約権者に交付する当社普通株式の数に1株に満たない端数があるときは，株主還元策の趣旨を損なうことのないよう，会社法第283条にしたがって，その端数に応じて金銭を交付いたします。

5．潜在株式による希薄化情報等

　平成22年3月31日現在の当社の発行済株式総数は215,824,287株であり，そのうち当社が保有する自己株式数は173,823株であり，本件株式併合の効力発生後の当社の発行済株式総数は21,582,428株，そのうち当社が保有する自己株式数は17,382株となる見込みです。本新株予約権が全て行使された場合に発行される株式は5,391,261株（注）であり，発行済株式総数に対する本新株予約権にかかる潜在株式数の比率は24.98％（小数第3位四捨五入）となります。

　本新株予約権は各株主の皆様が保有する株式数に応じて割当てられるため，割当てられた本新株予約権の全てを同時に行使し，かつ当該行使により交付を受ける当社株式数に端数が一切生じなかった株主の皆様については，当該株主の皆様の有する持分比率の希薄化は生じないこととなります。一方，本新株予約権を行使しなかった場合，本新株予約権の行使の結果，交付する当社普通株式の数に1株に満たない端数が生じた場合，あるいは本新株予約権の一部行使の結果，残存予約権を放棄したものとみなされた場合，株主の皆様ご所有の当社普通株式の持分比率について，希薄化が生じる可能性がございます。

　しかしながら，本新株予約権の割当てを受けた株主の皆様の権利行使に応じた形で当社の財務基盤の強化に資するものとなり，その結果として，当社グループの企業価値の向上，ひいては株主価値の向上に寄与するものと考え

ております。
(注) 当該数値は，平成22年3月31日現在の当社の発行済株式総数215,824,287株から当社の保有する自己株式数173,823株を控除した株式数に本件株式併合における併合比率および0.25を乗じた結果の理論値であり，実際に発行される株式数とは異なる場合があります。また，基準日は平成22年9月30日のため，発行済株式総数は変動する可能性があります。

6．業績に与える影響

今般の株主の皆様に対する本新株予約権の無償割当による当社グループの業績に与える影響につきましては，新株予約権の行使請求時期が不確定であるため，平成22年5月7日に発表いたしました平成23年3月期の決算の業績見通しには織り込まれておりません。全体の事業の進捗等も踏まえ，必要な場合は，改めて開示させていただく予定です。

7．株主への利益配分等

(1) 利益配分に関する基本方針

当社は利益配分の基本方針として，各ステークホルダーへの適正配分を最重要課題として位置づけております。

配当につきましては，将来の事業展開に備えるための内部留保も勘案のうえ，継続的に実施できる収益力を確保することに努めます。

(2) 配当決定に当たっての考え方

上記の方針に基づき，当社グループの経営成績および内部留保の充実を総合的に勘案し決定しております。

(3) 内部留保資金の使途

内部留保資金につきましては，本年2月に策定いたしました新・中期経営計画を着実に遂行するため，新規投資資金等に充てることとしており，これらは将来的な当社グループの企業価値の向上に資するものであると考えております。

8．最近3年間の業績およびエクイティ・ファイナンスの状況等〔略〕

Oakキャピタル株式会社第5回新株予約権発行要項

1．新株予約権の名称　　Oakキャピタル株式会社第5回新株予約権
2．新株予約権の払込金額
新株予約権と引換えに金銭の払込みを要しない。
3．割当方法
株主割当の方法による。基準日（第4項で定義される。）現在の株主名簿に

記載又は記録された株主に対し，その有する当社普通株式1株につき，1個の割合をもって，本新株予約権を割当てる。ただし，当社が有する当社普通株式については，本新株予約権を割当てない。
4．基準日
平成22年9月30日（以下，「基準日」という。）
5．新株予約権の割当てがその効力を生ずる日
平成22年10月16日（以下，「効力発生日」という。）
6．新株予約権の目的である株式の種類及び数
(1) 本新株予約権の目的である株式の種類は当社普通株式とする。
(2) 本新株予約権の行使により当社普通株式を新たに発行又はこれに代えて当社が有する当社普通株式を処分（以下，新株式の発行及び自己株式の処分を総称して「交付」という。）する数は，基準日現在の当社株主名簿に記載又は記録された当社各株主の有する各株式数（ただし，自己株式の数を除く。）に0.25を乗じて算出された数値の整数部分を合計した数とする。ただし，本項(3)により，本新株予約権1個の目的である株式の数が調整される場合には，本新株予約権の目的である株式の数はこれに応じて同様に調整される。
(3) 本新株予約権1個の目的である株式の数（以下，「対象株式数」という。）は，0.25株とする。ただし，効力発生日以降，当社が株式分割又は株式併合を行うときは，次の算式により対象株式数を調整する。

調整後対象株式数＝調整前対象株式数×株式分割又は株式併合の比率

調整後対象株式数は，株式分割に係る基準日の翌日以降又は株式併合の効力が生じる日以降これを適用する。

また，効力発生日以降に，当社が第8項(5)①に定める時価を下回る価額での当社普通株式の交付（ただし，新株予約権の行使により当社普通株式を交付する場合を除く），合併，会社分割又は株式無償割当てを行う場合等，対象株式数を変更することが適切な場合は，当社は必要と認める調整を行うものとする。
7．本新株予約権の行使に際して出資される財産の価額およびその算定方法
(1) 本新株予約権の行使に際して出資される財産は金銭とし，本新株予約権の行使に際して出資される財産の本新株予約権1個当たりの価額は，対象株式数に，以下に定める行使価額を乗じた金額とし，計算の結果生じた1円未満の端数は四捨五入するものとする。
(2) 本新株予約権の行使により当社が当社普通株式を交付する場合における株式1株当たりの出資される財産の価額（以下，「行使価額」という。）は，220円とする。

8．行使価額の調整
(1) 当社は，効力発生日以降，当社が株式分割又は株式併合を行う場合は，次の算式により行使価額を調整し，調整の結果生じる1円未満の端数は四捨五入するものとする。

$$調整後行使価額 = 調整前行使価額 \times \frac{1}{株式分割又は株式併合の比率}$$

調整後行使価額は，株式分割に係る基準日の翌日以降又は株式併合の効力が生じる日以降これを適用する。
(2) 当社は，本項第(3)号に掲げる各事由により当社普通株式が交付される場合は，次に定める算式（以下「行使価額調整式」という。）をもって行使価額を調整し，調整の結果生じる1円未満の端数は四捨五入するものとする。

$$調整後行使価額 = 調整前行使価額 \times \frac{既発行普通株式数 + \frac{交付普通株式数 \times 1株当たりの払込金額}{時価}}{既発行普通株式数 + 交付普通株式数}$$

(3) 行使価額調整式により行使価額の調整を行う場合及びその調整後の行使価額の適用時期については，次に定めるところによる。
① 本項第(5)号①に定める時価を下回る払込金額をもって当社普通株式を新たに交付する場合（ただし，当社の発行した取得請求権付株式の取得と引換えに交付する場合，合併等により交付する場合，会社法第194条の規定に基づく自己株式の売渡しの場合，当社普通株式の交付を請求できる新株予約権もしくは新株予約権付社債その他の証券もしくは権利の請求又は行使による場合を除く。），調整後の行使価額は，払込期日（募集に際して払込期間が設けられているときは，当該払込期間の最終日とする。以下同じ。）の翌日以降，また，株主割当のための基準日がある場合は，その日の翌日以降これを適用する。
② 株式無償割当により当社普通株式を発行する場合，調整後の行使価額は，当社普通株式の無償割当について普通株主に割当を受ける権利を与えるための基準日があるときはその翌日以降，当社普通株式の無償割当について普通株主に割当を受ける権利を与えるための基準日がないとき及び株主（普通株主を除く。）に当社普通株式の無償割当をするときは当該割当がその効力を生ずる日の翌日以降，これを適用する。
③ 取得請求権付株式であって，その取得と引換えに本項第(5)号①に定める時価を下回る価額をもって当社普通株式を交付する旨の定めがあるものを発行する場合（無償割当の場合を含む）又は本項第(5)号①に定める時価を下回る価額をもって当社普通株式の交付を請求できる新株予約権

もしくは新株予約権付社債その他の証券もしくは権利を発行する場合（無償割当の場合を含むが，当社の取締役，監査役，顧問及び従業員，当社子会社の取締役，監査役及び従業員等に対するストックオプションとしての新株予約権発行を除く）調整後の行使価額は，発行される取得請求権付株式，新株予約権もしくは新株予約権付社債その他の証券又は権利の全てがその発行時点の行使価額で請求又は行使されて当社普通株式が交付されたものとみなして行使価額調整式を準用して算出するものとし，払込期日（新株予約権又は新株予約権付社債の発行の場合は割当日，無償割当の場合は当該割当がその効力を生ずる日）の翌日以降これを適用する。ただし，その権利の割当のための基準日がある場合は，その日の翌日以降これを適用する。上記にかかわらず，請求又は行使に際して交付される当社普通株式の対価の価額が取得請求権付株式，新株予約権もしくは新株予約権付社債その他の証券又は権利が発行された時点で確定していない場合，調整後の行使価額は，当該対価の価額の確定時点で発行されている取得請求権付株式，新株予約権もしくは新株予約権付社債その他の証券又は権利の全てが当該対価の価額の確定時点の条件で請求又は行使されて当社普通株式が交付されたものとみなして行使価額調整式を適用して算出するものとし，当該対価の価額が確定した日の翌日以降，これを適用する。

④　本号①ないし③の各取引において行使価額の調整事由とされる当社の各行為において，その権利の割当てのための基準日が設定され，かつ，各行為の効力の発生が当該基準日以降の株主総会又は取締役会その他当社の機関の承認を条件としているときは，本号①ないし③の定めにかかわらず，調整後の行使価額は，当該承認があった日の翌日以降，これを適用する。この場合において，当該基準日の翌日から当該行為の承認があった日までに本新株予約権を行使した（かかる新株予約権を行使することにより交付を受けることができる株式の数を，以下，「承認前行使株式数」という。）新株予約権者に対しては，次の算式に従って交付する当社普通株式の数を決定するものとする。

$$株式数 = \frac{(調整前行使価額 - 調整後行使価額) \times 承認前行使株式数}{調整後行使価額}$$

(4)　本項第(1)号及び第(2)号の規定にかかわらず，これらの規定により算出された調整後の行使価額と調整前の行使価額との差額が１円未満にとどまる限りは，行使価額の調整はこれを行わない。ただし，その後の行使価額の調整を必要とする事由が発生し行使価額を算出する場合は，行使価額調整

式中の調整前行使価額に代えて，調整前行使価額からこの差額を差引いた額を使用する。
(5) ① 行使価額調整式で使用する時価は，調整後の行使価額を適用する日（ただし，本項第(3)号④の場合は基準日）に先立つ45取引日目に始まる30取引日（当日付けで終値のない日数を除く。）の東京証券取引所における当社普通株式の普通取引の終値の平均値とする。この場合，平均値の計算は，円位未満小数点第2位まで算出し，小数点第2位を四捨五入する。
  ② 行使価額調整式で使用する既発行株式数は，基準日がある場合はその日，また，基準日がない場合は，調整後の行使価額を適用する日の1か月前の日における当社の発行済普通株式数から，当該日における当社の有する当社普通株式の数を控除した数とする。
(6) 本項第(1)号及び第(2)号の規定により行使価額の調整を必要とする場合以外にも，次に掲げる場合には，当社は，必要な行使価額の調整を行う。
  ① 当社を存続会社とする合併，当社を承継会社とする吸収分割，当社を完全親会社とする株式交換のために行使価額の調整を必要とするとき。
  ② その他行使価額の調整を必要とするとき。
  ③ 行使価額を調整すべき事由が2つ以上相接して発生し，一方の事由に基づく調整後の行使価額の算出に当たり使用すべき時価につき，他方の事由による影響を考慮する必要があるとき。
(7) 本項に定めるところにより行使価額の調整を行うときは，当社は，あらかじめ書面によりその旨並びにその事由，調整前の行使価額，調整後の行使価額及びその適用の日その他必要な事項を，適用の日の前日までに本新株予約権の新株予約権者に通知又は公告する。ただし，本項第(1)号に示される株式分割の場合その他適用の日の前日までに前記の通知又は公告を行うことができないときは，適用の日以降すみやかにこれを行う。

9. 本新株予約権の行使期間
  平成22年12月1日から平成23年11月30日までとする。
10. その他の本新株予約権の行使の条件
  (1) 1個の本新株予約権をさらに分割して行使することはできないものとする。
  (2) 本新株予約権の新株予約権者が複数個の本新株予約権を保有する場合，本新株予約権の新株予約権者はその保有する本新株予約権の全部又は一部を行使することができる。ただし，本新株予約権の新株予約権者がその保有する複数個の本新株予約権の一部のみ行使した場合，当該新株予約権者が有する未行使の本新株予約権は，当該行使時点後一切行使ができなくな

(3) 本新株予約権は，本新株予約権の割当てを受けた者が，その割当てを受けた本新株予約権のみを行使できる（ただし，当初の新株予約権者から相続，合併，事業譲渡，又は会社分割により新株予約権を承継した者ならびに信用取引に関して証券金融会社が自己の名義で割当てられた本新株予約権について，証券取引所及び証券金融会社の規則に従い，当該新株予約権を譲渡された証券会社及び証券会社を通じて当該新株予約権を譲渡された者は，かかる承継又は譲渡により取得した本新株予約権についてはこれを行使することができる）ものとする。

11. 新株予約権の譲渡制限

本新株予約権の譲渡による取得については，当社取締役会の承認を要するものとする。

（当社取締役会は譲渡による新株予約権の取得を承認しない方針であるが，事業譲渡もしくは会社分割による本新株予約権の取得，又は信用取引に関して証券金融会社が自己の名義で割当てられた本新株予約権について，証券取引所及び証券金融会社の規則に従い，当該新株予約権を譲渡された証券会社及び証券会社を通じて当該新株予約権を譲渡された者による取得はこの限りでない。）

12. 新株予約権証券の発行

当社は，本新株予約権者から請求がない限り，本新株予約権にかかる新株予約権証券を発行しない。なお，新株予約権証券を発行する場合であっても，本新株予約権者は会社法第290条の請求をすることはできないものとする。

13. 新株予約権を行使した際に生ずる1株に満たない端数の取り決め

本新株予約権を行使した新株予約権者に交付する当社普通株式の数に1株に満たない端数がある場合には，会社法第283条に従って，その端数に応じて金銭を交付するものとする。

14. 新株予約権の行使により株式を発行する場合における増加する資本金及び資本準備金

本新株予約権の行使により当社普通株式を発行する場合において増加する資本金の額は，会社計算規則第17条第1項の規定に従い算出される資本金等増加限度額の2分の1の金額とし（計算の結果1円未満の端数を生じる場合はその端数を切り上げた額とする。），当該資本金等増加限度額から増加する資本金の額を減じた額を増加する資本準備金の額とする。

15. 新株予約権の行使請求の方法

(1) 本新株予約権を行使しようとする本新株予約権者は，当社の定める行使請求書に，必要事項を記載してこれに記名捺印したうえ，第9項に定める行使期間中に，第17項に定める行使請求受付場所に提出しなければならな

6-1 「株主還元策」としての新株予約権無償割当て

い。
(2) 本新株予約権を行使しようとする本新株予約権者は，前号の行使請求書を第17項に定める行使請求受付場所に提出し，かつ，本新株予約権の行使に際して出資の目的とされる金銭の全額を現金にて第18項に定める払込取扱場所の当社が指定する口座に振り込むものとする。
(3) 本新株予約権の行使の効力は，行使請求に要する書類が第17項に定める行使請求受付場所に到着し，かつ当該本新株予約権の行使に際して出資の目的とされる金銭の全額が第18項に定める払込取扱場所の口座に入金された日に発生する。

16. 株券の不発行
　　当社は，本新株予約権の行使により交付する当社普通株式にかかる株券を発行しない。
17. 行使請求受付場所
　　中央三井信託銀行株式会社　証券代行部
18. 払込取扱場所
　　株式会社三井住友銀行　首都圏支店
19. 新株予約権の取得条項
　　当社は，以下の①，②，③，④又は⑤の議案につき当社株主総会で承認された場合（株主総会決議が不要の場合は，当社取締役会において承認決議がなされた場合）において，当社取締役会が別途取得日を定めたときは，当該取得日に，取得日時点で残存する新株予約権の全部を無償で取得する。
　① 当社が消滅会社となる合併契約承認の議案
　② 当社が分割会社となる分割契約又は分割計画承認の議案
　③ 当社が完全子会社となる株式交換契約又は株式移転計画承認の議案
　④ 当社の発行する全部の株式の内容として譲渡による当該株式の取得について当社の承認を要することについての定めを設ける定款の変更承認の議案
　⑤ 新株予約権の目的である種類の株式の内容として譲渡による当該種類の株式の取得について当社の承認を要すること又は当該種類の株式について当社が株主総会の決議によってその全部を取得することについての定めを設ける定款の変更承認の議案
20. 当社が，合併（合併により当社が消滅する場合に限る。），吸収分割，新設分割，株式交換又は株式移転をする場合の本新株予約権の取扱い
　　該当事項なし
21. その他
(1) 会社法その他の法律の改正等，本要項の規定中読み替えその他の措置が必要となる場合には，当社は必要な措置を講じる。

(2) 上記各項については，金融商品取引法による届出の効力発生を条件とする。
(3) 上記各項については，平成22年6月29日開催予定の当社第149期定時株主総会において上程を予定している「株式併合の件」が原案どおり承認可決され，それに基づく株式併合の効力が生ずることを条件とする。
(4) その他本新株予約権発行に関し必要な細目事項は，当社代表取締役に一任する。

3　会社法上の論点

(1)　希釈化による既存株主の不利益の問題——ニレコ事件との比較

　上記のような新株予約権の無償割当てによる「株主還元」は，とりわけそこで用いられる新株予約権が譲渡制限付のものである場合には，**第Ⅱ編第4章**において詳述した，いわゆるニレコ事件に関する東京地裁および東京高裁の各決定において展開されているロジックをそのまま演繹すれば，その適法性に疑義が生じかねない面があるようにも見える。

　すなわち，ニレコ事件に関する東京高裁の抗告審決定は，会社法施行前の事例であるが，議決権比率が20％以上となるような買収者が登場した場合に行使可能となる旨の行使条件および譲渡の全面禁止が発行要項において定められ，行使価額が1円とされた新株予約権（の引受権）を，買収防衛策の一環として，かかる買収者登場前の特定の基準日の株主全員に対して1株に対し2個の割合で取締役会決議により無償で付与するという事案につき，①かかる新株予約権は，それがすべて行使された場合には分割比率が1対3の株式分割を実施したのと同様の効果を有することとなり，1株当たりの価値の著しい希釈化をもたらすものであって，このような事態の発生が将来における買収者の登場という不確定な事象にかからしめられていることから，新株予約権発行時の既存株主が保有する株式は，将来における著しい希釈化のリスクを抱えたものとして投資対象として魅力を欠くものとなり，市場価格の下落を招くと解されること，および②新株予約権が譲渡禁止とされている

ため，新株予約権の売却により損失の発生を防止することも困難であり，かかる新株予約権の発行は既存株主に不測の受忍すべからざる損害を与えると解されること等から，著しく不公正な方法による新株予約権の発行であるとして発行を差し止める旨の異議審決定を支持した。また，東京地裁の原審決定は，本件新株予約権の無償での株主割当発行を不公正発行であるとする理由の1つとして，「既存株主の保有する債務者株式の経済的価値は，その株式に化体された企業価値に変化がないと仮定すれば，本件新株予約権の発行により，実質的に，株式と本件新株予約権に二分されることになる。そして，本件新株予約権には譲渡制限が付されており，株式の譲渡との随伴性を有しないから，既存株主は，本件新株予約権の行使により新株を取得するまで，その保有株式の経済的価値のうち本件新株予約権に表象〔ママ〕された価値部分について資本回収の手段が制限される結果となっている。もっとも，新株予約権に表象〔ママ〕された価値の多寡については，前記のとおり予約権が行使されるかどうかが予測困難な事象と連動していることから算定困難であるものの，この点についても既存の株主に不測の損害を与えていることは否定できない」という点をあげている。これらからすれば，新株予約権の無償割当てによる「株主還元」は，Oak キャピタルの事例をはじめとしてその多くが譲渡制限（ニレコのケースと異なって，譲渡の絶対的禁止ではなく取締役会の承認に服するという限度であるが）の付された新株予約権を用いているところ，少なくとも，そのように譲渡制限を付した新株予約権を既存株主に無償で割り当てるスキームについては，既存株主の有する保有株式の価値の一部が，投下資本の回収が困難な譲渡制限付新株予約権に分属させられることとなる点で，それら既存株主に不測の損害を与えるものとして，そもそも違法ではないかということが問題となりうる。

なお，いくつかの事例では譲渡制限の付されていない新株予約権が用いられているが，新株予約権が単独で証券取引所に上場されていない場合には，新株予約権の割当てを受けた既存株主の保有株式の価値のうち，新株予約権に分属させられることとなった部分は，いずれにせよ，投下資本の回収とい

う意味では，相対的に従来より困難な状況に置かれるに至ったこと自体は明らかである以上，これらの譲渡制限の付されていない新株予約権を用いた「株主還元」についても同様の問題点が存するものと解される。

　もっとも，新株予約権無償割当てを用いた「株主還元」は，ニレコ事件での新株予約権の無償による株主割当発行の事例と異なり，①買収者登場といった，無償割当て実施の時点ではその発生が不確定な事象に基づく行使条件が存しない点，および②新株予約権の割当比率（すなわち希釈化率）が小さい点において異なっている。この①の結果として，既存株主にとって自己の保有する株式が希釈化を受けるか否かは最終的にその者が割り当てられた新株予約権について行使価額を払い込むか否かによるので，希釈化による損害は，ニレコ事件でのそれと比較して相対的には既存株主にとって「不測」の損害とは言い難い側面もある。また，②のとおり既存株主がその保有株式について被る希釈化による「理論的な」損害が小さいことは，ニレコ事件での新株予約権の無償による株主割当発行の事例と比較して，相対的にプランの適法性を高める有利な事情であると解することもできる。

　しかしながら，この新株予約権無償割当てを用いた「株主還元」については，新株予約権に譲渡制限が付されているか否かを問わず，いずれにせよ，既存株主の有する保有株式の価値の一部が投下資本の回収が困難な譲渡制限付新株予約権に分属させられることとなる点で，それら既存株主に不測の損害を与える面が否定できないことや，前記■1で述べたとおり，その実質的な効果の点で，全株主に行使価額の払込みを事実上「強制」する効果があり，会社が既存株主から資金を調達するための手段として機能している側面が否定できないこと等々からすれば，少なくともこれが取締役会決議のみで実施される限り，ニレコ事件に関する東京地裁および東京高裁の各決定が正しいことを前提とする場合には[4]，裁判所に持ち込まれた場合には，不公正発行と認定されるリスクを完全には否定し難いのではないかと思料される[5]。

　もっとも，この新株予約権無償割当てが，主として資金調達目的で実施さ

6-1 「株主還元策」としての新株予約権無償割当て

れるのであれば，たとえ行使価額が株価に比して割安で，既存株主に対して行使価額の払込みを強制する効果が認められるような場合であって，かつ，用いられる新株予約権が譲渡制限の付されたものであっても，公開会社の場合に取締役会決議のみで株主割当増資を実施することが認められていること（法202条3項4号）とのバランスからすれば，不公正発行の問題は生じず，法的に許容されることになるものと考えられる[6]。

(2) 新株予約権の割当個数

新株予約権無償割当てを用いた「株主還元」においては，1株に対して割り当てられる新株予約権の個数が1個未満とされる例も多い。このような事例では，株主に割り当てられる新株予約権のうち1個に満たない端数部分については切り捨てるものとされるのが通例であるが，かかる措置は，新株予約権無償割当てに際して各株主の保有する株式の数に応じて新株予約権を割り当てなければならないこととする会社法278条2項に違反するのではないかということが問題となりうる。

この点，端数切捨て方式による新株予約権の無償割当ても，合理的な措置として会社法278条2項違反を構成しないとの解釈も当然ありうるものと考えられるが，この問題点を完全に払拭する方法としては，たとえば，1株当たりに割り当てられる新株予約権の個数はあくまで1個（以上の整数）としつつ，新株予約権の目的である株式の数を新株予約権1個当たり1株未満の

---

(4) そもそもニレコ事件における東京地裁および東京高裁の各決定のロジック自体が理論的に正当であるか否かは別途議論の対象となりうる。これら各決定のロジックを批判する論考として，たとえば，岩倉正和「敵対的買収に対する事前の防衛策としての新株予約権発行の不公正性」岩倉正和＝佐藤丈文監修『企業法務判例ケーススタディ300【企業組織編】』161頁以下（金融財政事情研究会，2008）参照。

(5) なお，会社法上の新株予約権無償割当てについては発行差止めの規定（法247条）を適用する明文の規定はないが，ブルドックソース事件最高裁決定（最決平成19・8・7民集61巻5号2215頁）により，新株予約権無償割当てについて同条が類推適用される旨が明らかにされた。

(6) 株主割当増資の場合でも，払込価額が株価に比して割安で，譲渡可能な新株予約権が割り当てられない場合には，既存株主は事実上払込みを強制されることとなる点につき，たとえば，龍田節＝前田雅弘『会社法大要〔第2版〕』317頁（有斐閣，2017）参照。

771

数で定めておくことが考えられる。そして，この場合，株主が新株予約権を行使した際に生じる株式の端数部分を会社が買い取る旨を発行要項に定めておけば，新株予約権を行使した結果，端数株式を交付されることとなった株主にも財産的損害は生じないこととなり，法的問題点は完全に解消されることとなろう。前述の平成22年6月4日公表のOakキャピタルの事例では，そのような措置が講じられている。

■4 税務・会計上の論点

(1) 税務上の論点

「株主還元」または資金調達の手段としての新株予約権無償割当てにより付与された新株予約権の被付与者に関しては，法人，個人のいずれについても，付与時および行使時ともに課税関係は生じない。

すなわち，まず付与時に関しては，株主に対して一律に付与されることで株主間に経済的利益の移転が生じておらず，法人税法22条2項の「収益」または所得税法36条1項の「収入」が認められないため，被付与者に課税が生じることはない[7]。

次に，行使時に関しては，譲渡制限等の付された新株予約権等の付与に係る収入金額を，その行使により取得した株式の行使の日における価額から所定の額を控除した額とする所得税法施行令84条3項柱書かっこ書は，同条の適用対象から「株主等として与えられた場合（当該発行法人の他の株主等に損害を及ぼすおそれがないと認められる場合に限る。）を除く」としているところ，この「株主等として与えられた場合（当該発行法人の他の株主等に損害を及ぼすおそれがないと認められる場合に限る。）を除く」とは，「同条に規定する権利が株主等のその有する株式の内容及び数に応じて平等に与えられ，かつ，その株主等とその内容の異なる株式を有する株主等との間においても経

---

(7) 石綿学ほか「日本型ライツ・プランの新展開──買収防衛策をめぐる実務の最新動向〔上〕」旬刊商事法務1738号36頁（2005）参照。

6-1 「株主還元策」としての新株予約権無償割当て

済的な衡平が維持される場合をいう」とされており（所基通23〜35共－8），すべての株主に対してその保有株式数に応じて同内容の新株予約権を割り当てることを内容とする，「株主還元」または資金調達手段としての新株予約権無償割当てに係る新株予約権がこれにあたることは明らかである。すなわち，所得税法施行令84条3項柱書かっこ書は，このような新株予約権無償割当てによって付与された新株予約権について行使時に課税関係が生じないことを明示的に定めている。

この点，国税庁のホームページに掲載されていた，インボイスからの照会書と東京国税局からの回答を，以下，参考までに掲載する。

事例6－2：インボイスから東京国税局に対する照会書

譲渡制限のない新株予約権を株主等へ一律に付与する場合の
所得税法上の取扱いについて

1　事前照会の趣旨

　当社において，譲渡制限のない新株予約権を商法上の株主平等の原則に従って個人の株主へ一律付与する場合，その課税関係は，次のとおりでよろしいでしょうか。

(1)　新株予約権の権利付与時

　　課税関係は生じない。

(2)　新株予約権の権利行使時

　　払い込んだ金額が株式の取得価額となり，課税関係は生じない。

(3)　新株予約権の譲渡時

　　その譲渡により生じた所得の金額は，租税特別措置法第37条の10第1項に規定する「株式等に係る譲渡所得等の金額」となる。また，この新株予約権を自社で買い取ったとしても，配当所得に該当せず，「株式等に係る譲渡所得等の金額」となる。

　　なお，上記(1)から(3)の取扱いについては，新株予約権の権利行使価額及び譲渡価額が適正な価額によることを前提とします。

2　事前照会に係る取引等の事実関係

(1)　当社は，平成16年2月10日開催の取締役会において，平成16年9月末日の当社の全株主に対し，1株につき1個の新株予約権を付与することを目的とし，新株予約権を発行することを決議いたしました。概要は次のとおりです。

第Ⅱ編　第6章　その他の目的で用いられる新株予約権

　　　イ　付与対象
　　　　　平成16年9月30日最終の株主名簿及び実質株主名簿に記載又は記録された株主
　　　ロ　新株予約権の発行価額
　　　　　無償とします。
　　　ハ　新株予約権行使に際して払込みをすべき金額
　　　　　新株予約権の行使に際して払込みをすべき1株当たりの金額は，第12回定時株主総会開催日（平成16年6月29日）の終値と同額とします。
　　　ニ　新株予約権の権利行使期間
　　　　　平成17年9月末日までとします。
　　　ホ　新株予約権の譲渡制限
　　　　　新株予約権の譲渡は，原則行えないものとします。
　(2)　その後，平成16年6月30日を基準日とする1対11の当社株式分割に伴い，以下の項目つき，開示項目を変更しました。
　　新株予約権行使に際して払込みをすべき金額
　　　＜変更前＞　1株当たりの金額は，第12回定時株主総会開催日（平成16年6月29日）の終値と同額とする。
　　　＜変更後＞　1株当たりの金額は，平成16年6月24日の終値を11で除し，100円未満を切り捨てた価格とする。
　(3)　さらに，株主の方の利便性を高めることを目的とし，平成16年6月26日開催の取締役会において，新株予約権の譲渡制限を下記のとおり撤廃しました。
　　新株予約権の譲渡制限
　　　＜変更前＞　新株予約権の譲渡は，原則行えないものとします。
　　　＜変更後＞　新株予約権の譲渡の制限は，付さないこととします。
　(4)　この譲渡制限を撤廃した新株予約権は，現状では売買される市場が整備されていないことから，今後株主から請求があった場合には，当社が公正な価額にて買い取ることも予定しています。
3　事前照会者の求める見解となることの理由
　(1)　新株予約権の権利付与時
　　　　今回当社の発行する新株予約権（以下「本件新株予約権」といいます。）は，株主に対し，商法上の株主平等の原則に従って一律に付与するものであることから，本件新株予約権の発行体である当社からの資産移転や既存株主間における経済的価値の移転は認められません。
　　　　したがって，所得税法第36条に規定する「収入」の実現はなく，本件新株予約権を付与した時点では，課税関係は生じないと考えております。
　(2)　新株予約権の権利行使時

6-1 「株主還元策」としての新株予約権無償割当て

　本件新株予約権は，株主に対し一律に付与する新株予約権であることから，所得税法施行令第84条各号に掲げる権利には該当しないこととなります。また，上記(1)の理由と同様に，所得税法第36条に規定する「収入」の実現はありませんから，本件新株予約権を行使した時点では課税関係は生じないものと考えております。
(3) 新株予約権の譲渡時
　新株予約権は，租税特別措置法第37条の10第3項に規定する「株式等」に該当するものであります。よって，本件新株予約権を譲渡した場合の所得の金額は「株式等に係る譲渡所得等の金額」として取り扱われることになるものと考えます。
　また，本件新株予約権を株主の求めに応じて会社が買い取る場合，本件新株予約権の買取りにより交付する金銭は，本件新株予約権の買取時の公正な価額による対価であり，かつ所得税法第25条第1項各号に掲げる事由により交付する金銭にも該当しないことから，配当所得として取り扱われることはなく，「株式等に係る譲渡所得等の金額」になると考えております。

(以上)

　以上の照会に対し，東京国税局審理課長から平成16年11月11日付けで下記の回答がされている。

　標題のことについては，ご照会に係る事実関係を前提とする限り，貴見のとおりで差し支えありません。
　ただし，次のことを申し添えます。
(1) ご照会に係る事実関係が異なる場合又は新たな事実が生じた場合は，この回答内容と異なる課税関係が生ずることがあります。
(2) この回答内容は，東京国税局としての見解であり，事前照会者の申告内容等を拘束するものではありません。

　以上の照会・回答は，インボイスの事例についてなされたものであるため，譲渡制限の付されていない新株予約権に関するものとなっているが，差別的な内容を含まない新株予約権の株主全員に対する無償割当てによる付与が，「収益」ないし「収入」に該当しないという理は，譲渡制限の有無によって異なるものではないと考えられるため，上記の照会・回答は，譲渡制限

の付されている場合についても妥当するものと解される。また，所得税法施行令84条3項柱書かっこ書および所得税法基本通達23～35共－8に照らすと，譲渡制限が付された新株予約権が用いられた場合であっても，その行使時に被付与者たる株主に課税関係が生じることはないものと考えられる。

　一方，新株予約権の発行者に対する課税関係であるが，新株予約権が無償発行された場合，対価が無償であるため，発行時には課税関係は生じない。

　また，権利行使に際して発行者が新株を発行した場合も，自己株式を交付した場合も，前者では資本金等の額が増加し，後者ではその他資本剰余金の額が増加するが，いずれも資本等取引にあたるため，やはり課税関係は生じない（法法22条5項）。

(2) 会計上の論点

　株式会社が「株主還元」または資金調達の手段として新株予約権無償割当てを行った場合，会社においては，一般のストック・オプションと異なって費用計上を行う必要はなく，その段階では特段の会計処理は不要である[8]。また，割り当てられた新株予約権が行使された場合，行使価額として払い込まれた金額が存する場合には，当該行使価額の合計額に相当する額だけ対象会社において資本金および資本準備金が増加することとなる（通常は，新株予約権の発行要項に従って，計算規則17条1項の規定に従い算出される資本金等増加限度額の2分の1の金額が資本金の増加額とされ，残額が資本準備金の増加額とされる）。

---

(8) 払込資本増加複合金融商品適用指針4，ストック・オプション会計基準2 (1)(2)・3参照。

6-2 長期保有インセンティブ付与目的の新株予約権

1 総論

新株予約権の利用目的の一つとして，一定期間発行会社の株式を継続的に保有することを行使条件として組み込んだ新株予約権を株主に割り当てることにより，株主に発行会社株式を長期保有するインセンティブを付与することを目的として新株予約権を割り当てる例も存する。

2 実例

このような長期保有インセンティブ付与目的の新株予約権をはじめて発行したのは同和鉱業（現・DOWA ホールディングス）である（取締役会決議は平成 18 年 8 月 30 日，新株予約権の効力発生は同年 11 月 1 日）。

そのプレス・リリースおよび発行要項を以下に紹介する。

事例 6－3：同和鉱業による新株予約権無償割当てのプレス・リリース

	2006 年 8 月 30 日
	同和鉱業株式会社
DOWA ニュース	

長期保有株主に対する株主還元策を実施
～3 年間継続保有を行使条件とする新株予約権を発行

第Ⅱ編　第6章　その他の目的で用いられる新株予約権

　当社（東京都千代田区外神田四丁目14番1号，資本金364億円，社長吉川廣和）は，本年度から開始した第3次中期計画において，「未踏への挑戦」を掲げて積極的な事業拡大に取り組んでおります。また，この中期経営計画を迅速かつ効率的に達成するために，平成18年10月1日より持株会社制に移行することにいたしました。この持株会社制への移行を記念するとともに，「未踏への挑戦」の期間中，継続してご支援くださる株主の皆様のご期待にこたえるため，平成18年8月30日開催の取締役会において，3年間継続して株式を保有することで行使できる新株予約権を発行することにいたしました。国内初となる，この新株予約権の無償割当に関する事項の概要は，下記のとおりであります（詳細は別紙要項参照）。

　なお，平成18年9月30日の株主名簿（実質株主名簿を含みます。以下同じ）に記載または記録された株主（＝平成18年10月1日の持株会社制移行時の株主）をもって，この新株予約権の割当を受けることができる株主といたします。

記

1．新株予約権の割当て方法

　平成18年9月30日（土）の最終の株主名簿に記載または記録された株主の皆様に対し，その所有株式（ただし，当社の有する当社普通株式を除く）1株につき1個の割合にて新株予約権を無償で割当てます。

2．新棟予約権無償割当ての効力発生日

　新株予約権無償割当ての効力発生日は，平成18年11月1日（水）とします。

3．新株予約権の概要
(1)　新株予約権の内容および行使期間

　新株予約権の目的である株式は，新株予約権1個につき下記(2)に定める株式付与割合に0.05を乗じた数の普通株式（1株未満の端数は現金で精算）とし，新株予約権の行使に際して出資される財産の価額は，発行する株式1株につき1円とします（1円未満の端数は切り上げ）。

　新株予約権の行使期間は，平成21年12月1日（火）から平成22年1月29日（金）まで（ただし，最終日が休業日の場合は，その翌営業日）です。

(2)　株式付与割合

　各株主の株式付与割合は，平成18年9月30日から平成21年9月30日まで毎年3月31日または9月30日の株主名簿に記載または記録された株数のうち最も少ない数を，行使または取得しようとする新株予約権の数で除した数とします。

6-2 長期保有インセンティブ付与目的の新株予約権

(3) 新株の請求方法

a．株主の皆様は，行使期間中に新株予約権を行使し，行使の際に出資する財産の払込を行うことで新株を取得することができます。なお，各株主は，その有する全ての新株予約権を一括してのみ行使できます。

b．株主の皆様は，新株予約権の行使に代えて，行使期間中に当社に対して新株予約権の取得を請求することも可能です。この取得請求があった場合，当社は，新株予約権を取得して，新株予約権が行使された場合に交付される新株と同じ数の株式を対価として交付いたします（1株未満の端数は現金で精算）。なお，この場合は，行使の際に出資する財産の払込を行う必要はありません。

(4) その他

一定の事由が生じた場合には，新株予約権を当社が取得することがあります。また，新株予約権の譲渡については，取締役会の承認を要します。なお，新株予約権に関する新株予約権証券は，発行しません。

4．名義書換のご注意

名義書換をされていない方は，平成18年9月29日（金）までに名義書換の手続きを下記株主名簿管理人事務取扱場所でお済ませください。株券保管振替制度をご利用の方は，各証券会社により取り扱いが異なることがありますので，ご利用の証券会社にご確認の上，お手続きをお済ませください。なお，住所変更等のお届けがまだの方も，期日までに所定の手続きをお済ませください。

　　　株主名簿管理人　　三菱UFJ信託銀行株式会社
　　　同事務取扱場所　　東京都千代田区丸の内一丁目4番5号
　　　　　　　　　　　　三菱UFJ信託銀行株式会社証券代行部
　　　　　　　　　　　　電話 0120-232-711（フリーダイヤル）
　　　同　取　次　所　　三菱UFJ信託銀行株式会社　全国各支店

5．その他

当社は，本件新株予約権の行使により，大量の単元未満株式が発生することが予想できることから，単元未満株式買増制度の導入を検討しております。これにより，各株主が所有する単元未満株式の売却を図る際，会社に買取を請求するだけでなく，会社から1,000株に不足する分の株数を買い取り1,000株にすることができるようになります。

以上

(後略)

第Ⅱ編　第6章　その他の目的で用いられる新株予約権

事例6－4：同和鉱業による新株予約権無償割当ての発行要項

新株予約権無償割当ての要項

1　新株予約権の割当方法
　　新株予約権は，平成18年9月30日（土）の最終の株主名簿又は実質株主名簿に記載又は記録された株主に対し，その所有株式（当社の有する当社普通株式を除く。）1株につき1個の割合で無償で割り当てるものとする。

2　新株予約権の無償割当ての効力発生日
　　平成18年11月1日（水）

3　新株予約権の目的である株式の算定方法及び種類
(1)　新株予約権1個の目的である当社株式の数（以下「対象株式数」という。）及び種類は，下記(2)に定める株式付与割合に0.05を乗じた数の普通株式とする。但し，当社が株式分割又は株式併合を行う場合，対象株式数は次の算式により調整されるものとする。

　　　　調整後対象株式数＝調整前対象株式数×分割・併合の比率

　　なお，かかる調整は新株予約権のうち，当該時点で行使されていないものについてのみ行われる。
(2)　株式付与割合とは，平成18年9月30日から平成21年9月30日まで，毎年3月31日及び9月30日（以下「確認月」という。）の最終の株主名簿又は実質株主名簿に記載された各新株予約権者の普通株式の所有株式数のうち最も少ない数を，行使又は取得しようとする新株予約権の数で除した数とする。但し，当社が株式分割又は株式併合を行う場合，各確認日の所有株式数の計算は，当該分割・併合がなかったものと仮定した場合に有していることになる株式数に調整して行うものとする。
(3)　上記(1)の対象株式数の調整を必要とする場合以外にも，当社の発行済普通株式数の変更又は変更の可能性が生じる事由の発生により対象株式数の調整を必要とする場合には，当社は，必要な調整を行う。
(4)　新株予約権を行使した各新株予約権者に交付する株式の数に1株に満たない端数がある場合は，会社法第283条の規定に基づき，その端数に応じた金銭を交付する。

4　新株予約権の総数
　　平成18年9月30日（土）における当社の最終の発行済普通株式総数（但

し，当社の有する当社普通株式の数を控除する）と同数とする。

5 新株予約権の行使に際して出資される財産の価額

新株予約権の行使に際してする出資の目的は金銭とし，その価額は，当該新株予約権の行使によって交付される当社普通株式1株につき，1円とする（1円未満の端数は切り上げ）。

6 新株予約権の行使期間

平成21年12月1日（火）から平成22年1月29日（金）までとする。但し，新株予約権の行使期間の最終日が払込取扱場所の休業日にあたるときは，その翌営業日を最終日とする。

7 新株予約権の行使の条件
(1) 平成21年9月30日の最終の株主名簿又は実質株主名簿に当社の株主として記載又は記録されていない者は，新株予約権を行使することができないものとする。
(2) 新株予約権の行使にあたっては，各新株予約権者の有する全ての新株予約権を一括してのみ行使しうるものとする。
(3) 適用ある外国の法令上，当該法令の管轄地域に所在する者が新株予約権を行使するために，(i)所定の手続の履行若しくは(ii)所定の条件（一定期間の行使禁止，所定の書類の提出等を含む。）の充足，又は(iii)その双方（以下「準拠法行使手続・条件」と総称する。）が必要とされる場合には，当該管轄地域に所在する者は，当該準拠法行使手続・条件が全て履行又は充足された場合に限り，新株予約権を行使することができる。但し，当該管轄地域に所在する者が新株予約権を行使するために当社が履行又は充足することが必要とされる準拠法行使手続・条件については，当社としてこれを履行又は充足する義務は負わないものとする。また，当該管轄地域に所在する者が新株予約権を行使することが当該法令上認められない場合には，当該管轄地域に所在する者は，新株予約権を行使することができないものとする。
(4) 新株予約権者が，上記(1)から(3)までの規定に従い新株予約権を行使できない場合であっても，当社は，当該新株予約権者に対して，損害賠償責任その他の責任を一切負わないものとする。

8 新株予約権の取得事由及び条件
(1) 当社は，上記6に定める新株予約権の行使期間の満了時が到来したときに，各新株予約権者から，当該新株予約権者の有する全ての新株予約権を

取得する。
(2) 以下のaないしcの議案につき当社株主総会で承認された場合（株主総会決議が不要の場合は，当社の取締役会決議がなされた場合）は，当社の取締役会が別途定める日に，当社は，各新株予約権者から，当該新株予約権者の有する全ての新株予約権を取得することができる。
a 当社が消滅会社となる合併契約承認の議案
b 当社が分割会社となる分割契約若しくは分割計画承認の議案
c 当社が完全子会社となる株式交換契約若しくは株式移転計画承認の議案

9 取得の対価として交付される株式の算定方法及び種類
(1) 上記8の(1)による取得に際して，新株予約権者が当社所定の書式による書面を提出し，当該書面が新株予約権の行使期間内に払込取扱場所に到達している場合には，新株予約権の取得の対価として当社普通株式を交付するものとし，その数は，新株予約権1個につき，各新株予約権者の上記3の(2)で定める株式付与割合に下記(3)で定める株式交付比率を乗じた数とする。その他の上記8の(1)による取得の場合においては，新株予約権の取得の対価は無償とするものとする。
(2) 上記8の(2)による取得に際しては，その対価として当社普通株式を交付するものとし，その数は，新株予約権1個につき，各新株予約権者の上記3の(2)で定める株式付与割合（但し，本(2)においては，承認又は決定の日において未だ到来していない確認日の所有株式数を考慮せずに株式付与割合を計算するものとする）に下記(3)で定める株式交付比率を乗じた数とする。
(3) 株式交付比率は，0.05とする。但し，当社が株式分割又は株式併合を行う場合，株式交付比率は次の算式により調整されるものとする。

調整後株式交付比率＝調整前株式交付比率×分割・併合の比率

(4) 上記(3)の株式交付比率の調整を必要とする場合以外にも，当社の発行済普通株式数の変更又は変更の可能性が生じる事由の発生により株式交付比率の調整を必要とする場合には，当社は，必要な調整を行う。
(5) 新株予約権の取得の対価として各新株予約権者に交付する株式の数に1株に満たない端数がある場合は，会社法第234条の規定に基づき，その端数に応じた金銭を交付する。

10 組織再編における新株予約権の消滅及び再編対象会社の新株予約権交付の内容に関する決定方針
当社が，合併（当社が合併により消滅する場合に限る。），吸収分割，新設

分割，株式交換又は株式移転（以上を総称して以下，「組織再編行為」という。）をする場合において，上記8の(2)により新株予約権を取得する場合を除き，組織再編行為の効力発生の時点において残存する新株予約権（以下，「残存新株予約権」という。）の新株予約権者に対し，それぞれの場合につき，会社法第236条第1項第8号のイからホまでに掲げる株式会社（以下，「再編対象会社」という。）の新株予約権を以下の条件に基づきそれぞれ交付することとする。この場合においては，残存新株予約権は消滅し，再編対象会社は新株予約権を新たに発行するものとする。但し，以下の条件に沿って再編対象会社の新株予約権を交付する旨を，吸収合併契約，新設合併契約，吸収分割契約，新設分割計画，株式交換契約又は株式移転計画において定めた場合に限るものとする。

(1) 交付する再編対象会社の新株予約権の数
　　残存新株予約権の新株予約権者が保有する新株予約権の数と同一の数をそれぞれ交付するものとする。
(2) 新株予約権の目的である再編対象会社の株式の種類
　　再編対象会社の普通株式とする。
(3) 新株予約権の目的である再編対象会社の株式の算定方法
　　組織再編行為の条件等を勘案の上，上記3に準じて決定する。
(4) 新株予約権の行使に際して出資される財産の価額
　　交付される新株予約権の行使に際してする出資の目的は金銭とし，その価額は，当該新株予約権の行使によって交付される再編対象会社普通株式1株につき，1円とする。
(5) 新株予約権を行使することができる期間
　　上記6に定める新株予約権の行使期間の開始日と組織再編行為の効力発生日のうちいずれか遅い日から，上記6に定める新株予約権の行使期間の満了日までとする。
(6) 新株予約権の行使の条件
　　上記7に準じて決定する。
(7) 新株予約権の取得条項
　　上記8及び9に準じて決定する。
(8) 新株予約権の行使により株式を発行する場合における増加する資本金及び資本準備金に関する事項
　　下記11に準じて決定する。
(9) 新株予約権の譲渡制限
　　新株予約権の譲渡については，再編対象会社の取締役会の承認を要する。

11　新株予約権の行使により株式を発行する場合における増加する資本金及び

第Ⅱ編　第6章　その他の目的で用いられる新株予約権

資本準備金
　　新株予約権の行使により株式を発行する場合における増加する資本金の額は，会社計算規則第40条第1項に従い算出される資本金等増加限度額全額とし，資本準備金は増加しないものとする。

12　新株予約権の行使の方法及び行使の請求場所等
　(1)　新株予約権の行使は，当社所定の新株予約権行使請求書に行使する新株予約権の個数及び住所等の必要事項を記載し，これに記名捺印したうえ，必要に応じて別途定める新株予約権行使に要する書類並びに会社法，証券取引法その他の法令及びその関連法規（日本証券業協会及び本邦証券取引所の定める規則等を含む。）の下でその時々において要求されるその他の書類（以下「添付書類」という。）を添えて払込取扱場所に提出し，かつ，当該行使に係る新株予約権の目的たる株式の行使価額全額に相当する金銭を払込取扱場所に払い込むことにより行われるものとする。
　(2)　上記9の(1)に定める書面の提出は，新株予約権の行使期間内に，当社所定の書式による書面に行使できる新株予約権の個数及び住所等の必要事項を記載し，これに記名捺印したうえ，必要に応じて別途定める添付書類を添えて払込取扱場所に提出することにより行われるものとする。かかる書面の提出は，当該書面及び添付書類が払込取扱場所に到達したときに効力を生じるものとする。

13　新株予約権の行使請求及び行使の効力発生時期
　　新株予約権の行使請求の効力発生時期は，上記12の(1)の規定に従い，行使に係る新株予約権行使請求書及び添付書類が払込取扱場所に到達したときとする。新株予約権の行使の効力は，かかる新株予約権の行使請求の効力が生じた場合であって，かつ，当該行使に係る新株予約権の目的たる株式の行使価額全額に相当する金銭が払込取扱場所において払い込まれたときに生ずるものとする。

14　新株予約権の譲渡制限
　　新株予約権の譲渡については，当社取締役会の承認を要する。

15　新株予約権証券の発行
　　新株予約機に係る新株予約権証券は，発行しない。

16　法令の改正等による修正
　　新株予約権の無償割当ての効力発生日後，法令の新たな制定又は改廃等に

より，上記各項に定める条項ないし用語の意義等に修正を加える必要が生じた場合においては，当該制定又は改廃の趣旨を考慮の上，上記各項に定める条項ないし用語の意義等を適宜合理的な範囲内で読み替えるものとする。但し，当社取締役会が別途定める場合はこの限りではない。

17　その他
　その他新株予約権の無償割当てに関し必要な一切の事項の決定は，当社代表取締役に一任するものとする。

以　上

　上記プレス・リリースおよび発行要項にあるとおり，この新株予約権無償割当ては，基準日である平成18年9月30日現在の株主に対し，その所有株式1株に対し新株予約権1個の割合で行われ，当該新株予約権1個の目的である株式の数は，新株予約権の無償割当てを受けた株主が，同日を初日とする，平成21年9月30日までの3年間の間の，決算期（3月31日）および中間配当基準日（9月30日）合計7日（「確認日」と呼ばれる）において株主名簿に記載・記録されている所有株式数中最も少ない数を，無償割当てに係る新株予約権の数で除した割合（「株式付与割合」と呼ばれる）に，0.05を乗じた数であるとされている。また，行使価格は，目的である株式の数に1円を乗じた額であり，低額に設定されている。

　単純化していえば，無償割当てを受けた株主は，割り当てられた新株予約権全部を行使した場合または取得された場合には，無償割当後3年間継続して所有していた株式数の5%の数の株式の交付を受けるものであるが，発行会社が上場会社であって特定の株主の継続的な保有状況を把握することが困難であることから，実質株主通知または総株主通知が行われる半期ごとの基準日における所有株式数中最も少ない数をもって継続保有株式数に代えているものである。

　すなわち，この新株予約権の発行目的は，新株予約権の目的である株式の数を上記のように工夫することによって，株主に長期（少なくとも3年間）保有のインセンティブを与えようとする点にある。

以下では，この新株予約権（以下，「本件新株予約権」という）に関する法的論点を概観する。

■3 会社法上の論点

(1) 株主平等原則との関係

① 株主割当てによる行為と株主平等原則（株主に対する権利付与における株主平等原則）

株主平等原則は，株式会社は，株主を，その有する株式の内容および数に応じて，平等に取り扱わなければならないとする原則である（法109条1項）。

いわゆる第三者割当てによる募集株式・募集新株予約権の発行は，株主が割当先・引受人である場合であっても，手続としては，会社と割当先・引受人との契約に基づいて行われるものであり，この場合には，新旧株主間の経済的価値の移転に関する規制である有利発行規制（法199条3項・238条3項）には服するが，引受人が株主であることに着目して行われるものではないので株主平等原則は無関係である。

これに対し，いわゆる株主割当て（法202条1項・241条1項）による募集株式・募集新株予約権の発行および株式・新株予約権の無償割当ては，制度として同じ種類の株式の株主すべてを対象とする行為として規律されており，株主に対する募集事項（同項），無償割当て事項（法186条1項・278条1項）については株主平等原則が適用され，各株主の有する株式の数に応じて割り当てることとし，または割り当てなければならないものとされている（法186条2項・278条2項参照）。この場合，割当時において，各株主[9]がその時点において有する株式の数に応じて割り当てることを要するとともにそれで足り，割当先たる株主のその後の保有株式数の変動は，株主平等原則との関係では通常は問題とならないと考えられる。

---

(9) 株主割当てによる募集株式・募集新株予約権の発行の場合にあっては申込みをした各株主をいう。

6-2 長期保有インセンティブ付与目的の新株予約権

② 新株予約権の無償割当ての場面における新株予約権の内容と株主平等原則

第Ⅱ編第4章で前述した買収防衛策指針のⅣ3（注4）①においては、「新株予約権を行使する権利は、株主としての権利の内容ではないことから、新株予約権の行使の条件として、買収者以外の株主であることという条件を付すことは、株主平等の原則に違反するものではない」とされているように、新株予約権の内容については、株主平等原則が少なくとも全面的に適用されるものではないと理解されているが、ブルドックソース事件に関する一連の裁判所の決定[10]により、少なくとも新株予約権無償割当てによって付与された新株予約権の内容については株主平等原則の適用があることが明確化された。

すなわち、募集新株予約権の第三者割当てと異なり、新株予約権無償割当ての場合には、株主の有する株式の数に応じて新株予約権が割り当てられることから、割当てを受ける株主が平等に扱われており、株主間の利益に大きな変動がないものと考えられている結果、比較的簡易な手続で行うことができることとされている。しかしながら、割り当てられる新株予約権の内容として、株主により取得できる株式数が異なることとされている場合など、株主によって得られる権利が異なると考えられるときは、株主平等原則に反するおそれがある。

この点、本件新株予約権のように、割当後3年間の株式保有状況によって、新株予約権の目的である株式の数が変動するという内容の新株予約権は、株式数以外の要素によって新株予約権の内容が株主ごとに異なるものであるため[11]、このような新株予約権の無償割当てが実質的に会社法278条2項、ひいては株主平等原則に違反するのではないかが問題となる。

前述したブルドックソース事件最高裁決定（最決平成19・8・7民集61巻5号2215頁）は、買収防衛目的の新株予約権無償割当てに対する株主平等原

---

(10) 前述の東京地決平成19・6・28民集61巻5号2243頁、東京高決平成19・7・9民集61巻5号2306頁、最決平成19・8・7民集61巻5号2215頁参照。

則の適用に関し,「株主平等の原則は，個々の株主の利益を保護するため，会社に対し，株主をその有する株式の内容及び数に応じて平等に取り扱うことを義務付けるものであるが，個々の株主の利益は，一般的には，会社の存立，発展なしには考えられないものであるから，特定の株主による経営支配権の取得に伴い，会社の存立，発展が阻害されるおそれが生ずるなど，会社の企業価値が毀損され，会社の利益ひいては株主の共同の利益が害されることになるような場合には，その防止のために当該株主を差別的に取り扱ったとしても，当該取扱いが衡平の理念に反し，相当性を欠くものでない限り，これを直ちに同原則の趣旨に反するものということはできない」と判示した。

　要するに，最高裁は，株主平等原則違反が例外的に許容されるためには，①特定の株主による経営支配権の取得による企業価値毀損のおそれが存すること，すなわち，対抗手段の必要性，および②対抗手段の相当性，という2つの要件をクリアすることが必要であるとしたわけである。

　この，①対抗手段の必要性と②対抗手段の相当性という2つの要件は，買収防衛策という特定の文脈から離れ，より一般的な観点から構成した場合，①目的の合理性と②手段の相当性という2つの要素に引き直すことが可能であると思料される。

　以上を前提に，上記の同和鉱業の新株予約権無償割当てに係る新株予約権について見ると，まず，株主に中期経営計画の期間である3年間にわたって会社の株式を保有する動機づけを与えるという，長期保有インセンティブ付与目的の合理性が問題となる。公開会社においては，新株予約権の無償割当ては取締役会の権限であり（法278条3項本文），法律上その目的について制

---

(11) 正確には，保有株式数を基準として新株予約権の目的である株式数を決定するものではあるが，その保有株式数の算定基準に，「割当後3年間における最低保有株式数」という形で，保有期間という要素を持ち込んだことが問題となるというべきであろう。なお，ある時点の株主に，その保有株式数のみならず，当該時点までの保有期間の長短に応じて新株予約権を割り当てることは，株主平等原則違反であるといわざるをえない（葉玉匡美「安定株主優遇策」T&A master 185号41頁〔2006〕）が，本件新株予約権は割当て時点における新株予約権付与数の基準となっているのは保有株式数のみである。

6-2 長期保有インセンティブ付与目的の新株予約権

限をする規定は置かれていないことから，上記のような目的で新株予約権無償割当てを行うことの合理性は，結局，取締役会の経営判断の合理性（善管注意義務を尽くしたといえるか否か）に関する問題に帰着することになろう。そして，本件新株予約権の無償割当てが目的とする長期保有インセンティブの付与が，単なる抽象的な長期保有ではなく，中期経営計画という具体的な経営計画の期間に即したものとなっており，究極的には（会社の企業価値の向上に向けた）中期経営計画の達成を促進ないし円滑化することが目的であるということができること，かかる中期経営計画の達成について，株主からの安定的な支持を得ることは経営陣として正当な関心事であることからすると，経営判断として一応の合理性は認められるものと考えられよう（少なくとも抽象的には，会社が短期的な利益の追求よりも中長期的な企業価値の向上に取り組むことを重視する株主の保有株式数が増大し，会社が後者に腰を据えて取り組むことができるような経営基盤が確立すれば，中長期的には企業価値の最大化が達成できる，ということは可能であろう）。もっとも，株主が中期経営計画の期間中株式を保有することが中期経営計画の達成を促進ないし円滑化することとどのような関連性を有するのかという点については，経営陣は株主に対して説明責任を尽くす必要があろう。

　次に，上記のような目的を達成するための手段として，本件新株予約権の無償割当てという方法を用いることの手段としての相当性が問題となる。この点は，上記の目的達成のために，3年後に新株予約権の行使または取得によって得られる株式数が異なることとなるような新株予約権の無償割当てを実施することが相当性を欠く不合理な差別に該当するか否かという観点から判断されるべきものと考えられる。この点，本件新株予約権の設計は，その新株予約権の目的である株式数の算定基準となる保有株式数を，割当時のものでなく，割当後3年間の各確認日中の最低保有株式数としているところ，各株主は，その意思で，割当後3年間というそれほど長期ではない期間の各確認日において割当時の株式数を維持することにより，行使可能新株予約権数を割当時の新株予約権数から減少させないようにすることが可能である。

第Ⅱ編　第6章　その他の目的で用いられる新株予約権

また、各確認日の間は自由に株式を売買することが可能である。このように、新株予約権の割当てを受けた株主が3年後に取得することができる株式数の多寡は、当該株主自身の意思にかからしめられているものであり、割当て当初から決定されているわけではない。また、各確認日においてその保有する株式数を維持するか否かの決定が、特定の属性を有する株主に有利になるように設計されているわけでもない。したがって、株主が割当後3年間、各確認日において割当時の株式数を維持するか否かで3年後に得られる株式数が異なることは、下記(2)で論じるとおり、本件で、長期保有を行わず、新株予約権の行使によって廉価で株式の交付を受ける機会を喪失する株主が結果的に被る希釈化による損害の程度が小さいこと、新株予約権の行使によって交付される株式に1に満たない端数が生じる場合にはその端数に応じた金銭を交付することとされ、経済的損害についての配慮もされていることにもかんがみれば、結論的に必ずしも相当性を欠く不合理な差別であるとまではいえないと解される[12]。

　以上から、本件新株予約権の無償割当てについては、結論的には株主平等原則に違反するとまではいえないと解される[13]。

---

[12]　これに対し、たとえば、割当後30年間などの非常に長期間の保有を要求するような場合には、事実上創業家株主等の支配株主にしか保有のインセンティブを持たせないものであり、一般株主にのみ不利な内容のものであるといえよう（かかる新株予約権は、その発行目的の観点からも合理性が問題とされよう）。また、期間が短く、目的である株式の数が少ない場合であっても、毎年繰り返されれば、支配株主以外には不利な内容であるとの議論が可能であろう。
[13]　なお、前述のブルドックソース事件最高裁決定は、対抗措置の相当性の判断において、「本件新株予約権無償割当ては、抗告人関係者も意見を述べる機会のあった本件総会における議論を経て、抗告人関係者以外のほとんどの既存株主が、抗告人による経営支配権の取得に伴う相手方の企業価値の毀損を防ぐために必要な措置として是認した」ことを、対抗措置の相当性を肯定した大きな理由の1つとしてあげている。このように、特定の株主に対する差別的取扱いの相当性の判断要素として大多数の株主の株主総会における支持があること（もちろん目的の合理性が認められることが大前提であるが）が考慮されるとするならば、本件新株予約権についても、その割当てについて株主総会決議事項とし、たとえば特別決議等、株主の賛成比率の高い決議を経ておくならば、平等原則の観点からの適法性はより高まるということがいえるであろう。

(2) 希釈化等による既存株主の損害

　本件新株予約権は，株主無償割当てによる新株予約権の発行であって，しかも行使価額が株式1株当たり1円という低廉なものであることから，6－1■3(1)で論じたのと同様に，ニレコ事件において不公正発行の理由とされた，希釈化による既存株主への損害の問題（本件では，具体的には，長期保有を行わず，新株予約権の行使によって廉価で株式の交付を受ける機会を喪失する株主が結果的に被る希釈化による損害の問題）等が生ずる。

　この点，本件新株予約権については，

① 　本件新株予約権の行使または取得による交付株式数は，最大でも割り当てられた新株予約権数の5％にすぎず，割当新株予約権数の2倍というニレコ型と比較し希釈化の割合が非常に低い。ちなみに，改正前商法下における簡易合併等の要件（合併新株の発行総数が存続会社の発行済株式総数の5％以下。改正前商413条ノ3第1項本文等），金融商品取引法における公開買付け強制適用除外基準（買付け後の株券等所有割合が5％以下。金商27条の2第1項1号），大量保有報告書の提出義務適用除外基準（株券等保有割合が5％以下。金商27条の23第1項）等，株式会社に関する立法例においても，5％という割合は，全体に対する影響が比較的軽微と認められる1つの基準と考えられているということができる[14]

② 　実際の希釈化率が正確にどのような値になるかは予測困難であるとはいえ，割当てから3年経過後には希釈化事由が発生することは確実に予測することができるうえ，上記のとおり最大5％という希釈化の上限も明確であるため，ニレコ事件で裁判所が指摘した「不安定要因」はない

③ 　新株予約権を行使した各新株予約権者に交付する株式の数に1株に満たない端数がある場合は，会社法283条の規定に基づき，その端数に応じた金銭を交付することとされており（上記要項3(4)参照），新株予約権者の経済的損害にも配慮されている

といった点を指摘することができる[15]。

第Ⅱ編　第6章　その他の目的で用いられる新株予約権

　以上からすれば，ニレコ事件に関する裁判所の判断基準を前提としても，本件新株予約権の無償割当ては著しく不公正な方法によるものとまではいえないと解される[16]。

(3)　まとめ

　上記で検討したとおり，長期保有インセンティブ付与目的での新株予約権の発行は，発行から行使期間初日までの期間の長短や新株予約権の行使による希釈化率，行使の条件の定め方等によっては，株主平等原則違反や不公正発行などが問題となる可能性もある。したがって，どのような設計にするかについては慎重な検討が必要であるものと考えられるが，このような新株予約権の発行は，新株予約権の新たな活用の一形態であり，今後の判例および学説における議論の集積を期待したい。

---

(14)　市場関係者からは，このDOWAホールディングスの事例に関し，「当該新株予約権は，1個につき同社普通株式を最大で0.05株取得できるものであったため，株価に与える影響は最大でも5％程度であった。現状では，同社株式の流動性に特に影響は出ていないものの，継続保有を行使条件としながら株式の付与割合を大きくすると流動性の低下を招きかねないため，注意が必要であると考えられる」旨の指摘がされている（下村昌＝関口将＝中西和幸「株式流通市場からみた最近のライツプラン導入事例に対する懸念——ブルドックソースの新株予約権発行を契機に」旬刊商事法務1812号68頁〔2007〕）。この点からしても，同和鉱業の事例における最大で1個につき0.05株という比率は，同様のスキームの適法性を考える際の1つの指針として今後機能する可能性があると思料される。したがって，これと異なり新株予約権の目的である株式の数が非常に多く，希釈化の割合が非常に大きいような場合には，既存の株式の価値に対する影響も大きいものとなり問題となりうる。そのような事例として，アライヴコミュニティの事例（平成19年7月11日付けプレス・リリース）がある。これは，同和鉱業とほぼ同様のスキームによりながら，新株予約権1個の目的である株式の数を最大で5株とするものである。さらに，このスキームは，1対10の株式併合およびその効力発生日の3日後を払込期日とする第三者割当てによる新株予約権の有利発行の公表と同時に公表されており，下村ほか前掲においては，「このような新株予約権の株主割当ては，株式の価格形成を著しく不安定にする要因を含んでいると考えられ」るとされており，有価証券上場規程440条3号「株式の価格形成を著しく不安定にする要因その他投資者に不測の損害を与える要因を含む買収防衛策でないこと」に抵触する可能性が否定できない。

(15)　以上につき，葉玉・前掲注(11)41頁参照。

(16)　新株予約権無償割当てについては，会社法247条の発行差止めの規定が類推適用される（前掲注(5)参照）。

■4　税務・会計上の論点

　長期保有インセンティブ付与目的の新株予約権に関する税務・会計上の論点については，「株主還元」または資金調達手段としての新株予約権に関するものと同様であり，前述6－1■4を参照されたい。

索引

あ 行

アーンアウト ………… 740, 741, 743
アイ・アールジャパンの事例 …… 554
イン・ザ・マネー ……………… 484
インセンティブ付与 …………… 434
インプライド・ボラティリティ …… 20
インベスター・レター ……… 531, 533
エクイティ・キッカー ……… 435, 440
エクイティ・コミットメントライン
 …… 436, 438, 439, 443, 444, 447, 464
　現金担保付—— ……………… 441
　事前払込型—— ……………… 441
エクイティ・ファシリティ …… 443
黄金株 ……………………… 574
オートバックスセブン事件 …… 411
オープンループ事件 …………… 410
オプション評価理論 …………… 408

か 行

確定額報酬 ……………………… 290
株式オプション価格算定モデル …… 14
株式ロックアップ・オプション …… 729
株主意思確認手続 ……………… 690
株主意思の原則 ………… 581, 582
株主共同の利益 ………… 580, 592
株主平等原則
 ………… 530, 532, 553, 591, 654, 667
株主割当て ……………………… 52
勧告的決議 ……………… 598, 678

監査役に対する報酬等 ………… 303
企業価値・株主共同の利益の確保・
 向上の原則 ……………… 596
企業価値・株主共同の利益を損なう
 おそれのある買収行為 ……… 580
企業価値研究会報告書 ………… 584
議決権行使条項付株式 ………… 573
規制対象 MS ワラント ………… 511
強圧的二段階買収 ……………… 581
業績連動給与 …………………… 364
業績連動報酬等 ………………… 302
拒否権付種類株式 ……………… 574
組込方式 ………………… 538, 540
グローバル・オファリング …… 554
継続開示書類 …………………… 540
権利行使価額 …………… 178, 666
公開買付規制 …………………… 549
行使価額修正条項 ……… 451, 454, 465
行使価額修正条項付新株予約権 …… 477
行使価額修正条項付新株予約権付社
 債券等 …………………… 397
行使期間 ………………… 179, 666
行使条件 ……………………… 179
コーポレート・ガバナンス報告書
 ……………………… 649
コミットメント条項
 ……… 443, 452, 458, 462, 467, 470
コミットメントフィー … 458, 462, 468
コール・オプション ……………… 5

索 引

――― さ 行 ―――

差別的行使条件……………… 575, 715
差別的行使条件方式……………… 732
差別的取得条項……………… 575, 715
参照方式……………………… 538, 540
サンテレホン事件…………………… 410
事業報告…………………………… 646
　――における報酬開示………… 314
資金供与者…………………… 437, 440
資金調達者…………………… 438, 440
資金調達手段………………… 434, 435
自己資本比率規制………………… 439
自己新株予約権………………… 86, 95
事前開示・株主意思の原則……… 596
事前開示の原則…………………… 581
事前確定届出給与………………… 360
事前勧誘規制……………………… 551
社債権者集会……………………… 418
受益者からの排除方式…………… 732
取得事由……………………………… 36
取得条項……………… 182, 548, 553
取得条項付新株予約権……… 36, 654
　――の取得手続………………… 676
譲渡制限……………………… 76, 182
譲渡制限新株予約権………………… 62
譲渡制限付新株予約権…………… 376
少人数私募………………………… 215
上方修正条項・下方修正条項…… 494
情報提供文書……………………… 530
新株引受権…………………………… 8
新株引受権型新株予約権付社債… 382
新株予約権証券……………… 80, 664
　――の取得勧誘………………… 537
　――の上場……………………… 545
新株予約権付社債…………… 382, 389

新株予約権付ローン……………… 440
新株予約権
　――の公正価格…………………… 12
　――の上場……………………… 540
　――の上場廃止…………… 543, 548
　――の譲渡制限…………………… 36
　――の消滅………………………… 96
　――の発行無効の訴え…………… 98
　――の不公正発行……………… 591
　――を用いた買収防衛策……… 574
新株予約権発行不存在確認の訴え‥99
新株予約権無償割当て……… 524, 671
　――の差止め…………………… 682
スイートナー………………… 135, 440
ストック・オプション
　インデックス連動型――……… 112
　株式報酬型――………………… 111
　信託型――……………………… 124
　――の内容の変更……………… 336
　税制適格――……………… 287, 350
　退職慰労金代替型の――……… 113
　通常型――……………………… 111
　子会社の役員または従業員に対す
　　る――………………………… 279
　パフォーマンス条件付――…… 113
　有償――………………………… 124
ストック・オプション会計基準…… 340
ストック・オプション会計適用指針
　………………………………… 340
総株主通知………………………… 539
相殺構成…………………………… 278
組織再編行為
　――の際の新株予約権の取扱い
　　…………………………… 37, 183
　――の際の新株予約権社債の取扱
　　い……………………………… 417
損金算入…………………………… 359

795

索引

―― た 行 ――

対株主公告 …………………………… 241
対抗措置の相当性 …………………… 592
　――の判断 ………………………… 597
対抗措置の必要性 …………………… 592
第三者委員会 ………………………… 709
第三者割当て ………………………… 671
大量保有報告制度 …………………… 549
適格機関投資家 ……………………… 530
適格新株予約権 ……………………… 362
デット ………………………… 435, 437, 439
デット・エクイティ・スワップ・コ
　ミットメントライン ……………… 440
転換社債型新株予約権付社債 ……… 382
特定新株予約権 ……………………… 376
特別委員会 …………………………… 709
特別支配株主の株式売渡請求 ……… 86
特別利害関係取締役 ………………… 172
匿名組合契約 ………………………… 437
届出前勧誘規制 ……………………… 537
取締役会判断型 ……………………… 690
取締役の個人別の報酬等の内容に係
　る決定に関する方針 ……………… 313

―― な 行 ――

二項モデル …………………………… 16, 17
日邦産業事件 ………………………… 600
ニッポン放送型新株予約権 ………… 728
日本アジアグループ事件 …………… 607

―― は 行 ――

買収対価 ……………………………… 740
買収防衛策 …………………………… 434, 572

買付ルール設定型―― ……………… 690
株主（総会）判断型―― …………… 690
議決権制限プラン―― ……………… 573
事前警告型―― ……………………… 689
新株予約権を用いた―― …………… 574
デッドハンド型―― ………………… 645
特定標的型―― ……………………… 704
　――野村プラン …………………… 690
　――平時導入型 …………………… 729
　――有事導入型 …………………… 715
買収防衛策開示ガイドライン ……… 645
買収防衛策指針 ……………………… 572, 580
発行要項 ……………………………… 177
払込資本増加複合金融商品適用指
　針 …………………………………… 561
引受証券会社 … 525, 548, 549, 551, 553
非金銭報酬 …………………………… 291
ピコイ事件 …………………………… 669, 682
ヒストリカル・ボラティリティ …… 20
必要性・相当性確保の原則 … 582, 599
不確定額報酬 ………………………… 290
不公正発行 …………………………… 594, 668
富士興産事件 ………………………… 619
ブラック＝ショールズ式 …………… 18
ブルドックソース事件 ……………… 589
プレヒアリング ……………………… 537, 551
分離型新株引受権付社債 …………… 382
報酬決議 ……………………………… 289
募集事項 ……………………………… 45, 177
ボラティリティ ……………………… 20

―― ま 行 ――

丸八証券事件 ………………………… 411
無償構成 ……………………………… 280
無償取得条項 ………………………… 655
目論見書 ……………………………… 61, 217, 541

索 引

——— や 行 ———

有価証券通知書……………… 214, 219
有価証券届出書
　　……………186, 214, 394, 530, 537
　　——の虚偽記載……………… 552
　　——の効力の発生……………… 539
　　——の訂正届出書……………… 199
有価証券報告書における報酬開示
　　……………………………… 325
有償取得条項………………………… 655
有利発行……… 280, 408, 465, 671, 733
有利発行規制……………… 553, 671

——— ら 行 ———

ライツ…………………………… 524
ライツ・イシュー………………… 524
ライツ・オファリング……………… 524
　　——に関する外国証券取引規制
　　……………………………… 528
　　コミットメント型—— …… 525, 548
　　ノン・コミットメント型——
　　………………………… 525, 534
　　——に関する米国における証券取
　　　引規制……………………… 529
ライツ・プラン……………………… 649
　　信託型—— ……… 578, 649, 728, 729
　　——直接信託方式………… 731, 732
　　ニレコ型—— ……………… 576, 645
　　フリップ・イン型—— ………… 573
　　—— SPC 利用方式……………… 731

ライブドア対ニッポン放送事件…… 408
濫用的株主権行使…………………… 705
濫用的買収者………………… 435, 599
臨時報告書………… 188, 206, 214, 396
　　——の訂正報告書……………… 211
例外 4 類型……………………… 597
レギュレーション D ……………… 530
レギュレーション S ……………… 533
連続時間型モデル………………… 17
ロック・アップ条項……………… 499

——— わ 行 ———

割当契約……………………………… 249
割当決議……………………………… 283
割当自由の原則……………………… 392
割当通知…………… 250, 283, 535, 541

——— A～Z ———

BIS ファイナンス………………… 440
Form CB …………………………… 530
LBO ………………………………… 440
lock-up stock option ……………… 729
MBO ………………………………… 440
MPO ………………………………… 439
MS ワラント………………… 436, 477
Qualified Institutional Buyer …… 530
Rule 801 …………………………… 529
TBS（旧プラン）型新株予約権… 728
TRN コーポレーション事件……… 409
white knight ……………………… 729

797

《編集代表略歴》

太田　洋（おおた　よう）　　　　　　　　　　　　　　　　　第Ⅱ編第4章担当

パートナー弁護士（西村あさひ法律事務所）
1991年東京大学法学部第二類卒業，1993年弁護士登録（司法修習45期）。2000年ハーバード・ロースクール修了（LL.M.），2000年〜2001年デベボイス・アンド・プリンプトン法律事務所（ニューヨーク）勤務，2001年ニューヨーク州弁護士登録。2001年〜2002年法務省民事局付（任期付任用公務員。法務省民事局参事官室にて平成13年・14年商法改正・商法施行規則の立案作業に関与），2013年〜2016年東京大学大学院法学政治学研究科教授，2015年〜2016年総務省ICTサービス安心・安全研究会「個人情報・利用者情報等の取扱いに関するWG」構成員，2017年〜経済産業省「我が国企業による海外M&A研究会」委員，2021年〜経済産業省「デジタル経済下における国際課税研究会」委員。
現在，西村あさひ法律事務所パートナー，弁護士・ニューヨーク州弁護士，デジタル庁「トラストを確保したDX推進サブワーキンググループ」構成員，日本取締役協会幹事・コーポレート・ガバナンス委員会副委員長・コーポレートガバナンス・オブ・ザ・イヤー審査委員会委員，㈱リコー社外監査役，日本化薬㈱社外取締役。

【主な著書等】
『租税法概説〔第4版〕』（共編著，有斐閣，2021年）
『バーチャル株主総会の法的論点と実務』（共編著，商事法務，2021年）
『令和元年会社法改正と実務対応』（共編著，商事法務，2021年）
『社外取締役の教科書』（共著，中央経済社，2020年）
『デジタルエコノミーと課税のフロンティア』（共編著，有斐閣，2020年）
『個人情報保護法制大全』（共編著，商事法務，2020年）
『M&A・企業組織再編のスキームと税務〔第4版〕』（共編著，大蔵財務協会，2019年）
『M&A法大全（上）（下）〔全訂版〕』（共編著，商事法務，2019年）
『社債ハンドブック』（共編著，商事法務，2018年）
『種類株式ハンドブック』（共編著，商事法務，2017年）
『現代租税法講座（第3巻）企業・市場』（共編著，日本評論社，2017年）
『経済刑法』（共著，商事法務，2017年）
『会社法実務相談』（共編著，商事法務，2016年）
『消費者集団訴訟特例法の概要と企業の実務対応』（共編著，商事法務，2015年）
『平成26年会社法改正と実務対応〔改訂版〕』（共編著，商事法務，2015年）
『企業取引と税務否認の実務』（共編著，大蔵財務協会，2015年）
『クロスボーダー取引課税のフロンティア』（共編著，有斐閣，2014年）
『論点体系金融商品取引法［1］・［2］』（共編著，第一法規，2014年）
『タックス・ヘイブン対策税制のフロンティア』（共編著，有斐閣，2013年）
『移転価格税制のフロンティア』（共編著，有斐閣，2011年）
『新しい持株会設立・運営の実務──日本版ESOPの登場を踏まえて』（監修・共著，商事法務，2011年）

『M&A 法務の最先端』（共編著，商事法務，2010 年）
『国際租税訴訟の最前線』（共編著，有斐閣，2010 年）ほか多数。

山本　憲光（やまもと　のりみつ）　第Ⅰ編第1章・第2章・第3章・第Ⅱ編第6章担当

パートナー弁護士（西村あさひ法律事務所）
1991 年東京大学法学部第一類卒業，1995 年検事任官（東京地方検察庁）。2000 年人事院行政官短期在外研究員（アメリカ合衆国）を経て，2002 年から法務省民事局参事官室局付検事（商法改正，会社法制定等の立案作業に従事）。2006 年検事退官し，弁護士登録。

【主な著書等】
『M&A 法大全（上）（下）〔全訂版〕』（共著，商事法務，2019 年）
『平成 26 年会社法改正と実務対応〔改訂版〕』（共著，商事法務，2015 年）
『会社法コンメンタール第 21 巻』（939 条～ 959 条部分を執筆）（商事法務，2011 年）
『論点解説新・会社法――千問の道標』（共著，商事法務，2006 年）
『一問一答新・会社法』（共著，商事法務，2005 年）
『Q&A 平成 16 年改正会社法――電子公告・株券不発行制度』（共著，商事法務，2005 年）
「多重代表訴訟に関する実務上の留意点」旬刊商事法務 1980 号（2012 年）
「定期傭船契約における船主・傭船者と第三者との関係」海事法研究会誌 210 号（2011 年）
「消費者庁の設置と消費者事故等の情報開示制度への対応」NBL926 号（2010 年）
「支配株主のバイアウト権と少数株主のセルアウト権――その論点と課題〔上〕〔下〕」旬刊商事法務 1910 号・1912 号（共著，2010 年）
「実務・決定公告――会社法の事例を中心に」時の法令 1807 号～ 1829 号連載（2008 年～ 2009 年）

柴田　寛子（しばた　ひろこ）　第Ⅱ編第1章担当

パートナー弁護士（西村あさひ法律事務所）
1998 年東京大学法学部第一類卒業，2001 年弁護士登録。2007 年カリフォルニア大学バークレー校ロースクール卒業（LL.M.），2008 年ニューヨーク州弁護士登録。2007 年～ 2008 年米国オリック・ヘリントン・アンド・サトクリフ法律事務所勤務，2008 年～ 2009 年外務省国際法局経済条約課勤務（任期付任用公務員）。

【主な著書等】
『個人情報保護法制大全』（共著，商事法務，2020 年）
『債権法実務相談』（共著，商事法務，2020 年）
『企業労働法実務相談』（共著，商事法務，2019 年）
『M&A 法大全（上）（下）〔全訂版〕』（共著，商事法務，2019 年）
『個人情報保護法制と実務対応』（共著，商事法務，2017 年）
『種類株式ハンドブック』（共著，商事法務，2017 年）
「業績連動報酬制度の概要」証券アナリストジャーナル 2020 年 3 月号（2020 年）
"Executive Compensation & Employee Benefits-Japan"（共著，Getting the Deal Through, 2021）

"Data Security and Cybercrime in Japan"（共著，Lexology, 2018）

《編著者略歴》

松尾　拓也（まつお　たくや）　　　　　　　　　第Ⅱ編第1章1－1担当

パートナー弁護士（西村あさひ法律事務所）
2002年東京大学法学部第一類卒業，2003年弁護士登録。2011年バージニア大学ロースクール卒業（LL.M.），2012年ニューヨーク州弁護士登録。2011年～2012年ニューヨークのシンプソン・サッチャー・アンド・バートレット法律事務所勤務。2018年から慶應義塾大学法科大学院非常勤講師，2019年から大阪大学大学院高等司法研究科招へい教授。

【主な著書等】
『スクイーズ・アウトの法務と税務〔第3版〕』（共著，中央経済社，2021年）
『「公正なM&Aの在り方に関する指針」の解説』（共著，商事法務，2020年）
『株対価M&Aの実務』（共著，商事法務，2019年）
『M&A法大全（上）（下）〔全訂版〕』（共著，商事法務，2019年）
『日本経済復活の処方箋役員報酬改革論〔増補改訂第2版〕』（共著，商事法務，2018年）
『インセンティブ報酬の法務・税務・会計──株式報酬・業績連動型報酬の実務詳解』（共著，中央経済社，2017年）
『種類株式ハンドブック』（共著，商事法務，2017年）
『論点体系金融商品取引法（1）』（共著，第一法規，2014年）
『金商法大系Ⅰ──公開買付け（2）』（共著，商事法務，2012年）ほか多数

中山　達也（なかやま　たつや）　　　　　　　　第Ⅱ編第1章1－1担当

パートナー弁護士（西村あさひ法律事務所）
2004年東京大学法学部第一類卒業，2005年弁護士登録。2012年ミシガン大学ロースクール卒業（LL.M.）－ Mergers and Acquisitions にて Certificate of Merit 受賞。2013年ニューヨーク州弁護士登録。2012年～2013年ニューヨークのワイル・ゴッチャル・マンジズ法律事務所勤務。2018年～2019年成蹊大学法科大学院非常勤講師（M&A担当）。2020年から東京大学法学部非常勤講師。

【主な著書等】
"The Corporate Governance Review - Eleventh Edition - (JapanChapter)"（Law Business Research, 2021）
『M&A法大全（上）（下）〔全訂版〕』（共著，商事法務，2019年）
『インセンティブ報酬の法務・税務・会計──株式報酬・業績連動型報酬の実務詳解』（共著，中央経済社，2017年）
『種類株式ハンドブック』（共著，商事法務，2017年）
「トヨタのAA型種類株式の事例から考える元本償還権付・譲渡制限議決権株式の法的留意点」旬刊経理情報1422号（共著，2015年）
『金商法大系Ⅰ──公開買付け（2）』（共著，商事法務，2012年）ほか多数

濃川　耕平（こいかわ　こうへい）
　　　　　　　　　　　　　　第Ⅱ編第2章2－1・2－2・2－3・2－5・第3章3－3担当

パートナー弁護士（西村あさひ法律事務所）
2000年東京大学法学部第一類卒業，2001年弁護士登録。2006年1月～6月みずほ証券株式会社エクイティキャピタルマーケット部出向，2007年バージニア大学ロースクール卒業（LL.M.），2007年～2008年ロンドンのノートン・ローズ法律事務所勤務，2010年4月～10月ゴールドマン・サックス証券株式会社法務部出向。

【主な著書等】
『令和元年会社法改正と実務対応』（共著，商事法務，2021年）
『企業労働法実務相談』（共著，商事法務，2019年）
『M&A法大全〔全訂版〕』（共著，商事法務，2019年）
『社債ハンドブック』（共編著，商事法務，2018年）
「近時の実施例にみるライツ・オファリングの最新動向」ビジネス法務2018年7月号（共著，2018年）
『資金調達ハンドブック〔第2版〕』（共著，商事法務，2017年）
『種類株式ハンドブック』（共著，商事法務，2017年）
『ファイナンス法大全（上）〔全訂版〕』（共著，商事法務，2017年）
「日本におけるPIPEの現状」旬刊商事法務2133号（共著，2017年）
『論点体系金融商品取引法（2）』（共著，第一法規，2014年）
『資本・業務提携の実務』（共著，中央経済社，2014年）

《執筆者略歴》

畠中　淳（はたけなか　あつし）　　　　　　　　　第Ⅱ編第1章1－1担当

弁護士（西村あさひ法律事務所）
2017年東京大学法学部第一類卒業，2018年弁護士登録。
【主な著書等】
「一般法人法に基づく補償契約の実務と留意点」公益・一般法人1032号（共著，2021年）

大竹　祥太（おおたけ　しょうた）　第Ⅱ編第1章1－2■1～■2(4)⑥，⑧～⑩担当

弁護士（西村あさひ法律事務所）
2016年京都大学法学部卒業，2018年弁護士登録。

平岡　咲耶（ひらおか　さや）　　　　第Ⅱ編第1章1－2■2(4)③～⑥担当

弁護士（西村あさひ法律事務所）
2017年慶應義塾大学法学部卒業，2019年慶應義塾大学法科大学院修了，2020年弁護士登録。

田島　史織（たじま　しおり）
　　　　　　　第Ⅱ編第1章1－2■2(4)⑦，1－3■2(3)②，③，■3(5)～1－3■5担当

弁護士（西村あさひ法律事務所）

2015 年早稲田大学政治経済学部卒業，2017 年東京大学法科大学院修了，2018 年弁護士登録．

谷山　風未花（たにやま　ふみか）
第Ⅱ編第 1 章 1 － 2■2⑷⑦，1 － 3■2⑶②③担当

弁護士（西村あさひ法律事務所）
2017 年京都大学法学部卒業，2019 年京都大学大学院法学研究科（法曹養成専攻）修了，2020 年弁護士登録．

前田　隆裕（まえだ　たかひろ）
第Ⅱ編第 1 章 1 － 2■2⑷⑧〜⑩担当

弁護士（西村あさひ法律事務所）
2016 年東京大学法学部第一類卒業，2019 年東京大学大学院法学政治学研究科（法曹養成専攻）修了，2020 年弁護士登録．

瀬川　堅心（せがわ　けんしん）
第Ⅱ編第 1 章 1 － 2■2⑷⑪〜■4，1 － 3■3⑹〜 1 － 3■5 担当

弁護士（西村あさひ法律事務所）
2019 年東京大学法学部卒業，2020 年弁護士登録．

小出　章広（こいで　あきひろ）
第Ⅱ編第 1 章 1 － 3・1 － 5 担当

弁護士（西村あさひ法律事務所）
2018 年早稲田大学法学部卒業，2019 年弁護士登録．

増田　貴都（ますだ　たかと）
第Ⅱ編第 1 章 1 － 5 担当

弁護士（西村あさひ法律事務所）
2014 年東京大学法学部第一類卒業，2016 年弁護士登録．
「最判令和 3 年 3 月 11 日（混合配当事件）後の国税庁の対応と税制改正の動向」企業会計 74 巻 3 号（共著，2022 年）
「デジタル課税・全世界共通最低法人税率に係る歴史的合意とは〜 OECD/G20 BEPS 包摂的枠組みによる『経済のデジタル化に伴う課税上の課題に対応する二つの柱の解決策に関する声明』の概要〜」租税研究 864 号（共著，2021 年）
「株式対価 M&A を促進するための課税繰延措置の創設」朝日新聞社ウェブサイト・法と経済のジャーナル（2021 年）
『デジタルエコノミーと課税のフロンティア』（共著，有斐閣，2020 年）
「ユニバーサルミュージック事件東京高裁判決の分析と検討（上）（下）」月刊国際税務 40 巻 10 号・11 号（共著，2020 年）
『債権法実務相談』（共著，商事法務，2020 年）
『M&A・企業組織再編のスキームと税務〔第 4 版〕』（共著，大蔵財務協会，2019 年）
"Executive Compensation & Employee Benefits – Japan"（共著，Getting the Deal Through, 2021）
"Practical Law Global Guide Taxon Corporate Transactions – Japan Chapter"（共著，Thomson Reuters, 2021）

"Japan releases study group report on international taxation in the digital economy"（MNE Tax Website, 2021）等

上里　一海（うえさと　かずみ）
第Ⅱ編第2章2－1・2－2・2－3・2－5・第3章3－3担当

弁護士（西村あさひ法律事務所）
2009年東京大学法学部第一類卒業，2011年東京大学法科大学院修了，2016年弁護士登録。

樫野　平（かしの　たいら）
第Ⅱ編第2章2－1・2－2・2－3・2－5・第3章3－3担当

弁護士（西村あさひ法律事務所）
2015年東京大学法学部第一類卒業，2017年東京大学法科大学院修了，2018年弁護士登録。
【主な著書等】
『令和元年会社法改正と実務対応』（共著，商事法務，2021年）

森高　厚胤（もりたか　あつたね）
第Ⅱ編第2章2－4・第4章4－2の3⑴・第5章5－3担当

税理士（西村あさひ法律事務所）
1996年中央大学経済学部卒業。2020年国税庁辞職，同年税理士登録。

上野　元（うえの　はじめ）
第Ⅱ編第3章3－1担当

パートナー弁護士（西村あさひ法律事務所）
1997年東京大学法学部第一類卒業，1999年弁護士登録。2004年～2005年ニューヨークのスキャデン・アープス・スレート・マー・アンド・フロム法律事務所に勤務。2021年INSOL Fellowの称号取得。
【主な著書等】
「総論――COVID-19と倒産動向」事業再生と債権管理173号（共著，2021年）
『事業再生大全』（共著，商事法務，2019年）
『ファイナンス法大全（上）〔全訂版〕』（共著，商事法務，2017年）
『新会社法実務相談』（共著，商事法務，2006年）
『ファイナンス法大全アップデート』（共著，商事法務，2006年）
「自己資本比率規制の概要と金融機関の資産運用に影響を及ぼす諸論点⑴⑵」Lexis企業法務9巻・11巻（2006年）等

上田　真嗣（うえだ　まさし）
第Ⅱ編第3章3－2担当

パートナー弁護士（西村あさひ法律事務所）
2006年東京大学法学部卒業，2008年慶應義塾大学法科大学院卒業，2009年弁護士登録。2016年～2018年国内証券会社出向，2019年ヴァンダービルト大学ロースクール卒業。

【主な著書等】
「株式交付を利用した子会社化──GMO インターネットが OMAKASE を子会社化した事例──」旬刊商事法務 2278 号（共著，2021 年）
『社債ハンドブック』（共著，商事法務，2018 年）
『資金調達ハンドブック〔第 2 版〕』（共著，商事法務，2017 年）
『種類株式ハンドブック』（共著，商事法務，2017 年）
『ファイナンス法大全（上）〔全訂版〕』（共著，商事法務，2017 年）

谷澤　進（たにざわ　すすむ）　　　　　　　第Ⅱ編第 3 章 3 － 4，3 － 5 担当

弁護士（西村あさひ法律事務所）
2004 年東京大学法学部第一類卒業，2006 年弁護士登録。2012 年ヴァンダービルト大学ロースクール卒業（LL.M.inLaw&BusinessTrack），2013 年ニューヨーク州弁護士登録。2012 年〜 2013 年金融機関（在ニューヨーク）出向，2013 年〜 2014 年外資系証券会社（在東京）出向。
【主な著書等】
『金融機関コンプライアンス 50 講』（共著，金融財政事情研究会，2021 年）
『デジタルエコノミーと課税のフロンティア』（共著，有斐閣，2020 年）
『社債ハンドブック』（共著，商事法務，2018 年）
『ファイナンス法大全（上）（下）〔全訂版〕』（共著，商事法務，2017 年）
『REIT のすべて〔第 2 版〕』（共著，民事法研究会，2016 年）
『FinTech ビジネスと法 25 講』（共編著，商事法務，2016 年）

加藤　俊行（かとうとしゆき）

第Ⅱ編第 3 章 3 － 6 担当
税理士（西村あさひ法律事務所）
1985 年明治学院大学経済学部卒業。2004 年国税庁辞職，同年税理士登録。文教学院大学大学院客員教授。

大井　悠紀（おおい　ゆうき）　　　　　　　　　　　　　　　第Ⅱ編第 4 章担当

パートナー弁護士（西村あさひ法律事務所）
2001 年東京大学法学部第一類卒業，2002 年弁護士登録。2008 年コロンビア大学ロースクール卒業（LL.M.），2009 年ニューヨーク州弁護士登録。2010 年ノースウエスタン大学ケロッグ経営大学院卒業（MBA）。2012 年〜 2013 年東京大学法学部講師，2014 年から東京大学大学院法学政治学研究科講師。
【主な著書等】
『M&A 法大全（上）（下）〔全訂版〕』（共著，商事法務，2019 年）
「指名委員会等設置会社・監査等委員会設置会社の取締役会」ビジネス法務 2014 年 8 月号
「株式対価型組織再編における株式買取請求権」ジュリスト増刊『実務に効く M&A・組織再編判例精選』（2013 年）
『M&A 法務の最先端』（共著，商事法務，2010 年）

石﨑　泰哲（いしざき　やすのり）　　　　　　　　　　　第Ⅱ編第4章担当

パートナー弁護士（西村あさひ法律事務所）
2005年京都大学法学部卒業，2006年弁護士登録，2014年南カリフォルニア大学ロースクール卒業（LL.M.），2014年〜2015年ニューヨークのシャーマン・アンド・スターリング法律事務所に勤務，2015年ニューヨークの Nomura Holding America Inc. に勤務。2019年より大阪大学大学院高等司法研究科招へい准教授。

【主な著書等】
『基礎からわかる薬機法体系』（共著，中央経済社，2021年）
『金商法大系Ⅰ公開買付け（2）』（共著，商事法務，2012年）
『金商法大系Ⅰ公開買付け（1）』（共著，商事法務，2011年）
『会社法・金商法実務質疑応答』（共著，商事法務，2010年）
「プログラムの医療機器（SaMD）規制の動向」NBL1169号（共著，2020年）
「上場企業法制における企業の中期的利益とショートターミズムとの調整（上）（下）」旬刊商事法務2097号・2098号（共著，2016年）

野田　昌毅（のだ　まさき）　　　　　　　　　　　　　　第Ⅱ編第5章担当

パートナー弁護士（西村あさひ法律事務所）
2000年東京大学法学部第一類卒業，2001年東京大学大学院法学政治学研究科修士課程修了，2002年弁護士登録。2009年バージニア大学ロースクール卒業（LL.M.），2010年ニューヨーク州弁護士登録。2006年〜2008年および2012年〜2017年成際大学法科大学院非常勤講師（租税法），2009年〜2010年ニューヨークのサリヴァン・アンド・クロムウェル法律事務所勤務，2010年〜2011年楽天株式会社国際部出向，2014年〜2016年東京大学法学部非常勤講師。

【主な著書等】
『基礎からわかる薬機法体系』（共著，中央経済社，2021年）
「富士フィルムHD＝ゼロックス事件の分析と我が国M&A法制・実務への教訓（上）（下）」金融・商事判例1614号，1615号（共著，2021年）
『デジタルエコノミーと課税のフロンティア』（共著，有斐閣，2020年）
『論究会社法──会社判例の理論と実務』（共著，有斐閣，2020年）
『M&A・企業組織再編のスキームと税務〔第4版〕』（共著，大蔵財務協会，2019年）
『M&A法大全（上）（下）〔全訂版〕』（共著，商事法務，2019年）
『M&A契約研究』（共著，有斐閣，2018年）
『BEPSとグローバル経済活動』（共著，有斐閣，2017年）
『M&A・企業組織再編のスキームと税務──M&Aを巡る戦略的税務プランニングの最先端〔第3版〕』（共著，大蔵財務協会，2016年）
『クロスボーダー取引課税のフロンティア』（共著，有斐閣，2014年）
『国際仲裁と企業戦略』（共著，有斐閣，2014年）
『論点体系金融商品取引法（1）』（共著，第一法規，2014年）
『会社法実務解説』（共著，有斐閣，2011年）
『金商法大系Ⅰ公開買付け（1）』（共著，商事法務，2011年）
"Gettingthe Deal Through-Private Equity 2020－Japan Capter"（共著，Law Business

Research, 2020)
"Practical Law Taxon Corporate Transactions Global Guide 2020 - Japan Capter"（共著，Thomson Reuters, 2020)
"Practical Law Global Guide 2016/17 Taxon Corporate Transactions - Japan Chapter"（共著，Thomson Reuters, 2016)
"Gettingthe Deal Through-Private Equity 2017 - Japan Chapter"（共著，Law Business Research, 2017)
"The Tax Disputes & Litigation Review-Third Edition - Japan Chapter"（共著，Law Business Research, 2015)

《編集代表》
太田　洋　　山本憲光　　柴田寛子
《編著者》
松尾拓也　　中山達也　　濃川耕平

新株予約権ハンドブック〔第5版〕

2009年10月10日　初　版第1刷発行
2012年 6月25日　第2版第1刷発行
2015年 6月20日　第3版第1刷発行
2018年 3月31日　第4版第1刷発行
2022年 3月30日　第5版第1刷発行
2024年 7月20日　第5版第2刷発行

編集代表　　太　田　　　洋　　山　本　憲　光
　　　　　　柴　田　寛　子

発行者　　石　川　雅　規

発行所　　株式会社　商　事　法　務
　　　　　〒103-0025 東京都中央区日本橋茅場町 3-9-10
　　　　　TEL 03-5614-5643・FAX 03-3664-8844〔営業〕
　　　　　TEL 03-5614-5649〔編集〕
　　　　　https://www.shojihomu.co.jp

落丁・乱丁本はお取替えいたします。　　印刷／大日本法令印刷
© 2022 Y.Ota, N.Yamamoto, H.Shibata　　Printed in Japan
Shojihomu Co., Ltd.
ISBN978-4-7857-2952-3
＊定価はカバーに表示してあります。

JCOPY＜出版者著作権管理機構　委託出版物＞
本書の無断複製は著作権法上での例外を除き禁じられています。
複製される場合は、そのつど事前に、出版者著作権管理機構
（電話 03-5244-5088, FAX 03-5244-5089, e-mail: info@jcopy.or.jp）
の許諾を得てください。